Paul Vialar
Madame de Viborne
oder
Die Hetzjagd

Paul Vialar

Madame de Viborne

oder

Die Hetzjagd

Roman

Aus dem Französischen übertragen
von Grete Steinböck

Lizenzausgabe mit Genehmigung des Paul Neff Verlages, Wien
für Bertelsmann, Reinhard Mohn OHG, Gütersloh
den Europäischen Buch- und Phonoklub, Stuttgart
und die Buchgemeinschaft Donauland, Wien
Umschlag- und Einbandentwurf K. Hartig
Gesamtherstellung Mohndruck Reinhard Mohn OHG, Gütersloh
Printed in Germany · Buch-Nr. 3198/12

Erstes Kapitel

LE RENDEZ-VOUS

Patrice de Viborne

I

Le Rendez-vous

Angèle fröstelte.

Eine halbe Stunde zuvor hatte Euloge sie aus dem Schlaf geweckt, den sie erst spätnachts gefunden hatte. Er hatte ihr heißes, dampfendes Wasser in einem Emailkrug gebracht, die Reithose und den Jagdrock über den schadhaften Fauteuil neben dem Bett gebreitet, alles so sorgfältig, wie es eine Zofe getan hätte, denn seit Jahren gab es außer der Köchin und der Tochter Euloges, der »Gehilfin«, nur männliches Personal auf Schloß La Gardenne.

Angèle de Viborne hatte sich hastig gewaschen und sehr schnell angekleidet, wie immer an Jagdtagen. So flink war alles mit gewohnten Handgriffen vor sich gegangen, daß ihr die Kälte gar nicht zum Bewußtsein gekommen war. Jetzt, fertig angezogen, die Wollstrümpfe straff gespannt in den Reitstiefeln, den Rock hochgeknöpft, die Schirmkappe auf dem aschblonden Haar, das sie lang trug — denn trotz ihrer vierzig Jahre und dem ländlichen Leben war sie immer bedacht gewesen, hübsch auszusehen —, jetzt, am offenen Fenster, vor dem noch die Nacht lag, begann sie am ganzen Leib zu zittern.

Der Morgenwind hatte sich noch nicht erhoben, reglos lag der Park von Gardenne vor ihr. Er verschmolz mit dem Wald von Millancay, Loreux und Marcilly-en-Gault zu einer einförmigen dunklen Masse, aus der nichts hervorstach. Kein Wipfel zeichnete sich von dem Nachthimmel ab, kein Schimmer verriet das Moor von Prée, in dem sich sonst jahraus, jahrein die Wolken des Himmels der Sologne spiegelten und das seit drei Tagen zugefroren war.

Und kein Laut in der schwarzen Stille, stumm auch die Tiere, frierend zusammengerollt in den Erdlöchern, erstarrt selbst die Insekten, deren summender, brausender Chor im Sommer vom warmen Boden herkam und über die Bäume hinauf bis in die Höhen des ewig strahlenden Himmelslichts stieg. Alles lag gelähmt in dem winterlichen Schweigen so wie das Herz Angèle de Vibornes. Die Nacht hielt sie in Bann, und deshalb zitterte sie in einer Angst, die sie nicht zu unterdrücken vermochte. Mit weit offenen Augen schaute sie ins Dunkel und zweifelte daran, daß es jemals wieder einen Morgen geben könne.

Ein Windstoß riß sie aus ihrer Benommenheit. Hinten bei den Wirtschaftsgebäuden hörte man eine Holztür zuschlagen und das Scharren eines Pferdehufs auf dem Pflaster; dann schliff ein Metalleimer klirrend mit dem Ton einer zersprungenen Glocke über den Boden. Ein

Hund bellte zweimal kurz auf, ein Hund der Meute, dann antwortete eine Hündin. Gleich würden sich die beiden Stimmen, die sich so sehr unterschieden, wenn sie das Wild hetzten, zu einem einzigen, langgezogenen Heulen vereinen. Und alles wird nach einem unumstößlichen Ritus wie seit achtzehn Jahren ablaufen, dachte Angèle. Nach dem siebenten Schlag der Uhr am Wirtschaftstrakt würde sich die Tür unter ihrem Fenster öffnen, und in dem lichten, durch die vier Stufen gebrochenen Viereck, das bis zu dem schmutzigen Sand der Terrasse fiel, die lange Silhouette des Mannes erscheinen, der ihr Gatte war. Marquis de Viborne würde sich räuspern, weil ihn die feuchte Morgenluft in der Kehle reizte und er zuviel schwarzen, starken Tabak aus seiner nikotingetränkten Pfeife geraucht hatte, die jetzt in dem Ständer in seinem Zimmer, dem sogenannten Büro, hing.

Nun bellten die Hunde im Chor, und in den Pausen hörte man die Hufe der Pferde scharren, die, angekoppelt an den Bronzeringen im Hof, bandagiert wurden. Ein Fluch ertönte irgendwo bei den Ställen. Die Marquise erkannte die Stimme La Frondées, des Oberpikörs, der seine Meute im Holz so sicher in der Hand hatte.

Mit einem Male wurde in einem fernen, schwachen Lichtstreif das Ehrentor sichtbar, weit hinten, wie als Abschluß der noch im Dunkel liegenden Allee, die beim Schloß anfing, ein Tor, das immer geschlossen blieb. Man benützte stets den Seitenausgang bei den Wirtschaftsgebäuden, wenn man in den Wald hinaus wollte, weil dieser Ausgang dem Hundezwinger näher war. Schritte erklangen auf den Gängen im Haus; die Gäste standen auf und begannen sich anzukleiden, aber ihre Fenster sahen auf die Rasenflächen der Hinterfront hinaus, und man bemerkte keinen Lichtschein. Flüchtig fragte sich die Marquise, ob wohl alles in Ordnung war und ihre Aufträge richtig ausgeführt wurden. Aber sie wußte ja, daß sie sich auf Euloge verlassen konnte, daß er den Herren Gardas, Mehlen und Hubert in das grüne, das hellrote und das Bischofszimmer – man nannte es so, weil der Monsignore von Vierzon früher dort geschlafen hatte – die Wasserkrüge und das am Vortag bestellte Frühstück bringen würde: Tee für Gardas, Fruchtsaft für Mehlen, Schwarzbrot, Landbutter und Milchkaffee für Hubert, der sechsundzwanzig Jahre alt war, kaum älter als Enguerrand, der Sohn Monsieur de Vibornes aus erster Ehe.

Plötzlich ergoß sich das erwartete Licht grell über die Terrasse: man hatte die Lampe der Diele aufgedreht. Das Tor zur Freitreppe wurde aufgestoßen. Der Kies knirschte unter dem Türflügel. Drei Scheiben klirrten, die sich im Lauf der Zeit gelockert hatten und die festzumachen oder wenigstens zu verkitten niemand der Mühe wert fand;

das Räuspern ertönte, und zugleich fiel der Schatten einer hohen Gestalt in das Viereck, das er völlig ausfüllte.

Marquis de Viborne, der bis jetzt nur eine verzerrte Silhouette gewesen war, erschien. Er war nicht kleiner in seiner lebenden Erscheinung, eine Art hagerer Koloß, mit eisenharten Beinen und schmalem Oberkörper, mit riesigen Füßen und Händen. Seine Züge waren nicht zu unterscheiden, aber die Marquise kannte jede kleinste Einzelheit; sie wußte von jeder Kerbe dieses Gesichts, jeder Falte des geraden, ausrasierten Nackens unter dem melierten, drahtigen, in Bürstenfrisur geschnittenen Haar. Zum Unterschied von so vielen Frauen, die in der Gewohnheit ersticken und ihren Ehegefährten kaum mehr sehen, hatte sie dieses Antlitz seit achtzehn Jahren unablässig betrachtet, und noch immer entdeckte sie Neues und Staunenswertes an diesem Mann. Er hob den Kopf nicht, um zu sehen, wie weit sie war. Er suchte sich nicht zu vergewissern, daß sie da oben stand, daß sie, wie immer, außer an besonders stürmischen Tagen, das Fenster offen hatte.

Und dies nicht wegen ihres langen nächtlichen Gesprächs nach der Verabschiedung der Gäste, das den heutigen Tag zu einem von allen anderen Tagen gänzlich verschiedenen gestalten würde, sondern deshalb, weil Monsieur de Viborne niemals zu den Fenstern seiner Frau hinaufblickte, wenn er sich vor der Parforcejagd zu den Hundezwingern begab und nur seine Meute und seine Pferde im Kopf hatte.

Sie sah ihm nach, wie er sich mit seinen großen Schritten im Morgengrauen, das ihn ein wenig drückte, entfernte und mechanisch mit der Reitpeitsche an den Stiefelschaft schlug. Das also war der gleiche Mann wie jener, der sie vor einigen Stunden auf der Treppe zurückgehalten und gebeten hatte, in »sein Zimmer« zu kommen.

Das Zittern verstärkte sich bei dieser Erinnerung und bei dem Anblick der im Dunkel entschwindenden Gestalt, die das Nichts aufzusaugen schien. Vergeblich suchte sie ihre Hand zur Ruhe zu zwingen, klappernd schlugen ihre Zähne aufeinander, die Finger verkrampften sich in das Fensterbrett, und ihre Knie wankten wie bei einem gehetzten Tier.

Noch saßen sie nicht zu Pferde, aber seit langem schon hetzte die Jagd hinter ihr her, mit wütendem Gebell, Geschrei, hart auf den Fersen und wieder zurückbleibend, mit allem Entsetzen und aller Hoffnung, hinter ihr, der Marquise, wie hinter ihrem Gatten, hinter Enguerrand, hinter Angélique, ihrer Tochter, selbst hinter ihrer Mutter und gewiß auch hinter Mehlen und Gardas und allen anderen Gästen, die jetzt kommen würden, aus Chalès, Saint-Viâtre, Moet-

Neuf, Thiellaye oder Sébillière, und sogar schon hinter ihrem Sohn Lambert, der doch erst dreizehn Jahre zählte.

Und das stürzte sie in noch tiefere Verzweiflung als die Eröffnungen, die ihr der Marquis heute nacht gemacht hatte. Vielleicht war die Jagd für einige von ihnen schon zu Ende, und es gab für das zusammenbrechende gehetzte Wild nur mehr die Wahl, die Fanfare des Halalis aufrecht stehend oder auf den Boden gestreckt zu vernehmen; für die anderen aber bestand noch alles, was die Jagd an Angst, Fluchten, Rückzügen, tödlichem Schrecken barg, alles, was für das Tier einen Tag währt, einen Tag, der lang wie ein Leben dauert und unweigerlich zu dem grauenhaften und unbegreiflichen Ende, dem Tod, führt, dem leiblichen wie dem geistigen Tod.

Seit vierzig Jahren – oder doch wenigstens zwanzig, wenn man die ersten abzieht – losgelassen, hinausgeschickt, aber noch ohne es zu wissen, sicher der eigenen Kraft, sicher des Sieges, sicher, dem Ende zu entkommen, wie jene Hirsche, denen es gelingt, unversehrt in die Nacht zu entschwinden. Zwanzig Jahre – oder vielmehr achtzehn, achtzehn Jahre Ehe mit dem Marquis de Viborne – Kampf, Debatten, Aufflackern, Versuche, verzweifelte Hoffnungen, um dahin zu gelangen, zu diesem Gesicht, das ihr aus dem Spiegel ihres Ankleidezimmers entgegenblickte, diesem noch glatten, straffen Gesicht, fest wie ihre Brust und ihr ganzer Körper, aber doch schon – ja, schon! – gezeichnet, trotz aller Pflege, mit den ersten Anzeichen des Welkens, des Verfalls, wie die Früchte, die man im Herbst in die Fächer des Obstkellers legt und die, wenn auch kaum merklich, die Spuren aller Hände tragen, die sie berührten.

Sieben kurze Schläge tönten von den Stallungen her. Der Duft heißen Kaffees stieg von der Küche auf. Monsieur de Viborne war verschwunden.

Sie mußte an ihr Tagwerk gehen, sich verhalten wie an jedem Tag dieser achtzehn Jahre, aus dem Gedächtnis streichen, was sie in dieser Nacht gesprochen hatten. Sie mußte ihre Pflichten erfüllen, ihren Dienst leisten, den sie achtzehn Jahre lang freiwillig geleistet hatte, und nichts anderes. Monsieur de Viborne hatte es ihr vor fünf Stunden gesagt: »Du wirst es tun, Angèle, weil du anständig bist.«

Das war sie, ja. Sie schloß das Fenster, und sofort hörte das Zittern auf. Sie stand in tiefer Finsternis, denn sie hatte die Lampe abgedreht, aber sie fand es weniger dunkel in diesem Zimmer als draußen, wo sich trotz des nahenden Tages die schwarze Unendlichkeit dehnte.

Nein, sie war noch nicht bei den »Retours«, den Rückzügen, den Täuschungsmanövern und letzten Ausflüchten der Jagd angelangt. Sie mußte mit Anstand weitergehen, den ihr bestimmten Weg ohne

Trug und Täuschung verfolgen, ohne abzuweichen. Es lagen noch genug Heiden, freies Gelände und Sümpfe vor ihr. Trotzdem aber, das wußte sie, war die Meute hinter ihr her, bereit, sie zu Tode zu hetzen, wenn der Tag gekommen war.

Sie tastete sich zur Türe. Der Flur war dunkel, nur von einem schwachen roten Nachtlicht am Ende erhellt, und dunkel auch die Schwelle des Zimmers von Monsieur de Viborne. Kein Lichtschein fiel durch den Spalt unter der Türe. Was hatte er gedacht, als er diesen Raum verließ, in dem er lebte, den sie nur betrat, wenn er sie darum bat, und meist, um auch eine Pflicht zu erfüllen? Das Herz Madame de Vibornes krampfte sich zusammen, und mit einem Male sah sie die hohe Gestalt des großen Mannes, die zu Pferd noch aufrechter wirkte, wie in einer Vision vor sich, diese Schwelle überschreitend, aber in entgegengesetzter Richtung und ohne daß die Füße den Boden berührten, wie ein Toter, getragen von den Männern, von La Frondée, von Euloge.

»Mein Mann«, sagte sie laut, mit gebrochener Stimme.

Eine tiefe Achtung und ein ganzes Leben lagen in diesen Worten. Ihr Mann – das war er wirklich und wahrhaftig gewesen, in seiner Art vielleicht, aber konnte es eine andere Art für Männer seines Schlags geben? Obwohl sie nicht aus seiner Sphäre stammte, hatte er es ohne viel Worte verstanden, ihr die großen gültigen Gesetze, nach denen er selbst seit je gelebt hatte, wie Axiome einzuprägen. Es waren Gesetze, die auch jene seines Vaters, seines Großvaters und aller seiner dahingegangenen Vorväter gewesen waren. Mit ihrer Ehe hatte Angèle eine Art Glaubensübertritt vorgenommen und sich zu dieser Art Religion bekannt, der er und die Seinen angehörten. Aber waren sie wirklich immer dem Glauben treu geblieben? Plötzlich fielen ihr Enguerrand, der Sohn Patrice de Vibornes, und Angélique, ihre eigene Tochter, ein und auch Lambert, der noch ein Kind war und dessen heißes Blut schon so ungebärdig brodelte wie das des Ältesten, des Revolutionärs.

Sie legte die Hand an das Geländer der großen Treppe. Eine Stimme rief sie. Sie drehte sich um, sie wußte sofort, daß es Hubert war. Er mußte ihren Schritt erkannt haben, und da erschien er selbst auf seiner plötzlich erleuchteten Türschwelle. Er hielt die Petroleumlampe in der Hand. Solche Lampen standen in allen Gemächern, denn das elektrische Licht funktionierte nicht immer; bei jedem Unwetter, jeder Unregelmäßigkeit der Natur versagte es. Madame de Viborne wußte auch genau, daß er weder Schalter noch Wandarm bei seinem Bett hatte und daß er die Lampe beim Lesen und beim Aufstehen anzündete. Er rief sie mit ihrem Vornamen, wie immer, wenn sie

11

allein waren. Hastig deutete sie ihm zu schweigen, und tatsächlich öffnete sich eben eine andere Türe, die Türe Gardas'.

Und da war er schon vor ihr, jovial, klein und dicklich, mit runden Waden, rundem Bauch und runden Hüften. Der prall sitzende Jagdanzug betonte noch seine Kurven, seine Pausbäckigkeit. Die Krawatte war der Mode entsprechend weiß, aber Angèles geistiges Auge sah unwillkürlich eine andere, jene Lavallière-Schleife, die von den radikalen Abgeordneten 1918 getragen und fast bis zum zweiten Krieg benützt worden war. Man schrieb immerhin 1951, und die Welt hatte sich weitergedreht. Bestimmt hatte sich auch Gardas weiterentwickelt, da er Minister gewesen war und dadurch die internationalen Beratungen, die Probleme des Lebens und des Todes, die man auf dem Papier regelt, kennengelernt hatte. Und trotzdem blieb er auch im Jagdanzug der alte, als ob seine Funktion an sich eine Uniform wäre; daß man ihn jetzt bald hoch zu Roß sehen würde, machte die Sache noch grotesker, noch komischer. Ein harter Tag für Gardas, den er aber um nichts in der Welt hätte missen mögen, denn er war ein tapferer Mann, in dieser Sache wie in allen andern, voll zäher Willenskraft. Es gab keine Nebensächlichkeiten für ihn, sondern nur zu überwindende Hindernisse, seien es nun die Hindernisse des Waldes, in den ihn, den Laien, der Jagdherr Marquis de Viborne schleppte, oder seien es die Hindernisse einer Karriere, für die er ebenfalls kein Wagnis scheute.

Mehlen mußte die andern gehört haben, denn nun stand auch er auf dem Korridor. So war er, immer gespannt, immer beobachtend, immer bereit, in allen, auch den unbedeutendsten Dingen des täglichen Lebens. Mehlen war ein Mann, der stets »auf der Lauer« lag, ob er nun sein Frühstückstablett, das Läuten des Postboten – trotz seiner zahlreichen Dienerschaft – erwartete, ob er an Beratungen oder Besprechungen teilnahm, deren Vorsitzender er doch war. Eine Gewohnheit aus der Kinderzeit, denn immer war er verfolgt worden; er wußte zumindest seit jeher, daß man es auf ihn abgesehen hatte.

Dem Äußeren nach unterschied sich dieser allmächtige Mann durchaus nicht von den andern, im Gegenteil, er wirkte klein und unscheinbar. Trotz des Anzugs aus erstklassigem Stoff, der aus der Werkstatt des besten Schneiders stammte, trotz seines kostbaren Lederzeugs, den Stiefeln aus feinstem Material, blendete er nicht, denn alles an ihm war grau in grau, gleichförmig, Haar, Haut, seit jeher, wie zur besseren Tarnung seiner unheimlichen Kraft. Selbst seine Hände waren zart, diese grausamen Hände, die so viele Menschen im Zaum hielten; beiläufig, nachlässig, mit einem blassen Strich seines winzigen Füllhalters, der wie der Lippenstift einer feinen Da-

menhandtasche aussah; Hände, die nach Belieben banden oder fallen-
ließen. Er trug Brillen mit dünner Goldfassung, deren Gläser matt
getönt, wie angelaufen waren, nicht weil er schlecht sah, sondern
weil er den Strahl seines manchmal zu hellen Blicks der zu blauen
Augen dämpfen mußte.
Die drei Männer bewegten sich also gemeinsam auf Angèle de Viborne zu, die sich umgedreht hatte und auf sie wartete. Sie sah sie
kommen, jeder so verschieden und doch jeder so wichtig in ihrem
Leben, wenn auch aus ganz andersgearteten Gründen. Instinktiv
hatte sie sich ihnen zugewendet, wie sich der Hirsch am Ende der
Jagd den Hunden stellt; aber sie wußte wohl, daß die Verfolger noch
weitere Umwege, Ausflüchte und Listen planten, und so verhielt sie
einen Augenblick, wie um Kräfte zu sammeln – noch war sie nicht am
Ende angelangt.
Sie sagte:
»Ist Patrice schon weggegangen?«
»Gewiß«, antwortete Gardas mit seiner hellen Gaskogner Stimme.
Mehlen hatte ihn im Flur gehört. Vom offenen Fenster aus hatte er
den aus der Tür fallenden Lichtschein und den Marquis gesehen.
Aber er erwähnte es nicht.
Hubert Doissel sagte:
»Hoffentlich hat La Frondée das Hufeisen Ihrer Stute gerichtet!«
»La Frondée vergißt nichts«, antwortete Madame de Viborne. Aber
Hubert hatte ihr nur zeigen wollen, daß er an alles dachte, was sie
betraf. »Wenn ich bitten darf, meine Herren!«
Sie folgten ihr. Hubert als erster, dann Gardas und als letzter Mehlen, der sie beobachtete, obwohl er den Blick auf die Stufen gesenkt
hielt. Er sah ihre Rücken mit abschätzenden Augen, den jungen Mann,
schlank und gut gewachsen, voll jugendlichen Feuers; den andern,
den Schlauen, Durchtriebenen, den Biedermann mit den Hinterbacken,
rund wie Winterkrautköpfe. Und vor den beiden Männern sah er
Angèle gehen – immer nannte er sie in Gedanken mit ihrem Vornamen, und nur wenn er sie ansprach »Madame« – und auch ihr
räumte er einen festen Platz in seinen Plänen ein. Alles wußte er von
ihr, die kleinste Einzelheit ihrer Vergangenheit – er besaß mehr Kin-
derbilder von ihr, als sie selbst jemals besessen hatte –, und er kannte
ihren Körper, den er niemals, nicht einmal im Badeanzug, erblickt
hatte. Er wußte zum Beispiel, daß eine ihrer Brüste einen Gedanken
höher war als die andere, daß sie ein Muttermal auf einer bestimmten Stelle des Schenkels hatte, dessen genaue Form er kannte. Und er
wußte genau, und besser als sie, was sie für ihren Mann, für ihn,
für Gardas und auch für Hubert Doissel empfand; er hatte so viel

13

darüber gegrübelt, daß er sich ihre Liebesstunden mit dem Jungen sehr gut vorstellen konnte.

Sie durchquerten die Diele, die von einer einzigen Birne erleuchtet war. Der Luster war kaputt, man hatte sie »provisorisch« aufgehängt, und da hing sie noch immer. Madame de Viborne ging als erste auf die Terrasse hinaus, Hubert ließ Gardas nicht den Vortritt – war ihm das überhaupt aufgefallen? –, und was Mehlen betraf, so war diesem klar, daß die beiden ihn ganz vergessen hatten.

Er war es, der etwas zurückblieb und die Türe schloß. Und jetzt hörte er die Stimmen der Hunde.

Sie tönten von den Zwingern her, und schon dieses Konzert erhob die Seele Mehlens. Heute wurde jemand verzehrt, jemand, der seit langem zum Futter dieser Meute bestimmt war und der zur *Curée* sein Blut lassen mußte. Das befriedigte Mehlen, nicht weil er grausam war, sondern weil etwas von ihm Geplantes, von ihm Gewolltes, ja Herbeigeführtes erfüllt und zu Ende gebracht und ihm damit etwas zuteil wurde, was er seit langem begehrte. Nun konnte ihn kein Mißerfolg mehr schrecken, weil er sich das Wesentliche zu sichern vermocht hatte. Er kannte auch den festen Preis, der dafür zu zahlen war, denn seit Tagen schon war seine Rechnung aufgestellt.

Der gefrorene Schlamm klirrte unter ihren Füßen, die Nacht war kalt gewesen. Sie gingen die Hartriegelhecke entlang, hinter der sich die Stallungen verbargen. Nach einer Biegung gelangten sie in den Hof.

Man sah nur sich bewegende Schatten, die Schatten der Pferde und die Schatten der Reitknechte. Die Stimme Monsieur de Vibornes begrüßte sie:

»Meine Herren, es ist sieben Uhr sieben Minuten.«

Sie antworteten nicht. Jeder tastete sich durch das dämmrige Dunkel zu seinem Pferd.

»Hierher, Madame«, sagte La Frondée, »he, Pasiphae!«

Die Stute bäumte sich auf, zweifellos durch die Morgenkälte gereizt, Madame de Viborne streichelte sie. Hubert trat zu ihr.

»Ich werde Madame helfen, kümmern Sie sich um die andern, La Frondée!«

Aber La Frondée schien nichts gehört zu haben, er reichte Madame de Viborne seine gefalteten Hände als Steigbügel. Er hörte immer nur das, was ihm sein Herr sagte. Er hob also Madame de Viborne in den Sattel, prüfte Gurt und Zaumzeug und entfernte sich erst, als er das Pferd gut in ihren Händen wußte. Nun konnte sich Hubert ihr nähern:

»Hat er gestern abend mit dir gesprochen?«

»Ja.«

»Unsertwegen?«

»Ja ... auch ...«

»Ah«, sagte er.

»Hast du denn geglaubt, daß er blind ist?«

»Aber daß er davon sprechen kann ...«

»Was macht das schon aus?«

Sie sagte es und dachte es wirklich so. Das Problem lag woanders, was Hubert freilich nicht ahnen konnte. Aber sie hütete sich, es ihm zu erklären.

»Los ...«, sagte sie. »Später dann ...«

Er fuhr wütend zurück. Die verhaßte Stimme Monsieur de Vibornes scholl über den Hof:

»Los, meine Herren, aufsitzen, bitte!«

Der Marquis war schon im Sattel, und seine hohe Gestalt, die eins mit dem Pferd schien, zeichnete sich im grauenden Tag ab. Er überragte alle, die Meute zuerst, die, von den Jagdknechten gehalten, darauf brannte, losgelassen zu werden; die Fußleute und La Frondée und auch die Leute zu Pferd, Angèle, seine Frau, und Gardas und Hubert, der sich so wichtig vorkam und es eigentlich gar nicht war, und auch Mehlen, der sich eben in den Sattel des Fuchses schwang, eines schönen, für ihn abgerichteten Tiers.

»Auf, meine Herren, wenn ich bitten darf!« rief der Marquis.

Er lenkte sein Roß zum Hofausgang, ohne sich zu kümmern, ob man ihm folgte.

Er ritt. Er ritt und hatte alle Gedanken außer der Jagd abgeschaltet. La Frondée befand sich an seiner Seite. Weiter vorn dann, bei der Wegkreuzung, wollte er ihn mit den Pikören und den Spürhunden verlassen, um das Gebiet zu umkreisen, wo die gestern abend gefundene Fährte das Revier des Hirsches angezeigt hatte. Monsieur de Viborne kannte das Tier genau. Ein starker Hirsch mit gutem Geweih, ein stolzes Tier, das heute, so hatte er es befohlen, zu Ehren der Dame erlegt werden sollte, die seinen Namen trug. Nur Angèle de Viborne durfte heute Jagdherrin sein.

Sie ritten im Schritt durch die Waldallee, in der es allmählich heller wurde. Es war ein frostiger Morgen mit dem stehenden Nebel unter den Bäumen, der aus dem feuchten Boden der Sumpfgegend aufsteigt und manchmal den ganzen Tag liegenbleibt. Die Hunde waren stumm, zogen an ihren Riemen oder hoben das Bein an den Böschungen. Weiche, wattige Stille, die nur durch das dumpfe Aufschlagen der Hufe auf dem gefrorenen Boden, das Knirschen und Brechen des Eises, das Schnauben eines Pferdes oder den erstickten Fluch eines Jagdgehilfen durchbrochen wurde.

15

Und dieser Morgen vereinigte alle die Lebenden, so kurz die ihnen beschiedene Frist auch war; für Monsieur de Viborne zumindest blieb das Leben auf fünfzig Jahre beschränkt, und wenn er es rückblickend betrachtete, dann lag es wie eine einförmige Unendlichkeit gleicher Farbe, gleichen Geschmacks, gleichen Takts hinter ihm. Heute freilich würde es ganz anders schmecken als sonst, gewiß nach frischen Wunden und Blut.

Sie hatten den Park, der unmittelbar hinter den Stallungen begann, durchquert und waren in den Wald gekommen, in den der Park überzugehen schien. Mächtige hohe Stämme wechselten mit kleinen Lichtungen, in denen verkümmerte Birken in bleichen Büschen standen; ehemalige Felder, in denen jetzt Brombeerstauden und Unkraut wucherten, weil es nicht dafürstand, den kargen Boden zu bebauen. Im Lauf der Jahre war alles das zu einer einzigen weiten, baumbestandenen Fläche verwachsen, einer ruhigen Flut, deren Wellenkämme sich wohl kräuselten und regten, deren Tiefe aber das gleiche Leben barg wie das Meer.

Sie erreichten die Wegkreuzung, wo sternförmig acht Wege auseinanderliefen und in deren Mitte ein graubemalter Holzpfosten die Richtungen wie eine Hand mit zuviel Fingern anzeigte. Sie waren noch nicht am Ziel. Monsieur de Viborne stellte fest, daß sein Gefolge in richtiger Ordnung hinter ihm her ritt, was er sofort vergaß, nachdem er sich gewohnheitsmäßig vergewissert hatte. Er bemerkte bei diesem kurzen Zurückschauen nicht, daß seine Frau vor den Männern ritt, daß keiner an ihrer Seite war, daß sich weder Hubert noch Gardas auf gleicher Höhe befand und daß Mehlen die Nachhut bildete; er wunderte sich nur einen Augenblick lang, daß die Stute der Marquise nicht mehr hinkte, und freute sich darüber, als ob heute ein Tag wie jeder andere wäre.

Sie kamen zum Ende der Allee, der »Mittagsallee«, wie sie hieß, weil sie um die Mittagsstunde in vollem Sonnenlicht lag, sobald die Wolken auch nur einen Strahl durchdringen ließen. Tatsächlich bildete der graue Pfosten eine Art Sonnenuhr für den Wald, und die Stellung des Tagesgestirns gab hier seit Jahrhunderten die Stunde sicherer an als alle großen und kleinen Uhren. Auch hier standen sie an einer Kreuzung, aber an einer einfachen: Ein einziger Waldweg querte die Hauptallee, auf der Monsieur de Viborne mit seinem Gefolge gekommen war.

Der Marquis zog die Zügel an und achtete darauf, genügend Platz für die Pferde seiner Gäste zu lassen, die sich fächerförmig um ihn aufstellten, und ebensoviel Platz für die anderen, die von drüben erwartet wurden. Wie immer führte Madame de Viborne ihre Stute an den Braunen ihres Gatten heran und blieb eine Nasenlänge hinter ihm stehen. Denn Monsieur de Viborne war der Jagdherr, der Maître.

»Darf ich gehen, Herr Marquis?« fragte La Frondée.

Monsieur de Viborne machte eine zustimmende Handbewegung. Der Oberpikör, gefolgt von den Pikören und den Spürhunden, sprengte davon. Er ritt das eingekreiste Gelände ab und kam dann durch die gleiche Allee zurück, die jetzt die Jäger eingeschlagen hatten.

Schwermütige Stille lag über dem Wald. Man fühlte die feinen Schwingungen des Bodens, die ein regelmäßiger Axthieb irgendwo weit entfernt auslöste. Es klang wie das tiefe gleichmütige Klagen einer Totenglocke, ein leises Grollen, das gewiß verstummen würde, wenn man es nicht mehr beachtete. Der Ton stieg senkrecht aus der Erde, wie der Rauch aus dem Kohlenmeiler, der sich wie eine blaue Säule im dunkleren Himmel verliert. So mußte der Tod sein; trotz der Qualen, die ihm vorangehen, trotz der schmerzenden Wunden und auch der Verzweiflung, so einfach und ruhig, zu jeder Minute möglich, einem Baum vergleichbar, der wankt, durch das Gewicht seines Wipfels den letzten Halt verliert und brechend zu Boden sinkt.

Monsieur de Viborne schwieg, weil er nichts Wesentliches zu der bevorstehenden Partie mehr zu sagen hatte. Außerdem haßte er jede unnütze, banale Konversation, er kam sich albern dabei vor und vermied sie tunlichst. Selbst zu Angèle hatte er immer nur das Nötigste gesprochen – und genügte das nicht?

Im Augenblick rechnete er sich aus, wie lange La Frondée zur Umkreisung des Holzes und die Jagdgehilfen zur Aufstellung des Relais brauchen würden, und er stellte fest, daß alles in Ordnung, richtig eingeleitet war und daß seine Gäste zur rechten Zeit zur Stelle sein würden. Denn zur Jagd kam man pünktlich auf die Minute, das gehörte sich so.

Und da erschienen sie schon am Ende der Allee. Man mußte wissen, daß sie es waren, um sie im Nebel zu erkennen. Monsieur de Viborne irrte sich nicht. Deshalb sprach er jetzt und sagte:

»Da sind sie.«

Sie waren es auch. Ohne sich verabredet zu haben, hatten sie sich, aus allen Richtungen kommend, am Waldrand getroffen. Bald bildeten sie rote und braune Farbflecke in dem gleichförmigen Grau des entlaubten Holzes. Sie kamen näher, einer hinter dem andern, zu Pferd oder im Wagen, und Monsieur de Viborne kannte die Formierung des Zuges. Denn da gab es eine feste Hierarchie, die weder bewußt noch zufällig durchbrochen werden konnte. Als erste kam Madame de Thiellaye in ihrem Dogcart mit den großen leichten Rädern, gezogen von einem Halbblut-Traber. Dahinter ihr Diener im Sattel, ihr Reittier am Riemen neben sich.

Fanny Nard und Lucienne Caumont folgten gemeinsam. Zwanzig Jahre war es her, daß die Amerikanerin das Schloß von »Vau« gekauft, fünfzehn, daß sie zum erstenmal an einer Parforcejagd in La Gardenne teilgenommen hatte, mithin kannte und achtete sie die Gewohnheiten dieser stehengebliebenen Welt, der sie mit ihren Hosen, ihrem Herrensitz und ihren Zigaretten nicht angehörte.

Lucienne war eine Freundin Madame de Vibornes. Sie mochte sie gerne; aus tausend Gründen, vor allem, weil sie fröhlich war. Wenn Angèle das durch die Melancholie der Sologner Landschaft noch vertiefte Einerlei ihres Alltags allzusehr bedrückte, ließ sie, ohne vorher anzurufen, anspannen oder sprang in ihren kleinen Wagen oder ritt über Saint-Viâtre oder auch querfeldein nach Chalès, wo ihre Freundin zu Hause war. Lucienne lebte allein, früher einmal hatte es einen Ehemann gegeben, aber sie hatte ihn ziehen lassen. Sie fand sich ohne ihn sehr gut zurecht, obwohl sie innerlich auch früher frei gewesen war, selbst damals, als er noch mürrisch, als ewiger Stänkerer, im Haus herumgeschlichen war.

Den drei Damen folgten die Herren: der Graf von Pyrènes, der behauptete, sein Name sei eine Verkürzung von »Pyrénées«, und der sich daher als Nachkomme Henris IV. fühlte, wobei er durch einen viereckig geschnittenen Bart die Ähnlichkeit mit seinem angeblichen béarnesischen Ahnen zu betonen suchte.

Dann kam ein pensionierter Oberst namens La Bretêche, der seine beiden Pferde in dem Stall neben seinem vor elf Jahren gekauften Landhaus selbst bandagierte und pflegte. Damals hatte er umbauen, modernisieren wollen, aber aus Geldmangel gab es immer noch Kerzenbeleuchtung im Haus. An seiner Seite befand sich Mandaule, der Notar von Saint-Viâtre. Er ritt Kastor, das zweite Pferd des alten Offiziers, während sich La Bretêche selbst Pollux vorbehielt, der kräftiger und breiter war und das übermäßige Gewicht des Riesen leichter trug.

Und noch andere Reiter: eine Nichte der Bankiersfamilie Princeps namens Edith, die einundzwanzig Jahre alt war; dann Flamant, der den Wald von Monsieur de Viborne gekauft hatte. Und weitere, die an der Jagd selbst nicht teilnahmen und die, ihr Fahrrad führend, Abstand hielten: Grouvé, der Hufschmied, die beiden Söhne Genèt und Boisard, der Pächter Monsieur de Vibornes, der an solchen Tagen »seine« Felder wegen der Schäden, die jede Jagd verursachte, in den Augen behielt und der nachher schimpfend und fluchend die von den Pferden umgeworfenen Planken wieder aufrichtete, die zerris-

senen Gitter flickte und grollend den von den kräftigen Hufen zer-
wühlten Boden einebnete.

Monsieur de Viborne ritt vor, als sich der Jagdzug auf einige zwanzig
Meter genähert hatte. Schon zog Madame de Thiellaye die Zügel an,
und ihr Halbblut verfiel in langsame Gangart; das gleiche taten alle,
die ihr folgten: Fanny Nard, Lucienne Caumont, La Bretêche und
Mandaule und schließlich Edith und neben ihr der klobige, unter-
setzte Holzhändler, der sich auch um die Schlägerungen der Princeps
kümmerte und dessen breite Schultern, derbe Hände und dicklich
rotes Gesicht sie erschreckte und reizte zugleich, ohne daß sie noch
recht begriff, warum, vielleicht ohne daß es ihr bewußt wurde. Mit
einem Blick umfaßte der Marquis den ganzen Zug.

Es waren nicht die Gäste der großen Jagden, und jeder wußte, man
würde auch nur einen Hirsch unter vielen Hirschen hetzen. Einen guten Hirsch, aber nicht mehr; es war ein Tag, wie man ihn schon oft
erlebt hatte und der dem vorhergehenden glich.

Nur Madame de Viborne wußte es besser. Und mit ihr Monsieur de
Viborne, ihr Gatte, dem niemand angemerkt hätte, daß ihm heute
anders zumute war als bei so vielen Jagden, wenn er seine Gäste an
der gleichen Stelle erwartete, sich vor ihnen verbeugte und seine
Jagdkappe mit den immer gleichen Worten zur Begrüßung schwang:
»Willkommen beim Rendezvous!«

II

Das Wild

Von diesem Augenblick an lag alles in den Händen Monsieur de Vibornes.

Er machte daher halb kehrt auf seinem Pferd und stellte sich La Frondée gegenüber, der eben vom Umritt zum Sammelplatz zurückkam.
Der Oberpikör zog den Hut vor dem Jagdherrn:

»Herr Marquis, ich habe einen Hirsch ermittelt.«

Da er die Fährte aufgenommen hatte, konnte er das Tier beschrei-
ben, und so erfuhren Monsieur de Viborne und seine Gäste, daß es
ein ziemlich starker Hirsch war, zweifellos jener mit dem guten, wenn
auch leicht asymmetrischen Geweih. Ein Tier, das ihnen bestimmt
einiges aufzulösen gab, das man aber trotzdem vor Nachtanbruch zur
Strecke bringen würde.

Angèle sah ihrem Gatten nach, als er im Schritt wegritt. Er wollte
sich selbst überzeugen, ob alles an Ort und Stelle war, die Männer,

die Hunde und die Relais. Er war es, der die Signale gab und die Fanfaren zu allen Phasen der Jagd blies. Niemand andrer war berechtigt dazu. Monsieur de Viborne ritt in die Allee ein. La Fondée sprach nicht mehr; er hatte alles Nötige erklärt.

So würde sich also alles wie immer abspielen, und auch heute brauchte man auf keine Überraschungen gefaßt zu sein. Monsieur de Viborne jagte schon zu lange, um nicht zu wissen, daß sich jede Jagd folgerichtig nach festen, unumstößlichen Regeln entwickelte und daß Intuition und Initiative nur einzusetzen waren, um etwas wieder einzurenken, was aus der Norm gefallen war.

Sie waren bei der Stelle angelangt, wo der Pikör die Zweige verbrochen hatte. Instinktiv hielten sie dem Wald gegenüber, und die Jagdgehilfen koppelten die alten Hunde los, die sich in den Dammweg stürzten.

La Frondée ging ins Holz, ließ aber die Hunde vorlaufen. Behutsam drang er weiter ins Dickicht, alle andern folgten stumm. Die Hunde aber, statt ebenfalls mechanisch weiterzurennen, stöberten im Gebüsch, rochen an den Zweigen, holten Wind und arbeiteten selbständig.

Monsieur de Viborne war etwas zurückgeblieben. Er hielt das Pferd an und lauschte gespannt in diese belebte Stille, in der er jede Bewegung, jedes Verharren unterschied, als sähe er sie mit den Augen. So stand er und wartete auf das Geräusch brechender Zweige, spritzender Erde, ausgerissenen Buschwerks, das den Aufbruch des Wildes anzeigte. Ja, auf dieses Geräusch wartete er; es war der Beginn, der alles in Bewegung setzte und mitleidlos dem Ende zuführte.

Im Geiste steckte er bereits den Weg der Jagd ab. Der Hirsch würde sich zur Mittagsallee wenden, sie übersetzen, zur Mulde »Hautbois« flüchten und dort den gesuchten Wechsel finden. Er sah ihn, wie mit eigenen Augen, umkehren, den Weg zurückverfolgen, bis er die Heide, das freie Gelände erreichte. Dort würde man ihn aufzuspüren trachten. Und bestimmt würde das Tier auftauchen, und an diesem Ort mußte das Relais aufgestellt werden. Und dann kam das Debucher, das Wild brach aus dem Unterholz, zog in die Heide, wo man die Fährte fand, die sich wieder zurück in den Wald verlor. Nun hieß es verharren, geschickt manövrieren, bis es neuerlich aufgescheucht war. Monsieur de Viborne wußte auch, wo man dem Hirsch endlich gegenüberstehen würde: im Sumpfgebiet der Prée – es konnte gar nirgends anders sein. Er sah sich selbst im Galopp auf dem schmalen Pfad durchs Dickicht jagen, zwischen dreihundertjährigen Weißbuchen, unter den tiefhängenden, knorrigen Ästen, dick wie Baumstämme, die den Weg in Mannshöhe versperrten und wo man sich rechtzeitig bücken mußte, um nicht mit zerschmettertem Schädel zu Boden zu stürzen. Dann war es soweit . . . dann . . .

Denn so mußte es geschehen. Wie gestern geschehen war, was geschrieben stand. Alles ist vorherbestimmt. Es kostet viel Mut, zu leben, und besonders, zu wissen, wann, wie und wodurch man sein Leben zu begrenzen, in welchem fest umrissenen Rahmen man es zu führen hat.

Stille.

Und diese Stille setzte die Stille der zu Ende gegangenen Nacht fort. Aus dieser Stille klangen die Worte, die selbst eine Art Stille gewesen waren, Worte, die er heute nacht zu seiner Frau gesprochen hatte. Zuerst waren sie beim Diner gesessen. Bei Jagdeinladungen aß man immer im Speisesaal und benützte das silberne Geschirr; die Diener servierten, der junge Armand und Euloge, der den Tafeldienst ebenso beherrschte wie alle seine Obliegenheiten.

Denn abends wurde stets feierlich gedeckt. So war es seit jeher üblich, selbst ohne Gäste, wenn Monsieur und Madame de Viborne mit ihren zufällig anwesenden Kindern speisten, obwohl Lambert auch dann oben in seinem Zimmer aß. Nur im Winter, wenn der Schnee Wald und Flur bedeckte und der Marquis mit seiner Gattin allein war – Angélique besuchte die Klosterschule Notre-Dame und Enguerrand die Universität –, nahmen sie ihre Mahlzeiten in dem kleinen Salon Madames vor einem Holzfeuer ein, denn den Saal hätte man den ganzen Tag lang heizen müssen.

Das gestrige Diner hatte sich in nichts von vielen früheren unterschieden. Mehlen und Gardas waren am Nachmittag von Paris gekommen, einer hatte den andern herausgebracht.

Jeder war von Madame de Viborne in sein Zimmer geleitet worden und ein wenig später zum Tee heruntergekommen.

Sie hatten ihn gemeinsam gegen fünf Uhr im kleinen Salon genommen. Hubert war ebenfalls erschienen, Angèle hatte es gewünscht und den Diener Euloge nach ihm geschickt. Hubert vermied tunlichst, in den Salon zu kommen; nur an den Tagen, da Monsieur de Viborne allein jagte und seine Meute mitnahm oder die entlegenen Felder und Pachthöfe inspizierte, was ihn längere Zeit fernhielt, tauchte er auf. Sonst ließ er durch Euloge ausrichten, daß er wegen seiner Arbeit der Einladung nicht folgen könne, nur um nicht zwischen den beiden Gastgebern sitzen zu müssen, in einer gequälten Stille, die bloß durch belanglose Gespräche unterbrochen wurde.

In Wirklichkeit arbeitete Hubert Doissel schon seit mehreren Wochen kaum mehr. Nicht daß er faul gewesen oder nach La Gardenne gekommen wäre, um hier eine Zeitlang von den Fleischtöpfen der Viborne zu leben, nein. Aber vor sieben Wochen war Angèle in sein Leben getreten.

Es war, im Grund genommen, eine recht banale Geschichte. Hubert Doissel war begabt; so lange er zurückdenken konnte, hatte er gezeichnet, ein junges Naturtalent, das seine Lehrer verblüffte. Mit vierundzwanzig Jahren erhielt er den Ersten Preis der Akademie der bildenden Künste, und er mußte sich für ein Fach entscheiden. Er brauchte nicht lange zu überlegen, die Graphik reizte ihn am meisten. Er versuchte sich darin und hatte sofort Erfolg. Er erhielt den Auftrag, ein Buch mit ganz eigener Atmosphäre zu illustrieren, dessen Titel »Die Große Meute« lautete. Aber Hubert kannte weder die Parforcejagd noch die Hunde. Ebensowenig hatte er jemals Rotwild auf freier Wildbahn beobachtet. Der Auftrag erforderte einige Wochen, vielleicht sogar Monate Studium eines ihm völlig fremden Milieus.

Monsieur de Viborne, der den Roman gelesen und sogar über ein paar Stellen mit seinen Bekannten im Sankt-Hubertus-Klub diskutiert hatte, ließ ihm mitteilen, daß er die fehlenden Kenntnisse am besten bei ihm erlernen könne; er fühlte sich mit dem Helden des Buches, einem Jagdherrn, der seine Meute so abgöttisch liebte, daß er ihr alles opferte, was sonst ein Leben glücklich und angenehm zu gestalten vermag, innerlich verwandt. In La Gardenne müßte der Illustrator entscheidende Anregungen finden, er sei daher herzlich eingeladen.

So zog Hubert zu Beginn November in La Gardenne ein. Monsieur de Viborne erinnerte sich genau seiner Ankunft. La Frondée hatte den jungen Mann in Nouans-le-Fuselier abgeholt und in dem kleinen Jagdwagen ins Schloß gebracht. Auf der Freitreppe hatte ihn Monsieur de Viborne erwartet und begrüßt. An seiner Seite stand die Marquise de Viborne.

Stille. Vorne im Holz witterten die Hunde, man hörte kaum die gedämpften Stimmen der Piköre, die sie aneiferten: »Los, ihr braven Burschen ... Hussa, du Kerl ...!« Patrice ritt ein paar Schritte in der Schneise weiter. Dann hielt er und wartete.

Als Hubert gestern den kleinen Salon betreten hatte, war der Tee noch nicht serviert worden; Euloge bereitete eben das Tablett, und Monsieur de Viborne saß allein mit Mehlen da. Der Gast war erst vor einigen Minuten heruntergekommen. Wenn es zwischen ihm und dem Marquis etwas Wichtiges zu besprechen gegeben hatte, dann war es in verdeckten Worten geschehen; jetzt schnitt die Ankunft des jungen Malers zwangsläufig jede weitere Unterhaltung ab. Wozu schließlich auch? Monsieur de Viborne konnte nichts mehr ändern.

Der Marquis bemerkte stets eine leichte Befangenheit an Hubert, wenn er sich in seiner Nähe befand. Sie verstärkte sich noch in Gegenwart Angèles. Das war das erste Verdachtsmoment gewesen: In seinem Alter kann man sich kaum verstellen. Übrigens bedeutete diese Verlegenheit in gewissem Sinn eine Revanche für den Marquis, auch wenn er der Sache nicht so besonderes Gewicht beimaß, die er hellsichtig als verständliches, wenn auch unzulässiges Abenteuer erkannte. Auch das mußte in Ordnung gebracht werden, zugleich mit allem andern, wobei er sich von vornherein sachlich und kühl überlegend eingestand, daß ihm nur untergeordnete Bedeutung zukam.

Hubert fühlte sich vor Monsieur de Viborne schuldig. Er wohnte unter dem Dach des Marquis und »hatte ihm seine Frau gestohlen« – zweifellos war ihm in seiner Unschuld niemals in den Sinn gekommen zu fragen, ob sie ihrem Gatten auch noch ganz gehört hatte. Er befand sich somit in einer peinlichen, unhaltbaren Situation, die ihm zuweilen eine Röte in die Stirn trieb – vielleicht Zornesröte, vor allem aber Röte der Scham.

Vom ersten Augenblick an, da er sie neben ihrem Gatten auf der Freitreppe des Schlosses erblickt hatte, war Hubert betroffen von ihrer Erscheinung gewesen. Erst ganz ohne Nebengedanken. Sie hatte ihm gefallen, wie ihm instinktgemäß die Frauen eines gewissen Alters gefielen, denn er hatte in enger Gemeinschaft mit seiner Mutter gelebt, und wie dies in solchen Fällen häufig vorkommt, von seinen ersten Liebesabenteuern an die reifen Frauen mit jener Frau identifiziert, die ihm so nahestand. Der Altersunterschied bedeutete ihm daher kein Hindernis, im Gegenteil, er führte ihn zu Angèle hin. Von allem Anfang an fühlte er sich wohl in ihrer Gesellschaft. Ihr Äußeres entsprach ganz seinen Schönheitsbegriffen. Er war gewohnt, ein schon leise gezeichnetes, förmlich vom Leben gestreicheltes Gesicht neben sich zu sehen, und das Antlitz Madame de Vibornes, das dank des vielen Aufenthalts im Freien kaum künstlicher Auffrischung bedurfte, wurde sofort ein echtes Gesicht für ihn, ein Gesicht, das etwas ausdrückte.

Und genauso berührte ihn die natürliche Anmut ihres weiblichen Körpers, der so weich, so hingebend, so vielverheißend schien. Niemals hätte er gewagt, die Hand eines jungen Mädchens zu berühren, während er gar nichts dabei fand, die Hand der Marquise bei einem Spaziergang zu ergreifen, eine Hand, die sie nicht sofort zurückzog.

Monsieur de Viborne sah diese Zusammenhänge freilich nicht, denn er war ein schwacher Psychologe, trotzdem wußte er sehr bald, daß etwas vorging, was ihn zwar ärgerte, worüber er aber anfangs nachsichtig lächelte; die Geschichte wär keine Tragödie, wo zu gleicher

23

Zeit schwerere Wolken am Horizont auftauchten, die bald alles verdunkeln sollten. Etwas später erkannte er sogar, daß sie ihm einige Möglichkeiten bot, und er beglückwünschte sich, der Affäre nicht vorzeitig sein »Halt!« zugerufen zu haben.

Mit dem Eintritt Huberts in den kleinen Salon verstummte das Gespräch zwischen Monsieur de Viborne und Mehlen; kurz darauf kamen außerdem Gardas und hinter ihm Euloge mit dem Tablett herein. Der junge Mann atmete auf, das Gewicht, das ständig auf ihm lastete, wurde erträglicher, um sich gänzlich durch das Wunder zu verflüchtigen, das sich jedesmal beim Erscheinen Angèle de Vibornes in ihm vollzog.

Denn nun stand auch sie im Salon. Der Blick, mit dem sie ihm für seine Anwesenheit, ja für seinen Eifer, ihr zu dienen, dankte, löschte alles andere aus. Die Unbeholfenheit fiel von ihm ab, seine Unbefangenheit und sein seelisches Gleichgewicht kehrten wieder. Er betrachtete sie, wie sie auf die Gäste zuging, und bewunderte ihren geschmeidigen Gang.

Er fand sie vollkommen auf allen Gebieten des Lebens. Sie war eine große Dame – sie hatte ihm noch nicht verraten, woher sie eigentlich stammte, und er dachte gar nicht daran, die Frage zu stellen. Niemand konnte mit so überlegener Grazie eine Tasse Tee oder die Zuckerdose reichen wie sie. Und niemand besaß die zärtliche Schwermut, aus der es so verheißungsvoll aufblitzen konnte, was, wie Hubert feststellte, auch den blauen Blick Mehlens entzündete und das Wohlgefallen der dicken Backen und des Doppelkinns jenes rundlichen Gardas erweckte, der mit seiner Jovialität aussah wie der Vorsitzende eines landwirtschaftlichen Vereins.

Die Teestunde verlief harmlos und alltäglich. Man sprach von allem und von nichts. Gardas vom Parlament, den Ministern, den Staatsräten, denen anzugehören ihn noch heute zutiefst wunderte, wie er auch über seinen Erfolg staunte, über die Macht, die man ihm übertragen hatte, nur weil er irgendwann einmal bei einer Partei gewesen war, die sich mit ihrer überzeugenden Doktrin durchgesetzt hatte. Mehlen, knapp wie immer, erwähnte nur, daß er sich vorige Woche in London und Amsterdam aufgehalten habe, und jeder wußte, daß er »geschäftlich« gereist war.

»Und Ihre Arbeit macht Fortschritte, junger Mann?« erkundigte sich Gardas.

»O ja«, antwortete Hubert.

Aber das stimmte nicht. Er arbeitete nichts mehr. Zum ersten Male in seinem Leben. Er, der sonst nur mit dem Bleistift in der Hand lebte, brachte nichts Richtiges mehr auf das Papier, zumindest nicht, was der Illustration seines Buchs gedient hätte. Hingegen hatte er, wenn die Geliebte sein Zimmer verließ, wohl zwanzigmal die Linie gezeichnet, die ihn so reizte, immer dieselbe, die Kurven ihrer Schulter und auch ihrer Brust, die gewiß noch vollkommen, aber doch leise ermattet von den immer wiederkehrenden Zärtlichkeiten war.

Euloge meldete La Frondée. Man rief ihn herein, und er erstattete Rapport. Er hatte einen guten Hirsch ermittelt, ein schöner Jagdtag stand bevor.

Dann, etwas später, setzten sie sich zu Tisch. Sie aßen schnell. Auch beim Kaffee und beim Likör würde man sich nicht lange aufhalten, dachte der Marquis. Er ging an den Abenden vor der Jagd gern früh zu Bett, und außerdem wußte er, daß ihm ein Gespräch mit seiner Frau bevorstand, das ziemlich lange dauern würde. Aber Gardas wünschte noch eine Bridgepartie, und Mehlen war einverstanden, denn er schlief abends nicht leicht ein. Er las niemals, und wenn er zu früh in sein Zimmer ging, dann blieb er auf, ohne etwas zu sehen, oder er legte sich zu Bett, ohne einschlafen zu können, weil ihm so viele Geschichten aus seiner Vergangenheit durch den Kopf gingen, so viele selbst erlebte Romane, so viele Erfolge, so viele geglückte Coups, so viele Waffengänge, daß er ihnen nicht zu entfliehen vermochte.

Es war fast Mitternacht, als sich die Herren vom Spieltisch erhoben. Mehlen hatte dreizehnhundertzwanzig Franco gewonnen, und Hubert hatte am meisten verloren.

Gardas diskutierte noch über die letzten »Drei ohne«, während sie die Treppe hinaufstiegen. Auf dem Absatz des ersten Geschosses verabschiedeten sie sich, wie jeden Abend, und Marquis de Viborne ging den Flur weiter, vor ihm seine Gemahlin. Und wie jeden Abend würden sie vor der Tür seines Schlafgemachs, das früher sein Vater bewohnt hatte, halten, er würde sich mit einem Handkuß empfehlen und ihr gute Nacht wünschen. Und dann ging sie eben weiter in ihr eigenes Zimmer . . .

Ein paar Schritte vor seiner Tür aber sagte er:
»Willst du einen Augenblick zu mir hereinkommen, liebe Freundin?«

Das kam Angèle unerwartet. Es war spät, und morgen wurde gejagt.

»Du möchtest mit mir sprechen?«

»Ja, bitte.«

Sie schritt wortlos vor ihm über die Schwelle und fragte sich, ob es sich um Doissel handle. Sie bereitete keine Lügen vor, sie überlegte nur, wie sie sich verteidigen sollte, als ob sie nicht im tiefsten Innern gewußt hätte, daß es unmöglich war, Patrice etwas anderes als die Wahrheit zu sagen.

Das Zimmer war unverändert, seit dem Tag, da sie es zum erstenmal gesehen hatte, mit dem großen, in der Mitte etwas eingesunkenen Bett, diesem Männerbett, in dem sie niemals eine ganze Nacht geschlafen hatte. Die Vorhänge, die Tapeten waren aus dem gleichen, im Lauf der Jahre verblichenen Stoff, der eine gleichförmige Färbung angenommen hatte, in der die großen Louis-XIV-Gravuren verschwanden. Die beiden sehr unbequemen Rohrstühle standen wie immer rechts und links des Kamins mit seiner gemusterten Steinplatte, den Gefäßen mit den Kupferdeckeln, dem Tabakbehälter aus geschnittenem Stein. Ein starkes Feuer brannte, denn vor dem Schlafengehen hatte Euloge drei Buchenscheiter eingelegt.

Um zu betonen, daß es sich um ein Gespräch handelte, zog Angèle den einen Stuhl vor; übrigens im gleichen Augenblick, als sie der Marquis Platz zu nehmen bat. Er blieb knapp vor ihr stehen und begann ohne weitere Einleitung:

»Wir haben uns nur selten Gelegenheit genommen, über Dinge zu sprechen, die wir heute besprechen müssen. Du wirst zugeben, daß ich immer vermieden habe, dich mit Sachen zu belästigen, die dich beunruhigen oder dir unangenehm sein könnten. Heute indessen muß ich ein Thema anschneiden, das uns beide betrifft, und ich bitte dich im vorhinein, mir zu vergeben.«

Sein Ton war sachlich, leidenschaftslos, und wenn seine Sprache etwas gekünstelt wirkte, dann deshalb, weil er nicht gewohnt war, sich der Worte zu bedienen, um einen Gedanken auszudrücken. Er fuhr fort:

»Ich habe dich niemals mit Problemen behelligt, die ich ›meine Geschäfte‹ nennen möchte. Sie beschränken sich ja auch nur auf ein kleines Gebiet: den Stand unseres gemeinsamen Vermögens, weil wir in Gütergemeinschaft leben, und die Verwaltung unseres Besitzes, der fast ausschließlich aus den Feldern, den Pachthöfen, dem Schloß, den Pferden und den Hunden besteht.«

Es handelte sich also nicht um Hubert und sie. Madame de Viborne war deshalb nicht wohler zumute. Der Marquis fuhr fort:

»Mehlen hat mir heute eine schlechte Nachricht überbracht. Die ›Holding Inter‹ ist gekracht.«

»Die ›Holding Inter‹ –?«

»Ein Unternehmen, an dem ich mich beteiligt habe.«

»Über Mehlen?«

»Ja ... und nein ... Er hat die Sache zwar vor mir erwähnt, aber ich muß offen gestehen, daß er mir das Risiko nicht verhehlt hat.«

»Warum also ...?«

»Weil ich nicht anders konnte. Ich habe seit Jahren mit Schwierigkeiten zu kämpfen, die ich dir verschwieg.« Er verstummte. Nach einer Weile: »Ich habe dich aus Liebe geheiratet, Angèle.«

Beide sahen in Gedanken die Pariser Reitschule vor sich, wo der Marquis de Viborne Angèle zum erstenmal erblickt hatte. Dort lebten Angèle und ihre Mutter, mit der sie das Geschäft betrieb, Reitstunden gab und Pferde vermietete. Monsieur de Viborne war eines Tages vorbeigekommen, als er in Paris zu tun hatte. Er war ohne Pferd in der Stadt, und Bekannte, die ihn ins »Bois« mitnehmen wollten, gaben ihm die Adresse der »Manège Bugeaud« an, die mit ihren Stallungen, dem kleinen Hof, der wie ein Miniaturzirkus wirkenden Reitbahn in der Straße lag, deren Namen sie trug. Er war wiedergekommen, wegen Angèle. Er hatte sie geheiratet trotz ihrer Mutter, die damals ihre allzu blonden Haare in Löckchen trug und ihr Gesicht rosig und weiß schminkte. Davon wußte Hubert nichts, weil sich Angèle instinktiv gehütet hatte, es zu erzählen; sie mißtraute ihm mehr als sich selbst und wollte bleiben, was sie in seinen Augen darstellte.

»Ich habe dich aus Liebe geheiratet ... und ich habe niemals aufgehört, dich zu lieben«, fuhr Monsieur de Viborne fort.

»Das weiß ich«, sagte sie und blickte zu ihm auf.

»Ich habe dich genug geliebt, um unsere Beziehungen auf eine ganz andere Ebene zu stellen, als es bei den meisten Ehepaaren unseres Kreises üblich ist. Ich bin ein gerader Mann, so wie du eine Frau ohne Winkelzüge bist. Wir haben beide, du und ich, unsere Schwächen, und wir konnten sie uns gegenseitig verzeihen, weil wir wußten, daß zwischen uns echte Liebe, Verbundenheit und Gleichheit herrschten, und weil das wichtiger war als alles andere und uns berechtigte, unser Leben nach den Gesetzen zu führen, die wir uns selbst schufen, wobei wir sowohl Rücksicht auf die Bedürfnisse unserer Familie wie auch auf unsere Freiheit nahmen. Ich hätte dich auch geliebt, vielleicht anders, wenn die Dinge anders gelegen wären. Wir haben uns zuweilen weh getan, aber gewiß weniger, als sich die Menschen weh tun, denen Lüge und Heuchelei zur zweiten Natur geworden sind. So war es uns vergönnt, zwanzig Jahre zusammen zu leben, ohne die Augen voreinander senken zu müssen, ohne an uns zu zweifeln. Das nenne ich einen schönen Erfolg.«

Er stand knapp vor ihr. Sie griff nach seiner großen, hinabhängenden Hand. Niemals hatten sie über solche Dinge gesprochen, die sich ganz natürlich und stillschweigend aus ihrem Einverständnis ergeben hatten.

»Es ist sehr erstaunlich«, sagte sie, »daß du, mit deiner Erziehung, deiner Religion, den Gepflogenheiten und den Vorurteilen deines

27

Standes, über das, was man Moral nennt, oder über das Leben und Schicksal der einzelnen nachdenkst und auf direktem Weg zu einer so revolutionären Ansicht gelangst, ohne dazu veranlaßt worden zu sein. Wahrscheinlich deshalb, weil du zutiefst anständig bist . . .«

»Und auch deshalb«, fiel er ein, »weil ich dich wirklich geliebt habe und weil ich wohl oder übel versuchen mußte, mir diese Liebe zu erhalten . . .«

»Ich habe dich gewiß nicht so feurig geliebt, Patrice, aber glaub mir, ich habe dich immer *echt* geliebt. Deshalb bin ich nun hier, ich will dir helfen.«

»Dazu wirst du Gelegenheit finden, liebe Freundin.«

Sie merkte, daß er nach Worten suchte. Sie half ihm:

»Mehlen hat dir eine böse Nachricht gebracht. Das ist bestimmt sehr unangenehm . . .«

Er lachte trocken auf:

»Dieses Wort hätte ich nicht unbedingt gewählt, aber du hast natürlich recht, es so zu nennen, denn wir müssen aus unserem Gespräch alles Rührselige ausschalten. Die Tatsachen sind zu ernst, als daß wir uns an pathetischen Worten berauschen könnten. Kurz, seit zwanzig Jahren nahezu, meine Freundin – weder du noch Enguerrand noch Angélique und schon gar nicht der kleine Lambert haben es geahnt –, kämpfe ich, ungeschickt, zugegeben, und warte auf ein Wunder. Aber die Wunder, nun, die werden selten von den Menschen vollbracht, und wenn, dann muß man sie sehr teuer bezahlen. Du weißt, daß es für mich nur ein Leben gibt, das, wie ich es jetzt führe: auf diesem Schloß, auf diesem Boden, und vor allem mit der Meute. Das ist vielleicht eine Schwäche, aber es ist eben meine Leidenschaft, und solche Leidenschaften kosten ihren Preis. Schön. Angèle, jetzt ist der Augenblick gekommen, da ich zahlen muß. Die Spekulation, in die ich mich eingelassen habe, war meine letzte Karte. Auf den uns verbliebenen Besitz habe ich ein kurzfristiges Darlehen aufgenommen, das den Wert der Garantien übersteigt. Und diesen Betrag hab ich in der ›Holding‹ eingelegt. Verstehst du?«

»Ja, ich verstehe«, sagte sie. »Aber du hast diese Transaktion doch über Mehlen gemacht?«

»Ja.«

»Nun, dann haben wir Mehlen!«

»Du warst es, die seinen Namen ausgesprochen hat.«

Schwer lag die Stille zwischen ihnen. Das Feuer knisterte im Kamin. Endlich sagte sie:

»Ich kann mich schließlich nicht von dir scheiden lassen und diesen Mann heiraten, um die Situation zu retten!«

»Das verlange ich nicht von dir«, entgegnete er, wieder mit dem traurigen Auflachen, das so schlecht in sein großes Gesicht paßte. »Du hast mir letzten Endes immer alles erzählt, und so weiß ich von dir, was Mehlen von dir will. Ich weiß, ohne daß du es mir ausdrücklich erwähnen mußt, daß du nicht das geringste für ihn empfindest. Wenn du gegenwärtig für jemanden etwas empfindest, außer für mich ... außer für mich ... dann ist es bestimmt nicht er ...«

»Also?«

»Also«, sagte er, »betrachten wir die Dinge, als ob ich nicht mehr da wäre.«

»Aber du bist da.«

»Ich muß nicht immer dasein.«

Er sah, wie ihre Hand auf der Armstütze zu zittern begann.

»Ich glaube zu verstehen, was du meinst. Aber es hat einfach auch andere Lösungen zu geben.«

»Dann verrate sie mir.«

»Vor allem, wie du vorhin gesagt hast: Wir sind zu zweit ... es gibt dich und es gibt mich ... Wenn ein Opfer zu bringen ist ...«

Fest und ruhig klang seine Entgegnung:

»Du wirst dein volles Maß tragen, zweifle nicht daran.«

»Ich danke dir, daß du mich nicht ausschließt. Ich weiß, was ich dir schuldig bin, Patrice: Du hast mich ohne Geld geheiratet, du hast mir deinen Namen und dein Haus gegeben. Unsere Kinder sind gut geraten und deines Blutes, deines Herzens und deines Geistes würdig. Du hast mir noch viel mehr geschenkt, du hast nur auf den entscheidenden Bindungen zwischen uns bestanden und mir meine Freiheit gelassen. So konnte ich dir alles geben, was in meiner Kraft stand, und das ohne Hintergedanken ...«

»Ich liebe dich und habe niemals aufgehört, dich zu lieben.«

»Heute bin ich fast glücklich ...«

»Ich fürchte, daß du es morgen nicht mehr sein wirst. Und ich hätte es so gern gewollt ... Ich glaube, daß es keine andere Lösung gibt, und ich bitte dich, mir zu vergeben, meine Freundin ...«

»Ein Schloß ... Grundstücke ... eine Meute – das wiegt in meinen Augen nicht das Leben eines Mannes auf!«

»Du weißt, daß ich ohne sie nicht leben kann«, sagte er schlicht.

»Aber wenn dein ... dein Verschwinden es bewahrt, dann bist du nicht mehr da, dann kannst du es nicht mehr genießen.«

»Stimmt, ich werde nicht mehr dasein«, bestätigte er, »aber es wird in den Händen bestehen bleiben, denen es gebührt.«

»In den Händen Mehlens?«

»Nein. Diese Frage wirst du regeln müssen. Du, und du ganz allein, wirst ihm die Bedingungen stellen können. Nach mir werdet ihr zurückbleiben, du, Enguerrand, Lambert, Angélique... und vor allem dieses Gebäude hier, das in Jahrhunderten errichtet wurde, das Werk aller jener ›Müßiggänger‹« – er betonte das Wort –, »wie es mein Vater, mein Großvater und alle meine Vorfahren waren, und die ich, ich durch meine Schuld mit einem Schlag zu entrechten, zu entfremden drohe, ich, weil ich gewissenlos und unfähig war.«

»Wenn ich dich recht verstehe«, sagte sie sehr ruhig, »dann hast du die Absicht, dich selbst zu töten und mich mit Mehlen zu verheiraten, der jeden Preis dafür zahlen will.«

»Ich weiß, daß du Mehlen nicht liebst.«

»Wenn du nicht mehr bist, ob dann er oder ein anderer...«

»Du kannst nicht Hubert heiraten«, sagte er und hob leicht die Schultern.

»Hubert ist nichts«, erklärte sie. »Da du von der Sache weißt, will ich offen reden. Ich bin vierzig Jahre alt. Hier, in dieser Abgeschiedenheit, an die ich gebunden bin, komme ich kaum mit Leuten zusammen. Ich bin schwach geworden. Er gefällt mir. Ich weiß, daß es nicht sehr schmeichelhaft für mich ist, aber es war seine Jugend. Nennen wir ihn meinen ›Ferienflirt‹, wenn du willst.«

»Angèle«, sagte er und ergriff ihre beiden Hände mit ungeheuchelter, tiefer Zärtlichkeit, »Angèle, wir wissen beide – und ich habe es vor dir gewußt –, was altern heißt. Instinktiv klammern wir uns an alles, was uns das Leben an Saft und Kraft, an Ursprünglichem in seiner Fülle noch bieten kann. Du weißt, daß ich selbst vor einigen Jahren...«

Sie fiel ihm ins Wort:

»Ja. Und ich mußte sehr an dir hängen, um dich trotz meines Kummers zu lieben, um es trotz meiner Verzweiflung zu ertragen...«

»Glaubst du nicht, daß ich auch seit einiger Zeit leide?«

»So müssen wir für das Gefühl bezahlen, das uns verbindet.«

»Ich kann dir nicht widersprechen, es wäre undankbar. Habe ich dich jemals merken lassen, daß ich es ›wußte‹?«

»Wo ich mich doch so bemüht habe, alles zu verbergen! Aber das ist dir klar, nicht wahr: Keine Sekunde war ich bereit, dich aufzugeben.«

»Das weiß ich«, antwortete er, »denn eines ist sicher: Nichts, was immer geschieht, kann auslöschen, was zwischen uns besteht. Du hast mich vielleicht ›betrogen‹ – das Wort paßt nicht in unserem Fall –, aber du hast mich niemals ›verraten‹.«

»Nun haben wir uns endlich ausgesprochen, und das war gut, denke ich. Diese Bereinigung war nicht unnötig. Und jetzt, willst du mir sagen...?«

»Meine Absicht? Sehr einfach. Ich kann meine Verpflichtungen nicht erfüllen, und Mehlen wird mir bestimmt nicht heraushelfen. Er will dich haben, allein, ohne dich mit jemandem teilen zu müssen, und er kennt kein Mitleid. Er glaubt, daß du seinem Leben alles bringen kannst, was ihm fehlt. Er hat alles genau und folgerichtig durchdacht: Ohne mich in diese Spekulation hineinzutreiben, hat er die Versuchung vor mir spielen lassen, weil er meine Situation kannte. Ich bin in die Falle gegangen. Kein Zweifel, daß er alles in Ordnung bringen könnte, wenn er wollte, aber er kann es nicht wollen, sonst würde er nicht Mehlen heißen. Zwangsweise wird also morgen versteigert, und du und ich und unsere Kinder sitzen auf der Straße. Es ist mir völlig klar, daß Enguerrand und Angélique nicht übermäßig darunter leiden werden. Was Lambert betrifft, so ist er noch zu jung, um zu begreifen, was geschieht; aber da ich seine älteren Geschwister kenne, muß ich dir gestehen, daß ich meine Erwartungen in seine Person setze. Alles wird also verkauft und verstreut werden, was weiß ich, wer die Grundstücke, das Schloß und die Meute kaufen wird! Mehlen nicht, denn um dieses Besitzes willen hat er die Dinge nicht auf die Spitze getrieben. Dich will er haben, dich ganz allein.« Er biß die Zähne zusammen. »Angèle«, sagte er schwer, »ich will, daß er dich nur um den Preis bekommt, den du in meinen Augen wert bist. In diesem Geschäft, da es schon ein Geschäft ist, soll er der Zahler sein.«

»Aha«, sagte Madame de Viborne, »ich verstehe genau: Du willst abtreten, und ich soll Mehlen heiraten. Es mag für viele Frauen sehr verlockend sein, durch ihn zu Macht und Einfluß zu gelangen. Mehlen glaubte, ich müßte sofort begeistert ja sagen, wenn er mir eine solche Chance bietet. Er hat niemals heiraten wollen, und nun komme ich, und mir will er auf einmal seinen Namen geben ... und alles andere dazu. Meine Abweisung hat ihn bestimmt noch angestachelt, obwohl er mich gar nicht körperlich begehrt, das hast du bestimmt auch bemerkt. Vielleicht glaubt er, daß er weniger einsam ist, wenn er sein Leben mit mir teilt.«

»Wir beide, du und ich, haben etwas Wichtiges zu bewahren, was nur für uns beide bewahrt werden kann. Wir sind vernünftig genug, um den Dingen klar entgegenzusehen. Ich habe mein Leben so geführt, wie ich es verstanden habe – vielleicht falsch, aber jedenfalls unbeirrt, bis zum Ende. Das Ende ist da, ob so oder so, und ein Rückzug kommt nicht in Frage. Vor der nächsten Nacht werde ich auf irgendeine Weise den letzten Schritt getan haben.«

Sie drückte seine Hand etwas stärker. Seine Stimme klang unverändert, als er fortfuhr:

»Du aber wirst dich von diesem Augenblick an mit dem Problem des

Fortsetzens und Weiterführens befassen müssen. Wenn ein Hirsch zur Strecke gebracht ist, dann kommen andere, und die Jagd wird uns überdauern, andere Jäger, anderes Wild... Ich bitte dich, Angèle, Mehlen zu heiraten. Vor der Hochzeit wirst du die Bedingungen stellen und die Sicherheiten verlangen, die ich dir genannt habe. Alles, wie es hier liegt und steht, wird dir gehören, dir allein... bevor es zum Besitz unserer Kinder wird. Ich bitte dich, die Meute zu behalten und sie zu betreuen, bis dich Lambert ablösen kann, denn Enguerrand hat andere Dinge im Kopf. Und bedenke, bitte, daß dein Leben mit Mehlen anders aussehen wird als das Leben mit mir. Mehlen ist unbarmherzig, er wird deine Freiheit nicht achten, und du wirst mit einem Schlag alles verlieren. Du mußt also auch aufgeben, was du deinen ›Ferienflirt‹ nennst, und alles, was ihn dir vielleicht ersetzen könnte. Eine Ehe mit Mehlen bedeutet fast so etwas wie ein neues Leben... ein Leben ohne Luft, ohne Freiheit, ohne... Liebe...«

Sie sprang auf:

»Ich lasse dich hier reden und reden!« rief sie, »aber das ist doch alles... Ich tue da nicht mit... Ich werde mich bemühen, ich werde kämpfen... Ich fahre nach Paris, es muß doch Leute geben...«

»Wen?« fragte er ruhig. »Glaubst du nicht, daß ich vor diesem Gespräch alles versuchte, alle Möglichkeiten, alles? Wie ich dir gesagt habe: Ich muß abtreten... und das soll wenigstens einen Nutzen bringen.«

»Aber wie willst du...?«

Sie zitterte am ganzen Körper, ihre Finger verkrampften sich.

Nun lächelte er wieder:

»Das laß meine Sorge sein. Es wird geschehen, und es wird richtig geschehen. Außer dir und Mehlen wird keiner ahnen... Ein Großonkel von mir hat sich wegen einer Spielschuld umgebracht. Der Idiot! Damit hat er niemandem geholfen. Ich, ich werde zahlen«, fügte er mit Nachdruck hinzu.

»Patrice«, flüsterte sie und lehnte den Kopf an seine Brust.

Er schob sie sanft zurück:

»Nein, nein«, murmelte er. »Gerade das will ich nicht.«

Er drängte sie weg und sah ihr gerade in die Augen:

»Sind wir uns einig?«

»Nein... nein...« stammelte sie, »es ist unmöglich...«

»Aber, Angèle«, sagte er, »auch für dich ist heute der Zahltag gekommen.« Und zwischen den Zähnen, undeutlich, doch sie verstand ihn: »Wir müssen vernünftig sein.«

»Nein, nein, ich tue nicht mit!«

»Du wirst mittun, Angèle, weil du anständig bist.«
Mit sanfter Gewalt schob er sie zur Türe, die er öffnete. Noch einmal
fragte er:
»Habe ich dein Wort?«
Sie antwortete nicht. Sie stammelte nur:
»Patrice ... ich möchte ... gib mir doch ... einen Kuß ...«
»Ja, natürlich«, sagte er, und wie am ersten Tag in der Avenue Bu-
geaud beugte er sich über sie und küßte sie lange.

Im Wald war es noch immer still. Monsieur de Viborne ritt etwas
tiefer in den Dammweg ein. Dann plötzlich, das Geräusch brechender
Zweige, Hundegebell. Der warnende Ruf eines Jägers. Monsieur
de Viborne hob das Horn an seine Lippen: Das Wild war aufgejagt.

III

Les Brisées Hautes

Die Mutter Madame de Vibornes nahm nicht an den Parforcejagden
in La Gardenne teil. Sie verließ Paris niemals, erstens, weil sie außerhalb der Hauptstadt, in der sie daheim war, nicht atmen konnte, und
zweitens, weil man sie niemals in die Sologne einlud. Es gab noch
andere Gründe: Ihr gegenwärtiges und ihr vergangenes Leben, ihre
blonden Locken und ihre Schminke, ihre Abstammung und ihr frühe-
rer Beruf. Denn ehe sie durch ihre Heirat mit dem langen Monsieur
Böck, dem Mann mit den schönen Pferden, der seine Tiere unter allen
Zirkuszelten der Welt vorgeführt hatte, zur Herrin einer Reitschule
geworden war, hatte sie lange Jahre in rosa Ballettröckchen und mit
der Peitsche in der Hand auf dem breiten Rücken der braven, im
Kreis unter den Scheinwerfern trabenden Pferde voltigiert.
Der Mädchenname der Reitkünstlerin war Apolline Paris. Angèle war
nicht die Tochter Böcks, den ihre Mutter erst später geehelicht hatte,
sondern das Kind einer flüchtigen Beziehung zu einem verheirateten
Mann aus großer Familie, dessen Namen Madame Paris niemals verriet, der aber, wie man sehr bald erfuhr, wenn man sie ausfragte,
einen Titel und ein Adelsprädikat aufzuweisen hatte.
Somit war Monsieur de Viborne, als er sich in Angèle verliebte und
sie zu seiner Gattin machte, nicht eigentlich eine Mesalliance eingegangen, es sei denn nach den Registern des Standesamts. Er hätte sie
auf jeden Fall geheiratet, denn er liebte sie und ging über alles andere
hinweg; die Mutter nahm er in Kauf. Er hätte niemals eine Bedin-

gung gestellt, die junge Marquise aber hatte, zumindest scheinbar, ihrerseits freiwillig Bedingungen auf sich genommen. So kam es, daß Madame Paris – sie trug wieder ihren Mädchennamen – niemals die Rue Caulaincourt verließ und niemals das Schloß erblickte. Und trotzdem dachte Angèle jetzt, in diesem Augenblick, an sie, während sie sich von der Gruppe entfernte, um Hubert auszuweichen, den sie nicht sprechen wollte. Sie lauschte in die belebte Stille des Waldes, wo die Spürhunde das Tier suchten.

Ihre Mutter! Sie sah sie mit ungetrübtem Blick, wie sie wirklich war, aber sie schämte sich ihrer nicht. Gewiß, ihre komischen Seiten störten sie, wenn sie ihr auch erst als Marquise de Viborne aufgefallen waren, aber sie bewahrte sich die Liebe und die Achtung für die alte Dame, die sich in den Kopf gesetzt hatte, trotz ihrer wohlgezählten zweiundsiebzig Jahre ewig jung zu bleiben – Angèle war spät geboren worden, man vermeidet tunlichst Schwangerschaften im »Metier«. Trotz ihrer Überspanntheiten, trotz ihres oft auffallenden Benehmens hatte Madame Paris die Tochter stets mit aller Leidenschaft ihres zärtlichen Herzens geliebt, und immer war sie das gewesen, was Angèle seit ihrer Kindheit mutig nannte.

In hohen Fluchten hetzte der Hirsch davon. Angèle sah ihn; Monsieur de Viborne hörte ihn mehr aus Instinkt als aus dem verzweifelten Klagelaut, den das Tier beim Verlassen seines Bettes ausstieß. Wie ihr Gatte kannte auch sie seinen künftigen Lauf, als ob sie es bereits verfolgte. Sie wußte genauso wie Monsieur de Viborne, daß er in die Allee einbiegen und dann umkehren würde; sie wendete daher ihr Pferd, ritt zurück und kam an die Stelle, wo Monsieur de Viborne in das Holz eingedrungen war. Sie erkannte an den noch sichtbaren verbrochenen Zweigen, den Brisées Hautes, die Fährte, die hier ihren Ausgang nahm. Überall geknicktes Astwerk. Sie hielt ihre Stute an.

Hier wollte sie bleiben, allein, in der Stille, die weich über ihr zusammenschlug, fern der verhallenden Jagd, dieser Jagd, die nicht ihr galt, und mit all der Qual im Herzen, die seit gestern abend in ihr brannte. Und da entdeckte sie plötzlich, daß sie an ihre Mutter dachte.

Es war logisch, das normale Glied in der Kette der Ereignisse, der nötige Rückblick in die Vergangenheit, wenn man die Gegenwart klar durchschauen wollte. Man mußte wohl oder übel beim Beginn anfangen. Für sie begann alles bei Apolline Paris, und Angèle dachte daher: Was würde meine Mutter tun?

Wer Madame Paris und ihre Tochter nur oberflächlich kannte, hätte niemals begriffen, daß sich die Marquise eine solche Frage stellte. Freilich, von außen betrachtet, war Apolline Paris nur eine etwas überspannte, alte, vom Leben gezeichnete Egoistin. Aber sie hatte sich stets bewährt, damals zum Beispiel, als sie ihre Schwangerschaft erkannt und sofort alle Konsequenzen gezogen hatte, ohne einen anderen Nutzen daraus zu ziehen als eben jenes Kind, das ihr ganz allein gehören sollte. Deshalb hatte sie freiwillig mit ihrem Geliebten gebrochen, ihn niemals wiedergesehen: Jedem das Seine, sagte sie trotzig und bewahrte eifersüchtig das Ihrige, und niemals hatte der Mann erfahren, daß er Vater einer kleinen Tochter, der späteren Marquise de Viborne, geworden war.

Deswegen und aus tausend andern Gründen ähnlicher Art achtete Angèle ihre Mutter alle die Jahre hindurch, trotz deren Schwächen, den Liebhabern, ohne die sie nicht leben mochte und die sie bis heute nicht aufgegeben hatte. Angèle gestand ihr das Recht zu, sich ihr Dasein nach Gutdünken einzurichten, wenn es auch nicht der Schicklichkeit entsprach, und dieses Recht erfloß aus der Tapferkeit, die Madame Paris von Anbeginn an bewiesen hatte. Und bei dieser Tapferkeit suchte Angèle heute Schutz.

Was hätte Mama getan? fragte sich Madame de Viborne von neuem und lechzte nach einer Antwort.

Sie rief sich das Bild der Mutter ins Gedächtnis zurück, sie sah sie vor sich, wie sie leibte und lebte, solange Angèle zurückdenken konnte. O nein, sie war nicht immer alt und komisch gewesen! Früher einmal war sie schön und jung gewesen, mit natürlich blondem Haar, und schlank in ihrem knappen Trikot. Sie war Reitkünstlerin, aber zugleich auch Meisterin in allen Ballspielen; jeden Morgen suchte sie, fast nackt, mit Lockerungs- und Entspannungsübungen ihren Körper in Form zu erhalten; entweder in der kleinen Wohnung der Rue Caulaincourt, die Madame Paris schon damals bewohnte, oder aber in den Hotelzimmern von Prag, Hamburg, London oder Berlin – in Europa vor allem, denn nur ein einziges Mal hatte sie an einer Tournee durch Nord- und Südamerika, Australien und Neuseeland teilgenommen. In dieser Welt wuchs Angèle auf, bis durch ihre Ehe das Schloß La Gardenne mit seinen tausend Hektar Land zu ihrer Welt geworden war.

Böck war erst spät in das Leben der Mutter getreten. Er hatte Angèle nicht von ihrem Platz verdrängt. Er war ein gutmütiger Riese mit dichtem, langem Schnurrbart und einem unmöglichen holländischen Akzent. Er war gestorben und hatte ihnen die Pferde hinterlassen. Was sollten sie damit anfangen? Madame Paris war zweiundfünfzig Jahre alt und hätte gewiß noch eine Nummer reiten können. Aber sie hatte einen Pferdehändler kennengelernt, der ihr den Verkauf des ganzen Bestandes – und überdies noch günstig – vermittelte. Er gefiel ihr als Mann, mit dem Pferdegeruch, der ihm anhaftete und der ihr, der ehemaligen Zirkusreiterin, so vertraut war. So machte sie keine langen Umstände und lebte eine Weile mit ihm, und als er das Geschäft erledigt, den Gewinn sichergestellt und die »Manége Bugeaud« verkauft hatte, verschwand er aus ihrem Leben, und niemand trauerte ihm weiter nach.

Aber deswegen hatte sich Madame Paris die Männer noch lange nicht abgewöhnt. Sie fühlte sich einsam und unglücklich, wenn sie allein war. So tauchte immer wieder ein Mannsbild auf, dem sonst niemals eine solche Liaison eingefallen wäre und das sie, oft ganz unbeabsichtigt, in ihre Existenz hineinzog. Sie mußte einfach verwöhnen, verhätscheln, sich um jemanden kümmern, ja sich um jemanden kränken, und wenn es auch ein nichtssagender oder unbedeutender Mensch war; alles war besser, als allein, zwecklos dahinzuvegetieren. Und so war ihr Leben wohl seit jeher gewesen.

Freilich, es war ihr unentbehrlich, aber es bedeutete auch eine Art Courage. In allen Wechselfällen des Daseins hatte sie Courage bewiesen. Immer hatte sie gehandelt, wie es ihr richtig erschien, immer nach ihrem eigenen Gesetz. Sie war eine Art Heldin in Zivil, deren Heldentum sich aber immer nur in alltäglichen, flüchtigen Dingen auswirkte; trotzdem war es Heldentum, und das wußte Angèle.

Deshalb war sie auch bei den Kindern so beliebt. Die Kinder Madame de Vibornes verkehrten in Paris bei ihr, und niemals hatte der Marquis diese Besuche untersagt. Er selbst betrat die Wohnung der skurrilen alten Dame niemals und lud sie auch nicht ein, obwohl sie keinen Beruf ausübte, seit sie nach der Hochzeit Angèles die Reitschule verkauft hatte. Aber er hörte Angélique viel von ihr erzählen, und ehe er noch Berichte von Angèles Kindern erhielt, war es Enguerrand, sein Ältester, der von ihr sprach. Die Marquise hatte ihn einmal zu ihrer Mutter gebracht, und der junge Mann gewann die alte Dame so lieb, als wäre sie seine leibliche Großmutter.

Erwähnt muß werden, daß Enguerrand seine im Kindbett verstorbene Mutter niemals gekannt hatte und daß Angèle an ihre Stelle getreten war. Erst in seinem fünfzehnten Jahr hatte er auf ganz natürliche Art erfahren, daß er nicht der Sohn Angèles war, aber das hatte nichts an ihren Beziehungen geändert. Er wußte nichts von seiner Mutter, mit der Monsieur de Viborne im Alter von zwanzig Jahren eine Vernunftehe geschlossen hatte; es gab keine Großeltern, die den Kontakt mit der Familie Viborne aufrechterhalten und das Gedenken an die Familie Labrusse hätten pflegen können. Alleinstehende Mädchen haben manchmal Vorteile, und von der Mitgift dieser Waise konnte La Gardenne noch einige Jahre nach ihrem Tode leben. Man dankte es Enguerrand mit aller Liebe. Er hatte in Angèle eine Mutter, in der alten Dame Paris eine Großmutter gefunden. Somit blieb ihm seine leibliche Mutter nur eine vergilbte Fotografie, und trotz zeitweiliger löblicher Bemühungen bedeutete sie ihm nichts.

Enguerrand studierte in Paris und wohnte in einem Studentenhotel des Quartier Latin. Das war ziemlich weit von der Rue Caulaincourt entfernt, und als ihm Angèle nahegelegt hatte, Madame Paris hie und da aufzusuchen, hätte sie nicht im Traum gedacht, daß er sich von den ersten Pariser Tagen an daran gewöhnen würde, allabendlich zu der alten Dame zu laufen. Er benützte den Autobus oder die Metro, oder er ging, besonders während der Besatzungszeit, zu Fuß. Er hatte sie gern und opferte für sie häufig seine Ausgänge oder seine kleinen Rendezvous. Ja, es war so: Er liebte sie. Und als Angélique ins Pensionat Notre-Dame kam, da holte er sie sonntags ab und brachte sie statt ins Kino auf den Montmartre, wo sie in der kleinen Wohnung zu dritt Karten spielten, sich wegen irgendeines Unsinns totlachen konnten, denn die alte Dame war jünger als die ganze Jugend von Saint-Germain-de-Prés zusammen, die absichtlich verwahrlost und ohne Illusionen herumläuft und deren Unterhaltungen und Vergnügungen nur in der Nachahmung der trüben sogenannten Freuden Erwachsener, in der Befriedigung animalischer Triebe und wissentlicher Verletzungen des guten Tons bestehen.

Madame Paris, ja, die war fröhlich. Sie hatte geliebt und liebte noch immer, sie verhehlte es nicht. Sie hatte einen Liebhaber, und das fanden »die Kinder« keineswegs anstößig. Sie trafen Jules – er hieß Jules Castaud – bei ihr, und sonntags gingen sie zuweilen zu viert ins Theater, denn Jules war Platzanweiser im Ruhestand und besaß eine Menge Bekannter an den kleinen Bühnen. Er bezog eine bescheidene Rente und nahm auf seinem Galerieplatz an allen Generalproben teil.

Die Kinder sahen das Zweideutige dieses Zusammenlebens nicht, sie fühlten sich wohl und unterhielten sich prächtig, und ihre Besuche auf dem Montmartre schlossen von vornherein anderen zweifelhaften Umgang oder gefährliche Bekanntschaften aus. Madame Paris und Jules, die nach dem bürgerlichen Kodex »in der Schande« lebten, vermittelten ihnen den Sinn für das Einfache, den Anstand, bewahrten ihnen das reine Gemüt, den Glauben an große Gefühle und edle Taten.

Was die Mutter Angèles getan hätte? Sie hätte es auf sich genommen, ohne sich aufzulehnen, so sagte sich Madame de Viborne nach langem Nachdenken. Angèle mußte sich damit abfinden, daß dieses Leben, das ihr Reichtum und Armut zugleich bedeutet hatte, vorbei war. Das Leben, das vor ihr lag, würde ihr zweifellos ein riesiges, aber wie Flittergold fragwürdiges Vermögen bieten, alles andere aber mußte geopfert werden, das hatte sie Patrice versprochen, und sie hielt ihr Wort. Aber es machte die Sache nicht leichter.

Sie schob diese Überlegungen ab, sie wollte nur an ihn denken. So konnte sich dieser lebensstrotzende und lebensfrohe Mann nicht mehr aus der Falle befreien, die er sich mit eigenen Händen gestellt hatte. Vor Ende dieses Tages oder spätestens einige Stunden nachher verfing er sich in ihr – er würde sich töten.

Wieder zitterte Angèle am ganzen Körper wie vorhin im Morgengrauen, als sie Euloge aus dem dumpfen Schlummer gerissen hatte, in den sie kraftlos und gedankenleer versunken war. Und dann fragte sie sich: Wie wollte er es tun? Hatte er nicht gesagt, daß nur Mehlen und sie wissen würden, daß er freiwillig geschieden war? Wo? In welchem Augenblick? Auf welche Weise? Den ganzen Tag das schreckliche Warten auf den einen gräßlichen, unausbleiblichen Augenblick; und mit der gleichen Sekunde, in der man ihr das seit früh, seit gestern, bekannte Ereignis als geschehen ins Gesicht schleudern würde, mußte aus diesem Tod, nach dem Wunsch des Verstorbenen, ihr eigenes neues Leben erwachsen.

Alles war einfach, es war nicht schwer zu sterben. Schwerer war es – weil man nach Patrices Worten zahlen mußte – zu leben, und diese Bezahlung wog in den Augen Madame de Vibornes wohl die andere auf. Mit Hubert würde ihre Jugend entschwinden oder zumindest das, was ihr davon verblieben war und was sie heimlich verzweifelt zu hüten suchte. Und mit Patrice würden alle die erfüllten reichen Jahre dahingehen, die von außen her vielleicht nach Beschränkung ausgesehen hatten, in Wahrheit aber Entfaltung gewesen waren. »Mein Gott, wenn ich könnte ...«, stöhnte sie. Aber sie konnte nichts. Es war nichts mehr zu versuchen, nichts mehr zu wagen. Patrice hatte ihr versichert, daß er alles Denkbare unternommen hatte.

Er hatte alles unternommen, und mehr noch, aber das wußte sie nicht. Mehlen hatte ihm gestern vormittag nur bestätigt, was er ohnehin schon wußte. Seit einigen Tagen bereits hing das Damoklesschwert über Patrice: Jeden Abend rief er seinen Wechselmakler Caussalade an und gab sich kaum mehr Illusionen über das Debakel der »Holding« hin. Aber es war zu spät; und wenn er zurückzog, indem er seine Anteile verkaufte, hätte er eine Situation, aus der ihn nur ein Wunder retten konnte, noch verschlechtert. Er hatte an das Wunder nicht geglaubt, aber trotzdem zugewartet. Am Dienstag abend wußte er, daß alles verloren war; so ließ er sich am Mittwoch früh nach Nouans fahren und stieg in den Zug nach Paris.

Im Wartezimmer des Wechselmaklers wimmelte es jetzt, zur Börsensession, von Schreibern, Kontoristen, Lehrjungen mit zahlenbedeckten Zetteln in den Händen, die für Patrice Ja oder Nein, Leben oder Tod bedeuteten. Auf diesen Auszügen stand das Urteil geschrieben, kalt, unpersönlich, administrativ. Chiffrierte Dekrete, die besagten: »Monsieur X wird morgen hingerichtet« oder auch »Aufschub für Monsieur Z.« Von diesen Notizen hing sein Leben ab: sein Atem, die Wärme seiner Hände, das wohlige Gefühl der kraftlosen Sonne auf seinem Rücken, wie er es vorhin auf der Straße gespürt hatte, denn es war ein wunderbarer, strahlender Wintertag.

Und Monsieur de Viborne ließ dieses Leben, das von den Bulletins abhing, an sich vorüberziehen. Er brauchte sich nicht zu beklagen, er war überzeugt, daß er es genauso einrichten würde, wenn er von neuem beginnen müßte. Es hatte ihm alles gegeben, was er erwarten konnte, und er fühlte sich nicht benachteiligt. Nach seiner freudlosen Vernunftehe, der er immerhin Enguerrand verdankte, hatte es ihm die Liebe gebracht, die unzerstörbare Liebe bis zum Ende. Das war nicht so schlecht! Wie viele Menschen konnten das gleiche behaupten? Und wie viele hatten die Liebe solcherart erlebt? In Schwierigkeiten und Gefahren hatte es gehalten – wie stark mußte das Gefühl sein!

Und das äußere Leben? Zwanzig Jahre Waidwerk, Hetzjagd, königliche Hirsche, kapitale Rehböcke, listige Hasen. Zwanzig Jahre kräftige, sichere Hunde aus guter Zucht, zwanzig Jahre Ritte durch die Wälder, den Sümpfen entlang, durch Flur und Wald. Zwanzig Jahre, die würdig den hundert und aber hundert Jahren seiner entschwundenen Ahnen Viborne gewesen waren, reiche Jahre, von alldem genährt, was ihnen Fülle gab. Zwanzig Jahre La Gardenne mit einer Frau, die ihren Namen in Ehren trug und für die er, wie für alles übrige, jedes Wagnis auf sich genommen hatte: erst die Heirat, dann ihre Einführung in einen Lebenskreis, für den sie nicht vorbereitet war, und jetzt endlich alles zu riskieren, um das Entscheidende zu retten.

Die Tür öffnete sich, und Caussalade ließ Monsieur de Viborne in sein Büro bitten. Der Mann hatte sichtlich noch nicht alle Hoffnungen aufgegeben, denn er sprach sofort den Namen Mehlen aus. Die »Holding« war keine Affäre Mehlens, aber er stand dahinter – an welchen Spekulationen war er nicht interessiert? Man hätte Zeit gewinnen, neue Gelder aufnehmen müssen, aber der Darlehnsgeber, der die Garantien in La Gardenne besaß, hatte das Vertrauen verloren; es hieß zahlen. Mehlen brauchte nur zu wollen – er war doch mit dem Marquis de .Viborne befreundet? –, dann konnte er die Garantie übernehmen, es fiel ja in sein Ressort, und wenn er vielleicht sogar draufzahlte, was bedeutete das für ihn? Eine Bagatelle. Könnte Monsieur de Viborne ihn nicht anrufen, er besaß doch seine Geheimnummer?

Patrice besaß die Telefonnummer, die Mehlen sonst niemandem gab, um ihn von den Jagdtagen zu verständigen. Für die Jagd ließ Mehlen alles stehen und liegen. Das hatte die beiden Männer zusammengeführt. Nicht das allein, denn es war vorgekommen, daß sich Mehlen dann und wann unter einem Vorwand an den Unkosten »beteiligte«, ohne aber jemals auch nur anzudeuten, daß man ihm verpflichtet sei.

Während Monsieur de Viborne, den Hörer in der Hand, die Nummer wählte, wußte er schon, daß der Versuch vergebens war.

Mehlen war zu Hause und meldete sich sofort. Er war überaus liebenswürdig und geradezu unglücklich, als er die Sache erfuhr – wußte er nicht schon längst davon? –, aber er konnte nichts für oder gegen die »Holding« unternehmen, er war persönlich in der Angelegenheit engagiert, und seine Geschäftsfreunde würden sein Vorgehen nicht begreifen. Sehr unangenehm, diese Sache für Monsieur de Viborne, aber die Lage war nicht hoffnungslos, er brauchte nur eine Prolongation zu veranlassen...

Diese Prolongation konnte Monsieur de Viborne nicht vornehmen, das wußte er, und der Mann am andern Ende des Drahtes wußte es genauso, aber darüber mußte man hinweggehen. Mehlen hätte die Sache als Unbeteiligter in die Hand nehmen, ihr eine Injektion geben müssen, die noch einen Verkauf der Papiere ohne allzu großen Verlust erlaubt hätte; unmittelbar nach der Aussonderung der übereilt erworbenen Anteile Monsieur de Vibornes konnte man dann die »Holding« endgültig fallenlassen. Aber dazu war Mehlen nicht imstande, er war »engagiert«, wie er nochmals, tiefst bedauernd, aber entschieden erklärte. Wenn der Marquis jedoch momentan einen Betrag brauche, für die Meute etwa...

Nein, der Marquis brauchte nichts, und die Hunde ebensowenig. Er dankte Mehlen und erinnerte ihn bei dieser Gelegenheit daran, daß Freitag in La Gardenne gejagt werde. Gut, Mehlen würde gerne Donnerstag abend kommen und ihm die letzten Börsennachrichten bringen. Auf jeden Fall: Er war da, das sollte Monsieur de Viborne nicht vergessen. Er war da, ja, aber immer nur dort, wo es Gewinn und Sieg gab. Stets erhielt er den vollen, ihm zustehenden Preis, und niemals gab er die Wechsel zurück. Wieder einmal war er zur Stelle, um die Früchte seiner Geduld zu ernten und zu triumphieren, unauffällig, aber sicher.

Monsieur de Viborne hängte ab. Caussalade begriff. Sie tauschten noch ein paar nichtssagende Worte, alles Wesentliche war gesagt worden. Man brauchte kein Drama daraus zu machen. Entweder trieb Monsieur de Viborne das Geld auf, oder er war ruiniert, und wenn er es morgen nicht war, dann eben später. Monsieur de Viborne war ausgelöscht, ein Klient von gestern; das Verhalten Mehlens, der in La Gardenne jagte, mit dem Viborne verkehrte, der allgemein als Freund des Hauses galt, wessen sich Mehlen zuweilen rühmte, schob Viborne endgültig in die Vergangenheit zurück. Der Marquis würde nicht mehr in der Rue de Richelieu erscheinen, die Nummer Saint-Viâtre 137 konnte vom Telefonverzeichnis gestrichen werden.

Monsieur de Viborne war weder niedergeschlagen noch verzweifelt, als er das Büro verließ. Seit langem hatte er mit diesem Ausgang gerechnet, ja er wunderte sich, daß es nicht schon längst soweit gekommen war. Obwohl ihn der Schlag vernichtet hatte und er sich noch einige Tage Aufschub gab, mußte er sich innerlich klarwerden, aber er mochte noch so lange in den Straßen herumlaufen, es wollte ihm ohne fremde Hilfe nicht gelingen. Er brauchte zwar keinen Rat, keinen Beistand mehr, aber einen Menschen, bei dem er sich aussprechen konnte. So geschah es, daß er sich unvermutet vor dem Hause der Madame Paris befand, ohne recht zu wissen, wie er dorthin gelangt war.

Viele Jahre war er nicht mehr in die Rue de Caulaincourt gekommen. Alles, was er von der alten Dame wußte, hatte er durch seine Kinder erfahren, und das mußte schon was Besonderes gewesen sein, denn trotz der von ihm geschaffenen Kluft zwischen ihr und ihm, die seine stets vernünftige und einsichtsvolle Gattin geachtet hatte, betrat er das Haus.

Es war vier Stockwerke hoch und ohne Lift. Monsieur de Viborne, der von der Jagd und den Märschen durch Flur und Feld trainiert war, rannte sie förmlich hinauf. Es hatte sich nichts verändert in dem Treppenhaus, nicht einmal die Gerüche; es schien, als koche man seit je in der Hausbesorgerwohnung das gleiche Hammelragout und den gleichen Sauerkohl in der zweiten Etage. Die dunkelbraune Farbe der Wände war weder schmutziger noch fleckiger, das Geländer nicht abgegriffener geworden, und als er vor der Türe stand, klopfte er so kräftig, wie er es früher getan hatte, denn wie damals funktionierte die Glocke nicht.

Es wurde sofort geöffnet. Ein Mann im Überzieher, einen Wollschal um den Hals, stand im Halbdunkel vor ihm. Es war Jules.

Monsieur de Viborne wunderte sich, er war nur auf Madame Böck gefaßt gewesen. So nannte er die Mutter Angèles heute noch, weil sie unter diesem Namen die Reitschule geführt hatte. Jules hingegen wußte sofort, wer sich vor ihm befand, die Kinder hatten oft genug von ihrem Vater erzählt. Er war nicht weiter erstaunt; es war ihm auch sofort klar, wem der Besuch galt:

»Pauline« – aus Apolline war Polline und später Pauline geworden –, »Pauline«, rief er, »der Herr Marquis ist da!«

»Wer?« fragte eine Stimme aus der Küche.

»Der Herr Marquis ... Marquis de Viborne.«

Madame Paris trat ein, trocknete sich die Hände an einem Küchentuch und schloß die Glastüre hinter sich. Ihr Gesicht drückte keinerlei Erstaunen aus:

»Laß uns allein, Jules«, sagte sie.

»Ich wollte gerade weggehen«, antwortete der ehemalige Platzanweiser.

Er verbeugte sich und ging zum Treppenabsatz, aber weder Madame Paris noch Monsieur de Viborne schenkte ihm Beachtung.

Die Mutter Angèles öffnete die Tür zum Salon – sie besaß eine Wohnung von vier Zimmern, etwas Besseres als eine Durchschnitts-Mietwohnung – und trat zur Seite, und Monsieur de Viborne befand sich in dem Raum, in dem er vor achtzehn Jahren zum erstenmal gestanden war, um von dieser Frau die Hand ihrer Tochter zu erbitten.

Er hatte sie seither nicht mehr gesehen, aber sie schien ihm kaum verändert. Sie gehörte zu den Frauen, die sich von einem gewissen Alter an ihr Gesicht so sehr schminken, daß sie immer gleich ausschauen. Sie haben so viel Schwarz unter ihren Augen, so viel Rosa auf ihren Wangen, daß sich ihre Züge nicht wandeln. Sie wies auf den unechten Aubusson-Fauteuil, auf dem sie ihn schon damals gebeten hatte, Platz zu nehmen, setzte sich selbst auf das Kanapee, hob das Kinn, sah ihn fragend an und wartete wie damals.

»Es ist lange her, Madame ...«, begann Monsieur de Viborne stokkend. Und da Madame Paris Schweigen bewahrte, fuhr er gehemmt und unsicher fort; die Worte wollten ihm nicht einfallen, um zu sagen, was zu sagen war: »Ich hatte nicht das Vergnügen ... die Gelegenheit ... Sie seither zu sehen. Aber durch die Kinder habe ich gehört ...«

»Ich habe die Kinder sehr gern«, fiel ihm Madame Paris ins Wort, nicht als Vorwurf, sondern als Feststellung. Und weil schon von den Kindern die Rede war, sprach sie weiter: »Ich habe sie sehr gern. Angélique, weil sie ein so innerlicher Mensch und doch lebensfroh ist ... Enguerrand vor allem, weil er das Wichtige und Entscheidende im Leben ganz klar erkennt. Er ist wirklich ein ordentlicher Junge, anständig, der es sich nicht leichtmacht. Wir sprechen oft mitsammen.«

»Ich weiß, Madame, ich weiß es von ihm – und von meiner Frau.«
»Lambert sehe ich selten«, setzte sie fort, »nur wenn ihn die Mutter einmal in die Stadt zum Zahnarzt bringt. Aber ich glaube, später, wenn er auch studieren wird ...«
»Sie haben viel für sie getan, Madame.«
»Nein, nein, täuschen wir uns nicht: Die Kinder sind es, die viel für mich getan haben. Sie haben mir meine Tochter ersetzt, die in La Gardenne festgehalten ist.«
»Ihre vielseitigen Verpflichtungen ...«, sagte Monsieur de Viborne.
»Ich weiß – ich weiß ... Das soll kein Vorwurf sein. Ich beklage mich nicht.«
»Auch ich beklage mich nicht«, sagte Monsieur de Viborne. »Ich glaube« – er schien sich einen Anlauf zu nehmen –, »daß wir beide viele verwandte Züge besitzen. Sie haben mich seit achtzehn Jahren nicht gesehen, weil unsere Lebenswege auseinanderlaufen, aber wenn sie auch, von außen besehen, ganz entgegengesetzt sind, so werden wir anscheinend doch von der gleichen Kraft geleitet und gehen, unbekümmert um die andern Leute, den Weg weiter, den wir für den richtigen halten.«
»Ich weiß zwar nicht genau, worauf Sie hinauswollen, aber trotzdem glaube ich Sie zu verstehen.«
»Deshalb werden Sie auch meinen Besuch heute verstehen. Und deswegen wollte ich Sie sprechen. Sie waren immer, über alles hinweg, was ich von Ihnen wußte« – er sagte nicht: trotz Ihrer Fehler, Ihrer übertriebenen Schminke, Ihrer Eigenheiten –, »die Verkörperung der Courage für mich. Und jetzt brauche ich Courage.«
»Ich weiß nicht, ob ich sie Ihnen geben kann und ob ich wirklich in meinem Leben immer mutig war, aber ich kann Ihnen sagen, Monsieur« – sie nannte ihn selbstverständlich nicht »Schwiegersohn« –, »daß Sie jetzt, in diesem Augenblick, das gleiche für mich sind wie Angélique oder Enguerrand.«
»Gerade das erbitte ich von Ihnen, Madame«, antwortete Monsieur de Viborne und senkte den Kopf.
»Also«, fragte sie, »was ist los?« – genauso, wie sie den Jungen oder das Mädchen fragte, die ihr daraufhin das Herz ausschütteten. Auf diese Weise hatte sie Enguerrand einmal aus einer dummen Geschichte mit einer kleinen Verkäuferin, die geheiratet sein wollte, herausgeholfen, und auf die gleiche Weise wachte sie heute noch mit ihrem ganzen Hausverstand über ihre Enkelin Angélique, die sich auf dem dornenvollen Weg zu Gott befand.

»Nun«, sagte Monsieur de Viborne, wie vor einem Beichtvater, mit
dessen Nachsicht, Menschlichkeit, Ratschlag er rechnen konnte und
vor dem er keine trübe oder dunkle Züchtigung, keinen Hinweis auf
dies irae fürchten mußte, »nun, ich bitte Sie, meine Handlungen
nicht zu richten, sondern mir nur ruhig zuzuhören. Seit Jahren gebe
ich zur Erhaltung meiner Meute, für unsern Haushalt sehr viel Geld
aus... viel zuviel, um es geradeheraus zu sagen. Ständig habe ich
nach Auswegen gesucht, das und jenes unternommen und heimlich
doch geglaubt, daß es ewig so weitergehen wird. Tatsache aber ist,
daß ich tief in Schulden stecke, daß ich mich verrannt habe und daß
ich eben jetzt von meinem Wechselmakler erfahren mußte: Auch die
letzte Karte, auf die ich gesetzt habe, war eine Niete oder vielleicht
sogar falsch. Morgen werde ich... werden wir nichts mehr besitzen.
Verstehen Sie, ich wäre natürlich zu jedem Opfer bereit, um das Haus
weiterzuführen... sogar mich selbst zu opfern, wenn das helfen
könnte. Und das nicht aus Stolz, sondern aus einem tiefen Bedürfnis
heraus. Ich bin der Verantwortliche – ich sage nicht, der Schuldige.
Ich weiß genau, daß Sie mir nicht zurufen werden: ›Sie haben meine
Tochter, meine Enkel ruiniert!‹ und daß Sie nicht an das Geld denken.
Vielleicht noch weniger als meine Familie, und trotzdem ist es für
mich das entscheidende Problem. Zu Ihnen aber komme ich nur aus
folgendem Grund: Ich habe einen Entschluß gefaßt, und ehe ich ihn
ausführe, möchte ich Sie fragen, ob Sie ihn gutheißen.«
»Sprechen Sie«, sagte Madame Paris, »ich habe Ihnen schon gesagt,
daß ich antworten werde, wie ich den Kindern antworten würde.«
»Ich bin auch ein Kind, trotz meines Alters«, sagte Monsieur de Viborne mit einem unglücklichen Lächeln.
»Glauben Sie«, sagte Madame Paris, »daß ich mit meinen Falten, mit
meinen zweiundsiebzig Jahren irgend etwas anderes bin? Als Kinder
sagte man uns: Ihr werdet schon sehen, wenn ihr groß seid! Und was
haben wir gesehen, frage ich Sie? Ist dieses Restchen Sauberkeit,
Reinheit, das wir uns vielleicht trotz unseres Gesichts und unseres
Körpers aus der Jugend herübergerettet haben, nicht etwas so Kostbares, daß man dafür über unsere ganzen Dummheiten und Schwächen hinwegsehen kann? Also bitte, sprechen Sie.«
So also sprach Monsieur de Viborne ohne Umschweife, ohne Be-
schönigung, ganz einfach. Madame Paris wurde zu seinem Spiegel,
in dem er sich selbst zum erstenmal in seinem Leben scharf, gnaden-
los erblickte, wie er war. In ihrer Nähe fühlte er sich sicher und stark,
alle Zweifel waren weggewischt. Er quälte sich nicht mehr mit Problemen ab, er schilderte nur die Tatsachen. Er sagte alles, ohne sich
unnütz zu entschuldigen, ohne sich auf die Brust zu schlagen, ohne

zu klagen oder zu hadern. So war es, so hatte er gehandelt, es ging nicht darum, ob er recht oder unrecht getan hatte, es ging nur darum, darzulegen, was noch zu retten war. Sie ließ ihn reden, ohne ihn zu unterbrechen, sie hörte ihn aufmerksam bis zu Ende an, und ihre Miene wurde noch etwas gespannter, als der Name Angèle fiel.

»Ich glaube, daß der Tod nützlich, ja notwendig werden kann, wenn durch ihn etwas bewahrt oder verlängert wird. Mein Tod bedeutet nicht den Anfang einer Sache, aber er kann fortsetzen, was die Meinen und ich getan haben. Auf einem Schlachtfeld gibt es notgedrungen Gefallene, und der Tod schlägt vielleicht nur jene Menschen, die im Augenblick ihres Scheidens aus einer höheren Notwendigkeit heraus getroffen werden müssen. Für mich sind diese Gründe offen und klar gegeben; ja in meinem Fall verstehe ich sie. Vielleicht werden mein Tod, der das Opfer Ihrer Tochter im Gefolge hat, und die Demütigung, die das Leben von ihr fordern wird, eine Bedeutung erlangen, die über unsere Begriffe geht.«

»Wir sind allein, Sie und ich«, sagte Madame Paris leise, »und was hier gesprochen wurde, soll niemand außer uns beiden erfahren. Sie wollen von mir nicht hören, ob Sie unrecht oder recht handeln, und Sie wollen nicht, daß ich Ihnen rate. Ich will Ihnen daher nur das geben, was Sie bei mir gesucht haben, Patrice« – sie nannte ihn Patrice, und es rührte ihn –, »tun Sie, was Sie tun zu müssen glauben, und seien Sie überzeugt, daß ich Sie begriffen habe ... begreife und Ihnen vergebe, wenn Sie wirklich glauben, daß es nötig ist, in einem solchen Fall von Vergebung zu sprechen. Ich darf mich daher über die Tat selbst, die Sie planen, nicht äußern, wohl aber über die Art des Vollzugs. Darüber möchte ich Näheres wissen ...«

Sie hoffte, ihm dadurch das Falsche, vielleicht Sinnlose seiner Absicht vor Augen zu führen und ihn umstimmen zu können.

So beugte er sich zu ihr und sprach flüsternd in ihr Ohr, als schäme er sich.

Ein Horn blies: die *Vue*, das Zeichen, daß man den Hirsch gesehen hatte. Angèle blickte die Allee hinauf. Sie wußte, daß jetzt das umstellte Tier hervorbrechen mußte, daß es schon gewendet hatte und sich noch mit aller Kraft und allen Listen wehren würde. Aber es ahnte nicht, daß dort vorn beim Kreuzweg bereits die Hunde des ersten Relais lauerten.

Und plötzlich sah sie ihn wie einen Blitz. Sie sah ihn nur den Bruchteil einer Sekunde lang, aber sie erkannte, daß es ein kapitaler Hirsch war, den man hetzte, und auch sie hob das Horn an die Lippen.

45

Le bien aller

Als Hubert Doissel die Fanfare hörte, warf er sein Pferd in die Allee. Der Hirsch hatte einmal gewendet und war eben am Kreuzweg vorbeigekommen, man mußte also zur roten Mulde reiten, wenn man ihn noch einmal sehen wollte. Er kannte jetzt das Gebiet genau genug, um sich den weiteren Verlauf der Jagd vorstellen zu können. Und außerdem würde er bei der Mulde vielleicht Angèle finden, die in der gleichen Absicht hinkam, Angèle, die er unbedingt sprechen mußte.

Was bedeutete das alles? Was meinte sie mit ihren Worten vorhin? Der Marquis wußte es also! Hubert fühlte mehr Scham als Verdruß darüber; denn schließlich hatte es ja einmal dazu kommen müssen, sie konnten nicht ewig heimlich zusammenkommen. Schluß also mit den Lügen, der Verstellung. Endlich durfte er die Angelegenheit offen behandeln. Wenn eine Erklärung nötig wurde, dann sollte es nicht an ihm liegen, sie dem Marquis zu geben. Er sah sich schon vor diesem Landedelmann stehen, dort in dem kleinen Kabinett mit dem von der Feuchtigkeit eingesunkenen Boden, vor den verstaubten Vitrinen, inmitten der Papiere und Mappen:

»Herr Marquis, ich bin der Geliebte Ihrer Gemahlin ...«

Er hatte keinen Sinn für das Lächerliche und Ungehörige der Affäre: Er war sechsundzwanzig Jahre alt. Er liebte Madame de Viborne, weil er sie liebte, und damit fertig. Alles rückte vor dieser unumstößlichen Tatsache in den Schatten: der Altersunterschied, die verschiedenen Lebensverhältnisse, die Kinder, der Gatte. Er wußte nicht, was eine Frau von vierzig Jahren bedeutete und daß ihm diese hier – wie jede andere auch – sehr überlegen war und die Dinge von einer andern Warte, aus einer von der seinen sehr verschiedenen Welt betrachtete.

Monsieur de Viborne hatte die Wahrheit erfahren. Gut, recht so. Nun konnte alles richtig beginnen. Ahnte Hubert nicht, daß sich im Gegenteil schon das Ende abzeichnete, während er in sein Selbstgespräch versunken war? »Dem Rivalen entgegentreten« – er konnte sich nur den Marquis als Rivalen vorstellen; was ihm Angèle von Mehlen und den »Aufmerksamkeiten« Gardas' erzählt hatte, entlockte ihm nur ein Lächeln. »Monsieur«, würde er zu dem Marquis sagen, »ich liebe Ihre Frau, und sie will Sie verlassen. Ihr Name, Ihr Titel, dieses Schloß hier, alles das bedeutet ihr nichts mehr. Nur ich allein gelte für sie. Sie ist bereit, mit mir, dem Mann, den sie liebt, ein neues Leben zu beginnen.« Mein Gott, Angèle hatte ihm niemals gesagt, daß sie Patrice geliebt hatte, daß sie ihn auf eine andere, sehr dauerhafte Art noch immer liebte. »Die Armut schreckt sie nicht« – hatte er überhaupt jemals mit ihr über solche Dinge gesprochen? »Nur wir beide, sie und ich . . .«

Eines wunderte ihn freilich: das Verhalten Monsieur de Vibornes. Sein Benehmen hatte sich in keiner Weise von seinem sonstigen unterschieden. Ein sonderbarer Herr, dieser Marquis. Hubert verstand gut, daß er vor seinen Gästen keinen Skandal zu entfesseln wünschte, aber er hätte doch etwas mehr als ein paar unpersönliche Worte von ihm erwartet. Doppelsinnige Bemerkungen, Anspielungen, knisternd von Elektrizität oder unterdrücktem Zorn, wären hier am Platz gewesen und nicht farblos freundliche Worte. Wirklich – da gab es ein ernstes und schweres Problem zu lösen, Monsieur de Viborne wußte es wie er, und das wirkte sich gar nicht nach außen hin aus?

Noch etwas anderes nagte an ihm: Angèles Verhalten. Die Worte, mit denen sie ihm mitgeteilt hatte, daß der Marquis über ihre Liaison unterrichtet war, unterschieden sich ziemlich von denen, wie er sie von ihrem ersten Besuch in seinem Zimmer an erwartet hatte. Sie hatten geschwiegen, geheuchelt, aber nur, weil sie, Angèle, es so wünschte. Er hätte sein Glück am liebsten in alle vier Himmelsrichtungen hinausgeschrien. Das hatte sie ihm ausgeredet. Aber es war beschlossene Sache – zumindest seiner Meinung nach –, alles sofort publik zu machen, sobald der Marquis die Wahrheit erfuhr. Jetzt war der Augenblick da, und Angèle schien mit anderen Dingen beschäftigt zu sein – als ob das nicht, und nur das, von Bedeutung wäre, als ob überhaupt noch etwas anderes daneben bestehen könnte!

Er mußte daher sofort mit ihr reden. Nicht, daß er an ihr gezweifelt hätte, aber gewisse Fragen waren eben zu regeln, zumindest ihrer beider künftiges Verhalten. Er, Hubert, würde sich mit Freuden über alles hinwegsetzen, was sie trennte, und er wiegte sich in der Hoffnung, daß sie genauso dazu bereit war. Trotzdem war er nicht ganz sicher, nicht ganz glücklich. Ach, wie schwierig das alles war!

Jetzt hörte man die Meute. Es war noch nicht sehr lange her, daß man Doissel in die Geheimnisse dieser Kunst, der Parforcejagd, eingeweiht hatte, aber so viel begriff er schon davon, daß er ihre Schönheit, ihre echte Größe erkannte, daß er dem Spiel auf Leben und Tod mit der gleichen Begeisterung wie alle andern Jäger folgte, diesem Spiel, das immer den Tod eines Tieres, zuweilen auch den Tod eines Menschen mit sich bringt. Vom Augenblick an, da das Wild ermittelt war, fühlte er sich wie berauscht, die Sinne schärften sich, erschlossen sich den feinsten Regungen, witterten mit einem neuen Instinkt die

Listen, als identifiziere er sich mit dem gehetzten Tier, fühle, errate, ahne, hoffend und verzweifelnd mit ihm, sterbend oder siegend im gleichen Augenblick und auf die gleiche Weise, und nehme wie dieses Geschöpf, edel und erhaben, den unausweichlichen Tod auf sich. Vielleicht hatte seine Liebe zu Angèle de Viborne mit diesen Empfindungen zu tun, da sie ihn die Jagd wie alles andere gelehrt hatte, und die Jagd war eben eines der Dinge, die er mit ihr teilen durfte.

Heute aber bedrückten ihn Sorgen, sie dämpften den Schwung und die Begeisterung, die ihn sonst beim Anblick mächtiger dahinjagender Tiere, galoppierender Pferde, roter Jagdröcke vor dem gelblichgrauen Hintergrund des winterlichen Holzes oder welken Laubes beglückten. Was er brennend gern wissen wollte, das war nicht das Schicksal des Hirsches, der den Hunden weit voraus war, ob und wie ihn die Meute stellen würde, sondern das Geheimnis, das Angèle vor ihm verbarg.

Es galt Dispositionen zu treffen, eine Zukunft ins Auge zu fassen, die zwar voll Schwierigkeiten steckte, aber von einer großen Liebe durchglüht war. Es gab eine Menge materieller Fragen zu lösen: Angèle würde alles zurücklassen, dem Mann ihrer Wahl sozusagen nur mit dem Hemd am Leib in die Ferne folgen. Er kümmerte sich nicht darum, ob sie etwas Vermögen besaß, und wenn, dann wollte er von diesem Geld nichts wissen: Der Mann muß die Frau, die er liebt, erhalten. Erhalten! Er war bis jetzt noch an die Bohème gewöhnt, er hatte keine Ahnung von den Kosten des täglichen Lebens, und die Klagen seiner Mutter, die den lieben langen Tag über die steigenden Preise der lebenswichtigsten Dinge jammerte, waren bestimmt nicht geeignet, ihm eine richtige Vorstellung davon zu geben. Übrigens, was würde Mamoune zu der ganzen Geschichte sagen?

Er hatte zu eng mit ihr zusammen gelebt, um ihr nicht einen festen Platz in seinem Leben einzuräumen. Er unternahm nichts ohne ihre Zustimmung. Gewiß, sie würde ihm verzeihen, aber ebenso gewiß würde sie die zahlreichen Einwände vorbringen, die er selbst nicht recht verwerfen konnte: den Altersunterschied, den Skandal, die Kinder. Und wovon leben? Und wie? Ach was, die Liebe überwindet alle Hindernisse!

Er mußte auch wissen, wie der Marquis die Sache aufgenommen hatte, ob er vielleicht verzieh, statt mit ihr zu brechen; in diesem Fall wäre eine Flucht, so etwas wie ein Frauenraub ins Auge zu fassen. Warum war Angèle noch nicht hier, an seiner Seite? Wo war sie jetzt überhaupt?

Das alles schwirrte in seinem Kopf, während er das Pferd zum Kreuzweg hin lenkte. Der Hirsch war vorbeigewechselt, die Hunde des ersten Relais waren nicht mehr da. Die Jagd verlegte sich nach Norden.

Er war allein, allein in diesem dunklen Wald, in dem ständig feuchter Winternebel lag, unter den Alleen, in den Schneisen, unter den Büschen. Heute drang die Sonne gewiß nicht durch. Alles ringsum war wattig weich, man sah den Himmel nicht mehr, und die Geräusche klangen gedämpft, es war nicht abzuschätzen, aus welcher Entfernung sie kamen. Man konnte sich plötzlich in der Nähe des gehetzten Wildes oder der Reiter befinden, ohne ihr Kommen bemerkt zu haben. Auf wen würde er stoßen? Auf Gardas, auf Mehlen? Auf die Damengruppe in diesem trotz seiner Hunderte Hektar zu kleinen, zu engen Forst? Angèle, Angèle ganz allein wollte er finden!

Ein Häher schrie, ein anderer antwortete. Sie flogen von Baum zu Baum, als verfolgten sie einander mit ihren heisern Rufen. Und wieder war es still, und aus der Ferne klangen die Schläge der Axt, die jetzt einen andern Baum fällte.

Plötzlich vernahm er galoppierende Hufe in der Allee hinter sich. Er erriet sie mehr, als er sie hörte. Er drehte sich um, es war Madame de Viborne, die mit verhängten Zügeln auf ihn zuritt.

Ah, sie suchte ihn, sie kam zu ihm! Eine warme Woge strömte zu seinem Herzen.

Sie hatte ihn zuerst nicht gesehen, weil er hinter einer Eiche verborgen war, deren Laubwerk über den Weg hing.

Kaum aber hatte sie den Schatten erblickt, wußte sie, daß er es war. Sie war nicht im geringsten in Stimmung, ihm die Sachlage jetzt zu erklären, sie mußte erst mit sich selbst ins reine kommen, vor allem aber konnte sie, trotz des Ernstes, mit dem ihr Mann gesprochen hatte, noch immer nicht glauben, daß er seinen Plan verwirklichen werde. Nein, sie wollte Hubert nicht begegnen, sie suchte ihn nicht, es war noch zu früh. Aber es war auch nicht mehr möglich umzukehren, keine zwanzig Meter trennten sie von ihm. Sie sah ihn aufrecht, fast stehend in den Steigbügeln, das Gesicht ihr zugewendet. Wenn er ihr den Weg versperren wollte, dann genügte es, sein Pferd quer über die Allee zu stellen, und sie mußte ihn dann wohl oder übel auch anhören.

Weit draußen erklang ein Horn: das Horn Monsieur de Vibornes, sie erkannte es sofort. Es war die Fanfare des Bien Aller, sie zeigte an, daß die Hunde auf der richtigen Fährte waren.

Das rettete sie – so glaubte sie zumindest – oder gewährte ihr doch eine Frist, kostbare Minuten, um sich zurechtzulegen, was sie Hubert sagen durfte, denn bis jetzt hatte sie noch mit keinem Gedanken daran gedacht. Sie würde ihn verlieren, aber nicht ihn allein; mit ihm verlor sie alles, den letzten Funken, das letzte Aufflammen ihrer Jugend. Ach, was mußte alles zugleich mit ihrem Gatten sterben!

Sie gab Pasiphae die Sporen, streckte die Peitsche mit dem langen, eingerollten Riemen in die Richtung, aus der das Horn gerufen hatte. Sie setzte an Hubert vorbei, und bis er Zeit fand zu wenden und sein Pferd ausgreifen zu lassen, hatte sie schon einen gehörigen Vorsprung gewonnen.

Nun galoppierte er einige Pferdelängen hinter ihr, verständnislos und wütend zugleich. Kaum hatte er sie gefunden, entkam sie ihm wieder! Aber er war ihr auf den Fersen, wie später gegen Abend die Hunde dem Hirschen auf den Fersen sein würden. Ob sie wollte oder nicht, sie mußte sich ihm zukehren und ihm Rede stehen!

Sie fühlte das alles, während sie vorwärts jagte, ihr Bewußtsein nahm es auf. Nein, sie durfte nicht das Ende des Tages, das Ende der Jagd abwarten, um mit ihm zu sprechen, sie mußte ihn verlieren, ehe sie den andern verloren hatte. Ach, nur noch ein paar Augenblicke, mehr wünschte sie nicht!

Sie straffte die Zügel und hielt die Stute an.

Es war die Stelle, wo der Hirsch über die Allee gewechselt hatte, um in den Hochwald zu flüchten; sie konnte die Fährte lesen, sie war die Gattin Monsieur de Vibornes.

Hubert, der sein Pferd in ihrer Höhe zum Stehen brachte, wunderte sich, daß Angèle solche Dinge bemerken konnte, wo ihn doch ganz andere Gedanken beschäftigten. Er wartete, daß sie zu ihm aufsah, um zu sprechen, aber sie riß ihr Pferd seitwärts in den Wald, bückte sich unter den tiefhängenden Ästen und warf ihm ein: »Komm!« zu, dem er gehorchen mußte.

So folgte er ihr in das Gebüsch, schluckte seine Wut hinunter und bewunderte sie, wie sie sich geschmeidig, verwachsen mit dem Pferd, durch die jungen Buchen, das Brombeergestrüpp, die Lianen wand. Ja, das Leben, das wahre Leben gab es nur an der Seite dieser Frau! In seiner jugendlichen Unbefangenheit bedachte er nicht, daß er sie niemals in einem andern Rahmen als in diesem hier gesehen hatte, in der Welt, in der sie sich seit achtzehn Jahren bewegte.

Wieder hörte man die Hunde. Das Unterholz lichtete sich. Hubert ritt an die Seite Angèles. Sie spürte seine Nähe und wußte, daß der Augenblick gekommen war, den sie hinauszuschieben versucht hatte. So wartete sie auf seine Stimme, wie die Verurteilten auf die Kugeln des Pelotons warten, aber trotz ihres Mutes hielt sie das Haupt gesenkt.

»Nun?« fragte er scharf.

Sie brachte ihr Pferd zum Stehen.

»Was soll ich dir lange erklären? Was eintreten mußte, ist eingetreten. Hundertmal habe ich dir gesagt, daß wir vorsichtiger sein müssen. Jetzt ist es zu spät.«

»Nein«, sagte er, »jetzt beginnt es erst.«

Er ritt ganz nah an sie heran und versuchte ungeschickt den Arm um ihre Taille zu legen.

»Wir sind auf der Fährte«, sagte sie und machte sich los, »jeden Moment kann jemand auftauchen und uns überraschen. Wir stehen ohnehin am Rand des Skandals. Ich bin es meinem Mann schuldig, es nicht zum öffentlichen Skandal kommen zu lassen.«

»Wir müssen aber . . .« begann er.

»Nein«, sagte sie mit geheucheltem Nachdruck, mit einer Kraft, die ihr aus einer andern Gefahr, der wesentlichen Gefahr, erwuchs. »Nein, wir müssen nicht.«

»Aber Angèle, erinnerst du dich denn nicht . . .«

Ja, sie erinnerte sich ganz genau. Sie hatten schon darüber gesprochen. Hubert hatte gefragt – Hubert, nicht sie –, was geschehen würde, wenn Monsieur de Viborne eines Tages draufkäme . . . und er, Hubert, war es auch gewesen, der erklärt hatte, was »dann geschehen müßte« – nicht sie, wirklich nicht sie! Sie hatte nur zugehört, den Kopf an seiner nackten Schulter, an dieser frischen, jungen Haut, und alles, was er sagte, war so lind in ihr Ohr gedrungen wie ein süßer Traum, wie eine Liebkosung, der sie sich hingab und von der sie sich betören ließ. Das gehörte zum Spiel. Sie wußte freilich, wie falsch es war, daß es nie wahr sein konnte und daß sie Patrice niemals aufgeben würde. Aber sie wußte auch, daß sie Hubert nicht verlieren wollte. Und jetzt, in diesem Augenblick, wußte sie, daß sie weder den einen noch den andern haben durfte.

Eine letzte Ausflucht:

»Hubert«, bat sie, »können wir nicht später darüber sprechen?«

»Nein!« Er schrie beinahe. »Sofort, jetzt gleich müssen wir sprechen! Hast du denn vergessen, was ich will, was wir alles schon abgemacht haben? Ich habe versprochen, nichts vom Zaun zu brechen, aber du hast immer gewußt, daß ich im gegebenen Moment . . .«

»Ich wußte nichts, und ich weiß nichts«, sagte sie schroff, »und ich bitte dich, zu bedenken, daß ich eine Frau, eine verheiratete Frau bin . . . und daß du ein Kind bist.«

Sie hörte sich sprechen, und die eigenen Worte klangen ihr so falsch im Ohr.

»Was hat dein Mann eigentlich gesagt?«

»Daß er sich über unsere Beziehungen klar ist.«

»Und du hast es nicht abgeleugnet?«

»Wie hätte ich sollen? Patrice ist nicht der Mann, dem man etwas vorschwindeln kann.«

»Aber, lieber Gott, ich verlange doch keine Entschuldigung von dir! Ich hoffe, daß du es ihm offen ins Gesicht gesagt hast.«

»Gewiß. Aber diesem Mann verdanke ich ...«

»Mir verdankst du freilich nichts«, trotzte er. »Das weiß ich schon.«

Sie hätte so gern über diesen kindischen Jungen gerührt gelächelt.

»Doch«, sagte sie, »ich verdanke dir sehr angenehme Stunden.«

Er starrte sie an, fassungslos, verständnislos. Sie brachte es über sich zu scherzen! Diesen spöttischen Ton schlug sie nur an, wenn sie ihn als kleinen Jungen behandelte, was sie zuweilen gerne tat. Aber nein, sie schien diese Worte gesagt zu haben, ohne ihre Tragweite überhaupt zu ermessen. Sie sprach nicht von Liebe, ihrer großen Liebe, sondern von angenehmen Stunden!

Er war wie vor den Kopf geschlagen, er öffnete den Mund, brachte keinen Ton heraus, selbst sein Zorn war vergangen. Sie nützte die Gelegenheit und versenkte mit dem Gefühl dumpfen Schmerzes ihre Pfeile in seine Brust:

»Mein Kind«, sagte sie, und dieses »mein Kind« allein schon war entsetzlich, »mein Kind, der Marquis ist eben kein kleiner Junge. Er ist ein Mann, der das Leben kennt. Daher sieht er die Dinge anders, als du sie sehen kannst, und anders, als ich sie selbst betrachte.«

»Ah, ich bitte dich!« fiel er ihr heftig ins Wort, »fang nicht wieder mit deinem Alter an!«

»Es ist aber nötig, und einmal muß man wieder Vernunft annehmen.«

»Das also ist das Resultat deines Gesprächs heute nacht! Jetzt rede endlich! Was hat er gesagt?«

»Es kann dir kein bißchen helfen, wenn ich in Einzelheiten eingehe. Mein Mann hat mich aufgefordert, mit dir zu brechen. Er hat mir alles vor Augen geführt, was mich von dir trennt: meine Kinder, mein ...«

»Angèle!« rief Hubert aus, »das muß ich aus deinem Mund hören! Die Liebe überwindet doch alles, löscht alles aus! Wenn man liebt ...«

Sie fiel ihm ins Wort:

»Du willst also, daß ich alles verlasse, alles aufgebe und als Frau von vierzig Jahren mit dir, einem jungen Mann, lebe. Ich habe es früher nicht überlegt, aber jetzt ist es mir klargeworden, nach dem freundschaftlichen nächtlichen Gespräch mit meinem Mann ...«

»Freundschaftlich!« fuhr er wütend auf, »was soll das heißen? Hast

du unsere Liebe vielleicht als ein kurzes Abenteuer betrachtet? Hast
du mich nicht in die Liebe tauchen lassen, mit meinem ganzen Herzen, mit allen Sinnen ...«

»Aber, Hubert, Hubert!«

Diese Leidenschaft, diese letzte heiße Flamme, das alles sollte sie verlieren? Einen Augenblick war sie versucht nachzugeben, sich an
seine Brust zu lehnen, an die er sie leidenschaftlich preßte, wenn er
sie nachts in den Armen hielt, und die das Leben selbst war! Ihr
Blick verschleierte sich, ein Nebel hüllte sie ein, der alles verbarg,
auslöschte, alles, und die harte Wirklichkeit, die Wirklichkeit Patrice
de Viborne, zu etwas Unwirklichem zerfließen ließ. Aber sie riß sich
zusammen: Was hätte Madame Paris von ihr gedacht!

»Hubert«, sagte sie, »unser Erlebnis war wunderbar. Es hat so lang
gedauert, als es möglich war, und wenn ich mich auch blind hinein-
gestürzt habe, ich bereue nichts. Ich werde nichts bereuen und du
ebensowenig, später, wenn wir es nicht mehr überschätzen und so
sehen, wie es wirklich war. Ja« – sie gebrauchte den Ausdruck wieder, gab ihm aber eine ganz andere Bedeutung als heute nacht –, »ja,
du warst eben mein Ferienflirt.«

»Das ist nicht wahr!« schrie er auf und fühlte instinktiv, daß sie log.

»Doch, doch, Hubert, das war es und nichts anderes. Es war zauberhaft, aber es mußte einmal ein Ende nehmen. Wir haben beide, du
und ich, den Kopf verloren.«

»Und jetzt hast du ihn wiedergefunden?«

»Sagen wir, daß Patrice ihn für mich gefunden hat.«

Stumm, wie betäubt, stand er eine Weile vor ihr. Dann brach er los:
»Nein, nein, das ist unmöglich ...«

Ja, es war unmöglich, daß ihm das Glück, das so sichere Glück, wegen
der »Vernunft«, auf die sich seine Geliebte berief, entrinnen sollte.
Er fühlte die Kraft in sich, alle Hindernisse zu überwinden, alles
wegzufegen. Er begriff, daß Angèle zögerte, war sie nicht eine Frau?
Aber er würde sie überzeugen, zur richtigen Entscheidung zwingen,
zum Glück zwingen. Alle Zweifel waren weggeblasen, ein neues
Feuer brannte in ihm. Er rief:

»Ich höre dir nicht mehr zu. Auch ich habe einen Entschluß gefaßt,
und der allein gilt. Denn ich weiß, was du für mich bedeutest, Angèle, ich hole dich weg von hier. Wir werden zusammen leben. Nichts
kann uns trennen, weder das Alter noch die Konvention besteht vor
dem Gefühl, das wir beide empfinden. Ich begreife deine Skrupel,
dein Zaudern – für mich gibt es das alles nicht.«

»Du siehst immer nur uns beide«, sagte sie leise. »Im Leben ist man
ganz allein und niemals allein. Man hängt eng mit allem zusammen,

was mit einem begonnen hat und was nachher weiterbestehen wird...«

Aber er hörte ihr nicht mehr zu, er konnte die Vernunft einfach nicht hören. Wo doch alles mit ihm begann und endete – und er, das war doch zugleich auch sie.

Sie sah ihn voll Trauer an: Das also mußte sie verlieren, Begeisterung, Schwung, Feuer ... Mit ihm löschte alles aus. Vielmehr, es war schon erloschen, denn das Ende war da. Wie schade, flüsterte sie unhörbar. Laut aber sagte sie:

»Hubert, auch ich habe mich entschieden. Ich weiß, was ich aufgebe, wenn ich dich ziehen lasse, aber es muß sein, und es geschieht. Wir werden uns trennen, es ist nötig, und« – sie fügte die Worte hinzu, die ihr selbst töricht schienen, aber sie sprach sie trotzdem aus –, »und später einmal wirst du mir dankbar sein.«

Er hörte nicht mehr zu. Er hörte überhaupt nichts mehr. Er wußte nur eines: Wenn er sie jetzt wegließ, dann würde er sie niemals mehr in den Armen halten. Und wie ein Kind stammelnd, bettelte er:

»Ich will nicht ... nein, das darf nicht ... Angèle, ich flehe dich ...«

Was tun? Was antworten? Das Gespräch weiterführen? Vor dieser kindischen Verzweiflung hatten Worte weder Sinn noch Wert. Er vergaß alles, daß er sich »stark« dünkte, daß er seit seinem zwanzigsten Jahr den Mann spielte, er schämte sich nicht – er flehte, und sein Flehen traf Angèle ins Herz. Hilflos, entwaffnet stand sie da, und die Verzweiflung dieses Jungen glich ihrer eigenen Trauer. Sie wußte, daß sie ihn fliehen mußte, aber sie hatte weder den Mut noch die Kraft dazu. Sie saß im Sattel wie festgenagelt, unfähig, die Zügel anzuziehen, die Sporen zu geben.

Aber plötzlich erscholl weit draußen das Horn. Es schwoll mächtig an und erfüllte den winterlichen Wald bis in seine tiefsten Tiefen. Angèle täuschte sich nicht. Es war der Marquis, es war seine Jagd. Sie zog die Zügel heftig an. Pasiphae bäumte sich auf, und ehe es Hubert begriff, war sie unter den Büschen im Nebel verschwunden, und niemand blieb bei dem Jungen mehr zurück.

V

Les faux-fuyants

Mehlen hatte seinen Fuchs auf die Höhe des zweiten Relais gebracht, als Monsieur de Viborne mit La Frondée der durch die verbrochenen Zweige gezeichneten Fährte folgte. La Bretêche war eine Weile mit dem Notar bei ihm geblieben, während die Damen zu dem östlichen Abschnitt der Umkreisung ritten, sehr bald aber südwärts abbogen und ihn allein ließen, denn in Mehlens Nähe froren sie selbst bei der heißesten Jagd.

Die Hunde zerrten an den Koppeln, der Jagdgehilfe konnte sie kaum bändigen.

»Wenn ich Monsieur bitten darf«, ersuchte er, »das Pferd regt die Hunde auf.«

Wortlos machte Mehlen kehrt und ritt bis nahe zu dem Kreuzweg vor. Dort nahm er seinen Beobachtungsposten ein.

Er wußte von allen, wo sie sich befanden. Er wußte, daß Viborne hinter dem Pikör ins Unterholz geritten war; er hatte bemerkt, welche Richtung Angèle einschlug, und kannte die Stelle, wo Hubert wartete. Er hatte kein Wort an die Schloßherrin gerichtet, er war ihr nicht gefolgt. Er würde den ganzen Tag nichts unternehmen, um in ihre Nähe zu gelangen. Seine Stunde war noch nicht gekommen, aber alles arbeitete für ihn. Er mußte den Moment abwarten, da die gespannte Feder den Mechanismus auslöste. Er selbst hatte den Augenblick festgesetzt und brauchte nun nur mehr die Minuten zu zählen, wie er früher die Tage gezählt hatte.

Trotzdem dachte er an Angèle. Er war ihr leidenschaftlich verfallen, aber mit einer Leidenschaft eigener Art, wie sie nur er, Mehlen, empfinden konnte, einem kalten, verstandesmäßigen, ausschließlichen Gefühl: Er brauchte Angèle.

Er irrte sich nicht: Er brauchte sie. Eines Tages war es ihm bewußt geworden, und er hatte als Resultat seiner wissenschaftlichen Berechnung beschlossen, sie zu erringen. Niemals hatte Mehlen ein Gebäude anders als nach den Gesetzen der Logik und Mathematik errichtet, niemals hatte er auch nur das Geringste dem Zufall überlassen. Er kannte die Vibornes seit Jahren. Drei, genaugenommen. Und nicht ganz drei Jahre verkehrte er in ihrem Haus. Der Herzog von Frayluus war es, der ihn aus reinem Zufall nach La Gardenne gebracht hatte. Mehlen war zur Pirsch beim Herzog geladen, und beim Diner war das Gespräch auf die Parforcejagd gekommen, die der Marquis de Viborne in La Gardenne am nächsten Tag abhielt. Frayluus würde daran teilnehmen, Frayluus, der Mehlen einige Gefälligkeiten verdankte.

»Eine Hetzjagd möchte ich gerne einmal sehen«, sagte Mehlen.

»Bleiben Sie über Nacht, und ich nehme Sie morgen mit.«

»Aber was wird der Marquis dazu sagen?«

»Wenn ich Sie bringe ...«

Und Frayluus schwelgte in begeisterten Schilderungen der Parforcejagd, ihrer eigentlichen Bedeutung, erklärte, daß sie nicht nur die Verfolgung eines Tieres durch Hunde, sondern ein edles, subtiles Spiel, erregend und großartig sei und daß es in der ganzen Welt keinen besseren Fachmann dafür geben könne als den Marquis de Viborne.

»Aber ich reite nicht.«

»Dann fahren Sie eben im Jagdwagen. Ich gebe Ihnen einen Mann mit, der Ihnen die Bewegungen, die Fanfaren erläutern wird, und Sie werden genauso folgen können. Es wird mir eine Freude sein, Sie beim Marquis einzuführen.

Mithin hatten sich der Herzog von Frayluus und Mehlen am nächsten Morgen zur angegebenen Stunde auf dem Sammelplatz, dem »Rendezvous«, Font-Ribaud, eingefunden, waren dort auf die Jagdgesellschaft gestoßen und gemeinsam zum Kreuzweg gefahren. Dort erwartete sie inmitten angekoppelter Hunde, Bedienter zu Fuß und zu Pferd, ein großer, sehr aufrechter Herr auf einem kräftigen Irländer und an seiner Seite eine Frau mit regelmäßigen Zügen, deren Hand der neue Gast küßte, nachdem er aus seinem Fahrzeug gestiegen war. Er hatte diese Sitte erst vor kurzem gelernt.

Darauf hatte sich ihr erster Kontakt beschränkt. Die Jagd begann. Fast zugleich war La Frondée zum Rapport eingetreten. Er hatte einen guten Hirsch »vom fünften Kopf« ermittelt, und Mehlen hatte heute noch die Meldung im Ohr, deren Fachsprache ihm wie unverständliches Kauderwelsch klang:

»Das Tier ist ein guter, junger Zehnender«, sagte La Frondée; »sein Vorderlauf ist viel stärker als der Hinterlauf; die Schalen des vorderen klaffen fast noch weiter auseinander; der Abdruck des Hinterlaufs trifft in den Abdruck des Vorderlaufs, das Gelenk sitzt ziemlich tief unten. Er hat die Schalen dicker, die Fersen und das Bein breiter und die Knochen säbelförmiger gewölbt als sonst einer vom dritten Kopf. Er beginnt beim Ziehen die Spitzen der Schalen zu schleifen . . .«

So konnte man also schon durch die Fährte ganz allein das Wild ausmachen, seine Gestalt, sein Gewicht, seinen Wert erkennen! Da war es bei der Menschenjagd anders, wo man sich alles ausrechnen, wo man alles erraten mußte, ohne sich auf feste Regeln außer jene stützen zu dürfen, die er allein aufzustellen vermochte. Diese verblüffende Analogie interessierte ihn, sie schmeichelte seiner mathematischen Denkweise, die ihm auf allen Gebieten zustatten kam, und er genoß sie, wie man einen altbekannten Wein genießt, der dem Gaumen keine Überraschungen mehr bringt.

Dann hatten sich die roten Jagdröcke zerstreut, das Dickicht verschluckte sie samt ihren Pferden. Ein Horn blies, dann ein anderes. Und dann plötzlich, eines Herzschlags Länge, ein hoher, dunkler, flüchtiger Schatten am Ende einer Allee. Und wieder Stille. Dann die Hunde mit ihrem Gebell, ein Orchester, von dem Pikör geführt. Um Mehlen jede einzelne Stimme dieses vollen Chors verständlich zu machen, folgte der Kutscher der tobenden Meute mit seinem kleinen Wagen, hinein ins Dickicht, überall, wo es nötig war, und erklärte ihm jedes Instrument dieser vollendeten Symphonie. Dann der Teich, der Sumpf, und schließlich, hoch aufrecht stehend im Schilf, eine dunkle Silhouette, die sich auf dem stumpfen, von den nachjagenden Hunden kaum gestörten Quecksilberspiegel vom Abendhimmel abhob. Dann der noch dampfende tote Körper, hingestreckt auf dem Boden, die wilde Meute in gehörigem Abstand gehalten und die Curée, und schließlich die von allen Seiten zusammenlaufenden Jäger und Jagddiener der Umgegend, hinter denen der Gefällte verschwand ...

Und ganz nah davon, unbeweglich, mit ruhigem Blick das Schauspiel verfolgend, diese Frau, nicht auffallend, nicht hervorstechend, die trotz ihres großen Namens einen Hang zum Einfachen verriet, den auch Mehlen besaß und den er, der aus der Niederung stammte, mit seinem Spürsinn für Menschen seinesgleichen witterte, ob sie nun wollten oder nicht.

Ein Jahr später war er wiederaufgetaucht. Diesmal allein. Sein Bentley war eines Tages bei den Wirtschaftsgebäuden erschienen und vorgefahren, nachdem er vor dem verschlossenen Hauptportal hatte umkehren müssen. Er hätte sich zwar nach jener Jagd schon offiziell bedankt, aber nun käme er nochmals mit einer bestimmten Sorte von Asternpflanzen und Tulpenzwiebeln im Kofferraum vorbei. Es wäre damals die Rede davon gewesen, und es war ihm nun gelungen, sie zu besorgen, weil er einen Freund – richtiger einen Geschäftsfreund – achtzehn Kilometer von Amsterdam besaß.

»Und Parforcejagd betreiben Sie noch immer nicht?« fragte Monsieur de Viborne aus Höflichkeit, nur um etwas zu reden.

»Noch nicht«, antwortete Mehlen, »aber wenn ich einmal bei Ihnen mitjagen dürfte ... Ich würde Ihnen gerne folgen, als Schüler natürlich.«

»Ich dachte, Sie reiten nicht?«

»Das muß ein Mißverständnis sein. Im Gegenteil, ich liebe die Pferde, ich reite häufig in Paris. Wenn Sie in die Hauptstadt kommen, dann zeige ich Ihnen meinen Stall, ich habe ausgezeichnete Tiere.«

Was er nicht verriet, war, daß er die Sache so angepackt hatte wie alles, was er tat. Gleich nach der Rückkehr aus der Sologne beschloß er »anzufangen«, er hatte seine Gründe dazu. Er zwang sich also, des Morgens, jeden Morgen um sieben Uhr, in die Reitschule zu gehen, und zwar in die nächstgelegene – sein Stadtpalais stand am Ende der Rue de la Faisanderie, fast in Dauphine –, es war daher der Nachfolger der Madame Paris, der ihm in den Sattel geholfen hatte.

Mehlen besaß so viel Energie, eine so zähe Willenskraft, daß er die Sache sehr schnell heraus hatte, wie er alles begriff, sich allem anzupassen verstand. Seine Einfühlungsgabe und Wendigkeit kamen ihm sogar bei den körperlichen Übungen zugute, die er doch niemals betrieben hatte.

Mehlen verlangte: »Noch einmal, bitte, Monsieur Ballaway«, und sie fingen von neuem an.

»Wenn Sie nicht nach Paris zurück müßten, könnte ich Sie für morgen bitten«, sagte Monsieur de Viborne. »La Frondée hat einen guten schwarzbraunen Hirsch ermittelt, der uns eine schöne Jagd verspricht.

»Aber ich bleibe gern«, antwortete Mehlen.

»Ich habe zwei Stuten«, sagte Madame de Viborne, »der Sohn meines Mannes, Enguerrand, reitet eine davon, wenn er in La Gardenne ist. Sie sind nicht schwierig...«

»Ich nehme Ihre Einladung mit Freuden an«, erwiderte Mehlen. »Freilich muß ich schon im vorhinein bitten, meine mangelnden Kenntnisse und meine Unerfahrenheit zu entschuldigen. Wann darf ich mich morgen melden?«

»Wir behalten Sie gerne im Schloß«, sagte Angèle, »wenn Sie sich mit unserem altmodischen Komfort zufriedengeben. Unser Haus kann sich nicht mit den internationalen Luxushotels messen, in denen Sie für gewöhnlich absteigen.«

Und so zog Mehlen in das Bischofszimmer ein und jagte in La Gardenne.

Monsieur de Viborne kümmerte sich wenig um ihn, die Jagd füllte ihn völlig aus. Angèle jedoch nahm sich seiner als aufmerksame Gastgeberin an, führte ihn, leitete ihn zu der Fährte, ritt ihm mehrere Male vor. Da er direkt aus Paris gekommen war, mußte sie ihm erst die nötige Garderobe verschaffen – einen Jagdrock Enguerrands, der ihm etwas zu lang war, eine Reithose, Stiefeln von Angélique, denn er hatte einen ungewöhnlich zarten Fuß, einen Frauenfuß.

Er ritt gut für einen Mann, der noch nicht lange im Sattel saß. Gewiß, er hätte sich auf dem Rücken eines seiner eigenen braven, bei Ballaway gekauften Pferde wohler gefühlt, aber die zweite Stute war sanft, an diese Wälder gewöhnt, sie sprang ohne besondere Führung über gefällte Baumstämme, niedrige Hecken, wußte mit dem erstaunlichen Gedächtnis der Pferde, die nichts bis zu ihrem Lebensende vergessen, wie die schon einmal genommenen Hindernisse zu überwinden waren. So konnte er der Jagd folgen, besonders dank der Erläuterungen Angèles, die ihn zu den wichtigen Stellen brachte, die Listen, die Täuschungsmanöver, den Hingang vom Feld zum Holz und den Widergang vom Holz zum Feld erklärte, die Wechsel zeigte, mit ihm hinter dem Hirsch, der den Hunden weit voraus war, herjagte und ihn zur richtigen Zeit zum Halali brachte, wo sich der Hirsch großartig und aufrecht der Meute stellte, ehe er abgefangen unter ihr zusammenbrach.

Beim Heimritt blieb er wortlos an ihrer Seite. Als sie jedoch bei den Wirtschaftsgebäuden abstiegen und sich dem Schloß zuwandten, sagte er unter dem Tor:

»Sie waren bewunderungswürdig, Madame.«

Und das war ehrlich gemeint. Er war zutiefst überzeugt davon. Sein Lob bezog sich auf weit mehr als auf die Jagdkunst Angèles. Er fand sie wunderbar in allem, was sie darstellte; er war entzückt von ihrer Klasse, ihrer Anpassungsfähigkeit, ihrer Kühnheit, ihrer Höflichkeit, der vielleicht absichtlichen Unkenntnis dessen, was er in den Augen aller anderen Frauen darstellte und was die Weiblichkeit seiner Umgebung servil und würdelos machte, während in dem Blick immer ein kleiner Hintergedanke schimmerte, der seinem angeblich unermeßlichen Vermögen galt.

Das Abendessen war schweigsam verlaufen, wie oft nach der Jagd; sie waren zerschlagen, ausgelaugt von der frischen Luft, fast taumelnd vor körperlicher Müdigkeit, die allein schon ein Ausruhen des Geistes bedeutet – so empfand es zumindest Mehlen. Sie gingen früh zu Bett, Mehlen zum erstenmal seit langem. Er war sofort eingeschlafen, ohne mit offenen Augen ins Dunkle zu starren; in jener Nacht schlief er volle sechs Stunden, erwachte erst am frühen Morgen, und seine Gedanken kreisten um Angèle.

Das war die Frau, die er brauchte. Mit seiner außergewöhnlichen Phantasie, die niemals in Träumerei ausartete, sondern Menschen und Dinge immer in den Umkreis, den Ort, die Umstände, in denen er sie wünschte, versetzte und ihn mit unumstößlicher Sicherheit das sich daraus ergebende Verhalten, die Reaktionen erraten ließ, sah er Angèle an seiner Seite in der Rue de la Faisanderie und an vielen anderen Orten, bei vielen andern Gelegenheiten, wo sie, das wußte er schon, einfach sein *mußte*. Deshalb faßte er bereits zu dieser Stunde seinen Entschluß und überlegte, wie er auszuführen wäre.

Das war weit von Machiavellismus oder von Dämonie entfernt. Er betrieb nur das Metier, für das er geboren war und das darin bestand, die Dinge selbst in die Hand zu nehmen. Die anderen würden sich wohl kaum für ihn damit befassen.

Er war an jenem Morgen zeitig aufgebrochen, ohne Angèle vorher gesehen zu haben, und dies mit Absicht. Unter dem Vorwand, er müsse wegen einer bestimmten Angelegenheit, die er die »Äthiopische Kompanie« nannte, dringend nach Paris zurück. Das sei ein spanisches Dorf für ihn, erklärte Monsieur de Viborne lachend. Worauf Mehlen, ebenfalls lachend, erwiderte, er wäre gern bereit, den Marquis in die Geheimnisse der Börse einzuweihen, wie er von ihm in die Geheimnisse der Hohen Jagd eingeweiht worden war.

Als Monsieur de Viborne zwei Tage später des Abends heimkam, nahm er Euloge das läutende Telefon aus der Hand und händigte ihm dafür seine Reitpeitsche aus. Mehlen war am Apparat.

Vorerst bedankte er sich nochmals enthusiastisch für den wunderbaren Jagdtag, den er vorgestern erleben durfte. Damit packte er den Marquis bei seiner schwächsten Stelle, der sich geschmeichelt und glücklich fühlte. Dann bat Mehlen, der Marquise seine ergebensten Empfehlungen auszurichten, und beteuerte neuerlich, wie peinlich es ihm wäre, ihr die Jagd verdorben zu haben – den ganzen Tag hatte sie sich um ihn kümmern müssen! Monsieur de Viborne wäre gar nicht eingefallen, ihn ein zweites Mal einzuladen, zumindest nicht in absehbarer Zeit, denn Mehlen war seinem Gedächtnis bereits entschwunden. Es hätte ihn überaus gewundert, zu erfahren, daß Mehlen sofort gestern bei seinem Schneider einen roten Langrock, weiße Reithosen und bei Hellstern dunkelbraune Stiefel bestellt hatte; zur Überbrückung der Lieferzeit einer zweiten Garnitur aus London.

»Ach, stimmt«, fügte Mehlen noch beiläufig hinzu, eben als der Marquis abhängen wollte, »stimmt, Sie erinnern sich doch an die ›Äthiopische Kompanie‹? Die Börsensache, die ich erwähnt habe . . . Ich habe mir einen kleinen Scherz erlaubt, hoffentlich nehmen Sie mir's nicht übel. Ich habe die Initiative ergriffen und« – er lachte, als wolle er einen guten Witz erzählen – »dreißig Aktien gekauft.«

»So?« Der Marquis verstand nicht ganz.

»Dreißig Aktien auf Ihre Rechnung.«

»Was?« schrie der Marquis. »Ich habe Ihnen doch niemals . . .«

»Gewiß. Und deshalb ist die Sache ja auch so lustig. Ich weiß genau, lieber Freund« – zum erstenmal nahm er sich heraus, ihn »lieber Freund« zu nennen –, »aber ich habe Ihnen doch versprochen, Sie in meine Jagdart einzuführen, und damit habe ich Wort gehalten.«

Und obwohl ihm der andere fassungslos ins Wort fallen wollte, sprach Mehlen weiter:

»Ich habe gestern gekauft und heute verkauft. Ich wußte, daß die

Aktien rasend steigen würden. Achthundert Points in vierundzwanzig Stunden ... Ich habe um eine Million für Sie genommen ...«
»Was ... Aber ich habe Ihnen niemals ...«
Mehlen fuhr unbeirrt fort:
»Ich habe es wie auf eigene Rechnung getan. Ich hatte die Summe disponibel. Es war nicht einmal nötig, bei Ihnen anzurufen. Wenn ich Ihnen den Tip gegeben hätte, dann wären Sie doch einverstanden gewesen, nicht wahr? So habe ich eben ohne Auftrag gehandelt. Ich wollte keine Zeit mit Telefongesprächen verlieren. Ihr Gewinn beträgt sechshundertdreiundfünfzigtausend Francs.«
Viborne konnte nicht antworten. Es verschlug ihm die Stimme. Der Mann am andern Ende des Drahtes verlor sich nicht in Einzelheiten. Er sagte nur: »Ich lasse Ihnen den Scheck überweisen. Und danke für alles, was Sie mir geboten haben.«
Er hängte ab, ehe der Marquis sich gefaßt hatte.
Nun versuchte Monsieur de Viborne Mehlen zu erreichen. Er konnte nicht mittun, dieses Geschenk durfte er nicht annehmen. Er suchte im Telefonbuch, vergeblich. Er fragte die Auskunft. Wenn Mehlen auch ein Telefon in der Rue de la Faisanderie besaß, so durfte die Nummer nicht bekanntgegeben werden, der Inhaber forderte strenge Geheimhaltung. Ein starkes Stück! So mußte er ihm eben schreiben, morgen, und ihm erklären ...
Mit der Morgenpost kam der Scheck. Er war offensichtlich lange vor dem Telefongespräch abgeschickt worden. Monsieur de Viborne brauchte ihn nur zurückzusenden und fertig.
Er sandte ihn nicht zurück. Er konnte es nicht. Um die Mittagsstunde erhielt er einen dringenden Anruf Mandaules. Monsieur de Viborne vergaß oft Termine; heute war ein Betrag fällig, die Existenz der Meute hing daran. Gewiß, er besaß noch Sachwerte, die zu realisieren waren – sehr wenige zwar –, aber während er das Gespräch führte, lag der kleine blaue Zettel vor ihm auf dem Schreibtisch, ein Zettel mit dem Aufdruck BNCI und einer Zahl, die ihm aus dem Schlamassel helfen konnte.
»Ich schicke Ihnen das Geld, Mandaule.«
Und er indossierte den Wechsel.
So erschien Mehlen neuerlich in La Gardenne. Nicht allzubald, denn Monsieur de Viborne hatte zuerst gehofft, ihm das Geld nach ein paar Tagen, dann noch etwas später, rückerstatten zu können. Er konnte es nicht. Nun, so sollte dieser Betrag eben eine Art Entgelt für die Teilnahme an der Jagd gewesen sein. Er hatte von solchen Geschäften niemals etwas wissen wollen, obwohl man sie ihm häufig genug angeboten hatte. Er lehnte sie ab. Eine lächerliche Einstellung,

das wußte er. Heutzutage konnte man sich eine Meute nur leisten, wenn alle beitrugen, die sich dafür interessierten; die größten und bekanntesten Jagdherren hielten es so. Trotzdem wollte er sich nicht dazu entschließen.

Da er das Geld bar nicht zurückgeben konnte, zahlte er auf die einzige Weise, die ihm möglich war: Er lud Mehlen schriftlich zur Jagd ein und gab ihm damit den Schlüssel in die Hand.

Mehlen kam also. Er benahm sich vorbildlich, erwähnte die Sache mit keinem Wort, drückte nur aus, wie sehr er sich durch die Einladung geehrt fühle. Das war kein Finanzgewaltiger, kein Mann, dem alles erlaubt war, sondern ein bescheidener, dankbarer Freund. Er blieb unauffällig im Hintergrund, war so höflich und zurückhaltend, daß ihn Viborne nach einem anfänglichen unbehaglichen Gefühl im Lauf des Tages völlig vergaß. Und als sich Mehlen trotz einer neuerlichen Jagdeinladung in diesem Jahr nicht mehr blicken ließ, entschwand er ganz aus seinem Gedächtnis.

Einmal aber, als alles wieder schiefgegangen war und er plötzlich eine beträchtliche Zahlung zu leisten hatte, riet ihm Mandaule, seine restlichen Wertpapiere zu verkaufen. Da fiel ihm Mehlen ein. Er rief ihn an, denn jetzt besaß er seine Geheimnummer, die sonst niemand bekam.

»Man sieht Sie gar nicht mehr, lieber Freund« – diesmal wandte der Marquis dieses Wort an. »Kommen Sie nicht bald wieder einmal zu uns heraus?«

»Ich war so besetzt, aber selbstverständlich ... wenn sich eine Gelegenheit ergibt. In der nächsten Saison habe ich es leichter, wenn ich da einmal kommen darf ...«

»Ich wollte Sie zugleich um eine Auskunft bitten.«

»Mit Freuden ... was in meiner Macht steht.«

»Ich wollte Sie fragen: die Gründungsanteile der Brisciosa ... sind sie was wert?«

»Nichts«, sagte Mehlen. »Keine Aussichten. Mich interessieren nur Geschäfte mit Zukunft. Die Brisciosa haben keine Zukunft. Das ist noch nicht öffentlich bekannt, aber es ist leider wahr.«

»So soll man also verkaufen?«

»Ja. Gestern standen sie mit sechshundertzwanzig an der Börse.«

»Ich habe sie für dreitausend gekauft.«

»Lassen Sie sie liegen. Warten Sie, bis sie wieder steigen, das kann ja passieren. Wenn es soweit ist, sage ich Ihnen: Verkaufen Sie.«

»Nämlich ...«, sagte Monsieur de Viborne. »Ich hätte gern ...«

Mehlen begriff augenblicklich.

»Wieviel Stücke haben Sie?«

»Tausend.«

»In Ihren Kreisen versteht man wirklich nicht viel von Geschäften.«

»Stimmt leider«, antwortete Monsieur de Viborne lachend.

»In Wirklichkeit haben Sie sich da ein paar schöne Nonvaleurs zugelegt. Und Sie merken es erst, wenn Sie flüssiges Geld brauchen.«

»So ist es mir immer gegangen«, gestand der Marquis mit einem trockenen Auflachen.

»Wo liegen Ihre Aktien?«

»Bei meinem Notar in Saint-Viâtre.«

»Lassen Sie sie dort liegen. Und bis wann brauchen Sie das Geld?«

»Bis Montag«, sagte Monsieur de Viborne.

»Teufel! Eine kurze Frist. Man hat nicht immer äthiopische Geschäfte zur Hand« (es war das erste Mal, daß Mehlen eine Anspielung machte). »Nun, ich glaube ... eine Transaktion ... Geben Sie mir plein pouvoir und als Garantie Ihre Aktien – ohne Sie zu deplacieren, Ihr Wort genügt mir –, ich glaube, sie bis Montag zu ihrem vollen Wert realisieren zu können.«

»Brauchen würde ich ... brauchen ...«

»Vierhunderttausend? Ich denke, wir werden es schaffen.«

Er schaffte es. Monsieur de Viborne forschte nicht nach, auf welche Weise. Mehlen teilte ihm nur telefonisch mit, daß die »Operation« gelungen sei, er erklärte ihm nicht, wie. Das fand der Marquis in seiner Unschuld ganz natürlich. In der nächsten Saison, zur ersten Jagd, war Mehlen zur Stelle

Er war da, aber er blieb im Schatten. Wirklich, für einen Mann seiner Bedeutung benötigte er sehr wenig Platz. Und außerdem war er liebenswürdig, höflich, wortkarg – ein großes Plus in den Augen Monsieur de Vibornes, man brauchte keine Konversation mit ihm zu führen. Was er über die Parforcejagd sprach, hatte Hand und Fuß, und das schätzte der Marquis sehr. Es gab auch andere Leute, die ihn schätzten. Fanny Nard sagte: »Dieser Mann, das ist jemand.«

Im Umgang mit Angèle benahm er sich ganz, wie es sich gehörte: zurückhaltend, ehrerbietig, aber immer gegenwärtig. Er verbarg nicht, wie tief er sie bewunderte, aber er tat es so diskret, daß nur sie es bemerkte. Das schmeichelte ihr, aber niemals hätte sie gedacht, daß mehr dahintersteckte. Er war maßvoll und überschüttete sie nicht mit unpassenden Geschenken. Wenn er etwas mitbrachte, dann war es ein Gegenstand ohne Marktwert, den sie sich wünschte; er hatte ihn für sie aufgetrieben, und sie ahnte nicht, wie sehr er seine Angestellten geplagt hatte, ihn rechtzeitig zu finden.

Und aus dem Schatten beobachtete er, was in La Gardenne vorging. Er wußte alles, auch das Geringste. Der Bursche, der bei Euloge aushalf, hatte den finanziellen Lockungen nicht widerstehen können und tat wacker Spitzeldienste für Mehlen oder für die Mittelsperson, die Mehlen von Paris nach Saint-Viâtre schickte und der er in einem Café weitergab, was er wußte. Auch die unwesentlichsten Dinge, das tägliche Leben im Schloß bis hinunter zum Speisezettel. Zugleich aber verschaffte sich Mehlen laufend Informationen von auswärts. Nicht daß ihm Mandaule seine Geschäftsgeheimnisse verraten hätte, das war gar nicht nötig; der Finanzmann besaß ein ausgedehntes Nachrichtennetz, das ihm zur Beobachtung dieses wie so vieler anderer Probleme und Gegebenheiten diente, die ihn interessierten.

So war ihm sehr bald, früher noch als dem Betroffenen, klar, daß der Karren verfahren und Monsieur de Viborne ruiniert war. Es war nur mehr eine Frage der Zeit. Binnen kurzem mußte sich der Marquis völlig in der Sackgasse verlaufen haben, und dadurch wurde Madame de Viborne vielleicht frei; es kam nur darauf an, daß es nicht allzulange dauerte, denn das Leben ist kurz, und jeder Tag hat seinen besonderen Wert. Mehlen war auch bewußt, daß der größte Luxus darin besteht, sich Nichtstun leisten zu können, er wußte, daß er zuviel arbeitete. Es würde nicht immer so bleiben, der Zeitpunkt mußte kommen, wo er mit allen Risiken und Spekulationen Schluß machen und nur mehr das Erworbene verteidigen würde. Er war fest entschlossen, dem Wespennest zu entfliehen, und zwar mit Angèle.

Er wollte Angèle. Je länger er sie kannte, desto überzeugter war er, daß seine ersehnte Befreiung nur denkbar war, wenn sie mitwirkte. Er begann daher, sie möglichst an sich zu gewöhnen. In ihrer Gegenwart war er lebhafter, forscher als sonst, doch übertrieb er seine Galanterie nicht, um nicht lächerlich zu erscheinen. Er hätte ihr gern jeden großen Erfolg zu Füßen gelegt, wie man der Herrin der Jagd den Vorderlauf des Hirsches, das Symbol des Endes, ehrfurchtsvoll überreicht. Er wußte wohl, daß er noch nicht so weit war, aber er zweifelte nicht an seinem Erfolg. Einmal kam der Erfolg. Einmal mußte er ja wohl kommen.

Sie ahnte nichts davon und wollte gar nicht wissen, was er wirklich dachte. Sie begnügte sich mit der augenscheinlichen Verehrung eines Mannes, der, wie man ihr zuflüsterte, einer der Mächtigen der Erde war. Und niemals wäre sie auf das Geständnis gefaßt gewesen, mit dem er sie eines Tages überfiel. Er sprach, weil er sich entschlossen hatte zu sprechen. Er sprach, weil seiner Meinung nach die Zeit reif war und sie seine Absichten kennen mußte. Er rechnete durchaus nicht mit einem augenblicklichen Erfolg. Angèle interessierte sich offensichtlich wenig für ihn und dachte kaum über ihn nach. Trotzdem sprach er.

Er schlug faux-fuyants, versteckte Seitenpfade, ein, wie auf der Jagd, um ungesehen zu bleiben und auf Umwegen zum Ziel zu kommen. Es war der Abend vor einer Parforcejagd, an dem er etwas früher als erwartet aus Paris eintraf. Madame de Viborne suchte ihn irgendwie zu beschäftigen und nahm ihn in ihren Garten mit, um ihm den Erfolg der Pflanzungen zu zeigen, die sie ihm verdankte. Er begleitete sie, und so wanderten sie zu zweit durch die Alleen der kanadischen Renetten und der Dechantsbirnen. Sie betraten das Treibhaus, und als sie sich dort, ganz hinten, bei dem verglasten Verschlag, umdrehte, versperrte er ihr den Weg zwischen zwei Regalen, auf denen die Töpfe mit den ausgesetzten Fuchsien und Geranien standen. Sie saß in einer Falle und mußte ihn anhören.

Er war gewohnt, mit offenen Karten zu spielen, wenn es nötig war: Er deckte seine Blätter auf.

»Darf ich Sie um eine Gunst bitten, Madame? Versprechen Sie mir, sie zu erfüllen?«

»Warum nicht?« erwiderte sie.

»Ich möchte«, begann er, »daß Sie mir nicht übelnehmen, was ich Ihnen sagen will, und daß Sie in meinen Worten nur den Ausdruck der Ehrerbietung, der Hochachtung sehen, die ich für Sie empfinde. Ich verrate niemanden, außer vielleicht mich selbst – wenn ich Ihnen dieses Geständnis mache. Ich wollte es schon seit langem und fände es nicht mehr loyal, es Ihnen noch langer vorzuenthalten, und bitte Sie nur, mir zu versprechen, daß sich unsere Beziehungen dadurch nicht ändern. Denn um nichts in aller Welt möchte ich verlieren, was Sie mir gütigerweise von sich gegeben haben und was ich, wenn Sie erlauben, Ihre Freundschaft nennen will. Wir Geldleute besitzen nichts Besonderes, und wenn wir etwas besitzen, dann dürfen wir nicht riskieren, dieses Bißchen zu verlieren. Geben Sie mir Ihr Wort, daß sich nichts ändern wird, daß dieses Geheimnis zwischen uns beiden bleibt und kein anderer davon erfährt?«

»Ich glaube, daß Sie sich auf mich verlassen dürfen.«

»Davon bin ich überzeugt, aber ich möchte aus Ihrem eigenen Mund die Zusicherung hören, daß nicht einmal Monsieur de Viborne . . .«

»Das verspreche ich Ihnen.«

»Nun, Madame«, sagte er, »Sie haben bestimmt bemerkt, daß gewisse Wandlungen in mir vorgegangen sind, seit Sie die Güte hatten, mich hier aufzunehmen. Ich maße mir keine Komplimente an, das wäre plump, man kennt seinen eigenen Wert, und Sie wissen genau über sich selbst Bescheid. Sie verkörpern vieles für mich . . .«, und leiser fügte er hinzu: »alles.«

Sie antwortete nicht. Er sprach weiter, während sie die Augen zu den

Pflanzen des Verschlags senkte, um nicht zu zeigen, wie betroffen sie war. So erblickte er sie, umrahmt vom wilden Wein, der unter den Scheiben wucherte und dessen junges, durchscheinendes Reis sich wie eine Aureole um ihr Haar zu ranken schien, und wenn es noch nötig gewesen wäre, dann hätte ihn dieser Anblick in seinem Entschluß bestärkt:

»Ich habe viel gearbeitet. Ich war immer ein Einzelgänger, immer allein. Ich denke, daß Sie es mir bei meiner Aufrichtigkeit und der Verehrung, die ich für Sie empfinde, nicht verargen werden, wenn ich Ihnen gestehe: Es wäre mein schönster Erfolg, eines Tages ein Leben führen zu dürfen, in dem Sie die Hauptrolle spielen.«

Er spürte, daß sie etwas sagen wollte, aber er kam ihr zuvor:

»Ich kenne Ihre Einwände! Ich bedeute Ihnen nichts, und Sie haben wahrscheinlich niemals einen Gedanken an mich verschwendet. Sie sind verheiratet, Sie haben Kinder, Sie tragen einen vornehmen Namen. Vielleicht sind Sie glücklich: Ich bestreite es gar nicht. Ich bitte Sie nicht, eine Änderung in Ihrem äußeren Leben ins Auge zu fassen... zumindest nicht sofort. Ich bitte Sie nur, ohne daß wir noch einmal darüber reden müssen, niemals zu vergessen, daß es einen Mann gibt, dessen Möglichkeiten, dessen Macht nicht unerheblich sind und der jederzeit bereit ist, Ihnen das zu geben, was er Ihnen heute bietet.«

»Und was wäre das, genaugenommen?« fragte Angèle de Viborne etwas hochmütig.

»Alles«, sagte er, »da Sie mir alles sind, wie ich Ihnen gesagt habe.«

Er trat zur Seite und ließ sie an sich vorbei aus dem Glashaus gehen. Sie schritt lange stumm vor ihm, und er blieb ein wenig hinter ihr zurück. Ein leidenschaftlicher Ausbruch hätte sie weniger verblüfft als diese sachlich kühle Erklärung. Und doch lag eine solche Kraft in seinen Worten, daß sie keinen Augenblick an seiner Aufrichtigkeit zweifelte.

Schweigend brachte er sie ins Schloß zurück. Er benahm sich, wie er sich immer benommen hatte, unauffällig, höflich; er war so unverändert, daß sie sich fragte, ob sie nicht geträumt habe. Mehlen hingegen wußte, daß ein Stachel in ihrem Fleisch saß, gleichgültig, wie sie seine Huldigung aufgenommen hatte. Der Same war gesetzt, und das allein war wichtig.

Er reiste am nächsten Abend, gleich nach der Jagd, ab, küßte ihr die Hand wie immer, und seine Lippen berührten ihre Finger nicht länger, nicht stärker als sonst. Ein komischer Verliebter, so einen hatte sie noch niemals gekannt! O nein, auch in ihrem Alter stellte sie sich das Leben anders vor, wenn ihr auch zuweilen in stummer Resignation der Gedanke durch den Kopf ging, daß für sie alles vorbei war. Obwohl er in den nächsten Monaten kaum mehr nach La Gardenne kam, dachte sie manchmal an dieses Gespräch wie an etwas sehr Unerwartetes, aber überaus Schmeichelhaftes zurück.

Eines Tages erzählte sie es dem Marquis. Er lachte nicht darüber, da er Mehlen genug kannte, um seine Worte ernst zu nehmen. Er wußte, daß ihn Angèle für einen Mann wie Mehlen trotz seiner Goldquellen nicht verriet, und wurde nur in seiner Meinung bestärkt, daß seine Gattin trotz ihrer vierzig Jahre begehrenswert und anziehend blieb, für andere ebenso wie für ihn selbst, und daß es weiter über sie zu wachen galt. Etwas sarkastisch sagte er:

»Nun, liebe Freundin, du bist wenigstens versorgt, wenn ich eines Tages nicht mehr bin. Du verlierst vielleicht dein Adelsprädikat, aber dafür wirst du recht handfest entschädigt.«

»Ich hoffe, daß ich dich mein ganzes Leben behalten darf, Patrice.«

Sie sprach die Wahrheit. Sie hing an ihm. Sie konnte sich kein Leben ohne ihn vorstellen. Sie liebte ihn noch immer, trotz der heimlichen Glut ihrer vierzig Jahre. Der Marquis wußte sehr gut, daß niemand und nichts sie bewegen könnte, ihn zu verlassen.

Einige Wochen später kam Hubert ins Schloß, und nach wenigen Tagen schon war Mehlen klar, daß sie dem jungen Mann verfallen würde.

Er betrachtete die Sache nüchtern, wie alles. Hubert war viel jünger als sie, es konnte sich nur um ein flüchtiges Verhältnis handeln. Trotzdem biß er die Zähne zusammen, wenn er sich ihr nächtliches Beisammensein vorstellte, von dem er durch den jungen Diener erfuhr; es war ihm, als würde er selbst betrogen. In der gleichen Woche erhielt er detaillierte Auskünfte über die finanzielle Lage Monsieur de Vibornes, sie war trostlos. Der Schloßherr mußte nicht nur allen verbliebenen Grundbesitz hoch belehnen, sondern außerdem, wenn er sich retten wollte, eine Transaktion mit geradezu wundertätigen Chancen vornehmen. Ehe ihn Viborne noch fragte, hatte Mehlen eine Bemerkung hingeworfen:

»Da gibt es jetzt die ›Holding Inter‹ . . .«, sagte er ganz beiläufig.

»Was ist das?«

»Vielleicht etwas gewagt, aber hundert für hundert in vierzehn Tagen . . .«

Er wußte genau, daß der Marquis gerade das brauchte. Drei Tage später erfuhr er auf der Börse, wo man ihn immer auf dem laufenden hielt, daß man auf den Namen des Marquis de Viborne ein Aktienpaket gezeichnet hatte. Es fiel ihm nicht schwer, einzugreifen.

Es hatte den Anschein, als vereinfache man ihm noch seine Aufgaben! Ach, wie unbeholfen, wie unerfahren die Menschen waren! Mithin erwartete er den Anruf Monsieur de Vibornes. Er erfolgte, und wörtlich so, wie er erfolgen mußte.

Am Abend vor der Jagd, am Teetisch im kleinen Salon, sagte Monsieur de Viborne – und Mehlen hatte seine Haltung bewundert:

»Aus mit der ›Holding‹ . . .«

»Ich bin untröstlich.«

Er wußte, daß die Aktien verkauft, realisiert worden waren, und er hatte die Zahl in der Tasche: lächerlich.

»Und damit auch mit vielem anderen aus . . .«

»Das hängt wahrscheinlich nur von Ihnen ab«, sagte Mehlen mit seiner kalten Grausamkeit.

»Nur von mir . . . ich weiß . . .«, hatte Monsieur de Viborne geantwortet.

In diesem Augenblick war Hubert eingetreten, hinter ihm Euloge mit dem Tablett, und schließlich Angèle, um den Tee einzuschenken . . .

Mehlen trieb sein Pferd durch die Stämme des Hochwaldes. Er hatte die Stute Angèles gehört, hatte gesehen, wie sie mit Hubert Doissel zusammentraf und mit ihm gemeinsam durch die Allee und das Buschwerk sprengte. Mehlen zog die Zügel an und galoppierte. Weiter vorn verdichtete sich das Holz wieder, wie ein Vorhang, durch das sich Angèle und der Maler mühsam durchwanden. Er wußte, daß er vor ihnen bei der Mulde ankommen würde.

Als er ins Dickicht ritt, mußte er in Schritt zurückfallen. Langsam bewegte er sich der Stelle zu, wo er das Paar vermutete. Er irrte sich nicht. Er irrte sich niemals, bei keiner seiner Jagden. Und tatsächlich erblickte er die beiden auch nach einer kurzen Weile.

Er hörte nicht, was sie sprachen, aber er erkannte es an ihrer Haltung, er erfühlte es vielmehr.

Lange stand er reglos dort. Und plötzlich sah er, wie Angèle ihr Pferd hochriß und davonjagte.

Da wendete er ruhig und gelassen seinen Fuchs und schlug sich nördlich in die Büsche, wo der Jäger unsichtbar ist, um nach seiner Art auf heimlichen Seitenpfaden, den faux-fuyants, das Ziel zu erreichen.

VI

Die Düfte und die Laute

Lambert öffnete die Augen. Es war hell. Weder Euloge noch Mama hatten ihn geweckt, man hatte ihn bis tief in den Morgen hinein schlafen lassen. Sicher hatte die Jagd schon begonnen!

Mit einem Sprung war er aus dem Bett, kleidete sich an, ohne sich zu waschen, ja ohne auch nur mit dem Waschhandschuh über Gesicht und Hände zu fahren.

Beim Verlassen des Zimmers fiel ihm ein, daß er einen Sweater anziehen mußte; man schickte ihn bestimmt ins Schloß zurück, wenn man ihn in seinem dünnen Rock draußen entdeckte. Aber er war fest entschlossen, sich zu verstecken, sich nicht blicken zu lassen; er fühlte sich nur in der Einsamkeit des Waldes wohl, wo es so viel zu entdecken, zu erforschen gab.

Er dachte an seinen Morgenkaffee mit den dick bestrichenen Butterbroten. Sollte er in die Küche hinuntergehen? Dort fragte man ihn sicher, wohin er wolle. Es war acht Uhr, und vor neun klopfte Euloge nicht an seine Tür; außerdem ließ er sich an Jagdtagen häufig noch länger Zeit und brachte das Frühstück erst am frühen Vormittag.

Lambert schlich den Gang entlang, und als er vor dem Zimmer Huberts stand, drückte er die Klinke nieder und trat ein.

Hubert hatte vor dem Weggehen das Fenster nicht geöffnet, es roch abgestanden, nach einer Mischung von Mann und von Parfüm, Kölnischwasser, feiner Seife und hellen Zigaretten, den Zigaretten Mamas. Vielleicht stibitzte Hubert gar ihre Zigaretten, um sie heimlich in seinem Zimmer zu rauchen?

Lambert entdeckte das Tablett, das auf dem ungelüfteten Bett verblieben war. Es waren noch Milch und Kaffee in den Kannen, freilich kalt geworden. Und wennschon! Er goß sich eine große Tasse voll, warf sechs Stück Zucker hinein; aber es war nur wenig Brot und Butter da, zuwenig, um sich satt zu essen.

Mit vollem Mund kauend, begann er im Zimmer herumzuschauen. Euloge räumte erst viel später auf, und er brauchte nicht zu fürchten, überrascht zu werden. Lambert, das Butterbrot in der Hand, biß ein großes Stück ab, und ehe er es noch hinuntergeschluckt hatte, schlenderte er vom Kleiderschrank zur Kommode, von der Etagere zum Kamin.

Wie lange blieb er eigentlich noch in La Gardenne, dieser Hubert? Bevor er sich hier breitgemacht hatte, war Mama öfters mit ihm, Lambert, im Wald spazierengegangen, aber seit sich der Maler im

Schloß herumtrieb, ging sie nur mit diesem Kerl aus. Im Dienerzimmer erzählte man sich, daß er ihr Stunden gäbe, und Lambert mochte das nicht, denn Euloge grinste so komisch, wenn er es sagte.

Es fand sich nichts besonders Interessantes in diesem Zimmer, wenn Hubert nicht vielleicht etwas versteckt hatte. Nichts in dem Kleiderschrank als dieser komische karierte Rock mit den wattierten Schultern, der Mama so gut gefiel und der ihn so breit machte. Seine Pullover?

Sie waren in der unteren Lade der Kommode. Lambert mochte sie gern wegen ihrer bunten Farben. Unter den Pullis lag ein Karton. Ah, die Zeichnungen! Und noch Zeichnungen! Das verstand er, dieser Hubert, aber es waren doch alles nur Skizzen, aufs Papier geworfene Striche, keine richtigen Bilder; nichts war fertig. Ein paar Blätter lagen im Zimmer herum, vor dem Spiegel: Hirsche im Sprung, Hunde, Piköre zu Pferd, alles für das Buch, das er illustrieren sollte, als ob ein Buch Bilder brauchte, wo es doch voll von Worten war, unter denen man sich vorstellen konnte, was man wollte. Lambert mochte keine Bilder mehr, seit Doissel im Schloß war.

Und im Karton natürlich Rehe, Rehböcke, Hasen, der Hundezwinger und der dicke Motto und der Herzog von Frayluus und alle die Gäste, die im Gänsemarsch hinter Papa und Mama herritten, als ob die Jagd für sie gemacht wäre und nicht einzig und allein für Papa und die Marquise!

Trotzdem zog er sie heraus, öffnete sie gedankenlos. Sofort sah er, daß es sich bei diesen Zeichnungen um keine Jagdbilder handelte, sondern um ganz andere Dinge. Die Röte stieg ihm in die Stirn. Alle stellten eine nackte Frau dar. Auf der ersten in klaren Linien die Schultern, die Brust. Auf der zweiten die Schenkel und ein dreieckiger Schatten ganz unten auf dem Bauch. Und andere, klar oder nur hingewischt, und immer die gleiche Frau, deren Gesicht aber nur mit ein paar Strichen angedeutet war, so daß man es nicht erkennen konnte.

Lambert hatte niemals eine nackte Frau gesehen, eine lebende nackte Frau. Da die Vibornes den Sommer stets in La Gardenne verbrachten, kannte er den Strand nicht, wo das Fleisch so freigebig dargeboten wird. Zeichnungen, »Kunstwerke«, hatte er bis jetzt wenig erblickt, höchstens die sogenannten »Salonstücke« in den Illustrierten, und die hatten ihn bisher nur erschreckt und abgestoßen. Aber die Inspiration Huberts, seine Kunst, waren so präzise, daß es ihm ins Gesicht schlug; der nackte Leib lag in seiner weichen Ermattung so wehrlos vor ihm, daß jedes Betrachten wie ungehöriges Eindringen in ein Geheimnis schien. Man glaubte, den Körper nicht nur mit Augen zu sehen, sondern mit Händen und Sinnen zu berühren.

Er griff nach einer andern Zeichnung der gleichen liegenden Frau. Lange betrachtete er die Gestalt, angespannt suchte er nach etwas Verborgenem, was sich ihm nicht enthüllen wollte. Dann plötzlich faltete er das Blatt, zweifach, vierfach, zog die kleine schwarze Brieftasche seines Vaters heraus und steckte es in das tiefste Fach.

Dann schmierte er mit dem letzten Stückchen Butterbrot den Teller blank und verließ das Zimmer, in dem es nichts mehr zu entdecken gab.

Niemand auf der Terrasse, niemand auf der Hauptallee. Lambert lief hinter das Gasthaus zu einem Schuppen, in dem der Gärtner sein Werkzeug verwahrte. Dort, in diesem Verschlag, versteckte er seinen Schatz. In einer alten Kiste hob er alles auf, was er so nach und nach gesammelt hatte und was ihm auf irgendeine Weise von Wert schien: Hülsen von den Winterjagden, Nüsse, die er unter den Bäumen im Hof aufgeklaubt und von denen er sich einen großen Vorrat angelegt; schließlich eine Jagdpeitsche, die er in der Kleiderkammer des Erdgeschosses auf dem Boden gefunden hatte. Wegen dieser Peitsche war er gekommen, er nahm sie und ließ sie durch die Luft sausen.

Er durchquerte die ausgestorbenen Wirtschaftsgebäude. In den Zwingern waren nur ein paar Hunde zurückgeblieben, zwei trächtige Hündinnen und drei Rüden, die sich bei der letzten Jagd verletzt hatten und hinkten. Lambert ging hinaus in den Wald.

Der Wald gehörte ihm. Niemandem so wie ihm. Wie der Besitzer auch heißen mochte, es war »sein« Wald. Es gab keinen Steig, keine Mulde und vor allem keinen Platz unter dem Dorngestrüpp oder den Hecken, unter die nur ein Kind kriechen kann, deren Eigenart und Form mit allen verborgenen Gräsern und Pflanzen, Steinen und Wurzeln er nicht gekannt hätte. Alle Veränderungen, die der Wechsel der Jahreszeiten oder Sturm und Ungewitter mit sich bringen mochten – ob das Grün sich ausbreitete, verdorrte oder zum Himmel wuchs –, alles das erfuhr er sofort. Und auch das heiße Leben der Tierwelt war ihm nicht fremd. Er war ungebunden, konnte mit seiner Zeit anfangen, was er wollte, wenn er nur pünktlich zu den Mahlzeiten und zum Mathematik- und Lateinunterricht zur Stelle war, den ihm der Dorfgeistliche dreimal wöchentlich erteilte. Die übrigen Stunden verbrachte er, wo es ihn freute. Enguerrand hatte es ebenso gehalten, ehe man ihn nach Paris schickte, und auch Angélique, aber sie war ins Dorf, in die Kirche gewandert. Lambert hatte man einmal am frühen Morgen auf einer Waldwiese in der Nähe des Schlosses mitten unter röhrenden Hirschen gefunden. Er lief nicht vor ihnen davon, er fürchtete sich nicht; atemlos bewunderte er ihre Kämpfe, die aufeinanderprallenden Geweihe, und ahnte nicht, in welcher Gefahr er sich befand. Somit barg Bruadan kein Geheimnis vor ihm, so wie er mit allem vertraut war, was da kreucht und fleucht, was sich unter die Erde verkriecht und was sich in die Lüfte schwingt.

Und niemand war so empfindlich für Düfte und Laute wie er.

Deshalb hatte er vorhin ganz von selbst gewußt, daß die Jagdgesellschaft schon ausgeritten war. Von den Pferdekojen, die im Halbrund den Hof einfaßten, stieg die Ausdünstung der Tiere nicht mehr auf; aus den offenen Türen roch es nur nach Streu und Stroh, die der Morgenwind getrocknet hatte. Und auch der feuchte Nebel unter den Bäumen strömte seinen Geruch aus, den Geruch der Winternacht, obwohl es gefroren hatte, den Geruch eines verendeten Tieres, den Duft der Baumstrünke, moderndem Laubs, der Humuserde.

Und dann gab es die Geräusche.

Alles Lebende erzeugt Geräusch, selbst wenn es sich zu verbergen sucht. Rauschen und Knistern, verhallender Ruf, aber auch Schreie, spitze, durchdringende oder kräftige, der Vögel, das Röhren des Kampfes, das Gurren der Liebesspiele. Und auch das Atmen des Windes, der Lungen, das Keuchen der Angst und das Keuchen der Lust. Der schwere Schritt eines Tieres, unter dem die Erde bis in ihre Tiefen zu erbeben scheint, der flüchtige Lauf eines Hasen, das Aufrauschen eines Vogelfluges, der gestreckte Galopp der verfolgenden Pferde, das ziehende Wild, das Reiben eines Brustkastens an einem Ast, das Wälzen mächtiger Leiber auf einer Böschung, das Plätschern einer Welle unter dem Flügel eines Reihers, einer Ente, unter dem gewaltigen Körper des Hirsches, der sich ins Wasser flüchtet, zu Tod ermattet, nach Atem ringend, um sich dann aufzurichten und sich der tobenden Meute zu stellen, deren verschiedene Stimmen – spitz und kläffend oder ernst und dumpf wie der Klang einer Fanfare – alles begleiten, alles beherrschen, alles anzeigen, alle Phasen des Kampfes, genauso wie die Trompeten der Arena die Banderilleros, die Picadores und endlich den Tod des Stieres verkünden.

Die Düfte und die Laute waren Lamberts sicherste Wegweiser, seine Merkzeichen, die ihn leiteten, wenn er durch den grauen Wald zog.

Am Rande des Waldes und am Rande der Jagd erfaßte Lambert das Ganze mit einem einzigen Blick; aus einem einzigen Vibrieren, das an sein Ohr oder an seine witternde Nase drang, schuf er sich das Bild der Gesamtheit. Erstaunlich, daß ein Knabe schon so hochentwickelte Sinnesorgane besaß. Er erregte damit die rückhaltlose Bewunderung La Frondées: »In den Geräuschen und Spuren irrt er sich niemals, der junge Herr«, betonte er immer wieder. Und die Köchin, die ihn bei den Nahrungsmitteln, bei den Blumen beobachtete, erklärte: »Dieser Lambert, der riecht die Dinge«, womit sie meinte, daß ihn nur seine Sinne leiteten. Denn aufgeschlossene Sinne, die hatte er in hohem Maße, schon ehe er zum fertigen Mann heranwuchs. Eine Gabe, die sich vielleicht später verlieren konnte wie so manches Frühreife an einem Kind.

Ja, er freute sich an allem, genoß alles, tausendmal mehr als die anderen, und das war ihm auch bewußt. Er litt auch tiefer als die anderen. Alles traf und verletzte ihn, wie ihm die Düfte den Kopf verwirrten und ihn die Berührung einer Hand erbeben ließ. Er lechzte nach Liebe, Zärtlichkeit, Liebkosungen. Er genoß die Wärme der Sonne ebenso wie die Frische des Regens. Es kam vor, daß er in ein Gewitter hinausrannte, einfach aus Freude an dem Wolkenbruch und dem Sturm. Er hatte die Fähigkeit, sich mit anderen Geschöpfen, Menschen wie Tieren, zu identifizieren, ihre Qual, ihr Glück, ja selbst den körperlichen Schmerz einer Wunde durch sie zu empfinden, und dies vor allem bei seiner Mutter.

Er wußte daher sofort, wo sich die Jäger befanden, die er übrigens gar nicht suchte. Im Gegenteil, er verachtete alle die Reiter, diese oft so stümperhaften Jäger, oder sie waren ihm gleichgültig. Nur sein Vater und seine Mutter fanden Gnade vor seinen Augen, weil alles ringsum, von dem gehetzten Wild bis zur Jagd, ihnen und ihnen allein gehörte. Und hielten sie nicht, ohne sich dessen bewußt zu sein, diese ganze Jagd nur seinetwegen ab?

Ja, für ihn geschah das alles. Er eignete es sich einfach an, und das schenkte ihm ein Glück, ein zwiespältiges, ein zitterndes Glück. Nur ein einziges Geschöpf interessierte ihn: der gehetzte Hirsch, und er selbst war es, der diese Rolle spielte. So folgte er dem Tier den ganzen Tag, auf die Gefahr hin, bestraft zu werden, weil er verschwunden war; verlor es, fand es wieder, holte es ein, manchmal noch früher als die Hunde, erwartete es am Ausgang des Holzes, hinter einem Schober, erblickte es, wo es niemand anderer vermutet hätte, belauerte es unter einem Dornenstrauch, unter einer Hecke und spürte alle Symptome der Angst, der Verzweiflung, ja des Todeskampfs des Wildes am eigenen Leib, um endlich, wenn die Curée geblasen wurde, ungesehen durch das Holz heimzulaufen und in sein Bett zu sinken, erschöpft und berauscht zugleich von einem Schauspiel, an dem er so leidenschaftlich, so angstzerrissen teilgenommen hatte, als wäre er selbst der Hauptdarsteller gewesen.

Niemals benützte er die Alleen. Dort könnte man ihn entdecken, und das Spiel wäre verdorben gewesen. Er trat in die Phase des Spiels ein, die eben vor sich ging, und heute war es noch so früh, daß er kaum etwas versäumt hatte. Versteckt hinter einem Strauch, erblickte er Monsieur de Viborne und La Frondée. Die Hunde waren unsicher, und die beiden Männer warteten schweigend, um sie ganz ihrem Instinkt zu überlassen. Da sie keine Fährte aufnahmen, näherten sie sich ihnen langsam und redeten ihnen zu, riefen sie zurück, aber mit gedämpfter Stimme, um ihren sinnlosen Eifer nicht unnütz zu steigern. Ah, jetzt holten einige Wind, Monsieur de Viborne lauschte, stehend in den Steigbügeln. Und nun gab er Signal; er wußte, daß sie jetzt alle beisammen waren und daß ihre Spitze in offener Wildbahn dahinjagte. Die Fanfare, ihre Schwingungen drangen in Lambert ein, wühlten ihn bis ins tiefste Innere auf.

Er rollte sich aus dem Busch hervor. Die Jagd war weitergezogen, und er hatte hier nichts mehr zu suchen. An dem Gebell der Hunde erkannte er, wo sich der Hirsch befand. Er wollte ihn sehen. Er mußte ihn sehen.

Lambert rannte davon, so schnell ihn die Beine trugen. Niemand war so flink wie er unter den Bäumen.

Das Holz. Stille. Die Jagd war weit. Hier merkte man nichts von ihr, nur zuweilen das leise Beben des Waldbodens, das wie ein unterirdisches Donnergrollen klang und kundgab, daß die Meute, die Pferde richtig in Bewegung waren. Lambert sah zwar nicht, was sich abspielte, aber er wußte trotzdem: Die Hunde waren langsamer geworden, und die Jäger folgten ihnen durch das Dickicht, durch das weiche Laub.

Er erreichte die Stelle, die er für die richtige hielt. Es war weder eine Wegkreuzung noch eine Straße, sondern nur eine Gruppe junger Haselstauden, hinter denen er sich versteckte.

Nun brauchte er nur mehr zu warten. Wenn er es richtig berechnet hatte, dann gab es keine Enttäuschung. Und plötzlich erblickte er, was er erblicken wollte. Schwarz, hoch, den Lecker links aus dem Geäse hängend, das Haupt mit der ungeraden Krone hoch aufgerichtet, näherte sich langsam, vorsichtig, ziehend der Hirsch. Er kam direkt auf das Haselgebüsch zu und streifte es fast. Er stand gegen die Windrichtung und konnte den Knaben nicht spüren. Er zog weiter, witternd, edel und voll Trauer, mit dunkler Decke, schon ein wenig mitgenommen, die runden Keulen und die Lenden unter dem Bauch leicht mit Schaumflocken bedeckt. Im Augenblick, als er ganz nah von Lambert war, blickte er ihn von der Seite her an.

Er sah ihn bestimmt, aber er erzitterte deshalb nicht, sprang nicht verschreckt davon. Er begriff, daß ihn dieser Knabe nicht hetzte, und versuchte nicht zu flüchten: Er war kein Hund und kein schreiender Mensch, der nach Leder riecht, den Hunden pfeift und Haß und

Verderben speit, er war seinesgleichen. Er blickte ihn an, eines Herzschlags Länge trafen sich ihre Augen. Aber wie lange, wie bedeutungsschwer war dieser Augenblick für sie beide! Dann zog er weiter, ohne seinen Schritt zu beschleunigen, im gleichen Rhythmus. Erst viel später hörte er von fern die Hunde. Los, die Partie war noch nicht verspielt! Und wie der Hirsch flüchtete auch Lambert ins Holz. Weit·draußen tasteten sich Menschen und Hunde suchend durch das Dickicht; er mußte schneller als sie sein.

Hinaus ins Feld also.

Der Hirsch war noch nicht dort, er kam erst nach einigen Umwegen hin, aber Lambert lief, so schnell er konnte, zum Waldrand und wartete geduckt im Graben.

Und noch einmal sah er ihn. Er war weit, fast hundert Meter entfernt, aber er trat aus dem Gestrüpp hervor, überquerte eine Wiese, dann einen Acker. Seine Silhouette hob sich von dem grauen Nebel über dem nahen Fluß ab. Diesmal zog er schneller. Er folgte einem Ackerrain und verschwand dann hinter einer Hecke. Lambert rührte sich nicht, er erwartete die Hunde.

Und da kamen sie schon, witternd, die Nasen auf dem Boden. Erst ein einzelner, dann ein zweiter, dann sechs auf einmal. Sie stießen auf ein Stoppelfeld und folgten mühelos der Fährte, dann erreichten sie den Acker, und nun wurden einige unsicher, steckten ihre Nasen in die Erdlöcher, witternd an den Steinen, dem kalten und fühllosen Kies des Weges. Sie rannten dahin und dorthin, suchend, die älteren gaben noch dann und wann Laut, die jungen waren völlig ratlos.

Nun, ihr Hunde, ihr bekommt ihn noch nicht! Ihr bekommt mich nicht, flüsterte Lambert, so viel liegt noch zwischen uns und euch: der Staub, der Stein, der Fluß und meine Listen, die Listen, mit denen ich euch täusche, euch verspotte und lächerlich mache, alle, sogar diesen Mann, meinen Vater, der doch ein gefährlicher Feind ist, und Mama... Mama...!

Und jetzt kamen sie, die Herren und die Damen. Sie ritten in Gruppen durchs Feld. Es waren auch Fremde dabei, er zählte sie. Aber wo war Mama? Wo war Mama? Und wo war Mehlen? Und wo trieb sich dieser Hubert herum?

Mama mußte mit einem der beiden zusammen sein, das war gewiß. Mit welchem? Ach, wenn es nur Mehlen wäre! Mehlen war durch sein Alter, durch die andere Welt, der er so sichtbar angehörte, meilenweit von Mama entfernt. Mehlen war nicht gefährlich. Aber Hubert!

Hubert, das war etwas Lebendiges, Junges, er war ihm nahe, wenn er auch ein »Erwachsener« war, ja er war ihm näher als Enguerrand, der so gar nicht verspielt war und der ihm solchen Respekt einflößte. Ach, Hubert war ihm so nahe, daß Mama sich täuschen konnte, keinen Unterschied zwischen ihnen beiden machte. Und trotzdem, ein Hubert, der nackte Frauen zeichnete – oh, wenn Mama das wüßte! Aber alles das versank. Es gab nur mehr den Hirsch, das gehetzte Tier, das er selber war – ja, er, Lambert war es!

Was täte er, Lambert, wenn er der Hirsch wäre? Nein, was mußte er tun, da er es doch wirklich war?

Zuerst ins Wasser, in den Fluß. Sich hineinstürzen, die Flut mit seiner Brust durchpflügen, solange er die Kraft besaß, damit ihn die Hunde niemals oder doch viel zu spät fanden. Und dann heraus aus dem Wasser, die Böschung hinauf, und tief hinein ins Holz. Wohin? Zu den Sümpfen von Prée natürlich, der Zuflucht, dem Versteck, wo zu dieser Stunde bereits die Wildenten, die Schnepfen und Rohrdommeln hinabstoßen und einander zurufen wie die Schiffe im Nebel. Er mußte hin zur Prée.

Er rannte in den Wald zurück, dem Pfad nach, der an seinem Rand verlief. Ein weiter, ein endloser Weg. Aber man konnte nicht genug, niemals genug laufen, wenn es ums Leben ging.

Nun lag tiefe Stille über dem Wald. Lambert schritt aus und durchpflügte diese Stille, wie der Hirsch das Wasser durchpflügte, in dem er sich zu verlieren, zu verstecken suchte, bis ihn niemand mehr aufspüren konnte. Da erblickte er sie.

Ihre Pferde standen nahe beisammen, sie waren allein. Mama war es und Mehlen. Sie sprachen miteinander.

Mamas Gesicht war ernst, sie blickte zu Boden, und Pasiphaes Huf scharrte. Es mußte ein ganz besonderes Gespräch sein, das sie führten, wenn sie auch weit von der Jagd entfernt waren. Man sah es übrigens auch ihrer Haltung an. Mehlen redete, und sie schwieg. Und es war Mehlen! Nicht Hubert!

Lambert fiel ein Stein vom Herzen. Er konnte sie allein lassen. Mehlen! Von dem war nichts zu fürchten. Was konnte Mama an diesem kleinen, linkischen, fast komischen Mann finden, obwohl er angeblich massenhaft Geld hatte? Mama war doch genauso wie Lambert, sie beide brauchten nur das Lebendige, ja sogar das, was stärker als das Leben war? Sie hörte Mehlen zu. Hier fand somit nichts anderes als ein sachliches, ruhiges Gespräch statt. Mein Gott, was für Sorgen man sich zuweilen machte und wie gut es tat, nichts mehr fürchten zu müssen! Mehlen, nein, das war nicht der Mann, der ihm die Mutter wegnehmen würde.

Leise schlich er ins Dickicht zurück. Er warf ihnen noch einen Blick nach. Jetzt zogen sie die Zügel an und entfernten sich in gemächli-

chem Trab. Was hatten sie sich so wichtiges zu erzählen? Wichtiges
für sie, denn für Lambert bedeutete es nichts, gar nichts als blutlose
Worte erwachsener Leute, die nur sie allein bewegten.
Nun hatte er reichlich Zeit; langsam ging er weiter und schlug den
Weg zur Prée ein. Denn dort, das wußte er, würde man das Halali
blasen.

VII

Le débucher

Gardas hatte die Fanfare gehört: das Debucher, der Hirsch war aufgespürt und flüchtete ins freie Feld. Nun wurde die Sache leichter,
viel leichter als das Reiten auf dem Gaul durch das vertrackte Busch-
zeug, das verfilzte Gestrüpp, wozu er seit dem frühen Morgen gezwungen war. Trotzdem mochte er die Jagd; was er weniger mochte,
das war das Pferd.
Dabei setzte man ihn ohnehin niemals auf einen feurigen Renner,
doch selbst auf dem frömmsten Gaul fühlte er sich unbehaglich.
Trotzdem aber – Abbild seines Lebens – stürzte er nicht, blieb bis zur
letzten Fanfare im Sattel, folgte der Jagd sogar halbwegs in allen
ihren Phasen, aber er kehrte des Abends zerschlagen ins Schloß zurück, und das Wort Retraite hatte seine volle Bedeutung für ihn.
Er war einer der letzten, die sich aus dem Dickicht herausschälten.
Weit vorne schon Monsieur de Viborne, hinter ihm La Bretêche,
Mandaule und die Damen, die den Acker erreicht hatten. Dann verschwanden sie in einem Graben hinter einer Hecke, die sich zum Fluß
hinzog. Gardas jedoch war leise bekümmert: Er sah keine Madame
de Viborne.
Zugleich stellte er fest, daß sich weder Hubert noch Mehlen im Blickfeld befand, und das erhöhte seine Unruhe; es war ihm unangenehm,
nicht zu wissen, wo sich die Gastgeberin aufhielt, wenn er in La
Gardenne war, und er war häufig dort.
So ließ er sein Pferd verschnaufen, holte selbst Atem, wobei er sein
mächtiges Taschentuch herauszog, um sich die trotz der Kälte feuchte
Stirn zu trocknen. Wirklich, sein Metier brachte ebenso verschieden-
artige wie lästige Verpflichtungen mit sich.
War er auch nicht gerade ein Neuling in diesem Metier, so übte er es
doch erst seit der Epoche aus, die man die »Liberation« nannte. Und
wenn er den wechselvollen Verlauf seines Lebens seit 1939 über-
dachte, dann wunderte er sich noch immer darüber, denn dumme
Überheblichkeit war ihm fremd.

Allerhand, dieses Leben! Er sagte es fast laut vor sich hin und meinte dabei nicht die Gegenwart, die immerhin auch ihre Schwierigkeiten, ihre Mühsal, ihre Höhen und Tiefen besaß, sondern die Vergangenheit.

Mit krummem Rücken und schlaffen Schenkeln saß er auf dem friedlichen Roß, das ihm Monsieur de Viborne geborgt hatte, und während das Tier mit der Nase an den Zweigen entlang suchte, ob noch irgendwo ein einigermaßen saftiges Ästchen, ein Trieb zu entdecken war, erging er sich, wie so oft in einsamen Stunden, in einem meditierenden Selbstgespräch:

Mein Gott, wie ich vor dem Krieg ausgeschaut habe! Was war ich denn? Nichts, weniger als nichts. Ein kleiner Anwalt ohne Vertretungsbefugnis bei Gerichtshöfen. Und was für Causen! Immerhin, bei den Plädoyers zog ich mich nicht schlecht aus der Affäre. Man hat mir zugehört, hat gelacht, ich habe oft obsiegt, denn meine Akten, die habe ich gekannt, wie ich heute die Regierungsakten kenne.

Freilich, ich weiß ganz gut, was nötig ist, was zieht und zählt, und den Schwindel, den man vormachen muß, um zu wirken und die Leute einzuwickeln. Ich besitze auch eine gewisse Wandlungsfähigkeit und kann mich anpassen, damit alles richtig gemischt wird – ich sage nicht berechnet, dieses Wort mag ich nicht –, dabei ist es nötig, das Terrain gut zu kennen, auf das man die Füße setzt, damit man nicht unter dem Gewicht der Feindschaften, aber auch der Freundschaften versinkt, die beide so schwer auf den Schultern eines Mannes der Öffentlichkeit lasten. Ich bin klug und fürchte mich nicht: Das kann ich ohne Eigenlob behaupten.

Dennoch, wenn ich zurückblicke, bin ich immer noch erstaunt.

Seit jeher hab' ich mir gewünscht, in der Politik mitzureden. Als ich zum erstenmal kandidierte und Abgeordneter werden wollte, war ich noch reichlich naiv. Ich ließ mich von meinen Listenkollegen hereinlegen. Ich hab' den Hut vor ihnen gezogen; man kann eine solche Sache wirklich nicht mit größerer Arglosigkeit angehen, als ich es getan habe. Ich mußte einer Partei beitreten, natürlich einer, die noch Platz hatte. Dort bin ich nicht durchgedrungen, so bin ich eben in eine andere gewechselt, dann wieder in eine andere, und immer mehr zur Rechten hin – unabsichtlich, weil es sich so ergab, und das hat mir in der Folge nicht geschadet. Ich hatte eben immer Glück. Auf diese Weise habe ich in der Wartezeit zwei oder drei Meinungen vertreten. Mein Gott, was bedeutet das schon! Kann man denn die verschiedenen Etiketten ernst nehmen, die so oft auf der gleichen Ware kleben? Auf jeden Fall habe ich – und darauf bin ich mit Recht stolz – durch alle Zeiten und alle... Schwierigkeiten hindurch den gleichen großen Prinzipien gehuldigt – ich meine nicht den Grundsätzen von 1789, obwohl sie sich so ungefähr mit ihnen decken –, dessen stärkstes, unanfechtbarstes ja in meinen Augen die Liebe zum Vaterland ist. In diesem Punkt habe ich keine Kompromisse gekannt, und dafür wurde ich belohnt. Ich liebe meine Heimat. Nirgendwo in der Welt könnte ich all das finden, was meinem Dasein Sinn, Geschmack und Kraft schenkt: die Landschaft, die Gebräuche, die Freundschaften, die Bauwerke, die Bücher und eine Frau wie Angèle de Viborne. Es ist daher kein besonderes Verdienst, aber über die Zeiten und die Ereignisse, auch die Gefahren hinweg, hat sich diese unantastbare Haltung bezahlt gemacht, und ich bedaure nicht, daß sie mir angeboren ist!

Wie konnten, zum Beispiel, vernünftige Leute während des letzten Krieges, während der Besetzung unsicher werden? Man brauchte doch nur seinem Instinkt zu folgen. Und der schrieb klar vor, wie man sich zu verhalten habe: Man durfte das Wertbeständige niemals um dessentwillen verraten, was niemals wertbeständig sein könnte. Ich stamme aus einer kleinen Bauernfamilie. Mein Vater, mein Großvater, ich selbst vertrugen niemals Fremde auf unserem Acker, in unserem Garten. Ich bin ein braver Durchschnittsfranzose und mag nicht, daß man mich ärgert.

Deshalb habe ich sofort ja gesagt, als Anjoulbert 1941 »Kontakt« mit mir aufgenommen hat. Wer war Anjoulbert? Ein Anwalt wie ich, etwas älter und etwas erfahrener, der sich aber genau wie ich häufig genug im Justizpalast die Füße nach Klienten abrannte. Als Anjoulbert ein paar zusammenrief, lauter Leute vom Gericht, und uns fragte, was wir, die Burschen vom grünen Holz, von der Gegenwart dächten, da waren alle, wie ich mich erinnere, der gleichen Meinung. Es war weder die Rede von Ideologie noch von Faschismus noch von anderen Ismen; es war uns allen miteinander unerträglich, diese Fremden bei uns einquartiert zu sehen. Und weil sie sich eingenistet hatten, mußte man eben das Nötigste unternehmen, um sie wieder hinauszubringen.

So hat Anjoulbert alles organisiert, die erforderlichen Kontakte mit den Leuten in London aufgenommen, und das, zugegeben, mit bewundernswerter Zähigkeit und Ausdauer. Er war einer der Männer, die außerhalb großer Ereignisse ganz unscheinbar bleiben, die aber in Ausnahmezeiten weit über sich hinauswachsen und geradezu zwangsläufig zu Helden werden. So einer war Anjoulbert.

Dieser sonst etwas verschlafene Anwalt, der sich so durchwurstelte und es nur zu Causen brachte, die ihm von selbst in den Schoß fielen, bewies auf einmal eine Intuition, eine schöpferische Phantasie und so

79

beispiellosen Mut, wie man sie ihm niemals zugetraut hätte. Er bereitete eine ganze Reihe Coups vor, die gelangen, und er nützte den Erfolg aufs beste aus. Das bedeutete ihm vermutlich die wahre Erfüllung seines Lebens, denn für Frauen interessierte er sich nicht.

Ich übrigens auch nicht. Nicht daß ich die Frauen verachtet hätte, schließlich stamme ich aus dem Süden, aber ich bin, wie ich zugeben muß, entsetzlich egoistisch und ein Besessener. Ich habe Liebesaffären, die sich in die Länge zogen und drohten, Gewohnheit zu werden, stets abrupt abgebrochen. Ich liebe nicht »eine Frau«, ich liebe mehrere. Zumindest war das der Fall, ehe Angèle in mein Leben trat.

Angèle ist mir nichts und ist mir alles. Wahrscheinlich ist das die Rache der vierzig und etlichen Jahre, die ich ohne echtes Gefühl dahingelebt habe. Sie fasziniert mich, weil sie, ohne eine ausgesprochene Schönheit zu sein, anders ist als die andern; weil ihr Körper so viel Zärtlichkeit, so viel Sinnlichkeit ausstrahlt, daß man bei ihrem Anblick an Liebe denken muß, der sie sicher selbst verfallen ist. Angèle zieht die Männer an. Das merkt man genau an dem Benehmen Mehlens, an dem Scherwenzeln dieses Laffen Hubert, der ihr nachrennt, dessen Hofmacherei sie sich gefallen läßt, ohne aber etwas anderes in ihm zu sehen als einen unreifen Burschen im Alter ihres Stiefsohns, davon bin ich überzeugt. Was mir an ihr gefällt, das ist ihr tadelloses Auftreten, das sie zweifellos befähigen würde, an meiner Seite zu wirken, mich zu unterstützen; und auch ihre »Klasse«, nicht einer Klasse, die ihrer Abstammung, sondern die ihrem Esprit entspringt und durch die sie klar erkennt, was ich in der heutigen Gesellschaft darstellen kann.

Ich vermute daher, daß ich mit einiger Geduld Chancen hätte. Sie wäre eine wundervolle Freundin, leidenschaftlich und klug zugleich. Ich würde mich ihr anpassen und auch meinerseits Opfer bringen. Vor allem dürfte ich ihre persönliche Freiheit nicht einschränken, denn sie denkt bestimmt nicht daran, ihren Gatten zu verlassen; sie wäre höchstens bereit, dann und wann auszureißen und damit zugleich eine Weile dem Leben hier in La Gardenne zu entrinnen, in dem sie erstickt, wenn sich nicht bald ein Fenster öffnet. Ich gehe nicht so weit, zu behaupten, daß ich ihr einen Dienst erweise, wenn ich sie zu meiner Freundin nehme, aber ein Körnchen Wahrheit ist schon daran.

Ich weiß genau, daß Mehlen sich in sie vergafft hat. Das sieht ein Blinder. Aber Angèle reißt sich weder darum, Aufsehen zu erregen und berühmt zu sein, noch um Geld; sie ist eine völlig desinteressierte Frau, das weiß ich. Mehlen kann ihr nichts anderes bieten, ich aber vermag ihr Macht in anderer Form zu verschaffen, die einzige von Wert, wenn man sie auch als ephemer bezeichnet: die politische Macht. Ich bin Minister gewesen, ich werde es wieder werden. Und demnächst ernennt man mich bestimmt zum Ministerpräsidenten. Man holt mich binnen kurzem, das weiß ich, wenn meine Vorgänger mit ihren Dummheiten ausgespielt haben. Und dann brauche ich nur ein bißchen, gerade soviel, als nötig ist, von der extremen Rechten zur gemäßigten Linken hinüberzurutschen, um bald Freunde unter den Gemäßigten und damit Chancen bei der Wahl des Präsidenten der Republik zu haben. Meine Anhänger im Parlament werden auch den Abseitsstehenden leicht klarmachen können, daß ich die gerechte Mitte vertrete, die kalmierend nach allen Seiten wirkt und die Gemüter beruhigt, denn Vermitteln und friedliches Ausgleichen, das war immer meine Stärke, ich weiß es.

Sapristi! Da bin ich von Anjoulbert direkt zu Angèle gekommen, dann von Angèle zu der Zukunft, mit der ich rechnen kann, wenn nichts völlig Unvorhergesehenes geschieht. Kehren wir über Angèle zu Anjoulbert zurück. Ja, sie wäre eine Geliebte, wie ich sie mir ersehne. Sie vereint alles in sich, was ich von einer Frau wünsche. Sie stünde mir mit Rat und Tat zur Seite, stärkte mich durch ihre Nähe – ach, einmal nur in der Woche mit ihr beisammen sein wäre Labsal –, sie könnte die Rolle einer echten Egeria spielen und würde durch mich die Egeria der Republik werden... Das ist nicht so ohne, denke ich, und ich stelle mich nicht mit leeren Händen bei ihr ein.

Wenn ich aber Angèle wirklich eines Tages bekomme, dann verdanke ich sie Anjoulbert. Wirklich, alles, was ich bin, bin ich nur durch Anjoulbert, das ist mir klar. Erst einmal, weil er mich in seine Gruppe geholt hat. Dann, weil die Ereignisse meiner Karte den Stich schenkten, während er die Pik-Neun zog: den Tod.

Das war eine sonderbare Zeit, und so mancher sucht sie vergessen zu machen, aus sehr begreiflichen Gründen. Es gibt Menschen, denen verursacht sie Reue und anderen ein so schlechtes Gewissen, daß sie lieber nicht daran erinnert werden möchten. Anjoulbert ist vergessen, und doch ist er als Held gefallen.

Er ist im Augenblick gefallen, als er den Lohn und den Lorbeer für seine Opfer erhalten sollte. Ich war zur Stelle, und die Entwicklung wollte es, daß ich an seiner Statt die Fackel ergriff. Ich habe sie nur einige Zeit gehalten, gerade lang genug, um all das zu ernten, was ihm gebührt hätte. Man hat mich nach der Befreiung als Chef der ruhmreichen Bewegung geehrt. Ich war in meinen Reden, in meinem Buch, das diese Zeit behandelt, ganz aufrichtig – einem sehr dicken Buch, tausend Seiten, ein Resümee unserer ganzen Geschichte; der kleine Darbeau hat es sehr geschickt redigiert und alle Einzelheiten gründlich zusammengetragen, und ich habe diesem Buch die »Note« gegeben, die Note, die den familiären oder epischen Ton bewirkt und richtig darstellt, was sich in jener Epoche zugetragen hat, und dieses Buch wird mich vielleicht in das Hohe Haus am Quai Conti bringen – kurz, ich habe über Anjoulbert sehr ehrlich gesagt, was zu sagen war.

Das hat man mir besonders hoch angerechnet, man rühmte meine Bescheidenheit. Man hat geschrieben, daß ich meine eigenen Verdienste absichtlich zugunsten des Gefallenen geschmälert habe und in den Hintergrund getreten bin. Wirklich, ich habe niemals versucht, mich mit Lorbeeren zu schmücken, die mir nicht zustanden. Aber man braucht nun einmal einen »Verantwortlichen«, wenn ich so sagen darf, oder zumindest einen »Fahnenträger«. Und das war eben ich.

Man überschüttete mich mit Glückwünschen, mit Ehrungen. Man hat mich sofort zur neuen Regierungsbildung gerufen. Die Partei, der ich zuletzt angehörte, hat mich für sich beansprucht. Ich konnte vom Tiger nicht abspringen, ich ergriff die Hand, die man mir bot. So wurde ich also gewählter Vertreter meiner Partei – es war gerade hier in der Sologne ein Mandat frei –, ich nahm Beziehungen zu den Leuten auf, die mir Sitz und Stimme verschafft hatten, und so kam ich auch nach La Gardenne, als Gast des Marquis de Viborne, der ein sehr einflußreicher Mann in dieser Gegend und Bürgermeister seiner Gemeinde ist.

Das Haus ist gut. Man trifft nützliche Leute, die einem dienlich sein können oder schon dienlich waren, wie Mehlen zum Beispiel. Wenn man mit ihnen zusammen sein will, dann muß man an den Jagden teilnehmen. Ich habe das niemals gerne getan. Es ist nicht ganz einzusehen, wo das Vergnügen liegt, den ganzen Tag ein unglückliches Tier zu quälen, nur um es dann abends umzubringen, und das, nachdem man sich acht Stunden auf einem Gaul die Schenkel wundgeritten und den Rücken halb zerbrochen hat. Ich war niemals auf Parforcejagden, obwohl ich geritten bin (ich war bei der Artillerie, Gott allein weiß, was diese Zeit für mich bedeutete!), hierher aber komme ich wegen der Leute, die im Schloß verkehren, ich komme wegen Angèle.

Um die Wahrheit zu sagen: Ich weiß zwar genau, was ich will, aber ich weiß nicht, wie ich es anpacken soll. Weder mein Alter noch meine Stellung erlaubt mir, den schüchternen Liebhaber zu spielen. Es müßte etwas passieren, was die Ordnung der Dinge ein bißchen durcheinanderbringt, nicht ein Ereignis, das eine solche Frau veranlaßt, freiwillig ihrer Pflicht – das Wort ist komisch – zu entsagen, sondern eines, das sie von außen her darauf hinlenkt. Gegenwärtig bemühe ich mich, irgendwo mit ihr zu sprechen und ihr die Frage zu unterbreiten, damit sie wenigstens darüber nachdenkt.

Das sage ich alles so nüchtern heraus. Wenn ich aber ehrlich zu mir selbst bin, dann muß ich zugeben, daß ich mir wie ein Schuljunge vorkomme. Ich habe sehr deutliche Träume, in denen sie eine Rolle spielt. Und dann, ich bin eifersüchtig, ich, der ich noch niemals eifersüchtig war und der es manchmal sogar vorzog, eine Frau mit einem andern zu teilen, als sich zu sehr mit ihr zu belasten. Soweit ist es mit mir gekommen – schön stehe ich da!

Nein, ich brauche mir nichts einzubilden. Ich zerbreche mir den Kopf, wo sie sich aufhält. Und wenn ich noch so fest davon überzeugt bin, daß zwischen Hubert und ihr nur ein flüchtiger Flirt besteht, reine Bewunderung auf seiner, verständliche Eitelkeit auf ihrer Seite, so gefällt es mir nicht, die beiden beisammen zu wissen. Mit Mehlen auch nicht. Er hat sehr wirksame Waffen in der Hand, und wenn ich mir noch so sehr vorrede, daß Angèle nicht die Frau ist, die sich durch die Argumente dieser grauen Eminenz leiten läßt, so wäre ich lieber schon einen Schritt weiter.

Die Fanfare! Das Horn Monsieur de Vibornes: die Vue. Sie haben den unseligen Hirsch aufgespürt. Wohin werden sie sich von ihm schleppen lassen? Soll ich ihnen nachreiten? Soll ich hierbleiben?

Wer ist der Reiter dort hinten? Keiner von uns, denn er entfernt sich von der Jagd. Doch, einer von uns: Hubert. Im Galopp, und in der andern Richtung. Über den Acker direkt zum Schloß La Gardenne hin. Er wird doch nicht heim wollen? Vielleicht schickt ihn Angèle, etwas holen, was sie vergessen hat? Auf jeden Fall war sie nicht oder ist sie nicht mehr mit ihm beisammen. So ist sie also bei Mehlen!

Ich mag Mehlen nicht. Nicht weil er um Angèle herumtanzt, sondern weil ich immer zu Eis erstarre, wenn ich mit ihm zu tun habe. Trotzdem, ich brauche ihn. Er kennt jedermann. Er hat Einfluß auf viele Leute. Er schafft Vermögen und zerstört sie. Und das ist von ungeheurer Wichtigkeit in der Politik. Er gehört zu den Menschen, die ihren Mann auf den Präsidentenstuhl heben oder ihn wegziehen können. Er rühmt sich niemals seiner Macht, aber wir Politiker kennen ihn. Ob wir nun wollen oder nicht, er bedeutet eine Macht, mit der wir rechnen müssen.

Ein Mehlen errichtet oder vernichtet Regierungen. Dennoch fürchte ich ihn nicht ...

»Hier sind Sie, lieber Präsident?«

Gardas zuckt zusammen und dreht sich um: Mehlen steht hinter ihm,

Mehlen, an den er eben dachte; die kalte belegte Stimme und der Blick lähmen ihn noch mehr als sonst.

»Ja... ja...«, stottert er: »Ich wartete... die Jagd ist draußen im Feld. Ich habe eben die Fanfare des Marquis gehört, er hat die Vue geblasen.«

»Ich habe es auch gehört«, sagte Mehlen.

»Vorhin ist der junge Doissel aus dem Wald geritten«, sagt Gardas, nur um etwas zu reden, »über den Acker... was sucht er eigentlich dort drüben?«

»Er geht nach Hause«, zischt Mehlen zwischen den Zähnen hervor. »Er geht nach Hause«, wiederholt er mit verhaltener düsterer Freude.

»Ins Schloß?«

»Ganz nach Hause.«

»Nach Paris? Ja, wieso denn?«

»Madame de Viborne hat ihn verabschiedet... So nehme ich zumindest an. Sie hat mir gesagt, daß er hier nichts mehr zu suchen hat.«

»Er ist kein übler Bursche«, sagt Gardas, »aber er hat ihr gar zu augenfällig die Cour geschnitten. Er hat sie kompromittiert.«

»Er hat mit ihr geschlafen«, sagt Mehlen kalt.

Gardas fährt auf:

»Was?«

»Das wußten Sie nicht?«

»Ich?... Nein... Sie glauben...?«

Mehlen lacht höhnisch auf:

»Ich kann nicht behaupten, daß ich sie – zusammen natürlich – im Bett gesehen habe. Aber ich habe sie öfter als einmal aus seinem Zimmer kommen sehen.«

»Was beweist das? Sie wissen, wie fürsorglich sie ist...«

Wieder das höhnische Lachen:

»Fürsorglich! Sie hat mit ihm geschlafen, glauben Sie mir«, wiederholt er roh. »Das scheint Ihnen unangenehm zu sein?«

»Ja... ich hätte es niemals vermutet... Ich glaubte es nicht...«

»Sie sind ziemlich naiv, Gardas, für einen Parlamentarier. Aber Frauen, wer sie auch sind, sind eben Frauen. Man muß sich damit abfinden oder sich nicht um sie kümmern.«

»Das habe ich eben bis jetzt getan«, sagt Gardas, dem die Schamröte in die Stirn steigt.

»Bis jetzt, ja. Und wenn ich Ihnen einen Rat geben darf: Halten Sie es weiter so. Keine Komplikationen, lieber Präsident, das tut nicht gut bei einer Karriere wie der Ihren. Und eine etwas... zweideutige... etwas peinliche Geschichte könnte Ihnen Unannehmlichkeiten bereiten. Die Leute sind nicht gut, das wissen Sie.«

»Warum sagen Sie mir das?«

»Nur so. Einfach, weil ich an Ihre Karriere denke. Weil sie mich interessiert... eine Karriere wie die Ihre darf man nicht verderben. Und das kann so schnell geschehen, mein Freund.«

Wieder erklang das Jagdhorn, näher, rechts.

»Sie reiten weiter«, sagte Mehlen. »Kommen Sie mit?«

»In welche Richtung?«

»Zur Prée.«

»Sie glauben, daß dort...«

»Bestimmt. Es kann nur dort zu Ende gehen. Kommen Sie, Gardas, das Halali wird bei dem Teich geblasen werden, und seit ich jage, war ich immer im Augenblick des Todes dabei.«

VIII

Les fins dernières

Auch Angélique de Viborne liebte diesen Wald. Sie liebte ihn seit ihrer Kindheit. Alle ihre Erinnerungen, die schönsten wie die schrecklichsten, waren mit ihm verquickt. Und deshalb mied sie ihn jetzt.

Sie hing an ihrem Kloster Notre-Dame, wo sie sich gegenwärtig aufhielt, denn dort fand sie, wenn nicht den Frieden – konnte sie jemals wirklich Frieden finden? –, so doch zumindest die Ruhe ihres Herzens und ihrer verwundeten Seele.

Seit sie laufen konnte, war sie durch den Wald gestrichen, nicht so ausdauernd wie Lambert, der dort andere Genüsse fand, aber fast ebenso ziel- und planlos wie er. Sie liebte einsame Wanderungen durch den Hochwald. Alles, was zum Pflanzenreich gehörte, zog sie an, die Bäume vor allem, die empor zum Himmel strebten und von denen sie einmal gelesen hatte, daß sie mit Gebeten zu vergleichen wären, und die Frühlingsblumen. Was sie aber am meisten beglückte, das war die grenzenlose klare Weite, die sie umgab, war die Sonnenwärme, die bis ins Innerste drang, wenn sie sich etwas atemlos nach einem langen Marsch niederließ, sei es an einem Grabenrand, auf einem Baumstrunk oder einem gefällten Stamm, dessen Harz wie aus einer blutenden Wunde floß.

Es gab noch viele Dinge dieses Waldes, die sie nicht vergessen konnte, wenn sie im Garten von Notre-Dame auf und ab ging, und das war es, was sie quälte.

Monsieur de Viborne hatte den Namen Angélique ausgesucht, als sie geboren wurde, es war wie ein Diminutiv des Namens der Frau, die er aus Liebe geheiratet hatte. Als sie heranwuchs, erkannte man wohl, daß dieser Name wenig zu ihrem Gesicht und ihrem Körper paßte; ihre wilde, fast düstere Schönheit mußte von ihrer Großmutter Opportune de Viborne stammen, deren Porträt sofort ins Auge fiel, wenn man die Diele des Schlosses betrat.

Ja, nach außen wirkte sie vielleicht heftig und aufbrausend; trotzdem aber lebte in dieser Angélique ein weiches, verletzliches Gemüt. Die Natur hatte ihr wohl dieses Äußere geschenkt, um ihre Leidensfähigkeit zu verhüllen.

Was aber deutlich in ihrem Gesicht zu lesen war und was ihr ganzes Wesen verriet, das war die unbedingte Wahrhaftigkeit, ihre angeborene Verachtung alles Schiefen und aller Lüge. Sie trieb es so weit, daß sie sich zuweilen eines Vergehens beschuldigte, das sie gar nicht begangen hatte, nur weil sie sich dafür verantwortlich fühlte. Dann bestrafte und kasteite sie sich, um zu büßen, und fand ihren Frieden erst wieder, wenn sie, wie sie sagte, bezahlt hatte.

Sie war ein sonderbares und reizvolles Geschöpf, das in den Männern den heftigen Wunsch entfachte, sie zu zähmen und zu besiegen. Sie aber blickte die Männer nicht an, sie blickte empor zu Gott.

Lange bevor sie ins Kloster kam, hatte sie an Gott gedacht. Ein absolutes Bedürfnis führte sie zu Ihm, und die Kirche, die sie brav besuchte, hatte mit diesem Verlangen nicht das geringste zu tun. Sie begehrte leidenschaftlich nach einer vollkommenen Liebe ohne Makel, die sie in keiner irdischen Beziehung finden konnte. Aber sie besaß auch einen Körper, den Körper eines gesunden, schönen jungen Menschen, und der hungerte nach anderem.

Sie war also draußen aufgewachsen. Schon als Kind war sie dort daheim. Doch zog es sie nicht so zur Mutter wie Lambert, den Sohn. Es ist ja oft so, daß Männer an der Frau hängen, die sie zur Welt gebracht hat. Angélique, dem Mädchen, war von den ersten Jahren an der Vater nähergestanden.

Auf die Frage, wie sie sich einen richtigen Mann vorstelle, hätte sie immer nur den Marquis geschildert: sehr groß, sehr stark, Meister in allen körperlichen Übungen und vor allem ein guter Reiter. Sie bewunderte ihn abgöttisch, sie war überzeugt, daß er immer recht hatte. Er ließ sich lieben, ohne weiter darüber nachzudenken. Ihre Anbetung tat ihm wohl, und er liebte sie auf seine etwas rüde Weise; manchmal schalt er sie gutmütig, was sie bis ins Herz traf. Denn von ihm erwartete sie nur schrankenloses Vertrauen, Hinneigung und Zärtlichkeit; alles, was sie wie die Luft zum Atmen brauchte und bei niemandem anderen suchte als bei ihrem Vater.

Er war es, der sie als erster aufs Pferd gehoben hatte, sobald sie es mit ihren Beinen rittlings besteigen konnte; für eine Viborne kam es natürlich gar nicht in Frage, auf einem Pony zu beginnen. Zur stolzen Freude des Vaters war sie von Anfang an eine gute Reiterin.

Sobald es nur anging, war sie bei den Jagden mitgeritten, und das leidenschaftlich gern, da ja auch der Marquis ein begeisterter Parforcereiter war. Mit vierzehn Jahren war sie mit dem Wald und seinen Tieren völlig vertraut, sie hatte sich alle Kenntnisse angeeignet, weil sie – vielleicht das einzige – Mittel waren, ihrem Vater nahezukommen, der sich mit nichts anderem beschäftigte.

Jetzt ritt Angélique nicht mehr. Niemals mehr würde sie jagen, das hatte sie gelobt.

Ein Gelübde, das sie zu ihrem beginnenden siebzehnten Jahr abgelegt hatte. Freilich, sie sah damals wie mindestens achtzehn aus, sie war eine Frau, eine richtige Frau, das verrieten ihr heißer Blick, ihre ungestümen Bewegungen, das Feuer, das ihre ganze Persönlichkeit ausstrahlte. Sie mußte sich austoben, und die Jagd war das beste Mittel dazu. Die übrige Zeit versperrte sie sich in ihrem Zimmer und lief in die Dorfkirche, wo sie lange Stunden verweilte, nicht in Andacht, sondern im Kampf gegen sich selbst, denn sie *wollte* Gott lieben. Sie wollte es mit allen Kräften, sie mußte es, wenn sie bewahrt vor sich selbst sein wollte. Sie kannte sich – oder glaubte es zumindest –, und da sie gläubig war, meinte sie im Glauben eine Zuflucht zu finden. Aber sie wußte genau, daß es eine unvollkommene Zuflucht blieb, solange sie sich Ihm nicht ganz hingab, und dessen fühlte sie sich noch nicht fähig.

So betete sie. Sie zermarterte sich in Kasteiungen, sie wollte ihr Blut, ihr heißes, leidenschaftliches Blut bezwingen.

Eines Tages erschien Xavier de Bertolène im Schloß. Er war ein entfernter Vetter der Linie Labrusse und dreiundvierzig Jahre alt. Er sah Monsieur de Viborne nicht ähnlich, aber er war groß wie er, er liebte die Jagd, vielmehr: nichts anderes als die Jagd.

Für Angèlique gehörte Bertolène zur Generation ihres Vaters oder doch beinahe zu seiner Generation, und sie hätte ihn kaum beachtet, wenn er nicht dem Marquis ähnlich gewesen wäre. Männer seiner Art werden von einem Mädchen wie Angélique besonders angezogen – obwohl sie alle Frauen reizen –, gerade weil sie, wie er es ausdrückte, tabu für ihn sein mußte.

Und deshalb hätte er sich beherrscht – sie war schließlich auch noch sehr jung –, wenn sie nicht auf der Jagd neben ihm geritten wäre und bei seinem Lob über ihre Geschicklichkeit im Auffinden der Fährte und Führen der Hunde plötzlich zu ihm aufgeblickt hätte.

›Potztausend‹, dachte er, als sich ihre Augen begegneten, denn er verwendete die gleichen Ausdrücke, die sein Vater verwendet hatte, und dieser schien ihm hier am Platze.

Bertolène war zu erfahren, er liebte die Liebe zu sehr, um nicht zu wissen, daß es Partien gibt, die von Anfang an gewonnen sind. Am nächsten Tag wurde nicht gejagt, da Viborne mit seiner Frau nach Paris fuhr. Das hinderte nicht auszureiten, und da er von La Frondée erfuhr, daß Angélique die Stute hatte satteln lassen, bestieg er Racer, das neue Pferd Monsieur de Vibornes, und bot sich ihr zur Begleitung an, als sie hinunterkam.

Sie hatte nicht mehr an ihn gedacht. Ihr Blick hatte nicht diesem bestimmten Mann gegolten, sondern allen jenen, die er für sie personifizierte. Sie war diese Nacht wach gelegen, aber sie hatte ihn, Bertolène, nicht tiefer über sich gebeugt gesehen als irgendeinen anderen, trotzdem ahnte sie eine Gefahr und hatte Lust daheimzubleiben. Schließlich aber ritt sie doch an seiner Seite durch das Nebentor hinaus in den Wald.

Bertolène war nicht dumm. Er durfte sie nicht verschrecken, er mußte ihr Vertrauen zu gewinnen suchen. So verlegte er sich auf die kameradschaftliche Tour und ließ sich des langen und breiten über technische Fragen des Reitens und Jagens aus. Er sprach über das neue Pferd, äußerte sich über Racers Gangart und Reaktionen, fragte Angélique um ihre Meinung. Und bald konnte er feststellen, daß sich ihre anfängliche Verkrampftheit löste.

Es war die Zeit der allerletzten Jagden. Der Wald roch nach Veilchen, wie die Jäger sagen. Die Sonne war heiß, und die jungen Triebe sprossen zum köstlichen Geäse für Hirsch und Hirschkuh. Die jungen Säfte nährten sie, schenkten ihnen Kraft und Blut, und so waren auch für die nächste Saison frohe Tage und lohnende Jagden auf edle Tiere zu erwarten.

Sie trabten Seite an Seite, und allmählich verstummte das Gespräch. Es war keine Flamme, die sich im Herzen Angéliques entzündete, sondern eher eine zehrende Sehnsucht, die ihre Glieder in süßer Schwäche erschlaffen ließ. Bertolène beobachtete sie aus den Augenwinkeln und schwieg. Nun galoppierten sie eine weite Strecke, bis sie zu einer baumumstandenen Lichtung kamen. Dort hielt er plötzlich sein Pferd an; ein leichtes Stirnrunzeln verriet, daß irgend etwas nicht stimmte. Sie hielt ebenfalls. Schnell sprang er ab und tat, als wolle er den Sattel festziehen. Da es ihm anscheinend nicht gelang, fragte sie:

»Soll ich Ihnen helfen?«

Er schien sehr verlegen:

»Bitte . . . es wäre sehr nett. Allein bringe ich es niemals fertig.«

Statt den Gurt festzuziehen, hatte er ihn gelockert, und der Sattel rutschte. Schon stand sie an der andern Seite des Pferdes. Ein wenig spöttisch gebot sie:

»Ziehen Sie, ich halte den Sattel . . . Aber ziehen Sie fest an. So!«

Der Sattel saß, und jetzt kam sie zu ihm hinüber:

»Nun, was hätten Sie getan, wenn ich nicht hiergewesen wäre?«

»Das weiß ich nicht.«

Er zuckte die Schultern, beschämt und dankbar zugleich. Sie standen einander wieder gegenüber und sahen sich an.

Bertolène brauchte keine Worte. Er wußte seit jeher, wann das Spiel gewonnen war. Er zog sie an sich, legte die Hand in den Nacken Angéliques, preßte seine Lippen so heftig auf ihren Mund, als es nötig war, um diesem Kuß Nachdruck zu verleihen.

Er war sehr erstaunt, daß sie ihn erwiderte. Einen Augenblick zweifelte er, daß es ihr erster Kuß, daß sie noch unberührt war. Sie rechnete nicht, sie überlegte nicht, ihr Körper allein handelte. Und was Bertolène auch glauben mochte, es war, außer in ihren Träumen, das erste Mal, daß sich ein männlicher Mund auf ihren drückte, daß Zärtlichkeit und Raserei über sie stürzten und sich mit ihrem eigenen Begehren, ihrer eigenen Glut vereinten. So preßte er ihren jungen, heißen Körper an sich und fühlte die Schauer, die ihn durchliefen. Was für eine Geliebte! Und nicht einmal unerfahren. Angélique hatte zuviel an die Liebe gedacht, zuviel gegen sie gekämpft, um sie nicht auf den ersten Schlag neu erschaffen zu können.

Es dauerte, dauerte . . . Die Pferde hatten sich etwas entfernt und knabberten gleichmütig an den jungen Knospen der Büsche. Angélique sah nichts mehr, ihre Augen waren geschlossen; als sie aber den Kopf zurückwarf und sie weit aufriß, da sah sie den weiten, unendlichen Himmel über sich, so leer, daß er schwarz wirkte. Ja, das war die Liebe. Schrecklich, herrlich und furchtbar zugleich. Sie empfand keine Reue in diesen Minuten, sie beugte sich nur der gewaltigen Macht, die sie in Fesseln hielt. Willenlos, berauscht genoß sie das Wunderbare. Was bedeutete das Morgen, wenn es ein solches Heute gab?

Bertolène verlor alle Beherrschung. Er erwiderte die Küsse, die glühende Umarmung, aufgepeitscht bis aufs Blut, nur einen Wunsch, nur einen Gedanken, was auch geschähe: zum Ende, ans Ziel zu kommen.

Sie standen aneinandergepreßt. Er wußte, daß der Wald leer, verlassen war und daß die Sonne das Moos getrocknet hatte. Er sah sie dort liegen. So behutsam als möglich – er mußte es tun – löste er sich von ihr, um sie zu dem Moosflecken zu ziehen, den er über ihrer Schulter erblickte, sie auf den weichen Boden zu legen, der sie erwartete.

Bei jeder andern hätte er recht gehabt. Die wenigen Schritte, die sie gehen mußte, ohne ihn zu spüren, genügten, um sie zu ernüchtern. Sie erschrak nicht vor ihrem eigenen Verhalten, sie wußte nur, daß sie nicht weitergehen durfte. Nicht weil es eine Sünde war, weil es Gott nicht wollte, sondern weil ihr plötzlich graute, sich vor der Lust zu erniedrigen, sich dem animalischen Trieb zu beugen. Sie fürchtete weder den Zorn des Vaters noch die Schande, sie fürchtete nur, vor sich selbst nicht mehr der Mensch zu sein, der sie sein wollte, und mit diesem Double ihrer selbst nicht mehr leben zu können. Jäh stieß sie ihn zurück und riß sich los.

»Angélique!« schrie er.

Aber schon war sie ihm entkommen. Sie packte ihr Pferd, schwang sich in den Sattel.

»Angélique!«

Sie antwortete nicht, jagte zwischen den Bäumen davon, bückte sich unter den tiefhängenden Ästen. Sie hörte ihn nicht mehr. Sie war schon weit. Und er blieb zurück, wütend und enttäuscht.

Er kam im Trab ins Schloß zurück. Angélique war nirgend zu sehen. Es war noch nicht spät, und das Mittagessen wurde erst um halb eins aufgetragen. Nach dem zweiten Glockenschlag erschien sie in der Diele, sie mußte durch die Küchentür gekommen sein. Sie hatte ein leichtes Kleid angezogen, was sie noch reizvoller machte als der Jagdrock und die Reithosen, die ihre Gestalt verbargen. Sie würden zweifellos allein essen, zu zweit, ohne dienstbaren Geist, wie es im Schloß üblich war. Er vermerkte befriedigt, daß sie sich das Essen nicht in ihr Zimmer bestellt hatte.

Sie nahmen Platz und bedienten sich. Er wußte wohl, daß er etwas sagen mußte, aber es fiel ihm nichts ein. Sie benahm sich, wie es auch ihre Mutter getan hätte, als vorbildliche Hausfrau: »Monsieur de Bertolène, wollen Sie nicht diese Pastete versuchen...? Monsieur de Bertolène, nehmen Sie doch lieber diesen Wein, nicht den aus der Karaffe, denn der ist von heuer und noch nicht ganz reif...«

Als sie aufstanden und in den kleinen Salon zum Mokka gingen, versuchte er ihre Hände zu fassen. Sie entzog sie ihm nicht heftig, aber entschieden. Dann schenkte sie ihm ein:

»Zwei Stück Zucker, nicht wahr?«

»Ich sehe, daß sie meine Gewohnheiten kennen.«

»Da ich meine Mutter vertrete...«

»Meine Gewohnheiten... meine Gewohnheiten...«, stotterte er ver-

wirrt. Wie sollte er dieses Gespräch fortsetzen? »Angélique, Sie haben
doch nicht... denken Sie nicht an unseren Ausritt?«

»Doch«, sagte sie. »Und gerade deshalb.«

Nun sah sie ihn an, gerade, aber ganz anders als früher:

»Es gab nichts bei diesem Ausritt, Monsieur de Bertolène, nichts als
Sonne auf einer Lichtung, eine zu starke Sonne, die sich jetzt versteckt hat. Es war eine Täuschung, es gab nichts zwischen der Person,
mit der ich beisammen war, und mir, nichts als eine Dissonanz,
falsch und entgegengesetzt allem Gültigen. Ich behaupte nicht, es
vergessen zu haben, nein, ich will nur nichts davon wissen, das ist
alles. Ich bereue nichts, doch hüte ich mich nach besten Kräften vor
einer Gefahr, die mir nicht mehr begegnen darf. Ich werde niemals
mehr in diesen Wald gehen.«

»Und zur Jagd?«

»Ich jage nicht mehr. Niemals mehr«, sagte sie.

Sie drehte ihm den Rücken. Unter der Tür fügte sie noch hinzu:

»Die Liköre sind in dem Ständer mit den sechs kleinen Karaffen.
Meine Mutter hätte Sie an meiner Stelle ersucht, sich zu bedienen.«

Damals, als das geschah, war Angélique noch ein Kind, aber sie
wußte wie eine Frau zu handeln, womit sie bestätigt hatte, daß sie
ihrer Eltern Patrice und Angèle wahrhaft würdig war.

Bertolène glaubte nicht an ihr Gelübde, obwohl sie am nächsten Tag
der Jagd fernblieb. Auch Monsieur de Viborne, dem sie ihren Entschluß mitteilte, bezweifelte, daß sie ihn wirklich durchführen werde,
wenn ihm auch klar war, daß sie einen zähen Willen besaß und ihre
Vorsätze immer hielt. Diese Eigenschaft war väterliches Erbteil. Aber
er wurde eines Besseren belehrt und erfuhr niemals, was sie dazu
bewogen hatte.

Gerade weil es ein Vergnügen war, weil dieser Wald *das* Vergnügen
für sie bedeutete, wollte sie ihn meiden. Sie strafte sich und bewahrte
sich damit, wie sie glaubte, vor einem Rückfall. Im Oktober kehrte
sie ins Notre-Dame zurück. Vor den Ferien schrieb sie ihren Eltern,
daß sie Einkehrtage halten und in Paris bleiben wolle.

Angèle besuchte ihre Tochter. Sie schien ausgeglichen und zufrieden
zu sein. Solchen Frieden vermochte die Religion zu schenken? Angèle war gläubig und praktizierte, aber genau so viel, als für eine
Marquise de Viborne in Saint-Viâtre nötig war. Ihr hatte der Glaube
niemals geholfen. Da sie von Angéliques Beweggründen nichts wußte,
fiel ihr gar nicht ein, daß ihre Tochter bloß Schutz und Halt in der Religion suchte; sie glaubte an eine innere Berufung. Somit blieb ihr
schweren Herzens nichts anderes übrig, als unverrichteter Dinge zurückzukehren und das Mädchen seinem Kloster zu überlassen.

Es war ein ganz anderes Drama, aber woher hätte sie es wissen sollen? Angélique hatte sich Bertolène aus dem Sinn geschlagen, aber trotz aller demütigen Gebete und Kasteiungen, aller Opfer war es ihr nicht gelungen, auch seinen Kuß zu vergessen. Das stand fest, und diese Glut schwelte in ihrem Innern, ohne daß sie wußte, woher sie kam, wurde zur Flamme, zu einem Feuerwerk, dessen explosiver greller Schein alles andere verschlang, zunichte machte. So war der Mensch, so konnte er sein! Wie schmachvoll, wie niedrig! Man trug den Dämon in sich, dem man sich entweder, wie so viele andere, ergeben oder den man ausmerzen mußte. Für Angélique war nur letzteres denkbar; es gab Tage, an denen sie fühlte, daß sie eher sterben als fallen würde.

Und ohne es zu wissen, befand sich Madame de Viborne durch einen Zufall, wie ihn das Schicksal liebt, an jenem Tag nach ihrem Gespräch mit Mehlen und der Verabschiedung Huberts, genau an der gleichen Stelle, wo Monsieur de Bertolène Angélique geküßt hatte. Sie dachte an das Unheil, das auf sie zukam. Als glaubte sie ernsthaft an die Durchführung seines Plans, hatte sie den Wunsch ihres Gatten erfüllt und Hubert – und damit alles, was ihr noch an Jugend, an Feuer vergönnt war – weggeschickt und die Huldigung Mehlens angenommen. Mehlen hatte von einer Zukunft gesprochen, die, wie sie sich schaudernd eingestand, Wirklichkeit werden konnte. Und zugleich dachte sie an die Ihren, alle, die zu ihr gehörten, an Lambert – wo steckte er eigentlich? Sie hatte ihm keinen Morgenkuß gegeben, wie sooft, wenn er noch in seinem großen Zimmer, einem Männerzimmer, schlief –, an ihre Mutter, vor allem an Enguerrand, der nach dem Hingang seines Vaters der einzige Mann blieb, der sie verstehen, aber auch richten würde.

Die Fanfare ertönte. Les fins dernières – dem Ende zu. Angèle war weit von der Jagd entfernt, aber die Jagd kam zurück, sie hatte das freie Feld verlassen und war in den Wald eingebrochen. Obwohl der Hirsch nicht in ihrem Blickfeld war, sah sie ihn vor sich, als ob sie auf seiner Fährte wäre, gleich hinter den hetzenden Hunden. Sie sah ihn, erschöpft, taumelnd, beschmutzt, Schaum auf den Flanken, stürzend und sich wieder aufraffend; und dieses Tier, dieses Tier mit den menschlichen Lauten, den menschlichen Qualen wurde ihr zum Symbol der Passion selbst. Er war nur ein Tier, aber das Abbild aller gehetzten, leidenden Kreatur, das Abbild jenes, der Gott gewesen war und es auf sich genommen hatte, wie ein Mensch zu leiden, der unter der Last eines zu schweren Kreuzes gestürzt war, sich aufrichtete und wieder stürzte. Das Symbol allen Lebens. Es gab kein Leben ohne diese Qual, kein gültiges Leben. Es konnte nur dieses geben, für sie alle, für Angélique, für Enguerrand, für den kleinen Lambert, den armen Gardas, unabwendbar, sogar für Mehlen und für den Marquis de Viborne.

Die Fanfare klang näher. Die Jagd wendete sich den Sümpfen der Prée zu. Meistens endete sie dort; es war immer oder fast immer der gleiche Rahmen, in dem der Tod erschien.

Wieder die Fanfare. Der Hirsch war am Ende. Und Angèle dachte, daß nun für ihn, wie für die andern, von denen sie sich nicht ausnahm, das Ende anbrach, ob nun Himmel oder Hölle auf sie wartete.

IX

Das Halali

Auch Enguerrand hatte sich oft in diesen Wald zurückgezogen, ebensogern wie später Angélique und Lambert. Aber nicht zu einem verliebten Rendezvous, sondern zu Begegnungen höheren Werts, tieferer Bedeutung, wie er geglaubt hatte und heute noch glaubte.

Er hatte hier nichts mehr verloren. Es war eine ganz andere Jagd, der er sich widmete, und sie spielte sich nicht in einem Wald, auf ein paar hundert Hektar Bodens ab.

Monsieur de Pyrènes blies die Vue. Der Hirsch hatte die Mittagsallee gewechselt. Er zog genau auf die Prée zu. Den Weg entlang reitend, hatten ihn auch Fanny Nard, Lucienne und Madame de Theillaye bemerkt. Das Tier schien noch frisch und durchaus nicht am Ende seiner Kraft. Noch trug es das Haupt hoch beim Sprung und jagte mit langen Sätzen durchs Dickicht, in dem es verschwand. Und gleich darauf kamen die Hunde.

Sie waren nicht mehr weit, und auch Monsieur de Viborne, La Frondée und Mehlen hatten sich ihnen angeschlossen. Die Jagd näherte sich ihrem Höhepunkt, und niemand kümmerte sich um den irgendwo im Gestrüpp verstrickten Gardas oder um Hubert, der heimgeritten war. Nur Mehlen wußte es, und ihn allein ging es an.

Pyrènes war weit entfernt, als das Tier gewechselt hatte. Die Hunde verhielten plötzlich, witternd; der Hirsch mußte den geraden Weg verlassen haben. Monsieur de Viborne preschte aus dem Wald und setzte, als er sie unschlüssig sah, über eine Hecke, dann wieder über die Einfriedung zurück, wodurch er der Meute Zeit gab, zu wenden und die Fährte aufzunehmen. Dann bog er in den Dammweg zur Prée ein und sprengte den Sümpfen zu.

Der Hirsch konnte den Hochwald durchquert haben. Man umstellte ihn, aber man fand nichts. Monsieur de Viborne und La Frondée fluchten. Nun ritten die Jagdgäste vereint über die Einfriedung hinein in den Wald und durchkämmten ihn. Langsam, behutsam wie Patrice tasteten sie sich durch die Stämme, denn sie wußten, daß ein ermatteter Hirsch, der sich im Dickicht duckt, oft erst aufspringt, wenn man auf ihn stößt. Sie glaubten es zwar nicht recht, und Pyrènes und Madame de Thiellaye bestätigten, daß er noch nicht so erschöpft gewirkt habe. Man dachte daher an eine neue Finte.

Ein Tier brach aus dem Unterholz. Ein paar Hunde gaben Laut. Monsieur de Viborne trieb die Hunde vor, die in seiner Nähe waren; sie aber liefen unsicher im Kreis und hoben das Bein gegen die Büsche. Hinten in der Allee sah Pyrènes eine Hirschkuh aufspringen.

Enguerrand ging nicht mehr in den Wald, denn er konnte die langen Gespräche nicht mehr unter den Bäumen halten, die sein Leben umgeformt hatten, wie auch das Leben Angéliques im Forst umgestoßen worden war. Nur Lambert, der Jüngste, liebte den Wald um seiner selbst, seiner Düfte, seiner Laute willen und aus seiner tiefen Verbundenheit mit allem, was in ihm lebt und stirbt.

Auch das Kind Enguerrand hatte sein Glück, allerdings anders als Lambert, unter den ragenden Stämmen gefunden: Dort konnte er sich austoben, sich körperlich und geistig entspannen. Genau wie sein Vater. Wie hätte es anders sein können, da der Vater der »Herr« des Waldes war?

Als Enguerrand noch nicht reiten konnte, war er in den Wald gelaufen. Später hatte er den Vater zu Pferd bei der Jagd begleitet. Er war ihm sehr ähnlich, groß und stark wie er, saß zwölf Stunden im Sattel, ohne zu ermüden; es erhöhte höchstens seinen Appetit. Da er von der Familie Labrusse abstammte, die durchwegs Riesen waren, unterschied er sich äußerlich von Angélique, deren zarter Knochenbau und feine Gelenke an ihre Mutter Angèle erinnerten, wenn auch ihre Gesichtszüge denen des Vaters glichen. Überhaupt nichts Gemeinsames hatte er mit dem unruhigen, nervösen Lambert, bei dem Lachen, Weinen und Zorn in einem Sack steckten.

Monsieur de Viborne anerkannte Enguerrand als Ältesten und Nachfolger, er wollte ihn bei sich behalten. Ihm sollten einmal Schloß und Meute gehören, und er würde, das stand fest, das Lebenswerk des Vaters fortsetzen.

Es fiel ihm also gar nicht ein, ihn vorderhand nach Paris zum Studium zu schicken. Nicht einmal nach Vierzon, von wo er bei der schlechten Zugverbindung zu spät zum Reiten, aber auch zu spät zu den der Jagd so hinderlichen Schulaufgaben heimgekommen wäre.

Immerhin mußte er lesen lernen. So holte man den Lehrer des nächsten Ortes, aus Saint-Viâtre, ins Schloß.

Es war ein unverheirateter Mann, noch keine dreißig Jahre alt, hager, klein, fleischlos, mit blauen, harten, flinken Augen. Er war blond und trug die Brillen des Intellektuellen. Er las viel und dachte viel nach in seinem kleinen einsamen Zimmer. Er schrieb auch viel, an Kollegen, an Vereinigungen, an Gesellschaften; der Briefträger brachte ihm täglich Stöße von Drucksachen und Zeitungen ins Haus. Monsieur de Viborne hatte keine näheren Erkundigungen über ihn eingezogen; Enguerrand brauchte einen Lehrer, der Lehrer kam ins Schloß, was zwar nicht geschah, um einem Viborne den Klassenunterricht mit Krethi und Plethi zu ersparen, sondern um kostbare Stunden zu erübrigen, in denen es anderes zu tun gab, als die Nase in Bücher zu stecken.

Der Lehrer hieß Franchard. Er stammte nicht aus dem Dorf. Er war im Departement Haute-Loire in Saint-Etienne geboren, einer Fabrik- und Industriegegend, wo auch sein Vater unterrichtet hatte. Monsieur de Viborne wäre etwas erstaunt gewesen, zu erfahren, daß der Vater Franchards seinerzeit glühender Syndikalist gewesen war.

Vater Franchard gehörte zu jenen alten Kämpfern, die sich selbstlos wie die Mönche von Sankt Bernhard ihrer Sache weihen. Er war in einer Epoche Sozialist, als das noch bedeutete, Roter zu sein. Gaston Franchard war gläubig, die Parteidoktrin war seine Bibel. Er glaubte an die Zukunft der Wahrheit, der Gerechtigkeit. Er war aufrecht mit seiner roten Nelke, seinem Glauben mitmarschiert, noch ein Mann von Neunundachtzig, ein Mann der schlichten, der »romanischen« Seele. Die »Weltanschauung« seines Sohnes war schon etwas tumultuöser.

Für einen Mann aus dem Volk hatte Jean Franchard ein gutes Benehmen. Er führte eine entschiedene Sprache, ohne aber jemals gewöhnlich oder derb zu werden. Er besaß natürlichen Takt, der einem inneren Gleichgewicht und dem Wunsch, »etwas Besseres« zu sein, entsprang. Was konnte man mehr verlangen?

Somit erschien Jean Franchard regelmäßig zu Enguerrands Ausbildung im Schloß. Seine Aufgabe war ihm Herzenssache, er betrachtete seinen Schüler nicht als Aristokratensohn, sondern als Menschen – waren nicht alle Menschen gleich? Er liebte Enguerrand nicht, es lag zuviel Trennendes zwischen den beiden. Aber er, Enguerrand, liebte seinen Lehrer, und das war bestimmt das Verdienst Franchards.

Im Anfang war er der ideale Lehrer. Er blieb streng bei dem vorgeschriebenen Stoff des Schuljahres, gewann das Vertrauen des Knaben, wußte ihn richtig zu nehmen, zu verstehen, impfte ihm die Liebe zur Wahrheit ein, strafte ihn niemals, wenn er einen Fehler offen eingestand, lenkte ihn nicht mit bloßen Worten – an denen er sich nur des Abends berauschte –, sondern mit dem guten Beispiel und mit Taten. Und so pflanzte er die Begeisterung für die großen Gefühle in sein empfängliches Gemüt, während Enguerrand beglückt ein nie geahntes Feuer in diesem strengen blonden Mann entdeckte, dessen Ideale zwar den christlichen Geboten des Abbé Genis, des Pfarrers von Vierzon, ähnelten, aber nicht so bindend und enggefaßt schienen. Franchard verkündete die Nächstenliebe im weitesten Sinne. Er faßte sie allerdings etwas anders auf, doch hütete er sich, den Jungen den Unterschied merken zu lassen. Dazu ließ er einige Jahre verstreichen.

Als Enguerrand heranwuchs, gewöhnte er sich an, »Monsieur Franchard« an den jagdfreien Tagen ein Stückchen Wegs heimzubegleiten. Dann gingen sie zu zweit durch den Wald. Und dort, in der Mittagsallee, war es, wo die Gespräche auch auf andere Dinge kamen als auf Karl den Großen und das Quadrat der Hypotenuse. Franchard hatte dem Kind einen Wissensdurst eingeflößt, der seinem eigenen Bildungshunger entsprach. Nach seiner Anstellung hatte er als Autodidakt so viele Bücher, medizinische Broschüren, Kunstbände, juristische Schriften, Studien über Marx und anderes verschlungen, daß er ein pseudo-universelles Wissen mit einigen Lücken besaß. So fand er auf jede Frage Enguerrands eine Erklärung. Das Vertrauen des Kindes kannte keine Grenzen, es glaubte blind an ihn.

Das Gehirn eines jungen Menschen ist aufgeschlossen, leicht zu formen, besonders wenn es keinen Zwang spürt. Was Enguerrand einmal aufgenommen hatte, behielt er für immer.

So geschah es, daß sie im winterlichen Wald oder auf den Frühlingswiesen allmählich auf die Menschheit und ihre Zukunft zu sprechen kamen. Enguerrand hatte keine Ahnung, daß es in den Städten, die er nur von der Durchfahrt kannte, Arbeitslose gab, Elend, trostlose Mietskasernen und leere Schüsseln. Wie! Da lebten Menschen, die sich nicht satt essen konnten! Viel mehr als andere, sagte Franchard bitter, und er ging noch weiter: Er erzählte von der Hungersnot in Indien, in China, von den Hunderttausenden unseliger Geschöpfe, die entkräftet in den Straßen liegenbleiben und zugrunde gehen, ohne daß sich einer nach ihnen umdreht.

Das war etwas Ungeheures, und es ging Enguerrand nicht aus dem Sinn. Es gab also nicht nur Schlösser und Reitjagden in der Welt! Es gab Menschen – Franchard hatte es gesagt –, die jahraus, jahrein tief unten in den Bergwerken oder in schwindelnder Höhe auf den

Gerüsten schufteten und die Hungers sterben müssen, wenn sie eines Tages nicht mehr arbeiten können. Aber der »Fortschritt« war auf dem Marsch, und alles das dauerte nicht mehr lang. Eines Tages würden die Menschen alle Brüder sein, alle gleich, und alle strebten in gemeinsamer Arbeit dem gleichen Ziele zu.

Enguerrand war so aufgewühlt durch diese Eröffnungen, daß er sich des Abends nach dem Rapport La Frondées über den morgen zu erlegenden Zehnender ein Herz nahm; er sprach sonst nur bei Tisch, wenn er gefragt wurde. Nun aber sagte er seine Meinung über dieses Massaker eines Tieres, das von einer Übermacht von zehn Menschen und zwanzig Hunden zu Tod gehetzt wurde, glatt heraus. Fiebernd vor Erregung erklärte er, daß eine Zeit kommen werde, in der es weder gequälte Menschen noch gepeinigte Tiere mehr geben und alle in Freiheit, ohne Furcht und Schrecken, leben würden.

Monsieur de Viborne hörte ihm zu, ohne ihn zu unterbrechen. Er wußte sofort, woher der Wind wehte. Überdies hätte es ihm Enguerrand in seiner Begeisterung niemals verheimlicht: »Ja... bestimmt... Monsieur Franchard meint es... und deshalb ist es wahr.«

Alles hätte man vor Monsieur de Viborne sprechen, das Elend der Arbeiter und ihre »Sorgen« beklagen dürfen – als ob er nicht auch seinen Pack Sorgen hätte, und auf einer anderen Ebene! –, aber von einer Zeit zu schwärmen, in der man nicht mehr edles Waidwerk betreiben, nicht mehr den Hirsch, den Rehbock auf vornehme Art nach noblen Regeln jagen dürfte, das ging ihm über die Hutschnur. Darin sah er ein Zeichen entarteten Denkens und falscher Erziehung. Dieser Franchard war »gefährlich«. Höchste Zeit, daß er draufkam, der Bursche hatte es schlau angefangen! Es war also heilsam, ein Exempel zu statuieren und Enguerrand einmal mit aller Strenge fühlen zu lassen, daß er sich auf einem falschen Weg befand:

»So, das hat dir dieser Idiot erzählt?«

»Er ist kein Idiot, Papa... Im Gegenteil, Franchard ist ein Mann, der...«

Monsieur de Viborne ließ ihn nicht ausreden. Es war schon genug Böses angerichtet worden. Empörend, daß dieser Grünschnabel sein Vertrauen mißbrauchte und ihm den Sohn verdarb. Ein Mann, der die Hetzjagd abschaffen wollte!

Enguerrand war damals zwölf Jahre alt. Es gab keinen Widerspruch gegen den Marquis, ganz gleichgültig, was und wie man dachte, besonders nicht in diesem Alter. Er konnte daher das Dekret des Vaters nur stumm, gesenkten Hauptes, entgegennehmen:

»Dieser Idiot betritt mein Haus nicht mehr. Und ich verbiete dir, ihn außerhalb zu treffen. Es hätte übrigens gar keinen Sinn, wenn du es wolltest, denn wie ich diese Sippschaft kenne, speit er jetzt Haß und Verachtung gegen uns.«

»Aber«, fragte Madame de Viborne, »wer wird Enguerrand Stunden geben?«

»Wir werden schon jemanden finden«, erklärte Monsieur de Viborne.

Sie fanden jemanden. Nachdem anfangs ein pensionierter Lehrer tagsüber ins Haus gekommen war, stellte sich heraus, daß es letzten Endes günstiger war, einen Hofmeister aufzunehmen, der im Schloß wohnte. So wurde auf Empfehlung Pyrènes Monsieur Denonjois engagiert.

Dieser war ein schwächlicher, ewig schlotternder Mann, der dreißig Jahre in Indochina verbracht hatte. Er wurde nun ständig von Kälteschauern geschüttelt. Nach dem Unterricht sperrte er sich in seinem Zimmer ein, stopfte seinen Ofen voll, bis er glühte, und rührte sich nicht mehr vom Fleck. Enguerrand stand – zumindest theoretisch – auch außerhalb der Lehrstunden unter seiner Aufsicht. Monsieur Denonjois hatte eine korrekte Weltanschauung und den Vorzug, niemals etwas zu äußern, was den überlieferten Regeln widersprach. Man hörte ihn nicht, man sah ihn nicht, er war wie ein Möbelstück – sein Fehler war, daß er zu leben aufgehört hatte.

Enguerrand hingegen blieb lebendig, trotz seines Hauslehrers. Er entwickelte sich körperlich zu einem kräftigen Jungen, und zugleich entfalteten sich Herz und Gemüt. Er hatte Franchard nicht wiedergesehen, denn er war gehorsam, aber Franchard fehlte ihm, und seine Gedanken waren oft bei ihm. Er versuchte nicht, ihn zu treffen; er hätte nur nach Saint-Viâtre laufen, an seine Tür klopfen und um Einlaß zu bitten brauchen. Er unterließ es, nicht aus Furcht, entdeckt zu werden, sondern weil es verboten war.

Sein lebendiger Geist darbte, aber seine körperliche Kraft konnte er austoben. Mit vierzehn Jahren sah er wie achtzehn aus; er ritt an der Seite des Vaters zur Jagd oder marschierte durch die Wälder, zwei, drei Stunden lang; er durchwanderte sie in allen Richtungen, alle Kahlschläge kreuz und quer, mit scharfen Augen, die Nase gegen den Wind erhoben wie die Hunde. Es war für sein inneres Gleichgewicht nötig, den Kraftüberschuß zu verbrauchen, der sein Blut in Wallung hielt.

Die männliche Reife hatte er früh erlangt. Bei den Vibornes gab es in solchen Fragen kein Problem: Sobald ein Junge »das Alter« erreichte – das war oft schon mit vierzehn Jahren der Fall –, dann war es ganz natürlich, daß er zu einem Mädchen ging. Dazu waren die Mägde da oder die Damen des Gewerbes in den Städten oder später die Kolleginnen. Eine Sache, über die zwischen Vater und Sohn kein Wort verloren wurde, deren man sich nicht schämte, die man nicht scheinheilig verbarg, derentwegen man, im Gegensatz zu den Gepflogenheiten der bürgerlichen Kreise, keine Vorwürfe zu fürchten hatte. So kam es, daß Enguerrand eines Tages die Kammer Josettes, der Tochter Euloges, betrat; und dies wurde ihm bald zur Gewohnheit.

Obwohl sich Enguerrand in einem Winkel seines Herzens die Schwärmerei für Jean Franchard bewahrte und allem nachtrauerte, was er durch ihn gelernt und dann wieder verloren hatte, lebte er somit wie ein gesundes junges Tier in den Tag hinein. Sobald Denonjois in seinem Zimmer verschwunden war, rannte er in den Wald, was seinem kräftigen Körper genauso wohl tat wie die Besuche in der Kammer Josettes. Bei einem solchen Waldlauf bis zur nördlichsten Grenze Bruadans sah er einmal einen Mann auf dem verwitterten Sockel eines Wegweisers sitzen. Er stockte, denn er erkannte ihn sofort. Es war Franchard, der, den Kopf in die Hand gestützt, tief in Gedanken versunken schien.

Enguerrand brauchte dem Lehrer nicht auszuweichen, das wäre unrichtig gewesen, und schließlich gab es keinen Grund, ihn nicht zu grüßen. Er trat näher, und Franchard blickte auf. Enguerrand sah Tränen in seinen Augen schimmern.

Es traf den Jungen mitten ins Herz. Das hatte er niemals erwartet. Franchard sah ihn mit seinen umflorten Augen an, und Enguerrand wußte nicht, was die Ursache seiner Trauer war.

»Monsieur... Monsieur Franchard«, stammelte er, lief auf ihn zu und ergriff stürmisch seine Hände. Der Lehrer schob ihn sanft zurück:

»Nicht... nicht...«, sagte er.

»Monsieur... Monsieur... bitte...«

»Das dürfen Sie nicht«, sagte Franchard und suchte seine Heftigkeit abzuwehren.

»Aber... warum weinen Sie?«

»Ja, verstehen Sie denn nicht? Ich weine, Enguerrand, weil ich daran dachte, daß Sie für die Menschheit, für uns verloren sind, als ich Sie aus der Ferne kommen sah. Ich weine, weil junge Männer wie Sie, die uns verstehen könnten, durch eine unüberbrückbare Kluft von ihren Mitbrüdern getrennt sind und getrennt bleiben. Ich bin kein Sektierer... eher ein Apostel«, fügte er mit einem traurigen Lächeln hinzu, und er hatte recht damit. »Ich habe so sehr gehofft, daß auch Sie einer werden könnten, ein Mensch, der bereit ist, sein Leben für den Nächsten zu lassen.«

Enguerrand lauschte ihm erschüttert, erregt bis in die Tiefe seines

Herzens. Die Naivität der Worte entging ihm; er bedachte nicht, daß es weit mehr als eines Franchard, eines Enguerrand bedurfte, um die Menschen von ihren Mitmenschen und vor sich selbst zu retten.

Er warf sich dem Lehrer zu Füßen.

»Monsieur Franchard«, schluchzte er, »ich gehöre zu Ihnen ... Ich habe immer nur zu Ihnen gehört.«

Wortlos und sehr liebevoll strich Franchard über sein Haar:

»Das habe ich gewußt«, sagte er endlich.

Er erhob sich, sie standen einander gegenüber, Enguerrand war nicht kleiner als er.

»Sie dürfen nicht mit mir zusammenkommen, ich weiß es. Wir müssen uns aber treffen, und wenn wir wirklich etwas leisten wollen, dann muß es heimlich geschehen. Damit lügen Sie nicht, es ist nur eine Vorsichtsmaßnahme. Wenn es Monsieur de Viborne erfährt, dann schickt er Sie weg, und wir können uns nicht mehr sehen.«

»Ich werde daheim nichts sagen«, antwortete Enguerrand.

»Hier müssen wir uns treffen.«

»Wann?«

»Sie kennen meinen Stundenplan in der Schule.«

»Auf Wiedersehen, Herr Lehrer.«

»Auf morgen.«

Sie trafen sich regelmäßig, und diese Begegnungen wurden zum Lebensinhalt Enguerrands. Vielleicht spielte auch der Reiz des Verbotenen mit. Jedenfalls aber fand er in den Gesprächen alles, was er seit ihrer Trennung entbehrt hatte. Er brach mit Josette, nicht aus moralischen Gründen, sondern weil ihm dieses Verhältnis zwar körperlich behagte, nicht aber die wahre Liebe brachte, wie sie ihm jetzt vorschwebte.

Franchard war etwas Ähnliches wie ein weltlicher Heiliger, davon war Enguerrand von Tag zu Tag fester überzeugt, und man mußte alles daransetzen, um ihm ähnlich zu werden. Ein Jahr verging, in dem der aufnahmebereite, hungernde Geist Enguerrands mit schwärmerischen Hoffnungen und allen Gnaden genährt wurde. Daheim ließ er sich nichts anmerken, wie ihm Franchard geraten hatte. Trotzdem fand ihn Madame de Viborne verändert.

Durch einen Zufall aber kam es an den Tag. Monsieur Denonjois war wie gewöhnlich nach dem Unterricht in sein Zimmer gegangen, und da es erst etwas nach vier Uhr war, konnte Enguerrand noch zu Franchard in den Wald laufen. Jetzt, Ende September, war es möglich, die Schule begann erst am 1. Oktober. Somit war Franchard, der nun Jean hieß, frei, und es blieb ihnen eine gute Stunde.

Sie trafen sich beim Wegkreuz der Eiche und setzten sich etwas entfernt davon auf einen Baumstamm, den die wütenden Herbststürme der Tagundnachtgleiche entwurzelt hatten; die Bäume stecken locker in dem sandigen Boden der Sologne. Rings um sie war alles Verwüstung, gestürzte Stämme, geknickte Zweige, an denen noch das tote Laub hing, Äste, deren Bruchstellen wie blutende Wunden näßten, Nester, die keinem Vogel mehr als Behausung dienen konnten. Es war 1938, und man sprach von Krieg. Krieg! Franchard hatte seine eigenen Anschauungen über den Krieg. Es gab so viel darüber zu reden!

Noch keine zehn Minuten saßen sie beisammen, als sie Pferdegalopp hörten. Ein Mann auf einem Spazierritt in der großen Allee. Man sah ihn nicht, es war keinesfalls anzunehmen, daß er in den Seitenweg und dann in den Wald einbog. So blieben sie ruhig sitzen.

Enguerrand wußte, daß sein Vater am Morgen zu einem Pächter nach Loreux gefahren war; es fiel ihm daher nicht ein, daß er es sein könnte.

Und doch war er es. La Frondée war ihm nach Loreux nachgekommen, um ihm von den Verheerungen zu berichten, die er bei dem Rundgang gerade in jenem Teil des Waldes entdeckt hatte. Zwanzig Bäume lagen entwurzelt auf dem Boden. Sollten sie verkauft werden, oder wollte der Marquis das Holz für das Haus, für das Schloß behalten?

Er war es, und er kam gerade auf sie zu. Sie erblickten ihn zu spät, und wie erstarrt rührten sie sich nicht von der Stelle. Monsieur de Viborne entdeckte sie fast im gleichen Augenblick. Er zog die Zügel an und blieb vor ihnen stehen.

Sie erhoben sich. Aus Höflichkeit, aber auch aus Schuldbewußtsein. Der Marquis musterte sie vom Rücken seines großen Pferdes aus. Er runzelte die Brauen. Schroff, aber ruhig, sagte er:

»Ich wundere mich, Enguerrand, dich mit diesem Mann hier zu treffen. Du weißt, daß ich es dir verboten habe, ich hatte dein Wort. Er hat mir nichts versprochen, weil ich nichts von ihm verlangt habe, aber du! Du hast mich belogen, betrogen. Und wie lange dauert das schon, denn es ist nicht das erste Mal, nicht wahr?«

»Monsieur...«, begann Franchard und trat einen Schritt vor.

Monsieur de Viborne machte eine abwehrende Bewegung:

»Sie nicht«, erklärte er. »Los, sprich, Enguerrand.«

»Vater«, sagte der Junge, »du hast mir verboten, Jean zu treffen, ich weiß es. Ich gebe zu, daß ich ungehorsam gewesen bin. Ich mußte ihn aber sehen. Ich brauche ihn. Er allein kann mir geben, was mir nötig ist, was mir guttut. Vater, du kennst Jean nicht.«

»Jean«, wiederholte Monsieur de Viborne mit einem Unterton der

Verachtung, der nicht dem Mann, sondern seinen Ideen galt, diesen sinnlosen und schädlichen Anschauungen. »Jean – soweit bist du also?«

»Ja«, sagte Enguerrand, nicht frech und nicht trotzig, aber fest, »ja, er ist mein Freund.«

»Trotz meines Verbotes?«

»Glaubst du, daß man sich das aussuchen kann?«

»Das sollte man eben.«

»Da sind wir verschiedener Meinung. Man wählt seinen Freund nach seinem Wert, nach dem, was er darstellt, was er einem geben kann.«

»Glaubst du nicht, daß ich auch Freunde gehabt habe?« fragte der Marquis, »im Collège, in Saumur . . .?«

»Kameraden, Vater. Hast du jemals einen wirklichen Freund besessen?«

Monsieur de Viborne verzog ironisch den Mund.

»Gewiß, wie jedermann.«

»Vater«, sagte Enguerrand mit ergreifendem Ernst, »das ist es ja gerade, daß ich nicht wie ›jedermann‹ sein will.«

»Schau, schau . . .«, sagte Marquis de Viborne und hob in spöttischem Staunen die Brauen.

Enguerrand senkte den Kopf, nicht weil er dem Blick seines Vaters ausweichen wollte, sondern weil er sich zu sammeln, seine Gedanken zu ordnen und die richtigen Worte zu finden suchte:

»Ich glaube nicht, daß du mich auf die Welt gesetzt hast, damit ich unfrei bin . . . unfrei im Denken, im Handeln . . . daß ich nicht meinem Gewissen, meiner Überzeugung folgen darf. Meine Überzeugungen unterscheiden sich von deinen Anschauungen, das weiß ich, aber glaube mir, daß ich mich ehrlich zu ihnen durchgerungen habe.«

»Daran zweifle ich nicht, aber immerhin mit Hilfe dieses . . . Franchard.«

»Das ist wahr.«

»Mehr wollte ich nicht hören. Wenn du zwanzig bist, kannst du tun und lassen, was du willst. Im Augenblick bist du noch ein Kind, anständig, mit guten Anlagen, aber ohne Urteilsvermögen und leicht zu beeinflussen. Und das eben halte ich Ihnen vor, Herr Lehrer: das ausgenützt zu haben.«

»Vater, ich war es, der . . .«

»Du«, fiel ihm der Marquis ins Wort, »das bildest du dir selbst nicht ein. Was wüßtest du von allen Verrücktheiten, den Hirngespinsten ohne diesen Mann hier?«

»Monsieur«, versuchte Franchard nochmals, »ich habe in aller Redlichkeit . . .«

»Eben. Ich habe niemals behauptet, daß Sie nicht redlich sind. Hingegen behaupte ich, daß Sie wissentlich, um Ihrer politischen Ansichten willen, versucht haben, den Sinn meines Sohnes zu vernebeln, ihn auf ihre Seite zu ziehen. Es ist Ihnen und meinem Sohn gelungen, hinter meinem Rücken zusammenzukommen, und Sie haben weiterhin Ihren schädlichen Einfluß auf ihn ausgeübt. Damit ist jetzt Schluß. Und jetzt zu dir, Enguerrand, denn ich glaube noch immer, daß du ehrlich bist. Versprich mir, daß du den Verkehr mit diesem Mann endgültig abbrichst.«

Eine lange Stille folgte.

»Das kann ich nicht, Vater«, sagte Enguerrand endlich mit gepreßter Stimme.

»Gut«, erklärte Monsieur de Viborne. »Du verläßt also La Gardenne. Ich weiß noch nicht, wohin wir dich schicken, das muß ich mit deiner Mutter besprechen. Ich lasse dich jetzt nicht hier, wo du gefährdet bist. Und diese Gefahr lockt dich, das sehe ich nur zu deutlich. Ich werde dich ihr entziehen. Komm mit mir.«

»Auf Wiedersehen, Jean«, sagte Enguerrand.

Und ohne weiteres Wort ging er an der Seite des in Schritt fallenden Pferdes zurück ins Schloß La Gardenne.

Enguerrand sah Franchard nie mehr wieder, aber er konnte ihn lange nicht vergessen. Ehe er nach Paris geschickt wurde, steckte man ihn zu den Maristen in Fribourg, in die Schweiz, möglichst weit weg. Es war ein sehr modernes, sehr freizügiges Collège, und man hätte die Korrespondenz nicht überwacht, wenn Monsieur de Viborne es nicht ausdrücklich verlangt hätte. Die Briefe, die Franchard an Enguerrand schrieb, kamen nicht an, und er erhielt niemals Antwort. Später dann, als Enguerrand in Paris lebte, war er weiter, fortschrittlicher noch als sein ehemaliger Freund, da er die Dinge jetzt mit eigenen Augen sah und sich eine eigene Auffassung bildete. Obwohl er nicht versucht hatte, mit Franchard zusammenzukommen, vergaß er ihn nicht, und oft waren seine Gedanken in dem Wald, bei den Gesprächen mit einem Mann, dessen Bild immer mehr verblaßte, der aber in ihm das Interesse an den Menschen und ihrem Schicksal erweckt hatte.

Enguerrand war also nicht hier, aber er gehörte hierher, in den Forst, wo der Leidensweg des Hirsches zu Ende ging. Der Aufenthalt Enguerrands in Paris hinderte nicht, daß Madame de Viborne ihn hier in La Gardenne spürte, als wäre er gegenwärtig, er, der in ihren Augen eine steile, durch keinen Sturm zu beugende Flamme, eine reine und zugleich irregeleitete Kraft war, untrennbar mit Wald und Flur seiner Heimat verbunden.

Sie dachte daher ebenso an ihn wie an alle anderen. Sie konnte gar nicht anders, denn das Bild, das sie verfolgte, hatte mit ihm zu tun. Sie sah ihn zu Pferd, aufrecht in den Steigbügeln, seinem Vater ähnlich in Haltung und Gestalt, und dieses Bild schob sich vor das andere, das Bild des Lebenden, der vielleicht bald in das Reich der Schatten steigen mußte. Enguerrand aber würde leben. Und wenn die beiden Männer auch noch so verschieden in ihren Anschauungen, ihren Wünschen waren, so lebte in dem Sohn doch ein Hauch des Vaters weiter.

Dieser Gedanke gab ihr Kraft, und endlich konnte sie das unbezähmbare Zittern bändigen, das sie befiel, sobald sie etwas tun, galoppieren oder sich mit Leuten wie Mehlen oder Hubert herumschlagen mußte. Ruhe zog in ihr Herz, nun war sie bereit. Ein Horn erklang, und sie lenkte Pasiphae dem Sumpf zu.

Der Hirsch, der eine kurze Weile gerastet hatte, sprang auf. Er hatte die Hunde nicht abgewartet. Und wenn es auch dem Ende zuging, so hatte er doch noch den Mut zur Flucht, er gab nicht auf. Als ihn die Meute aufspürte, verschwand er. Sie war zuerst scheu und unsicher gewesen, jetzt aber wurde sie lebendig.

Er warf sich in den Wald. Der Nachmittagsnebel verdichtete sich. Keine Sonne, niemals mehr würde es Sonne geben! Drüben schimmerte etwas wie ein bleierner Spiegel: der Sumpf von Prée.

Er brach aus dem Dammweg aus. Jahrelang war dort nicht gelichtet, nicht beschnitten worden, die tiefen Äste der Eichen versperrten den Pfad in Reiterhöhe. Er brauchte das Haupt nicht zu senken, die Zweige verletzten ihn nicht, denn er zog gebeugt, mit heraushängendem Lecker und pochenden Flanken weiter. Er konnte nicht mehr. Und trotzdem kehrte er noch einmal in den Wald zurück.

In diesem Augenblick bog Monsieur de Viborne in den Dammweg ein. Die Jagd belebte sich wieder. La Frondée stellte das letzte Relais auf. Die Hunde kamen von allen Seiten, die Jagdgehilfen entkoppelten sie. Und bald vereinte sich ihr Gebell mit allen anderen Stimmen, den Stimmen der Reiter und Hörner, zu einer Symphonie des Todes, die keiner vergißt, der sie jemals gehört hat. Ein hinreißendes Orchester aus Fanfaren und Rufen, menschlichen Stimmen und Tönen des Unbelebten, ein mystischer, gewaltiger Chor, grausam und verzweifelt. Er dringt bis zu dem gehetzten Tier, reißt es auf, treibt es weiter. Und doch ist es nicht der brausende, dröhnende Klang, der ihm den letzten Todesmut gibt, sondern nur die eigene Kühnheit ist es, die Würde eines wahrhaft königlichen Geschöpfs, dessen Stolz stärker ist als der Selbsterhaltungstrieb. Monsieur de Viborne befand sich allein auf dem verwachsenen Dammweg, er wußte, daß die Hunde das Wild eingeholt hatten und es umringten. Er wartete, der Weg zum Sumpf war nicht mehr weit.

Das Ende würde nicht zu Lande erfolgen, der Hirsch war noch kräftig genug, um seine Verfolger bis zum Wasser hinzuziehen. In wenigen Sekunden mußte er ihn wechseln sehen, dann wollte er losreiten, denn damit war der Augenblick des Todes gekommen.

Obwohl Madame de Viborne das Ende erwartete, zitterte auch sie nicht. Niemals mehr würde sie zittern, niemals mehr, selbst wenn ihre eigene Stunde schlug. Wie alles im Leben läßt sich auch Mut erwerben; wichtig ist nur, die Dinge klar zu sehen.

Mehlen brauchte nichts mehr zu beobachten. Auch er wartete. Versteckt am äußersten Ende der Allee, sah er alles, ohne selbst gesehen zu werden.

Geduckt kauerte Lambert im Gebüsch und schaute unter den Zweigen hervor. Auch die anderen, Lucienne, Fanny, Mandaule, sogar Gardas waren in der Nähe. Sie würden zum Halali zur Stelle sein, fast zugleich mit Patrice und dem Wild, das sie zwar noch nicht erblickten, dem die Hunde aber auf den Fersen waren, an dem sie hochsprangen, das sie überwältigen mußten.

Madame Paris, Angélique, Enguerrand waren ferne. Aber waren sie nicht trotzdem hier, in dieser Minute, die alles in sich schloß? War Hubert, der einsam auf der Straße nach Nouans ging, um dort in den Zug zu steigen, wirklich der furchtbaren Tragödie entronnen?

Monsieur de Viborne wartete am Ende des schon dunklen, von knorrigen Ästen versperrten Dammwegs. Plötzlich bewegte sich etwas weit hinten, zog wimmelnd wie ein Haufen Würmer, wie lebendes Aas, vorbei, nur den Bruchteil einer Sekunde lang, dann war es verschwunden.

Da gab Monsieur de Viborne seinem Pferd die Sporen und jagte gerade hinein in den Weg.

X

La curée

Die Hunde, gefolgt von La Frondée, waren hinter dem Hirsch her. Sie hingen an ihm, als er über den dunklen Weg wechselte. Sie umringten ihn, als er ins Wasser sprang.

Er war am Ende seiner Kraft, und das Halali ertönte. Es erklang aus nahen Hörnern. Es erklang aus dem Horn des Marquis de Viborne.

Das Martyrium des Tieres war zu Ende. Es wußte, daß alles aus war, daß der Abend, der sich niedersenkte, der plötzlich eisig gewordene Winterabend, der letzte seines Lebens war. Es war ein starker, noch junger Hirsch mit mächtigen, wenn auch unregelmäßigem Geweih; es lastete jetzt unerträglich schwer auf seinem Haupt.

Auf seinen erhitzten, durch die Jagd und die giftigen Dornen des Gestrüpps fast unempfindlich gewordenen Muskeln spürte er die Bisse der langen Zähne, brennend wie einst an den Abenden der Brunft, da sein ganzer Körper durch die Stöße und Hiebe der anderen Hirsche aufgerissen worden war. Er war verloren, und die tödlichen, grellen, grausamen Stimmen ringsum schlugen über ihm zusammen, über seinem Nacken, seinem Haupt. Ein Molosserhund sprang ihn an, er schüttelte ihn mit letzter Kraft ab, doch damit schob er den Augenblick nur hinaus. Und doch mußte er es tun, und sei es um der Ehre willen, sich nicht zu ergeben.

Er suchte mit seiner glühenden Brust das Schilf zu durchqueren. Es stand wie dichtes Wasser vor ihm, und doch spürte er die wohltuende feuchte Frische an seinen Keulen hinaufsteigen; sie belebte seine Kräfte und lähmte sie zugleich. Noch! Noch! Weiter! Hinaus in den Teich, ins offene Wasser, wo die Hunde nur schwimmend folgen können, wo er Atem schöpfen, warten und nochmals kämpfen, sie abschütteln konnte, weil er Halt im sandigen Boden fand.

Er bewegte sich also weiter, aber das Gewicht, daß ihn zurückzog, die Last seiner unerträglichen Erschöpfung und noch mehr die Last der in seine Decke verbissenen Hunde waren zu schwer. Noch schleppte er sie mit, wie einst der Wolgafischer sein überladenes Boot, aber der Augenblick nahte, da er erschlaffte, da seine steifen Beine die tödliche Ermattung, die Bürde nicht mehr trugen. So hielt er und erwartete das Ende.

Er war nicht weit gekommen. Seine Flucht hatte eine Gasse durchs Schilf gebahnt. Da stand er, aufrecht, unbeweglich, wenn auch zu Tode getroffen. La Frondée sah ihn als erster, er ritt vor, um ihm den Gnadenstoß zu geben.

Ja, das war gerecht, das Tier hatte sein Leben eingesetzt und es verloren, es hatte den ganzen Tag lang ehrlich, tapfer gekämpft. Die Partie war verspielt, man durfte es nicht unnötig leiden lassen, mußte aber auch den Hunden geben, was ihnen gebührte.

La Frondée blickte nicht zurück, er brauchte den Befehl Monsieur de Vibornes nicht abzuwarten. Er vertrieb die Hunde, zog seine Mütze vor dem Hirsch, und dann griff er zum Messer.

Ein paar Schritte noch durch das glucksende Wasser, das ihm in die Stiefel lief, ohne daß er es merkte. Mit Fußtritten verscheuchte er

Sabine, Coquart, Combault, Galland, Jullard und Réveille, und nun stand er vor dem Tier, so nah, daß er das rauhe, feuchte, geschundene Fell berührte. Ein Schauer überlief ihn, aber mit geübter Hand versenkte er die zweischneidige Klinge tief zwischen zwei Rippen, ohne den Knochen zu berühren, bis in das Herz. Zu Tod getroffen brach der Hirsch zusammen.

Die Jagdgehilfen sprangen vor:

»Zurück ... da her ... da her ...!«

Die Peitschen sausten durch die Luft. Die Hunde knurrten, aber sie wichen zurück.

Zu dritt schleppten sie den toten Körper ans Ufer, auf den trockenen Boden. Sie legten ihn auf ein Rasenstück, und La Frondée wischte seine nassen und blutigen Hände ab.

Alle Jäger umringten ihn, aber La Frondée beachtete sie nicht. Mit seinem Jagdmesser trennte er den rechten Vorderlauf des Tieres ab, dann, als er sich aufrichtete, bückte sich La Jeunesse und schnitt den linken ab, der für die Equipage bestimmt war.

Was nun folgte, war Metzgerarbeit, und die Jagdgehilfen verstanden ihr Geschäft. Ihre flinken Hände lösten die Decke und das Haupt, das der Sitte entsprechend nicht abgeschnitten werden durfte, entfernten die Keulen und holten die Innereien, den Anteil der Meute, aus dem geöffneten Leib.

Die Piköre riefen die Hunde zusammen und hielten sie mit der Peitsche in Schach. Da standen sie dicht gedrängt und lauerten auf die Beute, ihre verdiente Belohnung, und hinter ihnen nahmen die Jäger, die Pferde, die Ehrengäste Aufstellung.

In diesem Augenblick erschien die Marquise de Viborne.

Sie zügelte ihr Pferd, rief laut, aber in dem allgemeinen Trubel ging ihre Stimme unter.

Nun schrie sie aus voller Lunge:

»Mein Mann ... hört doch ... Mein Mann ... er ist gestürzt ...!«

Jetzt drehten sich die Jäger um.

Sie vernahm ihre eigenen Worte. Sie fühlte sich wie gespalten. Die Todesmeldung war ihr längst bekannt, seit heute früh, seit gestern nacht. Aber erst nachdem sie Racer herrenlos neben der gefällten Gestalt ihres Gatten gesehen hatte, wurde ihr die Wahrheit in ihrer ganzen furchtbaren Tragweite bewußt.

»Wo, Madame?« La Frondée, die Piköre rannten auf sie zu.

Sie zeigte zum Damm. Sie zeigte auf die Silhouette des Pferdes, das zwanzig Meter entfernt verhielt.

Mehlen sagte:

»Ich habe ihn stürzen gesehen.«

»Wann?« fragte Pyrènes.

»Eben vorhin, als La Frondée aus dem Wasser stieg. Aber ich habe nicht geahnt . . .«

Alles galoppierte davon, bis auf die Jagdgehilfen, die bei den Hunden bleiben mußten.

Da lag er, quer über den Weg, der Marquis de Viborne. Es war noch so hell, daß man seine große, reglose Gestalt ausnehmen konnte. Der Kopf ruhte auf der Seite, was die Wunde auf der Stirn verbarg. Als sie ihn aufhoben, sahen sie die klaffende Schädeldecke; ein knapp hinter ihm hängender knorriger Ast, der den Weg in Reiterhöhe versperrte, hatte sie zerschmettert. Er mußte mit aller Wucht gegen ihn geprallt sein, der Prügel hatte die Stirn wie eine Winternuß geöffnet, und das austretende Gehirn sah so rosig aus, daß es diesem ergrauten Mann gar nicht anzugehören schien. Ein Ausdruck des Friedens lag auf seinem Gesicht, er hatte nichts gespürt. Hatte er sich nicht immer einen solchen Tod gewünscht?

Sie beugten sich über ihn, hoben ihn unter den Armen vorsichtig, behutsam auf. Sie trugen ihn ein Stückchen weiter und legten ihn bei dem Platz nieder, wo die Pferde standen, zehn Meter von dem anderen Toten entfernt.

Madame de Thiellaye, Lucienne und Fanny stützten die Marquise, aber das war nur eine Geste. Angèle hielt sich gerade, sie weinte keine albernen Tränen, sie warf sich nicht aufschluchzend über den Mann, der ihr Gatte gewesen war. Sie zitterte nicht mehr.

Totenstill war es in der Runde, alle hatten die Köpfe entblößt. Lautlos stellten sie sich im Kreis um den Jäger und den Hirsch, wie es Brauch war und wie es Monsieur de Viborne gewünscht hätte, und hoben in einer einzigen Bewegung die Hörner an die Lippen.

Pyrènes stimmte die Fanfare an, die Piköre und die Wildhüter fielen ein und wiederholten die Weise in tiefer Trauer wie eine erschütternde Totenklage. Alle hatten die Handschuhe abgestreift.

Nach altem Brauch ertönte als erste die Fanfare à la Vue, dann die Weise des Wildes – heute des Hirsches –, dann alle Fanfaren, die im Lauf des Tages erklungen waren.

Und schließlich die beiden Halalis.

Jetzt stellte sich der erste Jagdgehilfe mit gespreizten Beinen über die Decke und bewegte das Haupt des Tieres, was ihm in der trüben Dämmerung den Anschein des Lebens gab, doch das Haupt hob und senkte sich so heftig, daß es grotesk und grausig zugleich wirkte.

Die aufgeregten Hunde winselten und bellten, aber noch hielt man sie zurück, bis La Frondée die Peitsche senkte. Nun stürzten sie vor, während der Gehilfe blitzschnell die Decke wegzog, um ihnen die dampfenden Innereien zu überlassen, zur Belohnung und zugleich zum Anreiz für künftige Jagden. Und wie aus einem Munde riefen die Piköre, die Jäger, alle, bis auf Monsieur de Viborne, dessen Befehle, Ermunterungen, Drohungen man niemals mehr vernehmen würde:

»Halali! Halali!«

Nun wurde zur Ehrung geblasen... Pyrènes, begleitet von La Frondée, schritt auf die Marquise zu. Er hatte den Vorderlauf des Hirsches auf die Mütze gelegt und überreichte ihn der Herrin, zu deren Ehren diese letzte Jagd geritten worden war.

Die Fanfare Honneurs du Pied ertönte. Wieder entblößten alle in einer einzigen Geste das Haupt, und diese Ehrenbezeigung galt der Marquise ebenso wie ihrem Gatten, der ausgestreckt auf der Erde den letzten Gruß erhielt.

Zum Abschluß erklang die Fanfare der Equipage. Es war aus.

Der Zug formte sich. Der Diener Madame de Thiellayes holte den Jagdwagen, man legte den Körper darauf, und das Pferd, am Zügel geführt, ging in langsamem Schritt an der Spitze.

Dahinter die Marquise de Viborne, die wieder im Sattel saß. Dann Fanny Nard und Lucienne, es folgten Mademoiselle Princeps und der Holzhändler, dahinter Mandaule, Pyrènes und La Bretêche, dann Gardas, danach Mehlen. Dann, verstört, Lambert, der hinter dem Baum alles mit angesehen hatte. Dahinter die anderen, alle anderen, alle, die nicht da waren und doch nicht fehlen konnten: Enguerrand, Angélique, Madame Paris. Und noch viele Männer und viele Frauen, die von ferne, über Zeit und Raum hinweg, an dieser letzten Jagd teilgenommen hatten.

Zweites Kapitel

DAS WILD
Angèle de Viborne

I

In der Nacht vor dem Begräbnis des Marquis zog sich Angèle spät und todmüde in ihr Zimmer zurück. Wie beim Erwachen aber sah sie auch vor dem Einschlafen plötzlich wieder die hohe Gestalt des Mannes vor sich, der gestern noch ihr Gatte gewesen war.

Er saß zu Pferd, er galoppierte durch den dunklen Dammweg, dem Sumpf der Prée entlang. Die Fanfare des Halalis erklang. Und vor ihm, quer über den Weg, in Stirnhöhe, schwarz und hart, der tiefhängende Ast, der die Bahn versperrte.

Wie mit seinen Augen sah sie die Barre näher kommen. Wie er wußte sie, daß es genügte, den Kopf einzuziehen, sich über den Nacken des Pferdes zu bücken. Das Pferd kam durch, der Reiter mußte ebenfalls durchkommen. Und wie ihm war ihr bewußt, daß er sich nicht bücken durfte, daß er aufrecht sitzen und anvisieren mußte, was seine Stirn zersprengen sollte.

Das hatte er, Patrice, getan. Er hatte tapfer sein Gelöbnis gehalten, einen Mut bewiesen, der dem Mut der Madame Paris verwandt war. Die Jagd war aus, das Halali war für ihn geblasen worden. Jeder kam an die Reihe, und es war gut so.

Sie erwachte im ersten Morgengrauen. Es war kalt im Zimmer, denn das Feuer war schon nach Mitternacht ausgegangen. Sie erhob sich in ihrem dünnen rosa Nachthemd, drehte das Licht auf und sah sich selbst im Ankleidespiegel stehen, fast nackt, entblößt von allem, außer dem, was ihr noch an Leben, ja an Jugend verblieb, denn ihr Körper war fest und straff trotz ihrer vierzig Jahre, und es war nicht Resignation, sondern Frieden, der ihr bei dem eigenen Anblick ins Herz zog. Heute zitterte sie nicht mehr.

Am Abend zuvor waren die nötigen Trauerkleider von der Schneiderin aus Vierzon gekommen. Der Schleier, den man vor das Gesicht zieht, dessen rauhe Berührung man wie eine Buße erträgt und der nach Appretur und Karton riecht, schreckte sie nicht; sie trauerte wirklich.

Ja, sie trauerte. Vor allem um Patrice, den sie geliebt hatte. Und dann um sich selbst, so ganz, so tief, daß sich, wie ihr schien, jeder Kampf von vornherein erübrigte. Diese Trauer wandelte sie zu der Frau, die sie jetzt geworden war und die sie ihrer Ansicht nach für immer bleiben würde.

Sie schlüpfte in die neuen Kleider. Sie fröstelte, als sie fertig war. Alles Gefühl in ihr war erstorben, kein Schmerz, keine Erregung

konnte sie heute übermannen, das spürte sie, und nichts würde an
ihr Herz rühren, weder die schreckgeweiteten Augen Lamberts noch
das zerknüllte Taschentuch Angéliques noch der beherrschte harte
und doch feuchte Blick Enguerrands noch der teilnehmende Händedruck der vielen Menschen, die am Grab vorbeiziehen würden. Und
auch nicht nachher die Umarmung ihrer Mutter.

Sie ging über den Gang hinaus in das Zimmer ihres Gatten.

La Frondée, der sie gestern spätnachts bei der Totenwacht abgelöst
hatte, erhob sich aus dem Stuhl am Fußende des Bettes.

Er grüßte ehrerbietig und ließ Angèle allein. Da stand sie vor dem
Antlitz ihres Gatten.

So wollte sie es. Sie brauchte diese Stunde. Bald kamen alle anderen,
die Gäste, die schon seit gestern im Haus waren, und die übrigen
und auch die Männer von Vierzon, die ihn wegtragen würden.

Jetzt aber war es still, und diese Stille gehörte ihnen beiden allein.

So tauchte sie tief in die Vergangenheit, in die Zeit, da sie sich kennengelernt, gefunden, vereint hatten. Sie sah ihn in der Avenue Bugeaud stehen. Unterschied er sich von dem Mann, der jetzt vor ihr
auf dem Bett lag, in dem so viele Vibornes geboren worden und
gestorben waren?

Wie hatte es begonnen?

... Die Reitstunde ging ihrem Ende zu. Sie ließ die jungen Mädchen
und die künftigen Schüler des Polytechnikums auf dem Rücken Trou-
blantes, Violettes, Gracieux', Hussards und Radamentes' noch einmal
im Kreise traben: »He, meine Herren, etwas weiter nach vorn auf
dem Sattelknopf! Hallo, meine Damen, die Knie schließen, Sie sitzen
nicht auf einem Fahrrad!« Dann, kurz bevor sie Schluß machen wollte,
um zur Mutter, die im Büro über ihren Rechnungen saß, heimzu-
gehen, erblickte sie einen großen Herrn beim Eingang der Reitschule,
der augenscheinlich etwas wünschte.

Gut, mochte er warten. Er sah nicht alltäglich aus, er erinnerte an
Provinz, an vornehmes Cottage. Außerdem war sein Rock zu hoch
geknöpft, zu lang, er hatte das unverkennbare Aussehen eines Ka-
vallerieoffiziers in Zivil. Sofort fiel ihr Saumur ein, und er stieg etwas
in ihrer Achtung.

Trotzdem machte sie Miene, ihn zu übersehen, als sie abgesessen
war und die Schüler verabschiedet hatte. So ging er ihr nach und
sprach sie an:

»Mademoiselle ... bitte ...«

Sie drehte sich um und sah ihm ins Gesicht.

Das war ein Mann, ein wirklicher Mann, eindrucksvoll in seiner
Größe. Er strahlte eine solche Kraft aus, daß sie sich instinktiv unter-

legen fühlte. Nicht sehr freundlich – vielleicht aus einer unbewußten Verteidigungsstellung heraus – fragte sie:

»Sie wünschen etwas, Monsieur?«

»Ja«, antwortete er: »Mein Freund, Monsieur de Sezac, hat mir verraten, daß Sie recht ordentliche Pferde haben, mit denen man sich im Bois sehen lassen kann.«

»Mag sein«, sagte sie. »Unsere Kunden sind jedenfalls zufrieden.«

»Sie haben mich falsch verstanden«, erklärte er. »Ich bin nicht aus Paris und besitze selbst Rassepferde. Ich habe eine Meute und Hunde ... in der Sologne ... und bin daher vielleicht etwas anspruchsvoller als ... als diese netten jungen Leute, die eben weggegangen sind. Ich halte mich nur vorübergehend in Paris auf, ein paar Tage wahrscheinlich. Sezac schickt mich zu Ihnen; ich soll ihn morgens begleiten und auf einem Tier, das von seinem nicht zu sehr absticht.«

»Da hätten wir Senegal«, schlug Angèle vor.

»Kann man Senegal sehen?«

Wortlos deutete sie ihm zu folgen. Hintereinander durchquerten sie den Hof mit den Stallungen; sie öffnete eine Box und trat ein.

»Holla!« schnalzte sie, und das Tier drehte sich um.

Er betrachtete den großen schwarzen Gaul mit dem glänzenden Fell.

»Das ist eine alte Remonte«, stellte er fest, »eine bösartige knochige Schindmähre, mit einer Hinterhand wie ein Hasenlauf. Und das ist Ihr Crack?«

Sie zuckte die Schultern. Wohlgemerkt, sie wußte selbst genau Bescheid, aber sie hatte herausbekommen wollen, ob ihr dieser lange Kerl nichts vorflunkerte und mit Parforcejagden prahlte, die gar nicht existierten.

»Ich habe einen Braunen«, sagte sie.

»Schauen wir uns den Braunen an.«

Er rümpfe die Nase, als er vor dem Tier stand:

»Das ist alles?«

»Was wollen Sie eigentlich?«

»Ein Pferd«, sagte er.

Sie konnte einfach nicht anders, sie lachte.

»Dann gibt's noch unsere«, erklärte sie zögernd, »Mamas Pferd und mein eigenes, aber die vermieten wir nicht.«

»Schade«, entgegnete er. »Im übrigen, wenn sie ausschauen wie die hier ...«

Sie antwortete nicht direkt:

»Zum Vermieten brauchen wir eben Pferde, die sich jeder Hand und allen Beinen anpassen.«

»Während für Sie ...«

115

»Man kann Ihnen nichts verheimlichen.«

Trotzdem führte sie ihn zur Box von Venux. Sie stieß die Tür heftig auf und trat zur Seite, um ihn hineinschauen zu lassen. Auf den ersten Blick wußte er, woran er war: ein Hengst aus einem guten Gestüt, zum Rennpferd ausgebildet, aber wegen eines Unfalls aus dem Training ausgeschieden.

»Ein Boussac«, erklärte er. »Bestimmt von Fier-à-Bras und Vénérable. Ein schöner Kopf, aber etwas schwach in der rechten Hinterhand und ein bißchen schmalbrüstig. Aber ein ordentliches Tier, das sicher seine einsfünfundvierzig nimmt und das die *Pianos* des *Etrier* nicht fürchtet, geschweige denn die Hecken des *Tir aux Pigeons*. Muß sich nett auf ihm durch das Bois reiten. Er macht bestimmt keine schlechte Figur neben den Pferden Sezacs. Aber da Sie ihn nicht vermieten . . .«

»Er gehört Mama«, wich sie aus.

»Und Ihre Mutter reitet natürlich jeden Morgen?«

»Nein«, sagte sie, »sie hat nicht immer Zeit dazu.«

»Man merkt es«, stellte er stirnrunzelnd fest. »Ein Pferd, das zu wenig bewegt wird.«

»Ich reite mit ihm aus, wenn ich kann.«

»Alle paar Tage einmal. Sie reiten lieber auf Ihrem eigenen Pferd.«

Sie errötete, aber sie leugnete es nicht.

»Nun, vertrauen Sie ihn mir an?«

»Ach«, sagte sie gedehnt, »ich habe da nichts . . . es ist Mamas Pferd.«

»Und wie könnte man ihre Erlaubnis erwirken?«

»Ich müßte mit ihnen zu ihr gehen. Aber ich habe anderes zu tun.«

»Einmal wenigstens . . . das erste Mal? Dann, seien Sie überzeugt . . .«

»Sie sind Ihrer sehr sicher!« lachte sie.

»Ja. Aber ich verstehe Sie gut. Man will wissen, wem man sein Pferd in die Hand gibt, es wird so rasch verdorben. Ich würde Ihnen auch nicht so schnell ein Tier aus meinem Stall borgen.«

Nun lachten beide.

»Ich reite morgen um sieben Uhr früh aus«, sagte sie.

»Dann bin ich um sieben da«, antwortete Monsieur de Viborne.

Es kam alles, wie es kommen mußte. Angèle sah sich zum erstenmal einem Mann gegenüber. Patrice war was anderes als die jungen Burschen, die Gigolos, die glaubten, sich alles bei ihr erlauben zu können, weil sie so unabhängig schien und im Reiterjargon redete, wie er bei Leuten üblich ist, die mit Pferden zu tun haben. Die kleine Paris war hübsch, gut gewachsen, sie war gewiß leicht zu haben! Und dann, was war sie schon? Die Tochter einer Seiltänzerin. Also . . . ?

Angèle war unberührt. Nicht aus Prüderie, sondern weil sie »den

Mann« noch nicht gefunden hatte, der ihr gefiel. Als ihr bewußt wurde, daß sie Patrice liebte – wegen seiner hohen Gestalt, wegen seines überlegenen, ungezwungenen Auftretens, wegen seines kühlen Blicks, der so zärtlich aufleuchten konnte, wegen seiner starken Hände, wegen seiner Pferdeliebe –, da war sie bereit, seine Geliebte zu werden. Er begehrte sie leidenschaftlich, und wenn er nicht sofort entschlossen gewesen wäre, sie zu heiraten, hätte er sie sehr bald zu seiner Freundin gemacht – wie ihre Vorgängerinnen. Es fiel ihm schwer, aber er achtete sie als seine künftige Gattin, und sie, das mußte sie sich eingestehen, verargte ihm das ein wenig; bis zu dem Tag, an dem sie als seine angetraute Frau in dem großen Bett des Schlosses La Gardenne lag.

Ja, er war der Gatte, der Geliebte, wie sie ihn erträumt hatte. Ein Gatte, der ihr einen Namen, eine Stellung, einen Freundeskreis und ansehen brachte; der sie an einen Platz stellte, den sie sich zu verdienen wußte; der sie aber außerdem die Liebe lehrte, wie sie sich die Liebe vorgestellt hatte. Mit allen Sinnen, berauscht gab sie sich diesem Mann, der ihr Herr war, den sie brauchte. Ja, eine schöne, eine ideale Ehe, die bald mit Kindern gesegnet war.

Eine weit bessere Ehe als so viele andere. Aber das Leben . . .

Das Leben, die Natur verlangen ihre Rechte, ob man nun will oder nicht, ob man darüber glücklich ist oder nicht; das Leben ist herrisch, es zwingt dem Menschen despotisch seinen Willen auf. Die Moral ist ein geschriebenes Gesetz, die Ehrlichkeit beginnt mit dem Verständnis. Patrice und Angèle waren rechtschaffene Leute, die vor den Dingen die Augen nicht verschlossen und sich mit ihnen abfanden, als es soweit war. Solange sie sich genügten, solange sie die gegenseitige Anziehungskraft ausschließlich aneinander band, ergaben sich keine Probleme. Als sich das aber allmählich änderte und sie vor vollendeten Tatsachen standen, da verhielten sie sich, wenn auch blutenden Herzens, zum Unterschied von so vielen anderen sogenannten gesitteten und gebildeten Menschen, so anständig, ja sauber, daß ihre gegenseitige Liebe keinen Schaden litt.

Freilich, darüber wurde nicht geredet, und das eben war ihre, die wahre, Keuschheit. Aber sie bemerkten jede Veränderung im Wesen des Partners, sie wußten von jeder Schwäche, von jedem Fehltritt.

Vor drei Tagen jedoch hatten sie davon gesprochen, in jener Nacht, die der Jagd voranging, und an dem Tag, an dem sich dieser reglose Mann mit dem verbundenen Kopf eingestehen mußte, daß nach langen, heißen, glücklichen oder schwierigen, aber immer gemeinsamen Jahren das Ende gekommen war, weil es keine andere Lösung als dieses Ende gab.

Angèle betrachtete Patrice. Da lag der Mann aufgebahrt, der einzige Mann ihres Lebens, der für sie nicht wie »die Männer« schlechthin gewesen war. Mit ihm sank ein Teil ihres eigenen Seins ins Grab, ein Lebensabschnitt, der niemals mehr seinesgleichen haben würde, den nichts ersetzen konnte, weder das Geld eines Mehlen noch die elende Befriedigung des Fleisches, wenn sie sich eines Tages von Mehlen befreien sollte.

Draußen erhoben sich die Geräusche des frühen Morgens wie an allen Tagen: ein Hahn krähte, irgendwo hinten bellten die Hunde, die heute in den Zwingern blieben. Auch im Haus regte es sich, Euloges Schritte hallten durch den Gang, die Frühstückstablette klirrten. Und die gleichen Gerüche wie immer drangen herein, der Duft des Kaffees, des gerösteten Brotes, aber hier, in dem Zimmer, von dem so viel Leben ausgegangen war, das nun in den Adern Angéliques, Enguerrands und Lamberts floß, da herrschte der Geruch des Todes.

Ein Unfall! Alle glaubten es. Alle außer Mehlen, außer Angèle, vielleicht außer Madame Paris. Trotz allem ein Unfall in der Kette der Generationen, welche Ursache er auch haben mochte. Ein Unfall, ein Bruch in der Lebenslinie Angèles.

Die Türe hinter ihr öffnete sich. Ohne umzuschauen, wußte sie, daß es Angélique war. Mit stockenden, kleinen Schritten näherte sich das prachtvolle, fürs Leben geschaffene Geschöpf dem Bett, auf dem ihr Vater starr und reglos lag. Sie hatte viel geweint, nicht nur aus Schmerz, sondern auch aus heißer Reue; sie erschöpfte sich in Gewissensbissen. Das war die Strafe des Himmels für ihre Gedanken, die sie nicht zu unterdrücken vermochte, die sie trotz ihrer flehentlichen Gebete verfolgten, ihrer Gebete zu Gott. Und Gott wendete die Gefahr nicht ab, nahm die Bedrohung nicht von ihr, die ständig, des Tags, des Nachts, vor allem des Nachts, über ihr hing. Sie warf sich auf die Knie und schlug sich verzweifelt auf die Brust, unbekümmert um die Nähe der Mutter:

»Meine Schuld... meine Schuld... meine sehr große Schuld...!«

Angèle, die hinter ihr stand, versank im Gebet. Wie weit war sie von dieser verwundeten Seele entfernt, und doch, wie nah fühlte sie sich ihr. Sie waren gleichen Blutes, Mutter und Tochter, die gleiche Flamme, vielleicht der gleiche Geist brannte in ihnen; aber irgend etwas mußte geschehen sein, das dieses Kind veränderte, ihm die Augen geöffnet hatte. Angélique war vom Menschlichen und zugleich von der Angst vor dem Menschlichen besessen. Ein fürchterliches Ringen, in dem ihr Angèle nicht beistehen konnte.

Lange lag Angélique zerbrochen im Staub. Aus ihrem ganzen Leib schrie das »Herr, ich bin nicht würdig!«, das ihr Inneres zerriß. Und ihre Mutter stand daneben, hilflos, unfähig, ihr die Hand zu bieten. Nun trat Enguerrand ein.

Es schickte sich nicht für den jungen Mann, das Wort an seine Stiefmutter zu richten, und er tat es auch nicht. Er verbeugte sich nur stumm, richtete sich dann sehr gerade auf, ernst und gefaßt. Er hatte den starren und harten Blick auf das Bett gerichtet.

Angèle wußte, was er dachte, daß er als Sohn und Richter zugleich vor seinem Vater stand. Er ahnte nicht, was seinen Vater in den Tod getrieben hatte, aber er maß diesem Tod an sich nicht entscheidende Bedeutung bei. Er verlor seinen Vater, ja; mit ihm jedoch ging etwas zugrunde, das sich überlebt hatte. Mit ihm sank eine Gesinnung ins Grab, die seine glühendsten Wünsche, sein heißes Streben nach Gerechtigkeit und Erneuerung zuschanden machte. Solche Menschen mußten um der Rettung der ungezählten anderen willen sterben, auch wenn es Menschen seines Blutes waren. Er straffte sich und hielt die Tränen seiner Kindesliebe gewaltsam zurück.

Euloge kam in das Zimmer, blieb einen Augenblick wortlos vor dem Bett stehen und entfernte sich ebenso wortlos wieder. Er hatte seinen Herrn noch einmal sehen wollen, denn die Männer von Vierzon mit dem Sarg waren eingetroffen.

Auf der Schwelle kreuzte sich Euloge mit Gardas.

Ohne die Kinder zu beachten, schritt er geradewegs auf die Marquise zu. Er ergriff ihre Hand, drückte sie in der stummen, demonstrativen Teilnahme, die ihm für die Gelegenheit angemessen schien. Insgeheim fand er, daß dieses unvermutete Ereignis den Lauf der Dinge wesentlich vereinfache. War Angèle nicht plötzlich frei geworden?

Nun erschienen die anderen Trauergäste: Lucienne wirkte diskret und herzlich, Fanny Nard war rauh, brummig, aber voll ehrlichen Mitgefühls, Madame de Thiellaye kam schluchzend: »Du Armes... du armes Liebes...« Die meisten blieben im Hintergrund und warteten, bis der Sarg hinausgetragen wurde, nur die »Intimen«, die aus verschiedenen Gründen dazu berechtigt waren, traten in den Raum ein und stellten sich um den Toten. Die Stille wurde nur durch ein geflüstertes Wort dann und wann unterbrochen, das sich meist auf etwas Praktisches bezog.

Draußen erklangen Schritte. Die Tür öffnete sich weit und blieb offenstehen: Es waren die Männer aus Vierzon mit dem Sarg.

Zu viert trugen sie den länglichen, übermäßig großen Kasten. Der schwere Gleichschritt, in den sie gewohnheitsmäßig verfielen, dröhnte dumpf auf den Fliesen.

Knapp hinter ihnen glitt ein Mann durch die Tür, als wollte er ihren feierlichen Auftritt ausnützen, um unbemerkt hereinzukommen. Der weiche Schritt, so leise, als ob der Fuß kaum den Boden berührte, verriet der Marquise, daß es Mehlen war.

Tiefe Stille herrschte, als die Träger den schwarzen glänzenden Sarg auf die Bahre hoben, die neben dem Bett stand.

Da klang draußen plötzlich ein Lachen auf, das Lachen eines spielenden Kindes. Es kam wie aus einer anderen Welt, es war so fern dem Geschehen hier in diesem düsteren Raum, daß es den Gästen das Herz zerriß.

Es war Lamberts Lachen, das wußten alle.

II

Madame de Viborne kam vom Friedhof zurück. Sie stieg aus dem Wagen, und als sie mit den drei Kindern die Diele betrat, fand sie ein Telegramm auf dem Posttablett vor. Sie riß es auf und las:

»Wir erwarten Dich in der Rue de Caulaincourt.«

Unterschrieben: »Deine Mutter.«

Gewiß, Madame de Viborne hatte eine Mutter, sie hatte es während dieser schrecklichen Tage nicht vergessen. Die Gegenwart Angéliques, vor allem aber Enguerrands allein genügten schon, sie dessen zu erinnern, auch wenn ihr der junge Mann nicht ausgerichtet hätte, daß Madame Paris mit ihrem Kommen rechne.

Sie wurde in der Rue de Caulaincourt erwartet, und dorthin mußte sie gehen. Die alte Dame war in der Welt herumzigeunert und hatte alles eher als ein geregeltes Leben geführt; und doch war ihre Wohnung ein Heim, der einzige Ort, der Ruhe und Geborgenheit versprach.

»Fährst du mit mir nach Paris, Mutter?« fragte Enguerrand.

»Ich habe hier nichts mehr zu tun, zumindest nicht für den Augenblick. Mandaule kümmert sich um alles.«

»Ich mache meinen Wagen fertig.«

Enguerrand holte seinen Renault von dem Wirtschaftstrakt, wo er ihn eingestellt hatte, den kleinen Wagen, dem er in jugendlicher Vermessenheit geradezu Wunderleistungen abverlangte.

»Alle vier haben Platz. Mama sitzt vorne mit mir, Angélique und Lambert hinten.«

Lambert lachte nicht mehr. So fuhren sie also nach Paris! Lambert haßte Paris. Dort war er niemals allein, einer klebte am anderen – er kannte die Wohnung der Großmutter von zwei kurzen Besuchen her –, in Paris gab es keinen Wald, keine Tiere, keine Einsamkeit, keine Jagd, die man erlebt, als ob es die eigene wäre. Ein schrecklicher

Tag! Jetzt noch nach Paris, nach der öden Zeremonie am Vormittag, zu der sie ihn gerade in dem Moment geholt hatten, da er dachte, ihr entwischt zu sein und bei Josette bleiben zu dürfen. Sie hatte gestern auf ihn aufgepaßt. Man konnte so schön mit ihr spielen, sie ließ sich so lustig »kitzeln«, daß man sich ausschütten konnte vor Lachen über diesen neuen Spaß!

Sie brauchten vier Stunden für die Reise, und Enguerrand war sehr stolz auf das Tempo. Was für ein Kind er noch war! Welche Mischung von Naivität und Härte, von Gedankenlosigkeit und Ernst!

Am Nachmittag langten sie in der Rue Caulaincourt an. Sie waren hungrig, denn sie hatten vor der Abfahrt nicht zu Mittag essen wollen. Madame Paris kochte ihnen Tee.

Sie empfing ihre Tochter ohne große Worte, ohne sie schluchzend ans Herz zu drücken. Seit dem Besuch Monsieur de Vibornes hatte sie Tag und Nacht über seine Eröffnung gegrübelt, und als sie von seinem Tod erfuhr, an den sie zeitweilig geglaubt hatte, da fühlte sie sich wie von einer schweren Last befreit: Sie durfte ihn weiter lieben.

Angélique aß schnell. Sie hatte nur eines im Kopf: weg! Kaum war der letzte Bissen hinuntergeschlungen – sie schalt sich selbst, daß sie so hungrig war –, küßte sie ihre Mutter und gab keine Ruhe, bis Enguerrand sie mitnahm. Auch der junge Mann hatte es eilig, morgen war Vorlesung, wie er behauptete. In Wirklichkeit mußte er sich noch auf eine Versammlung für heute abend vorbereiten: Das Schicksal der Menschheit durfte nicht durch das Scheiden eines einzelnen beeinflußt werden, noch dazu eines einzelnen aus der Klasse, die über ihre Mitmenschen absichtsvoll hinwegsah.

Die beiden Frauen blieben allein und richteten das Bett Lamberts im Speisezimmer. Die Wohnung war klein, deshalb mußte man ihn hier unterbringen. Nicht einmal ein eigenes Zimmer!

Angèle setzte sich in den Fauteuil beim Fenster, in dem sich ihre Mutter gern ausruhte. Die Wohnung lag hoch, trotzdem sah man auf die steil ansteigende Straße hinunter. Ihr verlorener Blick ruhte gedankenlos auf dem alltäglichen Bild. Es war ihr durchaus klar, daß sie sich mit dem neuen Lebensabschnitt befassen mußte, der sich mit dem heutigen Tag vor ihr eröffnete; aber sie hatte noch nicht die Kraft dazu.

Madame Paris war es, die das Schweigen brach:

»Jules kommt heute abend nicht heim«, erklärte sie.

Dafür war ihr Angèle dankbar. Die Mutter hatte ihren Freund weggeschickt, um mit ihr allein bleiben zu können.

»Danke, das war nett von dir«, sagte Angèle.

Madame Paris mußte das Gespräch anpacken, das spürte sie. Gewiß, ihre Tochter würde ihr auch von selbst erzählen, wie und warum der Marquis gestorben war; aber die alte Dame wollte ihr mit ihrem angeborenen Takt, einer ihrer wunderbarsten Eigenschaften, entgegenkommen und das Geständnis erleichtern:

»Patrice hat mich zwei Tage vor der Jagd besucht.«

Angèle hob den Kopf und blickte die Mutter an:

»Dann wußtest du also...?«

»Ja, er hat mir alles erzählt.«

»Mir auch.«

So war Patrice zu Angèle genauso aufrichtig gewesen wie zu Madame Paris. Er hatte ihr nichts verheimlicht. Er war von ihrer seelischen Kraft überzeugt und fürchtete nicht, sie könnte ihm das Beschlossene auszureden suchen. Und ebenso ehrlich war er mit sich selbst umgegangen, denn er hatte seinen Plan ausgeführt. Wenn man mit Leuten solcher Art zu tun hat, dann werden die schrecklichsten, die schwierigsten Dinge leicht. Auf Patrice und Angèle konnte man sich verlassen.

»Willst du mir etwas Näheres erzählen?«

»Ja«, antwortete Angèle. »Es war Jagd, und er hat mir verraten, daß er vor dem Ende einen Unfall vortäuschen wird. Es gab keinen andern Ausweg...«

»Das hat er mir auch erklärt.«

»Ich bin froh, daß er bei dir war. Er hat die Jagd also bis zum Ende geleitet. Er wollte nicht, daß vor dem Halali... Dann war der Hirsch abgefangen, und Patrice hat seinen Racer unter die Weißbuchen zum Sumpf gejagt. Stelle dir einen schmalen Weg mit tiefhängenden Ästen vor, wo du dich bücken mußt, um durchzukommen. Einer dieser Äste war in Höhe seiner Stirn. Er hat sich nicht gebückt.«

»Das hat sehr viel Mut gekostet... Hat er gelitten?«

»Ich glaube nicht. Vorher aber bestimmt: Er hat mich geliebt.«

»Niemals habe ich ihn so gut verstanden wie damals bei mir.«

Wieder war es still im Zimmer. Endlich stellte Madame Paris die notwendige Frage:

»Was wirst du jetzt tun?«

Mit einer lässigen Handbewegung deutete Angèle an, daß sie gegenwärtig nicht Lust habe, daran zu denken. Das sollte nicht heißen: ›Weiß ich es?‹ oder ›Ach, laß mich in Frieden‹, sondern nur: ›Wie schwer ist das alles!‹ Als hätte es Madame Paris gespürt, ging sie zu ihr hin und legte den Arm um ihre Schultern. Da begann Angèle langsam zu reden:

»Ich habe es bis jetzt nicht recht verstanden, aber heute vormittag in der Kirche während der Predigt des Pfarrers ist es mir plötzlich klargeworden. Da spricht man Jahre hindurch die gleichen Gebete, hört das Evangelium, und ein unerwartetes Ereignis muß eintreten, damit man mit einemmal ihren Sinn begreift. Der vorgestrige Tag, mit allem, was ich durchgestanden habe, war nötig, daß ich mich durch die gräßliche Angst in Christus, in dem du mich erzogen hast, erkennen konnte. Du mußt mich richtig verstehen, Mutter. Gewiß ist ein solcher Vergleich anmaßend, eine Lästerung, denn ich habe nur irdische Qualen erlitten, und Angélique würde mich tief verachten, wenn sie mich so reden hörte. Ich mußte mich mit dem Gedanken vertraut machen, daß Patrice dem Tod geweiht war. Ich habe diesen Tod hingenommen wie den Tod eines Mannes, den der Arzt für unheilbar erklärt, und daß ich mich dazu durchringen konnte, hat ihm das Sterben sicher leichter gemacht. Von diesem Augenblick an war ich gezwungen mitzuspielen, und ich habe mein Wort gehalten. Noch vor dem Ende der Jagd habe ich mit Hubert gebrochen ...«

»Du hast mit Hubert gebrochen«, sagte Madame Paris leise.

»Ich weiß nicht, ob du dir genau vorstellen kannst, was das bedeutet. Hubert war ...«

»Du bist vierzig Jahre alt.«

Damit wollte sie wohl sagen, daß sie selbst zweiundsiebzig war und trotzdem das Leben noch nicht aufgegeben hatte.

»Ich hatte es versprochen, und deshalb mußte ich es tun«, fuhr Angèle fort, »aber jetzt bleibt mir noch der zweite Teil meines Versprechens einzulösen.«

»Den kenne ich auch«, sagte Madame Paris. »Du warst noch nicht gebunden, als Patrice bei mir war; da sein Entschluß aber davon abhing, mußt du ja gesagt haben.«

»Ich verzichte daher auf alles«, sagte Angèle still. »Versteh mich, Mama ...«

Die Hand der alten Dame drückte sich fester auf ihre Schulter; wer hätte Angèle besser verstanden als sie!

»Dann weißt du auch, was ich auf mich nehmen muß, Mama ...«

Die Mutter nickte.

»Mama ... Mama ... ich fürchte mich so davor!«

Madame Paris antwortete nicht sofort. Sie begriff den Schmerz ihrer Tochter und empfand ihn wie am eigenen Leib. Zärtlich drückte sie Angèle an sich und streichelte sie liebevoll. Sie konnte nicht anders helfen, Angèle mußte von sich aus weiterreden.

»Mama, ich habe in grauenhafter Angst auf den Tod Patrices gewartet. Ich dachte, damit ist alles zu Ende. Und jetzt weiß ich, daß damit der Schrecken erst beginnt ...«

Ja, wirklich, Enguerrand hatte recht mit seiner Menschenjagd! Nun war sie, Angèle, an der Reihe, wie es gestern noch Patrice gewesen war, nun hetzten die Hunde hinter ihr her, nun schmetterten die Fanfaren...

Mut ist niemals angeboren, wenn es auch den Anschein haben mag; er muß unter vielen Qualen, mit vielen Rückzügen erkämpft werden, das hatte Madame Paris längst erkannt.

»Denk an Patrice. Er ist den Weg zu Ende gegangen.«

Ach ja, aber so unmenschlich der Gedanke auch scheinen mochte: Er hatte es überstanden. Patrice war sich völlig klar darüber gewesen, daß er ihr mit seinem Scheiden eine Pflicht besonderer Art hinterließ. Er selbst hatte sie ein Opfer genannt, und das war sie auch. Mehlen zu heiraten war nicht das Ärgste, viel schwerer wog der Verzicht auf alles, was des Lebens Salz bedeutet.

Madame Paris sah ihre Tochter in unendlichem Mitleid an.

»Komm«, sagte sie schließlich, »ruh dich ein bißchen aus; vergiß eine Zeitlang alles andere. Du kannst einfach nicht mehr. Es ist zuviel in diesen Tagen auf dich eingestürmt...«

»Ja... Ich sollte ein paar Tage... wenigstens ein paar Stunden, eine Nacht vielleicht... an nichts mehr denken... vergessen...«

Die Mutter mußte sie stützen, als sie aufstand. Angèle war am Ende ihrer Kräfte, abgekämpft und zerschlagen. Sie wollte sich niederlegen und auf alle Fälle ein paar von den Pillen schlucken, die ihre Mutter manchmal nahm und die so traumlosen Schlummer schenken. Ihre Hand lag auf der Klinke des Schlafzimmers, als das Telefon läutete. Madame Paris hob ab.

»Du wirst verlangt«, sagte sie. »Von Saint-Viâtre.«

Angèle griff nach dem Apparat. Zuerst hörte sie nichts, als ob die Stimme, die sie suchte, aus weiter Ferne, wie aus einer anderen Welt käme. Dann wurde sie deutlicher, und sie erkannte Mandaule. Sie straffte sich, und Madame Paris vernahm ihre kurzen, einsilbigen Antworten:

»Ja... ja... Ich verstehe... Sehr gut, daß Sie mich sofort anrufen. Überaus dringend, freilich... Keinen Tag darf man verlieren. Einen Entschluß...? Vielleicht verkaufen – und unter welchen Bedingungen verkaufen? Das heißt, verkaufen *müssen*... Sie hätten mich sonst nicht angerufen, natürlich. Ja, ja, sehr richtig, Mandaule...«

Es war ganz still, nachdem sie abgehängt hatte. Die beiden Frauen verstanden sich auch ohne Worte. Nichts mit dem Ausruhen; keine Stunde durfte das Nötigste hinausgeschoben werden.

So hob Angèle ab und wählte die Nummer Mehlens.

Das Taxi setzte sie am äußersten Ende der Avenue Bugeaud, an der Ecke der Rue de la Faisanderie, ab. Sie kannte die Gegend gut und hätte niemals gedacht, daß sie das Viertel auf diese Weise wiedersehen sollte. Hundertmal war sie als Mädchen zu Fuß oder zu Pferd bei diesem Stadthotel vorübergekommen, wenn sie die Reitschule verließ, nur hatte es damals nicht Mehlen gehört. Wo hatte sich Mehlen zu jener Zeit befunden?

Sie läutete, und augenblicklich wurde ihr von einem Diener geöffnet. Er sah mit seinem dunkelblauen Anzug und den gelben Schuhen wie ein Polizist in Zivil aus, der die Politiker auf ihren Reisen begleitet oder bei offiziellen Gelegenheiten über die Präsidenten wacht.

Er trat zur Seite und öffnete die Türe des Salons:

»Wenn ich die Frau Marquise bitten darf . . .«

Sie wurde erwartet.

Sie setzte sich und versank in Stille. In eine seltsam wattige Stille, bewirkt durch die dicken Teppiche, die schweren Vorhänge, die doppelten Fenster, wie man sie in den Häusern Mitteleuropas sieht. Die Sofas waren bequem, die Stühle reichten von Louis XVI. bis zur Moderne, und die Gemälde – wie das Kupferschildchen am Rahmen besagte – von Chardin zu Corot, von Matisse zu Delacroix, von Rouault zu Watteau. Aus einer Ecke blickte das große tote Auge eines Fernsehapparats in den Raum.

Sie schaute umher, ohne zu erfassen, was sie umgab, ohne es zu beurteilen und ohne daran zu denken, daß es eines Tages ihr gehören könnte. Nein, was auch die Zukunft brachte – nichts, was Mehlen besaß, konnte jemals ihr Besitz werden, während alles, was Patrice gehörte, vom ersten Augenblick an zu einem Stück ihres Lebens, zu ihrem Eigentum geworden war.

Mehlen ließ sie absichtlich etwas warten. Das mußte so sein. Sie war es, die ihn gerufen hatte, die ihn treffen wollte. Er blieb daher noch in seinem Büro neben dem Salon und schaute auf seine Armbanduhr: Er hatte die Wartezeit mit sieben Minuten festgesetzt, um Angèle unsicher, aber nicht ungeduldig zu machen.

Gleich nach der Einsegnung und der Kondolation war er in seinem Bentley weggefahren, ohne sich im geringsten darum zu kümmern, ob Angèle in La Gardenne blieb oder am gleichen Tag nach Paris reiste; er war überzeugt, daß sie sich früher oder später – und viel eher früher als später – in Paris bei ihm melden würde.

Sechs Uhr dreißig: Er stand auf.

Er wollte sie nicht in seinem Büro empfangen, ihr Gespräch brauchte keinen zu feierlichen Rahmen, es sollte aber auch nicht den Anschein einer geschäftlichen Besprechung tragen. Das Geschäft ergab sich ohnehin von selbst! Der Salon war am passendsten, mit seinem unpersönlichen Luxus, seiner vornehmen Ausstattung und seiner Bequemlichkeit, seinen vielen Kissen auf einem zu einfachen Diwan, den antiken Stühlen, auf denen man nicht sitzen konnte.

Er trat ein. Sie saß dort, wo er es gewollt hatte; er hatte Maurice eingeschärft, sie zu diesem Fauteuil zu führen, denn so konnte er sie im vollen Licht sehen, während er selbst mit dem Rücken zum Fenster blieb, hinter dem schon die Dämmerung lag.

Mit ausgestreckten Armen ging er gerade auf sie zu, nicht um ihr von neuem sein Beileid auszudrücken, sondern um sie am Aufstehen zu hindern. Er fand es richtig, erst von ihr zu sprechen: Auf welche Weise war sie nach Paris gekommen? Sie mußte doch todmüde sein... Hätte er geahnt – aber er hatte nicht gewagt danach zu fragen –, daß sie am gleichen Tag noch nach Paris wollte, dann hätte er ihr natürlich einen Platz in seinem eigenen schnellen und bequemen Wagen angeboten...

Während er sie durch seine getönten Gläser betrachtete, wurde er sich aufs neue darüber klar, daß sie genau die Frau war, die er brauchte. Er würde sie an sich heranziehen, ihr so viel geben können, daß sie mit der Zeit Interesse an seinen Problemen nehmen, ja sie mit ihm teilen würde. Sie gehörte zu jenen ehrlichen Frauen, die dem Mann wirklich zu eigen sind, dem sie sich ergeben haben, die aus einem inneren Drang heraus mitspielen, mithalten und die eine übernommene Pflicht einfach nicht verraten können. Auch ihre äußere Erscheinung gefiel ihm. Sie gefiel ihm, weil sie ihm ausgeliefert war. Er kannte seine Schwäche auf sexuellem Gebiet. Nicht daß er unfähig gewesen wäre, aber dieser Mann, der seiner selbst und alles anderen so sicher war, verlor die Kontrolle, wenn er liebte. Sicher, er würde mit Angèle leben, aber für das, was er ihr in der Liebe vielleicht schuldig blieb, gab es Ersatz: geistigen Einklang, tiefes gegenseitiges Verständnis.

Er schaute sie an und überschlug im Geist die Rechnung wie bei jedem anderen Geschäft. Ja, er brauchte Angèle, aber deshalb verlor er nicht die Vernunft. »Sie haben am Telefon gesagt, daß Sie einen Rat von mir wünschen?«

»Der Tod meines Mannes ist etwas so Schreckliches, er kam so plötzlich...«

»So unerwartet«, warf er kühl ein.

»Sie haben dank Ihrer Stellung einigen Einblick in die Verhältnisse, und deshalb, dachte ich, haben Sie vielleicht geahnt...«

»Ich meinte ›unerwartet‹ in bezug auf Ihre Person«, verbesserte er sich.

Nun schaute sie ihm gerade in die Augen: »So vermuten Sie also wie ich, daß dieser Tod freiwillig erfolgt ist.«

»Es gäbe durchaus Gründe für einen Selbstmord. Und weil Sie das glauben, sitzen Sie hier.«

Es traf sie wie ein Schlag ins Gesicht; sie hätte etwas mehr Umschreibungen erwartet. Dann entschloß sie sich zur Wahrheit:

»Er hat es mir in der Nacht vor seinem Tod gesagt.«

Er ergriff ihre Hände, er schien ehrlich betroffen:

»Was für einen schrecklichen Tag müssen Sie durchgemacht haben!« sagte er in echtem Mitgefühl.

»Entsetzlich.«

»Es tut mir so leid. Ihnen hätte ich helfen können.«

»Um mich handelte es sich nicht.«

»Es kann sich allein um Sie handeln.«

»Ich glaube«, sagte sie im Ton tiefer Überzeugung, »daß Sie Patrice hätten retten können.«

»Und ich habe es nicht getan. Vielleicht haben Sie recht. Vielleicht sind die Dinge subtiler, als Sie denken. Jedenfalls liegt es nicht in meiner Macht, Sie zu bewegen, sie aus einem anderen Blickwinkel zu betrachten, wenn Sie nicht davon abgehen wollen.«

»Und glauben Sie, daß mich eine andere Auffassung Ihnen näherbringen könnte?«

»Sie würde Sie keinesfalls von mir entfernen. Eines steht fest: Ich bringe Ihnen so viel Interesse entgegen, daß ich, ohne deshalb ein Werkzeug des Schicksals zu sein, zuerst an Sie und dann erst an ihn gedacht habe.«

»Um zugleich an sich selbst zu denken!«

»Männer wie ich können an Menschen, die ihnen wert sind, nur auf solche Art denken.«

»Und zu diesen Menschen gehöre ich also!«

»Das wissen Sie genau.«

Es war kein Duell. Es waren nur Wahrheiten, nackte, harte, grausame Wahrheiten, die auf den Tisch geworfen wurden, wie beim Bridge die Karten.

»Der Marquis de Viborne ist tot«, sagte er, »wir brauchen den Ursachen seines Endes nicht nachzugehen, wenigstens vorderhand nicht. Ich weiß, was er Ihnen bedeutet hat, und ich ehre sein Andenken. Aber nur die Lebenden haben das Wort: Sie heißen Angélique, Enguerrand, Lambert, Mandaule … dessen Name eine bedeutende Anzahl anderer Namen in sich schließt …«

»Sie heißen Mehlen«, sagte sie gepreßt.

»Und Angèle de Viborne«, fügte er sehr leise hinzu.

Eine Stille senkte sich über den Salon mit den verschiedenen Stilformen, in dem mit einem Male, man wußte nicht wieso, die Lichter aufflammten.

»Angèle de Viborne allein ist es, die mich interessiert.«

»Das haben Sie mir schon einmal gesagt.«

»Ich bin glücklich, daß Sie es nicht vergessen haben. Sonst stünden Sie auch bestimmt nicht hier.«

Angèle errötete bei dieser Taktlosigkeit. Sie erhob sich, um wortlos den Raum zu verlassen. Er aber verstellte ihr den Weg:

»Nun«, sagte er, »glauben Sie, daß es unserer würdig wäre, zu heucheln, ein falsches Spiel zu treiben? Ich bin gewohnt, das Kind beim Namen zu nennen. Und ich weiß, daß Sie fähig sind, die Wahrheit zu hören. Warum sollen wir um den heißen Brei reden? Ich komme auf meine Frage zurück: Sie brauchen mich. Warum?«

Sie wußte, daß er völlig im Bilde war, aber sie mußte es trotzdem aussprechen:

»Mandaule hat mich vorhin aus Saint-Viâtre angerufen. Es ist verschiedenes zu regeln... dringend... Nicht ein Tag, nicht eine Stunde darf verloren werden. Ich kann es nicht allein...«

»Aber ich kann es«, sagte er.

Er drückte dreimal kurz auf einen Klingelknopf, und fast sofort öffnete sich die Türe im Hintergrund. Ein junger Mann erschien.

Er mochte im Alter Enguerrands oder Huberts stehen. Groß, hübsch, in einem tadellosen Maßanzug. Hinter dem etwas stutzerhaften Äußeren steckte offensichtlich ein kluger, ehrgeiziger Mensch mit lebhaftem Verstand.

»Landier«, sagte Mehlen, »das ist Madame de Viborne, die Sie wahrscheinlich häufig hier sehen werden. Sie haben von dem Unglück gehört, das sie betroffen hat. Die Marquise hat die Güte, mir zuzutrauen, daß ich mich in dem Labyrinth ihrer Vermögensverhältnisse zurechtfinde und ihre Interessen wahren kann. Melden Sie ein dringendes Gespräch für den Notar von Saint-Viâtre an, er heißt Mandaule.«

Offenbar kannte der Sekretär den Namen schon, denn er brauchte ihn nicht zu wiederholen. Er verbeugte sich beim Hinausgehen. Um das frühere Thema zu umgehen, sagte Mehlen:

»Ein tadelloser Bursche... wie alle, die mit mir arbeiten.«

»Bestimmt zahlen Sie auch dafür.«

»Nein. Aber es macht sich bezahlt. Er lebt hier, verstehen Sie. Die intelligenten Leute habe ich immer an meinem Gewinn teilhaben lassen. Ich habe auch ein paar Dummköpfe in meinem Büro gehabt, brave Idioten, und die sind ohne Sou weggegangen. Ihre Schuld, und ich glaube, daß ich sie gerade deshalb nicht behalten habe. Der da geht nicht mit leeren Händen weg, seien Sie überzeugt ... genauso, wie ich mich auf ihn verlassen kann, solange ich Mehlen bin.«

»Sie haben keine Angst, daß er Sie betrügt?«

»Mein Gott, nein! Der Mann weiß zu gut, daß ich ihm bald das Genick brechen würde.«

Es war nicht von ihr die Rede, und trotzdem spürte sie eine versteckte Warnung in seinen Worten. Angèle lief es kalt über den Rücken.

Das Telefon läutete, Mehlen hob ab:

»Sind Sie es, Maître? Hier Mehlen. Ja ... danke ...«

Angèle erriet, daß sich der andere drüben mit seiner öligen Stimme erkundigte, wie der Finanzgewaltige die Reise nach Paris überstanden habe. Mehlen unterbrach ihn:

»Madame de Viborne ist hier bei mir. Die Dame kennt sich in geschäftlichen Dingen nicht aus, wie Sie wissen, außerdem steht sie unter dem Schock des plötzlichen Todes ihres Gatten. Sie war so gütig, sich meiner Freundschaft zu erinnern. Sie hat die Absicht« – er blickte Angèle an –, »mich mit ihren Angelegenheiten zu betrauen und für sie eine Lösung ihrer ... Schwierigkeiten zu finden. Ich weiß so ungefähr, worum es geht, aber ich möchte Sie um genaue Angaben, um Zahlen, um Termine bitten, die ich brauche.«

Nun lauschte Mehlen, und Angèle wußte, daß ihm Mandaule alles wiederholte, was er ihr vorhin gesagt hatte, mit dem Unterschied allerdings, daß Mehlen begriff, was es bedeutete.

Das Gespräch war zu Ende, Mehlen hängte ab.

»Ich glaube, Sie haben gut daran getan, mich aufzusuchen«, sagte er nach einer Weile. Und als sie schwieg: »Es muß sofort eingegriffen werden, und das kann nur ich allein. Denn nur ich kann für Sie handeln wie für mich selbst. Es gibt allerdings noch einen kitzligen Punkt ...«, fügte er hinzu.

Er schien zu überlegen und merkte, daß sie unruhig wurde. Innerlich befriedigt fuhr er fort:

»Es ist nämlich so, liebe Freundin: Wir stehen nicht auf gleicher Ebene. Darüber gebe ich mich keinen Illusionen hin. Da Sie an Ihrem Gatten und an Ihrem Namen hingen, haben Sie vielleicht zwar manchmal freundschaftlich meiner gedacht, sich gütigerweise auch zuweilen unseres Gesprächs im Treibhaus von La Gardenne erinnert, sind aber – bei den gegebenen Verhältnissen, und das ist ganz natürlich – genau, oder fast genau, dort stehengeblieben, wo Sie damals standen. Bei mir ist es anders. Da ich für Sie ... mit Ihnen ... lebe, ist es begreiflich, daß ich weitergegangen bin, daß ich eine Etappe, ja viele Etappen zurückgelegt habe. Sie, Marquise, hingegen haben kaum das erste Stadium überschritten.«

Er räusperte sich, nicht um seine Stimme zu klären, sondern um Zeit zu gewinnen:

»Wenn wir es uns leisten könnten, würde ich sagen: Warten wir, lassen wir die Dinge an uns herankommen, die sich entwickeln, gewinnen Sie den nötigen Abstand, um sich an die neuen Verhältnisse zu gewöhnen, was gewiß seine Zeit braucht. Leider aber geht es um Minuten ...«

Das wußte sie genau. Trotzdem sagte sie:

»Sie sprechen immer von sich; aber handelt es sich nicht eigentlich um meine Person?«

»Das ist es eben«, antwortete er, »von jetzt an kann ich mich von Ihnen nicht mehr trennen.«

»Ich bin gerührt«, sagte sie mit einer Ironie, die sie sofort selbst als plump empfand. Er überhörte sie. Er sagte nur, und diesmal klang es unmißverständlich klar:

»Ich will Ihnen kein Geschäft vorschlagen, liebe Freundin. Ich gebrauche absichtlich dieses Wort, damit nicht Sie es gebrauchen. Wir stehen einander gegenüber, ein Mann und eine Frau, die aufeinander angewiesen sind. Ich bin bereit – und damit widerrufe ich nicht, was ich Ihnen schon vor einigen Monaten gesagt habe –, einen wichtigen Schritt zu tun, mein Leben, meine Freiheit auf sehr entscheidende Art zu beschränken, aber ich will wissen, woran ich bin.«

»Sie überlassen nichts dem Zufall!«

»Niemals ... in wichtigen Dingen.«

Sie wagte einen letzten Versuch:

»Und wenn ich nein sage, wenn ich statt dessen ...«

»Wenn Sie statt dessen ... Ich kann Sie zu nichts zwingen. Sie würden mich freilich tief verletzen.«

»Aber eine Frau so plötzlich zu einer Entscheidung zwingen, finden Sie das nicht ...?«

»Unhöflich?« fragte er. »O nein!«

»Das habe ich nicht gemeint. Sondern ... wir Frauen haben es gern, wenn die Männer etwas für uns tun, ohne vorher Bedingungen zu stellen. Wir verstehen es dann schon, uns für das gebotene Vertrauen dankbar zu erweisen, und das aus eigenem Antrieb mit viel freudigerem Herzen, als wenn man uns vorher verpflichtet hat.«

»Auf diesem Gebiet – und damit unterscheidet es sich von den Geschäften – gehe ich nur von einer festen Basis, von festen Abmachungen aus, die ebenso ehrlich eingehalten werden müssen, wie sie abgeschlossen wurden.«

»Mein Wort genügte Ihnen also?«

»Ihres gewiß. Ich weiß, daß Sie sich damit ebenso gebunden fühlen wie mit einer Unterschrift. Sie sind die Tochter von Madame Paris.«

»Ah, das wissen Sie?«

»Das und noch vieles andere. Sie können sich doch denken, daß ich mich genau über die Frau informiert habe, die mich interessiert... und beschäftigt, wie mich noch keine Frau beschäftigt hat.«

»Und finden Sie das nicht indiskret?«

»Ich habe Ihnen schon vorhin gesagt, daß ich die Dinge genau kennen will, in die ich mich einlasse. Alles richtet sich nach den Gesetzen der Logik. Es ist logisch, daß ein Mann wie ich eine Frau wie Sie gewinnen will, und das vielleicht an einem Wendepunkt seines Lebens. Eben als ich alle Hoffnung aufgeben wollte, als ich dachte, es würde Jahre dauern oder vielleicht niemals dazu kommen, löst sich alles, und Sie werden frei...«

Sie wollte etwas sagen, aber er schnitt ihr mit einer Handbewegung das Wort ab: »Möglich, es mag verlockend sein, sich mit vierzig Jahren ganz frei zu fühlen, selbst um den Preis eines echten Schmerzes! Vielleicht würden Sie es vorziehen, in Armut zu leben und zu arbeiten, um tun und lassen zu können, was Ihnen beliebt! In gewissen Fällen aber ist das ausgeschlossen.«

Bestimmt wußte er, wie sie zu Hubert stand. Aus seinen folgenden Worten ging es noch klarer hervor:

»Ich habe oft an die Sorgen gedacht, die jetzt auf Sie einstürmen. Daß in einer Zukunft an meiner Seite Vernunft und Abgeklärtheit den Vorrang vor den Gefühlen haben müssen, ist mir klar, aber ich finde, daß die Zeit dazu gekommen ist. Ich selbst habe bis zu dem Augenblick, da ich Sie kennenlernte, bis heute, in die Wolken gebaut. Gemeinsam mit Ihnen aber glaube ich endlich etwas Solides schaffen zu können, für Sie, besonders aber, sehr egoistisch betrachtet, auch für mich selbst. Mit einem Wort, Angèle, wenn Sie wollen, dann können Sie mir alles schulden, wobei ich weiß, daß Sie mir hundert-, tausendmal entgelten werden, was ich für Sie tue.«

»Wenn ich mich aber doch anders entscheide?«

»Ich glaube nicht, daß eine andere Lösung im Sinne des verewigten Marquis läge. Haben Sie in dieser Beziehung nicht schon den ersten Schritt getan, als Sie Doissel wegschickten?«

Sie wollte ihm ins Gesicht schreien, daß Hubert aus freien Stücken heimgefahren war, daß Mehlen sich in Dinge mische, die ihn nichts angingen, und erkannte in der gleichen Minute, wie falsch ihre Worte

klingen würden und daß ihn die Sache doch anging, denn sie war ein
Faktor seiner Rechnung. So schwieg sie. Er aber sprach weiter, als
wären sie sich einig geworden:
»Mandaule regelt die Angelegenheit. Ich stelle ihm alles Nötige zur
Verfügung, aber unter der Bedingung, mit dem Gläubiger selbst zu
verhandeln, um keinen Verdacht in ihm zu erwecken und die Sache
nicht zu auffällig zu machen. La Gardenne bleibt Ihnen erhalten, die
Meute ebenfalls. Als Entgelt verlange ich nichts . . .«
». . . als mein Jawort.«
»Das wäre mein heißester Wunsch, wie Sie selbst wissen. Selbstver-
ständlich erst nach Ablauf des Trauerjahres.«
»Halten Sie es so lange aus?«
»Angèle, versuchen Sie doch nicht, mich zu verletzen. Es muß Ihnen
klar sein, daß ich mich genügend mit dem Problem befaßt habe, um
mir auch Ihre Empörung, Ihre Reaktion ausmalen zu können.«
»Sie halten mich also für so dumm und hochmütig?«
»Bei Gott nicht! Und gerade deshalb vertraue ich Ihnen weiter, trotz
Ihrer Worte. Worte! Man kann so viel Übles mit Worten anrichten,
die Menschen so kränken, denen man sie ins Gesicht schleudert!«
»Sie aber nicht?«
»Worte haben mir nie etwas bedeutet.«
Er erhob sich, sie ebenfalls. Sie standen einander gegenüber:
»Sie sind das zweite starke Gefühl meines Lebens«, sagte er leise.
Und da er fürchtete, sie könnte ihn mißverstehen: »Das erste war
das Streben, zu werden, was ich geworden bin. Ich wäre gestorben,
wenn ich es nicht erreicht hätte, Angèle«, wiederholte er in einer ver-
haltenen Erregung, die seinen Worten ungeahnte Kraft und Ein-
dringlichkeit verlieh, »Angèle, ich frage Sie offen: Wollen Sie eines
Tages, wenn die Zeit gekommen ist, das Leben mit mir teilen – Ihr
ganzes Leben?«
»Und das schließt ein . . .?«
»Alles«, sagte er. »Alles gemeinsam tun. Alles teilen. Alles geben,
was Sie besitzen, und vor allem Ihre Freiheit.«
»Ich liebe Sie nicht, Mehlen.«
»Was bedeutet das schon?« fragte er.

IV

Sie versprach ihm nichts an diesem Abend. Die Rechnung war immerhin klar aufgestellt: Mehlen nahm sich ihrer an, betrieb ihre geschäftlichen Interessen, rettete den Besitz der Familie Viborne. Aber

nur unter den von ihm gestellten Bedingungen, die auch die Bedingungen Patrices gewesen waren.

Sie war überzeugt, daß er ihre Sache trotz dieser fehlenden formellen Zusicherung sofort nach ihrem Weggehen in Angriff nehmen würde, genauso, als hätte sie ja gesagt. Seiner Meinung nach brauchte er kein offizielles Versprechen.

Sie verließ das Haus Mehlens und trat in den nächsten Tabakladen ein, sie sehnte sich nach einer Zigarette. Von diesem Geschäft aus hatte sie in der ersten Zeit ihrer Bekanntschaft Patrice angerufen, weil sie es im Büro der Reitschule vor ihrer Mutter nicht wagte.

Auf der anderen Straßenseite war ein Taxistand; sie rief einem Wagen, stieg ein und riß das Päckchen amerikanischer Zigaretten auf, wie sie es von Fanny Nard gelernt hatte.

»Wohin, Madame?«

Das war ihr selbst noch nicht klar. Während sie aber die Zigarette anzündete, hörte sie sich selbst sagen:

»Ins Quartier Latin, Boulevard Saint-Michel.«

Es war ganz dunkel geworden. Sie hatte keine Ahnung, wie spät es war, es war auch völlig gleichgültig. Sie hatte vor der Abfahrt von La Gardenne den Krepphut mit einer kleinen schwarzen Cloche vertauscht, das war bequemer auf der Reise, so sah sie nicht wie eine Dame in Trauer, sondern wie eine Dame in Schwarz aus.

Was sie suchte, war ein kleines Studentenhotel hinter der Sorbonne, wo sie Enguerrand einmal vor ihrer Abreise nach La Gardenne untergebracht hatte.

»Jetzt links ... jetzt rechts ... halt.«

Das Taxi hielt etwas zu weit vorn und wollte im Rückwärtsgang zum Hotel zurückfahren. Aber sie zahlte und stieg aus.

Es war kein modernes Hotel mit grellem Neonlicht und einem Portal aus Kunststeinmosaik, sondern ein Hotel garni am linken Seineufer, wo seit Generationen Mädchen abstiegen, die sich schminken, ohne sich zu waschen, und Burschen, die ihre Schuhe so lange schmutzig tragen, bis sie zerrissen sind und weggeworfen werden. Enguerrand lehnte diese Schlamperei für seine Person zwar ab, aber er war immerhin mit dem Wasserkrug und nicht im Badezimmer aufgewachsen, und seine Umgebung war ihm gleichgültig.

Sie klopfte an die Tür des Büros, aber es war niemand da. Sie rief. Ein Stubenmädchen erschien, nicht schmieriger als andere, aber vorzeitig verbraucht durch das viele Treppensteigen.

»Monsieur de Viborne?«

Das Mädchen musterte Angèle von oben bis unten. Was wollte diese schwarze Dame von dem jungen Burschen?

133

»Viborne? Der ist ausgegangen.«

»Wissen Sie nicht, wann er für gewöhnlich heimkommt?«

»Meistens gleich nach dem Abendessen. Aber heute nicht.«

»Ah, heute nicht?«

»Nein. Heute nicht vor Mitternacht, er hat sein Meeting. Seine Versammlung . . . na, die Geschichte, wo er arbeitet. Sie wissen ja.«

Nein, sie wußte nichts.

»Eine Versammlung? Wo denn?«

»Wo sie immer ist, immer im gleichen Saal. Im großen, auf der Place Maubert.«

»Ach ja, natürlich!« sagte Angèle, ohne eine Ahnung zu haben, worum es sich handelte. »Danke, Mademoiselle. Auf Wiedersehen, Mademoiselle.«

Draußen blieb sie unschlüssig stehen.

Auf alles war sie vorbereitet, nur darauf nicht. Die Wanduhr im Vorraum des Hotels hatte halb neun gezeigt. So spät! Was sollte sie tun? Essen und auf seine Rückkehr warten? Nein, das Stubenmädchen hatte gesagt, daß er spät, erst um Mitternacht, kommen würde. Dann also morgen . . .

Aber sie brauchte Enguerrand, unbedingt. Und heute noch. Nicht um ihm Fragen zu stellen, sondern um ihn sprechen zu hören, um ihn vor sich zu sehen. Enguerrand, das war alles, was ihr von Patrice verblieben war. Langsam ging sie inmitten der bummelnden Jugend, mit ihren karierten Buschhemden, ihren für den Winter so ungeeigneten Sandalen, den Boulevard hinab; sie hätte es nicht über sich gebracht, nach Hause zu fahren.

An der Kreuzung des Boulevard Saint-Germain fiel ihr ein, daß die Place Maubert nicht weit war. Was für ein Meeting konnte das sein, an dem Enguerrand teilnahm? Sie wollte sich wenigstens die Plakate anschauen.

Von Cluny an war der Boulevard wie ausgestorben. Plötzlich erinnerte sie sich, hier einmal bei einer Filmvorstellung gewesen zu sein; da gab es doch einen Saal, den man für Vorträge oder Versammlungen mieten konnte. Er hieß »La Mutualité«.

Sie fand ihn mühelos; nicht wegen eines Menschenstroms, der sich hinbewegt hätte, sondern wegen der Lampen, die über dem Eingang brannten. Eine Klingel schrillte ununterbrochen wie im Kino zu Beginn eines Films. Und davor standen junge Burschen in Arbeiterkleidung, die ein Blatt ausschrien, das sie verkaufen sollten. Über ihnen sah man Plakate, deren Lettern so groß und so grell beleuchtet waren, daß Angèle sie aus der Ferne lesen konnte:

134

Angèle war ganz sonderbar zumute, den Namen Enguerrands, ihren,
Patrices Namen, auf diesem Plakat neben den anderen zu lesen; einen
Namen, der einen anderen Klang hatte, wenn man auch das Adels-
prädikat weggelassen hatte.

Mechanisch war sie näher gekommen, um besser sehen zu können.
Einer der Burschen drückte ihr eine Zeitung in die Hand:

»Da... kaufen Sie den ›Stern des Proletariats‹, Muttchen! Das müssen alle lesen, wenn wir siegen sollen!« drängte er.

Das Blatt kostete 100 Francs. Angèle zog sie aus der kleinen Tasche
ihres schwarzen Mantels und zahlte.

»Da hinein.«

Er nahm sie bei der Schulter und stieß eine Tür auf, und als sie zu
zögern schien: »Der Eintritt ist frei. Gehen Sie nur hinein. Es ist gratis.«

Ein anderer Bursche kam auf sie zu, führte sie durch den Vorraum zu
einer Tür mit automatischem Schließer und hielt sie ihr auf:

»Pst! Keinen Lärm machen. Setzen Sie sich hinten hin.«

Sie trat ein.

Es war ein großer, fast dunkler Saal, nur das Podium lag in grellem
Licht. Auf dem Podium ein Tisch, darauf eine Wasserflasche und ein
Glas, dahinter ein paar Männer: ein dicker mit grauem Schnurrbart,
ein kleiner im blauen Arbeitsanzug, ein langer Magerer in kurzer
Jacke, mit eingedrückter Nase, der sich gedankenvoll abwechselnd an
Ohren und Nase kratzte und dann bedächtig seine Finger betrachtete;

135

ein Rotgesicht im Ausschlaghemd, die großen Hände auf den Tisch gestützt, als wollte er sich davon abschnellen, und schließlich Enguerrand, der seinen Stand nicht verleugnen konnte, der letzte, aufrecht, ernst.

Der dicke Schnurrbärtige redete. Angèle zwängte sich durch eine Reihe, es war eine der letzten, in der sie noch einen Platz entdeckte, denn es war sehr voll. Eine Frau lehnte sich freundlich zurück, um sie vorübergehen zu lassen, und sagte, während sich die Marquise niedersetzte: »Heute ist er nicht in Form, der Bachard.«

Das stimmte. Bachard stotterte einen gewiß schon hundertmal wiederholten Text herunter; er hatte seinen schlechten Tag, vielleicht war es der Beaujolais des Abendessens – die Sektion hatte ihn, wie es üblich war, zu Joseph, Place Maubert, eingeladen: ». . . daß Sie so zahlreich erschienen sind . . . Die Sektion des Siebenten war immer schon ein Vorkämpfer unserer Sache und wird es auch bleiben . . . Die Zukunft der Menschheit . . .«

Angèle schaute sich die Menschheit an, die sich in ihrem Umkreis befand. Sie hatte niemals soviel von ihr gesehen, nicht einmal damals auf den »Reisen«, als sie im Wohnwagen, in den Einkehrgasthöfen, mit den Akrobaten, den Beleuchtern, den Monteuren, den Jongleuren, den Trapezkünstlern, den Pferdeknechten, all den Arbeitern beisammen gewesen war, mit denen sie sich so gut verstand, weil sie zu ihrer Welt gehörten.

Die Welt, in der sie sich in diesem überfüllten Saal befand, war anderer Art. Sie kannte sie nicht. Trotz der Gefälligkeit ihrer Nachbarin oder jenes Hilfsarbeiters, der sich in den Zähnen herumstocherte, des sechzehnjährigen Burschen, der den Hals vorstreckte und seine Mütze in den Nacken schob, um besser zu hören, fühlte sie sich in einem unbekannten Land. So hatte sie in zwanzig Jahren den Kontakt mit dem Volk verloren.

Ringsum rauchte man. Mechanisch zog auch sie eine Zigarette aus dem Päckchen. Ihre Nachbarin bemerkte es und reichte ihr die eigene, eine angebrannte Gauloise, um Feuer anzubieten.

Bachard hatte seine Rede beendet. Der lange Magere nahm seinen Platz ein. Er hatte eine tiefe Baßstimme und sprach in wohlgesetzten Worten.

»Der Jacquot«, sagte der Junge neben Angèle, »eine Wucht.«

Er war es. Er imponierte mit seinen nüchternen, klugen Ausführungen. Er entwickelte seine Argumente, als hätte er mathematische Probleme zu lösen. Er sprach nur ein bißchen zu gewählt, ein bißchen zu gescheit, und das erklärte sich aus seiner Abstammung: Jacquot war sein Name aus der Résistance, in Wirklichkeit hieß er Jakob.

Er war zu geistreich, um sich mit Slogans und Redensarten zufrieden-
zugeben, er war weitblickend. Zu weitblickend, zweifellos, denn er
schien schon etwas verdächtig.

»Man versteht nicht alles«, sagte der Junge halblaut, »aber reden,
das kann er!«

Idzinsky kam nach ihm.

Er sah wie ein kurz geratener Stier aus, stämmig, mit breitem Nak-
ken; während der ganzen Rede ging er, die Hände in den Taschen,
mit gesenktem Kopf, auf dem Podium auf und ab. Er hieb mit der
flachen Hand auf den Tisch, um seine Worte zu betonen, machte
kehrt und stapfte zum anderen Ende der Estrade. Er sprach mit star-
kem ausländischem Akzent und gebrauchte ungewohnte Wen-
dungen.

Was er sagte, machte teils einen gewaltigen Eindruck, teils fiel es
aber völlig ins Leere. Lauten Applaus erntete er, als er den Antrag
des Zentralkomitees vorlas, die politisch Verurteilten eines anderen
Landes zu unterstützen, und noch lauteren, als er zur Sammlung
aufrief.

Die Lampen wurden aufgedreht, es war Pause. Die Leute hätten aufstehen, hinausgehen, eine Zigarette im Freien rauchen können, aber
nein, sie blieben sitzen, und das überraschte Angèle am meisten.
Daß Franzosen, die sich doch sonst so gerne drücken, wenn die Sam-
melbüchse kommt, und sich so ungern zur Freigebigkeit zwingen
lassen, freiwillig sitzen bleiben und auf die Sammlerin warten, ehe
sie ihren Platz verlassen, das wunderte sie am meisten an diesem
Abend. Und es waren nicht zehn, nicht zwanzig Francs, nicht einmal Fünfziger, die am häufigsten in die Büchsen der langhaarigen,
lachenden, tüchtigen Mädchen wie in Klingelbeutel fielen, sondern
hundert, zweihundert Francs; ja sogar einen Tausender bemerkte
sie.

»Da, komm her, Solange . . . da hast du, das ist von mir, und das
von Louis, der gerade draußen ist . . .«

Angèle gab wie die anderen. Jetzt, wo es licht war, fanden sich die
Bekannten; man rückte etwas von ihr ab und beachtete sie kaum
mehr.

Einen Augenblick überlegte sie, ob sie hinter die Bühne gehen sollte,
wohin sich die Redner zurückgezogen hatten. Nein, dort konnte sie
Enguerrand nicht treffen, und jetzt war nicht der geeignete Moment
dazu. Sie hätte sich mit ihm unter Fremden befunden, dem Abgeordneten, dem Ausländer, dem intellektuellen Redner. Nachher, nach
seiner Rede vielleicht . . . denn er gehörte zu den Rednern. Wie
würde er sprechen? Und was?

Die Neugier hielt sie zurück, sonst wäre sie weggegangen. Sie fühlte, daß sie nicht hierhergehörte, daß sie mit den Leuten ringsum nichts gemeinsam hatte. Mit einem Male überfiel es sie wie Panik, sie wollte fliehen.

Aber das Dunkel rettete sie. Die Klingel schrillte, der Saal füllte sich wieder. Endlich erschien »das Büro«.

Fleury, der kleine Mann im blauen Arbeitsanzug, kündigte die Redner an. Er tat es geschickt und in reinem Pariser Akzent, wortgewandt und schlagfertig.

Als erster betrat Idzinsky das Podium. Er schilderte das Los der Arbeiter in verschiedenen anderen Ländern und verglich es mit den Verhältnissen in Frankreich. Was er vorbrachte, war teils gerecht, teils geradezu ungeheuerlich. Er übertrieb allzusehr, was den Arbeitern mit ihrem nüchternen Verstand peinlich war. Aber was, schließlich handelte es sich um Propaganda, stand das nicht ausdrücklich auf den Plakaten? Trieben es die anderen, die Reaktionäre, in ihren Zeitungen, ihren Versammlungen anders? Und dann, als sie von ihrem eigenen Elend hörten – und zugegeben, in gewisser Hinsicht waren sie wirklich benachteiligt, sehr sogar –, da begannen sie sich selbst zu bedauern: Ein Körnchen Wahrheit ist schon dran, dachte mancher.

Idzinsky setzte sich. Fleury trat ans Pult. Er kündigte Viborne an. Es wurde ganz still im Saal.

Immer war es so. Der Adelstitel Enguerrands stand zwar nirgends auf den Plakaten und Anzeigen, aber obwohl sie nicht wußten, woher er stammte, verstummten sie, wenn er das Podium betrat. Niemand konnte seine einwandfreie Gesinnung, sein feuriges, rückhaltloses Bekenntnis zur Sache bestreiten, aber trotzdem mußte er bei jedem öffentlichen Auftreten eine fast physische Abwehr des Publikums überwinden. Die Leute schwiegen und warteten. Angèle wie die anderen.

Die Stimme Enguerrands war schön und klangvoll und wirkte deshalb allein schon auf die Zuhörer. Er begann leise, beinahe tonlos, und steigerte sich allmählich. So viel echte Wärme, so viel Verstehen tönte aus ihr, daß sich ihr niemand entziehen konnte. Er war ganz anders als der Eiferer Idzinsky oder der Intellektuelle Jacquot; er sprach einfach, ergreifend, es kam direkt vom Herzen, ohne Schlagworte und ohne Formeln; so dachte er, so fühlte er, und das glaubte er mit der ganzen Glut seines übermenschlichen Glaubens. Und diese Kraft, die ihm innewohnte, die er ausstrahlte, die grell wie ein Feuerwerk auflohte, riß seine Zuhörer mit. Nach und nach fühlten sie sich eins mit ihm, seinem glühenden Glauben, seiner Bereitschaft, alles hinzugeben, so klein, so unbedeutend das Leben des einzelnen auch sein mochte, denn nur eines galt mehr: sich selbst zu vergessen und sich für ein Höheres aufzuopfern.

Angèle lauschte wie die anderen. Sie war gekommen, um Patrice zu finden, um Patrice zu hören, und nun hatte sie Enguerrand vor sich, und nur seine Stimme drang in sie ein. Das war nicht mehr jener Viborne, dem sie im Gedenken an seinen Vater und weil es ihm gebührte, ein Schloß und eine Meute erhalten sollte. Nicht seinetwegen mußte sie sich die Frage stellen – deshalb war sie übrigens nicht hergekommen –, sondern um ihrer selbst willen... Und stellte sie sich die Frage wirklich? War die Vernunft überhaupt im Spiel, handelte sie nicht zwangsläufig aus einem Gefühl heraus, auf das sie keinen Einfluß hatte?

Da war sie, ein gehetztes Wild seit dem Morgen der Jagd, und sah plötzlich eine Chance zu entkommen: ein junger Hirsch sprang auf, stürzte sich auf die Fährte und lenkte die Hunde ab. Aber das Wild war seiner Pflicht eingedenk, es wußte, daß sein Tag gekommen war. Bestenfalls ein kurzer Aufschub, ein Rasten; ach, der ganze Tag lag noch vor ihm und die Ausflüchte, die Täuschungsmanöver und tausend Stationen auf dem Leidensweg, der sich erst abzuzeichnen begann.

Der ganze Saal sprang auf, der Boden erzitterte unter dem Applaus. Ein großer Erfolg, aber noch etwas anderes auch, und Angèle spürte es wohl. Ringsum unterhielten sich die Leute heftig gestikulierend, derb und laut und schoben sie dem Ausgang zu, auf die Straße, auf den vollen Gehsteig hinaus, wo sich Gruppen bildeten, die weiterdiskutierten und sich auf die Schultern schlugen.

»Einen ›Stern‹, Muttchen? Nein, Sie haben schon einen.«

Was war das schon alles, die Propaganda, der falsche Weg, die Winkelzüge, die Lügen, der Betrug der Menschen, die sich der Seelen für ihre Zwecke, ihre Packeleien bedienten? Entscheidend allein blieb, daß es reine, saubere Ausführende gab, die, so niedrig, gemein und engstirnig das von ihnen Verlangte auch sein mochte, den Handlungen und Werken erst Sinn und Bedeutung verliehen.

Noch hatte Angèle nichts versprochen, aber es schien ihr, als hätte sie einen großen Schritt vorwärts getan. Niemals würde Enguerrand erfahren, daß sie heute abend hier gewesen war. Niemals würde sie es ihm erzählen. Es war ein Geheimnis, das sie jener Angèle, die seiner würdig war, schuldete.

Jetzt ging sie mit schnellen Schritten durch die Stadt. Ihre Müdigkeit war verflogen. Die Mutter hatte ihr den Haustorschlüssel gegeben, sie konnte heimkommen, wann es ihr paßte. Sie marschierte, weil sie ihre Ruhe und ihre Kraft wiedergefunden hatte.

Bald war sie an der Seine und lief eine Weile auf dem Kai weiter.

Dann und wann flitzte ein Wagen an ihr vorbei; sie aber blieb am Ufer und folgte dem langsam strömenden Wasser. Was immer geschehen mochte, und wenn sie auch auf das ganze physische Leben verzichten müßte, das sie so oft über das andere hinausgetragen hatte, so bestand doch noch etwas, ein Dasein mit seiner reichen Fülle, das einen Baum immer einen Baum bleiben, einen Fluß ewig weiterziehen läßt, und immer würde sie Möglichkeiten finden, um nicht ganz sterben zu müssen.

Ihre Entscheidung war gefallen, sie schwankte nicht mehr. Wie sie es durchführen sollte, war eine andere Frage und hatte nichts mit ihrem Entschluß zu tun. Es würden wohl viele Versuche nötig sein, bis sie sich zurechtfand. Auf jeden Fall stand sie nicht mehr unter der unbarmherzigen Knute der Zeit; nun konnte sie in Ruhe ihr Gebäude errichten.

Vor dem Bahnhof Saint-Lazare war es leer. Die Menschenflut der Spitzenzeiten war wie vom Erdboden verschluckt. Die Rue de Clichy verlor sich im Dunkel. Dann mußte sie noch weiter hinauf, aber das machte nichts aus, denn ihr Ziel war nahe. Und wenn es erreicht war, dann konnte es jetzt, wie alle ihre Ziele, wieder nur das Ende einer Etappe sein. Aber das schreckte Angèle nicht, sie stellte es nur in unverhofft gewonnener Ruhe fest.

Sie stieg die Treppe bis zum Druckknopf der Gangbeleuchtung hinauf. Wie viele Erinnerungen... ihr Heimkommen nach einem Rendezvous mit Patrice... und, noch weiter zurückliegend, die Zeit vor dem Tod Böcks, der Verkauf der Reitschule, die am anderen Ende von Paris lag und wo nur der Stallknecht gewohnt hatte...

Sie sperrte auf.

Alles stand auf dem gleichen Platz, seit Urbeginn... Drei Schritte durchs Vorzimmer. Kein Lichtschein unter der Tür ihrer Mutter. Als ob nichts vergangen wäre, als ob alles neu anfinge.

Sie wollte in ihr Zimmer gehen, da fiel ihr Lambert ein.

Nein, nichts war gleich, da es jetzt einen Lambert, eine Angélique gab. Und all die anderen Dinge noch, die trotz ihres festen Willens nicht erstorben waren und die das Leben dieser Kinder vergessen machen, aber nicht ersetzen konnten.

Sie öffnete die Türe zum Salon.

Das schwache Licht der Vorzimmerlampe fiel in den Raum und erhellte den Fußteil des Diwans, auf dem Lambert lag. Gewiß schlief er, traumlos und ohne zu denken, für ihn gab es noch keine Sorgen. Wunderbarer Schlaf der Kindheit! Ein Schatz, den man verliert und niemals mehr wiederfindet.

Sie beugte sich über ihn. Sein Kopf ruhte auf dem linken Arm, das

Gesicht war der Wand zugekehrt, und er duftete nach junger, frischer Haut, die noch nichts verderben konnte.

Sanft zog sie ihm die Decke bis zum Kinn hinauf, damit er sich nicht erkälte. Er rührte sich nicht. So schlich sie auf Zehenspitzen hinaus und schloß die Tür hinter sich.

Mit weit offenen Augen schaute Lambert jetzt in das Dunkel. Lambert, der bis jetzt wach gelegen hatte und in prickelnder Angst auf ihre Rückkehr gewartet hatte, starrte auf die Wand, die er nicht sehen konnte.

V

Den ganzen nächsten Tag blieb sie daheim wie ein erschöpftes Tier. Die Hunde, so schien ihr, liefen uneinig und verirrt im Kreis um das Versteck, in das sie sich verkrochen hatte.

Trotzdem ging die Jagd weiter, das wußte Angèle wohl. Und sie glaubte den Namen des Herr der Equipage zu kennen.

Nur Madame Paris war bei ihr, und die schwieg und fragte nichts. Lambert war auf die Straße hinuntergelaufen, um mit anderen Jungen zu spielen, wie er sagte. Man sah ihn nicht auf dem Gehsteig, er trieb sich wahrscheinlich auf dem unbebauten Grund der Rue Lamarck herum; die Großmutter hatte es ja erlaubt.

Er kam zum Mittagessen herauf und verschwand gleich nachher wieder. Sie sah keinen Enguerrand. Sie sah keine Angélique. Das Telefon läutete nicht. Niemand rief an, niemand von Saint-Viâtre, niemand von Paris. Außer Mehlen wußte keiner, nicht einmal Gardas, daß Angèle von La Gardenne weggefahren war und sich nun in der Hauptstadt aufhielt.

Angèle spürte freilich, daß sie nicht lange ausruhen durfte, daß sie wie das Wild aufhetzen mußte, aber jetzt, im Augenblick, wollte sie nichts anderes als sich abschließen, Zeit gewinnen und Kräfte sammeln.

Am zweiten Tag begann sie nachzudenken. Ein gutes Zeichen, fand sie, und um so mehr, als sie völlig ruhig dabei blieb.

Was hatte Mehlen unternommen? Wo war Mehlen?

Mehlen dachte an sie, aber er arbeitete nicht mehr für sie. Vorgestern hatte er Mandaule seine Anweisungen gegeben und gestern die Dispositionen getroffen. Alles war geregelt: Die Gläubiger waren befriedigt, das Schloß, die Meute, die Felder gehörten Madame de Viborne wie zuvor, nur der Darlehensgeber hatte den Namen gewechselt, wenn auch alles auf den Namen der Marquise geschehen war: Er hieß Mehlen.

141

Heute, am dritten Tag, war Mehlen weit weg, er war nach Triest geflogen. Dort bereitete er ein großes Geschäft vor, das ihn viel kostete, aber auch viel einbringen würde. Angèle hätte sich sehr gewundert zu erfahren, wie winzig die für sie ausgelegte Summe im Verhältnis zu den Beträgen war, die jene Transaktion verschlang. Gut, die Coups Mehlens gelangen immer. Auch der Coup, der ihm Angèle einbringen sollte, würde gelingen.

Er schrieb nicht von Triest, obwohl er einige Tage dort blieb, und dies in voller Absicht. In Triest war er übrigens bester Laune, er wußte, daß alle Radwerke, die er in Gang setzte, unbeirrbar wie eine Maschine weiterliefen. Das Räderwerk Triest würde auch laufen, wenn er selbst die Stadt verließ; es war nicht nötig, an Ort und Stelle zu bleiben, um es zu beobachten, seinen Gang zu verfolgen, ebensowenig wie er sich um den Mechanismus zu kümmern brauchte, der Angèle zu ihm trieb.

Er hatte richtig kalkuliert. Nach fünf Tagen begann sich Angèle Fragen zu stellen. Sie war nicht geradezu unruhig, aber sie wollte wissen, wie es stand. Jules, der zu Madame Paris zurückgekommen war und immer seine Meinung äußerte, nach der ihn niemand fragte, fand, daß »die Sache immerhin die Frau Marquise anging und man sie informieren« müsse. Er erklärte sich zu den dümmsten Interventionen bereit: anonymen Anrufen bei Mehlen, in Saint-Viâtre. Angèle sollte ihn nur machen lassen, er war ein schlauer Kopf, er würde ihr bestimmt die nötigen Nachrichten verschaffen. Angèle mußte ihm ausdrücklich verbieten, etwas zu unternehmen.

Sie erfuhr nichts. Sie wußte nicht, was vorging, was in Sologne vorgegangen war. Mandaule hatte nicht angerufen – Mehlen hatte ihm deutlich genug erklärt, daß jetzt er allein mit der Sache befaßt war. Endlich beschloß sie, unter dem Vorwand, »sich nach den Hunden zu erkundigen«, in La Gardenne anzurufen.

Euloge war am Apparat. Alles war in Ordnung. Madame brauchte sich keine Sorgen zu machen. La Frondée ließ die Hunde im Wald auslaufen. Und die Stute von Madame war neu beschlagen worden, an dem Fuß, der so empfindlich war.

Mit diesen Auskünften fing Angèle nichts an, sie hängte ab. Alles blieb also beim alten, es war nichts geschehen. Es konnte ja gar nichts geschehen sein, da Mehlen vor seiner Abreise versprochen hatte, die Sache wie seine eigene zu führen. Aber was hatte er eigentlich gemacht?

Und während sich Angèle darüber den Kopf zerbrach, überraschte sie sich dabei, daß sie nicht nur an die fehlenden Nachrichten, sondern an Mehlen selbst dachte. Wo konnte er sein, wo hielt er sich auf?

Sie lachte: Schau, schau, ich interessiere mich also für den Mann? Aber es war so, ob sie nun wollte oder nicht, sie konnte es nicht ändern. Sie dachte an ihn, warum, war gleichgültig. Gegenwärtig war er eben mit ihrem Leben verquickt.

Endlich raffte sie sich auf. Madame Paris und Jules waren ausgegangen, Lambert spielte unten, sie war allein. Sie griff nach dem Apparat, als täte sie etwas Verbotenes, und rief in der Rue de la Faisanderie an. Landier meldete sich, korrekt und höflich: Monsieur Mehlen war nicht in Paris. Wo? Weit weg. Wenn es Madame de Viborne interessiere: in Triest. Er würde ihm sofort nach seiner Rückkehr ausrichten, daß die Marquise angerufen habe.

Er war in Triest! Sie atmete auf. Sie erkundigte sich nicht, ob Landier etwas Neues in ihrer Angelegenheit wüßte; Mehlen hatte vor seiner Abreise bestimmt alles erledigt.

Kaum hatte sie abgehängt, läutete das bisher so stumme Telefon. Es war Enguerrand.

Er entschuldigte sich, daß er sich nicht um sie kümmere, aber seit seiner Rückkehr verschiebe er die Fahrt quer durch Paris von einem Tag zum anderen, da er bis über die Ohren in Arbeit stecke; die Prüfung nahe, aber er hoffe, sich morgen mittag für eine Stunde freimachen zu können. Morgen, Sonntag, wie gewöhnlich, wenn es ihr recht war.

Wie ging es ihr? Wie fand sie sich in ihrem Kummer zurecht? Eigentlich hatte er geglaubt, sie würde am nächsten Tag wieder nach La Gardenne zurückfahren... Hätte er geahnt, daß sie noch in Paris war...

Er war liebenswürdig, aber so fern, so fern... Man spürte, daß er aus einer anderen Welt sprach, einer anderen als der Welt Angèles, einer Welt, die ihn mit Haut und Haar verschlungen hatte, in der Schmerz und Trauer um einen einzelnen nicht galten, wo man nur um eine »Vielheit« trauern durfte.

Madame Paris kam mit dem Einkaufskorb heim und brachte die Post mit. Angèle hatte ihren flinken Schritt schon draußen im Gang erkannt, während sie den Hörer ablegte und an Enguerrand dachte.

Madame Paris warf ein Bündel Briefe auf den Tisch. Die Todesanzeige Monsieur de Vibornes war im »Figaro« erschienen, und das meiste waren Beileidsschreiben aus La Gardenne.

Sie schnitt sie langsam, gleichgültig auf. Die Worte waren überall die gleichen, banale, konventionelle: Tiefe Trauer... Unersetzlicher Verlust... Worte nützten sich nicht ab, man konnte sie immer wieder gebrauchen. Auch ein Brief Luciennes war dabei, und der klang anders. Angèle las ihn zweimal, er tat ihr wohl. Dann nahm sie die

übrigen Kuverts: die Chamarandes, die Lassus, die Rovillon de Pla-
quets und noch andere setzten die Worte: tiefe Trauer, Teilnahme,
inniges Beileid aufs Papier. Ein Brief blieb übrig, ein Brief mit breitem
Trauerrand; er trug die Handschrift Angéliques.

Angélique schrieb ihrer »lieben Mama«. Vier Seiten mit schrägen,
großen Buchstaben. Sie sprach von dem Trost, den man in Gott
finden könne. Die Prüfungen, die Gott schicke, seien segensreich.
Man müsse sein Opfer Jenem weihen, der das ewige Heil schenke...
Angèle hatte niemals ihren Glauben eingebüßt, er hatte nur eine
andere Form angenommen; nicht, daß sie sich's bequem machen
wollte, nur menschlicher, mehr auf die Religion des Mensch gewordenen Gottes ausgerichtet.

Gedankenverloren hielt Angèle den Brief in der Hand; da läutete
das Telefon wieder. Da die Mutter in der Küche beschäftigt war, hob
sie ab und meldete sich. Sofort erkannte sie die Stimme Gardas'. Er
rief sie vom Parlament an. Er hatte seinen Wahlbezirk bereist und
einen Besuch in La Gardenne abstatten wollen, da er sie dort vermutete. Schon in Saint-Viâtre aber war ihm La Bretéche in den Weg
gelaufen, und so hatte er über ihn von Mandaule erfahren, daß sie
sich in Paris aufhielt. Welche Freude für ihn, da er selbst wegen einer
Parlamentssitzung einige Tage hierbleiben mußte... Könnte sie ihm
nicht das Vergnügen machen, mit ihm zu speisen? Wann? Ach, so
bald als möglich!

Sie sagte zu. Störe es ihn aber nicht, mit einer Frau in Trauer auszu-
gehen... wolle er sie wirklich sehen...?

Er überbot sich an Beteuerungen. Doch eines bitte er: zum Souper –
selbstredend, wenn sie sich nicht zu müde und angegriffen nach den
schrecklichen Aufregungen der letzten Tage fühle! Am Montag war
Parlamentssitzung, und er bitte sie, beim Portier des Tors an der
Seine-Seite ein für sie bestimmtes Kuvert abzuholen, es enthalte
eine Eintrittskarte für die Tribüne. Er glaube, daß er an diesem
Tage einiges sprechen werde... Um fünf Uhr, wenn er bitten
dürfe. Da sie noch niemals an einer solchen Sitzung teilgenommen
habe, wäre es vielleicht interessant... Die Menschen kümmerten sich
viel zuwenig um Politik, besonders die Frauen, obwohl sie doch das
Wahlrecht besäßen...

Ja, sie würde hingehen. Die Maschine war angekurbelt, und sie
mußte sich an alles festklammern, was Leben war. Das war das
beste, das einzige Mittel, sich selbst klarzuwerden. Gardas, am anderen Ende des Drahtes, war entzückt. Für sie wollte er brillieren,
alle Register ziehen, das Gewicht seiner Persönlichkeit einsetzen und
seine Rednergabe glänzen lassen. Dann würde Angèle seine wahre

Bedeutung erkennen und wissen, was er darstellte, vor allem aber, was er in den Augen der anderen Menschen bedeutete.

Sie schaute flüchtig hinunter auf die Straße. Wo war Lambert? Man sah ihn überhaupt nicht mehr. Er trieb sich herum, als wäre er hier daheim, wie ein Gassenjunge beinahe. Höchste Zeit, daß er nach La Gardenne zurückkam.

La Gardenne? Sollte sie heimfahren? Aber was dort tun? Welchen Weg soll das Wild einschlagen, wenn es wieder auf den Beinen war?

Sie nahm den Brief Angéliques zur Hand, den sie noch nicht zu Ende gelesen hatte:

»Ich komme sonntags nicht zum Mittagessen. Ich will gegenwärtig das Kloster nicht verlassen. Ich habe meine Gründe. Was ich aber sehr gerne möchte, Mama, wäre, daß Du mich hier besuchst. Es ist notwendig. Ich habe viel mit Dir zu besprechen; komm, Mama, ich brauche Dich.«

Angèle setzte ihre kleine schwarze Kappe auf:

»Ich gehe weg, Mama.«

Madame Paris stellte niemals Fragen. »Kommst du zum Abendessen?« war alles, was sie sagte.

»Ich weiß es noch nicht.«

»Ich lasse jedenfalls etwas für dich draußen. Morgen kommen die Kinder zu Mittag.«

»Enguerrand schon, er hat angerufen. Angélique nicht, wie sie mir geschrieben hat. Sie bleibt im Notre-Dame; ich gehe jetzt zu ihr hin.«

»Ich glaube, da hast du recht.«

Auch ohne Worte wußten beide, daß ihnen das gleiche durch den Kopf ging.

Angèle stieg die vier Treppen hinab. Beim Tor blickte sie nach rechts in die ansteigende Straße, hinauf zur Rue Lamarck. Vielleicht entdeckte sie ihren Sohn?

Aber er war nicht da. Sie drehte sich um, um zur Place Clichy hinunterzugehen. Da trat ihr auf dem Gehsteig eine Dame entgegen, die sichtlich auf sie gewartet hatte. Angèle hatte sie niemals gesehen, aber sie erkannte sie sofort. Es war die Mutter Hubert Doissels, der noch vor acht Tagen ihr junger Geliebter gewesen war.

145

VI

Angèle hatte sich Madame Dervais – die Mutter Huberts hatte ihren Mädchennamen wieder angenommen – ein wenig anders vorgestellt. Etwas älter – zumindest dem Aussehen nach, etwas weniger »mondän«, das heißt anders gekleidet. Henriette Dervais glich den Damen, die im Hôtel de Paris in Monte Carlo, im Calton in Cannes, im Ritz in Paris verkehren.

»Ich bitte um Vergebung, Madame«, sagte Henriette Dervais, »daß ich Ihnen auf der Straße auflauere, aber ich hatte kaum eine andere Möglichkeit, Sie zu treffen. Ich habe nach La Gardenne telefoniert und dort Ihre Adresse erhalten. Der Hauswart hier hat mir dann einige Details Ihres Lebens verraten. Aus Schicklichkeitsgründen konnte ich mich nicht bei Ihrer Frau Mutter vorstellen, da ich dort vielleicht Ihre Kinder getroffen hätte. Möchten Sie sich nicht einen Augenblick mit mir in ein Lokal setzen, wo man ungestört ist; ich halte nämlich ein kurzes Gespräch zwischen uns beiden für unerläßlich.«

»Ich muß aber . . .«, begann Angèle.

»Wenn es Ihnen jetzt nicht paßt, dann sagen Sie es mir. Wir können unsere Unterhaltung um ein paar Stunden verschieben. Aber ich verhehle Ihnen nicht, daß ich Sie niemals belästigt hätte, wenn die Sache nicht sehr dringend wäre, und die Tatsache allein, daß ich mich in einer von Ihnen mit Recht als indiskret zu bezeichnenden Art in eine Angelegenheit meines Sohnes mische, was ich sonst niemals tue, wird Ihnen bestätigen, daß ich mich zu diesem Schritt besonders gezwungen sehe.«

»Worum handelt es sich, Madame?«

»Um Hubert, wie ich schon erwähnt habe. Sie haben ihm so viel Sympathie und ehrliche Freundschaft bewiesen, daß Ihr Interesse nicht so plötzlich abgerissen sein kann, besonders, wenn ich Ihnen verrate, daß er sich in Gefahr befindet.«

»Was soll ich tun, Madame?«

»Das kann ich Ihnen noch nicht genau sagen. Aber Ihre Frage allein ermutigt mich. Denn darüber müssen wir uns unterhalten.«

Ohne es zu merken, waren sie gemeinsam in Richtung Place Clichy weitergegangen. In dieser Gegend gab es nur billige kleine Cafés, wo man seinen Drink stehend einnahm. Sie gingen am Gaumont-Palace vorbei und standen vor einem Lokal, das sowohl an ein Grand Café der Provinz wie an ein Witwencafé zur Anbahnung von Bekanntschaften erinnerte.

»Hier vielleicht?« fragte Angèle.

Madame Dervais nickte.

Sie setzten sich in einen fast leeren Saal auf eine blaue Plüschbank. Als die Gläser vor ihnen standen, die sie kaum berührten, denn keine von beiden hatte Durst, begann Henriette Dervais ohne weitere Umschweife:

»Glauben Sie nicht, daß ich eine egoistische Mutter bin; Hubert ist fünfundzwanzig Jahre alt, und ich halte ihn durchaus für fähig, auf eigenen Füßen zu stehen. Auch wenn er vierzig, und ich fünfzehn Jahre älter wäre, würde es nichts an der Sache ändern. Von allen Männern, mit denen ich in meinem Leben zu tun gehabt habe, ist er der einzige, der für mich zählt, der einzige, den ich ganz und ausschließlich geliebt habe, der einzige«, wiederholte sie, ohne zynisch sein zu wollen. »Der einzige«, sagte sie nochmals leise und mit einer Zärtlichkeit, die ihre stahlblauen Augen, die klaren Züge ihres harten Gesichts Lügen strafte.

Angèle sah sie an. Sie war ihr so nah an Jahren, so verwandt durch die Gefühle, die sie bewegten – die Liebe vor allem –, diese Mutter des Mannes, der sie in Armen gehalten hatte, daß es Angèle ganz eigenartig berührte. Sie konnte die Frau verstehen und fühlte sich fast in einer etwas zweideutigen Kameradschaft zu ihr hingezogen.

Henriette Dervais sprach weiter:

»Hubert ist voll Freude Ihrer liebenswürdigen Einladung nach La Gardenne gefolgt; selig, daß er dort zeichnen und für sein Buch arbeiten durfte; und gebrochen, tief verwundet ist er mir vor einigen Tagen zurückgekommen, ein Schatten seiner selbst. Das war mir um so unverständlicher, als er mir noch im letzten Brief, wie in allen früheren, begeistert von seinem ›neuen Leben‹ schwärmte; er schien mir glücklich wie noch nie zuvor.«

Angèle hörte sie sprechen und dachte zurück an den Einzug Huberts in La Gardenne, an ihre ersten Spaziergänge. Und noch an andere Gelegenheiten und andere Stunden dachte sie, bis ihr plötzlich bewußt wurde, daß sie seiner Mutter gegenübersaß. Eine Röte stieg in ihre Wangen, eine Röte, die sie sofort der Gegenwart eben jener Dame zuschrieb.

»Madame«, sagte sie, »Sie haben so deutlich gesprochen, daß ich Ihnen ohne falsche Scham antworten kann. Ihr Sohn ist, wie Sie richtig gesagt haben, ein reizender Mensch; ich habe seine Gesellschaft, seine Freundschaft sehr genossen. Ich war in La Gardenne viel allein, trotz der lebendigen Gegenwart eines Gatten, mit dem ich mich jederzeit wunderbar verstanden habe. Aber das natürliche, gefällige Wesen Ihres Sohnes war mir wie ein frischer Windhauch...«

147

»Ich weiß«, sagte Henriette Dervais, »er hat mir sogar einen Ausspruch von Ihnen verraten, der ihn, wie ich gestehen muß, besonders verletzt hat. Sie nannten ihn Ihren ›Ferienflirt‹.«

»Wenn ich das gesagt habe, Madame, dann . . .«

». . . um ihn abzulenken«, vollendete Henriette Dervais. »Das ist möglich, und ich habe es auch schon gedacht.«

»Diese . . . Liaison konnte nicht ewig dauern.«

»Er war anderer Meinung.«

»Damit muß er für seine Jugend und seine Begeisterung zahlen. Ich bin verheiratet.«

»Sie sind es nicht mehr.«

»Und wer sagt Ihnen, Madame, daß ich an jenem Augenblick nicht fürchtete – berechtigt fürchtete –, meinen Mann zu verlieren?«

Jede andere als Henriette Dervais hätte diese Vorstellung als verrückt abgelehnt. Jede andere hätte ungläubig die Schulter gezuckt. Henriette hatte genug erlebt, um, besonders bei Frauen, unterscheiden zu können, was erfunden und was spontanes Bekenntnis war. Sie täuschte sich gewiß nicht.

Angèle, die seit dem Abend in der »Mutualité« noch immer unter dem tiefen Eindruck der Rede Enguerrands stand, drängte es mehr denn je zur Offenheit und Wahrheit. So sprach sie:

»Ich brauche Sie nicht um Verschwiegenheit bitten, ich weiß, daß Sie nicht reden werden. Mein Mann ist einem Unfall . . . einem gewollten Unfall, erlegen . . . Als ich Ihren Sohn wegschickte, wußte ich bereits, was eintreten würde, oder vielmehr, ich fürchtete es, denn ich hoffte bis zur letzten Minute. Vorher schwor ich dem Marquis – aus sehr gewichtigen Gründen –, einen Mann zu heiraten, den er mir bestimmte, der alles retten kann, was meinem Gatten und seiner Familie seit Jahrhunderten Lebensinhalt war – er hat es schon gerettet. Ich könnte niemals – und ich will es auch nicht – an eine Ehe mit Ihrem Sohn denken.«

»Darum geht es doch nicht!« rief Madame Dervais lebhaft. »Es fällt mir gar nicht ein, Sie zum Bruch eines Versprechens zu drängen! Vorerst aber muß ich Ihnen sagen, daß ich, mehr als jede andere, ermessen kann, was Sie gelitten haben, was für schreckliche Stunden hinter Ihnen liegen. Ich bin der gleichen Meinung wie Sie: Ein gegebenes Wort, eine Verpflichtung muß gehalten werden. Besonders wenn diese Verpflichtung eine Rettung bedeutet. Trotzdem gibt es Milderungen in gewissen Fällen . . .«

»Aber Madame, Hubert ist noch keine sechsundzwanzig, er wird vergessen.«

»Gewiß, wenn er die Enttäuschung über den Abschied verwindet, den er nicht selbst verursacht hat. Aber Sie ahnen nicht, wohin die Verzweiflung eines so tief getroffenen, gekränkten jungen Mannes führen kann. Kurz: Hubert hat sich nach Algerien gemeldet. Bestimmt eine sehr romantische Art, sich abzureagieren. Aber in Algerien ist Krieg, und dort stirbt man!«

»Hat er Ihnen das gesagt?«

»Vorerst nicht. Aber er hat sich einem Freund anvertraut, und der hat es mir glücklicherweise verraten. Wie sich früher die Söhne aus guter Familie, die eine Dummheit angestellt haben, bei der Legion anwerben ließen, so hat sich Hubert alle nötigen Dokumente besorgt. Er war daran, das Ganze unterschrieben abzugeben; im letzten Augenblick habe ich es erfahren und ihn schwören lassen, zu warten... zu warten, bis er mit Ihnen gesprochen hat.«

»Aber Madame, ich habe keineswegs die Absicht... Das ist doch alles eine Kinderei!«

»Gewiß. Und das erschreckt mich so sehr. Hubert liebt Sie, er steigert sich selbst in ein Gefühl, das ihm als die totale Liebe erscheint, eben weil er abgewiesen wurde. Das hat er sich nun einmal eingeredet, und ich weiß nicht, was ihn von seinem Plan abbringen könnte.«

»Was verlangen Sie also eigentlich von mir?«

»Daß Sie Hubert wiedersehen.«

»Und wieder anfangen? Ich habe Ihnen schon gesagt, das ist unmöglich.«

»Sie haben mir auch die Gründe angegeben, aber ich glaube nicht, daß sie bei einer echten Gefahr stichhaltig sind, einer Gefahr, die einen Mann bedroht, der Ihnen etwas bedeutet hat... und heute noch etwas bedeutet.«

»Wie können Sie das behaupten?«

»Sehen Sie mich an!«

Angèle blickte Henriette Dervais in die Augen. Und der Ausdruck Henriettes gab genau das wieder, was Angèle fühlte, was Angèle fühlen konnte. Sie war in gewisser Weise ihr Double, weiter entwickelt, zweifellos höher in der Karriere, aber eine Frau, die ihr in vielen Punkten ähnelte, mit den gleichen Gedanken, den gleichen Wünschen. So wurde Angèle einen Augenblick schwach, und in die Vernunftgründe, die sie sich vorzusagen begann, schwindelte sich gerade so viel Sorge um das Schicksal des jungen Hubert ein, als nötig war. Hubert retten – der sich, nach den Worten seiner Mutter, in echter Gefahr befand –, das war ein gutes Werk... eine Aktion, die kurz währen und sich, wie sie sich fest vornahm, nur auf die eine Wiederaufnahme ihrer Freundschaft beschränken würde. Freundschaft war doch ebenso wertvoll wie Liebe? Damit verriet sie niemanden und nichts, weder das Andenken Monsieur de Vibornes noch Mehlens, dem sie außerdem nichts Konkretes mit Worten versprochen hatte. Genaugenommen bestand gar kein Grund, Hubert aus dem Weg zu gehen.

Sie empfand sogar leichte Gewissensbisse. Sie war sehr großzügig und unüberlegt mit diesem Herzen umgegangen, das noch verletzlich und sensibel in seiner Jugend war! Und ehe Angèle noch ja gesagt hatte, legte sie sich in Gedanken ihre Rechtfertigung zurecht.

Sie würde Hubert sehen. Sie mußte ihn sehen. Sie konnte es auch. Erstens, weil ihr Verhältnis nicht wiederaufleben würde – konnte sie sich nicht hinter ihrer Witwenschaft verschanzen? Auch die Schicklichkeit spielte eine Rolle und die peinliche Vorstellung, daß Mehlen davon erfahren könnte. Im übrigen genügte es, wenn Hubert sie wiedersah und sich wieder in ihrer Nähe befand: Nach und nach, sehr bald, würde alles wieder den ihm gebührenden Platz einnehmen; um so eher, als sie sein Temperament kannte und wußte, daß er nicht allzulange den anderen Versuchungen widerstehen würde, wenn sie sich ihm versagte.

Sie war also ihrer ganz sicher, als sie sagte:

»Ich werde es mir überlegen . . .«

»Dazu wird nicht viel Zeit bleiben.«

»Wenn ich ihm aber verspreche, ihn wiederzutreffen?«

»Das müßten Sie ihm persönlich und sehr bald sagen, um etwas nicht Wiedergutzumachendes zu verhindern.«

»Nein, nein!« rief Angèle. »Ihn anrufen? Das kann ich nicht.«

»Dann schreiben Sie ihm, und ich überbringe den Brief.«

»Glauben Sie denn, daß ein Wort von mir . . .?«

»Oh, ganz einfach: Sie brauchen nur versichern, daß Sie bereit sind.«

Henriette Dervais winkte dem Kellner:

»Haben Sie ein Schreibzeug?«

Der Kellner schlurfte auf seinen müden Füßen zur Theke, holte eine Unterlage, ein Tintenfaß, wie man sie in Postämtern sieht, einen Federhalter mit einer abgenützten Aluminiumfeder. Das Papier trug den Aufdruck des Lokals. Aber das spielte keine Rolle.

Mein lieber Hubert? Mein kleiner Hubert? Nein, nur: Lieber Hubert.

»Lieber Hubert«, schien Madame Dervais gut. Sie hätte zwar: »Hubert, Lieber!« vorgezogen, aber man durfte nicht übertreiben.

Also schrieb Madame de Viborne:

»Lieber Hubert,

laß Dir mit diesen Zeilen sagen, daß mich die Gefühle, die Du mir entgegenbringst, tief berühren. Wir sind übereingekommen, uns nicht mehr zu sehen, aber ich habe erfahren, was Du planst. Der Gedanke ist mir unerträglich, daß Du Deine Absicht verwirklichen könntest« – (»Sehr gut«, lobte Madame Dervais, die ihr über die Schulter schaute) –, »besonders, da ich die Ursache bin.«

»Hubert, das darfst Du nicht tun.« (Henriette Dervais nickte zustimmend). »Wir standen einander zu nahe, um so schnell vergessen zu können. Ich will Dich daher wiedersehen; die Zeit wird Dir« – (Wer? »Henriette; schreiben Sie ruhig Henriette«, sagte Madame Dervais) – »Henriette bekanntgeben.« (»Sie müssen ihm auch eine ... leise Hoffnung durchblicken lassen!« »Sie verlangen viel von mir«, seufzte Angèle, »das ist schwierig.« Nach einem kurzen Zögern aber fügte sie hinzu:) »Ich bin überzeugt, daß wir uns wie früher verstehen werden.«

Und während Angèle mit einem einfachen: »Deine Angèle« unterschrieb, versicherte sie sich selbst, daß ihr letzter Satz gar nichts bedeutete und daß sie trotzdem durch ihre Bereitschaft, Hubert zu treffen, das Schlimmste verhütet und ihm seine verrückten Absichten ausgetrieben habe. Insgeheim schmeichelte es sie, daß dieser junge Mann, der sich so viele schöne Zwanzigjährige – aber was verstehen die schon? – hätte anlachen können, ihretwegen Exil und Tod suchte. Sie dachte zwar: Es ist zu blöd! Doch gefiel es ihrer Eitelkeit, Ursache dieser Blödheit zu sein.

Sie reichte Madame Dervais den Brief, die ihn überlas und zufrieden nickte. Sie faltete ihn langsam und steckte ihn in einen Umschlag mit dem Aufdruck des Lokals. Dann schaute sie Angèle an:

»Und wann?«

»Aber ... ich weiß noch nicht ... nächste Woche vielleicht ...«

»Wollen Sie ihn so lange leiden lassen? Jetzt, wo Sie entschlossen sind! Ich dachte mir, vielleicht heute abend ...?« meinte Madame Dervais beiläufig.

»Was fällt Ihnen ein!«

Aber während sie sich wehrte, überlegte sie bereits. Heute abend? Wie? Wo? Sie fand bestimmt eine Ausrede daheim, und wirklich, es war eine Farce, von nächster Woche zu sprechen, wo heute Samstag war! Madame Dervais ergriff das Wort:

»Ich halte einen neutralen Ort am günstigsten für dieses erste Rendezvous. Vielleicht in meiner Wohnung?«

Bei Henriette! Das war tatsächlich eine gute Idee, die jeden Nebengedanken von vornherein ausschloß.

»Ginge es nicht heute, gegen sechs Uhr abends?«

»Nun ja ... Ich glaube ... vielleicht ...«

»Dann heute abend, sechs Uhr«, erklärte Henriette Dervais und erhob sich.

Sie warf eine Banknote auf den Tisch.

»Unser Haus ist nicht schwer zu finden, aber am besten nehmen Sie doch ein Taxi. Wir wohnen bei der Porte de Vanves in einem Gartenhaus, mit einem großen sonnigen Zimmer, dem Atelier Huberts. Genauer, Rue des Arbustes. Es liegt ganz im Grünen, und man ist doch mitten in Paris. Sagen Sie dem Chauffeur links vor der Porte de Vanves, dann findet er leichter hin. Sie kommen bestimmt?«

»Ja. Auf Wiedersehen heute abend.«

»Und danke, im Namen Huberts. Er wird Sie erwarten.«

VII

Angèle de Viborne und Henriette Dervais trennten sich beide sehr zufrieden auf der Place Clichy. Jede stieg in ein Taxi; Angèle ließ sich zum Kloster bringen.

Es befand sich am entgegengesetzten Ende der Stadt und zufällig nicht sehr weit von jenem Pariser Tor entfernt, wo sie über Henriette ihr heutiges Rendezvous ausgemacht hatte.

Der Wagen hielt in einer Straße mit provinziellem Anstrich vor der langgestreckten Fassade des Klosters mit ihren hohen, vergitterten Fernstern. Der Eingang war eine kleine, ganz schmale, in Holzfarbe lackierte Tür mit einem von blinkendem Kupfer eingefaßten Guckloch in Form eines winzigen Rolladens. Angèle läutete und mußte warten. Es war immer so.

Die Schwester, die ihr öffnete, kannte sie nicht, denn Angèle war sehr selten ins Notre-Dame gekommen. Sie führte sie durch den Flur in das Besuchszimmer, wo es nach Bohnerwachs roch.

»Ich möchte Mademoiselle de Viborne sprechen.«

»Die ist bei der Abendandacht«, sagte die Schwester, »aber nachher ...«

»Wie lange wird es dauern?«

»Ungefähr dreiviertel Stunden.«

Angèle blieb allein in dem Sprechzimmer des Klosters, und ihre Gedanken wanderten zu Enguerrand. Hier war bestimmt nicht der entsprechende Ort dafür, aber sie konnte nichts dagegen tun. Die Zeit verging ihr schnell, sie war erstaunt, als eine Schwester eintrat.

Sie kannte sie schon, sie hatte sie zweimal bei ihren Besuchen gesehen. Es war nicht die Mutter Oberin, sondern eine sehr bewegliche

kleine Frau, in deren lebhaftem Blick oft ein unheimliches Feuer auf-
flammte. Angèle, die sich ihren Namen nicht merken konnte, hatte
sie bei sich die »intelligente Mutter« benannt.

»Madame«, sagte die Nonne, »darf ich Ihnen vorerst unsere tiefe
Teilnahme zu dem erlittenen Verlust aussprechen. Erlauben Sie, daß
ich Ihnen im Namen der Mutter Oberin, die leider Gottes hart an
den Beschwerden ihres hohen Alters zu leiden hat, unsere Genugtu-
ung über Ihren heutigen Besuch bekunde. Angélique«, fuhr sie fort,
»steht unserem Herzen sehr nahe, wir halten sie für ein Kind der
Gnade. Man findet selten eine so aufrechte und demütige Seele wie
die ihre. Wir wissen, daß sie Ihnen geschrieben hat, und wir freuen
uns, daß Sie sofort gekommen sind.«

Trotz dieser Worte aber vermochte die Nonne sichtlich nur schwer
ihre innere Unruhe zu verbergen. Gerade dieser prompte Besuch
bestürzte sie. Seit fast einer Stunde wußte sie von Angèles Anwesenheit im Haus; die ganze Zeit hatte sie geschwankt, ob und auf welche
Weise sie eingreifen sollte, ehe Mutter und Tochter einander sahen.
Sie war erleichtert, daß Angèle stumm blieb, und setzte fort:
»Angélique wird Ihnen sagen, wozu sie sich entschlossen hat. Es ist
nicht meine Sache, mit Ihnen darüber zu sprechen. Mag sein, daß der
plötzliche Tod ihres Vaters mitspielt. Die Wege Gottes sind unerforschlich. Er verwundet zuweilen ein Herz, damit es sich Ihm eröffnet. Angélique wird gleich kommen. Sie hat sich durchgerungen.
Eine christliche Mutter darf sich der inneren Berufung ihres Kindes
nicht widersetzen; man ist selbst so etwas wie eine Erwählte Gottes,
wenn man das Glück hat, eine Erwählte in seiner Familie zu besitzen.
Madame, Gott verleiht Ihnen diese Gnade gerade durch Vermittlung
Ihrer Tochter.«

Angèle hörte ihr zu. Was die Frau in Ordenstracht sagte, wußte sie
seit langem schon, nur hatte sie es für später erwartet.
Daß sie das Kind so bald verlieren sollte.

»Ich habe nichts hinzuzufügen«, sagte die Nonne. »Ich sehe, daß Sie
Gott nahe genug sind, um Ihre Tochter anhören zu können. Sie
schuldet Ihnen das Bekenntnis. Von ihr und allein von ihr müssen
Sie es erfahren. Ich schicke sie herunter.«

Sie ging hinaus, und Angèle blieb in der Stille allein. Kein Laut.
Durch das Fenster blickte sie in den winterlichen Garten mit den
kahlen Bäumen, auf die durchsichtig gewordenen blätterlosen Sträu-
cher, über die dann und wann ein bleicher, kraftloser Sonnenstrahl
glitt. Ein Sinnbild für ihr eigenes Leben – konnte ihr je eine andere
Wärme als diese beschieden sein?

Wieder öffnete sich die Tür, es war Angélique. Sie stürzte nicht auf sie zu, und auch Angèle beherrschte sich. Sie gingen sich nur entgegen und umarmten einander zärtlich wie immer, nicht stürmischer als sonst, und sie setzten sich dann artig nebeneinander auf das Sofa im Stil 1885, dessen roter Velours, wie auf den Stühlen, mit Messingknöpfen eingefaßt war.

»Mama«, begann Angélique, während ihr Blick starr auf dem gewachsten Boden haftete, »Mama, du weißt doch, warum ich dich gebeten habe herzukommen?«

Ihre Stimme war unbewegt und kühl:

»Du hast sicher bemerkt, daß mir mein Glaube seit Jahren viele andere Gefühle ersetzt. Man überlegt lange, reiflich, ehe man sich zu einem Entschluß durchringt, wie ich ihn gefaßt habe. Ich will mein Leben Gott weihen, das ganze Leben, alles... du verstehst, was ich meine?«

»Du möchtest ins Kloster eintreten.«

»Ja, das ist mein fester Wille.«

»Und in dieses hier?«

»Hier kenne ich alle, sie haben mich gern. Da bin ich schon ein wenig zu Hause...«

»Zu Hause und in Frieden?«

»Ja, Mama.«

Angèle betrachtete das blasse, verschlossene Gesicht. Das also war ihre Tochter? Sie sah sie vor sich, als kleines Mädchen, heftig und ausgelassen; später dann zu Pferd, auf der Jagd hinter Patrice de Viborne – und das war aus dieser wilden Reiterin geworden? Eine bleichsüchtige Nonne; was mußte sie sich kasteit, was mußte sie gefastet haben! Sie sah sie als Kind in der Badewanne; immer hatte sie der Körper entzückt, die langen Beine, die geschwungenen Hüften, die kleine Brust, die sich eines Tages wie eine köstliche Frucht zu runden begann, den schönen, kräftigen Nacken, der das stolze Köpfchen trug. Welche Verheißungen hatten in diesem Leib gelegen!

»Angélique«, sagte sie, »ich achte deine Frömmigkeit, deinen Glauben. Aber, sag mir... bist du deiner Sache wirklich ganz sicher? Wirst du es niemals bereuen?«

»Niemals.«

Sie glaubte es, und Angèle hätte in diesem Augenblick alles in der Welt darum gegeben, daß es tatsächlich unumstößliche Gewißheit wäre. Aber tief in ihrem Innern nagte, schrecklich bohrend, ein Zweifel, den sie selbst noch nicht genau formulieren konnte. Die Hand auf ihren Knien zitterte, ihre Zähne schlugen aufeinander wie bei einem Schüttelfrost.

»Du hast mir geschrieben: Mama, ich brauche dich.«

»Das war gestern.«

»Warst du gestern denn noch nicht entschlossen?«

»Oh, doch.«

»Das glaube ich dir nicht. Du hast mir geschrieben. Sie haben deinen Brief gelesen. Dein Platz hier war schon bereit, sie haben gedacht, daß sie dich fest in der Hand halten, und haben aus dem Brief erkennen müssen, daß du noch immer mit dir kämpfst, noch immer im Zwiespalt bist.«

»Nein.«

»Schwöre mir, schwöre mir, Angélique, daß nichts geschehen ist, seit du den Brief abgegeben hast!«

Angélique neigte den Kopf, und Madame de Viborne sah plötzlich klar. Erst hatten sie ihre verzweifelte Stimmung nach dem Tod des Vaters ausgenützt und dann aus dem Brief erkennen müssen, daß sie nach der Mutter rief, daß ihre Sache noch nicht gewonnen war. Die Schwester Pförtnerin hatte auf gut Glück gesagt, daß sich Angélique in der Abendandacht befinde, sie hatte es wirklich geglaubt. Aber Angélique war in ihrem Zimmer eingeschlossen. Es war keine Zeit zu verlieren.

Das war die wunderbare Stunde der »intelligenten Mutter«. Vielleicht durfte sie es sein, der diese Dienerin Gottes das ewige Heil verdankte? Sie mußte sie in dieser kurzen Zeitspanne endgültig gewinnen, endgültig überzeugen, ihre letzten Zweifel, die letzte Unentschlossenheit auslöschen. Gott wollte es. Entweder sie war Gottes Streiterin, Gottes Kreuzfahrer, oder sie war ein Nichts in diesem irdischen Leben. Was hatte sie dem jungen Mädchen gesagt? Sie wußte es selbst nicht mehr, gewiß aber hatte ihr Gott die Worte diktiert. Und so war sie triumphierend – wenn auch im tiefsten Innern noch etwas unruhig, was sie aber bis zum letzten Augenblick bleiben würde – ins Sprechzimmer zu Madame de Viborne gekommen, um mit ihr zu reden. Alles das wußte Angèle nicht, aber sie ahnte es mit dem Instinkt ihrer Mutterliebe. Das Schweigen ihres Kindes war beredter als ein Geständnis. Madame de Viborne ergriff die Hand ihrer Tochter, die ihr nicht entzogen wurde:

»Angélique, du weißt, daß ich die erste wäre, die sich deinem Entschluß beugte, wenn ich die Gewißheit hätte, daß du ihn in voller Freiheit gefaßt hast. Heute mittag erst habe ich von deinem Wunsch, mich zu sehen, erfahren, es war mir sofort klar, warum. Gestern noch hast du mich gerufen« – sie wollte sagen: zu Hilfe gerufen, aber das hätte das Kind verletzt. »Du siehst, ich bin sofort gekommen. Aber du verhältst dich ganz anders, als ich vermutete, du brauchst mich nicht, du stehst wie in einem Panzer vor mir, wehrst dich, als ob ich dir im Weg stünde, verschanzt dich hinter einem eisernen Entschluß, über den du nicht einmal reden willst. Angélique«, sagte sie und zog das Mädchen an sich, wie Madame Paris es in den schweren Augenblicken tat, »ich möchte, daß du noch eine Woche zuwartest, ehe du dich endgültig bindest.

»Nein«, sagte Angélique, »das ist unmöglich. Ich kann nicht mehr zurückschauen.«

»Und ich«, erklärte Angèle, »ich bin deine Mutter, und es ist meine Pflicht, für dich zu denken. Du weißt nichts vom Leben! Du hast Angst davor, deshalb . . .«

Und plötzlich wurde es der Marquise sonnenklar, zum erstenmal erkannte sie ihre Tochter; vielleicht nicht bis ins letzte, aber doch so weit, als nötig war, um sie vor sich selbst zu schützen, ohne zu ahnen, daß sie damit ihre eigene Person verteidigte. Sie sah Angélique in die Augen, sie spürte den jungen, straffen und festen Körper in ihren Armen, den Körper, der ihrem eigenen glich, wie er vor zwanzig Jahren gewesen war, der allmählich, trotz seines inneren Feuers, weicher, zärtlicher, hingebender geworden war.

Es stieg ihr so heiß und schmerzend in die Kehle, daß sie zu ersticken glaubte.

»Angélique«, flüsterte sie, »ich weiß es, du fürchtest dich.«

»Nein . . . nein . . .!«

»Du fürchtest dich«, sagte Madame de Viborne noch einmal. »Dein Vater, der hat sich niemals gefürchtet.«

Und wie in einer grausamen Vision sah sie ihn vor sich, hoch und aufrecht zu Pferd, den Mann, der sich vor dem tödlichen Ast nicht bückte. Angélique mußte seiner würdig sein, auch sie mußte den Gefahren entgegentreten können.

»Man kann auf zwei Arten Gott gehören«, fuhr sie fort; »und die zweite ist die schmerzhaftere. Du willst die leichtere wählen, aber, mein Kind, du bist fürs Leben geschaffen!«

»Nein«, sagte Angélique, »mir graut vor dem Leben. Es ist häßlich und unrein. Ich will nicht wie ein Tier sein.«

»Es ist doch Gottes Wille, daß sich Männer und Frauen in Liebe vereinen, um Kinder zu bekommen? Was ist da Niedriges und Gemeines daran?«

»Alles, was dazu gehört. Das hat Er nicht gewollt.«

»Er hat es gewollt!« rief Angèle. »Und zugleich das Licht und die Freude. Du sprichst von Dingen, die du nicht kennst. Angélique, die Liebe ist etwas Wunderbares, so herrlich, daß sie nur von Gott kommen kann. Wenn ich dich so vor mir sehe, dann weiß ich aus tiefstem Herzen, daß Gott dich nicht für das Kloster erschaffen hat.

Für das Reiten durch den Wald, wo die Sonne auf deinen Schultern brennt, für das Lachen, das Leben und für den Mann, der dich in den Armen halten wird, dafür hat Er dich geschaffen.«

»Mama!«

»Gott hat dich für die Liebe geschaffen. Schau dich doch an, Angélique.«

Durch einen Druck ihrer Hand zwang sie Angélique sich aufzurichten und mit ihr vor den hohen Spiegel des Sprechzimmers zu treten. Der schmale Spiegel warf ein eigenartiges, seltsam ergreifendes Bild zurück: Die beiden Frauen schienen so verwandt, die gleiche Wärme und die gleiche Ausstrahlung ging von ihnen aus, sie waren dem Äußeren nach vielleicht etwas verschieden – die eine voller und schon mehr erblüht, die andere abgezehrt, blaß, wild und scheu –, aber beide glühende Symbole des Lebens; die Jüngere wirkte trotz ihrer inneren Kämpfe, die sie zu dem entwickelt hatten, was sie zu sein glaubte, trotz ihrer Zweifel und trotz ihrer Bußübungen noch eindrucksvoller als die andere, die in der Mitte des Lebens stand.

Angélique wehrte sich.

»Schau dich an, Angélique!«

»Ich will nicht.«

Gewaltsam zwang sie die Tochter, die Arme auszubreiten und sich von Kopf bis Fuß im Spiegel zu sehen. Das häßliche schwarze Kleid konnte die Pracht des jungen Körpers nicht verhüllen.

»Ach, Mama, du solltest mir doch helfen!«

»Das will ich eben.«

Angélique verbarg ihr Gesicht und entzog sich den Händen der Mutter. Taumelnd stolperte sie über das glatte Parkett wie in einer traurigen, hoffnungslosen Flucht. Aber Angèle war schon vor der Tür.

Getrieben von einer ungewohnten Kraft, die ihrer tiefen Überzeugung entsprang, wollte sie bis zum letzten gehen. Es war ihre Pflicht sie mußte alles sagen.

»Du verläßt dieses Zimmer nicht eher, als bis du mich angehört hast. Heb den Kopf, bitte, und schau mir ins Gesicht.«

Schwere Tränen rannen über die Wangen Angéliques und gruben Furchen in die straffe, junge Haut.

»Angélique, du bist für die Welt geboren, für das Leben geschaffen. Und das Leben ist das Leben deines Körpers, nur in deinem lebenden Leib kann deine Seele leben. Du bist wie ich, Angélique. Und die Liebe existiert, nicht nur die seelische Liebe, wie du sie verstehst, und auch nicht nur die sinnliche, die du häßlich und schrecklich findest. Die Liebe ist das, was eine Frau wie du braucht, um atmen, um sein zu können, ohne die sie verkümmert und zugrunde geht; mit ihr, in ihr allein kannst du ›du selbst‹ sein.«

»Aber Mama, Gott will doch ...«

»Wozu hat Er dann die Menschen geschaffen?«

»Damit sie sich bezwingen, beherrschen, über sich selbst hinauswachsen.«

»Das muß man können. Du, Angélique, wirst zu schwach dazu sein.«

»Wieso weißt du das?«

»Du bist mir zu ähnlich. Widersprich mir nicht. Ich bin dir so ähnlich gewesen, und ich bin es heute noch. Es ist so, und wir sind wehrlos dagegen. Angélique, ich flehe dich an: Lebe! Sag, daß du leben willst, aber ob du nun willst oder nicht, es gibt etwas Stärkeres, etwas, das Gott in uns gelegt hat und gegen das wir machtlos sind.«

»Nein, nein!« schrie Angélique.

»Machtlos«, wiederholte Madame de Viborne leise. »Ich weiß es«, fügte sie fast unhörbar hinzu.

Einen Augenblick standen sie einander stumm, schwer atmend gegenüber. Angélique biß die Zähne zusammen. Endlich stieß sie hervor:

»Ich bin entschlossen.«

»Du wirst es nicht überwinden können, glaub es mir. Heute bitte ich dich nur das eine, ich flehe dich an, Angélique: eine Woche ... eine Woche ... ja ...?«

»Nein.«

»Angélique ... es liegen Tage, unendlich viele Tage vor dir ... und die Nächte, alle die Nächte ... quälende Nächte, mit Wünschen und Träumen und der Wirklichkeit, gegen die Frauen wie du und ich hilflos sind: der Mann ... die Männer ...«

»Schweig!«

Haß brannte in ihren Augen. Sie wollte nicht hören, wollte nicht wissen, was ihre Mutter sprach. Die »intelligente Mutter« hatte es ihr wörtlich gesagt: Der Dämon erschien in allen Gestalten, und tagtäglich schickte Gott eine neue Prüfung. Ihr schauderte vor den Worten, die das Verbotene, Geheime bloßlegen konnten, das sie vergewaltigen wollte, und um es abzuwehren, verschloß sie sich selbst. Ja, es gab diese Gefahr, das wußte sie genau, und die Erinnerung an den Mann, den sie gespürt hatte, dem sie im Wald von Bruadan um ein Haar verfallen wäre, hätte er sich nicht einen Augenblick von ihr gelöst, verfolgte und quälte sie Tag und Nacht. Aber gerade deshalb wollte sie nichts mehr von dem wissen, was sie insgeheim so begehrte und was sie verdrängen mußte: die Unreinheit, die Schande!

Ach, wenn sie sich befreien könnte! Nur Gott konnte sie befreien, der ihr als Mahnung schon den Tod des Vaters gesandt hatte. Sie mußte Gott anhören, Ihm folgen.

»Angélique, ich flehe dich . . .«

»Geh!«

Das war nicht möglich. Angèle mußte falsch gehört haben. Aber Angélique wiederholte:

»Ich bitte dich zu gehen.«

»Du wirfst mich hinaus?«

»Nein, ich bitte dich nur, heute wegzugehen.«

»Du hörst mich nicht mehr an?«

»Ich werde für dich beten.«

»Du solltest lieber für dich selbst beten.«

»Das weiß ich, und das werde ich auch tun. Geh, Mama«, bat sie nochmals. »Es ist begreiflich, daß du mich zurückholen willst, aber, weißt du, ich habe dir schon lange nicht mehr gehört.«

Der Zorn der Verzweiflung und der Hilflosigkeit übermannte die Marquise:

»Angélique, du wirst es bereuen . . .!«

»Das ist meine eigene Sache.«

Sie war stärker als die Mutter. Ein wenig gebückt, besiegt, verließ Angèle den Raum. Die Schwester Pförtnerin öffnete das Tor. Vor ihr lag die leere Straße, hinter ihr fiel krachend die Tür ins Schloß.

Geistesabwesend trat sie auf den Gehsteig hinaus. Bei der Kreuzung hielt sie ein Taxi an.

»Rue de Arbustus, 7 b . . .«, sagte sie mechanisch, »das ist am Ende der Rue de Vanves.«

Durch die Scheibe sah sie ein Eckchen des Armaturenbretts, kein Tachometer, an dessen Bewegung sich ihre Augen hätten klammern können. Das Taxi bog in ein Gäßchen mit kleinen Gartenhäusern ein.

»Hier ist 7 b«, sagte der Mann und nannte seinen Fahrpreis.

Da also hatte Hubert gewohnt, gelebt, bevor er nach La Gardenne gekommen war. Sie hatte es sich ganz anders vorgestellt. Ein kleiner Hof mit einer kümmerlichen Akazie und hinten ein paar Stufen hinauf ins Haus.

Sie läutete, die Tür öffnete sich automatisch. Angèle hörte ihre eigenen Absätze über den Zementboden klappern. Ihre Hände stützten sich auf das Geländer, und sie spürte seine Kälte durch den schwarzen Lederhandschuh. Die Türe, deren oberer Teil verglast und vergittert war, flog auf, und Hubert stand in dem schmalen, dunklen Eingang vor ihr.

Darauf war sie nicht gefaßt. Sie hatte erwartet, daß ihr Henriette Dervais öffnen und sagen würde: »Ich führe Sie zu ihm.«

Sie ging einen Schritt auf ihn zu, auf ihn, der Wärme und Leben war. Wie eine riesige Woge stürzte die Verzweiflung über sie. Sie wollte etwas sagen, irgendwelche Worte für ihn, und war unfähig dazu, da sie in diesem Augenblick nur an sich selbst dachte. Noch einen Schritt. Da stand er, sehr gerade, groß und stark, ein Mann. Und schluchzend warf sie sich an seine Brust.

Er drückte sie an sich und streichelte zart ihr Haar. Aber sie beruhigte sich nicht, sie war am Ende ihrer Kraft, und so blieben sie stehen, umschlungen; er heimlich triumphierend, voll wehmütiger Freude. Angèle wankte, ihre Beine versagten ihr den Dienst. Da hob er sie auf und trug sie zum Diwan des Zimmers, ließ sie dort nieder und bedeckte ihre Hände, ihr Gesicht mit Küssen. Sie ließ es geschehen. Ach, sie hatte nicht geahnt, daß Henriette Dervais absichtlich ausgegangen war, um sie allein zu lassen ...

VIII

Enguerrand erschien am späten Nachmittag in der Rue de Caulaincourt.

Madame Paris liebte die Sonntage, an denen sie die Kinder bei sich haben konnte. Sie bereitete sorgsam das Mittagessen, fast immer das gleiche, und stand von elf Uhr an mit blauer Schürze in ihrer Küche. Auch Jules genoß den Sonntag. Er ließ es sich nicht nehmen, die Kirschentorte von dem Konditor aus der Nachbarschaft und den Weißwein von Nicolas, dem Wirt an der Ecke, zu holen. Und am Sonntag erschienen auch die neuen Zeitschriften mit den Bildern der letzten Premieren und dem Theaterprogramm der nächsten Woche.

Jules, der ehemalige Platzanweiser, war bescheiden, mit jedem Notsitz zufrieden, den man ihm freundlicherweise überließ, er wußte genau, daß er sich im zweiten Akt auf irgendeinen leeren Parkettsitz schwindeln konnte. Allerdings würde man heute nicht vom Theater sprechen – das Haus war in Trauer.

Enguerrand entschuldigte sich: Er wußte nicht aus und ein vor Arbeit in dieser Woche. In Wirklichkeit hatte er vormittags vor dem Ausgang der Metrostation *Combat* gestanden und hatte das Wochenblatt seiner Partei ausgerufen. Er war glücklich, er hatte siebenundzwanzig Exemplare angebracht, und das war ein Bombenerfolg.

Jules steckte den Korkzieher in die Martiniflasche und goß den Aperitif in die Gläser. Er freute sich dieser Stunde, wie er sein ganzes Leben in diesem Haus genoß. Er war zehn Jahre jünger als Madame Paris; er war die Bühnenschönheiten gewöhnt und schaute sich noch gerne nach den Frauen um, aber er vermied Komplikationen. Das angenehme Dasein hier oben war ihm lieber als Abenteuer und zweifelhafte Vergnügungen, und Madame Paris konnte sich ausleben, sie brauchte jemanden, für den sie sich abstrampeln, den sie verwöhnen und verhätscheln durfte, und die Dankbarkeit ihres Jules, die Art zum Beispiel, wie er mit der Zunge schnalzte, nachdem er sich die Lippen mit dem Wermut befeuchtet hatte, war ihr die schönste Belohnung.

Die beiden Männer unterhielten sich. Madame Paris werkte in der Küche. Angèle blickte zur Straße hinunter, und sowohl Enguerrand wie Jules achteten ihr Schweigen. Sie glaubten sie ganz in ihrem Schmerz versponnen und in Gedanken mit ihrem gestrigen Klosterbesuch beschäftigt, dessen Anlaß ihnen bekannt war.

Aber Angèle dachte an etwas anderes, und während sie reglos, den Kopf blicklos zum Fenster gewandt, dasaß, hatte sie das Gefühl, daß sie ihre Flucht wiederaufgenommen hatte und die Hunde ihr auf den Fersen waren.

»Setzen wir uns zu Tisch?« fragte Madame Paris, die aus der Küche kam.

»Warum nicht?« sagte Jules, »es ist ein Uhr fünfzehn.«

»Wo steckt Lambert?«

Lambert war nicht da. Er hatte sich in der Früh aus dem Staub gemacht, war spielen gegangen, wie die ganze Woche schon; man konnte ihn schließlich nicht tagelang in die Wohnung sperren! Immerhin hätte er pünktlich heimkommen können.

»Fangen wir an«, erklärte Madame Paris, »dann taucht er sofort auf.«

»Ja, warten wir nicht länger«, nickte Enguerrand und entfaltete stehend seine Serviette.

Madame de Viborne setzte sich nieder. Jules nahm neben ihr Platz, Enguerrand füllte die Gläser.

Das war ein ziemlicher Kontrast zu dem Tafelzeremoniell in La Gardenne; ein Fremder hätte kaum geglaubt, daß es sich um die gleiche Familie handelte. Und trotzdem hatten sich Enguerrand, der nicht der leibliche Enkel der alten Dame war, und ihre blutsverwandte Enkelin Angélique in dem Zimmer mit dem bürgerlichen Tisch unter dem Kupferluster und dem Buffet Henris II. immer wohl gefühlt; hier war es gemütlich, und es gab keine Probleme.

Jules sagte:

»Schade, daß Angélique nicht da ist.«

Sonst war sie es, die den Tisch deckte, die Großmutter – man nannte sie niemals so, sondern immer Maman Pauline – hatte ihr diese Aufgabe übertragen.

Nein, Angélique war nicht da, und man würde sie nicht mehr wiedersehen. Ihre Mutter wußte es, und das Herz tat ihr weh. Jules hatte eine unglückselige Bemerkung gemacht. Aber er konnte nicht anders, er mußte immer alles heraussagen, was ihm gerade einfiel, und so sprach er weiter:

»Traurig, wirklich! Ein so schönes Mädel!«

»Sie ist frei, sie kann tun und lassen, was sie will«, sagte Angèle.

»Jeder baut sich sein Leben, wie es ihm paßt«, erklärte Enguerrand, als wollte er ein Axiom aufstellen.

»Gewiß... gewiß...«, sagte Jules verlegen.

Er suchte nach einem anderen Thema, um abzulenken, aber er fand nichts. Er durfte nicht vom Theater reden, aber da er in der vergangenen Woche im Justizpalast gewesen war – das war auch ein Schauspiel mit seinen Akteuren, und gratis dazu –, fuhr er fort:

»Berliot war ausgezeichnet.«

»In welcher Rolle?« fragte Enguerrand gedankenlos.

Jules lachte:

»In der Rolle des Staatsanwalts! Er hat am Mittwoch im Prozeß Bienaimé das Plädoyer gehalten.«

»Jules«, tadelte Madame Paris, »du redest lauter Unsinn. Iß deine Eier auf, ich bringe den Braten.«

Madame Paris erhob sich. Jeder war mit seinen Gedanken beschäftigt, keiner sprach. Jules war eine Brotkrume zwischen zwei Zähne geraten, er hielt die Hand vor den Mund und stocherte mit dem Zeigefinger zwischen Gaumen und Kiefer herum; als er bemerkte, daß man ihn anblickte, ließ er die Hand betreten sinken.

»Der Lausbub, der Lambert«, murmelte er.

Stimmt, Lambert war nicht da. Eines Tages würde auch Lambert ausbleiben, ebenso wie Angélique nicht mehr kam. Ein paar Jahre noch. Das war unfaßbar, und es war nichts. Wo würde Angèle in zehn Jahren sein? Und wo die anderen, Maman Pauline, Enguerrand...? Jules, der blieb immer da, hier oder woanders, unbeschwert und ahnungslos, innerhalb oder außerhalb des Lebens.

Angèle stand auf, ging zum Fenster, schob den Vorhang zur Seite. Kein Mensch war unten auf dem Gehsteig, keine Henriette Dervais, das war nicht mehr nötig, aber auch kein Lambert trieb sich in der verlassenen Straße herum.

»Wo bleibt der Bursche nur?«

»Er hat sich bestimmt nicht verirrt! Mein Gott, in seinem Alter . . .!«
Madame Paris erschien mit dem Braten. Sie zerteilte ihn wie immer,
nachdem sie sich zum Schutz der Bluse die Serviette um den Hals
gebunden hatte. Jeder reichte ihr den Teller, Angèle als erste. Sie saß
mit verlorenem Blick vor dem in der Sauce schwimmenden Fleisch.
»Essen Sie doch, Madame Angèle, es wird kalt!« mahnte Jules.
Er schnitt sich selbst ein Stück ab, steckte es in den Mund. Da plötzlich brach Angèle in Tränen aus. Sie weinte, nicht laut schluchzend,
sondern still, ruhig; die Tränen flossen wie Blut, das nicht gestillt
werden kann, aus einer tödlichen Wunde. Die Hände auf dem Tischtuch, ohne nach vorn zu sinken, würdig und menschlich, weinte sie.
Man wußte nicht, ob der Tod ihres Gatten, die Haltung Angéliques,
die Abwesenheit Lamberts oder die Dummheit Jules' die Ursache
waren oder ob sie einfach über sich selbst weinte. Jules tat das beste:
Er schwieg. Trotzdem mußte irgend etwas geschehen, und Enguerrand hatte den besten Einfall:
»Mutter«, sagte er und stand auf, »beruhige dich, ich gehe Lambert
suchen.«
»Du findest ihn bestimmt bei dem großen leeren Grund, dort treiben
sich alle Jungen der Umgegend herum.«
»Er kann nicht weit sein«, sagte Enguerrand, warf die Serviette auf
den Tisch und lief hinunter.
Zu dieser sonntäglichen Mittagsstunde war die Rue Caulaincourt in
dem oberen Teil leer. Enguerrand zeigte große Eile. Er kannte sich
gut aus, er war oft hiergewesen, häufiger allerdings in dem Straßen-
teil unterhalb der Wohnung Maman Paulines. Oben lag ein dreieckiger Platz mit dem von Jules angegebenen Grund, hinter einem
Bretterzaun. Er kroch durch ein Loch hinein und schaute suchend
um sich.
Es war ein großes, unfreundliches Viereck mit nacktem Lehmboden,
umrahmt von räudigen, abgeblätterten Mauern, aus denen die Fenster der Toiletten und Stiegenhäuser glotzten; hinten befanden sich
ein Schutthaufen, altes Gerümpel, zerbrochene Ziegel, die Geschosse
der Straßenjungen bei ihren Schlachten. Die Buben hatten sich verlaufen, sie waren wohl schon vor einer guten Weile heimgekehrt,
hatten ihre Ohrfeigen wegen der Verspätung empfangen und saßen
nun verheult über ihren geblumten Porzellanschüsseln.
Am Tisch Maman Paulines mit dem leeren Teller Lamberts und der
hingeworfenen Serviette Enguerrands herrschte noch immer bedrückte Stille. Jules saß mit nachdenklicher Miene auf seinem etwas
nach hinten geneigten Sessel; er fühlte sich unbehaglich in dieser
ungewohnten Atmosphäre. Die dicke Schminke auf Stirn und Wan-

gen der Großmutter verbarg ihre Unruhe. Angèle sah das alles, aber sie sah mehr: Die Hunde Gottes waren hinter Angélique her und zwangen sie vielleicht zu einem unaufhörlichen Halali. Und trotzdem hatte Angèle seit gestern abend wieder Freude am Leben gewonnen. Etwas Lebendiges, gerade das, was Angélique für immer vorenthalten bleiben sollte, hatte sie aus ihrer dumpfen Not gerissen. O Hubert, Hubert!

Da sie nicht mehr weinte, glaubte Jules etwas äußern zu dürfen:

»In diesem Alter, da hab' ich geglaubt, daß ich schon erwachsen bin. Ein dummes Alter! Man ist noch nicht entwickelt und fühlt sich doch schon als Mann...«

... Mein Gott, warum diese Schwäche, warum dieser Wankelmut! dachte Angèle, die ihn gar nicht hörte. Nein, sie war nicht in die Rue des Arbustes gegangen, um Hubert in die Arme zu sinken! Nicht ihretwegen, Huberts wegen hatte sie dieses Gartenhaus betreten, nur weil sie wußte, daß er sich in Gefahr befand. Sie war von Angélique, der dem Leben verlorenen Tochter, gekommen und hatte plötzlich vor dem Mann gestanden, der Wärme und Kraft ausstrahlte, und diese Wärme, diese Kraft hatte Angèle mit einemmal unbedingt gebraucht.

Lambert war nicht auf dem Grund. Wo konnte er sein? Enguerrand zwängte sich wieder auf die Straße hinaus. Er war wütend, daß er so vergeblich herumlaufen, so ins Blinde suchen mußte.

Alles hier im Umkreis hatte den kleinen Lambert in den vergangenen Tagen angezogen und gelockt. Die Straßen, die Sackgassen, die Treppen, die zur Metro hinunterführten, das Panorama, das aus Fabriken und hohen rechteckigen Wohnblöcken gebildet war und bis zur Vorstadt reicht, mit den aus dem Dunst tauchenden Kaminen und dem schwelenden Rauch, die Kaffeehäuser, die Geschäfte – die Kramläden, die dunklen Löcher, in denen die Schuster hämmerten, die Tischlereien, die Molkereien, wo man fertige Speisen in kleinen Kartons bekam – der Italiener mit seinem Obst und seinen Flaschen, der Händler aus der Auvergne mit den Kohlenzündern und dem Reisig; die Frau im Campingladen, die sonntags Kasse machte und die Reiseträume hinter der Türe verschloß. All das war das Land, der Dschungel, in den Lambert auf Entdeckungsfahrten zog.

Lambert war verschlossen, und Enguerrand wußte es. Lambert war ein Eigenbrötler, er spielte nicht mit anderen Kindern. Madame Paris hatte ihn hinuntergeschickt, um ihm die Langeweile zu vertreiben, und er war auch bestimmt ein paarmal in der Radkiste, die ihm die kleinen Rowdies geborgt hatten, wie in einem Schlitten oder einem

Schubkarren die Straße hinuntergesaust. Aber er hatte bestimmt bald genug davon gehabt, ebenso wie von den Gefechten mit den Wurfgeschossen aus Abfall und Gerümpel auf dem unbebauten Grund. Solche Unterhaltungen waren Lambert sicher nur ein Vorwand gewesen, um von zu Hause weg zu dürfen und auf eigene Faust auf Entdeckungsreisen zu gehen. Die Straßen, das ganze Viertel waren bald zu einem Wald für ihn geworden, zu einem Wald von Bruadan, in dem es lebendiges Getier gab, Tiere, die jagten, um leben zu können, und andere, die selbst verfolgt wurden; eine aufregende Fauna, deren hektisches Leben, deren Zanken und Raufen er beobachtete und in der er aufging, deren Freuden und Ängste er mitfühlte, als wären sie seine eigenen.

Wo also steckte er nun, dieser Lambert?

Er konnte sehr weit verschleppt worden sein, nicht von einem Subjekt mit üblen Absichten, sondern getrieben von seinem eigenen Entdeckungsdrang. Vielleicht war er wie durch einen Wald gewandert, und was für Geheimnisse gab es da zu enthüllen!

Dieses Suchen war blödsinnig. Die Zeit verging. Enguerrand mußte es aufgeben und in die Wohnung zurückkehren. Hätte er Lambert mitgebracht, dann wäre oben wenigstens das Thema gewechselt worden, und sei es auch nur, um Lambert eine Strafpredigt zu halten. Kam er aber allein, dann wurden die gleichen trüben und törichten Worte, die gleichen Gedanken wiedergekäut, trotz des Übels, das sie jetzt schon angerichtet hatten.

Angèle dachte an Lambert, den Enguerrand suchte. Lambert, ihr Jüngster, ihr Kind, war von Patrice zum Nachfolger bestimmt worden. Sie mußte sich um Lambert besonders kümmern, sich gründlich mit ihm befassen. Wenn ihn Enguerrand nur schon endlich brächte ... endlich; sie wollte ihn an sich drücken, seine Wärme spüren und damit die Wärme anderer Menschen verdrängen, die Wärme Huberts ...

Enguerrand machte kehrt. Besser auf schnellstem Weg nach Hause zu laufen, als die drei da oben noch länger in ihrem trostlosen Schweigen sitzen zu lassen. Grollend und aufgebracht marschierte er mit großen Schritten dem Hause zu. Er kam sich wie auf einer Flucht vor, und Schweißperlen traten auf seine Stirn.

Zweihundert Meter vor dem Haus Maman Paulines stand ein eingerüstetes Bauwerk. Ein Schild besagte, daß es aus öffentlichen Mitteln errichtet wurde. Die Mauern waren noch nicht verputzt, man sah die dünnen Ziegel. Alles klaffte, denn erst der Rohbau war vollendet, es gab weder Fensterrahmen noch Türen oben auf den Zementtreppen. Kein Mensch, kein Arbeiter; es war Sonntag.

Lambert war nicht da. Dort hatte er sich bestimmt nicht versteckt, es war zu nahe von daheim. Aber, konnte man es wissen...

Enguerrand trat ein. Hinter der Maueröffnung einer künftigen Tür begann die Treppe zu den Etagen. Enguerrand ging hinauf.

Das erste Zimmer, in das er den Fuß setzte, konnte genausogut für die Nahrungsaufnahme wie für den Schlaf, den schweren Schlaf nach den ehelichen Vergnügungen, bestimmt sein. Und das andere? Da, noch eines...

In diesem Raum war jemand. Lambert war da.

Er stand in einem Winkel, dem entlegensten der Wohnung, und hätte sich hinausgedrückt, wenn dort ein Ausgang gewesen wäre. Aufrecht, stumm schaute er seinem Bruder entgegen, verstockt und scheu, als hätte man ihn ertappt. Neben ihm duckte sich ein Mädchen, etwas größer als er, etwas älter als er; ein langes mageres Ding, dem man schon fünfmal den Rock verlängert hatte, ohne daß es gelungen war, die Beine mit den zerschundenen Knien zu verdecken. Enguerrand schaute fassungslos auf das ungleiche Paar, das sich krampfhaft an den Händen hielt. Ein Gassenmädel, das sich herumtreibt, dessen Mutter »in die Bedienung« geht und dessen Vater in der Fabrik arbeitet. In seinem gesenkten Blick blinkte etwas Falsches, Heimtückisches auf, ein Kind, das man vom Anfang seines Lebens an das Lügen gelehrt hatte. Es versuchte, seine Hand loszureißen, aber Lambert erlaubte es nicht; Wut und verzweifelte Entschlossenheit standen in seinem Gesicht.

»Weißt du, wie spät es ist? Wir sitzen bei Tisch... Wir warten auf dich. Mama ist schon sehr besorgt...«

Das wußte Lambert gut, aber was war seine Mutter, trotz seiner unendlichen Liebe zu ihr, neben dieser Kleinen, dieser Mathilde, die er seit drei Tagen kannte, die er heute zum ersten Male mit Händen berührt hatte!

»Also los, komm!«

Lambert rührte sich nicht.

»Hörst du? Laß dieses Mädel stehen, und marsch!«

»Nein«, sagte Lambert. »Nein«, wiederholte er, wie Angélique gestern im Sprechzimmer von Notre-Dame nein gesagt hatte.

Enguerrand trat auf ihn zu, um ihn wegzuziehen und von der Kleinen loszureißen.

»Rühr mich nicht an!« schrie er. Etwas so tödlich Wildes blitzte in den Augen des Knaben auf, daß Enguerrand für eine Sekunde zurückwich.

»Lambert!«

Und es klang nicht lächerlich, nicht kindisch, sondern furchtbar, als Lambert erregt, heiser flüsterte:

»Ich verbiete dir, sie anzurühren ... weil ich sie liebe.«

IX

Angèle kam am nächsten Tag gegen fünf Uhr zum Parlament. Sie verstand nichts von Politik und hatte nur sehr mäßig Lust, dieser Sitzung beizuwohnen, aber sie wollte Gardas nicht kränken, den sie gut leiden mochte.

Sie hatte am Nachmittag des vorangegangenen Tages Hubert nicht getroffen, obwohl das Haus in der Rue des Arbustes nun für sie allein da war: Henriette Dervais war plötzlich eingefallen, daß sie wichtige Dinge in der Provinz zu erledigen hatte; sie war, wie Hubert frohlockend mitteilte, auf ein paar Tage nach Orléans gefahren.

Auf Angèles eigenen Wunsch traf sie Hubert heute also nicht. Der Grund lag vor allem in ihren Gewissensbissen: Das Rendezvous durfte nicht zu einer Gewohnheit werden. Angèle glaubte sehr genau zu wissen, wohin sie trieb. Sie hatte einen Moment lang den Kopf verloren, aber nur, so dachte sie, weil außergewöhnliche Umstände – und Henriette – es so gewollt hatten. Im Grund genommen war alles ausgezeichnet gelungen, da Hubert gerettet war und sie sich selbst in der Flut der auf sie hereinbrechenden Schicksalsschläge weniger verlassen fühlte; sie hatte sich einen Aufschub erwirkt.

Trotzdem war Hubert ein Faktor von Bedeutung. Nicht nur, weil er Hubert war, sondern weil sie in ihm fand, was sie für ewig verloren geglaubt hatte. Er war ihr gestern nicht aus dem Kopf gegangen, den ganzen Nachmittag hatte sie an ihn gedacht, nach dem Essen, das nur durch den Zwischenfall mit Lambert gestört worden war. Als Enguerrand ihn endlich heraufgebracht hatte, hatte er verstört und verstockt dagesessen und mußte wegen eines uferlosen geheimen Kummers getröstet werden, den er um nichts in der Welt verraten wollte.

Dann war Enguerrand ins Quartier Latin gegangen.

Sie war drauf und dran gewesen, ihm zu sagen, daß sie von seiner Rede in der »Mutualité« wußte. Aber wie? Welche Fragen hätte sie stellen sollen? Man war auf die verschiedensten Dinge zu sprechen gekommen, die geklärt und bereinigt werden mußten. Bis Enguerrand schließlich aufgestanden war, um sich zu verabschieden, ohne von ihr zurückgehalten zu werden.

Es war allerdings sonderbar, daß Enguerrand zwar die verschiedensten Themen berührt, aber in der ganzen Zeit seines Hierseins keine einzige Frage nach ihren gemeinsamen Angelegenheiten gestellt hatte, obwohl er sich doch sagen mußte, daß es Probleme gab, und seien sie auch materieller Natur, die einer dringenden Lösung bedurften.

Interessierte er sich denn überhaupt nicht dafür und ließ er alles auf ihren Schultern lasten? Sie war allein an dem Fenster sitzen geblieben, das auf die sonntägliche stille Straße schaute, und sah Jules und Lambert nach, die Hand in Hand der Place Clichy zuwanderten.

Was sollte sie anfangen? Es war spät am Nachmittag. Angélique betete jetzt sicher in ihrer Abendandacht, und natürlich, so dachte Angèle traurig und in leiser Rührung, betete sie auch für ihre Mutter. Mehlen! Wo war Mehlen? Was trieb Mehlen? Sie dachte an ihn, gewiß, aber sie verdrängte unbewußt sein Bild, so gut es ihr gelingen wollte; wahrscheinlich aus einem gewissen Schamgefühl wegen der wiederaufgenommenen Beziehungen zu Hubert. Mit Mehlen würde sie sich später noch genug befassen müssen, wenn er ihr persönlich gegenüberstand.

Plötzlich, gegen fünf Uhr, sprang sie auf, nahm Hut und Mantel. Wohin wollte sie gehen? Zu Hubert. Er hatte ihr gestern beteuert, daß er den ganzen Tag auf sie warten würde, obwohl sie ihm überzeugend darzulegen versucht hatte, daß sie sich sonntags keinesfalls freimachen konnte. Warum eigentlich nicht, dachte sie jetzt, da sie schließlich noch ungebunden war? Warum diese Zeitspanne nicht ausnützen? Zum Verzicht war noch immer Gelegenheit genug, er blieb ihr nicht erspart. Trotzdem weilten ihre Gedanken bei Angélique, als sie in die Rue des Arbustes einbog.

Hubert war daheim. Das Kaminfeuer prasselte in dem modernen, nach Henriettes Geschmack eingerichteten Living-room.

Er führte sie zu dem hell lodernden Feuer, zu dem Kamin, wo Kissen verstreut lagen. Er zog Angèle dort auf den dicken weißen Teppich nieder, und während Angèle berauscht dachte, daß nur eines, nämlich die Jugend, zählte, fühlte Hubert mit allen Fasern, daß nur die Reife so beglückend, so voll und reich beschenken konnte.

Das also war gestern geschehen, heute genügte ihr die neutrale Gegenwart ihres Verehrers Gardas, den das Zusammensein mit ihr wie immer in beste Stimmung versetzen und die leidenschaftlicheren Wünsche etwas dämpfen würde.

Sie nahm die Metro am Montmartre und stieg bei der Concorde aus. So schwierig es auch war, sie zu überqueren, gönnte sie sich doch wie stets in Paris das Vergnügen, die paar Minuten zu Fuß zu gehen.

Sie sah das Parlament – die Kammer – vor sich liegen und war betroffen wie von einem Symbol, daß sich kein Fenster dem Platz zu öffnete.

Bei der Wache wurde sie aufgehalten. Da durfte nicht jedermann hinein, man mußte einen Grund dazu haben. Schließlich überreichte man ihr ein Kuvert, auf dem sie die Schrift Gardas' erkannte.

Nun hielt sie seine Karte in der Hand, eine Karte; quer mit der Trikolore bedruckt, was ihrer Person sofort eine offizielle Note gab.

Man wies sie auf die Tribüne. Es war genügend Platz, denn die Sitzung hatte noch nicht begonnen – die Pause ging zu Ende, und dann, so hörte sie, wurde das Hauptproblem in Angriff genommen, bei dem Gardas ganz bestimmt sein Solo spielen würde. Sie konnte sich's wie in einer Theaterloge bequem machen.

Der Saal, in den sie hinabschaute, war noch fast leer und verbreitete mit den kleinen Gruppen, die sich zwischen den ansteigenden Bänken formten und plaudernd beisammen standen, fast so etwas wie Behagen, eine kleinbürgerliche Gemütlichkeit, ähnlich wie in den Couloirs der Privatkanzleien. Die Männer schlugen sich auf die Schulter, reichten sich Aktenfaszikel und Noten, erkundigten sich nach den Gattinnen, den Kindern und den Geschäften und überschlugen die Stimmenanzahl.

Plötzlich strömten die Abgeordneten herein, zu zehnt, zu zwanzig kamen sie aus den Öffnungen von links, von rechts, von unten herein; sie verstopften die Ausgange, zwangten sich mühsam zu ihren Plätzen durch. Einige setzten sich in die Mitte der ersten Reihe, ganz nah vor dem hohen Katheder, den der Präsident besteigen würde, und obwohl sie sich in keiner Weise von den anderen unterschieden, wußte Angèle, daß dies die Minister waren. Bis auf einen oder zwei, deren Karikaturen man zuweilen in den Zeitungen sah, wirkten sie unpersönlich und anonym wie Büroangestellte oder Abteilungsleiter. Nun verteilten sich nicht mehr Männer, sondern Parteien auf den Sitzen, und das nahm der Versammlung allen Glanz. Diese bestand jetzt nur aus mehr oder minder gut eingestellten Lautsprechern, jeder mit seiner bestimmten Platte, die er keinesfalls wechseln durfte.

Die Männer setzten sich. Die Stühle klapperten, man schüttelte sich die Hände über den Köpfen anderer. Es summte und rauschte im Saal wie im Theater vor dem Aufgehen des Vorhangs. All das verlieh der Sitzung den Anschein des Modernen, Avantgardistischen, was – schon vor Beginn – im Widerspruch zum Text, zu den abgeleierten Themen, zu dem verstaubten Stück, zum veralteten Spiel der Akteure stand.

Sie suchte Gardas zu erspähen, aber sie entdeckte ihn nicht unter den Männern, die alle gleich aussahen. Erst als er sich zu seiner Rede erhob und sein Name laut angesagt wurde, erkannte Angèle endlich sein Gesicht.

X

Gegen neun Uhr war es soweit. Und selbst dann noch mußte Angèle nach der stürmischen Sitzung lange auf Gardas in dem großen Saal warten, von dem sich die Abgeordneten, heftig debattierend, nicht trennen konnten. Endlich erschien er inmitten einer Schar von Herren, als wäre er ein Regierungschef, der den Journalisten Auskünfte über die Bildung des Kabinetts erteilt. Und diese Stelle würde er bestimmt wenige Stunden später bekleiden, denn durch seine Intervention war die gegenwärtige Regierung gestürzt worden.

Dieser Gardas hatte sehr genau gewußt, was er tat, als er Angèle bat, gerade an der heutigen Sitzung teilzunehmen. Er hatte geglänzt, sobald er zum Todesstoß ausholte. Erst waren die Komparsen, die Banderilleros und Picadores auf den Plan getreten, die nichts anderes zustande brachten, als ein paar arme Pferde in den Tod zu hetzen und den Stier mit ihren Lanzen zu schrecken. Dann aber war er, der Toréador, erschienen – freilich war es ein bißchen komisch, sich Gardas mit seinem Bauch, seinen runden Backen, seinen gepolsterten Hüften in dem Gewand des Lichts vorzustellen!

Er war ein geschickter Mann, der sich sowohl zu ducken wie anzugreifen verstand. Zwanzigmal waren ihm die Hörner des Tieres gefährlich nahe gekommen, wenn es auch blindwütig nur die Muleta sah. Im richtigen Augenblick, als es erschöpft, lauernd, keuchend verhielt, hatte er ihm seinen Degen in die Schulter gestoßen, und, zu Tode getroffen, stürzte es in den Sand der Arena.

Durivin hatte sich zum Staatschef begeben, um ihm die Demission des Kabinetts zu melden, und Gardas eilte Angèle aufgeräumt und strahlend, mit ausgestreckten Armen entgegen und sprudelte seine Entschuldigungen hervor:

»Ich bin trostlos, liebe Freundin... Ich mußte... an einem Tag wie heute...!«

Er befreite sich von den ihn umdrängenden, zudringlichen Leuten, die ihm ins Ohr flüsterten: »Nicht wahr, Sie vergessen mich nicht?«

Er lächelte sie an, war liebenswürdig mit allen und versprach zweifellos alles, was man von ihm wollte: Das war sein Metier.

Es war fast neun Uhr. Er schleppte Angèle durch endlose Gänge.

»Kommen Sie, wir gehen bei dem Ausgang ›Bourgogne‹ hinaus.«

170

Stimmt, in dieser Gegend wollte er mit ihr zu Abend speisen. Er blickte suchend über den Platz: »Kein Taxi«, stellte er fest.

»Aber«, meinte Angèle, »wir gehen doch sowieso hier in der Nähe in ein Restaurant.«

»Es ist nämlich so«, begann er ein wenig verlegen, »und ich bitte im vorhinein um Vergebung, liebe Freundin – ich muß bei der jetzigen Lage der Dinge ständig erreichbar sein. Der Staatchef kann mich jederzeit, vielleicht schon sehr bald, zur Berichterstattung rufen lassen. Man muß wissen, wo ich mich befinde. Da dachte ich, wenn Sie es nicht unverschämt finden... ich bewohne zwei Zimmer bei einer alten Dame... zwei von ihrer Wohnung gänzlich getrennte Räume mit eigenem Telefon. Ich bin dort völlig daheim, es ist so eine Art Absteigquartier. Die Hausbesorgerin räumt mir auf und kocht, wenn ich es brauche. Da ich schon vorher ahnte, was sich heute im Parlament abspielen würde, habe ich mir erlaubt...«

Ein leeres Taxi fuhr vorbei. Er hielt es an:

»Steigen Sie ein, bitte. Chauffeur: Rue Montessuy, Ecke Avenue La Bourdonnais.«

Angèle protestierte nicht. Ob sie mit Gardas nun da oder dort dinierte, war völlig gleichgültig. Und dann, Gardas würde heute abend andere Dinge im Kopf haben, als ihr allzu heftig die Cour zu schneiden.

Die Hausbesorgerin sagte, als sie vorübergingen:

»Alles ist bereit, Monsieur Gardas.«

Er dankte und teilte ihr in seiner Siegesfreude leutselig den Sturz des Kabinetts mit.

»Nein, so was!« rief die Frau, aber er hörte sie nicht mehr. Er führte Angèle in das Treppenhaus.

»Ziemlich hoch, aber Sie werden sehen, wie hübsch es oben ist.«

Sie würden also allein sein, da die Hausbesorgerin nicht zur Bedienung heraufkam! Angèle hörte den keuchenden Atem Gardas' hinter sich, der allerdings durch das anstrengende Treppensteigen verursacht wurde.

Vor der Tür hatte er sie eingeholt und griff in seine Tasche:

»Ich habe einen eigenen Schlüssel.«

Er ließ sie eintreten:

»Rechts, bitte«, sagte er und öffnete eine Tür. »Da sind wir.«

Es waren zwei ineinandergehende Zimmer, eine Art Salon, in dem auch gegessen wurde, dessen Fenster auf die tief unten liegende Avenue schaute; und ein zweites, das mit seinem Diwan, seinen Fauteuils und Nippes an ein verspieltes Boudoir erinnerte.

Angèles Blick fiel auf den Tisch. Er war zierlich wie ein Bridgetisch, blendend weiß gedeckt und erweckte mit seinen Blumen, dem Kristall, dem Porzellan unfehlbar die Vorstellung eines verliebten Diners, der »petites tables« Manon Lescauts. Gardas, doppelt beglückt, rieb sich die Hände:

»Legen Sie ab, machen Sie sich's bequem.«

Langsam streifte sie die Handschuhe ab, legte den Hut auf die Ablage, lockerte mit ein paar Handgriffen ihr blondes Haar und sank in einen Fauteuil. Gardas schenkte Pinot des Charentes ein – sie verabscheute gezuckerte Getränke – und blickte verzückt in sein durchscheinendes Glas. Sie hielt ihres fest, ohne zu trinken, und die Namen Huberts, aber auch Mehlens kamen ihr in den Sinn.

»Heute ist ein großer Tag für mich«, begann Gardas.

»Ja«, nickte sie. »Sie werden sicher zum Ministerpräsidenten ernannt.«

»Ein großer Tag in jeder Beziehung«, präzisierte er. »Auf Ihr Wohl!«

Angèle schaute auf die Anrichte, alles war vorbereitet, Horsd'œuvres aus kalter Languste, Mayonnaise mit gekühlten Früchten. Niemals wäre sie Gardas allein in diese Wohnung gefolgt, wenn Patrice noch lebte!

Nun bat er sie, bei Tisch Platz zu nehmen, und setzte sich ihr gegenüber. Aber der Tisch war so schmal, daß er seine Hand beim Reichen der Schüsseln und Platten einen Sekundenbruchteil auf der Hand Angèles liegen lassen konnte. Vielleicht werde ich mich wehren müssen, dachte sie amüsiert.

»Ich habe Ihnen viel Beifall geklatscht!«

Er warf sich geschmeichelt in die Brust.

»Heute habe ich einen guten Tag gehabt. Haben Sie bemerkt, wie ich ihn fertiggemacht habe?«

»Ja, ja«, bestätigte sie. »Sie waren großartig. Und was wird jetzt geschehen?«

»Sehr einfach«, erklärte er. »Auf Grund meiner Intervention geriet die Regierung in die Minderheit. Sie haben gehört, daß die Vertrauensfrage gestellt wurde, man mußte abstimmen – die Bauernpartei hat mich allerdings hängenlassen, und das wird sie mir büßen, aber es war wegen des Getreidepreises –, Durivin zog den kürzeren, und man kann ruhig behaupten, durch mein Verdienst! Es ist somit ganz natürlich, daß der Präsident der Republik an mich denkt... logischerweise an mich... Ich glaube aber trotzdem nicht, daß man gleich mit mir beginnt. Die Sache spielt sich folgendermaßen ab: Der abtretende Präsident sucht den Staatschef im Elysée auf, und der ärgert sich grün und gelb darüber. Er hat ja wirklich viel anderes zu tun. In einer solchen Stellung muß er ständig repräsentieren – Inaugurationen, Reden, Bankette –, manchmal kann er vier- oder fünfmal am Tag den Anzug wechseln! Aber weiter noch: Er ist der Arbiter, der Schiedsrichter, das Zünglein an der Waage, verstehen Sie. Und dazu ist ebenso Verstand wie Wendigkeit nötig, ebensoviel Ehrlichkeit wie Rückgrat, manchmal sogar Härte...«

Sie blickte ihn an. Wirklich, warum nicht er? Ehrgeizig, wie er war, strebte er offensichtlich diese höchste Stelle an. Er hatte sich bewährt, und wenn er dem Äußeren nach nicht repräsentativer als Fallières oder Doumergue war, so besaß er zweifellos ebenso wie die beiden seinen gesunden Hausverstand und den Sinn für das gerechte Maß. Warum schließlich nicht Gardas?

»Der Staatschef sondiert also. Er nimmt sich einen vor – das heißt eine Partei –, dann eine andere, bis er zu einer mit einer möglichen Majorität kommt. Da meine Partei oder, was dasselbe ist, ich die Majorität in Händen habe, so wird er zwangsläufig, ganz logisch mich...«

Das Telefon schrillte.

»Ich muß abheben«, seufzte er. »Man weiß nicht, wer es sein kann.«

Ein Schwätzer, der lange auf ihn einredete, ihn beglückwünschte, seine Freude ausdrückte...

Gardas hängte ab und sagte wegwerfend:

»Und dabei hat er gar nichts von mir wollen! Ah, wo bin ich stehengeblieben?«

Aber er sah, daß der Teller Angèles leer und sein eigener noch voll war; er beeilte sich, mit seiner Pastete fertig zu werden. Mit vollem Mund kauend, fuhr er fort:

»Früher oder später werde ich also berufen. Das kann noch heute nacht, um zwei Uhr, oder morgen ganz zeitig früh sein oder meinetwegen morgen vormittag, aber Ministerpräsident werde ich bestimmt. Damit habe ich gerechnet, und trotzdem ist das auch nur eine Etappe. Ich habe meinen Weg immer ganz genau vorher gewußt. Ich halte länger durch als die anderen, weil ich alles darauf ausgerichtet und organisiert habe. Was auch geschieht, in zwei Jahren gibt es Präsidentschaftswahlen, die anderen... die großen... die Wahlen zum Präsidenten der Republik. Ich werde kandidieren, alles spricht dafür, daß man mich aufstellt. Ich werde es mir durch meine Mäßigung, durch meine notorische Vernunft und Rechtlichkeit verdient haben... Vor mir fürchtet sich niemand, verstehen Sie, liebe Freundin?«

Er stand auf, ging zum Buffet, holte die Languste und servierte sie Angèle mit der devoten Geste eines Lakaien oder eines Ministranten. Amüsant, sich das später einmal in Erinnerung zu rufen, wenn er Präsident der Republik geworden war!

»Ich bin ein anständiger Bürger ... populär, verläßlich ...« Er reichte ihr die Schüssel. »Aber es steckt noch viel anderes in mir.«

Er beugte sich über sie, während er die Platte hielt, und sie spürte seinen Atem in ihrem Nacken. Vielleicht versuchte er sie zu küssen, wenn ihre Locken sein Gesicht berührten? Nein, er trat zurück, setzte sich auf seinen Stuhl. Es war nur blinder Alarm!

»Ich habe mich allein hinaufgearbeitet. Ich habe allein gekämpft. Ich habe alles aus meinem Leben entfernt, was sich hindernd in meinem Weg hätte stellen können. Niemand kann mir etwas vorwerfen ... Das Privatleben eines Mannes der Politik muß klar und rein wie Kristall sein; denken Sie an die Geschichte mit Briand!«

Sie wußte nicht, daß Briand in seiner Jugend in einem Getreidefeld mit einer Person des anderen Geschlechts in flagranti ertappt worden war. Er hatte sich mit ihr unterhalten, wie man sich mit zwanzig Jahren eben zu unterhalten pflegt.

»Wieso Briand?« fragte sie.

Er aber war schon weiter.

»Die Stunde ist gekommen«, erklärte er, »ich darf nicht mehr allein bleiben.«

Angèle blickte ihn an. Die politische Kundgebung ging also weiter. Gewiß, sie war auf irgendeine Erklärung gefaßt gewesen, aber niemals auf eine Erklärung in dieser Form.

»Lieber Freund«, sagte sie, »ich bin glücklich, daß die höchsten Stellen auf Sie warten. Wunderbar, wirklich, ich gratuliere Ihnen. Und jetzt geben Sie mir bitte noch einen Löffel Mayonnaise, ja?«

Er reichte ihr die Schüssel und stand wieder hinter ihr. Während er sie unbeholfen bediente, sprach sie weiter:

»Sie haben mit Ihren Überlegungen völlig recht: Ein Mann wie Sie braucht eine Frau, die ihm bei seiner Karriere zur Seite steht, auf die er sich verlassen kann.«

»Felsenfest verlassen«, bekräftigte er. »Ich weiß, daß es noch sehr früh ist, um von solchen Dingen zu reden, aber trotz des Unglücks, das Sie betroffen hat, trotz des großen Unglücks ist das Leben für eine Frau wie Sie noch nicht zu Ende.«

»Gewiß, aber nach dem, was ich besessen habe, müßte alles Spätere so vollkommen sein ... ich bin schrecklich anspruchsvoll! Selbstverständlich läßt mich die Vorstellung eines so hohen Ranges nicht kalt, aber, lieber Freund, es gibt Wichtigeres.«

»Die Liebe«, sagte er.

»Eben«, bestätigte sie und nickte.

»Die Liebe, freilich«, sagte Gardas, und seine Miene verdüsterte sich.

»Warum sollten wir alles andere in die Waagschale werfen, wenn doch die Liebe an erster Stelle steht?«

»Ja«, sagte er, »warum?«

Er schwieg, jäh ernüchtert. Er liebte Angèle, aber er liebte sie auf seine Art, und niemals würde er andere Worte finden, um von der Liebe zu reden.

Die Stimmung war verflogen. Es fiel ihm nichts ein, und er schlich mit der Sauciere in der Hand auf seinen Platz zurück.

»Werden Sie bald wieder jagen?« fragte er einfältig.

»Sicherlich, wenn ich die Meute behalte – und das bin ich dem Andenken meines Mannes schuldig –, müssen die Hunde arbeiten, um in Form zu bleiben, sonst verlieren sie ihren Wert, ihre Fähigkeiten.«

»Wie in der Politik«, sagte Gardas lachend. »So fahren Sie also nach La Gardenne zurück. Und was haben Sie dort vor?«

»Das weiß ich noch nicht genau. Jedenfalls möchte ich das Schloß bewahren. Ich habe Kinder...«

»Ja... ja...«, sagte Gardas. »Aber trotzdem sind Sie noch wunderbar jung, und es gibt doch auch anderes, anderes...«

Angèle konnte sich beim besten Willen »das andere« nicht mit Gardas vorstellen. Sie dachte an Hubert.

»Sie sollten darüber nachdenken, liebe Freundin.«

Er rutschte mit seinem Sessel ruckweise näher zu ihr hin. Die Languste blieb zur Gänze auf seinem Teller zurück, auf den er sich gedankenlos dreimal Mayonnaise gehäuft hatte.

»Eine Frau wie Sie!«

»Eine Frau wie ich«, sagte sie. »Ich bin eine Frau wie jede andere.«

»Ja... nein... sagen Sie das nicht...«, stotterte Gardas.

»Aber ja«, erwiderte sie heftig, »ganz einfach eine Frau... eine Frau«, wiederholte sie.

»Doch für diese Frau möchte man so viel tun... alles erreichen...«

»Nun, Gardas«, fiel sie ihm ins Wort, »da Sie schon von meiner Person reden, so will ich Sie völlig über meine Gefühle aufklären. Nachdem ich die Liebe Patrices besessen und ein erfülltes, glückliches Leben genossen habe, kann ich mir nichts anderes mehr vorstellen, weder eine Vernunftheirat auf Grund verstiegener Zukunftsaussichten – die mich sehr wenig reizen, wie ich gestehen muß – noch eine tolle Leidenschaft, die mir den klaren Verstand rauben könnte und mich alle hohen Stellungen, alles Vermögen und alles Ansehen in den Wind schlagen ließe...«

»Aber, liebe Freundin, das kann sich doch ändern.«

Er griff nach ihrer Hand, die auf dem Tisch lag, drückte sie, streichelte sie ungeschickt. Er war rot, dicke Schweißtropfen standen auf seiner Stirn. Der Mann, der so redegewandt vor seinem Publikum war, suchte mühselig nach Worten:

»Es ist so schwer...«

»Glauben Sie?«

»Wirklich.«

Sie war nicht ausgesprochen kokett, und Gardas reizte sie noch weniger, es zu sein. Aber immerhin, es gab Grenzen! Man eroberte eine Frau – eine Frau wie sie – nicht mit so trockenen, direkten Worten. Er liebte sie, schön, man brauchte ihn nur anzuschauen, um es zu wissen. Dann sollte er auch bis zum Letzten gehen, jammern und betteln!

Auf den Knien, zu ihren Füßen wollte sie ihn sehen. Sie wettete mit sich, daß sie ihn soweit bringen könnte. Sie war instinktiv grausam, wie man es immer ist, wenn man nicht liebt. Der künftige Präsident hatte ihr eine Languste beschert, sie wollte ihn auf den Knien sehen.

Aber er kämpfte noch. Ha, er schätzte seinen eigenen Wert hoch genug ein, er wußte, was er zu bieten hatte. Sie war eine vollkommene Frau, aber sie mußte auch alle Bedingungen erfüllen, er verlor nicht den Kopf!

»Mein lieber Freund«, sagte sie und streichelte wie von ungefähr mit ihrer Linken seine dicke, gepolsterte Rechte mit dem goldenen Siegelring, der so wenig zu seinem Finger paßte, »mein Lieber, wir müssen von anderen Dingen sprechen. Patrice ist erst seit acht Tagen...«

»Ich habe den Marquis sehr verehrt«, sagte Gardas, und das war richtig.

Er griff nach ihrem feinen Handgelenk und preßte es mit aller Kraft:

»Angèle« – zum ersten Male nannte er sie so –, »Angèle« – und es war wie ein Hilferuf, eine Klage –, »wissen Sie denn nicht?«

»Nein«, sagte sie und schaute ihn mit erstaunten Augen an.

»Angèle, alles, was ich tue, alles, was ich anstrebe, geschieht für Sie. *Jetzt* für Sie«, verbesserte er sich, denn er wollte ehrlich sein.

»Ich bin gerührt, unendlich gerührt, lieber Freund. Aber wenn das auch viel ist, es ist nicht alles.«

»Was noch? Was noch?« flehte er.

Der Augenblick nahte, er bettelte schon.

»Aber«, sagte sie leise, »gewiß, solche Beweise echter Wertschätzung sind bestechend, aber noch viel bestechender sind Beweise von...«

»Angèle... Angèle...«

176

»Aber, aber, lieber Freund!«

Er streckte seine runden Arme aus, um sie an sich zu ziehen, doch sie schob ihn energisch zurück: »Nein, nein!«

Er ließ sich auf ein Knie nieder. Auf beide! dachte Angèle.

»Ich schlafe nicht mehr, weil ich an Sie denke; ich werde wahnsinnig bei dem Gedanken, daß Sie jetzt frei sind und vielleicht... vielleicht...«

»Vielleicht?«

... einmal bereit wären, einverstanden... o Angèle!« klagte er und glitt endgültig auf beide Knie, beugte den Kopf über ihren Schoß, so daß sie seinen Atem durch ihr Kleid spürte, »Angèle, ich muß Ihnen gestehen, daß ich Sie... Sie...«

Er konnte nicht weitersprechen. Das Telefon schnitt ihm das Wort ab. Er hob verstört und verwirrt den Kopf, man sah nur das Weiße in seinen Augen, als er das Gesicht zu dem Apparat drehte. Es schrillte ein-, zwei-, dreimal, er starrte hin, hilflos, wie betäubt.

»Los, lieber Freund«, sagte Angèle, »heben Sie ab!«

Und da er sich noch immer nicht rührte: »Sie müssen doch! Bedenken Sie, was heute für ein Tag ist...«

Er taumelte, als er schwerfällig aufstand. Noch vor dem Apparat schien er unschlüssig.

»Liebe Freundin«, murmelte er, »wenn ich doch nicht... Vielleicht ist es nichts Offizielles...«

Er glaubte also, der Tor, daß er das Gespräch noch fortsetzen könnte, obwohl sie das sich selbst gesteckte Ziel erreicht hatte. Naiver Gardas! Wenn sie einmal aufgestanden war...

»Geben Sie her«, sagte sie und ging selbst zum Telefon. »Hallo? Ja, Monsieur. Nein, kein Dienstbote, eine Freundin. Darf ich wissen, wer...?«

Sie verstummte. Gardas sah, wie sie die Farbe wechselte, langsam sank ihre Hand mit dem Hörer hinab:

»Übernehmen Sie... nehmen Sie doch, bitte...«

Und da er noch immer zögerte:

»Mehlen will Sie sprechen.«

XI

Am nächsten Tag ging sie zu Mehlen. Sie fragte sich, ob er gestern ihre Stimme am Apparat Gardas' erkannt habe.

Durchaus möglich, wenn auch sehr unwahrscheinlich. Wie hätte er auch nur einen Augenblick ihre Anwesenheit bei dem Politiker vermuten sollen? Aber er war Mehlen, und Mehlen war nicht wie die anderen, das wußte sie.

Immerhin ein sonderbares Zusammentreffen: Der seit einer Woche verschollene, verreiste Mehlen hatte in der Rue Caulaincourt angerufen, und das fast zur gleichen Minute wie in der Wohnung Gardas', als ob er sich von der Anwesenheit Angèles bei ihrer Mutter hätte vergewissern wollen. Da sie nicht daheim war, hinterließ er ihr eine Botschaft: Er erwarte sie nächsten Tages in der Avenue Bugeaud um fünf Uhr dreißig, es handle sich um etwas Wichtiges.

Sie fand sich etwas klopfenden Herzens bei ihm ein und wurde von dem Diener in Blau in den Salon geführt. Sie rechnete damit, daß es eine Zeitlang dauern würde wie beim letzten Mal, da aber öffnete sich die Tür, und Mehlen trat ihr mit ausgestreckten Armen entgegen.

Er kannte ihre Pünktlichkeit und hatte deshalb seit fünf Minuten bei gelöschtem Licht in seinem Büro am Fenster hinter den Gardinen gewartet. Er vermutete sie in einem Taxi, aber sie war zu Fuß gekommen, und so war ihre Silhouette plötzlich in dem Schein der Bogenlampe auf der Kreuzung aus dem Dunkel aufgetaucht; es traf ihn wie ein Schlag.

Er war abergläubisch, und alles war ihm Vorbedeutung. Daß sie auf solche Weise, quasi überraschend, erschienen war, störte den von ihm gedachten Gang der Ereignisse. Er runzelte die Brauen, aber der Mechanismus war angekurbelt, und er öffnete die Tür.

»Ich bin glücklich«, sagte er mit betonter Herzlichkeit und küßte ihre Hand.

Angèle hatte einen anderen Empfang erwartet. Was fürchtete sie? Sie atmete heimlich auf. Er aber sprach weiter:

»Ich bin eben erst zurückgekommen. Triest ist weit, und wenn man schon einmal dort ist, dann muß man die Geschäfte zu Ende führen, damit man nicht ein zweites Mal zu reisen braucht.«

»Und sind Sie zufrieden?« fragte sie, nur um etwas zu sagen.

»Sehr«, antwortete er.

Seine Antwort lautete wohl immer so, auch wenn etwas danebengegangen war.

Die Gestalt des kleinen Mannes zeichnete sich in dem durch die Tür fallenden Licht ab, das er bei ihrem Erscheinen wieder aufgedreht hatte.

»Kommen Sie herein zu mir«, ersuchte er, »da ist es gemütlicher.«

Er verbeugte sich und ließ sie eintreten.

Hier war alles Renaissance, die vertäfelte Decke, vom Tisch bis zu den Stühlen. Keine verkitschte Nachahmung aus einem Laden des

Faubourg Saint-Antoine, sondern echt, kraftvoll und stark in seiner Übertreibung. Mehlen hatte das Zimmer, wie es war, in einem Schloß des Loiretales entdeckt. Er wollte es haben, er kaufte es und überführte es in sein Haus. Angèle hatte in den achtzehn Ehejahren mit Patrice de Viborne, in den Adelsschlössern, das Echte von dem Unechten auf den ersten Blick unterscheiden gelernt, in solchen Dingen täuschte sie sich nicht. Die bloße Atmosphäre eines so kostbaren Raumes beglückte sie.

Mehlen setzte sich nicht auf den Stuhl hinter seinem Schreibtisch, er zog nur einen Fauteuil zu dem Kamin, wo er auch Angèle Platz zu nehmen gebeten hatte. Und dort, vor dem offenen Kaminfeuer – es brannte den ganzen Winter hindurch, seit Mehlen das Schloß La Gardenne kannte –, begannen sie zwanglos wie gute Freunde zu sprechen.

Die behagliche Stimmung des Zimmers teilte sich Angèle mit, wie Mehlen es gewollt hatte. Hier war alles ganz anders als in dem nüchternen, strengen Büro, wo ihr erstes Gespräch stattgefunden hatte. Warum war ihr nur so bang gewesen?

»Ich mag das Flugzeug zwar nicht«, sagte er, »aber ohne Flugzeug wäre ich noch nicht bei Ihnen; ich hätte mindestens achtundvierzig Stunden länger gebraucht. Und Sie sind doch sicher schon sehr ungeduldig?«

»Warum?« entgegnete sie. »Ich wußte, daß Sie meine Sache weiterverfolgen, auch wenn Sie abwesend sind.«

»Richtig, selbst dort unten habe ich ständig an Sie gedacht. Liebe Freundin, ich will Sie nicht auf die Folter spannen: Meine Ordern sind genau ausgeführt worden, alles ist geregelt.«

»So schnell?«

»Alles ist in Ordnung«, wiederholte er.

Er stand auf und ging zu seinem Schreibtisch. Angèle dachte: Nun ist es soweit. Tatsächlich öffnete Mehlen eine Schublade und holte eine Mappe heraus, die er auf die prunkvolle Unterlage aus rotem Maroquinleder legte. Sie stammte von der Firma Hermes, war auf Bestellung angefertigt worden und kostbar wie alles in diesem Raum. Mehlen breitete Papiere vor ihr aus. Er wird mich doch nicht einen Vertrag unterzeichnen lassen und verlangen, daß ich ihn nach gebotener Trauerfrist heirate, dachte sie.

»Ich habe hier den Verzicht des Gläubigers«, erklärte er, »gestempelt und unterschrieben. La Gardenne ist hypothekenfrei, die Schulden sind getilgt. Das Schloß, die Meute, die Ländereien bleiben Ihnen – zumindest den Erben des Marquis de Viborne, denn Sie sind den Kindern für ihren Anteil verantwortlich. Vielleicht wollen Sie den

Besitz und die Hunde für sich behalten, dann müßten Sie eine Entschädigung ins Auge fassen, eine gesetzliche Ablöse.«

»Welcher Art?« fragte Angèle, rückte den Fauteuil näher an den Schreibtisch heran und beugte sich über die Akten.

»In Geld zum Beispiel.«

»Ich glaube kaum, daß meine Einkünfte ausreichen...«

»Später einmal, meinte ich«, sagte Mehlen.

Er steckte die Blätter in die Mappe zurück und verwahrte sie in einer gesonderten Kasse.

»Ach«, sagte sie, »lieber Freund, ich bin beschämt und verwirrt, Ihnen so viel Mühe gemacht zu haben, und sehr glücklich über Ihr schnelles und wirksames Eingreifen. Freilich stehe ich tief in Ihrer Schuld.«

»Gewiß«, nickte er. »Aber das bleibt zwischen Ihnen und mir, und ist leicht zu regeln.«

»Ich brauche nichts zu unterschreiben?«

»Nein, es ist alles in Ihrem Namen geschehen.«

»Mit Ihren Mitteln.«

»Nehmen wir an, ich hätte Ihnen einen Vorschuß gegeben.«

»Und wenn ich nicht zurückzahlen kann?«

»Das ist ausgeschlossen, Sie werden zahlen können, liebe Angèle.«

Sie lachte etwas verlegen:

»Es gibt also keinen Schuldschein mehr?«

»Doch, die Wechsel, die ich zurückgehalten habe.«

»Und die bleiben natürlich bei Ihnen?«

»Sie liegen bei Mandaule zu Ihrer Verfügung. Sie können sie von ihm verlangen, wann es Ihnen paßt. Im übrigen sind sie bedeutungslos; ich habe zwar den Betrag ausgelegt, die Transaktion selbst aber ist in Ihrem Namen vorgenommen worden.«

»Lieber Freund...«, sagte sie gerührt.

»Sie haben mich unlängst etwas gelehrt...«

»Und was?«

»Das Vertrauen.«

»Übertreiben Sie das Vertrauen nicht! Ich meine, bei Ihren Geschäften.«

»Verlassen Sie sich auf mich«, sagte er mit seiner kalten Stimme, die Angèle einen Schauer über den Rücken jagte.

»Ich nehme das Dossier später mit«, erklärte sie und ließ es absichtlich auf dem Schreibtisch liegen. Sie schob ihren Fauteuil wieder vor das knisternde Feuer.

Mehlen erhob sich, ging langsam auf sie zu und setzte sich ihr gegenüber.

»Sie waren sehr anständig«, sagte sie.

»Es handelte sich um Sie.«

»Für eine andere also . . .?«

Er zuckte lächelnd die Schultern und schwieg.

Sie sah sich ihm gegenüber in dem Stuhl sitzen, und plötzlich lag klar vor ihr, wohin das führte. Die Abende mit diesem Mann, an den sie nichts band, mit dem sie zweifellos niemals vertraut werden konnte, von dem sie alles trennte, alles entfernte. Niemals bringe ich es über mich, dachte sie verzweifelt. Wie anders war es mit Patrice gewesen, von dem sie alles wußte, alles kannte, begonnen von jeder seiner frühen Falten bis zur Ärmellänge seiner Hemden. Dazu war wahre Liebe nötig, die sich über alles hinwegsetzte, oder aber ein echtes Verständnis, das durch nichts zu zerstören war.

»Nun«, wiederholte sie mechanisch, »für eine andere . . .«

»Alles, was man tut, muß einen Sinn haben.«

Dieser Mann kannte seinen Weg genau und auch sein Ziel, und wie sie sich auch gefühlsmäßig zu ihm stellen mochte, sie wußte, daß es recht so war. Da gab es weder Heuchelei noch Unanständigkeit. Sie konnte dieses Dossier hier liegenlassen und alles zurückweisen, was Mehlen korrekt und ohne einen Gegenwert zu verlangen für sie getan hatte. Oder aber es an sich nehmen und ihm niemals den gehörigen Lohn dafür geben. Aber sie, die Tochter von Madame Paris, mußte stets zahlen, was sie schuldete . . . das war ihm so klar wie ihr. So saß sie in der Falle, aber warum so weit vorausschauen? Für den Augenblick war sie gerettet und in Sicherheit. Ein Jahr . . . wo befand sie sich wohl in einem Jahr? Was konnte nicht alles in einem Jahr geschehen!

Er, Mehlen, wußte, wo sie sich in einem Jahr befinden würden. Und noch viel anderes wußte er. Das Wild gewann Vorsprung, gewiß, aber es lag an der Geschicklichkeit des Jägers, es zu täuschen, sich ihm unmerklich zu nähern, ohne daß es die Gefahr spürte, bis es ihm auf Gnade und Ungnade ausgeliefert war. Und er führte noch so manches andere im Schilde, denn auf Umwegen, auf versteckten Seitenpfaden, kam man leichter zum Ziel als in den breiten, geraden Alleen. Er sagte:

»Da diese Affäre geregelt ist, liebe Freundin« – er sah sie wirklich als geregelt an –, »darf ich vorschlagen, daß wir nicht mehr davon sprechen. Wenigstens nicht im Augenblick. Sie brauchen sich keine Sorgen mehr zu machen, Sie können in Ruhe und Frieden leben und zugleich von meiner Wachsamkeit überzeugt sein. Ich möchte unsere Beziehungen jetzt auf eine andere Ebene verlegen: auf die Ebene unbeschwerter Freundschaft.«

Sie antwortete nicht, aber sie reichte ihm die Hand, um ihre Dankbarkeit auszudrücken und um ihm zu zeigen, wie gern sie dazu ja sagte, denn Freundschaft schuldete sie ihm.

»Ihr Büro gefällt mir gut«, erklärte sie.

Er ging bereitwillig auf das Thema ein, erzählte ihr ausführlich, durch welche Umstände er einmal das Schloß besucht hatte, in dem sich diese Einrichtung befand, und wie es ihm – er nannte nicht den Preis – gelungen war, den Eigentümer zum Verkauf zu bewegen.

»Ich liebe alles, was vollendet, in sich geschlossen ist, in der Malerei ebenso wie in der Bildhauerei, in allen Künsten wie im Leben. Sie lachen mich sicher aus, wenn ich Ihnen verrate, daß es mir bei den Geschäften ebenso geht. Es gibt Geschäfte, die echte Schönheit besitzen, und diese reizen mich. Ich habe ein Stück Weges zurückgelegt, aber ich muß noch viel lernen, und ich brauche jemanden, der mich führt. Wenn ich wagen dürfte...«

»Sie dürfen«, lächelte sie.

»Ich möchte Ihnen gerne etwas zeigen, was ich gewünscht und mir dann auch geschaffen habe.«

»Bitte.«

»Dann muß ich Sie ersuchen, mir zu folgen und das Haus mit mir anzusehen.«

»Ich sehe mir gerne Häuser an«, sagte sie. »Wenn ich wo zum ersten Male eingeladen bin, lasse ich mich immer im Haus herumführen. Dann sieht man, wie die Leute leben, in welchem Rahmen, was sie aus ihrer Umgebung gemacht haben.«

»Diesmal wird das etwas anders sein. Es geht um etwas anderes. Um einen Rahmen, gewiß, aber den ich mir für ein Wesen, das mir teuer ist, ausgedacht und zusammengestellt habe. Für einen Menschen, an den ich denke, seit ich ihn kenne.«

Er ließ sie durch die Tür vorangehen, die vom Büro auf den Flur mündete, und zeigte zu der Treppe hinauf.

»Dort oben?« fragte sie neugierig.

»Bitte.«

Sie stiegen wortlos hinauf. Die Treppe war breit und mit einem dicken Teppich belegt, in dem die spitzen Absätze Angèles versanken. So gelangten sie hintereinander zu einer großen, offenen Diele mit verschiedenen Türen, von denen eine dem unteren Portal glich und sogar eine eigene Klingel besaß.

»Hier ist es«, sagte Mehlen.

Er griff in seine Tasche und zog einen winzigen Schlüsselbund heraus. Der größere Schlüssel war für das Hauptschloß bestimmt, ein kleinerer todsicher für das Sicherheitsschloß.

»Sperren Sie auf«, ersuchte er.

Sie sah ihn zögernd an, er neigte den Kopf.

So öffnete sie mit dem Schlüssel, den er ihr gegeben hatte, und trat ein.

Es war eine richtige Wohnung, die vor ihr lag, mit mehreren ineinandergehenden Zimmern, die sichtlich die ganze Etage des Palais einnahmen. Zwei Salons zuerst, der kleinere mit abgerundeten Ecken und wundervoll möbliert. Wenn Mehlen dies ausgesucht hatte, dann war ihm ein Meisterwerk gelungen. Alles war vollkommen, geschmackvoll und außerordentlich kostbar, es mußte Monate gedauert haben, die Vertäfelungen, die Tapisserien, die Stühle, die Vorhänge, das zugleich klassische und grazile Ruhebett aufzutreiben. Eine Einheit – und kein Fehler, kein Mißgriff dabei.

»Sie haben mir einmal gesagt, daß Sie nur antike Einrichtungen möchten.«

Verzückt und staunend ging Angèle durch die Räume. Wie Mehlen das zusammengestellt hatte! Mehlen, dessen Salon unten ein solches Konglomerat von Stilen war! Es war nicht zu fassen!

»Oh, lieber Freund! Ich habe niemals etwas Schöneres gesehen!«

»So ist es mir nicht zu sehr danebengelungen? Alles das muß natürlich durch einen Menschen verwandelt und beseelt werden, der hier lebt und ihm seinen Geist einhaucht. Die Person, die es bewohnen wird, kann es halten, wie es ihr gefällt, denn es wird ihr ausschließliches Eigentum sein.«

Seine Stimme sank etwas:

»Ich möchte, daß es die Wohnung meiner Frau wird«, sagte er in ungewohntem Ernst.

Sie drehte sich jäh um:

»Für mich haben Sie das . . . ?«

»Es könnte für niemanden anderen sein als für Sie.«

Was hatte Mehlen da getan! Es war zugleich wunderbar und schrecklich. Sie wußte wohl, daß er nie verzichtet hatte, aber sie hatte ihr neues Leben nicht so nahe geglaubt. Monatelang, seit er sie kannte, mußte er gearbeitet haben, um die Wohnung zu schaffen. Fast unbewußt kam ihr die Entgegnung auf die Lippen, und sie bedachte nicht, daß es zwar keine Zustimmung, aber auch keine formelle Ablehnung war:

»Und wenn ich niemals gekommen wäre?«

Ja, wenn Patrice nicht gestorben, wenn nichts geschehen, wenn es nicht zu dem von Mehlen geförderten Ruin und zu dem Unglück gekommen wäre, die ihr Leben umstürzten?

»Dann hätte ich alles gelassen, wie es dasteht.«

»Und niemand anderer . . . ?«

»Niemals«, bekräftigte er.

Er stand drei Schritte von ihr entfernt, sie betrachtete ihn und dachte, daß sie ihn sicher niemals lieben, vielleicht das Gebotene nicht annehmen konnte. Aber sie war zutiefst betroffen von der echten Verehrung, von den Beweisen eines Gefühls, das er nicht Liebe zu nennen gewagt hätte, das aber Liebe war.

Seine Stimme klang weich und sehr ruhig, als er fortfuhr:

»Dieses Haus gehört Ihnen, wann immer Sie es wünschen. Sie entscheiden ganz allein aus freien Stücken. Sie wissen, daß es besteht und daß es für Sie errichtet wurde. Wollen Sie nicht die Schlüssel behalten?«

»Nein, nein!« rief sie abwehrend, denn plötzlich war ihr Hubert in den Sinn gekommen.

Er zog die Hand zurück.

»Ich möchte gern, daß Sie alles sehen.«

Er führte sie zu dem anschließenden Zimmer, und während sie weiterging, blieb er auf der Schwelle stehen, als warte er bescheiden auf die Erlaubnis, eintreten zu dürfen.

Langsam machte sie die Runde durch den Raum und stand überwältigt vor jeder neuen Entdeckung. Der Schöpfer dieses Gemachs hatte an alles gedacht, und alles war von erlesener Qualität. Die bunten Flecke der Gemälde hoben sich von den lichten Wänden ab. In der Nähe des Bettes boten zwei Sisleys die warmen Töne ihrer Farben und Landschaften dar; oberhalb der Rosenholzkommode brannte der kindliche Traum eines Henri Rousseau, schwebend, wie festgehalten in Zeit und Raum. Auf dem Bett mit seinen einfachen, klaren Linien lag, halb verdeckt und von einer leicht verblaßten alten Brokatdecke in Blumenmuster, etwas Silbergraues, das wie ein Fell aussah. Unwillkürlich ging Angèle darauf zu.

Sie drehte sich zu Mehlen und blickte ihn fragend an. Er kam näher. Angèle fuhr mit der Hand liebkosend darüber, es war ein wundervoller Wildnerz. Sie begriff noch nicht.

»Was ist das?« fragte sie.

Er gab keine Antwort. Aber er war es, der den Mantel nahm, hochhob und ihr mit gebreiteten Armen entgegenhielt.

»Nein, nein!« wehrte sich Angèle.

Er aber legte ihn trotz ihres Widerstandes um ihre Schultern.

»Ach«, flüsterte sie, »erst muß ich doch meinen Mantel ausziehen...«

Sie riß ihn beinahe herunter, warf ihn im Bogen auf einen Stuhl, dann schlüpfte sie langsam, zärtlich in die weiten Ärmel. Und ebenso langsam hüllte sie sich behutsam ein und spürte die köstliche, weiche

Wärme, die sie berührte, die in sie eindrang und ganz von ihr Besitz ergriff.

»Nein, nein«, murmelte sie versagend.

Aber eine schreckliche, eine körperliche, sinnenhafte Freude überfiel sie, während sie sich vorsagte, daß damit nichts entschieden war, daß sie sich anders entscheiden konnte – ach, daß sie Zeit hatte...! Eine lange Weile stand sie da, stumm, wie in Ekstase.

Es war, als wäre Angèle de Viborne trotz ihrer Abwehr, entgegen ihrem eigenen Willen, in eine neue Haut gezogen.

Drittes Kapitel
LES BRISEES HAUTES
Madame Paris

Madame (Apolline) Paris, verwitwete Böck, genannt »Maman Pauline«, glich einem sehr alten Stück Wild.

Es gibt Hirsche im Wald, die niemals aufgespürt, niemals gestellt wurden, bis zum letzten Halali. Irgendein nicht vorauszusehender, wunderbarer Umstand ihres Daseins, den sie mitunter ihren eigenen Fähigkeiten verdanken, ist immer rechtzeitig eingetreten, um ihnen die grausame Hetze der Hunde zu ersparen, die nur den einen Zweck verfolgte: sie zu töten.

Vielleicht war es ein Wunder, aber es war ihr eigenes Verdienst. Ihr Geist und ihr Herz waren nicht verbrauchter als ihr Gemüt, und daraus erklärte sich zweifellos die dauerhafte Jugend ihres Körpers. Sie hatte sich niemals nachgegeben, niemals vernachlässigt, es sich niemals leichtgemacht.

Aber es gibt keine Altersgrenze für das Wild, und die bejahrten Hirsche, die, solid, hart und erfahren, alle Ablenkungsmanöver beherrschen, werden dadurch nur schwieriger und dank ihrer Kraft und Klugheit, ihres Feuers und ihres Mutes lohnender und kostbarer für eine edle Jagd.

Madame Paris hatte niemals daran gedacht, daß eine Frau wie sie eines Tages an Altersschwäche oder an einer Embolie sterben könnte. Sie kannte ihren eigenen Wert auch gut genug, um zu wissen, daß sie die Meute nicht übergehen und irgendwo verenden lassen würde. Seit jeher hatte sie den Augenblick vorausgesehen, da sie sich vor der Nase der Hunde aufrichten mußte, um anständig und nobel ihr Leben zu verteidigen. Trotz dieser Überlegungen aber hatte sie nie geahnt, daß sich die Dinge einst auf solche Weise abspielen könnten.

Sie war mit den Rössern aufgewachsen, und seit sie denken konnte, trug sie den gesunden, ebenso sauberen wie herben Geruch der Pferdeställe in der Nase. Dieser kräftige, unverfälschte Duft hatte ihr ganzes Leben begleitet und mit ihm der Geruch der Männer, denn sie war fast nur mit Männern zusammen gewesen, mit Stallknechten, Reitern, Zirkuskünstlern und schließlich mit ihrem Vater; ihre Mutter hatte sie niemals gekannt. Und sehr jung schon hatte sie sich die freie Art, die derbe Sprache ihrer Umgebung angewöhnt.

Da sie mit den Pferden lebte, fürchtete sie die Tiere nicht. Von frühester Kindheit an hatte sie sich in den Ställen herumgetrieben, ja manchmal zwischen den gutmütig und vorsichtig gespreizten Beinen der Rösser zusammengerollt geschlafen. Ihr Vater dressierte die Pferde für den Zirkus, er konnte gut mit ihnen umgehen, und da er außer der Arbeit nichts als ihre Liebe forderte, die er ihnen selbst rückhaltlos bot, empfing er sie von den Tieren hundertfach zurück.

Damals besaß er eine schöne Zucht, die ein beträchtliches Kapital bedeutete; sechzehn Pferde, davon zwölf Braune gleicher Farbe, mit denen er eine sehenswerte Nummer brachte. Pauline kannte alle und war mit allen befreundet. Aber ihr Liebling war Fanfan, ein gutmütiger, freundlicher Gaul, brav, fleißig bei der Arbeit und so zärtlich, wenn er nach der Vorführung seinen kindlichen Kopf zu der Kleinen neigte und mit der rosigen rechteckigen Zunge zart über ihre Wangen leckte. Er hatte Angst vor seinem eigenen Schatten, deshalb mußte er einen Schutz aus Schaffell an der Trense tragen.

Auf seinem Rücken machte das kleine Mädchen, stolz über die Ehre, die ihr der Vater damit angedeihen ließ, seine ersten Reitversuche.

Sobald Pauline die nötige Größe erreicht hatte, lernte sie auf Pompon im rhythmischen Galopp wie nach dem Takt des Metronoms voltigieren.

Sie ritt auch auf Pimpant und Capucine, aber das waren schon alte Pferde, mit Rücken, breit wie Plattformen; ein bißchen schwer, ein bißchen fett unter dem Kräuselfell. Pauline liebte sie auch, aber ihr Alter bildete eine Schranke; sie waren distanzierter, mehr gönnerhafte Beschützer als Kameraden.

So hatte Pauline einen großen Teil ihres Lebens zu Pferde verbracht, aber ohne aus dem immer gleichen, engen Kreis der Manege herauszukommen, ohne die Freuden der freien Natur, frischer, windbewegter Luft und der Wälder – die alle Düfte verströmen und nicht nur den Geruch nach Leder und Mist – zu kennen.

Sie war sehr bald sich selbst überlassen. Monsieur Paris verschied dreizehn Jahre nach seiner Frau, die bei der Geburt ihres Kindes gestorben war, weil sie durchaus bis zum letzten Moment »arbeiten« wollte. Er hinterließ ihr vierzehn Pferde.

Das heranreifende Mädchen konnte sie nicht behalten. Eine solche Truppe mußte ununterbrochen beschäftigt werden, wenn man sie ernähren wollte, und trotz ihrer Begabung war Pauline zu jung, um ein derartiges Unternehmen zu führen. Monsieur Ranc, der Besitzer des Zirkus bei der Ecole Militaire, mit dem Monsieur Paris damals in Kontrakt gestanden hatte, nahm die Interessen der Minderjährigen wahr. Er verkaufte zwölf Braune zu einem günstigen Preis, legte den Erlös mit drei Prozent an, um einerseits das Vermögen Paulines zu sichern und ihr anderseits doch eine Möglichkeit zur Berufsausübung zu lassen, denn um nichts in der Welt hätte sie ihr Metier aufgegeben. Ihre Glanznummer war damals die Volte mit dem Reifen, die sie mit der noch eckigen Grazie der Halbwüchsigen meisterhaft beherrschte.

Monsieur Paris war es gewesen, der die Wohnung in der Rue de Caulaincourt gemietet hatte, in der ihm kein langes Glück mit seiner Frau beschieden war. So brauchte Pauline nicht nach einem Obdach zu suchen, und die billigen Hotels blieben ihr außerhalb der Tourneen erspart. Im übrigen hielt sie sich vom frühen Morgen an im Zirkus auf. Mit Pepère, wie sie Monsieur Ranc nannte, aß sie das Mittagmahl, das Madame Ranc kochte und in die Manege brachte. Die langen Beine weit von sich gestreckt, die Ellbogen aufgestützt, ließ er sich's zum Entzücken seiner Ehehälfte gut schmecken. Auch Pauline hatte einen kräftigen Appetit, alles war normal an ihr. So bekam sie auch auf die Liebe Appetit, als sie siebzehn war. Die Leute von der Tournee hatten sie gern, und die Männer überschütteten sie mit Aufmerksamkeiten, keiner aber hätte gewagt, ihr etwas anderes als Freundschaft anzutragen. Da, eines Tages, um acht Uhr nach der Arbeit, küßte sie den Jongleur Francinet mitten auf den Mund und forderte den völlig fassungslosen Burschen auf: »Nimm mich!«

Und da er zögerte, wiederholte sie:

»So nimm mich doch, du Idiot!«

Sie war Jungfrau gewesen. Das bedrückte ihn, und als er sie eine halbe Stunde später zärtlich streichelte, fragte er befangen:

»Was werden wir jetzt machen?«

»Nichts«, sagte sie. »Noch einmal, wenn du Lust hast.«

»Aber«, stotterte er, »ich weiß nicht, ob du dir klar bist... du bist sehr jung, und für mich ist das eine... Verantwortung...«

»Dummkopf«, sagte sie, »wo ich es doch gewollt habe.«

»Aber warum?« fragte er.

»Weil du noch der beste von allen bist«, erklärte sie.

Er war geschmeichelt, aber nicht beruhigt. Er war ein braver Junge mit unerhört geschickten Händen, aber nicht sehr flinkem Verstand. Er ging heim und sagte sich vor, daß Monsieur Rancs Mündel seine Geliebte, daß sie es ganz unvermutet und ohne alle Umstände geworden war, was ihm das Allerunglaublichste an der Geschichte schien, und das eben gefiel ihm nicht. Die Sache würde ruchbar werden. Wie stand er dann da? Es war besser, selbst die Initiative zu ergreifen. Er suchte Ranc auf und gestand ihm alles.

Pepère bekam einen heidenmäßigen Zorn. Francinet hatte die Unschuld eines Kindes geschändet, und zu welchem Zweck! Das hatte er gewagt...!

So weit hatte Francinet in seiner kindlichen Einfalt nicht gedacht, und das aus gutem Grund. Er fiel aus allen Wolken und verzog sich wortlos. Er war fest entschlossen, Pauline aus dem Weg zu gehen, die er offensichtlich aus unaussprechlichen, schandbaren Motiven verführt hatte, während sich Pepère zu der Sünderin begab.

Er leitete das Verhör in der klassischen Form ein:

»Was muß ich hören? Francinet ist bei mir gewesen. Ist das möglich, daß du und er ... ihr beide ...?«

»Ja, freilich«, nickte sie.

»Du leugnest es nicht einmal, du ...!«

»Aber Pepère, ich bin siebzehn Jahre alt.«

Er starrte sie an, mit rotem Gesicht, als wäre er knapp vor dem Schlagtreffen, sie aber sah nur die komische Seite seines Zorns:

»Francinet hat dir das erzählt? Warum? Er ist ein Idiot!«

»Er will dich heiraten!«

»Um Gottes willen, nein!«

»Aber dann, warum ...?« stotterte er fassungslos.

»Warum? Aber, Pepère, sehr einfach, ich habe Lust gehabt, die Liebe kennenzulernen!«

Rancs Stimme überschlug sich:

»Was, du traust dich ... du verdorbenes Ding ...«

»O nein«, sagte sie arglos und unbefangen, »die Zeit ist gekommen. Wenn nicht Francinet, wäre es eben ein anderer gewesen.«

»Du Unglückselige ...!«

»Weder unglückselig noch glückselig«, sagte sie, »nur gebunden.«

»Du liebst ihn!«

Jetzt lachte sie laut auf:

»Wirklich, Pepère, du verstehst mich nicht. Laß mich dir doch erklären ...«

»Du wirst ihn nicht wiedersehen. Ich verbiete dir ...«

Sie ging zu ihm hin, ergriff seinen Arm und streichelte seine Wangen, denn sie hatte ihn sehr gern:

»Nein«, sagte sie, »nicht sofort. Außerdem hätte das gar keinen Sinn, weil ich mir dann einen anderen suchen müßte. Francinet ist ein Trottel, und ich werde ihm die Sache schon auseinandersetzen. Er hat bestimmt nur aus Gewissensbissen von Heirat gesprochen.«

»Oder aus Interesse!«

»Der arme Junge! Mein Gott, was würde ich ihm schon in die Ehe bringen außer Ärger und der Sicherheit, daß ich ihm nicht treu sein werde, denn er ist ja mein erster!«

»Ah«, knurrte Ranc, »wenn dich dein Vater hörte!«

»Das würde nichts ändern. Ich habe dir gesagt, warum ich es getan habe, Pepère. Es wäre auf jeden Fall geschehen, ob mein Vater nun lebt oder nicht. Ich glaube, daß es sich bei allen Mädchen genauso abspielt, nur mache ich mir nichts vor und dramatisiere die Geschichte nicht.«

»Und wenn du ein Kind von ihm bekommst?«

»Doch nicht von Francinet!«

»Großartig! *Wenn* du aber eines kriegst?«

»Das würde mich wundern«, sagte sie, ließ seinen Arm los und lief lachend aus dem Zimmer.

Er sah ihr mit offenem Mund nach, er fand keine Worte. »Du Luder!« rief er, als er sich endlich gefaßt hatte, aber ohne rechte Überzeugung, und außerdem war sie schon draußen und hörte ihn nicht.

So mußte sich Pepère, ebenso wie die ganze Umgebung, an ihr freies Leben gewöhnen und wie sie die Dinge einfach und unkompliziert betrachten. Sie liebte die Liebe um der Liebe willen, bar aller Romantik, was bei einem so jungen Mädchen gewiß eine Seltenheit war. Für das Gefühl hatte sie die Pferde. Sie bekam kein Kind, weil sie keines wollte; erstens einmal, weil ihr keiner der Männer, denen sie begegnete, die Eigenschaften zu besitzen schien, die sie für den Vater ihres Sohnes oder ihrer Tochter verlangte – sie wartete ihre Stunde ab –, und zweitens, weil ihr ein Kind eine Fessel im Beruf bedeutet und sie zu einer Unterbrechung ihrer Arbeit gezwungen hätte. Erst viel später, als sie den Grafen M. kennenlernte und sich in ihn verliebte, faßte sie mit ihrer gewohnten Zähigkeit ihren Entschluß.

Sie war damals dreißig Jahre alt und durchaus nicht auf ein sentimentales Abenteuer erpicht. Wenn sie mit einem Mann beisammen war, dann kümmerte sie sich um ihn, betreute und verwöhnte ihn mit der Mütterlichkeit, die unbewußt im Grunde ihres Wesens schlummerte.

Sie liebte den Grafen nicht wegen seines Adels, sondern um seiner selbst willen. Ganz gewiß imponierte ihr auch sein Name, der ganz anders klang als die Namen der Männer, mit denen die Zirkusreiterin sonst zu tun hatte. Er war groß und sportlich, ohne Dünkel trotz seines Monokels, und ein blendender Reiter. Das hatte ihr sofort Eindruck gemacht, als sie ihn bei dem mondänen Reit- und Springturnier Molier kennenlernte. Sie hatte ihm gratuliert, als er abgesessen war, und war dann bis zum Ende der Vorführung in seiner Gesellschaft geblieben.

Auch Angèle hatte sich ganz ähnlich von heute auf morgen in Monsieur de Viborne verliebt. Und war Angélique nicht bereit gewesen, sich einem Reiter hinzugeben, der ihrem Vater glich, wie dieser Vater in vielem jenem Grafen M. geähnelt hatte? Drei Frauen gleichen Blutes und drei wesensgleiche Männer. Instinkt? Erziehung? Wahrscheinlich beides zusammen.

Sie wurde sofort seine Geliebte. Er verhehlte nicht, daß er sie begehrte, und er gefiel ihr. Vorher aber, am selben Abend noch, sagte sie zu Delfino, dem Taschenspieler des Zirkus:

»Mein lieber Philipp, es ist aus zwischen uns.«

Worauf Philipp eine große Szene zelebrierte. Er sprach von Mord und Selbstmord. Sie packte ihn beim Arm, schüttelte ihn:

»Jetzt hältst du den Mund, oder du kriegst es mit mir zu tun!«

Sie kehrte ihm den Rücken und ließ ihn stehen. Dann ging sie aus dem Haus, nachdem sie rasch im Telefonbuch nachgesehen hatte:

»Comte de M., 37 c, Rue de Chanaleilles.«

Sie fuhr geradewegs hin. Es war ein Stadtpalais. Sie läutete, es war halb elf Uhr, und es dauerte lange, bis geöffnet wurde. Ein mürrischer Diener stand vor ihr:

»Sie wünschen?«

»Monsieur de M.«

Er maß sie von Kopf bis Fuß. Die Eskapaden seines Herrn waren ihm nicht unbekannt, er fürchtete einen Skandal.

»Die Frau Gräfin ist allein daheim.«

»Ah, er ist verheiratet?!« rief sie unbedacht.

»Haben Sie das nicht gewußt?« feixte der Diener. »Hat er Ihnen das verheimlicht?«

»Ich bitte Sie, Ihre Bemerkungen bei sich zu behalten, lieber Freund«, erklärte sie von oben herab.

»Darf ich dem Herrn Grafen ausrichten, wer ihn zu sprechen wünschte?« lächelte der Diener ironisch, denn er erwartete irgendeinen alltäglichen Namen.

»Die Prinzessin Cavalle!« warf sie ihm hin, denn so hatte Armand de M. sie bewundernd genannt. Dem Mann blieb der Mund offenstehen:

»Bitte ... Frau Prinzessin ...«, stotterte er. »Ich werde es ihm melden, Frau Prinzessin ... Aber vielleicht wollen Frau Prinzessin mit der Frau Gräfin sprechen?«

»O nein«, antwortete Pauline hoheitsvoll, »bei unseren Besprechungen kann ich sie nicht brauchen.«

Und plötzlich fiel ihr ein: Die Zeitungen hatten von einem Diner bei Maxim geschrieben, an dem die Spitzenreiter des Turniers Molier teilnehmen würden. Armand konnte sich nur dort befinden. Sie rief einen offenen Fiaker an und ließ sich in die Rue Royale fahren.

»Warten Sie hier«, sagte sie zum Kutscher, und zu dem Boy, der herbeigelaufen kam: »Geh in den Saal und hol den Grafen M. Du kennst ihn doch?«

»Natürlich«, antwortete der Junge.

»Gut. Sag ihm, daß draußen die Prinzessin Cavalle auf ihn in einem Fiaker wartet.«

»Verlassen Sie sich auf mich«, sagte der Junge, »ich mach' es ganz diskret.«

»Ob diskret oder nicht, ist mir egal. Hauptsache, daß er kommt.« Und sie drückte ihm drei Francs in die Hand.

»Um das Geld bring' ich Ihnen Edward VII. heraus!« schrie der Junge.

So holte sie sich ihren Grafen, und als er fragte, wohin er sie führen sollte, sagte sie: »Ins Hotel.« Um zwei Uhr morgens stand sie zu seiner Verwunderung auf:

»Jetzt mußt du nach Hause gehen, weil du verheiratet bist.« Und als er protestierte, fügte sie hinzu: »Nein! Ich nehme deiner Frau gerne weg, was du ihr nicht gibst, aber sonst nichts.«

Sie liebte ihn. Und er sie auch. Die Liebe war ihr immer ein Genuß gewesen, seit sich ihr Körper an sie gewöhnt hatte, niemals aber hatte sie sich so glücklich gefühlt wie mit diesem Mann.

Sie war schön, und er war stolz auf sie. Er hätte sie gerne in mondäne Lokale geführt oder zum Reiten in das Bois mitgenommen. Aber sie lehnte es ab. Unbeschadet, wie er es mit seinen früheren Freundinnen gehalten hatte, wollte sie sich nicht öffentlich mit einem verheirateten Mann zeigen, das verbot ihr der Anstand. Sie erlaubte ihm nicht, in den Zirkus zu kommen, aus Aberglauben wünschte sie, daß ihr Verhältnis geheim bleibe, daß niemand außer ihnen davon erfuhr. Ihrer Meinung nach geriet ihre Liebe in Gefahr, sobald sie publik wurde.

Pepère sagte·

»Pauline bessert sich. Sie hat keinen Freund in der Truppe.«

Aber die Männer ließen sich nicht täuschen: Es sprang in die Augen, das Mädchen war verliebt. Und aus Instinkt ließen sie Pauline, wenigstens vorübergehend, in Ruhe, weil sie wußten, daß sie unerreichbar war.

Zu Beginn des Sommers 1911 merkte sie, daß sie ein Kind erwartete. Der Graf reiste am 12. Juli wie alljährlich auf sein Gut nach Mesnac in der Charente, wo er den Sommer verbrachte. Sie wußte es bereits Anfang des Monats, aber sie sagte ihm nichts vor seiner Abfahrt.

Sie trafen sich am Abend vorher in dem kleinen Absteigequartier in Monceau, das er für sie gemietet hatte, und sie schien ihm nicht anders als sonst, vielleicht noch hingebender, noch zärtlicher, aber das schob er auf das Konto der bevorstehenden Trennung.

Als er im Zug saß, kehrte sie in die ebenerdige Wohnung zurück und packte ihre Sachen zusammen: den eleganten Schlafrock, den sie trug, um Armand zu gefallen, die roten Pantoffeln, die an ihren Zehen wippten, wenn sie nebeneinander auf dem Palisanderbett saßen. Dann verfaßte sie einen mehrere Seiten langen Brief, den sie ihrem Freund postlagernd nach Cognac schickte, von wo er ihre Nachrichten, wie verabredet, regelmäßig abholte. Als dies geschehen war, gab sie der Hausbesorgerin die Schlüssel des Appartements zurück.

Sehr zart, sehr innig, schrieb sie ihm, daß alles aus zwischen ihnen sei, ohne auch nur anzudeuten, wo der eigentliche Grund der Trennung lag. Sie hatte zwischen dem Freund und dem Kind zu wählen und zögerte keinen Augenblick, obwohl sie genau wußte, was sie aufgab: Das Kind mußte ihr allein gehören. Jedem das Seine, sagte sie laut und zog einen Strich unter diese Liebe, die sie noch vor acht Tagen beglückt und beseligt, die aber nun jede Bedeutung eingebüßt hatte. Etwas Größeres, Wichtigeres war an ihre Stelle getreten.

Sie unterzeichnete einen Vertrag, ging ins Ausland und verließ den untröstlichen Pepère. Acht Monate später schrieb sie ihm aus Brüssel, daß sie eine Tochter geboren und sie Angèle getauft habe. Da sie ihm nicht verriet, wer der Vater war, fragte er nicht danach.

Armand de M. war tief gekränkt, bemühte sich aber trotzdem, die Freundin wiederzusehen, die ihm so unvermutet den Abschied gegeben hatte. Im Zirkus bei der Ecole Militaire erfuhr er, daß sie »auf Tournee« sei und keine feste Anschrift hinterlassen habe. Er schrieb an verschiedene Adressen, erhielt aber keine Antwort. Gut, es war ihm eine Lehre: Als Ehemann mußte er sich eben mit bedeutungslosen Eintagsfreundinnen begnügen. Er konnte zwar die Leidenschaft, das Feuer, die liebevolle Zärtlichkeit Paulines nicht so bald vergessen, doch war, ihrem Willen entsprechend, alles wieder ins richtige Gleis gekommen.

Nun füllte Angèle das Herz Paulines vollständig aus. Die Frau, die so vielen Männern gehört hatte, besaß auch weiterhin ihre Freunde, aber sie schickte sie fort, wenn sie nicht mehr gebraucht wurden. Alle ihre Gedanken gehörten ihrer Tochter, und wenn sich manchmal ein gekränktes männliches Wesen darüber beschwerte, dann machte sie ihm sehr schnell und sehr entschieden ihren Standpunkt klar.

Viele Jahre mußten vergehen, und das Schicksal Angèles mußte bereits gesichert sein, ehe Madame Apolline Paris – außer ihrer Ehe mit dem holländischen Reitlehrer Böck, die sie vor allem um das Ansehen ihrer Tochter willen eingegangen war – wieder mit einem Mann im gemeinsamen Haushalt lebte. Aber Angèle brauchte mit niemandem zu teilen, niemand konnte sie ihrer Mutter ersetzen, wenn sich Madame Paris auch das Alleinsein abgewöhnt hatte. Sie nahm einen Mann aus eindeutigen Gründen, die nichts mit dem Gefühl gemein hatten, das sie allein ihrer Tochter bewahrte, bei sich auf. Die Wohnung in der Rue Caulaincourt wäre trostlos öde gewesen, nachdem Angèle Madame de Viborne geworden war; und so gab es einen Francœur, dann einen Denoisy und schließlich einen Jules, und Jules war es, der eben jetzt eintrat, während Madame Paris am Fenster saß, gedankenvoll hinunter auf die Straße blickte und, wie wenige Tage zuvor ihre Tochter Angèle, ihr Leben vorbeirollen ließ, das die Hunde wie durch ein Wunder noch nicht aufgespürt hatten. Ja, es war Jules, nichts Besonderes, das wußte sie genau, aber unentbehrlich geworden durch die verrinnenden Jahre, die Gewohnheit, auch durch das Alter; und morgen oder übermorgen, wenn Angèle wieder ihren Schlupfwinkel verließ, um sich draußen in der langen Jagd zu wehren, würde sie ihn noch mehr brauchen als zuvor.

II

Denn Madame Paris wußte genau, was Angèle de Viborne, ihre Tochter, erwartete, und glaubte, daß es nur diese eine Jagd war, in die sie eingreifen mußte. Sie zerbrach sich schon den Kopf, wie sie den »Wechsel« bewirken und versuchen konnte, die anderen, inzwischen noch nicht von den Hunden gehetzten Tiere in die Fährte zu treiben und von der Meute verfolgen zu lassen, um damit ihr eigenes Kind zu retten. Madame Paris ahnte noch nicht, daß sie selbst sich zur gleichen Zeit gegen die Hunde würde verteidigen müssen, und unter welch unvorhergesehenen, schrecklichen Umständen!
Jules kam heim. Er hängte seinen Überzieher, seinen dicken Wollschal, den sie gestrickt hatte, auf den Kleiderhaken des Vorzimmers. Er pfiff vor sich hin, während er den Knoten seiner Krawatte vor dem geschliffenen Spiegel über dem schmiedeeisernen Schirmständer festzog. Er kam mit seinen Zeitschriften unter dem Arm zu ihr herein.
Der ehemalige Platzanweiser ging auf sie zu, küßte sie auf die Stirn und sprach von alltäglichen Dingen, die ihn beschäftigten:
»Ich hab' alles bestellt, der Metzger hebt dir zwei schöne Stück Kalbsleber auf... Du, eine Neuigkeit! Stell dir vor: François Périer und Fresnay werden gemeinsam in einem Stück auftreten...!«
Pauline hörte ihn reden. Es war alles so natürlich, so gewohnt, so beruhigend, daß es die dumpfe Angst beschwichtigte, die an ihr nagte. Der Tag verlief wie immer, ohne Aufregungen, und es würde – nicht wahr? – bis zum Ende so weitergehen.
Was bedeutete ihr Jules? Oh, viel mehr als eine bloße Gewohnheit. Vor allem einmal: Er war ein Mann, was an und für sich schon einen

Triumph bedeutete; ein Mann, der zehn Jahre jünger war als sie. Ein Mann, der bei ihr lebte, bei ihr blieb, der gar nicht daran dachte, sie zu verlassen, ein Mann, den sie brauchte, wie sie früher ein Kind gebraucht hatte.

Jules war da, er klopfte kurz seine Pfeife im Aschenbecher aus. Alles war in Ordnung. Pauline konnte sich weiterhin mit den Problemen beschäftigen, die sie bedrückten und wo es einzugreifen galt.

Das Ganze hatte an dem Tag begonnen, als sie Patrice de Viborne besucht hatte. Bei seinem Erscheinen hatte sie gewußt, daß etwas Entscheidendes bevorstand und daß es einen sehr gewichtigen Grund haben mußte, wenn er sie überraschend nach achtzehn Jahren aufsuchte.

Sie hatte somit aus Patrices eigenem Mund gehört, was er plante, und das ohne Floskeln, in der nüchternen Sprache, die man bei ihm gewohnt war.

Gewiß, die Lage war ernst, es war nötig, daß Monsieur de Viborne Mittel und Wege fand, das Gut und die Meute zu erhalten, die das Salz und zweifellos der einzige Inhalt seines Daseins bildeten. Aber schließlich gab es auch Angèle; Angèle, die er zwang, ihr Leben entscheidend zu ändern. Wahrscheinlich dachte er: Wenn sie Mehlens Gattin ist und ich, den sie liebte, gestorben bin, dann wird sie mir endlich wirklich treu sein.

Das erriet Madame Paris hinter seinen Worten, wenn er es auch nicht aussprach.

Und alles war genau nach seinem Plan geschehen. Die Hausbesorgerin hatte Jules das Telegramm ausgehändigt, und er hatte es natürlich beim Hinaufgehen geöffnet. Ein tödlicher Unfall! (Das mußte einem solchen Mann passieren!) Eine ganz große Neuigkeit, die er hinaufbrachte und die es auszukosten galt: Gesprächsstoff für Tage! Gar nicht zu reden von der Aufregung, den bühnenmäßigen dramatischen Szenen mit den so verschiedenartigen Hauptdarstellern, Madame de Viborne, Angélique, Enguerrand, Lambert und dazu er selbst in der Rolle des Vertrauten!

Wortlos überreichte Jules die Depesche. Madame Paris fand ihre Brille nicht. Sie suchte sie vergeblich auf der Anrichte, auf dem kleinen Tisch, unter den Zeitungen.

»So lies es mir doch vor, Jules!«

Aber Jules schwieg. Das Lesen schien ihm schwierig, unmöglich, sie mußte wiederholen:

»Aber, zum Teufel, ist es denn so ernst? Angèle...?«

Er schüttelte den Kopf: Nichts mit Angèle.

Überflüssig also, sich aufzuregen. Immerhin, die Kinder...?

Nein, nein, nichts mit den Kindern.

Nun, dann konnte es nichts Schlimmes sein. Die alte Dame fand glücklich ihre Brille, weil sie jetzt ruhig war. Sie setzte sie umständlich auf.

»Also hat er es wirklich getan«, murmelte sie erschüttert und ließ die Hände sinken.

»Du bist ja gar nicht überrascht!«

»Aber natürlich«, widersprach sie, und leise fügte sie hinzu: »Der arme Mensch...«

»Du wirst hinfahren müssen«, meinte Jules.

»Hast du denn das Telegramm nicht gelesen? Heute vormittag ist das Begräbnis. Verbinde mich mit dem Telegrafenamt, Nummer 14, bitte!«

Er ging zum Telefon. Beim Abheben sagte er:

»Immerhin sonderbar, daß dich Enguerrand nicht angerufen hat. Er muß es doch gewußt haben. Er ist sicher nach La Gardenne gefahren und hätte dich mitnehmen können.«

»Das wollte sie wahrscheinlich nicht. Angèle hat ihm bestimmt ausdrücklich verboten, mich hinzufahren.«

»Deine Tochter hat ihm also gesagt: Ich werde mit allem allein fertig. Das ist doch nicht in Ordnung!«

»Ich denke schon. Und ich habe meine Gründe.«

»Ich werde niemals verstehen...«

»Niemals«, bestätigte Madame Paris.

So fand Angèle nach ihrer Rückkehr vom Friedhof das Telegramm ihrer Mutter vor. Sie wäre auch ohne diese Aufforderung zu ihr gefahren, es war keine formelle Einladung nötig. Auch keine Erklärungen über das Geschehene, als sie sich in der Wohnung der Rue Caulaincourt gegenübersaßen. Nur wenige Worte:

»Patrice war zwei Tage vor der Jagd bei mir.«

»Also wußtest du es?«

Ein stummes Nicken und die Geste, die Angèle seit ihrer Kindheit kannte, der mütterliche Arm um ihre Schulter, die liebkosende alte und doch so weiche Hand. Dann, nach und nach:

»Ich habe mit Hubert gebrochen. Ich habe Patrice versprochen, Mehlen zu heiraten... Ich verzichte also auf alles... Du kannst ermessen, was mir nun bevorsteht. Mama, Mama, ich weiß nicht, ob ich den Mut aufbringe. Jetzt fängt erst alles an...!«

Ja, das wußte Madame Paris, und sie mußte auf der Lauer liegen, im Dunkeln, um Angèle auch vor den Hunden zu bewahren.

Nach außen hin schien sie untätig, aber alle ihre Fibern waren gespannt. Sie würde kämpfen, auf ihre Art kämpfen, natürlich ohne daß Angèle es ahnte.

Beobachten, hören. Erraten, verstehen. Verstehen vor allem, bevor Angèle es noch selbst verstanden hatte.

Die größte Gefahr bildete Mehlen. Die schwerste Gefahr.

Kaum war Madame Paris allein, stürzte sie zum Telefonbuch. Oh, jetzt brauchte sie ihre Brille nicht, um zu finden, was sie suchte. Dabei war es gar nicht so leicht. Es gab viele Doissel, sogar eine ganze Reihe, deren Vorname mit H anfing: Henri zum Beispiel oder Hector oder Hilaire. Aber sie brauchte Hubert oder vielmehr...

»Ist dort Hubert Doissel?«

Ja, endlich.

»Ich möchte mit seiner Mutter sprechen.«

»Madame meint Madame Dervais? Madame kommt erst zum Abendessen heim. Darf ich etwas ausrichten?«

»Danke, nein. Ich rufe nochmals an.«

Abends – unmöglich. Da saß die Familie, die das Auto aus La Gardenne gebracht hatte, bei Tisch, zwei Meter vom Apparat entfernt; da saßen Angèle, die jetzt zwar ausgegangen, aber bis dahin bestimmt zurück war, und der kleine Lambert; während sich Angélique wieder in ihrem Kloster und Enguerrand in seinem Studentenhotel am linken Seineufer befanden.

Sieben Uhr: Angèle kam nicht heim. Sie hatte sich bei Mehlen verspätet, den sie aus sehr gewichtigen Gründen hatte aufsuchen müssen. Sinnlos, Madame Dervais früher als vor einer halben Stunde anzurufen.

Halb acht Uhr!

Lambert saß unlustig herum und wußte nichts mit sich anzufangen.

»Willst du mir eine Gefälligkeit erweisen, Herzchen?«

»Ja, Großmutter.«

»Unten auf dem Platz ist ein Feinkostladen. Kannst du mir fünf Scheiben Schinken heraufbringen?«

»Das weiß ich nicht.«

Freilich, dieser Junge war in La Gardenne aufgewachsen und hatte noch niemals in einem Feinkostladen eingekauft!

»Aber natürlich. Pariser Schinken. Fünf schöne Scheiben. Da hast du Geld. Und du kannst ein bißchen unten bleiben, dir die Geschäfte anschauen. Morgen darfst du dann in der Gasse spielen, du brauchst nicht die ganze Zeit eingesperrt zu sein.«

Kaum war er bei der Türe draußen, rief sie an. Sie hielt die Hand vor den Mund, wie sie es früher in der Kindheit Angèles getan hatte, wenn sie mit einem Freund telefonierte. Trotz des ernsten Augenblicks fühlte sie ein angenehmes Prickeln bei dieser Heimlichkeit. Endlich eine Stimme:

»Sie wünschen, bitte?«

»Ich bin die Mutter Madame de Vibornes. Ich glaube, wir müßten uns treffen.«

Henriette, die seit vorgestern auf alle mögliche Weise die Marquise zu erreichen getrachtet hatte, Henriette, deren Sohn verzweifelt nach Paris zurückgekehrt und dessen Algerien-Projekt ihr bekannt war, spürte bei diesem Anruf die Hand der Vorsehung, an die sie in dem wechselvollen Ablauf ihres Lebens kaum mehr zu glauben wagte. Da hörte Madame Paris die Wohnungstür gehen. Wer war es? Bestimmt Angèle, die von Mehlen zurückkam. Hastig flüsterte sie in den Apparat:

»Sagen Sie mir eine Zeit!«

»Ich bin um halb zwölf mittags in der ›Régence‹, Sie wissen ja, auf dem Platz des Théâtre-Français...«

Lambert und hinter ihm Jules, jeder seine fünf Schnitten Schinken in der Hand, traten ein. Beide packten ihren Einkauf aus und blickten erstaunt auf die Schüssel, auf der die gleiche Ware lag.

Madame Paris hängte ab und bedachte zu spät, daß sie Madame Dervais ja gar nicht kannte, wie sollte sie die Frau finden?

»Wer war es denn?« fragte Jules arglos.

Schuldbewußt antwortete sie:

»Meine Schneiderin... du kennst sie ja, Marguérite...«

Aber Jules dachte schon an etwas anderes, der Schinken lenkte ihn ab:

»Du hast Lambert hinuntergeschickt? Hast du vergessen, daß du es mir aufgetragen hast?«

»Tatsächlich!«

»Was machen wir jetzt damit?«

»Aufessen.«

»Morgen ist er zäh wie Karton.«

»Dann werfen wir ihn oben weg.« Dabei dachte sie: Was geht dich das an? Zahlst du ihn vielleicht?

Wie kleinlich und banal war das alles, wo sie doch im Schatten so ganz anderer Probleme stand! Wo Angèle bei Mehlen war, wo sie so schnell als möglich mit Hubert Doissel über die Vermittlung seiner Mutter in Verbindung kommen mußte, weil Hubert Doissel der Gegenspieler, das Gegengift war – denn was gilt ein Versprechen, ein Eid vor dem unendlich stärkeren Leben?

»Ein Viertel vor acht. Deine Tochter ist nicht zu Hause?«

Jules entkorkte eine Flasche, holte sich ein Gläschen aus der Küche, goß den Likör ein, gustierte ihn liebevoll, leckte sich zufrieden die Lippen. Madame Paris schaute ihm zu, und es schockierte sie nicht, es stieß sie nicht ab. Jules war Jules und nichts anderes. Unentbehrlich, aber nichts anderes als Jules. Er war der Beweis, daß ihr Leben noch nicht beendet war, er war zweifellos ihr letzter Freund, und trotzdem Jules, Jules, geliebt, verwöhnt, nicht weil er Jules war, sondern weil er dasselbe darstellte, was Hubert für Angèle bedeutete.

»Komm, gehen wir zu Tisch. Sie hat sich eben verspätet. Lambert ist hungrig, und außerdem muß er nach einem solchen Tag früh zu Bett.«

Sie aßen schweigend. Gleich nach dem Dessert ging Lambert hinüber in das Wohnzimmer, wo sein Bett stand, während Jules nach seiner Gewohnheit noch eine Weile mit aufgestützten Ellbogen sitzen blieb.

Jules schlürfte behaglich seine Tasse Tee mit den drei Stück Zucker, die Gedanken Maman Paulines aber beschäftigten sich intensiv mit Mehlen, mit Doissel, mit dieser Madame Dervais, die sie morgen treffen sollte, und auch mit den anderen, die sie liebte: mit Angélique, die, kaum angekommen, schon wieder in ihr Kloster zurückdrängte, mit Enguerrand, der von seinem inneren Feuer verzehrt wurde... und auch mit Lambert. Schlief er? Dachte er an das Begräbnis von heute früh? An den Tod seines Vaters? Woran dachte Lambert? Lambert, den sie einmal, als er wegen des Zahnarztes bei ihr übernachtete, gefragt hatte, was er tue, wenn er im Bett nicht schlafen könne? Und der unschuldig geantwortet hatte:

»Ich streichle mich.«

III

Vom nächsten Tag an überstürzten sich die Ereignisse. Das Problem war klar und einfach: Angèle mußte vor den anderen, aber auch vor sich selbst gerettet werden. Monsieur de Viborne war ruhig gestorben: Fromme Lügen sind zuweilen nötig, und sei es nur, um eines leichteren Sterbens willen. Nach Ansicht Maman Paulines aber mußten alle Skrupel vor der einzigen gültigen Kraft fallen: dem Leben.

Madame Dervais war in der ›Régence‹. Madame Paris hatte sich über ihr gegenseitiges Erkennen ganz überflüssigerweise den Kopf zerbrochen, denn sie erkannte sie schnell. Binnen drei Minuten waren sie sich einig – zwei Komplicen, froh, einander gefunden zu haben. Jede von beiden dachte nur an ihr Kind, und nun ergab sich der glückliche Umstand, daß die Lösung – eine Lösung, die sie beide vereinigte – den beiderseitigen Interessen diente.

»Ich werde auf dem Gehsteig vor Ihrem Haus auf sie warten.«

»Gut. Aber kein Wort, daß wir uns getroffen haben!«

»Natürlich nicht. Ich werde mit ihr sprechen. Ich bringe sie so weit, daß sie meinen Sohn wiedersieht.«

»Sie muß einfach ja sagen, wenn sie erfährt, was Sie mir eben erzählt haben. Dieser Kindskopf darf nicht durchbrennen«, erklärte Madame Paris im Brustton der Überzeugung. Sie war sich völlig klar, was ihn einzig und allein umzustimmen vermochte.

Angèle war spät heimgekommen, und Madame Paris hätte gern gewußt, wo sie des Abends gewesen war und wo sie gegessen hatte. Angèle hatte Mehlen am Nachmittag getroffen, aber heute, am Tag des Begräbnisses, konnte schließlich noch nichts Endgültiges vereinbart worden sein!

Am nächsten Morgen war Madame Paris nach einer fast schlaflosen Nacht – so viele Dinge gingen ihr durch den Kopf – früh aufgestanden; sie mußte den Haushalt besorgen, ehe sie sich zum Rendezvous mit Madame Dervais begab. Um zehn Uhr war sie weggegangen, ohne ihre Tochter gesehen zu haben.

»Ich störe sie nicht. Bring ihr den Kaffee hinein, Jules, aber erst, wenn sie ruft.«

Bei ihrer Rückkunft war Angèle wach und angekleidet, aber sie saß untätig im Lehnstuhl beim Fenster, und dort blieb sie auch. Gedankenlos irrte ihr Blick hinaus auf die Straße, über die zwischen zwei Häusern sichtbare Linie der fernen Vorstadt; alles Leben schien aus ihr gewichen.

Das beunruhigte Madame Paris keineswegs; es war die Pause, die nötige Entspannung. Angèle grübelte nicht; und das war ein gutes Zeichen! Vor allem nichts fragen! Alles Nötige war in die Wege geleitet. Jetzt hieß es nur warten.

Und Angèle blieb dort sitzen, nicht entkräftet und schlapp, aber abwesend. Das hielt drei Tage an. Am zweiten allerdings bemerkte Madame Paris an gewissen Anzeichen, daß sie wieder zu denken begann. Ihre inneren Kräfte regten sich allmählich nach dieser erzwungenen Rast, die ihre Mutter um nichts in der Welt gestört hätte. Aber trotzdem: Es gab eine Henriette Dervais!

Henriette war da. Entweder auf dem Gehsteig oder in dem kleinen Bistro an der Ecke. Madame Paris bemerkte sie durchs Fenster. So oft es möglich war, lief sie mit einer Ausrede hinunter.

Sie begrüßten sich nicht. Henriette entfernte sich, und Madame Paris folgte ihr, rechts und links nach Lambert ausspähend, den sie zum Spielen hinuntergeschickt hatte. Henriette Dervais bog in eine Nebengasse ein, und dort erst sprachen sie miteinander:

»Nichts Neues? Geht sie aus?«

»Es kann ihr jeden Moment einfallen.«

»Aber wenn ich noch lange warten muß, was geschieht dann? Denken Sie an Hubert!«

»Freilich, aber ich kann ihr doch schließlich nicht verraten, daß Sie draußen Posten stehen!«

»Gibt es denn gar keinen Vorwand, sie herunterzuholen? Was sollen wir tun?«

»Warten!«

»Das tue ich schon einen Nachmittag, einen Vormittag und fast noch einen zweiten Nachmittag lang!«

»Glauben Sie mir, Sie brauchen nur wegzugehen, und schon ist sie unten.«

»Und wenn es eine Woche dauert?«

»Aber nein, um Gottes willen! Angèle ist nicht krank. Sie muß nur wieder zu leben beginnen, das ist alles.«

Und mit diesen Worten drückte Madame Paris ihre tiefste Überzeugung aus. Ja, Angèle mußte wieder beginnen, und das war nur mit Huberts Hilfe möglich.

Ein weiterer Tag verrann. Das Warten nahm groteske, fast demütigende Formen für Henriette an.

Madame Paris fragte ihre Tochter nichts, aber am dritten Tag begann Angèle halblaut, wie zu sich selbst, zu sprechen. Sie schilderte ihren Besuch bei Mehlen und erzählte haarklein, was sie besprochen hatten. Das Zusammentreffen mit Hubert wäre also nicht gar so dringend gewesen, wenn sich dieser dumme Junge nicht die hirnverbrannte Idee mit Algier in den Kopf gesetzt hätte.

Der vierte Tag begann, und Madame Dervais hatte ihr Postenstehen satt. Die ganze Diplomatie Madame Paris' war nötig, um sie zum Ausharren zu bewegen. Es gelang ihr nur, weil sie die Zusicherung geben konnte, daß Angèle noch den ganzen Tag eingeschlossen bleiben und erst am nächsten Tag ausgehen werde, was Henriette ein paar Stunden von ihrer Wache befreite.

Angèle sprach, und ihre Mutter verließ sie keinen Augenblick. Sie hörte ihr zu und wagte weder eine Entgegnung noch einen Ratschlag. Das Bekenntnis mußte von Angèle selbst kommen. Und nach und nach erfuhr ihre Mutter alles. Alles bis auf den Abend in der »Mutualité« mit der Rede Enguerrands. Aus einer unbewußten Scheu verschwieg sie ihr es, ebenso wie sie es Enguerrand verschwiegen hatte.

Der fünfte Tag begann, und Mehlen hatte noch kein Lebenszeichen gegeben. Es war also zu überlegen, ob Angèle in der Rue de la Faisanderie anrufen oder weiter warten sollte. Vielleicht erfuhr sie etwas aus La Gardenne. Sie telefonierte mit Euloge im Schloß.

Zu ihrer Verwunderung mußte Angèle feststellen, daß sie an Mehlen dachte, daß sie sich fragte, was er anstelle, wo er sich aufhielt, und daß sie sich mehr den Kopf darüber zerbrach, was aus ihm geworden war, als darüber, was er eigentlich für sie unternommen habe. In den fünf Tagen, die Angèle von der Außenwelt abgeschlossen war – von Enguerrand, der sich nicht meldete, von Angélique, die sich freiwillig im Kloster einsperrte, von Mehlen, ja, wirklich, auch von Mehlen –, hatte sie sich allmählich erholt und war unmerklich ins Leben zurückgekehrt, mit dem sie sich auseinandersetzen mußte, ob sie nun wollte oder nicht. Damit hatte Madame Paris gerechnet – und es in bohrender Ungeduld erwartet –, und deshalb lief Henriette Dervais dort unten vor dem Haus auf und ab, bereit, das Schicksal ihres Sohnes zu retten, zugleich aber auch, dem Leben Angèles wieder Sinn zu verleihen. Innerhalb eines Tages, einer Stunde, eines Augenblicks würde die Maschine wieder in Gang geraten. Oh, und dann würde Madame Paris all ihre Klugheit, ihre ganze Vitalität, die ganze Beweglichkeit ihrer noch so flinken Füße benötigen, um die sich selbst gestellten Aufgaben dem Ziele zuzuführen.

Endlich hatte Angèle, beunruhigt wegen der Fälligkeitstermine, die Abwesenheit der Mutter benützt, um Mehlen in der Rue de la Faisanderie anzurufen, und von dem Sekretär erfahren, daß sich Mehlen in Triest befand, ihre Angelegenheit aber erledigt sei. Nun las sie den Brief Angéliques zu Ende und brach bestürzt sofort auf, um ihrem Kind zu Hilfe zu eilen.

Sie trat aus dem Haus. Henriette Dervais sprach sie an. Madame Paris stand hinter dem Vorhang, beobachtete, wie die beiden Seite an Seite hinunterwanderten, um einen ruhigen Ort für ihre Aussprache zu suchen, und zweifelte nicht an dem Erfolg. Als sie um die Straßenbiegung verschwunden waren, kehrte die alte Dame ins Zimmer zurück und fand neben dem Buch, das Angèle fünf Tage in Händen gehalten hatte, ohne es zu lesen, die von Sologne nachgeschickten Beileidsschreiben und den Brief Angéliques, deren Schrift ihr bekannt war.

Sie nahm ihn zur Hand. Ehe sie noch die Blätter zu Ende gelesen und ins Kuvert zurückgelegt hatte, war ihr klar, daß dieser Brief mehr enthielt, als nach außen hin zu ersehen war. Auch hier mußte eingegriffen werden, wie für Enguerrand – ja, für Enguerrand – und bestimmt auch bald für Lambert, das ahnte Madame Paris bereits. Und dieser Mut, der ungeheure Mut, der ihr einen Auftrieb gab, wie die Nordostbrise das Segel eines Schiffes antreibt, belebte ihr ganzes

Selbst, befeuerte ihren Willen und ihre Aktivität. Sie straffte ihren alten Körper, der – bestimmt, nicht wahr? – durchhalten würde, bis sie alle diese Pflichten, die nötigen Aufgaben erfüllt hatte, denn die waren wesentlich, sie stellten ja ihren eigentlichen Lebenszweck dar.

IV

An jenem Tag also stellte sich Angèle den Hunden wieder; es war an dem Tag, da sie zu ihrer Tochter ins Notre-Dame gegangen war, wo sie von ihrem Entschluß, den Schleier zu nehmen, erfahren hatte, und da sie schließlich gebrochen, verzweifelt Hubert in die Arme gesunken war, zu dem sie doch nur geeilt war, um ihn zu retten.
In der Jägersprache nennt man das ein »retour«. Das Wild kehrte auf seine eigene Fährte zurück und verwischte dadurch seine Spur oder führte zumindest den Verfolger, der am nächsten war und es schon zu fassen glaubte, in die Irre.
Madame Paris brauchte ihre Tochter nichts zu fragen, als sie von Hubert kam. Ihre weiche Stimmung, die gelösten Bewegungen, das verlorene Lächeln, das über die Trauer hinweg einem neuen Leben entsprang, schlossen jede Täuschung aus. Dennoch war das nur ein Anfang.
Trotz ihres Erlebnisses mit Hubert kam Angèle nicht von den Gedanken an Angélique los, und auch das konnte sie Madame Paris nicht verhehlen. Sie erzählte ihr alles, den Entschluß des Mädchens, die Beweggründe, die Gegenargumente, die sie selbst ins Treffen geführt hatte. Während Madame Paris ihr lauschte, vertiefte sich ihre Überzeugung, daß Angèle zu Hubert zurückgefunden hatte und daß die Gefahr Mehlen zwar nicht gebannt, aber doch hinausgeschoben war.
Mutter und Tochter trennten sich spät.
Jules schnarchte leise, als Madame Paris ihr Zimmer betrat. Es war kein unerträgliches, häßliches Schnarchen, sondern nur der regelmäßige Atem eines zufriedenen Schläfers. Madame Paris war es gewöhnt, es wirkte beruhigend auf sie. Sie entkleidete sich. Sie war todmüde. Diese fünf Tage Warten hatten an ihr gezehrt. Ihre Schultern, ihre Schenkel, die Beine vor allem schmerzten sie wie in einem Krampf, der sich dem Körper mitteilte. Mit einem Seufzer der Erleichterung streckte sie sich aus und stützte den Nacken auf das Kissen.
An jedem der folgenden Abende gönnte sich Madame Paris das Vergnügen eines vertrauten Gesprächs mit der Tochter. Jules verließ

sie zeitig. Lambert mochte noch so großtun und herumtrödeln, um den Erwachsenen zu spielen; er war so müde vom Herumstreifen in den Gassen, daß ihn bald der Schlaf übermannte. Aber auch Angèle, die trotz all ihrer Sorgen mit der Entwicklung der Dinge zufrieden war, ging in wohliger Ermattung nach den Freuden des Nachmittags bald zu Bett. Dann war es Madame Paris, die weiter für sie dachte.

Sie lag neben Jules und brannte vor Tatendrang. Ihre Ideen, ihre Gedanken waren klar und scharf abgegrenzt wie Schwarzweißbilder, in reinem Strich, ohne unnützes oder überflüssiges Beiwerk. Dennoch fühlte sie sich in völlig ungewohnter Weise schlaff und kraftlos, und all ihre innere Aktivität, ihre ganze Energie waren nötig, den körperlichen Schwächezustand zwar nicht zu überwinden, aber doch über ihn hinwegzukommen.

Sie dachte an Enguerrand, und alles fügte sich zu einer klaren Synthese: die Jahre vor dem Krieg, dann die Besatzung, dann seine neuen politischen Ideen, deren Entwicklung sie miterlebt hatte, ohne sie zu bekämpfen, nicht aber ohne sie zu diskutieren, ohne ihn auszufragen, um ihn besser zu verstehen, ebenso wie sie im Herzen Angéliques und im Herzen ihrer Tochter Angèle las; wie sie wohl morgen im Herzen Lamberts würde lesen können.

Mutig und mit klarem Blick setzte sich Madame Paris mit den Gefahren auseinander, die sie alle – jeden auf seine Art – bedrohten. Sie lag in der nächtlichen Schwärze, die sie wie eine dunkle, hinter dichtem Laubwerk versteckte Höhle verbarg, einem Tier gleich, das auf dem Sprung ist und in diesem entscheidenden Augenblick all seine Schlauheit, alle seine Kräfte braucht.

Erst gegen Morgen, wenn die ersten Geräusche von der Straße zu ihr emporstiegen, ergab sie sich dem Schlaf, als ob sie die Gewißheit des weitergehenden Alltags beruhigt hätte. Dann schlummerte sie eine Weile fest und tief. Aber bald wachte sie wieder auf, immer noch vor Jules.

Heute war sie ausnahmsweise schon gegen zwei Uhr morgens in traumlosen Schlaf gesunken. Als sie wieder zu sich kam, schlief Jules noch – er brauchte seine zehn Stunden –, und der regelmäßige Atem, der aus dem Polster tönte, auf dem sein zerraufter Kopf mit dem gelichteten Scheitel lag, gab den Takt zu den Geräuschen, die von der Straße heraufdrangen. Es war nicht mehr still dort unten, die Wagen schalteten bei der Steigung, die Motoren dröhnten. Man hörte Stimmen, das Rufen der Händler, das Kreischen eines mit einer Handkurbel aufgedrehten Rolladens. Madame Paris blickte auf ihren Nickelwecker, den sie niemals läuten ließ und der stets wie der

Schlag eines gesunden Herzens neben ihr tickte, und stellte verwundert fest, daß es acht Uhr vorbei war. Lambert mußte schon aufgestanden und hungrig sein. Auch Angèle wartete auf ihr Frühstück, die Bedienerin kam erst gegen neun Uhr, da sie vorher in einer Bank unten an der Ecke arbeitete.

Madame Paris, die an der freien Seite, entfernt von der Wand, schlief, wollte aufstehen. Ihr Gehirn befahl es ihren Beinen, ihrem ganzen Körper, aber es geschah etwas Eigenartiges: Sie gehorchten ihr nicht, Madame Paris blieb liegen.

Ihre unteren Gliedmaßen waren fühllos, gewiß noch schlaff von der Nacht. So richtete sie ihren Oberkörper auf, indem sie die Arme vorstreckte, was ihr nur mit großer Mühe gelang. Ihre Beine lagen unter der Decke, in der dunklen Wärme. Sie sah sie. Sie griff sie an. Ihre Hände tasteten die Form ihrer Waden, ihrer Fesseln, ihrer Zehen ab, aber es schien, als sei alles Gefühl aus ihren Beinen gewichen, denn sie spürte die Berührung ihrer Finger nicht.

Langsam rann kalter Schweiß über ihren Rücken, kalt, weil sie die Decke zurückgeschlagen hatte und es frisch in dem niemals geheizten Zimmer ohne Radiator wurde. Sie dachte: ein Krampf! Und wurde dann etwas unruhig: Ich habe doch niemals mit dem Kreislauf zu tun gehabt! Zugleich stieg wie ein plötzliches, dumpfes Fieber eine Übelkeit in ihr auf, eine Hitze bis in ihre Stirn, als ob sie aus Scham über ihre Hilflosigkeit erröten müßte. Noch einmal dachte sie: Ich will aufstehen! Aber da es ihr nicht gelang, da sich ihre Willensanstrengung ihren unteren Gliedmaßen nicht mitteilte, ließ sie es sein, um in Ruhe über die Sache nachzudenken.

Aufstehen hatte ihr niemals ein Problem bedeutet, und nun heute mit einem Male! Wie war das möglich?

Wieder fuhr sie mit den Händen über Schenkel und Waden – mit der entsetzlichen Empfindung, daß sie wohl existieren und doch nicht da waren. Ihre Glieder waren nicht gelähmt, nein, sie waren tot. Tot!

Rüde, derbe Ausdrücke kamen ihr in den Sinn, wie sie in der Manege bei widerspenstigen oder eigensinnigen Pferden gebräuchlich sind: Verdammte Schindmähre ... Luder, verfluchtes ... Dann beugte sie sich vor und versuchte ihre Beine hochzuheben. Sie waren wie aus Blei, es gelang ihr nicht.

»Ich muß«, keuchte sie zwischen zusammengebissenen Zähnen, um Jules nicht aufzuwecken. Aber sie wußte schon, daß sie die Beine nicht mehr bewegen konnte, daß sie keine Beine mehr hatte. Und da sie den Dingen immer in die Augen sah und sich niemals selbst belog, sagte sie, fast laut, zu sich selbst:

»So bin ich also gelähmt.«

Sie blieb einen Augenblick ruhig, das heißt, sie bemühte sich, sich nicht zu bewegen. Sie versuchte festzustellen, wo noch Leben in ihr war, wo es begann und wo es versiegte. Die Hüften? Ja, in ihnen spürte sie noch etwas, ebenso im Bauch und ebenso in der ganzen oberen Partie ihres Körpers. Die große Schwäche, die sie in den vergangenen Tagen gequält hatte, schien aus Hals, Nacken und Rücken gewichen zu sein, sie spürte keinen Schmerz. Wieder sagte sie laut: »Vom Gürtel an.« Und zugleich ganz leise zu sich selbst: »Was tue ich jetzt?« Es klang nicht verzweifelt, nur als einfache Frage, die sie sich stellte und die schnell beantwortet werden mußte. Es war eher die Frage: Was muß ich tun?

Das war ein Übel, ein völlig unerwartetes Übel, und bedeutend schlimmer als ein heftiger Schmerz. Die erste Frage: Ging es vorüber oder dauerte es lange... vielleicht lebenslang... Mit einem jähen Erschrecken: Ich kann für immer an dieses Bett gefesselt sein... Ich muß alles ins Auge fassen, als wäre es so... kein falsches Manöver am Anfang... Und danach: keine Zeit verlieren... Jules wird sofort aufwachen... Jules darf nicht wissen... wenigstens nicht gleich... Jules nicht und die anderen ebensowenig. Nicht bevor der Doktor da war, bevor mir der Doktor gesagt hat... Und plötzlich fielen ihr alle ihre Pläne, alle ihre Absichten, alle ihre Sorgen ein. Ausgerechnet jetzt! Das habe ich nötig gehabt!

Immer war ihre hervorstechendste Eigenschaft die Courage gewesen. Sie entschied und handelte sofort. Sie drehte die Nachttischlampe auf, beugte sich zu Jules und rüttelte ihn leicht:

»Jules... Jules... Acht Uhr zehn!«

»Ah, was ist los? Haben sie die Milch noch nicht gebracht?«

»Ich weiß nicht. Jules... blödsinnig, aber ich habe mir den Fuß verrenkt. Beim Aufstehen... Ich bin mit der Decke ausgerutscht, ich hab' gerade noch ins Bett zurückkriechen können.«

»Arme Pauline! Und tut es weh? Laß sehen!«

Er wollte die Decke wegziehen, den Fuß anschauen.

»Nein, nein, nicht, es ist zu kalt. Das wird schon wieder gut werden. Ich bitte dich nur, geh in die Küche und richte das Frühstück. Ich kann es nicht...«, sagte sie lächelnd.

»Natürlich«, beeilte er sich.

Er stand auf und schlüpfte schnell in seinen alten Schlafrock.

»Zuerst für Lambert, dann für Angèle.«

»Zum erstenmal, daß ich eine Marquise im Bett bediene! Nachher bringe ich unseres herein.«

»Wirst du dich zurechtfinden?«

»Muß eben sein. Und wenn du richtig krank wirst...?«

Ja, dachte Pauline, wenn ich krank werde? Wenn ich mich nicht mehr bewegen kann?

Er verschwand, und sie blieb allein. Sie gewann Zeit, aber dann?

Sie hörte das Klirren der Töpfe, das leise Zischen des aufflammenden Gases. Dann vernahm sie Stimmen – erst Lamberts Stimme im Salon. Eine Viertelstunde verging. Wenn sie wüßten! dachte Madame Paris. Als Jules zurückkam, war ihr Plan gefaßt.

Er brachte das Frühstück herein. Er hatte sich redlich bemüht, die Tassen daraufgestellt, Wasser in die Kanne gegossen.

»Und dein Haxel?«

»Wirklich, ich muß mich richtig vertreten haben. Während du draußen warst, habe ich versucht, den Knöchel zu massieren und ihn auf den Boden zu stellen. Nichts zu machen. Ich kann sicher ein paar Tage lang nicht gehen.«

»Schön, dann mußt du wenigstens ein bißchen stilliegen und kannst dich ordentlich ausruhen.«

»Und das Mittagessen? Die Besorgungen?«

»Ich bin ja da«, erklärte er.

Da festgenagelt sein! Es war eine unerträgliche Vorstellung, die Madame Paris wie eine ätzende Wunde brannte. Nein, nein, niemals! Niemals durfte sie als Krüppel im Bett liegen, als Krüppel, der von Jules gepflegt wurde! Wenn sie es wirklich war, dann mußte Jules ausziehen, dann durfte sie ihn niemals mehr sehen, dann wollte sie allein, ganz allein bleiben, niemals mehr einen Mann sehen. Aber erst die Wahrheit wissen ...

»Ich möchte dich etwas bitten. Könntest du zu Doktor Goulben hinüberlaufen, ehe er seine Besuche macht?«

»Den Doktor? Wegen einer Verrenkung?«

»Und wenn es was anderes ist? Ein Sprung im Knöchel zum Beispiel? Es muß immerhin etwas Ernstes sein, wenn ich mich überhaupt nicht rühren kann.«

Jules frühstückte gemächlich weiter, bestrich die letzten Toasts mit Butter, reichte ihr die Brötchen, die sie nicht mehr aß.

Lambert steckte den Kopf durch den Türspalt herein:

»Großmutter, darf ich mir noch ein bißchen Marmelade nehmen?«

»Freilich, du weißt, wo der Topf ist ...«

Sicherlich wußte er es, denn er war schon wieder verschwunden.

»Brauchst du nichts mehr?«

»Danke.«

Er hob das Tablett von der Decke weg. Sie spürte es nicht. Umständlich kleidete er sich an, die langen Unterhosen, die Socken, die Hosen. Noch in der Pyjamajacke, fragte er:

»Kann ich mich vorher noch rasieren?«

»Aber nein!« rief sie, zum erstenmal ungeduldig, und sogleich rügte sie sich: Ich muß mich beherrschen.

»Ich brauche nur zehn Minuten. Goulben geht nie vor neun Uhr aus dem Haus.«

Er schlurfte hinüber ins Badezimmer, und sie hörte, wie er die Boiler anzündete und das Wasser in das Marmorbecken laufen ließ. Der Veilchengeruch seiner Rasierseife drang bis zu ihr hin.

Und wenn ich sterben muß? dachte sie.

Nein, sie würde nicht sterben, sie wußte es. Sie würde nicht sterben, und das war das schrecklichste! Heiser, wie ein Aufschrei, erklang es:

»So beeile dich doch!«

Sein Gesicht, ganz in Seifenschaum, erschien in der Tür:

»Tut's so weh?«

»Ja«, sagte sie, und sie log nicht.

Nun sputete er sich, kam schnell vom Bad zurück, nahm seinen Rock, suchte in seinen Westentaschen und dazu dalkte er, wie man zu einem kleinen Kind spricht:

»Aber ja, Mammi ... ich hol' dir gleich den guten Onkel Doktor ... Und Mammi Pauline hat dann kein Wehwehchen mehr ... Er wird blasen, und gleich ist das böse Wehweh weg ...!«

Er knöpfte seinen Rock zu, schlang den Schal um den Hals. Sie hörte ihn bei der Wohnungstür hinausgehen, hörte die Tür zufallen und dann den verhallenden Schritt im Flur, der in anderen Geräuschen unterging.

Gleich würde Goulben da sein, und dann würde sie wissen ... Das heißt, er würde ihr bestätigen, daß sie in dieser Nacht ein Übel befallen hatte, dessen Natur sie nicht kannte. Oder vielleicht – ein Wunder? Aber Madame Pauline hatte niemals an Wunder geglaubt. Gut, ihr Tag war gekommen, und sie mußte versuchen, das Unglück mit Würde zu ertragen, wie es andere vor ihr getan hatten, und jüngst erst Patrice de Viborne.

Noch einmal, zum letzten Male, eine ungeheure Kraftanstrengung: Erhebt euch, Beine, folgt mir, los! Auf! Pauline befahl ihren Beinen: Erhebt euch!

Nichts, wie Blei. Ohne jedes Gefühl.

Sie ließ ihren Oberleib rückwärts fallen und schloß die Augen:

»Stehst du nicht auf, Mama?«

Wie aus einer Ohnmacht, aus einer anderen Welt, tönte die Stimme Angèles, ihrer Tochter, zu ihr. Auch Angèle nichts sagen, dachte sie. Niemandem etwas sagen, bevor, bevor ...

»Nein, stell dir vor, ich hab' mir einen Fuß verrenkt.«

»Ich hab' mir gedacht, daß etwas passiert ist. Ich hab' dich draußen nicht gehört. Kann ich was für dich tun?«

»Nichts, Liebling. Niemand kann etwas für mich tun, außer ... außer der Doktor. Jules ist ihn holen gegangen.«

»Eine Verrenkung, das ist nichts. Und dabei ist der Fuß vielleicht nicht einmal verrenkt, sondern nur verstaucht.«

»Er ist vielleicht weder verrenkt noch verstaucht ...«, murmelte Madame Paris mit einem bitteren Lächeln.

»Siehst du, du sagst es selbst.«

»Hat dir Jules das Tablett hineingebracht, bevor er weggegangen ist?«

»Ja ... das heißt, nein. Er hat es vor die Tür gestellt. Wahrscheinlich hat er geglaubt, daß ich noch schlafe.«

»Hat Lambert gefrühstückt?«

»Ja, was tätest du ohne Jules?«

»Du willst sagen: Was täte Jules ohne mich?«

»Ist das nicht dasselbe?«

»Nein«, sagte Madame Paris scharf. »Im übrigen muß ich darüber mit dir sprechen.«

Draußen hörte man die Türe gehen. Lambert platzte herein.

»Großmutter, sie sind da! Monsieur Castaud und der Doktor. Kann ich sie hereinlassen?«

Sie warteten die Aufforderung des Jungen nicht ab und traten in das ungelüftete Zimmer, wo der Schlafrock Jules' über die Bettwand geworfen war, wo das Kleid und das Hemd von Madame Paris wie eine leblose Hülle auf einem Sessel lagen, unter dem nebeneinander ihre beiden Schuhe standen, so spitz und mit so hohen Absätzen, daß man sie für die Schuhe eines jungen Mädchens hätte halten können.

»Gerade wie sie aufstehen wollte ...«, erklärte Jules.

»Ja ... ja ...«, sagte Goulben, atemlos vom Treppensteigen und auch wegen der abgestandenen Luft dieses Zimmers.

Er näherte sich der Patientin, die sich mit letzter Kraft aufrecht im Bett hielt. Die anderen – Jules, Angèle und hinter ihnen Lambert – standen wie fragend in einem Halbkreis um sie herum. Madame Paris befahl:

»Hinaus, alle, bitte. Du, Angèle ... und du, Lambert ... und du, Jules ...«

»Willst du nicht ...?«

»Geht hinaus, sage ich euch. Ich bin eine alte Frau, ich will mit dem Arzt allein sein.«

»Na, also, schauen wir uns diese Verrenkung an«, begann Doktor Goulben.

»Ich habe mir nichts verrenkt«, sagte Madame Paris.

Goulben hob fragend den Kopf. Die waagrechte Falte auf seiner Stirn vertiefte sich ein wenig, und Madame Paris sah, wie die beiden Hände mit den roten Flecken und den vorspringenden Venen seiner sechzig Jahre vor ihrem Gesicht innehielten.

»Ich habe mir nichts verrenkt«, wiederholte Madame Paris.

»Was dann . . .?« brummte der Arzt.

»Ich habe mir nichts verrenkt, aber ich kann trotzdem nicht gehen.«

»Nicht gehen?«

»Nein.«

»Wieso?«

»Heute früh wollte ich aufstehen . . . ich brachte meine Füße nicht auf den Boden. Meine Beine rühren sich nicht«, sagte sie, als wollte sie es sich selbst bestätigen.

»Nicht genügend, um aufstehen zu können. Eingeschlafen?«

»Nein, gar nicht. Ich spüre sie nicht mehr. Ich sehe sie vor mir. Vorhin habe ich die Decke weggezogen und habe sie zwingen wollen – aber sie rühren sich nicht.«

Mit einer raschen Bewegung ihrer – trotz der Schwere, die auch ihren Oberkörper erfaßt hatte – lebenden Hand riß sie die Piquetfußdecke und das Laken hinunter und zeigte die nackten, noch immer schönen Beine.

»Tot sind sie, tot.« Und dann erklärte sie ihm wie einem Kind: »Vom Gürtel abwärts bis zu den Füßen spüre ich überhaupt nichts mehr, nichts gehorcht mir. Von den Hüften, dem Bauch abwärts funktioniert es noch, aber ich habe das Gefühl, daß es sich heraufzieht. Den Rücken, den Hals, die Arme kann ich schlechter bewegen als sonst, wenn sie auch nicht unempfindlich sind. Alles ist so schwer, so lastend geworden. Ich kann meinen Oberkörper auf dem Kissen von einer Seite auf die andere legen, aber alles andere ist tot. Doktor . . . ich bin wie eine Meerfrau!«

Die Verbissenheit, mit der sie den Vergleich herauszischte, nahm ihm alles Groteske. Und er, gebeugt über die steifen Glieder, gewann Zeit, um zu überlegen, um zu begreifen, was da geschehen war. Er tastete den Bauch mit den Händen ab:

»Das?«

»Ja, das spüre ich.«

»Hier?« Er strich mit den Fingern die Schenkel hinab.

»Nein, nichts mehr. Bin ich gelähmt?« fragte sie.

»Nun . . . ich glaube . . . ich denke . . .«

213

»Bin ich's oder bin ich's nicht?«

»Es hat ganz den Anschein«, murmelte er und senkte die Augen.

»Und wovon kommt das?«

Er wußte es nicht. Er zerbrach sich den Kopf: ein Gehirnschlag? Er betrachtete das Auge, das Gesicht. Keine Verzerrung, keines der normalen Symptome: ein klarer, sogar erschreckend klarer Blick. Nun? Spinale Kinderlähmung? Nein, ausgeschlossen in diesem Alter; soviel man von dieser Krankheit wußte, befiel sie jüngere Menschen, überarbeitete oder geschwächte, und oft nach Meerbädern an der Riviera. Myelitis – Rückenmarkentzündung? Vielleicht, das könnte es sein. Er wußte von solchen Fällen. Nicht, daß er sie behandelt hätte, aber er war einem Konzilium beigezogen worden. Vor sechs Jahren, es handelte sich um eine Frau von zweiundfünfzig, Madame Baudoin, die heute noch zu Bett lag... eine sehr tapfere Frau. Auch sie hatte es eines Morgens beim Erwachen bemerkt... Trotzdem, deshalb gleich eine solche Diagnose stellen...

»Wir brauchen uns nicht aufzuregen«, sagte er und erhob sich. »Jetzt müssen wir nur eines, warten. Ein paar Tage warten. Vor ein paar Tagen kann man nichts sagen ...«

»Und nach ein paar Tagen?«

Er wich einer direkten Antwort aus:

»Es kann sich wiederholen.«

»Goulben«, sagte sie, »ich wohne über vierzig Jahre in dieser Straße, und ebensolange kenne ich Sie. Sie haben meine Erkältungen und meine Koliken immer großartig kuriert. Wenn Ihnen diese Sache zu schwierig ist, dann lassen Sie einen Kollegen kommen ...«

»Aber, Madame, regen Sie sich doch nicht auf!«

»Goulben«, sagte sie, »was für eine Krankheit das auch ist und woher sie kommen mag, ist egal, ich weiß, daß sie mich erwischt hat, und zwar gründlich. Wie stehen meine Chancen, daß Sie sich irren?«

»Wenn Sie darauf bestehen: Meiner Meinung nach zwanzig zu hundert. Ich bin einem ähnlichen Fall beigezogen worden, ich selbst hab' noch keinen behandelt ... Ich höre jedes Jahr ein paarmal davon, ich kenne zum Beispiel eine Madame Boudoin ...«

»Wer ist das?«

»Eine Patientin von Doktor Guillaumard, meinem Kollegen unten bei der Pont.«

»Dann holen Sie Guillaumard. Ich zweifle nicht an Ihren Fähigkeiten. Aber nur ein Mann, der so etwas gesehen und behandelt hat, der sich mit anderen, mit allen anderen, die auch davon wissen, beraten hat, kann uns genau Bescheid sagen.«

»Wenn Sie es unbedingt wünschen«, sagte er pikiert.

»Ach, Goulben, seien Sie nicht lächerlich gekränkt! Es geht nicht um Sie, nicht wahr, sondern um mich.«

Er stand auf. Er knöpfte seinen Rock zu und zog die Krawatte zurecht, die sich gelockert hatte. Nicht gerade zart ließ er die Decke auf ihre reglosen Beine zurückfallen und deckte die Kranke bis zum Kinn zu.

»Ich hole ihn. Aber es ist sehr unvernünftig, man konsultiert einen zweiten Arzt nur, wenn die Wartefrist abgelaufen ist. Doch wenn Sie es unbedingt wünschen, hole ich Guillaumard.«

»Danke! Aber ich muß Sie noch etwas bitten.«

»Was noch?« seufzte er und hob die Augen zum Himmel.

»Mir etwas zu versprechen.«

»Und was?«

»Daß Sie schweigen?«

»Was hat das für einen Sinn?«

»Sinn, Sinn! Das kann Ihnen gleichgültig sein, Goulben«, flüsterte sie, klammerte sich an seinen Rockaufschlag und zog ihn zu sich hinab, als wollte sie ihm ein Geheimnis anvertrauen und fürchte, man könnte sie vom Nebenzimmer her belauschen. »Goulben, niemand meiner Umgebung darf wissen, was mir zugestoßen ist, weder meine Tochter noch mein Enkel Lambert noch Jules Castaud, der Sie geholt hat, niemand darf ahnen ...«

»Aber, Madame, das ist unmöglich!«

»Nichts ist unmöglich. Bis mich Guillaumard untersucht hat, dann sprechen wir beide weiter.«

»Aber selbst wenn Ihre Beine wieder in Ordnung kommen, kann es Tage, Wochen dauern ...«

»Auf jeden Fall?«

»Ja, wenn ich mich nicht geirrt habe. Bis dahin müssen Sie gepflegt werden, Ihre Familie muß ...«

»Gut. Kann ich ihnen meinen Zustand einen Monat verhehlen ...?«

»Aber, Madame!«

»Acht Tage?«

»Mit welcher Ausrede?«

»Nun, die Verrenkung ...«

Er lächelte unglücklich:

»Drei, höchstens vier Tage.«

»Das genügt mir.«

»Was meinen Sie?«

»Ich meine, daß ich Sie bitte, das Geheimnis vier Tage lang zu wahren. Sie verordnen mir Bettruhe, Sie verlangen, daß ich mich keinen Zentimeter rühre ... erfinden Sie, ich weiß nicht was ... eine Venenentzündung, die Gefahr eines Blutgerinnsels. Vier Tage, Goulben, ich brauche vier Tage.«

»Und wenn Guillaumard beweist, daß ich ein Esel bin?«

»Dann sieht alles anders aus.«

»Ich werde...«

»Jules!« rief Madame Paris.

»Aber, Madame!«

»Ich will nicht, daß Sie mit Guillaumard hinter meinem Rücken sprechen.«

Jules konnte nicht sehr weit gewesen sein, denn die Tür öffnete sich schnell:

»Du hast mich gerufen?«

»Bleiben Sie, Herr Doktor«, sagte Madame Paris freundlich. »Jules, bitte, hol Herrn Doktor Guillaumard, seine Praxis beginnt erst um zehn Uhr am Mittwoch. Treppensteigen ist anstrengend für Sie, Sie waren ganz außer Atem beim Kommen, und ich möchte Ihnen die Mühe ersparen. Jules, du weißt doch, wo Herr Doktor Guillaumard wohnt?«

»Ja, dort oben bei der Pont Caulaincourt... Warum?«

»Nummer 28 b«, sagte sie, es war ihr plötzlich eingefallen. »Ein Kupferschild ist an seiner Tür. Sag ihm, daß er sofort kommen soll, daß ihn Doktor Goulben hier erwartet. Sag nicht, warum, Doktor Goulben will nicht, daß er ablehnt, wenn er hört, daß es nur eine gewöhnliche Verrenkung ist. Aber er braucht ihn, weil er etwas einrichten will, was sich... was sich verschoben hat.«

»Aber«, sagte Goulben, »ich hätte doch selbst gehen können... oder telefonieren...«

»Nein«, sagte sie mit einem sonderbaren Lächeln, »das brauchen Sie doch nicht, wenn Jules da ist.«

Jules entfernte sich. Angèle kam herein:

»Was ist los?«

»Ich muß ein paar Tage ganz ruhig liegen. Aber es ist nichts, überhaupt nichts«, sagte Madame Paris. »Nicht wahr, Herr Doktor?«

»Offensichtlich nichts«, bestätigte Doktor Goulben.

V

Am vierten Tag, nachdem Guillaumard sie gemeinsam mit Goulben neuerlich untersucht und sich von ihr verabschiedet hatte, wußte Madame Paris, daß sie unheilbar krank war und ihre Beine niemals mehr würde gebrauchen können.

Sie hatte das Urteil geahnt und bei der Verkündung allein sein wollen. Gleich nachher schickte sie Jules um die Medikamente hinunter, die ihr der Arzt verschrieben hatte. Sie blieb allein, sie hatte die Untersuchung absichtlich zu einer Stunde festgesetzt, da sie Angèle abwesend wußte und Lambert noch nicht vom Spielen heraufgekommen war.

Als Guillaumard sagte: »Die Diagnose stimmt«, da traf sie kein Schock. Seit vier Tagen hatte sie sich an den Gedanken gewöhnt, und da sie mit ihm gelebt hatte, war er ihr vertraut geworden. Das Schlimmste war die Ungewißheit gewesen. Jetzt aber würde sie mit den Taten beginnen können, obwohl sie für immer ans Bett gefesselt blieb.

Die Situation erinnerte sie stark an jene der letzten Monate der deutschen Besatzung. Enguerrand hatte sie, wie er es nannte, »eingesetzt«, und sie mußte nun die Risiken auf sich nehmen, Meldungen weiterleiten, Flüchtlinge verbergen und, wie die jungen Leute, die Namen und Pseudonyme auswendig lernen. Oft hatte sie sich damals die Frage gestellt: Was wird sein, wenn sie mich verhaften und zum Sprechen zwingen wollen? Und wenn sie mich verurteilen, wie werde ich mich vor dem Tod verhalten? Heute, sieben Jahre danach, hatte sie diese Fragen beantworten können: In der Gefahr hatte sie zu schweigen verstanden, vor der Gewißheit blieb sie ruhig, befriedigt über die eigene Courage, die auch Monsieur de Viborne anerkannt hatte.

Jetzt mußte man bis zum Ende gehen. Ein Abschnitt war aus, und ein anderer begann. Wichtig war, sich dessen bewußt zu sein, um die nötigen Entscheidungen zu treffen.

»Bedenken Sie, daß man niemals die Hoffnung aufgeben darf«, sagte Guillaumard.

»Aber, Herr Doktor, kein Weihwasser! Goulben hat mir vor vier Tagen erklärt, daß es nichts zu hoffen gibt, wenn sich die Diagnose bestätigt. Es ist schon ein Glück, daß sich die Lähmung nicht ausbreitet.«

Doktor Guillaumard sah seinen Kollegen streng an:

»Doktor Goulben hat unrecht, man weiß niemals ...«

»Man weiß«, fiel ihm Madame Paris scharf ins Wort.

Um das Thema zu wechseln, sagte der Arzt:

»Jetzt müssen wir uns darauf einstellen und alles organisieren ...«

Madame Paris sah in Gedanken Jules vor sich, wie er die Leibschüssel mit gestreckten Händen steif vor sich hertrug, den Kopf mit gerümpfter Nase zurückgebeugt, und ihr schauderte. Jules wußte noch nichts. Er würde es niemals wissen.

»Ich denke«, fuhr Guillaumard fort, »daß dieser Herr ... Ihr Mann ...«

»Er ist nicht mein Mann«, erklärte Madame, »er ist ein Freund, ein guter Bekannter. Wenn es nötig ist, nehme ich eine Pflegerin.«

»Das wäre günstig, dann hätten Sie immer jemand bei sich, um Sie anzukleiden, wenn Sie in Ihrem Rollwagen sitzen.«

»Ich werde also einen ... Rollwagen brauchen?«

»Sie können nicht die ganze Zeit im Bett bleiben. Sie werden sehr bald ein ganz normales Leben führen, ein fast normales ...«

»Nun eben«, sagte Madame Paris und zuckte die Schultern. Und einen Augenblick später: »Sobald ich meine Dispositionen getroffen habe, nehme ich eine Schwester.«

Goulben trat näher zu ihr:

»Sie sind wirklich eine großartige Patientin. Jetzt, nachdem wir wissen, woran wir sind, wäre es, glaube ich, günstig, Ihrer Familie reinen Wein einzuschenken, da sie bis jetzt ja, Ihrem Willen entsprechend, ahnungslos war.«

»Nein«, erklärte Madame Paris, »das sind Dinge, die mich allein angehen. Ich will weder ein Melodrama noch Rührszenen, und ich bin gewohnt, meine Geschäfte selbst in die Hand zu nehmen. Sie haben mir alles gesagt, und ich weiß, wie es mit mir steht ... was mich erwartet. Lassen Sie mich trotzdem ein bißchen verschnaufen ... mich den neuen Gegebenheiten anpassen lernen. Wann kommen Sie wieder?«

»Ich, übermorgen«, sagte Goulben.

»Bis dahin ist alles erledigt, ich verspreche es Ihnen. Aber Sie versprechen mir auch ... nicht wahr ...?«

»Da Sie es wünschen.«

Sie verbeugten sich und machten sich zum Weggehen bereit. »Meinen verbindlichsten Dank«, sagte sie, ohne die ungewollte Ironie ihrer Worte zu bemerken.

Sie grüßten, brachten aber keinen Laut heraus, und sie blieb allein zurück. Und war noch mehr allein, da auch Jules gegangen war.

So war es also, und sie mußte siebzig Jahre gelebt haben, daß ihr das widerfuhr. Ich mache alles anders als die anderen Leute, seufzte sie. Und gleich darauf mit berechtigtem Stolz: Ich bin eben nicht »die anderen Leute«, was ihr sofort einen seltsamen Trost schenkte.

Nein, sie war nicht wie »alle anderen«, und das würde sich deutlich herausstellen, wenn sie ausführte, was sie geplant und beschlossen hatte. Mit einiger Verwunderung sagte sie sich, daß sich jetzt eine ganz ähnliche Situation für sie ergab wie damals, als sie ihre Schwangerschaft erkannt hatte. Immerhin mit dem Unterschied, daß diesmal das Ereignis völlig unerwartet auf sie einstürzte, während sie als die Freundin des Grafen M. von Beginn ihrer Beziehungen an überlegt hatte, was sie in einem solchen Fall tun würde. Man mußte auch hinter die wichtigsten Dinge einen Schlußpunkt setzen können, ob sie nun Jules oder, wie damals, Armand hießen. So bitter aber auch die Trennung von Armand gewesen war, das Leben war weitergegangen. Nach Jules gab es nichts mehr.

Somit befand sie sich genau in der gleichen Lage wie Angèle, wenn sie ihr Wort hielt, ihre Angèle, die sie über alles liebte. Und während sie das bedachte, lobte sie sich, daß sie Henriette Dervais angerufen und ihrer Tochter Hubert Doissel auf den Weg geschickt hatte. Man kann sein Leben mit siebzig Jahren beenden, das ist natürlich, aber mit vierzig... oder gar mit achtzehn, wie Angélique...

Ein Schauer überlief sie. Über all das war das letzte Wort nicht gesprochen, und wenn auch ihr Körper versagte, so war doch ihr Gehirn gesund geblieben. Sie redete sich selbst Vernunft zu: Ich werde sehr brav sein, alles tun, was man von mir verlangt... Vor allem einmal muß ein weibliches Wesen her, das mir den ganzen Tag zur Verfügung steht, alles tut, was nötig ist, und dann: der Rollwagen! Der Rollwagen, wiederholte sie, und schürzte verächtlich die Unterlippe, als ob er das Symbol für ihre Bresthaftigkeit wäre – oh, trotzdem, sehr bald, so bald als möglich, damit ich mich wieder... bewegen kann.

Sie wunderte sich, daß sie das ganz laut und sehr demütig gesagt hatte, und dann, wie um sich in ihrem eigenen Entschluß zu bekräftigen, noch lauter zu sich selbst sagte: Zuerst aber Jules...

Er war in die Apotheke hinuntergegangen. Er würde bald heraufkommen, sie ausfragen. Er war ein braver Kerl, ein bißchen beschränkt, ein bißchen schlapp, ein bißchen faul, der sich's gern gutgehen ließ und so dahinlebte; ein Rentner, aber immerhin ein Mann – der letzte Mann. Er würde wieder selbst irgend etwas unternehmen müssen, das heißt neuerlich einer Situation gegenüberstehen, die zwar nicht verzweifelt war, denn er besaß eine kleine Rente, die aber schwieriger und lang nicht so angenehm wie das Dasein war, an das er sich hier so schön gewöhnt hatte. Doch das war tausendmal besser, nicht wahr, als ihn hier bei sich sehen zu müssen, an sie gefesselt, um sich seinen Platz warmzuhalten und sie zu betreuen, ungeschickt die nötigen Handgriffe zu versuchen, immer mißgelaunter und mürrischer und schließlich voll Haß gegen diese alte Person, von der er abhing und die er pflegen und reinigen und für die er sich aufopfern mußte, was einfach über seine Kräfte ging. Ja, wirklich, nur aus dem Instinkt des Bewahrens heraus – des Bewahrens dessen, was ihr noch zu bewahren blieb – hatte sie ihrem Jules bis jetzt die Wahrheit verhehlt und die Geschichte mit dem verrenkten Fuß erfunden.

Und Jules würde es niemals erfahren. Niemals durfte sie es ihm sagen. In ihrem jetzigen Zustand wollte sie nichts mehr von ihm wissen. Er hatte nicht genug Geld, um in Paris leben zu können, er würde sehr bald nach Ayguines, einem Nachbarort von Sauillac, in das kleine Haus übersiedeln müssen, das ihm sein Vater hinterlassen hatte. Es war durchaus kein Wertobjekt, bedeutete aber immerhin ein Dach über dem Kopf. Es stand mitten in einem kleinen Garten, in dem er Gemüse und Blumen anpflanzen konnte. Dort würde er ziemlich einsam leben; vielleicht besuchte ihn dann und wann einmal eine Bäuerin, deren Mann auf dem Feld arbeitete, denn er gab es nicht so bald auf, dazu kannte sie ihn zu gut – oder vielleicht eine Witwe, die ihm den Haushalt besorgte. Trist, banal! Aber was machte das schon aus? Jules gehörte schon nicht mehr ihrer Gegenwart an, er war vor vier Tagen aus ihr entschwunden.

Jetzt, da ihr Entschluß gefaßt war, gab es keine Zeit zu verlieren. Gleich wenn er kommt, gehe ich es an, nahm sie sich vor. Er ließ sich Zeit. Sie sah ihn in Gedanken durch die Gassen schlendern, den ausgebrannten Stummel im Mundwinkel, hörte ihn mit den Kaufleuten verhandeln, das Netz am Arm, denn er erledigte zugleich die anderen Einkäufe.

Da vernahm sie Schritte im Stiegenhaus. Sie klangen nicht so flink wie die Schritte Jules', und sie konnte noch nicht unterscheiden, ob er es war. Und in diesem Augenblick schrillte das Telefon.

Sie hatte es neben sich bei dem Bett stehenlassen. Sie hob ab. Eine weibliche Stimme sprach geschäftsmäßig, unpersönlich:

»Madame de Viborne...? Ich verbinde mit dem Herrn Präsidenten.«

»Nein, nein«, sagte Madame Paris, »nicht Madame de Viborne...«

Aber die Leitung war schon umgestellt. Der Präsident? Welcher Präsident? Eine runde, fette Stimme ertönte, die augenblicklich das Bild des Mannes beschwor, dessen Bild sie in den letzten Tagen auf den Titelseiten der Zeitungen erblickt hatte:

»Sind Sie am Apparat, liebe Freundin?«

»Nein, nein ... Ich bin ihre Mutter.«

»Madame de Viborne ist nicht zu Hause? Wollen Sie, gnädige Frau, so liebenswürdig sein, ihr auszurichten, daß sie der Ministerpräsident angerufen hat...?«

»Monsieur Gardas?«

»Ja, persönlich. Sie kann mich jederzeit im Ministerium erreichen.

Ich bin die ganze Zeit, oder fast die ganze Zeit, dort anzutreffen. Ich habe eine eigene Leitung, eine Geheimnummer: Elysées – bitte, notieren Sie: Elysées, das ist leicht zu merken, 14 – wie der Nationalfeiertag, 45 – wie das Jahr des Sieges.«

»Elysées 14 – 45«, wiederholte Madame Paris.

Jetzt ertönten Schritte im Treppenhaus. Diesmal, ja, war es Jules.

»Und wenn ich mich nach Ihrem werten Befinden erkundigen darf, gnädige Frau?«

»Danke, ausgezeichnet«, sagte Madame Paris.

»Großartig. Gesundheit ist alles. Richten Sie bitte Ihrer Frau Tochter aus . . .«

»Ich werde ihr sagen . . .«

»Jederzeit, den ganzen Tag, sogar des Abends, außer am Mittwoch, da ist Ministerrat, manchmal auch am Freitag . . . und nicht zum Wochenende, natürlich, wegen der Inaugurationen, der Fahrten in meinem Wahlkreis . . .«

Jetzt hänge ich ab, dachte Madame Paris.

Sie tat es. Sie tat es genau in dem Augenblick, als Jules mit seinen Fläschchen und Packungen in der Hand das Zimmer betrat. Sie wußte, daß alles anders kommen konnte, wenn er als erster sprach; er durfte sie nicht ausfragen, er durfte in dem Zimmer nicht wieder Fuß fassen, das nicht mehr das seine war.

»Jules«, sagte sie ruhig, »leg alles dort auf den Kamin und komm her, ich muß mit dir reden.«

VI

Er hatte weder Überzieher noch Schal abgelegt, um ihr so schnell wie möglich die Medikamente zu bringen, und nur das Einkaufsnetz in der Küche gelassen. Da stand er nun lang und hager, den Rücken ein bißchen gekrümmt, und trat an das Bett, in dem sie in einem rosaseidenen Nachthemd lag. Er sah sie mit seinen leicht hervortretenden, etwas stumpfen Augen an, ohne sie aber wirklich zu sehen, so sehr war er sie gewöhnt.

Er war ehrlich besorgt. Vorhin hatte sie darauf bestanden, mit den Ärzten allein zu bleiben und ihn unter dem Vorwand, ihr Geld herausnehmen zu müssen, so lange zurückgehalten, daß die beiden Herren vor ihm hinuntergegangen waren.

»Jules«, fuhr sie fort, während er sich ganz nah über sie beugte, den Kopf einen Meter über ihrem Gesicht, »ich bitte dich, mich anzuhören, ohne mich zu unterbrechen.«

Er überhörte es, er mußte die Frage stellen, die ihn beschäftigte:

»Doktor Guillaumard hat dich untersucht. Jetzt sag mir was Genaues.«

»Jules«, erklärte sie, »ich habe nicht die Absicht, dir mitzuteilen, was die Ärzte festgestellt haben . . .«

»Aber, lieber Gott, was fehlt dir eigentlich?«

»Eine Verrenkung.«

»Oh, Gott sei Dank. Ich habe schon etwas Ärgeres gefürchtet, ich weiß selbst nicht, was . . .«

»Sei beruhigt«, sagte sie und konnte ein leises Zittern ihrer Stimme nicht unterdrücken, »ich habe nichts Ernstes. Vor Ende der Woche noch kann ich aufstehen.«

»Das höre ich gern«, sagte er aufatmend.

Ja, das hörte er offensichtlich gern. Er schien wie von einer Last befreit. Die Vorstellung, am Krankenlager einer unbeweglichen alten Frau zu hocken, hatte ihn schwer bedrückt, und das war so leicht erkennbar, daß es Madame Paris in ihrem Entschluß bestärkte.

»Darüber will ich nicht mit dir sprechen. Jules, in vier Monaten bin ich siebzig Jahre alt.«

»Na schön, das weiß ich«, er zuckte die Schultern, »ich bin selber bald sechzig, und wenn man dich so sieht, wie du niemals stillhalten kannst und den ganzen Tag herumrennst und dabei noch eine Figur hast, um die dich manche Vierzigjährige beneiden kann, dann glaubt man dir dein Alter nicht.«

»Danke, du bist sehr nett. Nur, weißt du, jetzt liege ich vier Tage untätig im Bett, und da habe ich Zeit gehabt, über mich nachzudenken.«

»Gut, gut«, begütigte er, wie man einem Kind zuredet, das man nicht kränken will, »davon reden wir, bis du wieder aufstehen kannst.«

»Davon reden wir später nicht mehr«, erklärte sie, »wir reden jetzt davon, weil sich später keine Gelegenheit ergeben wird. Weil du nicht mehr hiersein wirst, Jules.«

»Was?«

»Weil du nicht mehr hiersein wirst. Denn du mußt gehen.«

Er lachte gezwungen, wie man zu einem schlechten Witz lacht.

»Du bist gut!«

»Nein«, sagte sie, »ich bin nicht gut. Sogar kein bißchen gut.«

»Du willst, daß ich weggehe? Für einige Zeit?«

»Nein, für immer. Damit ich in Ruhe altern kann«, fügte sie hinzu.

»Aber, meine gute Pauline, du kannst ja gar nicht ohne mich sein. Du weißt ganz genau, daß du ohne Mann nicht auskommst.«

»Da täuschst du dich eben, lieber Jules. Ich habe beschlossen, mich von dir zu trennen.«

Er lachte trocken auf: »Das meinst du doch nicht im Ernst?«

»Im Ernst. Du bist rüstig, gesund, kräftig; du findest genug Jüngere, denen du gefällst, die im Alter zu dir passen. In meinen Jahren kommen mir gewisse Dinge abstoßend vor ...«

»Mir nicht«, sagte er. »Vielleicht wäre es, wenn ich dich erst jetzt kennengelernt hätte. Aber du weißt, wie lange wir schon beisammen sind, und ich habe nicht bemerkt, daß du älter geworden bist.«

»Um so besser. Dann ist jetzt höchste Zeit.«

»Aber ... aber ... Das ist doch alles hirnrissig und hat nicht Hand und Fuß. Wir sind ein altes Paar, wie es so viele gibt, und sind miteinander zufrieden.

»Ich bin es nicht«, sagte sie grausam.

»Was soll das heißen?«

»Das soll heißen, daß alles, was ich dir jetzt gesagt habe, nur eine Ausrede ist; in Wirklichkeit vertrage ich dich nicht mehr.«

»Was! Hast du mir nicht erst eine Woche vor dem blöden Unfall gesagt, daß ... Aber ja, ich höre dich noch, obwohl es mir ein bißchen albern vorgekommen ist ...«

»Es war nicht ein bißchen, es war ganz albern. Nehmen wir an, daß ich während dieser vier Tage Gelegenheit hatte nachzudenken und draufgekommen bin, daß es etwas Unanständiges an sich hat, wenn eine Frau in meinem Alter ...«

Er fiel ihr ins Wort: »Schau mich an: Bin ich vielleicht ein Gigolo?«

»Es ist viel schlimmer«, erklärte sie kalt. »Wärest du ein Gigolo, dann würdest du eben deinen Beruf ausüben und gäbest einer verlebten Alten, was sie für ihr Geld verlangen darf. Während es hier in unserem Fall einen alternden Mann gibt, der sich in einer Gewohnheit verschanzt hat, der sich's aus Bequemlichkeit gutgehen läßt, der nicht gebunden ist wie in einer Ehe oder in einer anderen Vereinigung, wo jeder das Seinige beiträgt; einen Mann, der sich aus Trägheit und Schlendrian in einem behaglichen Winkel eingenistet hat.«

»Aber«, schrie er beinahe, »zum Teufel, Pauline, bist du denn von Gott verlassen? Hast du vergessen ...?«

»Nein«, sagte sie, »und gerade deshalb. Ich werde niemals vergessen, und aus diesem Grund habe ich beschlossen, daß wir unseren gemeinsamen Haushalt auflösen, damit wir uns, soweit es noch möglich ist, einen Rest Würde bewahren.«

»Ah, große Worte!« meinte er wegwerfend, »Pauline, es gibt doch das Glück! Aber, Pauline!« Er warf sich am Bettrand auf die Knie und ergriff ihre Hand, »Pauline, wir waren glücklich!«

Dicke Tränen rannen jetzt über seine Wangen. In diesem Augenblick erkannte Madame Paris wie in einer Erleuchtung, daß er keine Komödie spielte und daß sein Gefühl für sie im Lauf der Jahre echte Liebe geworden war. Es schnitt ihr ins Herz, aber zugleich sah sie ihn, wie er sein würde, wenn sie ihn bei sich behielt, und das mußte verhütet werden:

»Na, na«, murmelte sie und entzog ihm die Hand.

»Aber, Pauline, was soll aus mir ohne dich werden?«

Pauline konnte sich nicht täuschen, es war ihr klar, daß Jules mit dieser Frage nichts Materielles meinte, daß er sich verzweifelt und verzagt fragte, wie er es ertragen sollte, ohne sie zu leben, sie nicht mehr zu sehen. Alles, was sie sich vorgenommen hatte, war sinnlos geworden. Jules war nicht jener Jules, zu dem sie hatte sprechen wollen, und die Dinge wurden dadurch noch erheblich schwerer.

»Steh auf«, sagte sie, um ihre aufsteigende Rührung zu unterdrükken, »so steh doch auf!« wiederholte sie fast wütend.

Er stand demütig und gehorsam auf. Ach nein, das war kein »Theater«, weder in der trübseligen Gebärde, mit der er die Hand sinken ließ, noch in der plötzlichen Mattigkeit, in der sein Körper zusammenfiel.

»Jules, wir diskutieren jetzt nicht mehr. Ich bitte dich zu gehen, weil ich es wünsche, und du kennst mich gut genug, um zu wissen, daß mich nichts von einem festen Entschluß abbringen kann. Ich mag dich hier nicht mehr haben. Das ist alles. Du hast doch nicht die Absicht, mit Gewalt bleiben zu wollen?«

»Nein, Pauline.«

»Du hast mich verstanden? Völlig verstanden?«

»Ja, Pauline.«

»Du wirst also ausziehen?«

»Wann, Pauline?«

Er kämpfte nicht mehr. Er war besiegt. Es war zu leicht gegangen. Und das deshalb, weil er ein anderer Jules war, ein Mann, der Freund und Gefährte bis zum Ende der Tage hätte bleiben können. Ja, wenn sie nicht lahm ans Bett gefesselt wäre, was er nicht wissen konnte. In der unbewußten Hoffnung, daß er »Nein, Pauline« antworten würde, erklärte sie:

»Du ziehst also sofort aus.«

Er senkte den Kopf. Er drehte sich um. Mit kleinen Schritten ging er der Türe zu. Er war jetzt alt, er würde nie mehr so vollkommen alt sein wie in diesem Augenblick, und wenn er hundert Jahre leben sollte. Sie konnte ihn nicht so ziehen lassen, das war nicht möglich; im übrigen gab es noch eine Menge Dinge zu besprechen, wie sie sich selbst einredete:

»Jules!« rief sie.

Er drehte sich langsam um.

»Ja?« murmelte er, als ob er gesagt hätte: Was willst du mir noch antun? Findest du nicht, daß es schon genug ist?

»Wir scheiden als gute Freunde?«

»Natürlich.«

»Was wirst du tun?«

»Na ja. Ayguines...«

»Dort hast du doch dein Haus.«

»Dort habe ich's gut«, sagte er. Und mit einer kleinen, pathetischen Geste: »Freilich nicht so gut wie hier. Du hast mich sehr verwöhnt, Pauline.«

»Aber«, murmelte sie, »sprich nicht davon.«

»Ach, elf Jahre...«

»Jules«, sagte sie, »da ist mir etwas eingefallen. Du bekommst deine Rente erst in zwei Monaten nachgezahlt.«

»Ja.«

»Und in Ayguines mußt du den Kamin richten lassen, damit du heizen kannst.«

»Ja, den Kamin«, wiederholte er.

»Gib mir meine Tasche.«

Er ging zum Tisch, wohin er die Tasche gelegt hatte, und brachte sie ihr folgsam, wie er es tat, wenn sie ihn einholen hinunterschickte und ihm ein paar Geldscheine gab. Sie öffnete die Börse:

»Da, nimm«, sagte sie.

»Oh«, wehrte er ab. Aber er nahm es. »Ja, ich glaube, du hast recht, wenn ich weg muß, kann ich nicht ganz ohne Geld sein.«

Er sagte nicht: Ich gebe es dir zurück, oder: Das ist zuviel. Er steckte die Banknoten ein, ohne sie anzuschauen; er wußte, wieviel es war. Das war alles so unwichtig. Er sagte nur:

»Ich gehe heute noch. Meine Sachen, die im Schrank sind, außer denen, die in meinem Koffer Platz haben – ich besitze nicht viel, Pauline –, die schickst du mir bitte einmal nach. Später dann schreibe ich dir.«

Er verargte ihr also das Häßliche nicht, das sie ihm vorhin ins Gesicht geschleudert hatte und das ihr selbst das Herz zerriß. Gar nichts blieb davon zurück: kein Zorn, kein Groll, als ob es nie gewesen wäre, weil Jules es so wollte, ein ganz anderer Jules unter seiner rauhen Schale, ein Jules, dem sie nachtrauerte, um den sie weinen würde, denn das hatte er verdient.

Er verließ das Haus ganz unauffällig am Vormittag.

Fast eine Stunde lang sah sie ihn kommen und gehen, seine Habseligkeiten zusammensuchen, die er in einen Fiberkoffer stopfte. Es preßte ihr die Kehle zusammen, sie brachte kein Wort heraus. Er hatte den Überzieher anbehalten und legte ihn nicht ab. In der Wohnung mit den geschlossenen Fenstern war es zu heiß, aber aus einer Scham, die sie begriff, machte er sich's nicht bequem. Er war hier nicht mehr daheim.

Als er bereit war, stand er eine Weile unschlüssig, wie ein Mann, der sich umschaut, ob er nichts vergessen hat. Er blickte zum Bett hin und sagte:

»Darf ich dir noch einen Kuß zum Abschied geben?«

»Aber natürlich!«

Dann hob er seinen Koffer auf, den er neben das Bett gestellt hatte, und ging geradewegs auf die Tür zu und öffnete sie, und bevor er verschwand, winkte er leicht mit der Hand einen sehr mutigen und zugleich sehr traurigen Abschiedsgruß zu ihr hin. Und Pauline, die bei aller Beherrschung ein lächerliches, verzweifeltes Schluchzen aufsteigen fühlte, sagte trotz ihres Kummers oder vielmehr wegen ihres Kummers befriedigt zu sich: Er war doch ein ganzer Kerl, dieser Jules.

Sie biß sich auf die Lippen und fügte nach einer Weile ebenfalls laut und wie befreit hinzu: Das wäre erledigt.

Erledigt, ja. Es war hart, aber wäre es anders nicht noch viel härter geworden? Sie hatte noch einen so weiten Weg vor sich, den sie auf Ellbogen und Händen kriechend zurücklegen und dabei diesen fühllosen, schweren Leib und diese lebendige, bloßgelegte Seele, bleiern wie ein verletztes Glied, nachschleppen mußte!

Einen Augenblick lag sie da, wie betäubt. Endlich raffte sie sich auf. Sie zog das Telefon zu sich, stellte es auf ihre Brust. Sie spürte es wie ein unerträgliches Gewicht, denn seit vier Tagen atmete sie mühsamer, weniger tief; Guillaumard hatte es bemerkt und sie gründlich untersucht. Sie zerbrach sich den Kopf nach der Nummer.

Es lag im Sektor Vaugirard, ja, aber sie brachte die Zahlen durcheinander. Sie hätte im Telefonbuch nachschauen müssen. Doch das Telefonbuch war nicht da, man hatte es ihr nicht ans Bett gelegt. Die Nummer mußte ihr einfallen, um jeden Preis, zum Beweis, daß alles in Ordnung ging, daß wenigstens das Gedächtnis unversehrt geblieben war. Sie wollte es, wollte es mit aller Kraft. Es gelang ihr. Wie in einer Erleuchtung »sah« sie die Zahl. Und während sie die Wählscheibe drehte, entspannte ein erlösendes kleines Schluchzen den Druck auf ihrer Brust.

Während sie auf die Antwort der zugleich unwirklichen wie salbungsvollen Stimme wartete, wußte sie, daß sie sich nicht getäuscht hatte, und das schuf ihr eine unerwartete klare Sicht der Dinge:

»Spreche ich mit Notre-Dame? Ich möchte die Schwester Oberin haben. Oder vielmehr ihre Vertreterin, Mutter« – plötzlich fiel ihr der Name ein – »Marguérite-Marie. Wer spricht? Die Großmutter von Mademoiselle Angélique de Viborne. Worum es sich handelt? Das möchte ich ihr selbst sagen, Ehrwürdige Schwester.«

Es dauerte lange. Die Schwester Pförtnerin hatte den Nickelhörer auf dem Holzbrett an der Wand der Loge abgelegt. Endlich ertönte die kühle Stimme der »intelligenten Mutter«, deren strengen Tonfall sie absichtlich zu mildern suchte. Madame Paris hätte sie unter Hunderten erkannt.

»Ihrer Enkelin geht es gut«, begann die Nonne.

»Ich will mich nicht nach ihr erkundigen, Ehrwürdige Mutter, sonst hätte ich Sie nicht persönlich belästigt.«

»Dann, bitte . . .?«

Madame Paris konnte ihr allerdings nicht sagen: Es geht um das Leben meiner Enkelin . . . um ihren Entschluß . . . um den lieben Gott . . . Was im übrigen gar nicht in ihrer Absicht lag. Sie sagte:

»Es handelt sich um mich, Ehrwürdige Mutter. Ich bin sehr krank.«

Sofort merkte sie den Zweifel in der Stimme ihrer Partnerin:

»Sehr krank?«

»Ehrwürdige Mutter, ich habe eben erfahren, wie ernst es ist. Die Ärzte sind gerade weggegangen. Ich bin . . . ich bin gelähmt . . . an mein Bett gefesselt, ohne mich rühren zu können . . . Unheilbar. Ich bin aufgewacht wie jeden Morgen und habe meine Beine nicht mehr bewegen, nicht mehr aufstehen können. Sie gehorchen mir nicht mehr. Ich habe keine Beine mehr, Ehrwürdige Mutter!«

»Unglaublich! Das ist . . .«

»Es ist wahr. Ich werde niemals mehr gehen können. Und es kann sich auf den ganzen Körper ausdehnen, bald, vielleicht eher, als man glaubt. Ich habe vor wenigen Minuten erst von den Ärzten die Wahrheit erfahren. Es ist Myelitis. Sie müssen mir Angélique schicken, Ehrwürdige Mutter.«

»Angélique! Aber, Madame, das ist unmöglich. Angélique darf nicht ausgehen. Sie hat sich verpflichtet. Bis zur Ablegung ihres Gelübdes.«

»Aber bedenken Sie doch, Ehrwürdige Mutter, sie ist meine Enkelin! Wenn ich sterben müßte . . .«

»Dann wäre es etwas anderes...«

»Holen Sie bitte Angélique zum Apparat!«

»Das ist nicht möglich«, erklärte Schwester Marguérite-Marie. »Das ist gegen die Regel.«

»Dann«, sagte Madame Paris und betonte jedes einzelne Wort, »dann bitte ich Sie, ihr zu wiederholen, was ich Ihnen sagen werde, und ich bitte Sie um Ihr Wort, es zu tun. Ihr Wort vor Gott.«

»Aber das gebe ich Ihnen gerne, Madame.«

»Sagen Sie ihr, daß ich allein bin, ganz allein. Sagen Sie wörtlich: *ganz* allein, mit Nachdruck auf diesem Wort, und für immer allein, das wird sie verstehen. Ganz allein«, wiederholte Madame Paris, »ohne meine Tochter, ohne irgendwen, ohne ihren Bruder Enguerrand, den ich nicht erreichen kann. Sagen Sie. ihr, daß ich gelähmt bin und daß ich möglicherweise sterben werde und daß ich sie brauche, und sei es nur, um Gott nahezukommen.«

»Das werde ich ihr ausrichten, Madame.«

»Wenn ich sie heute nicht sehen sollte, dann schreibe ich ihr, und ich bitte Sie auch, mir zu versprechen...«

»Der Brief wird ihr ausgehändigt, selbstverständlich. Ich gehe sofort zu Angélique, Madame.«

»Wird Angélique kommen, Ehrwürdige Mutter?«

»Ich glaube schon.«

»Sie werden es ihr nicht verbieten?«

»Das kann ich nicht. Aber ich habe Ihnen schon gesagt, daß es von ihrem freien Willen allein abhängt.«

»Dann kommt sie«, erklärte Madame Paris.

Aber sie erhielt keine Antwort mehr, Mutter Marguérite-Marie hatte schon abgehängt und stand mit gefurchter Stirn vor dem Apparat der Pförtnerloge. Welche Gewissensskrupel wurden ihr auferlegt, ach, und wie schwierig war es, Seine Pflichten zu erfüllen. Die Wege des Herrn sind unerforschlich. Tag für Tag schickt Er neue Prüfungen und gibt neue Fragen zu lösen auf, von denen der Ruhm Seines heiligen Namens abhängt!

Madame Paris keuchte ein wenig, als sie den Apparat niederstellte. Einen Moment lang schloß sie die Augen. Sie stellte sich alles vor, was geschehen würde, was sie erhoffte, was sie wünschte, ehe ihre Stunde schlug.

Sie vernahm einen Schritt im Flur. Das war nicht Lambert, der die Treppen vier zu vier hinaufsprang. Auch nicht Jules, niemals würde es Jules sein – wo hielt er sich wohl auf –; war es ein Mieter des Hauses, die Dame aus dem fünften Stock? Nein, es war der Schritt Angèles.

Sie war es. Es war ihr leichter, fester Schritt, ähnlich, ganz ähnlich dem Schritt ihrer Mutter, dem einstigen Schritt ihrer Mutter. Es war Angèle, der Madame Paris jetzt alles erzählen mußte.

Die Eingangstür öffnete sich.

»Bist du's, Angèle? Komm – so komm doch!«

Und Angèle trat durch die Türe ein, durch die Jules vorhin weggegangen war, frisch, duftend von der winterlichen Luft.

»Nun, Mama?«

Die Ärzte waren da, aber sie ist nicht besonders besorgt, denn eine Verrenkung ist sogar für eine alte Dame schließlich nichts anderes als eine Verrenkung. Madame Paris jedoch denkt jetzt gar nicht daran, sie ist ganz erfüllt von dem eben erfolgten Gespräch mit der »intelligenten Mutter«. Alle ihre Kraft, ihr Scharfblick sind plötzlich wiedergekommen. Nein, nein, sie wird noch nicht sterben! Es ist nicht möglich. Nicht bevor sie ihre Aufgabe bis zum letzten erfüllt hat. Eine unfaßbare Freude schwellt ihr Herz, gepaart mit unendlicher Zuversicht. Sie glaubt. Sie glaubt, daß alles geschehen wird, wie sie es sich vorstellt. Sie will es. Sie weiß, daß sie es durchsetzen wird.

»Angèle, eine große Neuigkeit! Angélique kommt... sie kommt aus dem Kloster! Heute noch, ganz bestimmt...!«

»Aber wie, das ist doch... Warum?«

»Warum? Um bei mir zu bleiben, um mich zu pflegen, denn ich bestehe darauf, daß sie bleibt, wenn sie einmal hier ist.«

»Dich pflegen? Dazu bin doch ich da.«

»Du wirst nicht ewig hier sein.«

»Ewig! Du wirst ja auch nicht ewig im Bett liegen!«

»Aber, doch... doch... Angèle, ja, wo hab' ich nur meinen Kopf. Ich habe ganz vergessen, dir zu sagen, Angèle«, stieß sie in einer unverständlichen Heiterkeit hervor, »Angèle, ich bin gelähmt.«

VIII

»Was redest du da?« schrie Angèle.

»Die Wahrheit«, erklärte Madame Paris ruhig, »ich versetze dir das ganz schonungslos. Also, mein Kind, ich habe mir nicht den Fuß verrenkt. Stell dir vor, wie ich vor vier Tagen aufgewacht bin, habe ich meine Beine nicht bewegen können. Eine Krankheit, die anscheinend in meinem Alter manchmal vorkommt.«

»Aber, um Gottes willen, man muß doch etwas tun können. Es ist...«

»Es ist so«, sagte Madame Paris, »daß man mir kaum Hoffnung läßt. Gar keine Hoffnung, um es genau zu nehmen.«

»Du . . . du wirst niemals mehr gehen können . . .«

»Ich fürchte es.«

Sie erklärte ihrer Tochter in allen Einzelheiten, was sie empfunden, wie sie die vier Tage verbracht und was die Ärzte heute früh gesagt hatten. »Du siehst«, schloß sie, »ich bleibe ein ganz normaler Mensch, mit dem einzigen Unterschied, daß ich nicht mehr die Treppen hinauf und hinunter laufen und in meiner Wohnung herumgehen kann.«

»Aber . . . mußt du denn immer im Bett bleiben?«

»O nein! In einiger Zeit, bald schon, darf ich einen kleinen Rollwagen benutzen . . .«

Angèles Herz verkrampfte sich, sie stellte sich ihre flinke, bewegliche Mutter, die niemals still sitzen konnte, vor: die Hände an den Gummirädern, den schwerfällig gewordenen Leib durch die vier engen Räume schleppend. Und sofort stürmten tausend Fragen auf sie ein: Wie würde man sie ohne Aufzug die vier Etagen heraufbringen? Und alles andere: der Haushalt . . . die Pflege . . .

»Ich bleibe hier bei dir«, begann sie.

»Nein!« fiel ihr Madame Paris ins Wort. »Du nicht. Ich habe dir schon gesagt, daß ich Angélique habe rufen lassen.«

»Sie wird nicht kommen. Man läßt sie nicht mehr heraus.«

»Doch. Ich habe sogar mit Schwester Marguérite-Marie telefoniert. Ich müßte mich sehr täuschen, wenn Angélique nicht käme. Du weißt, wie gern sie mich hat. Wenn sie von meinem Zustand erfährt, dann läßt sie mich nicht allein.«

»Du bist nicht allein.«

»Ich habe ihr sagen lassen, daß du nach La Gardenne zurückgefahren bist.«

»Und Jules?«

»Jules«, sagte Madame Paris, »Jules ist schon ausgezogen. Für immer.«

»Was? Er wird doch nicht davongelaufen sein, als er gehört hat . . .?«

»Nein, nein, was fällt dir ein, Angèle! Jules weiß nichts. Seinetwegen . . . vor allem seinetwegen hab' ich die Verrenkung erfunden. Komm zu mir, mein Kind, damit ich es dir erkläre: Jules ist weggezogen, weil ich nichts mehr von ihm wissen wollte.«

»Gerade in dem Augenblick, als du krank wurdest!«

»Wegen dieser Krankheit«, sagte Madame Paris ruhig.

Angèle blickte ihre Mutter groß an:

»Du hast ihn hinausgeworfen, Mama«, sagte sie nach einer Weile.

»Du begreifst wohl, daß ich ihn jetzt nicht behalten konnte.«

»Jules wäre dir ein Gefährte gewesen.«

»Um welchen Preis!«

»Er wird unglücklich sein.«

»Er wäre hier noch viel unglücklicher geworden.«

Darauf gab es nichts zu entgegnen.

Madame Paris unterbrach das bedrückte Schweigen, das nun eingetreten war:

»Angélique wird kommen. Ich glaube es fest. Ich habe alles Nötige unternommen. Sie wird niemanden hier finden als mich, die alte Frau, die sie braucht, der sie ihre Hilfe nicht verweigern kann. Sie wird bleiben, wenigstens einen Tag, eine Nacht, bis eine Pflegerin kommt, eine Pflegerin, die mir nicht passen wird. Da werde ich sehr eigensinnig sein. Und wenn sie eine Zeitlang bleibt, ein paar Wochen, dann wird der Einfluß ihrer jetzigen Umgebung nachlassen... Sobald es gelingt, sie aus diesem Kloster, für das sie nicht geschaffen ist, herauszulocken, ist das Spiel schon halb gewonnen.«

»Ach, Mama, wenn ich bedenke, was dazu nötig war!«

»Schweig. Ich ziehe den größtmöglichen Nutzen aus meiner gegenwärtigen Situation«, sagte sie mit einem vertraulichen Augenzwinkern, das ergreifender als eine Klage war. »Du darfst natürlich nicht hierbleiben.«

»Aber ich kann dich doch nicht allein lassen!« schrie Angèle auf.

»Vielleicht kommt Angélique doch nicht, und... was soll dann geschehen?«

»Sie wird kommen.«

»Vielleicht erst spät am Abend oder morgen. Wer kauft für dich ein, wer bringt dir das Essen?«

»Erstens einmal hab' ich keinen Hunger. Und dann hat Jules alles Nötige eingeholt. Du brauchst es mir nur auf dem Tablett anzurichten und auf den Sessel neben das Bett stellen.«

Angèle dachte nicht an die persönliche Pflege, an die Leibschüssel, und Madame Paris hütete sich wohl, davon zu sprechen. Aber Angélique muß kommen, dachte sie, sie würde kommen. In einer Stunde... Madame Paris blickte auf ihren Wecker: vielleicht schon in einer halben Stunde.

»Beeile dich! Du darfst nicht hiersein, wenn sie das Haus betritt. Es gibt hundert kleine Hotels. Du kannst es notfalls morgen schon wechseln. Oder hast du die Absicht, nach La Gardenne zurückzukehren?«

»Nein. Und jetzt schon gar nicht. Es ist noch soviel hier zu erledigen.«

»Wenn Angélique anwesend ist, mußt du unsichtbar bleiben. Zumindest so lange, bis sie sich richtig eingelebt hat, damit du ihr nicht als Vorwand dienst, wieder ins Kloster zurückzulaufen.«

»Das kann nicht unbegrenzt lange dauern!«

»Daran denke ich ja gar nicht. Angélique muß nur erst einmal hiersein, hier wohnen, und wenn auch bloß für einige Tage. Dann werde ich ihr beibringen, daß ich ohne sie verloren bin, daß ich es nur ertrage, von ihr gepflegt zu werden, daß es ihre Pflicht ist, bei mir zu bleiben. Also, beeil dich . . .«

»Ich weiß überhaupt nichts mehr . . . das ist alles so plötzlich, so schwer . . .«

Angèle de Viborne hastete in die Küche, verstört, legte den Schinken auf einen Teller, bestrich das Brot, stellte das Mineralwasser, das Glas, den Käse und das Obst auf das Tablett.

»Gib's hierher und mach dich fertig. Es ist fast Mittag«, sagte Madame Paris, als sie damit hereinkam.

»Aber Mama, wie erfahre ich von dir . . .?«

»Ich werde telefonieren, während Angélique einkaufen ist.«

»Aber wohin?«   .

»Dorthin, wo du dich aufhältst.«

»Woher wirst du meinen Aufenthalt wissen?«

»Du rufst mich eben gleich an.«

»Wie soll ich . . .?«

»Stimmt, du kannst schwer anrufen. Angélique merkt sofort, daß du nicht von La Gardenne telefonierst. Du kannst mir auch nicht schreiben, sie schaut meine Briefe natürlich an, das tut man ja gern bei den Kranken, um sie zu ›schonen‹ und ihnen unvorsichtige Bemerkungen zu unterschlagen.«

»Was also? Ruf bei Enguerrand an!«

»Den trifft man niemals daheim.«

»Hör, Mama, ich kann von dir nicht abgeschnitten sein, das ist ausgeschlossen. Es gibt vielleicht plötzliche Entscheidungen zu treffen, denen Angélique allein nicht gewachsen ist. Ich glaube jetzt langsam, daß du recht hast, mich aus dem Haus zu schicken. In längstens einer Stunde hab' ich ein Quartier gefunden und weiß, was ich tun werde. Dann rufe ich dich an. Ist Angélique am Apparat, hänge ich ab und rufe später ein zweites Mal an, sagen wir, um sechs Uhr abends; du findest schon einen Vorwand, sie hinunterzuschicken. Aber du begreifst doch, daß ich es nicht aushalte ohne Nachricht . . .«

»Gut. Also entweder sofort oder heute nachmittag gegen sechs Uhr.«

Jetzt war es höchste Zeit für Angèle. Der Koffer war gepackt, ihre Wäsche, ein Kleid, ihre persönlichen Kleinigkeiten. Sie kam im Mantel zurück.

»Und Lambert? Angélique schickt ihn sicher hinunter, um einzuholen!«

»Mein liebes Kind«, sagte Madame Paris, »du ertränkst dich in einem Glas Wasser. Ich werde erklären, daß Lambert absolut unfähig ist, irgend etwas zu kaufen. Und ihm bringe ich schon bei, daß du ganz plötzlich abreisen mußtest.«

»Ich bitte dich, paß auf ihn auf. Mama, leb wohl.«

Sie umarmte sie, küßte sie, sie glaubte sich nicht losreißen zu können. Madame Paris machte kurzen Prozeß:

»Schluß jetzt, adieu! Es ist zwölf Uhr vorbei.«

Wie Jules — genau wie Jules eine Stunde zuvor, aber schneller, als würde sie verfolgt — lief Madame de Viborne mit ihrem Koffer die Rue Caulaincourt hinunter. Erst vor dem Hippodrom holte sie Atem. Was tun? Wohin gehen? Hubert um Rat fragen? Nein, nein, Hubert war zu jung, und außerdem wußte sie mit ihren vierzig Jahren zur Genüge, daß man einen Liebhaber nicht mit seinen eigenen Sorgen belästigen, verstimmen darf. Was also? Zu wem?

Da fiel ihr Mehlen ein. Ja, Mehlen, das war ein erfahrener und gesetzter Mann, er wußte Rat. Wie schnell hatte er die Schwierigkeiten in La Gardenne beseitigt! Und dann, er war sicher, verläßlich und rührend mit allem, was er für sie vorbereitet, geplant und geleistet hatte. Mehlen würde ihr raten . . .

Er antwortete sofort, erkannte augenblicklich ihre Stimme und hatte sichtlich ein gewisses Ahnungsvermögen, denn er fragte:

»Womit kann ich Ihnen dienen? Was ist passiert?«

Sie sprudelte alles heraus, die plötzliche Lähmung ihrer Mutter, die verzweifelte Lage, in der sie sich befand. Ohne den Grund anzugeben, sagte sie ihm, daß sie aus der Rue Caulaincourt überstürzt hätte ausziehen müssen. Er fiel ihr ins Wort:

»Kommen Sie zu mir«, sagte er. »Es ist zwölf Uhr vorbei, und wir werden alles ruhig besprechen. Kommen Sie zu mir essen.«

Sie war einverstanden. Ja, Mehlen würde den Knoten lösen. Mehlen, der konnte es. Mit Hilfe Mehlens wurden alle schwierigen Dinge einfach; es war begreiflich, daß sie in ihrer Notlage instinktiv die Schritte zu ihm gelenkt hatte. Bevor sie die Telefonzelle verließ, wählte sie die Nummer ihrer Mutter.

»Ja?« meldete sich die wohlbekannte Stimme.

»Du, Mama? Ist Angélique gekommen?«

»Nein, noch nicht. Wohin kann ich also telefonieren?«

»Vorderhand bitte zu Mehlen.«

»Wie?«

»Mehlen. Ich esse mit ihm zu Mittag. Ich wußte nicht, wohin.«

»Aber nachher?«

»Auch zu ihm, bitte. Nach reiflicher Überlegung halte ich es für das beste. Es wird mir alles ausgerichtet ...«

Nach dem Gespräch hielt Madame Paris noch eine Weile den Apparat in der Hand und schaute stumm vor sich hin. Dann hörte sie, wie Angélique die Türe aufsperrte; Angèle hatte den Schlüssel steckenlassen.

IX

Der Diener des Stadtpalais in der Rue de la Faisanderie nahm Angèle Mantel und Koffer ab und führte sie in den Salon.

Diesmal erwartete sie Mehlen dort. Sie freute sich, als sie ihn vor sich sah, die Last der Unsicherheit fiel von ihr ab.

»Sie haben es jetzt wirklich nicht leicht, liebe Freundin«, begrüßte er sie und bat sie, Platz zu nehmen. »Ist Ihre Frau Mutter wirklich ...?«

»Ja«, nickte Angèle, »und das ergibt eine Menge neuer Schwierigkeiten für mich.«

»Wir werden gemeinsam überlegen«, sagte er. »Darf ich Sie jetzt zu Tisch bitten?«

Er öffnete die Türe zum Speisezimmer. Angèle, die noch niemals hier gewesen war, staunte über die Möbel und Tapisserien mit dem Golddekor und den Spiegeln in einem recht überladenen venezianischen Stil. Die Gedecke auf dem großen Marmortisch hingegen waren einfach und edel, Tafelgeschirr und Kristall schlicht und von erlesener Qualität.

Er schob ihr den Stuhl zurecht:

»Wollen wir zuerst ein Glas Sherry trinken?«

Er holte eine angebrochene Flasche von einer Konsole und goß die Flüssigkeit, golden, wie alles in dem Saal, in das kleinste der Gläser.

»Ich beziehe ihn direkt«, sagte er. »Pedro Domecq ist so freundlich, mir ihn zu senden, seit ich ihn in Jeres de la Frontera besucht habe.«

Er schenkte sich selbst ein und setzte sich ihr gegenüber.

»Kennen Sie Spanien?« begann er.

Sie war seit jenem Abend nicht hiergewesen, an dem er ihr alles hier gezeigt hatte, was ihr zugedacht war. Kein Wort des Vorwurfs bei ihrem Erscheinen, er hatte ihr nicht gesagt: »So lange ...« oder »Ich habe einen Anruf erhofft.« Automatisch hatte sie sich an ihn um Hilfe gewandt, und er triumphierte deshalb nicht. Nichts demütigte ihn, denn nichts vermochte ihn, den Stärkeren, zu demütigen. Nein, er plauderte mit ihr über Spanien und fand so ein Mittel, sie

mit seinem Leben vertraut zu machen und unmerklich in ihres einzudringen.

Sie tranken aus, und er läutete.

Der Diener war diskret, unpersönlich, man hörte und sah ihn nicht.
Das Menü war ganz einfach, aber vollkommen, nicht zuviel und nicht
zuwenig. Kaffee? Sicher, sie ließ ja stets Kaffee in La Gardenne auf-
tragen. Sie würden ihn drüben im Büro nehmen.

So betrat sie den so kostbar eingerichteten Raum wieder und bewunderte ihn von neuem. Die Erinnerung an ihre damalige Unterhaltung
schwebte irgendwo im Hintergrund, aber verschwommen, ferne, wie
verwischt.

Der Kaffee war ausgezeichnet. Während sie mit dem winzigen Email-
löffel in dem durchscheinenden Porzellan rührte, irrten ihre Blicke
über die Flamme des Kamins. Sie mußte ihre Gedanken mit Gewalt
zu Hubert zwingen.

»Ich wüßte gern einige Einzelheiten über das Leiden, das Ihre Frau
Mutter befallen hat«, sagte Mehlen nach einer Weile.

Natürlich. Madame Paris war schwer erkrankt, gelähmt. Und alles
andere dazu: Angélique, die Kinder ... sie selbst! Sie tauchte sacht
aus einer Art sanfter Erschlaffung, einem ungewohnten Behagen.
Ach, es half nichts, sie durfte sich ihm nicht überlassen.

Sie erzählte die erfundene Verrenkung und den Besuch der Ärzte.
Man hielt es für eine Myelitis ...

»Dann soll Fromenti sie anschauen«, erklärte Mehlen.

»Wer ist Fromenti?«

»Der einzige Mann, der sich in den neuen Behandlungsmethoden
auskennt, er hat sie in Amerika studiert. Das sind keine Krankheiten
für Wald- und Wiesenärzte.«

»Wie kommt man an ihn heran?«

»Das übernehme ich schon. Morgen vormittag muß es möglich sein.
Fromenti kann mir nichts abschlagen, außerdem ist er ein guter
Bekannter von mir. Werden Sie um diese Zeit bei Ihrer Mutter oben
sein?«

»Nein«, sagte Angèle.

Es war nötig, ihm die Gründe für ihre Abwesenheit zu erklären, und
das fiel ihr mit einem Male schwer.

»Ich muß Ihnen von Angélique berichten«, sagte sie stockend.

Er schob seinen Stuhl näher zu dem ihren, nahm die leere Tasse aus
ihrer Hand und stellte sie auf den Schreibtisch.

»Ich weiß nicht«, begann sie, »ob Sie sich ganz in meine Situation
versetzen können, da Sie keine Kinder haben.«

»Ich kann es«, antwortete er, »denn ich habe es mir oft ausgemalt.

Ja«, sagte er nachdenklich, »auch ich stellte mir manchmal vor, wie schön es wäre, nicht mehr wie jetzt ins Leere hineinzuarbeiten, nicht alles, was ich aufbaute, was ich lernte, was ich verwirklichte, ganz und gar mit mir ins Grab sinken zu lassen.«

»Das ist die eine Seite des elterlichen Gefühls, aber es gibt noch eine andere, die man, wie ich glaube, wirklich nur empfinden kann, wenn man Vater oder Mutter ist. Die Kinder, die wir in die Welt gesetzt haben, die aus uns geworden sind, setzen unsere Werke fort, aber zugleich führen sie ein Stückchen unseres physischen Lebens weiter.«

»Das glaube ich schon.«

»Und das eben empfinde ich bei Angélique.«

»Weil dieses Mädchen, das Sie zur Welt gebracht haben, Ihnen so ähnlich ist.«

»Das stimmt. Ja, das ist es. Und doch ist es so verschieden von mir.«

»Sie ist wie Angèle de Viborne. Angélique ist eine Flamme.«

»Ach ja. Aber eine Flamme, die für das Leben und nicht für die Altäre geschaffen ist.«

»Ich verstehe«, nickte Mehlen.

Ja, wirklich, er verstand sie, und Angèle war beglückt darüber. Soviel menschliches Verständnis, so viel Einsicht und Klugheit berührten sie, sie hatte sich so verloren geglaubt. Aber plötzlich wurde sie gewahr, daß Mehlen Angélique verstand, weil er die Eigenart ihrer Mutter begriff. Mehlen war etwas ganz anderes, als man annahm, Mehlen war der Liebe fähig, und das wußte sie als einzige auf der Welt.

»Kurze Zeit nach dem Tod ihres Vaters hat mir Angélique im Kloster gestanden, daß sie den Schleier nehmen will. Ich habe es ihr vergebens auszureden versucht. Sie ist felsenfest entschlossen, nichts kann sie umstimmen. Sie schlägt einen Weg ein, auf dem es keine Umkehr gibt. Ich war sehr unglücklich, als ich sie verließ, und ich habe lange mit meiner Mutter vor ihrer Krankheit darüber gesprochen. Wir haben uns den Kopf zerbrochen, aber wir fanden kein Mittel, sie diesem freiwilligen Tod zu entreißen. Dann, als meine Mutter gelähmt war, ist ihr etwas eingefallen. Kaum waren die Ärzte draußen, hat sie im Kloster angerufen und erklärt, daß sie völlig hilflos und allein zu Hause liegt und ihre Hilfe braucht.«

»Aber Sie?«

»Sie hat eine Notlüge vorgebracht: daß ich schon heimgefahren wäre.«

»Lebte sie nicht mit . . .?«

»Das wußten Sie? Auch da hat sie gehandelt. Als sie erfuhr, daß

sie unheilbar krank war, hat sie den Mann weggeschickt, um nicht
ein Gegenstand des Mitleids für ihn zu werden. Und das hat sie auch
im Kloster durchblicken lassen, so daß Angélique kommen und bei
ihr wohnen kann ... Eine Chance, sie dem Leben zu erhalten.«
»Ihre Mutter ist eine bewundernswerte Frau.«
»Ja. Und dann, sie liebt uns ...«
»Wo werden Sie jetzt wohnen?«
Diese Frage hatte sich Angèle die ganze Zeit gestellt, und nun sprach
Mehlen sie aus.
»Sie müssen in Paris bleiben, in ihrer Nähe.«
»Gewiß. Ich suche mir ein kleines Hotel ...«
»Eine Lösung, ja, aber halten Sie das für sehr praktisch? Im übrigen
darf ich Ihnen eine Frage stellen, liebe Freundin. Erinnern Sie sich
nicht, was hier in diesem Haus ...«
»Nein, nein!« unterbrach sie ihn.
»Warum? Weil es bei mir ist?«
»Ja.«
»Aber nein! Es ist Ihre Wohnung. Und wenn auch nur für ein paar
Tage, Ihre Wohnung, wo Sie ganz ungebunden sind, mit einem eige-
nen Eingang ...«
»Unter Ihrem Dach.«
»Haben Sie denn gar kein Vertrauen zu mir? Und wenn ich Ihnen
sage, daß ich heute für ein paar Tage verreise und daß ich das Haus
erst wieder betrete, wenn Sie ausgezogen sind?«
»Das könnte ich niemals annehmen!«
»Aber Sie stören mich doch überhaupt nicht! Die Wohnung steht leer
und wird niemals jemand anderem gehören als Ihnen, das wissen
Sie ... von dem Tag an, da Sie bereit sind, in ihr zu leben.«
Plötzlich fiel ihr Hubert ein. Er rief niemals in der Rue Caulaincourt
an, das hatte sie sich ausbedungen, nicht wegen Madame Paris, sondern wegen der Kinder, wegen Jules. Hier konnte Hubert sie nicht
erreichen ...
»Nein, nein«, erklärte sie, »es ist ausgeschlossen, daß ich Sie aus
Ihrem eigenen Haus werfe.«
»Aber ich verreise doch. Bleiben Sie wenigstens bis zu meiner Rück-
kehr. Ich verständige Sie rechtzeitig, ich rufe Sie an. Ich kehre erst
zurück, wenn Sie es mir gestatten. Mein Koffer ist gepackt. Ich fliege
um vier Uhr von Orly ab nach London.«
»Nun ja«, sagte sie, »vielleicht ...«
Heute traf sie Hubert nicht. Madame Dervais kam für einen Tag zu-
rück, und sie hatten sich erst für morgen verabredet. Sie konnte
Hubert anrufen, sie erinnerte sich, ein Telefon in seinem Zimmer

gesehen zu haben, Mehlen war ja nicht da. Ihr graute so sehr vor einem Hotel, jetzt, nach dem Tod von Patrice, in ihrem Schmerz um die gelähmte Mutter und ihrer Sorge um Angélique, ihrer Pflegerin.

»Dann auf Wiedersehen, liebe Freundin!«

Mehlen stand auf. Er reichte ihr die Hand. Auch sie erhob sich. Ohne ein weiteres Wort zu verlieren, holte er den winzigen Schlüsselbund aus seinem Schreibtisch. Das Kupfer des kleineren Schlüssels blinkte einen Moment im Schein der Flammen auf, dann verschwand es in der Hand Angèles.

»Wenn Sie etwas von mir brauchen, wenden Sie sich bitte an Landier, er weiß, wo ich zu erreichen bin. Auf jeden Fall unternehme ich alles Nötige wegen des Arztes.«

»Danke«, sagte sie, »danke . . .« Sie suchte sichtlich nach einem Vornamen.

»Mehlen«, lächelte er, und küßte ihre Hand. »Ganz einfach Mehlen.«

Er begleitete sie nicht. Sie stieg allein die Treppe hinauf. Allein sperrte sie das Schloß auf. Sie konnte nicht mehr, alle Glieder schmerzten, sie war wie gerädert, die Aussicht, einen langen Tag allein in diesen schönen, bequemen Räumen bleiben zu dürfen, tat ihr wohl. Die Fenster waren offen, und das Feuer brannte in den Kaminen. Sie ging ins Bad und stellte fest, daß dampfendes Wasser in die Wanne floß. Ah, wie gut würde ihr ein heißes Bad tun!

In ihrem Zimmer warf sie den Hut auf einen Stuhl und suchte ihre Kleider. Sie fand sie nicht und bedauerte einen Augenblick, den Koffer unten gelassen zu haben. Läuten? Ja, vielleicht.

Sie wollte es eben tun, als ihr einfiel, sich erst den Schrank anzuschauen, in den sie ihr einziges Kleid hängen konnte. Ein hoher Spiegel verbarg die Türe. Sie zog an dem kleinen Kupfergriff und öffnete sie. Da sah sie, daß ihre Sachen bereits eingeräumt waren, das Kleid hing an einem Haken, die drei Paar Schuhe standen aufgereiht auf dem Boden neben dem Koffer.

Sie drehte sich um – Ruhe, Schlaf! Die unendliche Mattigkeit ihrer zerschlagenen Glieder überwinden! Mit dem Linonnachthemd in der Hand schritt sie dem Bett zu, magisch angezogen von der erlösenden Entspannung, die es verhieß. Allein sein, hier, in der Stille! Da fiel ihr Blick auf den Wildnerz am Fußende des Bettes. Er lag noch immer hier, seit ihrem letzten Besuch. Unbewußt streichelte ihre zarte Hand sacht über das weiche Fell, ehe sie auf das Lager sank.

»Großmutter!« rief Angélique von der Schwelle aus. Und Maman Pauline antwortete:

»Hier!«

Angélique hatte keine Sekunde bezweifelt, daß Maman Pauline wirklich krank war; als sie die alte Frau aber da hinten im Zimmer liegen sah, traf es sie wie ein Keulenschlag. Jetzt erst erfaßte sie die schreckliche Wirklichkeit.

»Großmutter, es kann nicht wahr sein...«

»Aber doch, mein Kind.«

Angélique, von so viel Qualen zermürbt, konnte sich nicht beherrschen. So fest hatte sie sich vorgenommen, sich nach außen hin nichts anmerken zu lassen, um die geliebte Großmutter zu täuschen und sie zu trösten; nun aber warf sie sich neben dem Bett auf die Knie, verbarg den Kopf an der alten Brust, wo er so oft gelegen hatte, und schluchzte herzzerreißend.

»Aber, aber«, sagte Madame Paris beschwichtigend und streichelte sanft über das Haar, das so gar nicht für Rasiermesser und Nonnenhaube geschaffen schien. »Aber, aber... sei doch vernünftig...«

Doch der Schmerz des Mädchens war zu heftig, sein ganzer Körper bebte.

»Ich bin so glücklich... so glücklich, daß du gekommen bist«, wiederholte Madame Paris erstickt.

Und wie ein unfreiwilliges Bekenntnis brach es aus Angéliques Mund:

»Ich auch... ich auch...«

Die Großmutter schloß Angéliques Hand, die rot und rissig von den niedrigen Arbeiten geworden war, in ihre eigenen, trotz des Alters so weichen, gepflegten Hände und erzählte ihr alles.

»Aber Jules?« fragte Angélique.

»Du erlaubst mir doch, daß ich ganz aufrichtig zu dir spreche? Wenn man so hart getroffen wird wie ich, dann geht man in sich und denkt nach. Ich konnte Jules nicht hierbehalten, verstehst du? Und deine Mutter ist schon nach La Gardenne gefahren und weiß von nichts.«

»Hast du sie nicht angerufen?«

»Sie hat so viel auswärts zu erledigen, sie ist nicht zu erreichen. Sie ist gleich nach ihrer Ankunft in La Gardenne weitergefahren. Und so liege ich völlig allein da. Allein mit Lambert, der keine Ahnung hat und jetzt, um halb eins, noch nicht nach Hause gekommen ist. Lambert ist ein Kind, das mir nicht die geringste Hilfe bedeutet, im Gegenteil. Denn ich muß mir alles machen lassen, die unangenehmsten und peinlichsten Dienste, die nur ein Mädchen wie du auf sich nimmt: waschen, umbetten – und alles andere... Eine Pflege, die eine bezahlte Kraft niemals so leistet wie ein Mensch, der sich aufopfern kann wie du, der mich liebt wie du...«

»Großmutter«, flüsterte Angélique, »ich kann aber nicht hierbleiben.«

»Nicht hierbleiben? Warum bist du dann gekommen? Willst du mich zugrunde gehen lassen?«

»Aber Großmutter!«

»Du wirst für mich beten, nicht wahr?« fragte Madame Paris mit bitterer Ironie. »Und du glaubst, das genügt? Du glaubst, daß die Engel zu meinem Bett herunterfliegen und mir die Schüssel bringen werden?«

»Maman Pauline, ich kann nicht bleiben, das weißt du genau.«

»Wieso? Ist denn der liebe Gott krank, daß er dich mehr braucht als ich, die ich hilflos bin, meine Füße nicht bewegen kann und keinen Menschen habe, der mir beisteht?«

Sie riß die Decke zurück:

»Da, schau!«

Da lagen ihre Beine, bis zum halben Schenkel von dem Nachthemd bedeckt, steif, die Füße im Winkel abgebogen, weiß, reglos.

»Von außen sieht man nichts«, sagte sie, »und das ist noch viel schrecklicher. Da liegen sie, meine Beine, und doch ist es, als hätte ich keine. Ich befehle ihnen: Steh auf, Pauline, und nichts gehorcht mir. Tot, gestorben! Nicht einmal schwer: einfach nicht da. Als ob ich sie niemals gehabt hätte!

Angélique starrte sie an. Unhörbar murmelte sie:

»Großmutter, ich habe es gelobt. Ich habe mich Gott geweiht. Ich gehöre der Welt nicht mehr an.«

»Immerhin bist du hier.«

»Ich konnte nicht anders...«

»Du konntest nicht, ja, du konntest es nicht über dich bringen, mich krank, vielleicht sterbenskrank, zu wissen und so liegen zu lassen. Und jetzt bist du hier, um mir mitzuteilen, daß du wieder weggehst, daß du nichts für mich tun kannst.«

»Aber Großmutter, ich gehöre schon in ein anderes Leben!«

»Bist du ganz sicher?« Madame Paris legte ihre Hände auf Angéliques Schultern und zog sie zu sich: »Schau mich an!«

Der Blick Angéliques entzog sich nicht, aber eine unendliche Trauer stand in den schönen Augen.

»So geh. Das aber ist ein Beweis, daß du Angst hast, daß du deiner nicht mehr sicher bist. Wärest du es, dann hättest du keine Furcht zu bleiben. Nun ja, ich habe nicht gewußt, daß die Liebe zu Gott jede andere Liebe so ganz ausschließt. In meiner Unschuld glaubte ich im Gegenteil, daß die Menschen, die von Seiner Gnade berührt sind, ganz wunderbar menschlich werden. Ich dachte nicht, daß der Glaube, dessen du dich rühmst, dir zu sagen gebietet: Im Namen Gottes, ich kann dir nicht helfen! Meinst du nicht, daß du mich damit endgültig von Ihm entfernst, gerade in dem Augenblick, da ich Seine Hilfe am dringendsten brauche? Glaubst du nicht, daß gerade hier deine Berufung läge? Du hast Angst, Angélique.«

»Das ist nicht wahr!«

»Doch, es ist wahr, sonst würdest du bis morgen bleiben, bis übermorgen, die Zeit, die ich brauche, um jemanden zu finden.«

»Hör mich an, Großmutter.«

»Nein, nein, ich höre dich nicht an. Jetzt kannst du gehen.«

»Ich will bleiben ... bis heute abend.«

»Und wer wird sich in der Nacht um mich kümmern? Lambert?«

»Wir suchen eine Pflegerin.«

»Angélique, hast du bedacht, was diese erste Nacht für mich bedeutet?«

Das Mädchen senkte den Kopf. Nach einer Weile murmelte es: »Ich muß es im Kloster melden.«

»Da ist das Telefon.«

Angélique sah auf den Apparat und rührte sich nicht. Maman Pauline sagte.

»Nimm es hinaus ins Nebenzimmer. Sprich dort. Du willst sicher allein sein, wenn du redest. Ich weiß genau, wie schwer es dir fällt, und ich will nicht zuhören. Eil dich, bevor Lambert heraufkommt.«

Angélique nahm das Telefon. Eine tiefe Falte hatte sich in ihre Stirn gegraben. Sie zog den Draht hinter sich her und ging hinaus.

»Mach die Tür zu!« rief ihr Madame Paris nach.

Dann sank sie auf ihr Kissen zurück. »Ah, das war schwer!« murmelte sie halblaut, als die Tür ins Schloß gefallen war.

XI

Angélique blieb die Nacht in der Rue Caulaincourt. Sie pflegte die Kranke, tat alles, wie es Guillaumard vorgeschrieben hatte, anschließend beschäftigte sie sich mit dem Haushalt und bereitete das Abendessen für Lambert. Sie aßen gemeinsam im Speisezimmer, dessen Tür zum Schlafzimmer offenstand.

Wohl oder übel mußte man dem Jungen sagen, was geschehen war, und er übersprudelte sich an Fragen. Er war ganz aufgeregt, er stand einem neuen Ereignis gegenüber, das den Rahmen des Alltags sprengte. Angélique antwortete ihm mit gedämpfter Stimme. Er schaute seiner Schwester zu, die sich nach dem »Segen« zu ihm unter die brennende Lampe setzte, deren Licht grell auf das weiße Damasttischtuch fiel. Er selbst hatte es aufgebreitet, während Angélique zum Kaufmann hinuntergelaufen war und Maman Pauline der Nacht entgegendämmerte.

»Das ist eine Krankheit?« fragte er. »Aber sie schaut ja gar nicht krank aus, die Großmutter!«

Nein! Als sie ihn, im Bett liegend, ohne ein Wort des Vorwurfs wegen seiner Verspätung empfangen hatte: »Komm zu mir, gib mir einen Kuß!«, da war sie ihm, wenn auch steif, so doch lebendiger als sonst erschienen, wie von einem inneren Leben befeuert, einer Energie, die ihn überraschte, weil ihm die Schwester doch erklärt hatte, daß sie sich nicht rühren konnte, niemals mehr rühren würde.

Am Nachmittag hatte er Angélique nicht ausfragen können, sie hatte alle Hände voll zu tun; dreimal war sie hinuntergerannt, weil sie immer wieder etwas vergaß, als ob sie dem alltäglichen Leben entwöhnt wäre, wo man an die niedrigen Dinge des irdischen Daseins denken mußte. Dann hatte sie bei der Kranken zu tun: einreiben, Medikamente verabreichen. Wie von einer Kommandostelle aus ertönten die Weisungen der Großmutter im Nebenzimmer: »Nimm drei Frottiertücher aus dem Schrank, vom rechten Stoß... Bring mir einen Löffel... Es ist Zeit, die Suppe aufzustellen... Sechs Uhr! Lauf schnell hinunter, ehe der Apotheker gesperrt hat, und hol das Rezept, das vormittags noch nicht fertig war...!«

Wieder war Angélique hinuntergegangen. Gleich darauf erklärte die Großmutter:

»Lambert, bring mir das Telefon. Aber paß gut auf die Schnur auf!«

Beinahe wäre er darüber gestolpert. Er war immer ungeschickt, wenn man etwas von ihm verlangte, jede Hilfeleistung war ihm mühsam und lästig. Selbst für die kranke Maman Pauline war er kaum der kleinsten Anstrengung fähig; spielend gelang ihm nur, was er für sich selbst unternahm.

Schlecht und recht hatte er den Apparat zum Sessel gebracht.

»Näher, siehst du nicht, daß ich ihn nicht erreiche?«

Dann, als er wie angewurzelt beim Bett stehenblieb, schrie sie ihn an, und nun verzog er sich. Er hörte nur Worte, die ihm nichts sagten:

»Wenn Madame daheim ist, dann verbinden Sie mich mit ihr.«

Ein langes Schweigen, dann wieder: »Immer gleich, keine Ände-

rung... Bist du gut untergebracht? Wirklich... Ja, Angélique ist hier... eben hinuntergegangen. Lambert ist im Nebenzimmer. Wie heißt dieser Mann? Fromenti? Bestehst du darauf, daß er mich untersucht? Na, ich habe versprochen, alles zu tun, also soll er kommen. Mehlen schickt ihn? Gut. Morgen früh? Ich erwarte ihn. Ich hab' dir schon gesagt, daß ich alles Menschenmögliche versuchen werde...«
Anfangs hatte Lambert aus angeborener Neugier gelauscht, aber es dauerte zu lange. Worte bedeuteten ihm nichts, und so kehrten seine Gedanken wieder zu dem Mädchen zurück, das ihm auch nicht aus dem Kopf ging, als er endlich im Bett lag.
Angélique war hinuntergegangen, von Lichtschein zu Lichtschein, von Laden zu Laden. Im Augenblick bewegte sie sich in einer Welt, die nicht mehr die ihre war, mit der sie nichts mehr verband, außer der Notwendigkeit, Madame Paris zu pflegen, die sie brauchte, die ohne sie verloren wäre. Und das brachte sie dem Herrn als Opfer dar, dem Herrn, der dies gewollt und der zugleich Jules aus dem Leben der Großmutter entfernt hatte.
Nein, nichts verband sie mehr mit dieser Umgebung und nichts mehr mit den Unterhaltungen der Hausfrauen und der Kinder, die umherrannten, einander stießen und das Bein stellten, und auch nichts mehr mit den Kleidern, der feinen Wäsche, den »Ensembles«, die sie mechanisch hinter den Scheiben betrachtete, den Schaufensterpuppen mit zu dünnen Taillen, die in manierierten und strengen Posen ihre bunten Seiden, ihr besticktes Leinen und ihre hundertfach plissierten Röcke darboten. Ihr genügte ein schwarzes Kleid, und es würde ihr für immer genügen. Kein Hauch von Eitelkeit bewegte sie. Mein Gott, wie weit entfernt sie von dieser Welt war! »Au Chic Féminin«, stand auf dem Schild des vornehmen Geschäfts.
Trotzdem war sie einen Augenblick vor der Auslage stehengeblieben und hatte sich den Flitter, die Gewänder, die sie niemals mehr tragen würde, angeschaut. Das Licht der Vitrine fiel gerade auf sie und erhöhte den Glanz ihrer dunklen Augen, die, wie sie meinte, nur mehr in ihr Inneres blicken würden. Plötzlich fühle sie, daß jemand hinter ihr stand.
Ganz nah, jemand, den sie nicht sehen konnte. In der Spiegelscheibe sah sie, daß es ein Mann war.
Auch er schaute in die Auslage und zweifellos berechnete er, wieviel Wochen er arbeiten müßte, um seiner Frau das rote oder das grüne Kleid zu kaufen – ja, das rote. Es war ein Arbeiter in einem blauen Overall, der aus der Fabrik kam. Angélique unterschied weder seine Augen noch die Umrisse seines Gesichts, sie sah nur, daß er groß, kräftig und breitschultrig war. Er beachtete sie nicht. Sie fiel ihm

nicht auf. Aber er war da. Ohne es zu wollen, drehte sie sich um. Instinktiv schaute sie auf, und ihre Blicke kreuzten sich. Er lächelte freundlich und harmlos. Sie senkte den Kopf und rannte davon.

Oben im vierten Stockwerk wütete sie über sich selbst. Das mußte ihr passieren, und sie wollte aus dem Leben geschieden sein? Ach, nur hinter den Klostermauern, hinter der Schranke des Gebets gab es Zuflucht und Frieden!

»Hast du die Medizin?«

Vergessen! »Morgen... morgen erst...«, stotterte sie und verabscheute sich selbst wegen ihrer Lüge.

»Komm, nimm das Telefon weg.«

»Bist du angerufen worden, Maman Pauline?«

Madame Paris wich der Frage aus.

»Lambert hat es mir hergestellt. Ein Facharzt... ein berühmter Spezialist, ein gewisser Fromenti... ein Professor, kommt morgen vormittag, untersucht mich. Er scheint tüchtig zu sein.«

»Goulben? Oder Guillaumard?«

»Nein, nein, und sie sollen auch nichts davon wissen. Ein... Bekannter schickt ihn zu mir. Du verstehst«, fuhr sie auffallend redselig fort: »ich will alles versuchen, alles ausprobieren, man weiß niemals... So, und jetzt geht beide zu Tisch.«

»Ich esse so wenig.«

»Das ist schlecht. Auf jeden Fall muß Lambert essen. Die Suppe ist fertig, bratet euch ein Kotelett.«

Während Angélique den Herd anzündete, trug Lambert genauso ungeschickt, genauso unwillig wie vorhin das Telefon ins Speisezimmer zurück.

Angélique kam aus der Küche:

»Großmutter?«

Keine Antwort. Sie ging bis zu der halboffenen Türe. Madame Paris lag mit geschlossenen Augen da.

»Psst! Keinen Lärm machen, Lambert, sie schläft.«

Der Rauch der dampfenden Kartoffelsuppe und der Erbsen stieg hinauf zu dem kleinbürgerlichen Luster.

»Und Jules?« fragte Lambert leise.

»Er ist ausgezogen. Ich werde dir's später erklären, wenn du größer bist.«

Jules? Wieder ein Gegenstand des Nachdenkens, des Staunens, der Fragen.

»Und Mama?«

»Die ist nach La Gardenne gefahren, es war besprochen, bevor sie gewußt haben...«

»Sie hat mir nicht einmal einen Abschiedskuß gegeben«, grollte Lambert. »Sie kommt doch bald zurück?«

»Natürlich. Sobald wir sie erreicht haben. Sie wird mich hier ersetzen.«

»Weil du ... nicht dableibst?«

»Nein«, sagte Angélique, und noch leiser wiederholte sie: »Nein.«

»Und Enguerrand?«

»Mach die Tür zu. Wir rufen ihn im Hotel an. Du hast recht, wir müssen ihn verständigen. Er soll verreist sein, hat die Großmutter gesagt, glaube ich.«

Er war nicht im Hotel, aber er sollte zum Schlafen kommen. Er war bei einer »Sitzung«, sagte das Stubenmädchen. Man würde ihm alles ausrichten.

»Sag mir noch, Angélique ...«

»Nein, Schluß jetzt.«

Es war Zeit, in die Stille zu kommen, allein zu sein, in die andere Welt zu flüchten, die sie, wie sie sich schwor, zum letzten Male verlassen hatte.

»Hilf mir abtragen.«

»Gibst du mir noch ein bißchen Konfitüre?«

»Ja, draußen in der Küche.«

Das Tischtuch war zusammengelegt. Auf Zehenspitzen schlich sie zur Tür der Großmutter:

»Ich schlafe hier, in deinem Bett, Lambert. Ich muß sie hören, wenn sie heute nacht etwas braucht. Du kannst das Bett Mamas haben.«

»Das große Bett!«

Sie schloß die Türe hinter ihm, und er legte sich nieder, nachdem er seine Kleider ausgezogen und kunterbunt verstreut hatte. Es war ein Doppelbett, in dem aber immer nur eine einzige Person geschlafen hatte, deshalb hatte sich eine Grube in der Mitte gebildet, in der man einsank und die sehr schnell warm wurde.

»Lies nicht mehr!«

Er hatte nicht die geringste Lust zu lesen. Er wünschte nur eines: im Finstern allein zu sein, allein mit dem Bild des Gassenmädchens, das ihm lebendiger und zutraulicher schien, als es jemals bei Tageslicht in Wirklichkeit war.

Auch Madame Paris schlief nicht. Mit weit offenen Augen starrte sie in die Dunkelheit, sie dachte an ihre Tochter, an Mehlen, auch an Doissel, an das ganze Leben, das ihr jetzt in ihrer Unbeweglichkeit als das einzige gültige Leben erschien.

Angélique hatte gebetet und versuchte nun einzuschlafen. Aber es wollte ihr nicht gelingen. Sie sah sich selbst im Spiegel einer Boutique und dahinter die Gestalt eines anderen, eines Mannes im blauen Arbeitsanzug, und wenn sie die Augen schloß, dann begegnete sie seinem Blick.

XII

Enguerrand erschien am nächsten Morgen, als der Frühstückskaffee auf dem Tisch stand. Er hatte die Nachricht spät in der Nacht bei seiner Heimkehr vorgefunden und eine sehr unruhige Nacht verbracht, da ihm nicht klar war, was der Großmutter eigentlich zugestoßen war. Die Nachricht wurde noch unverständlicher, weil, nach den Worten des Stubenmädchens, seine Schwester Angélique sie am Telefon mitgeteilt hatte. Wenn sich Angélique wirklich nicht im Kloster befand, dann mußte eine sehr ernste Ursache vorliegen. So war er am frühesten Morgen in die Garage um seinen Renault gerannt und direkt in die Rue Caulaincourt gerast.

Er sah abgespannt aus und hatte tiefe Ringe unter den Augen. Die Versammlung vom Vortag war sehr stürmisch verlaufen. Es hatte erregte Diskussionen über die »Parteilinie« und über neu auszugebende Parolen gegeben; der eben ernannte Ministerpräsident Gardas schien drakonische Maßnahmen ergreifen und unter dem Vorwand, die Währung zu stützen, allen sozialen Fortschritt unterbinden zu wollen. Dem mußte ein energisches Halt, vielleicht sogar Gewalt entgegengesetzt werden. Und ausgerechnet jetzt, wo sich so schwere Probleme ergaben, kam die private Sorge, die ihn persönlich traf: die Hiobsbotschaft der schweren Erkrankung seiner Großmutter.

Während er durch die schon belebten morgendlichen Straßen fuhr, sah er in Gedanken den wohlbeleibten Mann vor sich, an dem alles rund und weich war wie die Stimme, und er mußte sich sehr bemühen, einen Volksfeind in dem Politiker zu erblicken, der so offensichtlich selbst aus dem Volke stammte.

Angélique war seit fünf Uhr früh auf den Beinen. Zuerst hatte sie im Nachthemd auf dem kalten Boden kniend gebetet und den Vorleger weggeschoben. Immer wieder war ihr Kopf auf das ungemachte Bett gesunken. Sie flehte Gott um Erleuchtung an. Dann bereitete sie das Frühstück in der Küche, nicht ohne durch einen Türspalt ins Zimmer der Großmutter geblickt zu haben, die mit offenen Augen dalag. Schüchtern fragte sie:

»Wie hast du geschlafen?«

»Ausgezeichnet«, antwortete die alte Dame, und das war die nackte Wahrheit.

»Und ... wie fühlst du dich?«

»Nun, genau wie gestern.«

Es war also kein Wunder geschehen, und Angélique mußte trotz so vieler Kümmernisse die Pflege, die Hausarbeit weiterführen! Alles in ihr bäumte sich auf: Gott hatte sie nicht befreit, indem er die Beine Maman Paulines belebte!

»Ich bringe dir den Kaffee.«

»Ich möchte dich sehr bitten, mir ... vorher ...«

Vorher mußte sie die alte Dame ganz allein aufheben – sie war so schwer in ihrer Steifheit –, ihr die Schüssel unterschieben und ihr alle Pflege, die damit zusammenhing, angedeihen lassen. Ach, wie ungeschickt war Angélique, wie schwer fiel ihr das alles!

»Liebes Kind, siehst du, so was kann ich nur von dir ertragen.«

In stummer Wut biß Angélique die Zähne zusammen. Sie schalt sich selbst wegen ihrer mangelnden christlichen Nächstenliebe, und dabei war kein Ende dieser Dienstleistungen abzusehen, die ihr widerstanden, nicht, weil ihr davor ekelte, sondern weil sie dadurch in einen engen, niedrigen Alltag gezwungen wurde, in dem es Männer vor Auslagenscheiben gab, deren Bild sie noch des Nachts verfolgte:

»Mein Gott, hilf mir, befreie mich!«

Munter und angeregt sprang Lambert hinter ihr her, lief ihr in seinem langen, bis zu den Füßen reichenden Nachthemd in die Küche nach:

»Was krieg' ich zu futtern?«

Er stöberte in den Schränken herum und guckte in Töpfe und Pfannen.

»Laß das, gib Ruh ... erst kommt Großmutter.«

»Dann gehe ich mich anziehen.«

Um neun Uhr würde Mathilde in dem leeren Rohbau sein, in dem großen weißen Steinwürfel, wo der Wind durch alle Löcher blies und es so kalt und heiß zugleich war.

Enguerrand platzte herein:

»Was ist los?«

Er fragte nicht einmal, wieso Angélique im Hause war, warum Madame de Viborne nicht da war und wo sich Jules befand. Er wiederholte:

»Gelähmt ... einfach so über Nacht! Unfaßbar!«

Er schob Bruder und Schwester zur Seite und stürzte ins Zimmer der alten Dame.

»Aber Großmutter, was treibst du für Sachen!«

Er war gewöhnt, geradewegs und ohne Floskeln mit ihr zu sprechen. Sie waren so vertraut, daß alles Umschreiben, alles Geschwätz beiseite bleiben konnte.

Sie schaute ihn an, und sie kannte ihn gut genug, um seine Sorgen von seinem hübschen Gesicht zu lesen.

»Was ist mit dir?« fragte Enguerrand.

»Und mit dir?«

Er ging zur Türe zurück, schloß sie sorgfältig, kam zum Bett, setzte sich auf den Sessel, von dem er das Frühstückstablett weggenommen und auf das Marmorsims vor dem Kamin gestellt hatte.

»Erst sprechen wir von dir.«

Er hörte ihr zu und sagte nur das, was zu sagen war.

»Und Mama?«

Sie war bei Mehlen. Sie blieb in Verbindung mit Madame Paris.

»Er hat die finanziellen Angelegenheiten in La Gardenne geregelt«, fügte Madame Paris als Erklärung hinzu.

»War denn in La Gardenne etwas zu regeln?«

Ein so langer Kerl, und so naiv! Natürlich, er ahnte die wirkliche Todesursache seines Vaters nicht. Später! Später würde sie es ihm sagen, wenn der Augenblick gekommen war, denn jetzt war sie mit ihm, Enguerrand, beschäftigt, dessen Gesicht so angegriffen, so abgespannt aussah.

»Und Jules?«

Sie sagte ihm die Wahrheit, und er billigte ihre Handlungsweise. Das Verständnis, das er stets für solche Dinge bewies, war einer der Gründe, warum sie ihn so liebte. Dann sprach er von Angélique:

»Ich begreife sehr genau, was du versuchst. Aber da kann ich dir nicht beistimmen. Genausowenig, wie ich beistimmen würde, wenn du dich in meine ›Ideen‹ einmischen wolltest.«

»Versteh mich«, sagte Madame Paris, »ich stelle mich ihr nicht entgegen, wie du behauptest, ich versuche ihr nur zu zeigen, wie das Leben wirklich ist, ehe sie allen Kontakt verloren hat.«

»Und du glaubst, daß einige Tage dazu ausreichen?«

»Es handelt sich nicht um einige Tage«, murmelte Madame Paris bitter.

Er schwieg. Nach einer Weile fuhr sie fort:

»Jetzt zu dir.«

»Bei mir steht die Sache sehr einfach.«

Das schien nicht ganz richtig zu sein, denn trotz des Freimuts, der zwischen ihnen herrschte, brachte er es nicht über sich, klar auszusprechen, was ihn so bewegte. Er drückte sich unbestimmt und gewunden aus:

»Seit heute ergibt sich ein neues Problem für mich: das Problem der Aktion.«

»Soviel ich weiß, bist du niemals davor zurückgeschreckt.«

»Zu anderen Zeiten, ja, während des Krieges. Jetzt sind wir nicht im Krieg. Trotzdem«, fügte er zögernd hinzu, »trotzdem ist es das gleiche. Nur sitzen jetzt die Feinde mitten unter uns.«

»Ich sehe nicht recht, was für Feinde, wo wir unter unseren Landsleuten leben.«

»Das ist es ja gerade. Sie verraten uns vielleicht, ohne es selbst zu wissen, aber deshalb bleibt es ein echter Verrat. Wir haben unsere Ziele... und die Frage ist nur, ob wir wirklich wollen...«

»Worum geht es eigentlich?«

»Jemanden zu ›neutralisieren‹«, sagte er und sah sie unsicher an.

»Wenn Krieg ist, dann ist nichts dagegen einzuwenden, denke ich.«

»Versteh mich richtig. Unter ›neutralisieren‹ verstehe ich... verstehen wir... jemanden zu beseitigen, wenn es nötig ist.«

Madame Paris pfiff durch die Zähne:

»Also ermorden?«

»Wenn es nicht anders geht...«

Er hielt den Kopf tief gesenkt und sah nicht die Falten auf der Stirn Maman Paulines.

»Wir achten beide das Menschenleben hoch, du und ich. Vor allem laß mich glauben, daß der Gedanke zu morden« – sie betonte das Wort, wiederholte es –, »jemanden zu ermorden, überhaupt nur gefaßt werden kann, wenn jede andere Möglichkeit ausgeschlossen ist.«

»In manchen Fällen gibt es keine andere Lösung.«

»Das glaube ich nicht.«

»Wenn es aber doch so wäre?«

»In einer solchen Lage, das weiß ich, würde ich das menschenmögliche versuchen, ehe ich mich dazu entschließen könnte. Es ist dir doch klar, daß du als Mitwisser genauso zur Rechenschaft gezogen wirst wie der Mörder selbst?«

»Ja.«

»Enguerrand, Enguerrand, es ist sehr bedenklich, daß du dich überhaupt mit solchen Fragen befassen mußt! Du...«

Er fiel ihr ins Wort:

»Ich habe nichts veranlaßt und das Problem nicht gestellt.«

»Ah!« Sie atmete auf.

»Nicht ich«, sagte er scharf, »nicht wir, sondern jener Mann, der durch seine Handlungsweise, seinen Willen die Fakten schuf, die von uns eine radikale Lösung erfordern. Wenn ein ganzes System... der Erfolg eines Systems... vom Leben eines einzigen Menschen abhängt...«

»Jedes Menschenleben ist unantastbar.«

249

Enguerrand schwieg. Nach einer Weile begann die alte Dame wieder:
»Es war gut, daß du mit mir darüber gesprochen hast. Ich verstehe, was dich quält. Ich weiß, daß du anständig und ehrlich bist. Du gehörst nicht zu den Menschen, die sich halb geben. Freilich muß die Sache dafürstehen. Du vertraust mir, nicht wahr? Du kannst gar nicht ermessen, wie wohl es mir tut, dein neues Geheimnis teilen zu dürfen. Ich werde viel an dich denken. Es ist nicht unmittelbar bevorstehend, vermute ich, und das Problem noch rein... rein theoretisch...?«
Er nickte, er wollte sie beruhigen, aber er war auch selbst davon überzeugt.
»Ich werde daran denken. Und zum Beweis, daß du mir vertrauen kannst, Enguerrand, will ich dir jetzt auch etwas sagen, etwas, was ich niemandem gesagt habe und niemandem sagen werde. Enguerrand, trotz meines scheinbaren Mutes bin ich verzweifelt. Enguerrand... ich werde nicht mehr laufen. Ich werde die Straße nicht mehr sehen... keine Treppen mehr steigen... nichts kann ich alleine tun... ich brauche Menschen für alles, für die gewöhnlichsten... die intimsten... die geheimsten Verrichtungen. Kind, ich bin unfähig, lahm... Enguerrand!« Ihre Stimme war heiser, rauh, wie erstickt: »Enguerrand, du kannst dir nicht vorstellen, wie maßlos unglücklich ich bin!«
Ihr Kopf neigte sich zu seiner Brust, und sie weinte still, ohne wildes Schluchzen, erschütternd, trostlos, hoffnungslos.
Dann plötzlich richtete sie sich auf, versuchte zu lächeln und blickte ihn zärtlich an:
»Jetzt weißt du es... so wie ich es von dir weiß. Alles ist schwer. Manchmal erkennt man die Dinge erst richtig, wenn sie vollendet und vorbei sind. Schau, Jules zum Beispiel: Erst gestern nach seinem Weggehen hab' ich gewußt, was ich verloren habe. Jules!« wiederholte sie, »Jules – wer hätte das gedacht!«
Sie schien alle diese Gedanken mit einer kleinen Handbewegung verjagen zu wollen, mit der gleichen Geste, mit der Jules aus dem Zimmer geschieden war.
»So«, sagte sie dann in verändertem Ton, »so, jetzt hilf mir, mich aufzurichten.«
Er nahm sie unter seinen Arm und setzte sie besser auf, als es Angélique vermocht hätte.
»Ah«, seufzte sie, »nichts geht über die Männer!«
Er strich die Decke glatt, schüttelte das Kissen auf und legte einige über das Bett verstreute Gegenstände, ein Buch, einen Bleistift, einen

Brieföffner, zurecht. Am Fußende des Bettes war ein zerknittertes Kuvert zwischen Matratze und Wand geklemmt. Er zog es heraus und wollte es wegwerfen.

»Nein, nein, laß das, zerreiß es nicht. Ich habe eine Telefonnummer darauf notiert.«

Mechanisch strich er das Papier glatt, und ebenso mechanisch las er die Nummer: »Elysées 14–45. Wer ist das?«

»Ach, ich hab' ganz vergessen, ich hätte es Angèle ausrichten sollen. Eine Nummer ... eine Geheimnummer ... Ja, mein Lieber, wir verkehren mit großen Tieren: Es ist die Nummer von Gardas, die er nur seinen intimsten Freunden gibt!«

XIII

Am nächsten Vormittag ließ sich Madame Paris in ihrem Zimmer einheizen. Sie sagte: »Wegen des Arztes, der kommt«, aber sie wußte schon, daß dieses Holzfeuer auch weiterhin brennen würde, obwohl sie doch niemals in einem warmen Zimmer hatte schlafen wollen. Jetzt aber mußte sie in diesem Zimmer leben.

Sie ließ sich auch einen Spiegel bringen, aber als Angélique fragte: »Großmutter, willst du dein Rouge?«, da antwortete sie: »Nein.« Lange betrachtete sie sich unnachsichtig und mitleidlos. Wie schnell ihr Haar wuchs! Zwei Zentimeter lang war der weiße Streifen an den Wurzeln. Sie legte den Spiegel weg und stellte halblaut fest: »Na schön, jetzt bin ich wirklich eine alte Frau geworden.«

Sie machte deshalb noch sorgfältiger Toilette, bürstete ihre Locken und legte sie; sie gestattete sich nur ein bißchen Puder, denn aus einem natürlichen Gefühl heraus wollte sie jetzt von Schminke nichts wissen. Um neun Uhr war sie fertig.

Sie wartete bis ein Uhr.

Lambert war noch nicht heimgekommen, und Angélique begann aufzudecken, als endlich die Glocke ertönte. Sie ging hinaus und öffnete. Die Kranke wußte, daß es der Professor war, und wirklich kam ihre Enkelin herein und meldete:

»Großmutter, die Herren sind da.«

Die Herren? Madame Paris erwartete nur Fromenti, aber da traten sie ein: ein hagerer Herr, mit kurzgeschnittenem grauem Haar, im einfachen dunkelgrauen Maßanzug, unter dem Arm eine Maroquaintasche, und hinter ihm ein kleinerer, unscheinbar, grau in grau, mit goldgefaßten, getönten Brillen, die das Auge verbargen. Letzterer war es, der das Wort ergriff:

»Da Ihre Frau Tochter abwesend ist, habe ich mir selbst zu kommen erlaubt, Madame.«

»Laß uns allein, Angélique«, gebot Madame Paris, die sofort wußte, woran sie war.

»Sie sind Monsieur Mehlen, nicht wahr?« fragte sie, als die Tür geschlossen war.

»Sie werden entschuldigen ...«

»Ich danke Ihnen sehr«, antwortete sie.

Mehlen fuhr fort:

»Ihre Frau Tochter wird Ihnen gesagt haben, daß Herr Professor Fromenti der erste Fachmann für die Krankheit ist, die Sie leider befallen hat. Er hat Wunderheilungen vollbracht. Er ist ein vielbeschäftigter Arzt, ich mußte ihn seiner Klinik förmlich entreißen; ich habe ihn in meinem Wagen hergefahren, daraus erklärt sich meine Anwesenheit.«

»Wie befindet sich meine Tochter?« fragte Madame Paris kurz.

Der Angriff war so plötzlich erfolgt, daß Mehlen ein wenig außer Fassung geriet: »Ich habe sie nicht gesehen, Madame.«

»Haben Sie ihr nicht Unterkunft bei Ihnen geboten?«

»Ja. Aber obwohl die Wohnung, in der sie sich befindet, völlig von meiner getrennt ist, bin ich ins Ritz übersiedelt. Ich habe ihr gesagt, daß ich verreise.«

»Das ist verrückt«, erklärte Madame Paris.

»Wie?«

»Verrückt ist es. Das kann man auf die Dauer nicht durchhalten. Sie wissen, warum sie nicht hiergeblieben ist, und es besteht keine Aussicht, daß sie vor ... vor Wochen wieder bei mir sein kann. Wollen Sie denn diese ganze Zeit im Ritz wohnen?«

»Wenn es nötig ist, Madame ...«

Das Gespräch begann peinlich zu werden. Fromenti spürte es und mischte sich ein:

»Ich bitte um Vergebung, Madame, aber meine Minuten sind leider gezählt. Ich werde Sie untersuchen, und ich bin überzeugt, daß Monsieur Mehlen mir seinen Chauffeur und den Wagen borgt, um mich nach Beaujon zu bringen, wo ich um halb zwei sein muß. Ich schicke sie gleich wieder zurück, und in der Zwischenzeit können Sie sich aussprechen.«

»Natürlich, entschuldigen Sie. Schließlich sind Sie meinetwegen da«, lächelte Madame Paris.

»Ich gehe hinaus«, erklärte Mehlen.

»Bleiben Sie nur«, hielt ihn Madame Paris zurück, »bei Ihnen ist es anders als bei Angélique. Drehen Sie sich nur bitte zur Wand.«

Grotesk, wie ein Kind, das in der Ecke stehen muß, stellte sich Mehlen vor den Kamin und starrte auf die Blumentapete.

Die stumme Untersuchung wurde nur fallweise durch eine einsilbige Frage des Arztes und eine ebenso einsilbige Antwort der Patientin unterbrochen. Sie dauerte lange. Endlich sagte Madame Paris:

»Sie können sich umdrehen.«

Und als Mehlen hinten bei der Wand stehenblieb:

»Kommen Sie bitte. Da Sie meine Tochter früher als ich sehen werden, sollen Sie die Diagnose genau hören, um sie ihr mitzuteilen.«

»Nun«, erklärte Fromenti, »ich habe schon ärgere Fälle gesehen. Die Lähmung ist lokal und scheint sich beim Gürtel stabilisiert zu haben. Aller Wahrscheinlichkeit nach breitet sie sich nicht nach oben aus. Die leichte Unempfindlichkeit, die Sie sich im Oberkörper einbilden, ist normal, der ganze Organismus ist etwas durcheinandergeraten. Was die Beine betrifft . . .«

». . . reden wir lieber nicht mehr von ihnen«, fiel ihm Madame Paris ins Wort.

Der kaustische Humor der alten Dame wunderte Fromenti. Er hatte in seiner Klinik wie in den Spitälern, wo man ihn zu Konsultationen beizog, einiges erlebt, aber diese überlegene, bittere Selbstironie traf ihn wie ein Schlag, den man parieren mußte.

»Ich glaube«, sagte er nüchtern und nickte bestätigend, »wir reden wirklich lieber nicht mehr von ihnen.«

»Kann man denn nichts mehr probieren?« fragte Mehlen.

»Gewiß, und das werden wir auch tun. Aber die gnädige Frau hat mir eine direkte Frage gestellt, und ich vermute, daß sie eine ebenso direkte Antwort wünschte. Wenn ich Sie aber doch herausbringe? Sind Sie einverstanden, daß ich es versuche?«

»Warum nicht? Ich bin mit allem einverstanden, Herr Professor. Nur muß ich gleich warnen: Ich bin nicht reich.«

»Die Geldfrage spielt hier keine Rolle«, erklärte Mehlen schnell.

»Wieso? Sagen Sie das, weil ich die Mutter Angèle de Vibornes bin?« fragte sie ruhig.

»Nein, nein, woher. Aber Fromenti ist ein Freund von mir. Ein sehr guter Freund, und für mich . . .«

»Was bin ich Ihnen schuldig, Herr Professor?« fiel sie ihm ins Wort, wie sie es ein paar Tage zuvor bei Guillaumard getan hatte.

»Aber, Madame . . . normalerweise . . .«

»Das eben will ich wissen.«

»Soll ich denn nicht wiederkommen?«

»Wer hat das behauptet? Wenn Sie irgend etwas für mich tun können, dann, bitte, tun Sie es. Ich bin mit Freuden bereit, alles auf

mich zu nehmen, auch die schmerzhaftesten und peinlichsten Proze-
duren. Im Gegenteil, ich rechne fest damit, Sie wiederzusehen. Sie
sind bestimmt der einzige, bei dem ich eine Chance habe – wenn es
überhaupt eine gibt. Nur zahle ich jeden Besuch extra, wenn Sie erlauben, das ist alles. Möchten Sie mir bitte meine Tasche reichen?«
Die beiden Männer sahen sich betroffen an.
»Ja, doch, bitte, meine Tasche auf dem Kamin ... weil ich zahlen
will.«
Mehlen nahm sie, brachte sie ihr. Es war nicht mehr sehr viel drin.
Sie holte zehn Geldscheine heraus. Ah, sie hätte gern viel mehr ge-
zahlt, nur um vor Mehlen aufzutrumpfen!
»Zehn? Ist das genug?«
»Das ist viel zuviel!« rief Fromenti und wechselte einen kurzen Blick
mit Mehlen.
»Na, na, ich weiß, was ein Arzt wie Sie kostet!«
Sie drückte ihm die Banknoten trotz seiner Abwehr in die Hand,
steckte die beiden verbliebenen Scheine in die Tasche zurück, schnapp-
te den Verschluß mit einem kleinen Klick zu, der wie das Spannen
des Abzughahns eines Gewehrs klang.
»Wann sehe ich Sie wieder, Herr Professor?«
»Ich habe die Absicht, eine Analyse durchführen zu lassen«, sagte er.
»Ich schicke Ihnen morgen früh einen Laboranten her und komme
selbst erst, wenn es unerläßlich nötig ist.«
»Da haben Sie recht«, antwortete sie und dachte: Ich werde ihn nicht
verpassen.
»Kann ich Ihren Wagen haben, lieber Freund?«
»Ich möchte Sie nicht länger aufhalten«, sagte Madame Paris zu
Mehlen, denn sie wußte wohl, daß er hierbleiben wollte.
»Ach«, meinte er achselzuckend, »meine Geschäfte drängen nicht all-
zusehr, im Gegenteil, ich wäre Ihnen dankbar, hier auf Wagen und
Chauffeur warten zu können, denn ich habe im Beaujon nichts zu
tun und erspare mir das Herumfahren in den Vororten. Wenn sich
dadurch Ihr Mittagessen nicht verzögert ...«
»Mein Essen hat Zeit«, erklärte sie, »dort haben Sie einen Lehnstuhl
beim Ofen. Aber legen Sie doch Ihren Überzieher ab, Ihr Chauffeur
bleibt sicher eine dreiviertel Stunde aus, und es wäre mir leid, wenn
Sie sich meinetwegen eine Erkältung holen.«
Fromenti verabschiedete sich, Angélique führte ihn hinaus. »Laß
uns allein, Angélique!« sagte Madame Paris dann. So blieb sie mit
Mehlen stumm zurück.
Madame Paris hütete sich wohl, das Wort zu ergreifen. Sie beobach-
tete den Mann Mehlen von ihrem Bett aus. Sein Überzieher hing auf

einer Stuhllehne. Er selbst hielt, während er in dem angewiesenen Fauteuil saß, die weiblich kleinen und schmalen Füße mechanisch zum Feuer.

Daß er ihr so unerwartet gegenübersaß, bedeutete ihr ein reines Vergnügen und entschädigte sie ein wenig für alle die Leiden, die sie zu ertragen hatte. Mehlen war hier! Mehlen, der Feind, in Reichweite! Eigentlich konnte man auch vom Krankenbett aus beachtliche Erfolge erzielen...

Auch er wartete. Er sprach niemals als erster, bei keiner Diskussion und keiner Verhandlung, außer wenn er ein unwiderrufliches Verdikt zu fällen hatte.

Madame Paris beobachtete ihn. Sie sah seine schmalen Schultern, den unmerklich vorgewölbten Bauch unter der Weste, deren letzter Knopf offenstand, das schüttere Haar am Hinterkopf, die dünnen Beine über den Chinesenfüßchen. Das also war der allmächtige Mann, dessen scharfen Verstand sie rühmen gehört hatte, dessen Leistungen und Überlegenheit die Zeitungen priesen. Das also war der Mann, der ihre Tochter begehrte, der den ersten Teil seines Programms schon ausgeführt hatte und der, wenn es gelang, morgen schon in ihrem Leben den Platz der Freude, der Liebe, alles dessen, was das Leben wert macht, einnehmen würde. Die alte Dame empfand eine innere Abwehr bei seinem Anblick, wozu der eben erfolgte Tod Patrice de Viburnes erheblich beitrug. Dabei war Mehlen weder häßlich noch abstoßend. Die Fingernägel waren gepflegt, das Hemd makellos, und der Stoff des Anzugs von äußerster Qualität. Er war sauber, ja, aber sauber wie eine Puppe, von einer Sauberkeit, die an ihm zu haften schien.

Da er noch immer schwieg und sie ihm viel zu sagen hatte, entschloß sie sich endlich zum Angriff:

»Als Kind habe ich dasselbe mit meinen Schuhen gemacht, was Sie jetzt tun; die Frau meines Vormunds« — sie sprach von Pepère — »hat mir immer wieder gesagt: ›Deine Sohlen werden verschrumpeln.‹ Nicht weil es Ihnen auf ein Paar Schuhe ankommt, wie ich mir denken kann, sondern weil mir das niemals mehr jemand sagen wird — aus guten Gründen —, hat es einen ganz eigenen Reiz für mich, Sie zu warnen.«

»Und Sie haben recht«, antwortete er und zog die Beine unter den Lehnstuhl, ohne die Augen zu heben, »das sind Dinge, die man mechanisch tut, ohne an die Folgen zu denken. Und so winzig die Folgen auch sind, man sollte sie immer bedenken. Gewiß, wie Sie sagen, kommt es mir auf ein Paar Schuhe nicht an, aber ich habe alles gern, was ich getragen habe, und es wäre mir unangenehm, sie zu verbrennen, denn ich weiß, was Schuhe bedeuten: Ich habe nicht immer Schuhe getragen.«

Er drehte sich ihr zu und blickte sie an, ohne daß sie seine Augen hinter den dicken Gläsern sehen konnte, aber trotzdem drang sein Blick in sie ein:

»Gerade deshalb, weil ich zuzeiten nicht einmal das Nötigste besessen habe, liebe ich den Luxus. Oh, nicht nur für mich allein, sondern für alles, was ich bin... für die Menschen, an denen ich hänge. Für mich gibt es zwei Kategorien von Menschen: die ›Meinen‹ und die ›anderen‹. Die ›Meinen‹ sind nicht zahlreich, aber sie sind ›mein‹, sie haben das Recht auf alles, auf alles, was in meiner Macht steht zu geben.«

»Die Gesundheit zum Beispiel?«

»Nun ja, warum nicht die Gesundheit? Es gibt Ärzte, die kommen nur zu ganz bestimmten Patienten, Fromenti etwa.«

»Es würden aber viele Menschen, die sich in meiner Lage befinden, gerne zehntausend geben.«

»Zehntausend, ja. Aber nicht hunderttausend. Fromenti macht keinen Besuch unter hunderttausend, Madame, und selbst dann hängt es noch von seinem freien Willen, seiner Laune ab. Keine Angst, Fromenti steht so tief in meiner Schuld, daß ich ihm nichts zahlen muß. Ich habe für Sie nur getan, was ich für die ›Meinen‹ tue.«

»Ich will Fromenti hier nicht mehr sehen«, erklärte sie.

»Das wäre ein grober Fehler, Madame Paris. Vor allem deshalb, weil Fromenti der einzige ist, der Ihnen hilft, selbst wenn die Chancen nur eins zu hundert stehen. Und ein Fehler auch deshalb, weil Sie mir damit zeigen würden, daß Sie sich absichtlich dem Kreis der ›Meinen‹ zu entziehen wünschen. Da Sie aber die Mutter der Marquise de Viborne sind...«

»Gehöre ich zu den ›Ihren‹, meinen Sie?«

»Aber natürlich«, sagte Mehlen einfach.

»Sie aber gehören nicht zu den Meinen«, trumpfte sie auf.

»Woher wollen Sie das wissen? Vielleicht kommt es noch dazu?«

»Niemals!« Ein Schauer lief ihr über den Rücken, den sie nicht unterdrücken konnte.

Ja, dieser Mann war eine Kraft, eine eiskalte Kraft, vor der man erbebte, nicht nur aus Zorn, sondern aus unbewußter, unklarer Angst. Sie konnte sich seiner nur erwehren, indem sie ihn als Feind behandelte, bedingungslos, ohne sich in seine Hand zu geben, in diese Hand, die so schnell zupackte, festhielt, die Hand, die Angèle berührt, vielleicht sogar liebkost hatte...

»Dann werden Sie eben niemals zu den Meinen gehören, Madame, und ich kann Ihnen gar nicht genug beteuern, wie sehr ich das bedauere.«

Die höflichen, fast liebenswürdigen Worte klangen dennoch wie eine verhaltene Drohung.

»Wir haben bis jetzt recht zufrieden gelebt, ohne einander zu kennen«, meinte Madame Paris.

»Bis jetzt, ja, aber ist nun nicht alles anders geworden?«

Wie hatte sich Angèle verhalten? Nachgegeben? Er trat so sicher auf. Oder Versprechen geleistet?

Etwas heiser antwortete Madame Paris:

»Ich sehe nicht recht ein, was sich geändert haben sollte. Wollen Sie darauf anspielen, daß meine Tochter Ihre Gastfreundschaft in Anspruch genommen hat?«

Er lachte kurz auf und zuckte die Achseln, kein Funken von Eitelkeit schimmerte in dieser Stimme auf:

»Nichts, gar nichts hat sich verändert, Madame. Nichts kann seit dem Tode Monsieur de Vibornes und selbst seit vielen Monaten vorher anders geworden sein. Es bedeutet nicht den geringsten Unterschied, ob sich Ihre Tochter in La Gardenne oder unter meinem Dach befindet. Mein Haus bietet ihr nur den Rahmen, der ihr gebührt, in den sie paßt; bei mir ist sie daheim – und allein, wie ich Ihnen schon erklärt habe.«

Der verhaltene Zorn, der noch vorhin in ihrer Stimme aufgeklungen war, schien erloschen:

»Ich muß Ihnen Gerechtigkeit angedeihen lassen: Sie benehmen sich als Kavalier.«

»Soweit es mir möglich ist, Madame«, antwortete er mit einer Bescheidenheit, die nicht geheuchelt war. »Sie wissen – aus den Zeitungen, von den Leuten –, wer ich bin, zumindest wer ich in den Augen dieser Leute bin. Selbst wenn das stimmt – glauben Sie nicht, Madame, daß es auch für einen Mann wie mich noch andere Dinge geben kann?«

Die Liebe, dachte Madame Paris spöttisch, aber sie wagte es nicht zu sagen. Es war auch nicht nötig, denn er fuhr fort:

»Als ich herkam, hoffte ich eine Freundin in Ihnen zu gewinnen.«

»Eine Verbündete?«

»Vielleicht.«

»Indem Sie eine alte, über Nacht gelähmte Frau von einem berühmten Professor behandeln lassen?«

»Warum nicht? Wenn man einen Menschen zu retten versucht, der einer über alles verehrten Person lieb und teuer ist? Einer Person, für die man alles zu tun imstande wäre?«

»Ja, alles«, bekräftigte Madame Paris, und wieder dachte sie an den Tod Monsieur de Vibornes.

»Wirklich, alles«, nickte Mehlen und wußte augenscheinlich, was sie meinte; er war weit entfernt davon, es zu leugnen, er war gleichsam zu einem Geständnis bereit.

»Ich begreife nicht«, sagte sie, »warum Sie mich so gerne an Ihrer Seite haben wollen? Erstens einmal brauchen Sie mich nicht, denn Angèle weiß genau, was sie tut, und kennt ihren Weg. Sie haben bemerkt, daß sie mir nichts verheimlicht, daß ich genau weiß, was Sie getan haben... für sie getan haben... und alles, was Sie planen. Ich stelle mich nicht an Ihre Seite, aber – verzeihen Sie mir – ich kann nicht umhin, Sie trotz Ihrer sicheren Berechnungen ein wenig naiv, ja, ein wenig unerfahren zu finden...«

Das hatte er erwartet. Das hatte er gewollt. Er hatte sie für stärker gehalten.

Sie war nur eine alte Frau wie alle anderen, eine alt gewordene Mutter, die geschmeichelt zusah, wie ein Mann seiner Bedeutung ihrer Tochter hofierte. Er beugte sich näher zu ihr hin, als wollte er ihre Worte einsaugen:

»Wie, bitte...?«

»Ihre vornehme Art ehrt Sie. Ich verstehe sehr gut, welche Gründe Sie zur Übersiedlung ins Ritz bewogen haben. Aber meine erste unmittelbare Reaktion scheint mir richtig gewesen zu sein: Sie sollten jetzt, in diesen Tagen, an der Seite Angèles sein, während ich hier hilflos liege und ihr fehle.«

»Ich habe ihr versprochen, erst wiederzukommen, wenn sie mich ruft.«

»Sie muß Sie eben rufen.«

Wieder war es still in dem Zimmer.

Ja, er mußte bei ihr sein in der Rue de la Faisanderie, und so bald als möglich. Madame Paris hatte einen festen Plan, und dieser dumme Tropf hier war ahnungslos! Oh, er würde noch weinen, weinen, er, der Mörder Patrice de Vibornes, der Mann, der ihrer Tochter das Leben, das warme Leben, rauben wollte!

»Madame, gerade Sie sagen mir das?«

»Natürlich. Vielleicht weil Sie mich gerührt haben, oder vielleicht nur, weil ich an meine Tochter denke – ich weiß eigentlich selbst nicht, warum.«

»Aber wie... wie sollte man sie dazu bringen?«

»Nun, wenn Sie schon soviel unternehmen, um mich in das Spiel hineinzuziehen...« Sie streckte den Arm aus, zeigte auf den Tisch:

Er begriff nicht gleich, was sie wollte:

»Den Block... den Block«, gebot sie, »auf den der Arzt das Rezept geschrieben hat.«

Er brachte ihn, unbeholfen, verständnislos. Jubelnde Freude stieg in ihr Herz.

»Ich könnte ihr telefonieren. Aber ein paar Zeilen meiner Hand wirken sicherer. Ein paar Zeilen, die Sie ihr überbringen. Da, der Bleistift... Ich schreibe ihr, daß Sie gekommen sind, mit Fromenti... daß Fromenti eine leise Hoffnung hat. Daß Sie mich nochmals mit ihm aufsuchen werden... von ihm, von Fromenti, auf dem laufenden gehalten werden, Tag für Tag, Stunde für Stunde... und daß sie, Angèle, alles möglichst schnell erfahren muß. Deshalb wäre es am besten, wenn Sie ihr dies...«

»Ja... ja...«, sagte er. »Ja, und es ist wahr. Ich komme wieder her, Fromenti auch. Wir werden Sie gesund machen, bestimmt. Das Unmögliche wird eintreten...«

Madame Paris schrieb:

»Monsieur Mehlen hat mir versprochen, jetzt nicht zu verreisen. Er bleibt bei Dir. Ich bitte Dich zuzustimmen, damit Du jetzt weniger allein, weniger einsam bist... Er kann mich jederzeit anrufen, und ich kann anrufen, wenn es dringend ist...« Sie las laut vor, was sie schrieb, der Bleistift flog über das Papier, schnell, hastig, wie von einem Fieber getrieben, um es zu Ende zu führen. »So. Erzählen Sie ihr, Monsieur Mehlen, was Fromenti festgestellt hat, färben Sie ein wenig, unterstreichen Sie die leise Hoffnung, die er angedeutet... oder sprechen Sie auch davon, daß eine plötzliche Verschlechterung eintreten kann, eine Gefahr...«

»Ah, Madame...«

Dummkopf, dachte sie, während sie das Blatt faltete und ihm übergab.

»Ich bin nicht Ihre Verbündete, Ihre Komplicin. Aber bleiben Sie bei Angèle, in ihrer Nähe. Sie soll nicht so allein sein.«

Er brach überstürzt auf, er sprach nicht einmal mehr mit Angélique. Madame Paris hörte die Wohnungstür zufallen. Er lief die Treppen hinunter, um auf der Straße zu sein, wenn der Chauffeur aus Beaujon zurückkam, und so rasch als möglich mit dem Brief in der Hand vor Angèle zu stehen. Oh, dieser Mann, der sich so stark dünkte, der war kein bißchen anders als alle anderen, wie alle Männer.

»Angélique, es ist Zeit zum Mittagessen. Lambert kommt schon heim. Er soll dir draußen helfen. Stell die Spaghetti aufs Gas.«

Sie war etwas außer Atem, sie lauschte. Draußen waren die üblichen Geräusche zu vernehmen, das Aufzischen der Gasflamme, das Klirren der Pfannen, das Klappern der Teller im Speisezimmer.

»Lambert, bist du da?«

»Ja, Großmutter.«

Rief sie ihn, um ihn wegen der Verspätung zu tadeln? Nein:

»Bring mir das Telefon. Danke. Stell es da her, in Reichweite, und schließ die Tür!«

Es war still. Sie wählte die Nummer. Das Zeichen erklang...:

»Hallo, spreche ich mit Monsieur Doissel? Hubert Doissel selbst, Monsieur? Habe ich die Ehre, mit Monsieur Doissel persönlich zu sprechen? Hier? Oh, eine Person, die Sie nicht kennen, sagen wir, eine Person, die es gut mit Ihnen meint. Monsieur Hubert Doissel, Sie sind doch mit Madame de Viborne bekannt? Oh, nichts Besonderes... eine Kleinigkeit nur: Madame de Viborne hat einen Geliebten. Lachen Sie nicht, es handelt sich nicht um Sie... oh, oh! Einen Geliebten, einen zweiten Liebhaber. Sie wohnt sogar bei ihm. Rue de la Faisanderie Nummer 12 b. Aber ja, bei ihm, in seinem Haus... und Sie kennen den Herrn persönlich: Mehlen, Monsieur Mehlen. Der Name ist Ihnen doch nicht unbekannt...?«

Erschöpft, wie ausgelaugt, ließ sie die Hand mit dem Hörer sinken. Sie hatte alles Nötige gesagt. Sie hörte nicht mehr, was der andere heraussprudelte. Und dann, am Ende ihrer Kraft und alt, plötzlich ganz alt geworden, legte sie ab und schloß die Augen.

Viertes Kapitel
LE BIEN ALLER
Hubert Doissel

I

Solange Hubert Doissel zurückdenken konnte, hatte er beim Erwachen wie beim Einschlafen das Gesicht einer Frau über sich gebeugt gesehen, und das war das Gesicht seiner Mutter. Heute, nach dieser Krise, die er durchgestanden und die Henriette Dervais so sehr geängstigt hatte, war es wieder sie, die am Morgen in sein Zimmer kam, die Vorhänge zur Seite zog und das liebevoll bereitete Frühstückstablett mit den beiden Tassen hereinbrachte.

Henriette Dervais hatte sehr jung den Export-Kaufmann Doissel geheiratet und sich bald wieder scheiden lassen. Man konnte nicht behaupten, daß er unter dem Dutzend Männern, die ihr hofierten, der ersehnte Geliebte ihres Herzens gewesen wäre; sie hatte ihn den anderen nur vorgezogen, weil sie wußte, daß eine unter solchen Bedingungen geschlossene Verbindung keinesfalls lange dauern konnte, gleichgültig, wer der Partner war. Aus dieser klaren Überlegung heraus hatte sie, das Mädchen ohne Mitgift, den arrivierten, wohlhabenden Vierziger gewählt, der ihr unter dem Deckmantel seines Namens das ungebundene Auftreten einer Dame von Welt ermöglichte.

Doissel war weder dumm noch blind. Er war sich völlig über den Charme der Kleinen klar, die er ehelichte, ihre Triebhaftigkeit, ihre »Rasse«, wie es bei den Rennpferden heißt, und ebenso wußte er, daß dieses kleine Entchen sich bald zum stolzen Schwan auswachsen und sich aufplustern würde. Um ihr im vorhinein das Handwerk zu legen, machte er ihr überraschend ein Kind.

Sicher verdankte er dieser Schwangerschaft, daß sie ein Jahr länger bei ihm blieb, als es sonst der Fall gewesen wäre. Sie wütete über ihren entstellten Leib, der sie beschwerte und der ihr vor allem in den letzten Monaten geradezu unerträgliche Leiden verursachte. Niemals, das schwor sie sich, würde sie es wieder zu einem solchen »Unfall« kommen lassen.

Da sie aber nichts ändern konnte, zog sie wenigstens einen Nutzen daraus: Sie zwang ihren Gatten zu getrennten Schlafzimmern und ließ sich ein eigenes Boudoir einrichten. Sie lehnte es auch nach der Geburt Huberts ab, zu ihm zurückzuziehen und die ehelichen Beziehungen wiederaufzunehmen.

Sie hatte Doissel niemals geliebt, jetzt begann sie ihn zu verabscheuen. Nach den Gesetzen der Logik hätten sich diese Gefühle auch auf das Kind übertragen müssen. Das Gegenteil trat ein: Kaum war der Knabe geboren, war sie ihm rettungslos verfallen, zitterte um sein Leben, zuckte des Nachts auf, um sich zu vergewissern, ob er noch atmete, wickelte ihn selbst und drückte das zarte Bündel Leben, das alle Wärme der Welt für sie verkörperte, an ihre Brust.

Eines Abends, als Doissel geschäftlich auswärts war, packte sie den Säugling und verließ mit ihm die eheliche Wohnung. Doissel war ein Sanguiniker; er hätte seine Frau niemals betrogen, wenn sie sich ihm nicht versagt hätte. Vor seiner Heirat war er zuweilen mit einer Sekretärin ausgegangen, einem hübschem, braunhaarigen Mädel, natürlich und einfachen Gemüts, das sich ganz klar war, was man von einem Chef erwarten konnte, ohne höhere Ansprüche zu stellen. Sie hatte ihm seine Heirat keineswegs nachgetragen. Als sich aber seine Frau von ihm zurückzog, da knüpfte er die Beziehungen zur Freundin wieder an und tröstete sich ein wenig bei ihr, was schließlich ganz natürlich war. Am Tag ihrer Flucht ließ Henriette ihren Mann und seine Freundin in einem kleinen Absteigequartier der Rue Godot-le-Mauroy in flagranti ertappen. Sie wäre gern diskreter vorgegangen, aber sie wollte Hubert für sich allein haben, und das war die einzige Möglichkeit, es durchzusetzen, denn Doissel liebte seinen Sohn und hätte sich freiwillig niemals von ihm getrennt. Gewiß, sie verklagte ihn nicht auf Ehebruch, da sie ihn nicht in der gemeinsamen Wohnung erwischt hatte, aber sie hatte sich mit ihrem Beweismittel eine solide Waffe für die gerichtlichen Verhandlungen, Diskussionen und Auseinandersetzungen geschmiedet. Nach endlosem Hin und Her war alles geregelt, die Alimente waren festgesetzt – sie wurden stets pünktlich bezahlt –, die Besuchstage bestimmt; Henriette war großzügig, sie hinderte Doissel niemals daran, seinen Sohn zu treffen.

Der aufreibende Kampf hatte monatelang, fast zwei Jahre gedauert. Vor Ablauf des dritten Jahres starb Doissel unerwartet an einem lächerlichen Insektenstich in Marokko. Drei Jahre Verhandlungen, Anträge, Gegenanträge, Qualen und Ärger, Kosten – und nun dieses Ende! »Mir wird es niemals leichtgemacht«, seufzte Henriette, und damit hatte sie recht.

Sie trug keinen Witwenschleier, natürlich nicht, aber Hubert erinnerte sich sein Leben lang an den Tag, an dem sie das Telegramm erhalten und ihn an sich gepreßt hatte, fest, so fest, nicht um ihn zu trösten, denn er begriff noch nichts davon, sondern um unbewußt ihre endgültige Besitzergreifung auszudrücken.

Den Gedanken an die Liebe hatte sie deshalb freilich nicht aufgegeben, aber, genaugenommen, wußte sie ja gar nicht, was das war, da sie außer in den ungestillten Träumen ihrer Mädchenjahre und den gelegentlichen, fast brutalen Überfällen ihres Mannes niemals mit Liebe zu tun gehabt hatte.

Nun aber wurde ihr die Liebe zur gleichen Offenbarung, wie ihr die Geburt Huberts zur Offenbarung des Lebensgeheimnisses geworden war. Die Person des Partners trat zuweilen hinter dem Gefühl selbst zurück; sie stürzte in die Liebe, wie man, ohne es zu wissen, in die Pubertät eintritt; entzündete sich an ihr, und die Liebe loderte in ihr auf, riß sie über sich hinaus – und das in Augenblicken, wo sie am wenigsten oder gar nichts mehr erwartete.

Alles Spätere ergab sich ganz natürlich. Da Doissel mit seinem Tod für ewig in Vergessenheit sank, entsann sie sich nicht, jemals anders gelebt zu haben. Sie hatte einen Freund, dann mehrere, aber jedem, wer es auch war, zwang sie die Gegenwart Huberts auf, was ihr, wie sie sehr bald feststellen konnte, eine besondere Anziehungskraft, eine Macht verlieh, zumindest über Männer, bei denen es dafürstand.

Das Kind war entzückend und hatte, ganz wie sie, ein besonderes Anpassungsvermögen. Den Männern gefiel der reizende »kleine Prinz«, und da er in den Luxushotels aufgewachsen war, lernte er bald, sich dort mit unnachahmlichem Charme zu bewegen; er bezauberte seine Kinderfrauen ebenso wie die Portiers des Carlton, des Hotel de Paris, des Velasquez in Madrid oder des Krasnapolsky in Amsterdam.

Was sie aber den Männern, die ihr diesen lebensnotwendig gewordenen Luxus schenkten, auch bieten mußte, wenn sie eine Zeitlang mit ihnen lebte, niemals opferte sie auch nur das Geringste dessen, was ihrem Kind zustand oder zustehen konnte, keine Minute, keinen Atemzug, kein Abendessen, wenn der Knabe unpäßlich war. Das wußte man, und so hatte es sich eingebürgert und wurde, wenn man so sagen darf, zu ihrer Legende. Man machte sich deshalb nicht über sie lustig, ganz im Gegenteil, man räumte ihr unter den Frauen ihres Genres eine gehobene, eine Sonderstellung ein.

Ohne ihr Zutun und völlig unbeabsichtigt bedeutete Hubert dadurch das wichtigste, weil einfachste und unschuldigste Werkzeug für ihren Erfolg.

Sie zog sich bei Balmain und später bei Dior an; sie kaufte die Handtaschen bei Hermes zu ihren Kostümen von O'Rossen. Sie verkehrte nicht im Kreis der Tagesberühmtheiten, die von sensationslüsternen Fotografen belagert werden, sie gehörte zu den Frauen, die ab elf Uhr bei Robert de Billy am Arm eines echten Botschafters, der zu anderen Zwecken als zur bloßen Unterhaltung kam, empfangen wurde; sie war eine Frau, die raffiniertesten Luxus ebenso kannte wie bescheidene Freuden und die genauso gern in Neu-Delhi bei einem Maharadscha wie in Cannes bei den verarmten Ghikas wie auch in ihrer kleinen versteckten Wohnung der Rue des Arbustes, ihrem Hafen und ihrer Zuflucht, lebte.

Ihre Einkünfte waren gering. Das Vermögen Doissels hatte nach den langwierigen Prozessen gerade noch ausgereicht, um das Studium des Jungen zu bestreiten. Außer einem Schmuckstück dann und wann – das sie manchmal wieder verkaufen mußte – hatte sie niemals etwas von ihren Freunden angenommen; sie ließ sich's nur an ihrer Seite gutgehen, solange das Verhältnis dauerte, und das war ganz natürlich – der Gatte hat seine Gattin standesgemäß zu erhalten –, und wenn es mehrere Gatten waren, so hatte es das Schicksal eben so gewollt. Denn wer nur eine einzige wirkliche Liebe hat, und wenn diese Liebe ein Kind ist, der bindet sich nicht, es sei denn, es ginge ums Geld. Und das eben war bei Henriette Dervais nicht der Fall.

Die Zeit verflog, Hubert wurde fünf, sechs, zehn Jahre alt. Er reifte heran, und Henriette verbarg ihm nichts. Sie heuchelte nicht und spielte ihrem Sohn nichts vor, sie schämte sich nicht ihres Lebenswandels.

Henriette Dervais war eben, wie sie war; dem äußeren Anschein nach ein kompliziertes Wesen, aber in Wirklichkeit eine ganz simple Frau, eine Frau und nichts anderes. Aber abgesehen davon, daß Hubert ohne sie nicht auf der Welt gewesen wäre, wäre er ohne ihre ununterbrochene Gegenwart, ohne ihre irrsinnige Vergötterung und ohne ihre klarsichtige und zugleich so blinde Liebe ein ganz anderer Mensch geworden.

II

So hatte Hubert Doissel das ganze Leben das gleiche weibliche Antlitz über sich geneigt gesehen, und das dauerte nun sechsundzwanzig Jahre. Selbst als er heranwuchs, gelang es keiner anderen Frau, so zärtlich oder leidenschaftlich die Beziehung auch sein mochte, das unbedingte Gefühl der Zusammengehörigkeit oder das Verständnis zu erwecken, das ihn mit Henriette verband.

Und ganz bestimmt fühlte er sich – abgesehen von dem vorteilhaften Rahmen des Schlosses, der urwüchsigen Szenerie von Wald und Hunden gerade deshalb vom ersten Augenblick an so sehr zu Angèle de Viborne hingezogen, weil sie, ihm selbst unbewußt, die Erscheinung, die Gestalt eines in ihm schlummernden Ideals verkörperte, das er sich von den Frauen über Henriette gebildet hatte.

Was seinen Vater betraf, so hatte die Mutter niemals abfällig von ihm gesprochen, sondern im Gegenteil eine Legende gebildet, durch die er eher einem wesenlosen Bild als einem lebendigen Geschöpf glich. Deshalb hatte sie auch die Zeichenblocks aufbewahrt, denn der Export-Kaufmann hatte dem Hobby des Zeichnens angehangen. Eines Tages fand das Kind sie oben auf dem Regal unter seinen Märchenbüchern und blätterte darin.

Und aus diesen Seiten, die Henriette kaum beachtet hatte, erstanden Landschaften, Personen, mit ein paar Strichen hingeworfen, manchmal recht primitiv, aber immer richtig gesehen. Sofort wollte das Kind »dasselbe tun«, und sei es, um festzuhalten, was es empfand, wozu ihn Natur und Menschen inspirierten. Hubert nahm einen etwas harten Bleistift aus der »Schachtel« seines Vaters, der dort liegengeblieben war, und da sie sich gerade in Cannes befanden, zeichnete er die Croisette und auch die Schiffe im Hafen, die Autos in der Rue d'Antibes und die Frauen: die Engländerinnen ebenso wie die hübschen jungen Damen, die auf der Suche nach einem Kavalier durch die Straßen schlenderten.

Den Jungen erfaßte eine Manie, die Manie der Entdeckung. Stets trug er einen Bleistift bei sich, zeichnete alles auf die Tischtücher der Restaurants, auf die Schneiderrechnungen und selbst auf die Rückseite der blauen Kuverts des Steueramts, auf die Visitenkarten, die den täglichen Blumenstrauß, die Etuis oder die Azaleen begleiteten. Er sagte nicht: »Ich zeichne«, sondern: »Ich mache es wie Papa.« In Wirklichkeit machte er es viel besser, das Steckenpferd seines Vaters hatte sich bei ihm zu einer echten Begabung entfaltet, zu einem Naturtalent, das sich an alles heranwagte und aus sich heraus zu Techniken fand, die anderen versagt blieben.

Seine Umgebung bewunderte ihn verzückt. Speiste Henriette zum erstenmal mit einem Mann zu Mittag, dann erschien sie niemals ohne ihren Sohn, und während des für ein Kind ziemlich langweiligen Mahles, bei dem der Herr meist von sich selbst sprach oder sich trotz der so nötigen Anwesenheit des Kleinen in zärtlichen Anspielungen erging, begann Hubert sein Gegenüber zu skizzieren, ohne zu schmeicheln, aber mit Schmiß, und wenn die Tafel endlich aufgehoben wurde, überreichte er ihm das beste dieser Porträts. So hatte Jean-Gabriel Domergue mit seinem sarkastischen Witz auch einmal gesagt: »Wenn Sie die Mutter bekommen, bekommen sie gleich Ihr Porträt dazu.«

Allzubald ergab sich für Henriette die Frage, was sie ihren Sohn lernen lassen sollte. Sie hatte Glück, in Paris eine Lehrerin zu finden, die nach der Hattemer-Methode in Fernkursen unterrichtete, so daß sie den Jungen von Anfang an auf ihren Reisen mitnehmen konnte, was die Sache vereinfachte.

Denn sie nahm Hubert überall mit, wohin sie eine neue Affäre führte: von Paris nach Cannes, von Cannes nach Madrid oder nach Venedig. Es war letzten Endes eine Frage der Organisation, denn es gab wenig Hauptstädte der Welt, in der sich nicht eine mit dieser neuen Methode vertraute Lehrkraft auftreiben ließ. Wenn es aber wider Erwarten doch nicht gelang, sprang Henriette mit der ihr eigenen Zähigkeit und Energie selbst in die Bresche. Auf diese Weise las sie Homer, versenkte sich in Virgil und rezitierte zur großen Verwunderung ihrer Bekannten auswendig »Les pauvres gens« ebenso gut wie »La Grève des Forgerons«, »Cinna« wie »Britannicus«, Valéry wie Desbordes-Valmore. Deshalb war Hubert noch lange kein glänzender Schüler, aber er lernte jedenfalls das Wesentliche und bestand sogar den ersten Teil des Abiturs in Montpellier, weil sich seine Mutter damals zufällig gerade dort befand. Das genügte, das mußte für einen begabten Jungen genügen, der auf der »Akademie der Schönen Künste« studieren wollte. Er wünschte nicht mehr und sie auch nicht.

Die »Schönen Künste« dann wurden zu einem neuen Abenteuer, denn mit der Akademie begann ein neues Leben. Er hatte sich vorgestellt und war sofort aufgenommen worden; trotz seiner Pfeife und des sprießenden Barts am Kinn aber war Hubert der gleiche geblieben. Immerhin mußte Henriette jetzt in Paris leben. Gerade damals wollte sie ihr Freund Garwick nach Japan mitnehmen, aber sie lehnte glatt ab, ließ ihn allein abreisen und brach mit ihm, obwohl sie an ihm hing, wie eine Frau mit weißem Haar – sie war kokett genug, es weiß zu lassen – an einem jungen und hübschen Mann hängen kann. Sie zog wieder in ihre Wohnung bei der Porte de Vanves. Mein Gott, und wenn ihre amouröse Laufbahn auch dort zu Ende gehen sollte, so nahm sie das gern auf sich. Sie würde Hubert nicht gerade in dem Augenblick im Stich lassen, da er die eigenen Flügel regte und sie brauchte.

So war sie bei ihm geblieben. Nicht als egoistische Mutter, sondern als verständnisvolle und verläßliche Gefährtin. Sie war auch jetzt seine ständige Betreuerin, Beobachterin, es verging kein Tag, an dem sie sich nicht erwachend fragte, was dieser Tag ihrem Sohn bringen würde. Als er zum Mann heranreifte, stellte sie sich ihm nicht in den Weg, im Gegenteil, sie förderte seine ersten Abenteuer, weil sie ihn davor bewahren wollte, in falsche Hände zu geraten. Was sie am meisten fürchtete, war die blinde »erste Liebe«, die »große Liebe«, die man entweder so bald bereut oder der man end-

gültig verfällt. Es war ihr nicht bewußt, daß sie zu allen Machenschaften bereit war, um sich Hubert zu erhalten, ähnlich wie die
Ehemänner, die lieber betrogen als verlassen werden.
Eitel Freude herrschte, als Hubert seinen Preis von Rom erhielt.
Nicht daß sich Henriette von diesem Erfolg blenden ließ und Hubert
in den Himmel hob; da der junge Mann aber ihr ein und alles war,
beglückte es sie, daß er nun auch in den Augen der Welt etwas galt.
Sie gab ein kleines Fest in der Rue des Arbustes und lud seine Kollegen ein. Die Verbitterten kamen ebenso wie die Fröhlichen, und
vor allem die Mädchen, die um ihn herumtanzten. Sie hatte sie in
ihrem Haus vereinen wollen, um zu sehen, woran sie war. Befriedigt
stellte sie fest, daß Hubert sie nicht belogen hatte; er enttäuschte sie
nicht, sie durfte ihn beruhigt in die Villa Medicis ziehen lassen, wo
er übrigens nur eine kurze Zeit allein blieb, denn bald danach war
auch sie in die Ewige Stadt übersiedelt.
Er kam mit vielen Bildern zurück. Und vor allem mit dem heißen
Wunsch, ein Buch zu illustrieren, zu zeichnen, wozu ihm auch Segon-
zac geraten hatte. Dort lag seine eigentliche Begabung. Er hatte es
nicht eilig und suchte sich das Thema aus, das am besten seinen
Fähigkeiten entsprach, nämlich Gestalten zu stilisieren und dabei mit
klarem Strich das freie Leben in der Natur darzustellen. Henriette
bestand darauf, daß er nach seiner Rückkehr in einer befreundeten
Galerie der Rue de Seine eine kleine Ausstellung veranstaltete.
Es war seine erste, und er hatte sich gewehrt, da er meinte, nichts
Besonderes zeigen zu können. Er war mit seiner Malerei nicht zufrieden, er zeichnete zu gut. Schließlich gab er nach, und gewiß nur
ihr zuliebe, er glaubte, daß es sie freuen werde, den Namen ihres
Sohnes in den Zeitungen zu lesen, obwohl ihm dieser Wunsch etwas
kindisch vorkam. So nahm sie alle Vorbereitungen in die Hand.
Er selbst erschien erst am Abend vor der Ausstellung in der Galerie
»Chez Mendès«. Henriette hatte die Exponate persönlich ausgesucht;
trotz ihrer Liebe gab sie sich mit ihrem scharfen Blick und dem sicheren Gefühl keiner Täuschung über die Güte der einzelnen Bilder
hin. Er war begeistert, selig:
»Wirklich, Mama, du bist die einzige...«, und er drückte sie stür-
misch an sein Herz.
Es war keine große Ausstellung, aber immerhin eine erste Kontakt-
nahme mit der Welt der Kunst. Zufällig suchte ein Verleger seit
Monaten nach einem Illustrator für ein Buch über die Parforcejagd.
Der Autor war schwierig wie alle Autoren. Man zeigte ihm die
Skizzen Huberts, und er verabredete sich mit ihm. Es »klappte« so-
fort zwischen dem Schriftsteller und dem künftigen Illustrator.

Die Sache war abgesprochen, aber nun erhob sich die Frage, wie und wo Hubert praktisch dieses Milieu, die Atmosphäre der Parforcejagd, der Tiere in freier Wildbahn, studieren sollte, all das brauchte er für das Buch. Der Schriftsteller war unschlüssig. Gerade damals stand er in Briefwechsel mit Patrice de Viborne, der anläßlich einer Diskussion über verschiedene Fachausdrücke des Buches von der Verlegenheit des Autors erfuhr. Der Marquis schlug ihm vor, Hubert nach La Gardenne zu schicken. Der Verfasser war begeistert: Das war die ideale Gegend. Dort konnte der Künstler alles studieren: Wälder, Hunde, Fährten, Wild... und auch die Menschen, die dazu gehörten.

Alles das gab es in La Gardenne.

Und dazu noch Angèle de Viborne.

III

Hubert fuhr mit dem Zug, denn er hatte keinen Wagen. Er verdiente noch nicht genug; der Erlös der drei oder vier nach der Ausstellung verkauften Bilder war ein Taschengeld; ein etwas höheres vielleicht als früher, und das genügte ihm. Er war unabhängig, er hatte es nicht nötig, nur um des Geldes willen einen Auftrag anzunehmen. Er besaß ein Dach über dem Kopf, einen gedeckten Tisch daheim, mehr verlangte er nicht.

Nach La Gardenne fuhr er als reicher Mann: der Verleger hatte ihm zweihunderttausend Francs Vorschuß von dem Gesamthonorar – fünfhunderttausend – gegeben.

Henriette begleitete ihn nicht. Es war ihre erste wirkliche Trennung, denn nach Rom war sie ihm bald nachgefahren, und wenn sie auch nicht gemeinsam gewohnt hatten, so waren sie doch jeden Tag beisammen gewesen.

La Frondée holte ihn am Bahnhof von Nouans-le-Fuzelier ab. Er hielt das fuchsrote, aufgeregte Pferd, das vor ein ländliches zweirädriges Fahrzeug gespannt war, kurz am Zügel unter dem Kinn und war kaum imstande, es zu bändigen. Das Tier schüttelte ungebärdig die Mähne und schlug nach hinten aus.

Als er den jungen Mann aus dem Bahnhofsgebäude treten und suchend um sich blicken sah, sprach er ihn an:

»Sind Sie das, der nach La Gardenne will?«

»Ja«, sagte Hubert.

»Dann steigen Sie schnell ein; die Rote ist drei Tage nicht aus dem Stall gekommen und nicht mehr zu halten.«

Kaum fühlte das Pferd die gelockerten Zügel, senkte es das Haupt und preschte in wildem Galopp geradeaus. Mit einer Geschicklichkeit, die man von einem Mann dieses Alters — er war grauhaarig und hatte seine guten Sechzig auf dem Buckel — kaum erwartet hätte, schwang er sich auf den Sitz neben den sich anklammernden Hubert, zog die Zügel mit aller Kraft an, riß das Fahrzeug nach links, so daß die Stadt rechts liegenblieb, und bog in Richtung La Gardenne ein.

Das Pferd raste über Stock und Stein, der Wagen schütterte zum Gottserbarmen.

»Lieber Himmel!« rief La Frondée, »der Bahnschranken ist noch unten!«

Aber er ging noch im letzten Augenblick hoch. Sie bückten sich und kamen durch. Weiter ging's im gleichen Tempo auf der geraden Straße.

»Jetzt wird sie sich bald beruhigen«, meinte La Frondée, »sie hat freie Bahn.«

Und wirklich fiel das Pferd in eine langsamere Gangart. Hubert hatte sich das etwas anders vorgestellt. Er kannte zwar alle Hotelpaläste der Welt, aber er war niemals bei Adeligen eingeladen gewesen und wußte nicht, wie es dort zuging.

Das Pferd hatte sich ausgetobt, es trabte gemächlich dahin, schließlich ging es im Schritt.

Die Straße führte mitten durch den Wald der Sologne mit seinen Tannen, seinen weißen Birken, seinem winterdürren Heidekraut. Manchmal schimmerte unter den Stämmen die Fläche eines Sumpfes, den Himmel widerspiegelnd, bleich wie er. Es war eine traurige Landschaft, aber nicht erhaben, nicht feierlich, lebend von all dem Lebendigen, das sich in ihr verbarg.

»Dort liegt Chalès«, sagte La Frondée, »ein Schloß, das einer Freundin der Frau Marquise gehört.«

Und als sie links einbogen und eine Weile später durch Saint-Viâtre kamen:

»Das gehört jetzt ›uns‹.«

Es waren die gleichen Wälder, die gleichen kleinen Lichtungen oder heideähnlichen, unbebauten Flächen zwischen den Tannengruppen, die gleichen von hohem Schilfrohr bestandenen Sümpfe und Weiher, deren Wasser stumpf, wie dumpfe Drohung, aufschimmerte.

»Halten Sie das . . . erlauben Sie?«

La Frondée warf ihm die Zügel zu, sprang ab. Das Pferd stand still, Schaum vor den Nüstern.

Und staunend sah Hubert, wie der Mann am Straßenrand nieder-

kniete, die Nase bis zum Erdboden senkte und das Heidekraut untersuchte. Dann rutschte er auf den Knien bis zur anderen Seite der Straße weiter, stützte sich auf die Hände, tastete die Mulden, die kleinen Gruben des Bodens ab. Endlich stieg er wieder ein:
»Der starke Schwarze. Momentan liegt er in der Wacholdermulde. Ist übrigens kaum seine Gewohnheit, das Revier zu wechseln.«
»Ein Hirsch?«
»Der starke Schwarze«, nickte La Frondée. »Er hält sich um diese Zeit ganz in der Nähe auf. Dort sehen Sie das Schloß, dort hinter den Bäumen. Kommt der Herr zur Jagd? Dann wird es ihm hier gefallen. Es gibt kaum ein schöneres Revier in ganz Frankreich mit schnelleren Hirschen oder besseren Hunden.«
Der Wagen umfuhr eine Rasenfläche oder vielmehr einen kahlen Platz. Ein langgestrecktes Gebäude im Stil Louis' XIII. erhob sich hinter einer Anlage, die früher ein französischer Garten gewesen sein mochte. Die Räder des Wagens knirschten über den Kies der Allee:
»Monsieur und Madame sind auf der Terrasse«, fügte La Frondée noch hinzu, und in diesem Augenblick sah Hubert Patrice und Angèle.
Sie standen nebeneinander und erwarteten ihn. Er wirkte mächtig, wie ein Riese, ländlich und rassig zugleich in seiner ganzen Erscheinung; sie war eine Frau mittlerer Größe, die in ihrer aufrechten, ungezwungenen Haltung – eine Reiterin – selbst neben der erdrückenden Gestalt des Marquis groß wirkte. Sie trug ein schlichtes Kostüm, vielleicht nicht vom teuersten Schneider angefertigt, aber kleidsam. Ihre blonden Locken flatterten im Wind um die schmale Stirn über ihrem einfachen, offenen, lächelnden Gesicht. Sie sah ihn mit ihren hellen Augen an: Wie Mama, dachte Hubert, und so wie Henriette reichte sie ihrem Gast auch die Hand.
Er hielt sie verlegen und zögerte, sie zu küssen, er, der seit frühester Kindheit so vielen Mondänen die Hand geküßt hatte. Während sie ihn freundlich begrüßte, betrachtete er sie, ohne sie zu hören. Sie gefiel ihm von Kopf bis Fuß, und er hätte es ihr am liebsten sofort gesagt. Er, der so selten Frauen »skizziert« hatte – außer Henriette natürlich –, wollte beim ersten Anblick ihr Gesicht zeichnen, und er sah ihre Linien, selbst ihre geheimsten; er stellte sich die Form ihrer Brust, ihrer Schenkel, den Ansatz des Nackens vor. Erst als sie ihn aufforderte einzutreten, faßte er sich.
Patrice sprach mit seiner langsamen und tiefen Stimme. Nichts Geistreiches, er wiederholte die Worte, mit denen seine Frau den jungen Mann empfangen hatte. Hubert trank Tee mit ihnen – in dem kleinen

Salon mit dem hellen Kaminfeuer –, und er rührte in seiner Tasse, lange schon nachdem der Zucker zergangen war. Erst als man auf den eigentlichen Grund seines Besuchs in La Gardenne zu sprechen kam, schien er sich aus dem Trancezustand zu reißen, der ihn gefangen hielt:

»Haben Sie noch niemals Jagdhunde gesehen?«

»Niemals«, gestand Hubert ein. Der Marquis stand auf:

»Dann werde ich Ihnen echte Jagdhunde zeigen. Wir gehen einen Augenblick zum Zwinger, nehmen Sie Ihren Mantel, es ist fast gar nicht warm heute abend« – er sagte »fast gar nicht« wie die Bauern dieser Gegend, wie man früher zu reden pflegte. »Kommst du mit, Angèle?«

Lächelnd blickte sie Hubert an wie eine Komplicin, holte aus dem Vorraum eine Lodenpelerine und warf sie mit einem anmutigen Schwung um die Schultern, während er in seinen städtischen Überzieher schlüpfte.

»Sie werden sich die Schuhe schmutzig machen. Hoffentlich haben Sie Stiefel mit?«

Und als er bedauernd verneinte:

»Wir borgen Ihnen welche. Wir haben alles Nötige im Haus. Mein Stiefsohn in Paris ist geradeso alt wie Sie.«

Sie hatte Stiefsohn gesagt. Wirklich, ein eigener Sohn von sechsundzwanzig Jahren wäre da ganz und gar unmöglich gewesen!

Im Zwinger wurde der Marquis zu einem anderen Menschen. Er ging an den vergitterten Käfigen vorbei, hinter ihm La Frondée, der ihnen nachgekommen war.

Sie waren die ersten der Gruppe. Dann folgten Hubert und Madame de Viborne, die zu ersetzen versuchte, was ihrem schweigsamen Gatten an Redseligkeit gebrach:

»Dort sind die Hündinnen. Sie haben ebenso ihre Aufgaben wie die Rüden und sind oft genauso zäh und widerstandsfähig.«

Hubert betrachtete die Tiere. Sie bestanden fast nur aus Muskeln und Adern unter ihrer groben Haut, ihrem fast kahlen Fell. Die weißen oder schwarzen Flecke spielten über die kräftigen Rücken, über die Leiber, die sich gegen die Gitter drängten. Ohne Papier und Bleistift skizzierte er sie schon in Gedanken, wie er das Oval der Wange, die Biegung des Arms, der den Loden über der Brust zusammenhielt, den schönen Schwung der sehnigen, schlanken Beine skizzierte.

»Waren Sie niemals auf der Jagd?«

»Nein«, bekannte er.

Auch sie hatte erst mit ihrer Heirat zu jagen begonnen, erzählte sie. Ihre Stimme wurde lebhafter, sie sprach frisch, mit Feuer, geradezu mit Begeisterung. Aber Hubert, der ihr lauschte, dachte nicht an Waidwerk, obwohl die Jagd von jenem Augenblick an in seinem Geist für ewig mit dieser Frau verbunden blieb, ob nun verfolgend oder verfolgt, die Jagd bis zum Ende, auf Leben und Tod.

»Ich muß Ihnen sagen ... erklären ...«

»Ja, ja!« rief Hubert, »ich komme mit Ihnen ... ich will von Ihnen lernen ... Ich bleibe Ihnen auf den Fersen ...«

Nach den Hunden schauten sie sich die Pferde an. Patrice trat in die Kojen, hob die Hufe und untersuchte sie sorgfältig.

»Das ist das Pferd meines Mannes ... Dort ist meine Stute ... Sie reiten doch, nicht wahr?«

Ja, er ritt. Das heißt, er hatte seit Jahren nicht zu Pferd gesessen, seit der Akademie, seit dem Krieg. Er dachte: Ich werde es schon zusammenbringen.

»Sie nehmen Artaban, das Pferd Enguerrands, meines Stiefsohnes, von dem ich vorhin gesprochen habe. Morgen ist Jagd. Mein Mann läßt seine Hunde um diese Jahreszeit dreimal wöchentlich auslaufen, und wenigstens viermal im Monat können wir Parforce jagen.«

»Gibt es denn so viele Hirsche?«

»Auch Rehböcke, Hasen ...«

»Hasenjagd?«

»Ja, dabei hält man die Hunde am besten in Form, es ist so aufregend! Bedenken Sie, daß sich unser Revier mit dem Wald von Chalès und den Staatsforsten auf eine Fläche von über zweitausend Hektar erstreckt! Auch Füchse haben wir ...«

»Füchse!«

Er wußte gar nichts. Viborne runzelte die Stirne. Seiner Meinung nach hätte ein für ein solches Buch gewählter Zeichner doch wenigstens die Anfangsgründe der Hetzjagd beherrschen müssen.

»Sie haben also wirklich niemals ...?«

»Niemals.«

Viborne ließ ihn stehen und ging zu La Frondée. Er ärgerte sich, voreilig gewesen zu sein und diesen Laien eingeladen zu haben. Hubert sah Angèle de Viborne so flehentlich, so verzweifelt an, daß sie ihm begütigend zulächelte, als wollte sie sagen: »Ich bin ja da.«

Nach dem Abendessen nahmen sie zu dritt den Kaffee im kleinen Salon; der große wurde nur zu den Empfängen geöffnet. Viborne war schweigsam, und man sprach über belanglose Dinge. Er leerte hintereinander zwei Glas Schnaps und gähnte. Um zehn Uhr stand er auf:

»Ich lasse meine Hunde morgen früh auslaufen ... Sie entschuldigen mich.«

Er verabschiedete sich von seiner Gattin mit einem Handkuß und von dem jungen Mann mit einem lauen Händedruck. Die Türe fiel hinter ihm zu, man hörte seinen langsamen schweren Tritt auf den Fliesen der Diele.

»Schieben Sie Ihren Stuhl näher zum Feuer hin . . . da her . . .«, sagte Angèle, »ich beginne jetzt mit meinem Unterricht. Passen Sie auf: Die Parforcejagd . . .«

Als sie sich um Mitternacht trennten, fiel ihr ein, daß es zu spät war, um ihrem Jüngsten, Lambert, den Gutenachtkuß zu geben.

IV

Alles, was er lernte, verdankte er ihr. Sie brachte für diese Rolle der Unterweiserin eine Geduld, eine Nachsicht auf, die niemand anderer aufgebracht hätte, und das sagte er ihr auch. Ihr hingegen machte es Spaß, ihm all das nach und nach beizubringen, was seit achtzehn Jahren ihr Leben ausfüllte. Für ihn bedeutete es ein Eindringen in ihren Lebensbereich, und er strengte sich nach Kräften an. Er überlegte noch nicht, wie er seine eigentliche Arbeit anpacken sollte, gegenwärtig zeichnete er einzig und allein die Schloßherrin.

Angèle fand ihn frisch und liebenswürdig, noch ein wenig unbeholfen, ein wenig »junger Hund« mit seinen zu langen Gliedmaßen, den Beinen, die das Pferd noch nicht richtig zu halten, den Händen, mit denen er noch nichts anzufangen wußte – und dabei war alles so vielversprechend an ihm!

Der Anfang allerdings war hart, die erste Jagd schrecklich. Dabei war Angèle zur Vorsorge den Abend vorher mit ihm auf Artaban ausgeritten, um »das Pferd an ihn zu gewöhnen.«

Vom ersten Augenblick an bemerkte sie, daß er recht unsicher im Sattel saß, daß er seinen langen Körper kaum aufrecht zu halten vermochte. Hubert schaffte es bei jener Jagd wie durch ein Wunder, aber er war gerädert, zerschlagen. Am nächsten Morgen konnte er trotz besten Willens nicht aufstehen. Angèle erfuhr es und erschien daraufhin gegen zehn Uhr in seinem Zimmer.

Er war befangen und glücklich zugleich, sie zu sehen. Er begrüßte sie mit einem schüchternen, hilflosen Lächeln. Sie setzte sich ungeniert an den Bettrand und sagte lächelnd: »Jetzt haben Sie eine schöne Jagd erlebt.« Dann schraubte sie ein Fläschchen auf, dessen rotes Etikett ein Pferd zeigte.

»Was ist das?«

»Ein Einreibungsmittel. Das tut Ihnen gut.«

Eine Welle kindischer Scham überflutete ihn. Er wollte nicht. Nein, um Gottes willen! Sie nicht ...

»Lassen Sie mich machen. Legen Sie sich auf den Bauch.«

Er mußte gehorchen. Er schob seine Pyjamajacke zurück, entblößte die Schenkel und den Rücken. Sie massierte die Salbe kräftig und geschickt ein, wie sie es bei Euloge, bei La Bretêche, bei jedem Mann, der es brauchte, getan hätte. Seine Beine waren lang, muskulös, die Hüften schmal und fest.

»Drehen Sie sich um!«

Ein geradezu panischer Schrecken befiel ihn, er riß den Bund der Hose bis zur Brust hinauf. Sie stand gebückt über ihm, strich und massierte, wie sie es gelernt hatte, die Schenkel entlang in Richtung zum Herzen, und er bemerkte eine winzige Schweißperle auf ihrer Stirn und eine andere, die langsam den Hals hinab in den Ausschnitt ihres Wollkleides glitt.

Mit einem Ruck richtete sie sich auf und warf Decke und Laken ebenso schnell über ihn, wie sie ihn vorher aufgedeckt hatte. Sie stand neben dem Bett, leicht gerötet von der Anstrengung der Massage.

»So, fühlen Sie sich jetzt besser? Können Sie zum Mittagessen hinuntergehen?«

»Ich glaube schon.«

»Ohne meine Hilfe wäre es Ihnen nicht gelungen.«

Sie bückte sich noch einmal und strich mit einer mechanischen Geste das Haar zurück, das ihr in die Stirn gefallen war.

Als ihn Viborne zu Mittag in das Speisezimmer humpeln sah, lächelte er leicht, und das machte ihn Hubert sympathisch.

»Die Arbeit ruft«, sagte er. »Heute nachmittag fahren wir nach Vierzon; ich muß Futterraufen holen, und meine Frau hat verschiedene Besorgungen, morgen jagen wir. Ich frage Sie erst gar nicht, ob Sie mitkommen; drei Stunden Wagenfahrt wäre das letzte, was Ihnen jetzt guttäte.«

Hubert, allein geblieben, versuchte einen Spaziergang durch den Park zu machen. Hundert Meter vom Schloß entfernt erblickte er Lambert, er rief ihn, aber der Knabe tat, als hörte er nicht. Hubert rief lauter. Jetzt drehte er sich unwillig und muffig um.

»Gehen wir zusammen?«

»Nein«, sagte Lambert, »ich habe zu tun.«

Er setzte seinen Weg zu dem Versteck fort, wo er seine Schätze verborgen hatte.

»Komm, ich zeige dir was.«

»Was denn?«

»Eine Kastanienschleuder.«

Nun stockte der Fuß des Jungen. Hubert kam ihm nach; die glänzenden Kastanien schimmerten in der Herbstsonne unter den hohen Bäumen am Waldrand. Hubert zog sein Messer aus der Tasche:
»Wie machen Sie das?«
»So.«
Er schnitt eine etwa meterlange Gerte ab, spitzte sie zu, steckte den Spieß in eine Kastanie, hieb ihn sausend durch die Luft; die Frucht löste sich und flog in hohem Bogen weit vor.
Hubert gab ihm den Stab, schnitzte sich einen eigenen zurecht, und dann schleuderten sie beide, und die Kastanien flogen zischend und pfeifend wie Raketen davon.
Hubert spürte seine Muskelschmerzen nicht mehr. Lambert geriet in Feuer:
»Da, schauen Sie . . . schauen Sie die an . . .«
»Und jetzt!«
»Über die Orangerie hinaus!«
Hubert schleuderte. Eine Kastanie löste sich zu schnell und traf eine Scheibe, die herrlich klirrend zerbarst.
»Macht nichts«, erklärte der Junge. »Ich werde Mama sagen, daß ich es war. Ihnen wäre sie vielleicht böse.«
Hubert schaute ihn an. Das Kind sprach ernsthaft. Es schien seine Macht über die Mutter zu kennen.
Sie musterten sich noch einen Augenblick ernüchtert, fast feindselig. Dann wurde ihre Aufmerksamkeit abgelenkt:
»Ein Wagen«, sagte Lambert.
Tatsächlich bog eine schwarze Limousine bei den Wirtschaftsgebäuden ein. Man konnte sie von ihrem Platz aus noch nicht genau sehen.
»Das ist nicht Enguerrand . . . und auch nicht Angélique . . .«
»Wer ist das, Angélique?«
»Meine Schwester natürlich! Die im Kloster Notre-Dame ist.«
Nun hielt das Auto an der Freitreppe, der Chauffeur stieg aus, schritt um den Wagen und öffnete den Schlag.
»Lambert!«
Aber Lambert antwortete nicht mehr; Hals über Kopf rannte er davon und verschwand beim Küchengarten.
Ein Mann stieg aus einem Wagen, der sofort Huberts Bewunderung erregte. Mindestens sechs Millionen kostete ein solcher Bentley! Der Mann war klein und breit zugleich; klein durch seine Gestalt, breit durch seinen weit geschnittenen, dick gefütterten Mantel. Der Chauffeur war die Freitreppe hinaufgestiegen und kam wieder herunter: Kein Diener zeigte sich. Der kleine Mann drehte sich Hubert zu und

sah ihn fragend an. Hubert eilte sich nach Kräften: ein Besuch! Er mußte Auskunft geben, erklären – aus zehn Meter Entfernung schon begann er:

»Madame und Monsieur de Viborne sind in Vierzon. Sie kommen erst spät, zum Abendessen ...«

Der andere maß ihn schweigend. Wer sind Sie? schien sein Blick zu fragen. Und Hubert fühlte sich in seiner Gegenwart seltsam befangen. Er stellte sich vor:

»Hubert Doissel. Marquis de Viborne war so freundlich ...«

»Ja, ich weiß«, fiel ihm der andere ins Wort, ohne seinen eigenen Namen zu nennen. »Ich habe mir gleich gedacht, daß Sie es sind, junger Mann.«

Er schaute ihn von Kopf bis Fuß an, schien sich seine Person förmlich einprägen zu wollen, und das war unerträglich, da man seine Augen hinter den getönten Brillen nicht sah, sondern nur die Richtung, in die er blickte. So stand er eine Sekunde da, steif, wie erstarrt, kein Muskel regte sich in seinem Gesicht.

»Tragen Sie meinen Koffer hinauf«, sagte er zu dem Chauffeur, »ich vermute, daß mir die Marquise das gewohnte Zimmer gibt.«

Dann verschwand er in der Diele, ohne Hubert weiter zu beachten.

V

Mehlen blieb vier volle Tage, und Hubert sah wenig von Angèle de Viborne, die sich ihrem Gast widmen mußte. Ohne im mindesten zudringlich zu wirken, befand sich Mehlen ständig in der Nähe der Schloßherrin, sooft der junge Mann zu ihr zu gelangen suchte. Selbst bei der Jagd, zu der er gekommen war, ritt er an ihrer Seite; Hubert blieb zornig und enttäuscht bei den Relaisstellen zurück.

Es war ein trüber, trauriger und völlig inhaltloser Tag. Er kam zur Curée, als alles vorbei war, und bei der Retraite ritt er als letzter, als allerletzter hinter den Jägern im Schritt ins Schloß zurück.

Da er nicht Bridge spielen wollte und das Diner sich in die Länge zog, empfahl er sich auf französisch, während Mehlen kalt, mit mathematischer Sicherheit, gewann. Der Marquis allein bemerkte sein Weggehen und winkte ihm mit einer kleinen Geste und einem Augenzwinkern nach.

In seinem Zimmer legte er sich grollend und enttäuscht ins Bett. Nein, hier würde er nichts lernen. Man zeigte ihm ja nichts. Auf diese Weise brachte er es zu keinen »Studien nach der Natur« für sein Buch! Am besten, er verabschiedete sich mit einer Ausrede und fuhr heim. Er fühlte sich verlassen, und seine Mutter fehlte ihm. Was hatte er gehofft? Daß Madame de Viborne sie ersetzte?

Gegen ein Uhr nachts, eben als er einschlummern wollte, hörte er die Wagen abfahren. Die Stimmen tönten von der Freitreppe herauf, die Stimme Monsieur de Vibornes, die Stimme Madame de Vibornes, und dann, als es still geworden war, ihre beiden Stimmen vereint, was ihm überaus unangenehm in den Ohren klang. Hatte er denn vergessen, daß sie verheiratet war? Daß sie diesem Mann gehörte? Er war sehr kindlich und auch sehr jung. Hatte sie ihm jemals anderes als Freundschaft gegönnt? Nicht einmal das: eine aufmerksame Gastgeberin war sie gewesen und nichts anderes!

Er weilte erst seit ein paar Tagen im Schloß und wußte noch nicht, daß Monsieur und Madame de Viborne getrennt schliefen. So wunderte es ihn, einen Schritt auf dem Flur zu vernehmen. Zweifellos war es der Schritt einer Frau. Und die einzige Frau, die zu dieser Stunde in dem Haus herumgehen konnte, das war sie. Eine Sekunde lang stellte er sich vor, daß Angèle die Türe öffnen könnte. Er drehte in aller Unschuld die Lampe auf, um ihr durch den Lichtschein zu zeigen, daß er noch wach war.

Sie näherte sich. Halb aufgerichtet im Bett hielt er den Atem an. Es schien, als verharre sie einen Sekundenbruchteil vor seiner Schwelle – ach, kaum so lange –, aber sie setzte ihren Weg fort. Am Ende des Ganges fiel eine Tür zu, und es wurde still im Schloß.

Am Morgen erwachte er und glaubte, schlecht geschlafen zu haben, aber das war nur eine Täuschung seiner Jugend, weil er müde war. Er fühlte sich geschunden an Körper und Geist. Er spürte einen bitteren Geschmack im Mund. Dann war er hellwach und wußte, daß er unglücklich war.

Zum erstenmal erlebte er dieses Gefühl. Niemals, seit er erwachsen war, hatte es in Wahrheit eine andere Frau als Henriette für ihn gegeben. Seine Flirts und Freundinnen waren brave junge Dinger gewesen, die in seinem Dasein ihren festen Platz einnahmen, der nicht überschritten werden durfte. Jede tiefere Empfindung oder Bindung wäre ihm so lästig gewesen, daß er die Betreffende einfach stehengelassen hätte, ohne in diesem Abschied oder diesem Bruch etwas anderes als eine unfreiwillige Härte seinerseits zu erblicken. Lange nachdem ihm Euloge das Frühstück gebracht und eingeheizt hatte, stand er auf und kleidete sich mißmutig an. Er holte seine Skizzen aus der Lade der Kommode. Aber alles, was er aufs Papier geworfen hatte, schien ihm gekünstelt und wertlos, nicht einmal die Bilder Angèles würdigte er eines Blickes.

Um elf Uhr kam er herab. Was fing er mit einem solchen Tag an?

Heute jagte man nicht. Und Angèle steckte natürlich wieder mit diesem Mehlen zusammen. Einen Augenblick überlegte er, ob er zu den Zwingern gehen und ein paar Hunde zu skizzieren versuchen sollte, aber er hatte zu nichts Lust.

Die bleichen Sonnenstrahlen vermochten kaum den einförmigen Himmel zu durchdringen. Ausnahmsweise war es windstill. Er trat hinaus zur Freitreppe und schaute hinüber zum Küchengarten und dem Glashaus. Eine Gestalt machte sich bei der Hecke zu schaffen. Sofort erkannte er den Lodenmantel: Es war Angèle. Und als ob sie aus der Ferne seinen Blick gespürt hätte, drehte sie sich plötzlich um und winkte ihm zu, was wohl sagen sollte: Ah, Sie sind es? Kommen Sie doch!

Sie trug einen Korb in der Hand, sie wollte die letzten Astern für ihre Vasen pflücken, die einzigen Blumen, die dem Frost widerstanden hatten. Er nahm den Henkel aus ihrer Hand, und sie ließ es geschehen. Er ging einen Schritt hinter ihr und begleitete sie. Sie hielt eine Gartenschere in der Hand, die Halbhandschuhe entstellten sie nicht. Manchmal bückte sie sich und hob von dem schmalen Weg zwischen den Beeten einen Apfel, eine Birne, die letzten Früchte des Gartens, auf, musterte sie sorgfältig, mit gefurchter Stirn, als vollführe sie eine wichtige Arbeit, und warf sie dann in einen Korb dessen Boden sich schon ächzend senkte.

In der Nähe des Treibhauses stand eine Bank, die seit langem gestrichen gehörte. Sie setzte sich nieder, die gepflückten Blumen neben sich, und er stand vor ihr.

»Wir haben reichlich Zeit. Heute gibt's keine Gäste.«

»Ist Monsieur Mehlen abgereist?«

»Heute nacht. Er mußte nach Paris zurück. Sie wissen doch, wer er ist?«

»Einer von den Männern, die man sich wundert, bei Ihnen zu treffen.«

»Warum?« lächelte sie. »Auf den Parforcejagden treffen sich die verschiedensten Leute. Die meisten Jagden sind anteilmäßig verpachtet; wir haben eine der ganz wenigen Eigenjagden im Land. Mehlen ist ein interessanter Mann. Viel gereist, viel gesehen...«

»Und viel behalten«, sagte Hubert, »vor allem das Geld anderer Leute.«

Sie lachte, weil sie seine versteckte Eifersucht spürte, nicht, weil sie sein Urteil komisch fand.

»Na schön, jetzt ist er weg. Setzen Sie sich.«

»Ich mag Mehlen nicht«, erklärte er und nahm an ihrer Seite Platz.

Sie lachte wieder, diesmal lauter:

»Glauben Sie, daß ich ihn so sehr mag? Mithin sind wir einer Meinung, nicht wahr?«

Sie erhob sich, schlug den Weg zum Schloß ein, so abrupt, daß er einen Augenblick verdutzt sitzen blieb.

»Sie haben den Korb vergessen«, mahnte sie, als er ihr nachkam. Und das war richtig.

In den nächsten vierzehn Tagen gab es keinen Mehlen im Schloß, aber dafür einen Gardas. Der Politiker erschien eines Tages, und von der ersten Sekunde an umschwirrte er Angèle wie eine Hummel. Er erklärte zwar, wegen des Schloßherrn gekommen zu sein, um Verwaltungs- und Wahlfragen mit ihm zu besprechen. Er war bereit, sich deswegen auf ein Pferd zu setzen und einen Rehbock zu jagen. Angèle und Hubert aber, die plötzlich Komplicen geworden waren, ließen ihn an diesem Tag im Stich, verloren ihn absichtlich und trafen sich ziemlich weit von der Jagd entfernt auf einer Waldlichtung. Sie ließen ihre Pferde ein bißchen verschnaufen.

»Der arme Kerl!« sagte Hubert mit aller Verachtung der Jugend, »er ist so lächerlich.«

»So sehen Sie es mit den Augen eines Zwanzigjährigen«, entgegnete sie, »ein Mann mit sicherer Zukunft ist niemals lächerlich, würde Ihnen Fanny Nard sagen, und die kennt sich aus.«

»Fanny Nard ist fünfzig Jahre alt.«

»Und ich?«

»Oh, Sie!«

»Ich bin zehn Jahre älter als Sie.«

Sie schwindelte ein wenig, sie unterschlug zwei oder drei Jahre.

»Das ist nicht wahr. Ich spüre keinen Unterschied zwischen uns.«

»Ich aber schon«, lächelte sie.

Doch das stimmte nicht. Weder in ihrem Körper noch in ihrem Herzen, das ein Teil dieses Leibes war wie jedes andere wichtige Organ, spürte sie dieses Alter, besonders nicht seit etwa vierzehn Tagen. Es war also noch nicht alles aus, und sie gehörte noch nicht nur den Mehlen und den Gardas. Es gab Hubert, Hubert, der sie anblickte, nicht wie ein Student, sondern wie ein Mann in der Blüte seiner Kraft, Hubert, der einer ebenbürtigen Kraft gegenüberstand, der ersten – das war ihm klar –, auf die er traf, ihm gleich, trotz des Unterschieds an den Jahren.

Sie hätte ihm ein Zeichen geben können. Nein, noch nicht. Es mußte noch eine Weile dauern, seinen Höhepunkt erreichen, es mußte vollkommen, total, unüberwindlich werden. Sie gab ihrer Stute die Sporen.

»Angèle!« rief er, ohne zu bemerken, daß er sie beim Vornamen rief.

»Dorthin!« rief sie und zeigte zu den roten Jagdröcken, als hätte sie überhört, daß er sie nicht mehr Madame nannte.

Gardas reiste ab, aber bald kam Mehlen wieder. Es wurde viel gejagt, es war die beste Zeit des Jahres, und niemals vielleicht hatte es schöneres und edleres Wild in den Forsten gegeben. Hubert sah beim Einschlummern die von den Hunden gehetzten Hirsche und Rehböcke mit seinen geistigen Augen, aber Angèle war es, die seinen Sinn beschäftigte, und das wußte sie nur allzu gut.

Lambert gab sich darüber keiner Täuschung hin. Er ahnte, daß ihm der junge Maler mehr als Mehlen, mehr als Gardas die Mutter nahm, und das trug er ihm bitter nach.

Seit drei Wochen befand sich Hubert nun im Schloß, und er begriff nicht mehr, wie er jemals ein anderes Leben ertragen hatte. Es füllte ihn ganz aus, es schien ihm begehrenswert und reizvoll, ja selbst Monsieur de Viborne gefiel ihm, der ihn an den Jagdtagen rüde, wenn nicht schroff wie die anderen behandelte.

Mehlen hingegen schien ihn überhaupt nicht zu sehen und nannte ihn »junger Mann« wie am ersten Tag, aber Hubert dachte achselzuckend, daß er hierbleiben durfte, während der Finanzgewaltige wieder abreisen mußte, und daß dann Angèle ganz allein mit ihm durch den Garten wandern würde.

Eines Tages trafen sich ihre Hände auf dem Henkelkorb, Hubert hielt sie fest, sie entzog sich ihm erst nach einem winzigen Zögern. Schweigend kehrten sie ins Schloß zurück, als ob nichts geschehen wäre.

An jenem Abend konnte Hubert nicht einschlafen. Jetzt, da er die Gewohnheiten des Hauses kannte, beobachtete er jedes Geräusch, sobald er in seinem Zimmer war. Angèle war mit ihrem Mann in dem kleinen Salon geblieben. Hubert fühlte sich bei dem Zusammensein, bei dem er die Augen nicht zu ihr zu erheben wagte und bei dem der Marquis seine langen Beine am Feuer wärmte, an seiner stinkenden Pfeife zog und sich weitschweifig über den Verlauf der letzten Jagd ausließ.

Dann blickte Angèle von ihrer Zeitschrift auf, ging auf die Geschichten ihres Mannes ein und geriet selbst in Feuer. Das war quälend für Hubert, und deshalb verabschiedete er sich stets unter einem Vorwand, flüchtete in sein Zimmer und wartete dort pochenden Herzens und fiebernden Blutes auf den Schritt Angèle de Vibornes, der endlich hörbar wurde und doch vor seiner Stube nicht innehielt.

Und heute abend war es genauso wie jedesmal. Wieder lag diese lange Nacht vor ihm, diese langen Nächte ohne sie!

Er stand auf, schlüpfte in seinen Schlafrock. Nein, man vernahm nichts mehr, ihre Türe am Ende des Flurs war zugefallen. Wie fühlte sie sich? Was machte sie?

Er trat auf den Gang hinaus, und ohne auch nur zu denken, was er tat, tastete er sich unendlich vorsichtig auf Zehenspitzen zu ihrer Türe. Er wollte einen Augenblick in ihrer Nähe sein, zwei Schritte von dem Ort entfernt, wo sie atmete, wohin sich dieses Leben geflüchtet hatte, das die Ergänzung seines eigenen Lebens war. Nein, nein, es war nicht mehr möglich – er konnte nicht mehr anders leben als mit ihr, mit alldem, was sie umgab: Wald, Meute, Jagd... Und dennoch: Ach, davonlaufen, weg, weg von hier...!

Sein Herz verkrampfte sich bei dem Gedanken, er drehte sich um, ohne aufzupassen, und stieß heftig an den Türstock, denn er war ganz nah geschlichen, um die Bewegungen Angèles besser zu belauern, ihren Atem hören zu können. Zu Tode erschrocken wollte er in sein Zimmer flüchten, da vernahm er ihre Stimme:

»Wer ist draußen?«

»Ich«, antwortete er und stand wie zu Eis erstarrt.

»Was tun Sie da?«

»Ich wollte...«, stotterte er, »... ich fürchtete... Sie fühlten sich heute nicht wohl...«

»Meine Migräne von abends ist vergangen. Es ist aber sehr nett von Ihnen, Hubert...«

Sie hatte Hubert gesagt!

»Nun«, murmelte er, »dann...«

Aber die Stimme Angèles unterbrach ihn:

»Bleiben Sie nicht dort draußen stehen. Kommen Sie herein, wenn Sie Lust haben.«

»Herein...?«

»Ja.«

Langsam öffnete er die Tür, die nicht verschlossen war. Und dann sah er sie, in ihrem rosa Nachtgewand, ruhig liegend und doch voll Leben durch den Widerschein des Kaminfeuers, der über ihren Körper spielte. Ja, das war sie, wie er sie erträumt, wie er sie ersehnt hatte. Zögernd, stockend näherte er sich ihr:

»Madame...«, begann er, und dann erstickt: »Angèle...«

Da richtete sie sich halb auf und streckte ihm die Arme entgegen. Er stürzte auf sie, umschlang sie wie ein Kind, und Tränen rannen über sein Gesicht. »Angèle«, stammelte er schluchzend, »oh, Angèle!«

Sie aber, ein Lächeln auf den von seinen Tränen nassen Lippen, schob ihn sanft zurück und sagte:

»So sperr die Tür doch zu, du Kindskopf!«

Das war sie, die Liebe. Und wenn Angèle auch schon seit langem wußte, was sie war, so hatte Hubert, trotz – oder vielleicht wegen – seiner sechsundzwanzig Jahre noch keine Ahnung davon. Wie bei der Jagd, von der er noch wenige Wochen zuvor nichts verstanden hatte, leitete sie ihn auch hier.

Nach dem Abendessen saß Viborne Pfeife rauchend bei ihnen und sprach von der Jagd des nächsten Tages. Sie würden bei dem Königskarree beginnen, denn dort verbarg sich das Wild. Nach seiner Flucht spürten sie es dann bestimmt auf der anderen Seite der Mittagsallee auf.

»Sehen Sie, junger Mann, ich kann Ihnen heute schon ganz genau seinen Weg sagen. Es ist ein junger Zehnender, und ich hole ihn mir mit meinen Hunden aus dem zweiten Zwinger. Erst wird er zu den Mulden flüchten...«

Hubert hörte ihn nicht. Er schaute Angéle an. Sie nickte zustimmend wie ein braver Schüler. Gewiß, es würde eine schöne, aufregende Jagd werden, vorher aber gab es etwas anderes, Schöneres, ein Glück, an das sie beide dachten, während sie scheinbar den Worten Vibornes lauschten. Und mit einem kleinen inneren Lächeln stellte Hubert fest: Der Marquis merkte nicht einmal, daß sie ihn Hubert nannte. Womit sich der junge Mann freilich irrte. Patrice kannte den Verlauf der Liebesgeschichte und verfolgte ihn. Er litt darunter, wie er unter allem litt, was ihm ein Stückchen Angèle raubte. Und oft blieb er absichtlich länger sitzen, um den Augenblick der Trennung von seiner Frau hinauszuschieben.

Dann wurde Hubert nervös und unsicher.

»Macht Ihre Arbeit Fortschritte, Doissel?«

»Ich entwerfe Skizzen.«

Er entwarf sie, aber von Angèle. Hunderte solcher Skizzen besaß er; er hatte Angèle nackt, hingegeben. Trotzdem hütete er sich aus einer Art Scham, einer inneren Scheu heraus, ihr Gesicht zu zeichnen. Er ersetzte es durch unbestimmte Kurven. Und an diese Skizzen dachte er, während Patrice de Viborne, die langen Beine ausgestreckt, die Füße am Feuer, unermüdlich von der Jagd erzählte.

Bis er es plötzlich nicht mehr ertrug. Er stand auf. Sehr kurz, sehr schnell sagte er dem Marquis gute Nacht, verbeugte sich vor Angèle und küßte ihr zeremoniell die Hand, als ob er sie nicht in wenigen Minuten wiedersehen, ihren ganzen Leib mit Küssen bedecken würde.

Und dann zog Patrice zuweilen den Abend noch länger hinaus, suchte sich ein neues Gesprächsthema: den Neffen Euloges, das Küchenmädchen oder die Pachthöfe von Haut-Bout.

Manchmal auch, wenn sie zu zweit hinaufgingen, öffnete er die Türe seines Zimmers und bat sie einzutreten, was sie niemals verweigerte. Immer gab sie ihm, was ihm gebührte.

Kam Angèle dann von ihrem Gatten zurück, stürzte Hubert sich geradezu wütend über sie, vielleicht noch leidenschaftlicher, in einer Art dumpfer Verzweiflung, wie er sie niemals zuvor empfunden hatte. Sie suchte ihn zu besänftigen, zügelte ihn, nicht um seine Glut zu mindern, sondern um ihr einen Sinn zu geben. Immer aber blieb er der Stärkere, und sie murmelte:

»Ach, du bist so jung... mein Junge... mein Junge...«

In manchen Nächten saßen sie nackt vor dem Kamin, wenn das erste Feuer abgekühlt war. Sie redete von ihren Sorgen, ihren Befürchtungen, ihren Gewissensbissen, weil sie Lambert vernachlässigte. Immer aber kam die Minute wieder, da er sie neuerlich mit Liebkosungen überschüttete, sie auf den Teppich zurückbog, den sie zu den Flammen hingezogen hatte.

»Wenn ich bedenke«, murmelte sie, »daß Enguerrand in deinem Alter...«

»Er ist nur dein Stiefsohn.«

»Ich kenne ihn seit seiner Kindheit, ich habe ihn erzogen.«

»Ich wäre gern an seiner Stelle gewesen.«

»Ich sorge mich um ihn wie um meine leiblichen Kinder. Denk doch, während der Besatzung, des Krieges... deine Mutter muß genauso um dich gezittert haben.«

»Ich war nicht eingerückt. Wir lebten im Süden. Nachher hat sie es nicht für nötig befunden, daß ich mich melde – ich hätte es wirklich gern getan –, der Krieg ging zu Ende, man hat mich nicht mehr gebraucht. Ah, wenn du mich eines Tages kränkst, wenn du mich verläßt, dann melde ich mich... Dann falle ich.«

»Wie in den Romanen! Mein Eselchen...!«

Eines Nachts warf er schnell die Türe hinter sich zu, als er bei ihr eintrat.

»Was ist los?«

»Es ist jemand draußen im Flur.«

»Euloge?«

»Nein, der Junge, seine Hilfskraft. Wie ein Spion... Wenn dein Mann...«

»Mein Mann ist noch niemals – merk dir, noch niemals – in mein Zimmer gekommen.«

»Wozu auch, wenn du in seinem bleibst . . .«

»Sei nicht dumm, ich bitte dich!«

Er packte sie bei den Schultern, schob sie vor sich, er wußte nicht, wohin, aber er wollte ihr weh tun, sie züchtigen . . .

»Wir brauchen nichts zu fürchten.«

»Und wenn er es erfährt?«

»Er wird nichts erfahren.«

»Ich will aber, daß er es erfährt. Und du?«

»Sprich nicht davon.«

»Gerade. Was tätest du?«

»Das weißt du ja«, lächelte sie zärtlich.

Nachher verlor sich alles in dem Rausch, der sie erfaßte und bezwang. Sie gab sich ihm leidenschaftlich, rasend und fühlte, daß sie einer Gefahr ausgewichen war. Er war so glücklich in jener Nacht, daß er von nichts mehr sprach, aber er bewahrte eifersüchtig im Gedächtnis, was er »ihr Versprechen« nannte.

Er war so betört, daß er sich nicht verstellte, nichts mehr verbarg, sich weder um die Gegenwart Vibornes noch um die Nähe anderer kümmerte. In der Küche redete man bereits darüber:

»Ihr glaubt, daß Madame . . .?« fragte Euloge.

Und sein Neffe: »Ich hab' sie selbst gesehen.«

Freilich verriet er nicht, daß er sie bespitzelt und daß er den Angestellten Mehlens in Saint-Viâtre traf, der ihn ausfragte und auch das Nebensächlichste wissen wollte. In jenem Monat fuhr er nach Vierzon und kam mit einer silbernen Uhr zurück.

Hubert schrieb auch lange Briefe an Mamoune und erzählte ihr alles oder fast alles. Schön, dachte sie, das ist ungefährlich, eine verheiratete Frau mit Kindern . . . ein nettes vorübergehendes Verhältnis, das die Zeit dieser ersten Trennung angenehm verschönte.

Gardas, der niemals etwas durchschaute, fand das Benehmen Huberts »amüsant«. Denn was konnte sich dieser grüne Junge, dieser Kleckser, schon erwarten?

»Der Bursche ist in Sie verliebt, das springt in die Augen«, sagte er eines Tages zu Angèle, »so ein Grasaff' hat von Tuten und Blasen keine Ahnung!«

Und wieder einmal – wie rasend die Zeit verging, aber was bedeutete das schon, wenn noch eine so unabsehbare Reihe von Tagen, von Nächten vor ihm lag? – war Mehlen des Nachmittags angekommen, und als Hubert zum Tee in den kleinen Salon trat, fand er die beiden Herren, den Marquis und ihn, in ein Gespräch vertieft. Gardas folgte ihm auf den Fersen – in neuen Stiefeln, die er etwas austreten wollte. Gardas sprach von der Regierung und vom Notbudget; Mehlen sprach von Flugzeugen, er kam von London und Amsterdam. Dann folgte Euloge, etwas später La Frondée mit seinem Rapport, den sie schweigend anhörten.

»Ein kapitaler Hirsch«, sagte der Marquis, als La Frondée geendet hatte. »Meine Herren, wir dürfen uns auf morgen freuen.«

Dann kam das Abendessen. Hubert saß am anderen Ende des Tisches, weit entfernt von Angèle. Man richtete kein Wort an ihn. Und er sah sie in ihrem leicht ausgeschnittenen Kleid, das sie knapp vor der Tafel angezogen hatte, wie sie sich einmal zu ihrem Nachbarn zur Linken, Mehlen, und dann rechts zu Gardas beugte: Wenn die das wüßten! dachte er bei sich und schwieg.

Man begab sich in den kleinen Salon.

»Einen Robber?« fragte Mehlen.

Euloge richtete den Spieltisch, die Jetons, die Karten.

»Nun, Doissel, her mit Ihnen ... damit Sie zu etwas nutze sind ...«

Sie spielten. Hubert war nicht bei der Sache und vertat seine besten Blätter, und es wollte kein Ende nehmen. Erst gegen Mitternacht standen sie auf. Hubert war der Hauptverlierer; er ärgerte sich nicht nur aus diesem Grund. Während der ganzen Partie hatte Angèle mit ihrer »Revue des Deux-Mondes« an ihrem kleinen Teetisch gesessen. Als sie endlich aufbrachen und Mehlen noch mit Gardas über seine letzten »Drei ohne« diskutierte, stand Hubert vor ihr:

»Bis gleich«, flüsterte er ihr unhörbar zu.

Und wenn die Jagd morgen früh auch um sieben Uhr begann, egal, er wollte, er mußte jetzt noch zu ihr kommen.

»Gehen wir zu Bett, meine Herren«, sagte Patrice de Viborne.

Er schob Asche über die noch glosenden Scheiter und stieg dann mit den anderen die große Steintreppe empor. Auf der Diele des ersten Stockwerks blieben sie stehen:

»Gute Nacht«, sagte der Marquis und reichte ihnen seine große Hand.

Mehlen drückte sie, verschwand in sein Zimmer, Gardas ebenso. Dann drehte sich Viborne zu Hubert, gab ihm wie den anderen die Hand: »Guten Abend«, sagte er. Dann nochmals: »Guten Abend, Hubert.« Zum erstenmal hatte er ihn bei seinem Vornamen genannt.

Und da sie einander nichts mehr zu sagen hatten, verschwand er mit seiner Frau in dem Flur, der auch zu dem Zimmer Angèles führte.

Höchstens eine Minute noch. Niemals besuchte sie den Marquis an den Abenden vor der Jagd. Wahrscheinlich mußte er noch etwas mit ihr besprechen, etwas, was den morgigen Tag betraf.

Hubert ging die fünfundzwanzig Schritt zu seinem Zimmer. Dort erst, während er eintrat, warf er einen Blick zurück. Das Paar stand vor der Tür Monsieur de Vibornes, der Marquis öffnete sie eben. Hubert hörte nicht, was er sagte, aber er bemerkte, wie er sich vor seiner Frau verbeugte und sie einzutreten bat. Sie tat es, er folgte ihr, die Tür fiel zu, und er sah nichts mehr von den beiden.

VII

Lange wartete Hubert auf Angèle, aber sie kam nicht. Wie hätte sie ihren jungen Geliebten nach diesem Gespräch aufsuchen können, wo so viel auf sie einstürzte und all ihr Denken ausfüllte, das bis Mitternacht noch allein ihm gehört hatte!

Gegen drei Uhr schreckte er auf. Wie? Er war eingeschlafen! Er hatte sie sicher überhört. Warum war sie nicht vor der Türe stehengeblieben? War sie hereingekommen und wieder gegangen, um ihn nicht aufzuwecken? Am liebsten wäre er noch in ihr Zimmer gelaufen, aber sie brauchte ihren Schlaf: um sieben Uhr begann die Jagd.

Als er sie am nächsten Morgen erblickte, während sich die Türen Mehlens und Gardas' öffneten, da atmete er auf. Warum hatte er Angst gehabt? Der Tag fing wie jeder andere an, ging wie jeder andere weiter. Nichts war geschehen, nichts würde geschehen.

Sie traten auf die Freitreppe hinaus – Mehlen, der hinter Gardas ging, schloß die Eingangstür hinter sich –, und das Hundegebell empfing sie im Morgengrauen. Es tönte von den Zwingern her, wo sich Patrice befand, hinter der kahlen Hartriegelhecke, die dürftig die Wirtschaftsgebäude verbarg. Und Mehlen, an den niemand mehr dachte, betrachtete ihn und sagte ganz leise zu sich: schade.

»Meine Herren, es ist sieben Uhr sieben Minuten.«

Das war ein Vorwurf. Der Maître hatte recht. Im Zwielicht hasteten sie zu den Pferden.

»Madame la Marquise?« rief La Frondée. Er hielt Pasiphae am Zügel, die sich wild gebärdete, aber sofort ruhig wurde, als sie die Hände ihrer Herrin spürte.

»Helfen Sie mir, La Frondée.«

Die Blicke Huberts verfolgten jede Bewegung, die zum Steigbügel verschlungenen Hände des Pikörs, dann Angèle im Herrensitz – sie ritt niemals anders –, dann die Gesten des Mannes, der sich an Trense und Gurt zu schaffen machte. Als er sich endlich dem Fuchs Mehlens zuwandte, war Hubert in drei Sprüngen bei Angèle; er hatte seinen Satz vorbereitet, die Worte ausgewählt. Jetzt brachte er nur eines heraus:

»Hat er gestern nacht mit dir gesprochen?«

»Ja.«

»Unseretwegen?«

»Hast du geglaubt, daß er blind ist?«

»Daß er aber davon sprechen kann . . .«

»Was macht das schon aus?«

Er griff nach dem Sattel Pasiphaes, seine Hände näherten sich dem Knie Angèles. Er wollte sie in diesem Augenblick körperlich spüren, aber er wagte es nicht.

»Los jetzt!« befahl sie. »Später.«

Denn sie begriff, daß er ihre Antwort mißverstand. Aber was bedeutete das schon, da sie wußte, was Patrice vorhatte?

Hubert seufzte, er war zornig. Er brannte danach, sie sagen zu hören: »Er weiß es . . . was kümmert mich das . . . du, nur du . . .«

Die Stimme Monsieur de Vibornes ertönte, sie saßen auf. Hubert kletterte auf das Pferd Enguerrands. Der Marquis rief: »Los!«, ehe der Junge noch die Füße im Steigbügel hatte. Der Zug bildete sich, verließ den Hof. Hubert war der letzte von ihnen.

Und schon nahm sie der Wald auf. Tief stand der Nebel über Baum und Strauch, nichts regte sich, alles schien leblos in dem frostigen Morgen. Die Pferde gingen im Schritt, und die Jagdgehilfen führten die zerrenden Hunde an den Riemen. Ein Häher schrie, ein anderer antwortete. Hubert kannte den Platz des Rendezvous, den Stern, und wußte, daß in wenigen Minuten vom Waldrand her die roten Jagdröcke in der Fünf-Uhr-Allee auftauchen würden. Mit Angèle reden! Endlich von Angèle erfahren, was . . .!

Im Augenblick war es unmöglich. Sie war von den Jägern umringt, und die Gäste von auswärts trafen eben ein. Und als wollte ihn Viborne persönlich von seiner Frau trennen – absichtlich, bestimmt –, erklärte er:

»Bleiben Sie bei der Krönung, Doissel. Dort haben Sie die Chance, das Wild vorbeiflüchten zu sehen.«

Dann entfernte sich die Kavalkade. Stille, Einsamkeit. Angèle? Was hatte Angèle gesagt? Was hatte sie ihm geantwortet? Warum plötzlich an ihr zweifeln?

In der Ferne ertönte ein Horn. Das Wild war aufgespürt. Alles entwickelte sich nach dem Wunsch Patrice de Vibornes.

Hubert überfiel es wie ein Fieber. Jetzt zweifelte er nicht mehr. Ja, der Marquis war im Bild, und das war gut so. Angèle sehen, so schnell als möglich! Warum war sie noch nicht zu ihm gekommen, da sie doch die Stelle kannte, wo er auf Geheiß ihres Gatten wartete?

Sie konnte eben nicht. Sie befand sich mitten unter den Jägern, bei

ihrem Mann. Die Jagd kehrte zu der Roten Mulde zurück, dorthin
also! Er riß sein Pferd in die Allee. Der Hirsch war umgekehrt, und
Hubert sah einen schnellen Schatten die Lichtung überqueren. Die
Hunde freilich ließen sich nicht täuschen, ihr Bellen verriet, daß sie
ihm folgten.

Tiefe Stille umgab ihn in der Mulde. Nichts, keine Hörner, keine
Meute. Wieder stieg die Angst in ihm auf: Hatte er sich getäuscht?
Getäuscht in der Richtung des Hirsches, getäuscht in Angèle, in
allem, allem?

Zurück zur Wegkreuzung. Im Schritt, ruhig bleiben. Die Hunde des
Relais waren nicht mehr dort, die Jagd war weitergezogen.

In diesem Augenblick vernahm er den Galopp. Genau hinter ihm,
in der Allee. Der Reiter war nicht erkennbar, nichts als ein beweg-
licher Farbfleck. Und plötzlich wußte er, daß sie es war. Es durch-
rieselte ihn heiß vor Glück, seine Wangen röteten sich: Sie war es,
die ihn suchte! Sie kam zu ihm! Sie kam, so schnell sie Pasiphae zu
tragen vermochte, um bei ihm stehenzubleiben, bestimmt, er wollte
ihr Platz machen in der Schneise, als in der Ferne ein Horn erklang,
ein Horn, das man unter allen anderen erkennen mußte: das Horn
des Jagdherrn Viborne. Pasiphae sprengte auf ihn zu; die Peitsche in
der Hand Angèles wies nach vorn zur Böschung, Angèle hielt nicht.

Er preschte hinterher. Was machte es aus? Er hatte sie gefunden, er
war ihr auf den Fersen. Immerhin hätte sie doch an einem solchen
Tag... fühlte sie nicht, wie die Ungewißheit seine Brust zerriß?

Nein. Sie jagte. Sie hielt ihre Stute an, fand die Fährte, ritt weiter,
stumm, mit zusammengebissenen Zähnen, weit über den Hals des
Pferdes gebeugt, bog sie in einen Dammweg ein. Er folgte ihr mit
gesenktem Kopf wegen der tiefhängenden Äste, die ihm das Gesicht
streiften. Wieder Hundegebell. Es widerhallte im Unterholz, auf
dem der Nebel lag. Der Dammweg verbreiterte sich. Der Augenblick
war gekommen. Jetzt würde sie stehenbleiben und sprechen. Sie
konnte gar nicht anders!

Sie zog die Zügel an. Pasiphae stand still.

Er verhielt neben ihr, er keuchte wie das gejagte Wild:

»Nun?« fragte er ohne Einleitung.

Sie sagte ihm alles: daß Patrice wußte, daß ein Skandal auszubrechen
drohte, daß sie Rücksicht auf die Kinder nehmen mußte...

Er saß vor ihr, leicht zusammengesunken im Sattel und empfing ihre
Worte wie Peitschenhiebe mitten auf die Brust. War zwischen ihnen
jemals über so armselige Dinge wie Vernunft, Alter, Geld gesprochen
worden?

»Ich bin fest entschlossen.«

»So erinnere dich doch . . .«

Dann wie ein Kind: »Ich flehe dich . . .«

Sie senkte den Kopf. Sie schwieg.

»Angèle, zum letztenmal . . .«

Aus der Ferne erklang das Horn. Immer das gleiche: das Horn Patrice de Vibornes.

Sie riß die Stute hoch, drückte die Sporen in ihre Flanken.

Sinnlos. Er erreichte sie nicht. Er schrie ihr nur nach:

»Du bist schuld!«

Aber sie hörte ihn nicht mehr oder wollte ihn nicht hören. Ein paar Sekunden später war sie verschwunden.

Er machte kehrt, raste hinaus ins Feld, den Rain entlang. Er nahm Richtung auf das Schloß, und das war der Augenblick, da ihn Mehlen erblickte. Weg, weg von hier. So schnell als möglich. Und vorher die vielen lästigen Dinge: Packen, Trinkgelder für Euloge, Marie, das Küchenmädchen. Und die Erklärungen:

»Ich muß plötzlich dringend abreisen. Nach Paris.«

»La Frondée ist nicht hier, er kann Monsieur nicht zur Bahn bringen. Wenn Monsieur mein Fahrrad nehmen will, es hat einen Gepäckträger. Monsieur kann es ruhig auf der Bahn stehenlassen, ich hole es mir später«, sagte der Neffe Euloges ölig und unterwürfig.

Hubert sprang auf das Fahrrad und radelte wie toll davon. Am Bahnhof mußte er einethalb Stunden warten, bis der Personenzug heranschnaufte. Er stieg ein, als der Tag sank und man eben die Lampen entzündete. Heute abend war er nicht beim Halali dabei!

Er konnte nicht ahnen, daß Patrice de Viborne genau in diesem Augenblick Rendezvous mit dem Tode hatte.

VII

Am Bahnhof Austerlitz nahm sich Hubert ein Taxi.

Ganz mechanisch kehrte er nach Hause zurück, zu Mamoune. Und während der Wagen durch die Rue de Vanves fuhr, dachte er: Hoffentlich ist sie daheim!

Er zahlte, überquerte den kleinen Hof mit der kahlen Akazie. Da er den Schlüssel hatte, sperrte er die Eingangstür auf.

Henriette saß ganz hinten in ihrem Zimmer vor ihrem Toilettentisch. Er näherte sich ihr auf dem weichen Mokadeteppich, der seinen Schritt verschluckte, einen Meter, zwei, drei Schritte . . . Und plötzlich, als er knapp hinter ihr war, erblickte sie ihn im Spiegel, fuhr herum, sprang auf:

»Was ist geschehen? Warum bist du zurück?« schrie sie beinahe.
Er trat zu ihr und verbarg seinen Kopf an ihrer Schulter.
»Mir ist elend«, sagte er nur.
Sie verstand ihn falsch. Ihr Gesicht verfiel, wurde fahl wie Erde:
»Wo?« fragte sie, und das war ganz und gar das Wort einer Mutter.
Immer die Mißverständnisse, das Aneinander-vorbei-Reden, wie bei
Angèle! Er mußte den lächerlichen Irrtum aufklären, ach, immer
erklären ... Als ob man es überhaupt jemals erklären könnte!
Er tat es trotzdem. Aber er hatte so viel darüber nachgedacht, daß er
nicht den richtigen Ausdruck fand, um es zu sagen. Sie verstand ihn,
sie sah, wie hart er getroffen war. Sein »mir ist elend« war bezeich-
nend gewesen.
Dann begann sie zu sprechen. Sie redete kein dummes Zeug, weder
von einer schlechten Frau noch von Verrat; sie griff nur das Wort im
Flug auf, das er als letztes ausgesprochen hatte: Aber nein, es war
nicht aus! Niemals war etwas aus! Er mußte die Frau verstehen,
deren Mann eben die Wahrheit erfahren und der sie vielleicht bedroht hatte. Nichts war verloren, niemals.
»Glaubst du das?«
Sie antwortete nichts, aber sie ließ ihn in der Gewißheit, daß sie es
dachte.
Sie schlief erst sehr spät ein. Als sie erwachte, war es neun Uhr. Da
sie eben kein Dienstmädchen hatte und sich nichts im Haus rührte,
vermutete sie, daß ihr Sohn noch schlief. Immerhin stieg sie um halb
zehn hinauf in sein Zimmer in den ersten Stock. Die Tür war nicht
verschlossen, er war ausgegangen.
Angstvoll wartete sie den ganzen Vormittag. Um ein Uhr erschien
er, und sie atmete auf. Er küßte sie auf die Stirn, und da nicht gedeckt
war, fragte er:
»Hast du denn die Absicht, auswärts zu speisen?«
»Ja, ich dachte ... *chez Jean?*«
»Nein«, erklärte er, »ich bin müde. Ich habe nur einen Wunsch, mich
auszuruhen, zu schlafen ...«, fügte er in tragischem Tonfall hinzu.
»Dann schmeckt es mir abends besser. Wenn ich nur ein Sandwich
haben kann?«
Sie ging hinaus in die Küche, um ein Brötchen zu richten, und fragte
innerlich besorgt, nach außen hin unbeteiligt:
»Nichts Neues?«
»Was soll es Neues geben?« Er nahm das Kännchen und das Sand-
wich, das sie ihm brachte, und begab sich hinauf in sein Zimmer.
»Ach ja, Mama«, rief er vom Stiegenabsatz her, »Vincent kommt

gegen sechs Uhr« – Vincent war sein bester Freund –, »laß ihn bitte herauf zu mir, sei so gut.«

Sie nickte. Sie aß nichts zu Mittag. Heute hatte sie keinen Hunger. Wo war er vormittags gewesen? Was hatte er im Sinn? Sie setzte sich in den kleinen Salon, manchmal öffnete sie die Tür zum Flur und horchte hinauf. Aber sie hörte kein Geräusch aus der oberen Etage. Um Viertel sieben läutete Vincent, und sie stürzte hinaus, um ihm zu öffnen:

»Haben Sie Hubert heute gesehen?« überfiel sie ihn.

Er hatte ihn nicht gesehen. Hubert hatte nur in sein Büro telefoniert und ihn ersucht, nach sechs Uhr zu ihm zu kommen.

»Und ist Ihnen nichts an ihm aufgefallen?«

»Nein. Aber jetzt, wo Sie es sagen . . .«

»Komm schon herauf!« rief Hubert von oben.

Er stand über das Geländer des ersten Stockwerks gebeugt, seine Stimme klang scharf.

»Ja, ja«, antwortete Vincent. Henriette und er tauschten kein Wort mehr.

Vincent kam um halb acht wieder herunter. Hubert begleitete ihn bis zur Türe, selbst durch den Hof, verließ ihn erst bei dem Gittertor und schien sichtlich bemüht, ein Gespräch zwischen ihm und Henriette zu verhindern. Er war in Hut und Mantel:

»So, Mama, nimm deinen Mantel. Ich führe dich zum Abendessen aus.«

»*Chez Jean?*«

»In ein anderes Lokal, wenn es dir recht ist.«

»Aber gern, mein Großer. Du scheinst mir besser aufgelegt, du hast dich beruhigt.«

»Ich habe meine Dispositionen getroffen«, erklärte er abweisend.

Es vergingen einige Tage, die Henriette kaum anders als die Tage »vorher« dünkten. Er ging zur Grande Chaumière, erzählte von Ausstellungen, die er besichtigt hatte. Kein Wort von Angèle. Und Henriette dachte, daß er die Geliebte zwar nicht vergessen, sondern daß er, der Sechsundzwanzigjährige, wie es »seiner Generation« entsprach, die Sache überwunden hatte, einer Generation, die »Liebeskummer« lächerlich fand. Hauptsache, er blieb in ihrer Nähe, damit sie über ihn wachen konnte.

Am Sonntag arbeitete er bis in den späten Nachmittag, dann ging er »mit Freunden« aus. Er kam nach Mitternacht heim; sie hatte nicht auf ihn gewartet. Am Montagvormittag gegen elf Uhr läutete das Telefon, als sie von ihren Besorgungen heimkam. Es war Vincent; er hatte schon zweimal angerufen, sie war wohl nicht daheim gewesen.

Worum es sich handelte? Um Hubert. Er mußte mit ihr sprechen. Am Telefon war es nicht möglich. Ob sie in die Rue Cambon in die Chase Bank kommen könne, wo er beschäftigt war?

Eine halbe Stunde später war sie in der Bank.

»Nämlich...«, begann der junge Mann zögernd, »ich glaube, daß Hubert im Begriff ist, eine große Dummheit zu begehen... nein, es ist noch nichts perfekt, aber wir waren gestern abend mit ihm beisammen, und später sogar noch im *Lipp*, nur um es ihm auszureden... Aber er will nichts hören. Ich glaube, daß ihn die Liaison viel tiefer getroffen hat, als wir annehmen... diese Schloßherrin... Es steckt natürlich auch viel Enttäuschung, beleidigter Stolz darin, aber ich glaube, Madame, daß er sie wirklich geliebt hat, daß er sie noch immer liebt...«

»Ja, aber was will er denn tun?«

»Einrücken.«

»Ein Wahnsinn! Er hat niemals beim Militär gedient.«

»Für Algerien nimmt man ihn sofort.«

»Er hat mir kein Wort davon verraten.«

Diese Frau besaß also so viel Einfluß auf Hubert, daß er ihr, seiner Mutter, zum erstenmal etwas verschwieg!

»Er war im Rekrutierungsbüro«, sagte Vincent, »er hat sich die Papiere beschafft, ich habe sie selbst gesehen, nur seine Unterschrift fehlt noch. Die ärztliche Untersuchung besteht er natürlich großartig, das wissen Sie so gut wie ich. So habe ich gedacht...«

Sie sprang auf, ohne ihm zu danken, ohne sich zu verabschieden, sie lief dem Ausgang zu.

»Madame«, rief er ihr nach, »Madame, sagen Sie ihm nicht, daß Sie es von mir erfahren haben!«

»Was soll ich denn sonst tun?«

Es war ihr völlig gleichgültig, daß Hubert erfuhr, woher sie es wußte. Wenn nötig, würden die beiden Freunde die Sache eben unter sich ins reine bringen. Im Augenblick hieß es vor allem schnell handeln.

Sie ließ sich in der Rue des Arbustes absetzen. Hubert war nicht daheim. Sie blieb in dem kleinen Salon und wartete in steigender Unruhe. Kalter Schweiß rann ihr den Rücken hinab. Vielleicht hatte er den Vormittag benützt, um im Rekrutierungsbüro zu unterschreiben? Er hatte schon sehr früh das Haus verlassen. Vielleicht war es zu spät...

Als sie eine Stunde zuvor von ihren Besorgungen heimgekommen und zum Telefon gelaufen war, hatte sie dort ihre Zeitungen liegenlassen. Um sich abzulenken, vielleicht, um nach außen hin ruhig zu erscheinen, wenn Hubert eintrat, griff sie danach. Die Titelseiten interessierten sie nicht. Mechanisch schlug sie das zweite Blatt auf und überflog wie täglich das *Carnet mondain*. Plötzlich sprang ihr ein Name in die Augen: Viborne, Marquis de Viborne.

»In tiefer Trauer gebe ich bekannt, daß Marquis Patrice Côme Enguerrand Valère de Viborne du Tallet du Puys einem Unfall zum Opfer fiel.
Schloß La Gardenne, Loir-et-Cher.

Angèle de Viborne, Gattin,
im Namen aller Verwandten.«

Sie las nicht weiter. Der Marquis war tot, und Angèle war Witwe. Nichts hinderte Hubert mehr, sie zu treffen. Das war ein Wunder, die erträumte Nachricht ... Er würde Angèle wiedersehen, und alles Weitere ergab sich ...
Ein Schlüssel drehte sich im Schloß. Er war es. Er kam heim. Er hatte die verdammten Papiere in der Tasche, die Papiere, die noch nicht unterschrieben waren.
»Hubert, komm herein, ich habe mit dir zu reden. Komm, sag ich dir.«
Und als er erstaunt, zögernd stehenblieb, sagte sie auf die gleiche Weise, aber in einem ganz anderen Ton, als einst Angèle in ihrem Zimmer – wenn auch mit der gleichen, etwas herrischen, selbstsicheren Zärtlichkeit:
»Und schließ die Türe, du Kindskopf!«

IX

Es war kein harter Kampf. Hubert wünschte sich nicht mehr zu melden, jetzt, da er eine konkrete Hoffnung hatte. Patrice de Viborne war gestorben – aber wieso nur? Er konnte Angèle also wiederbekommen. War sie nicht frei, Herrin ihrer Entschlüsse – und wie sollte sie die Stunden in La Gardenne vergessen haben! In seiner fiebrigen Erregung aber übte er auf seine Mutter unbewußt eine Art Erpressung aus.
Nein, es war nicht seine Sache, Angèle aufzusuchen. Er weigerte sich, das zu tun. Anderseits, konnte sie zurückkehren, nachdem sie ihn auf so schmähliche Art verstoßen hatte? Und doch, er verlangte es von ihr: Voll Demut und wehmütig mußte sie vor ihm stehen. Anders nicht, erklärte er mit dem ganzen Hochmut seiner sechsundzwanzig Jahre. An Henriette war es also, einzugreifen.

Wie sollte sie es anfangen? Bei solchen Dingen hieß es überaus vorsichtig sein. Alles sprach dafür, daß Madame de Viborne in ihrem Schloß geblieben war. Henriette war daran, abzureisen, als sie den Anruf von Madame Paris empfing.

So lief sie in die Rue Caulaincourt, traf die alte Dame, besprach sich mit ihr. Ja, Henriette würde Angèle treffen, aber erst bis sie wieder ausging, gegenwärtig war Madame de Viborne ausgelaugt, erschöpft, unfähig, das Haus zu verlassen; der Schlag war zu hart gewesen.

Am vierten Tag, als Henriette neuerlich mit der alten Dame gesprochen hatte, kehrte sie zu Hubert heim und sagte:

»Ich war mit ihr beisammen. Sie hat es versprochen. Sie kommt zu dir.«

»Wann, wann?« fragte er.

»Sobald als möglich.«

»Ich sehe nicht ein, warum nicht gleich morgen, da sie ohnehin einverstanden ist... Wenn sie morgen nicht kommt, dann...«

Er sprach nicht zu Ende, aber sie wußte, was er tun würde. Er war ungeduldig, gereizt, zu allem fähig.

»Sie kommt, sie kommt!« beteuerte sie.

Sie kam. Auch das war ein Wunder. Hatte Angèle wirklich geglaubt, daß Henriette sie empfangen würde, als sie an der Tür des kleinen Gartenhauses läutete? Wäre sie nicht nach den Ereignissen jenes Nachmittags in ihrem übermächtigen Drang, ins Leben zurückzukehren, sogar enttäuscht gewesen, sie dort zu finden? Alles konnte schiefgehen, Henriette hatte schon zu viele ähnliche Fehler begangen, um nicht gewarnt zu sein. Sie schwankte nicht und verschwand. Hubert mußte Angèle bekommen, und er würde sie bekommen, heute noch.

Er bekam sie. Sie fragte kaum nach Madame Dervais, alles war nebensächlich geworden. Und als Angèle wieder am Herzen des schon aufgegebenen Geliebten lag, da begriff sie sich selbst nicht mehr: Wie konnte ich nur...? Ja, wie konnte sie ihn wegschicken, alles verwerfen, was er ihr noch ein letztes Mal bot! Das Leben, das Leben schlechthin, das war er. Es gab Hubert, und er war wunderbar. Er hatte durch diese Krise eine Überlegenheit, eine Sicherheit gewonnen, die sie vorher nicht an ihm gekannt hatte. Er war es, der leitete, der befahl, und sie gehorchte: »Wir essen heute in Saint-Germain zu Abend...«

»Morgen kommst du um fünf Uhr...«

Und auch die Liebe gab es, die wiedererstandene Liebe. Die Tage verrannen, ohne daß sie an die Rückkehr nach La Gardenne dachte – hatte Mehlen nicht alles für sie geregelt?

Hubert war glücklich und zufrieden. Alle Probleme hatten sich in nichts aufgelöst. Er arbeitete wieder. Aus der Erinnerung legte er nieder, was er in La Gardenne gesehen und gelernt hatte. Auch das verdankte er ihr, und während er seine ersten Blätter vorbereitete, erlebte er mit ihr den Verlauf der Jagd in allen Phasen, sah die Stellung eines Pikörs, die Haltung La Frondées zu Pferd. Auf diese Weise waren ihre Welt und sie selbst ihm nahe, auch wenn Angèle nicht körperlich gegenwärtig war.

Am Vormittag blieb er daheim. Sein Zimmer war groß, licht, ein gutes Atelier. Er probierte eben den ersten Strich auf dem Kupfer aus, als das Telefon läutete.

Wer konnte anrufen? Ein Bekannter Henriettes? Aber man verlangte nicht Henriette, sondern ihn zu sprechen, eine Frauenstimme.

»Ja, ich bin selbst am Apparat. Sie wünschen?«

Was? Was sagte sie? Was fabelte diese Frau? Angèle? Angèle sollte bei einem Freund wohnen? Unmöglich! Vor allem – Mehlen! Bei Mehlen noch weniger als bei einem anderen. Übrigens – überhaupt bei keinem anderen. Er hängte ab. Nein, es war geradezu eine Schande, dieser Stimme der Eifersucht zu lauschen. Gardas? Hatte Gardas diese Sprecherin bestellt? Gardas oder irgendwer, der wußte, daß Angèle jetzt frei, Herrin des Schlosses, des Vermögens war und der es auf sie abgesehen hatte? Nein, er würde es Angèle gar nicht erzählen, wenn sie heute nachmittag kam, und wenn, dann nur, um gemeinsam mit ihr darüber zu lachen.

Immerhin, die Person schien ihrer Sache sehr sicher zu sein: bei Mehlen, Rue de la Faisanderie, 12 b. Nein, nein, es war nicht möglich!

Er griff nach dem Telefonbuch, blätterte darin. Mehlen wohnte tatsächlich dort. Sogar eine Telefonnummer stand daneben, nicht die geheime natürlich, die nur die Eingeweihten besaßen, sondern die offizielle seines Stadtpalais. Schließlich war es eine Kleinigkeit, sich zu vergewissern. Warum sollte er so untätig dasitzen, mit diesem komischen Druck auf dem Herzen, das – aus Zorn, aus Angst? – etwas schneller als sonst klopfte?

Er wählte die Nummer, bedächtig, eine Ziffer nach der andern. Das Zeichen ertönte.

»Kann ich Madame de Viborne sprechen?«

»Einen Augenblick bitte.«

Wie? Man antwortete nicht, daß man sie nicht kannte, daß sie nicht im Hause wohnte? Und schon ihre Stimme:

»Ja, bitte?«

Und da er schwieg, nochmals:

»Hier Angèle de Viborne. Wer spricht?«

Er hängte ab. Der Spiegel über dem Kamin zeigte ihm sein Gesicht, aus dem alles Blut gewichen war.

Unfaßbar. Nichts in dem Verhalten Angèles, weder in diesen letzten Wochen noch am Vortag, hätte ein solches Doppelspiel ahnen lassen. Denn wenn sie bei einem Mann wie Mehlen weilte, dann war sie auch seine Geliebte. Er gehörte nicht zu den Männern, die etwas geben, ohne ein Entgelt zu fordern. Angèle hatte ihn getäuscht, sie hatte sich hinter seinem Rücken lustig über ihn gemacht, einen Gigolo, mit dem man sich vergnügte, in ihm gesehen, während sie dem anderen gehörte, dem anderen, der dafür zahlen konnte.

Alles Blut, das seinem Körper entwichen schien, kehrte in einer Woge zurück, die Röte stieg ihm bis in die Stirn. Röte der Scham und Röte des Zorns, eines schrecklichen Zorns, der ihn zum Mord trieb. Wen morden? Sie? Ihn? Morden, einfach morden, um diese blinde Wut zu stillen.

Seine Gefühle damals in La Gardenne waren nichts, verglichen mit dem, was er jetzt erlitt. Angèle hatte ihn betrogen. Vor allem mußte etwas Unwiderrufliches zwischen ihn und sie gestellt werden.

Die Papiere? Wo waren sie nur? Er hatte sie vergessen und wohl in irgendeine Tasche gestopft. Er tobte in seinem Zimmer herum, riß die Anzüge aus dem Schrank, warf sie auf den Boden, nachdem er die Taschen durchwühlt hatte. Nein, sie waren nicht da. Stimmt, Vincent hatte sie ihm eines Abends weggenommen, als Angèle verhindert gewesen war zu kommen. Hubert hatte seinem Freund triumphierend von seinem Glück erzählt. »Dann brauchst du sie ja nicht mehr«, hatte Vincent gesagt und sie eingesteckt. Vielleicht aus einer Ahnung?

Erst einmal das in Ordnung bringen, dann weg, vorher aber noch alles andere regeln, nicht die beiden schnäbelnd in ihrem dreckigen Liebesnest sitzenlassen, denn das eine war gewiß: Mehlen hatte keine Ahnung, das Luder war klug genug gewesen, sich nicht ihres jungen Geliebten vor ihm zu rühmen! Ah, Mehlen würde es erfahren! Er mußte es erfahren!

Madame Paris, die keuchend, gepeinigt, mit geschlossenen Augen in ihrem Bett lag, glaubte, sehr gescheit gehandelt zu haben. Hubert würde zu Mehlen stürzen, Mehlen die Wahrheit hören, und die endgültige Trennung zwischen ihm und Angèle war vollzogen. Angèle brachte es dann leicht fertig, den Jungen von ihren rein platonischen Beziehungen zu dem Finanzmann zu überzeugen, und Hubert blieb weiterhin ihr Freund, bis die Sache von selbst auseinanderging. Auf jeden Fall war ihre Tochter vor Mehlen bewahrt, der damit erkennen mußte, daß sie ihm niemals, zumindest nicht ihm allein, gehören würde und daß sie somit nicht die erträumte Gefährtin war, für die er alles Geld und Gut zu opfern bereit schien.

Hubert verließ die Rue des Arbustes mit wehendem Mantel und ohne Hut. Das Rekrutierungsbüro befand sich auf den äußeren Boulevards; dorthin also strebte er, und schnell.

Ein Gendarmerie-Wachtmeister ließ ihn herein. Aber er war nicht der erste, ungefähr zehn Männer warteten vor ihm, und er mußte sich anstellen. Die Männer erkundigten sich nach Einzelheiten der Rekrutierung, ärztlichen Untersuchungen, Aufschub. Das konnte lange dauern. Er stand von der Holzbank auf, wo er eng gedrängt zwischen einem blassen, schlecht rasierten Burschen und einem Jungen im weißen Metzgermantel gesessen hatte.

»Nach Algier?«

»Warten Sie, bis Sie drankommen.«

Es dauerte eineinhalb Stunden. Endlich war er an der Reihe.

»Haben Sie die nötigen Vollmachten?«

»Ich bin großjährig.«

»Alle Dokumente? Geburtsurkunde? Heiratsschein?«

»Ich bin nicht verheiratet und habe die Dokumente des Bezirks.« Er hatte sie sich vor vierzehn Tagen ausstellen lassen.

»Und dann, Sie sind niemals Soldat gewesen. Sie müssen untersucht werden.«

»Ich weiß. Ich bin gesund. Wann?«

»Sie werden vorgeladen. Wir warten, bis mehrere zusammenkommen.«

Im Augenblick, da er die Unterschrift auf das Formular setzte, fiel ihm plötzlich Mamoune ein. Aber das Bild Angèles verdeckte das Bild seiner Mutter. In einem Zug schrieb er seinen Namen auf das Blatt und reichte es dem Beamten. Der bestätigte es umständlich und gab ihm einen Durchschlag zurück.

»Sie bekommen eine Zuschrift«, sagte er endlich.

Hubert verließ den Saal, der nach Truppentabak und gebrauchter Wäsche roch. Draußen atmete er auf: Das war erledigt. Der Gedanke stärkte und bedrückte ihn zugleich.

Langsam wanderte er zum nächsten Pariser Tor, er hatte es nicht mehr eilig. Er überlegte.

Plötzlich war sein Entschluß gefaßt: Gestern hatte er mit Angèle besprochen, daß er heute länger arbeiten und sie daher erst um fünf Uhr zu ihm kommen würde. Er war also nicht daheim, wenn sie erschien. Da sie wußte, wo sich der Schlüssel befand, würde sie sich bei ihm häuslich niederlassen und mindestens zwei Stunden, bis sieben also, auf ihn warten. In dieser Zeit wollte er Mehlen zur Rede stellen. So lange brauchte er gar nicht, um auszuführen, was auszuführen war!

Das einzige Problem lag darin, bis fünf Uhr auszuharren und sich dann zu vergewissern, daß Mehlen zu Hause und allein zu Hause war. Wenn es heute nicht gelang, so blieb Hubert noch genug Zeit. Er würde Angèle einen Rohrpostbrief an die Adresse ihrer Mutter schicken, das Rendezvous auf morgen verschieben und die Sache bei Mehlen von neuem versuchen. Der Beamte hatte ausdrücklich gesagt, daß man vorgeladen, ärztlich untersucht werden mußte, man rückte nicht so formlos ein. Und doch, wenn alles glattging, wie er es erhoffte, dann war es ja gar nicht denkbar, daß er nur eine Minute länger in dieser Stadt blieb, die ihm mit einem Male so unmenschlich schien! Diese riesige Stadt, die einem Kerker glich.

Er nahm also die Metro. Ihm gegenüber saß eine nette junge Frau. Sicher hatte er seine Umgebung völlig vergessen, denn sie blickte ihn fast forschend an. Mit einer kindlichen Gebärde trocknete er sich die Augen an dem Ärmelaufschlag. Da lächelte sie ihm ermunternd zu, als hätte sie begriffen, daß er aus Liebeskummer weine, und als wollte sie ihn damit trösten, daß auch sie solche Tränen vergossen hatte. Aber, o Gott, keine Qual war mit jener zu vergleichen, die Hubert jetzt erlitt. Er stand auf, ging zur Waggonmitte und stieg bei der Station Victor-Hugo aus. Er wollte zu Fuß in die Avenue Bugeaud gehen, er hatte seine Gründe dafür.

Draußen lag die Nacht. Ehe er zur Kreuzung kam, trat er in das einzige Café ein, das sich dort befand, verlangte eine Telefonmarke und ging in die Telefonzelle. Es war ein häßlicher Verschlag, kaum größer als ein Schrank, der nach Schweiß und kaltem, stinkendem Rauch roch. Wie hätte er ahnen sollen, daß vor zwanzig Jahren Angèle von dieser Zelle aus ihre Verabredungen mit dem Marquis de Viborne getroffen hatte?

»Ich möchte Monsieur Mehlen sprechen.«

Die gleiche Stimme wie zuvor:

»Monsieur Mehlen ist nicht zu Hause.«

»Wann wird er zu Hause sein?«

»Das kann ich Ihnen nicht sagen. Soll ich etwas ausrichten?«

»Nein, danke, ich rufe nochmals an.«

Eine Schranke, eine Mauer, ein Filter. So kam man an einen großen Mann nicht heran. Er war da, aber er empfing nur die Leute, die bestellt waren, die sich ausweisen konnten. Schön, Hubert würde einfach an der Türe läuten und eintreten.

Nein, er würde nicht eintreten. Man würde seinen Namen verlangen, und wenn Mehlen wirklich auswärts war, dann war alles verpatzt. Er

mußte nur ganz sicher wissen, ob Mehlen im Hause war, ihm auf-
lauern, ihn ins Tor eintreten sehen.
Er stellte sich in eine Ecke zwischen der Avenue und der Straße. Die
Wagen fuhren zum Bois hinunter. Bis halb sieben hatte sich Mehlen
noch nicht gezeigt.
Gut, dann also morgen. Hubert hatte seine Pläne. Er wartete seine
Zeit ab, und dann würde man schon sehen, wie dieser Mann wirklich
war, den alle für so stark hielten!
Eben wollte er seinen Beobachtungsposten verlassen, als der Bentley
vor dem Stadtpalais hielt. Er kam von der anderen Seite, durch die
Rue de la Faisanderie, Hubert erkannte den Chauffeur. Der Mann
öffnete den Wagenschlag, verneigte sich vor seinem Chef, setzte sich
wieder an den Volant und fuhr davon; gewiß in die Garage. Mehlen – er sah ihn im Licht der Bogenlampen – trat in sein Haus ein.
Mehlen war da. Mehlen hatte nicht die Absicht, nochmals auszuge-
hen. Mehlen erwartete Angèle – die ihn betrog, die aber wie eine
gehorsame Ehefrau nunmehr doch pünktlich zum Abendessen erscheinen würde.
Hubert ging auf das Tor des kleinen Palais zu, und wie gelähmt von
unterdrücktem Zorn und vor Verzweiflung drückte er auf die Klingel.

XI

Eine Wirtschafterin, ungefähr fünfzig Jahre alt, mit den Allüren einer
Empfangsdame, öffnete ihm:
»Ich möchte Monsieur Mehlen sprechen.«
»Sind Sie angemeldet?«
»Nein«, sagte er, »aber er kennt mich.«
»Ich werde den Sekretär rufen.«
Die Frau war verschwunden. Hubert blieb allein im Vorraum, man
bat ihn nicht herein.
Er blickte um sich. Alles verriet Luxus, Geld, Komfort. Es war vor-
nehm, aber etwas unpersönlich eingerichtet, ähnlich den Empfangs-
hallen der Hotelpaläste, in denen Hubert als Kind so lange gelebt
hatte.
Wieder öffnete sich die Türe. Hinter der Frau erschien ein Mann im
Alter Huberts. Es war der Sekretär, dessen Stimme er am Telefon
gehört hatte. »Sie wollen Monsieur Mehlen sprechen? Darf ich mich
nach dem Zweck Ihres Besuchs erkundigen?«
»Ich bin ein Bekannter ... ein Bekannter, den er in der Sologne bei
der Jagd ... bei Marquis de Viborne ...«

»Danke sehr, Monsieur. Selbstverständlich wird Sie Monsieur Mehlen empfangen. Haben Sie eine Karte?«

»Das ist unnötig. Ich habe Ihnen schon gesagt, wer ich bin.«

Der Sekretär schien leicht gereizt, er verbarg seine Ungeduld kaum:

»Monsieur Mehlen ist nämlich ... nicht zu Hause.«

»Wie? Ich habe ihn eben heimkommen sehen!«

»Sie irren sich, Monsieur. Sein Wagen ist vorgefahren und hat jemanden hergebracht, aber nicht ihn«, sagte der Sekretär mit einem undurchdringlichen Lächeln, »sondern mich, wenn Sie erlauben ...«

»Das ist nicht wahr. Ich habe Monsieur Mehlen aussteigen sehen.«

»Sie haben ihm also abgepaßt?«

»Nein, ich kam eben an. Ja, genauso ist es gewesen. Ich will ihn sehen ... und zwar sofort!« rief Hubert, der alle Beherrschung verlor.

»Man dringt nicht so einfach bei Monsieur Mehlen ein! Und gestatten Sie mir die Bemerkung, daß es Ihnen übel ansteht, so zu drängen. Auf diese Weise finden Sie keinesfalls Einlaß.«

»Na, sehen Sie, daß er zu Hause ist! Was ich ihm zu sagen habe, duldet keinen Aufschub, ich muß hinein, und sofort!«

Er schob den Sekretär kurzerhand zur Seite und drang in den Salon ein. Der junge Mann folgte ihm auf den Fersen:

»Sie sind reichlich unverschämt, Monsieur. Wie Sie feststellen können, befindet sich Monsieur Mehlen nicht hier. Oder wollen Sie vielleicht das ganze Haus durchsuchen?«

»Wenn es nötig ist ...«

»Es wird nicht nötig sein. Seien Sie vernünftig, und gehen Sie jetzt. Morgen dann ...«

»Nicht morgen, sofort!« schrie Hubert.

»Aber was wollen Sie denn eigentlich von Monsieur Mehlen?«

»Ihm die Fresse zerschlagen!« brüllte Hubert, schäumend vor Wut.

Die ganze Szene hatte etwas Groteskes, was Hubert verschwommen fühlte. Und das steigerte seinen Zorn noch. Da öffnete sich die Tür im Hintergrund des Zimmers, und der kleine Mann erschien:

»Was ist hier los, Landier«, fragte er.

»Dieser Herr ... dieser Herr ...«, keuchte der Sekretär.

»Will mir die Fresse zerschlagen«, nickte Mehlen. »Ich habe es gehört. Nun, lieber Freund, Sie sehen, daß Sie hier überflüssig sind. Lassen Sie uns, ja, lassen Sie uns ruhig allein.« Und zu Hubert: »Wirklich, Doissel, ich habe nicht gedacht, daß wir uns auf diese Weise wiedersehen werden!«

Er kam durch den mit zwei Lampen schwach beleuchteten Salon auf ihn zu:

»Hier ist es nicht gemütlich. Wollen Sie in mein Büro kommen?«
Er zeigte auf das helle Viereck, verbeugte sich leicht:
»Hier bitte, Doissel.«
Der erlesene Geschmack des Raumes, den sie betraten, verfehlte zwar
seinen Eindruck auf Hubert nicht, seine Gedanken aber waren wo-
anders: Er stand vor Mehlen, er konnte mit Mehlen reden. Und Mehlen entzog sich ihm nicht.
Der Finanzmann umschritt langsam seinen Schreibtisch, legte im
Vorübergehen ein Scheit in den Kamin nach und setzte sich dann
gemächlich hinter seinen Tisch. Er stützte das Kinn in die Hände und
blieb eine Weile so sitzen. Er schaute Hubert gerade an und wies auf
einen Stuhl, was aber übersehen wurde.
»Nun, mein Junge, ich weiß, daß Sie niemals übertrieben zärtliche
Gefühle für mich hegten, aber das ist noch kein Grund, sich so vor
den Leuten aufzuführen. Jeder andere als ich ...«
»Jeder andere als Sie hätte schon meine Faust im Gesicht gespürt.«
»Jeder andere als ich ... na also.«
Hubert trat mit erhobenem Arm näher.
»Na, na«, sagte Mehlen, »Unstimmigkeiten können doch auf andere
Weise ausgetragen werden. So löst man keine Probleme. Denn, wenn
ich recht verstehe, besteht ein Problem zwischen uns? Ein Problem,
das Sie auf schnellstem Weg aus der Welt schaffen wollen.«
»Das Problem wird Sie allein belasten, Sie, und nicht mich!« rief
Hubert heftig.
»Bitte, dann schauen wir es an ... aber ruhig. Sonst kommen wir zu
nichts. Nehmen Sie Platz.«
»Nein.«
»Wie es Ihnen beliebt. Bleiben Sie stehen. Nun?« fragte er kurz.
»Nun ... nun ... Madame de Viborne wohnt unter Ihrem Dach.«
»Schön. Und was weiter?«
»Sie leugnen es nicht?«
»Beim Himmel, nein!«
»Sie wissen wohl nicht ...«
»Ich? Hm ... Die ganze Zeit, die Sie in La Gardenne waren, habe
ich's gewußt. Bitte: siebenundzwanzigster Oktober. Ausritt in den
Wald. Erst durch das Tor bei den Wirtschaftsgebäuden, weiter bis
zum ›Stern‹, der Kreuzung der acht Wege; Rast in der Lichtung von
Roure. Vierundzwanzigster — am Dreiundzwanzigsten wurde ge-
jagt — Spaziergang, diesmal zu Fuß, zuerst zum Küchengarten, dann
durch den Park ... Aber gehen wir schneller weiter, zum November,
wenn es Ihnen recht ist: elfter November ...«
Das war der Tag, an dem Hubert zum erstenmal Angèles Zimmer

betreten hatte. Dieses Datum hatte er wie ein Geheimnis, ihrer beider kostbarstes Geheimnis, gehütet, und Mehlen wußte...

»Sie Schweinehund!« brüllte Hubert.

»Aber nein, nein! Sie sind sechsundzwanzig Jahre alt, und wir sind Männer unter uns. Zwölfter November: diesmal in Ihrem Zimmer... von elf Uhr abends bis... halb vier Uhr. Donnerwetter!«

»Sie Schweinehund!« brüllte Hubert.

Mehlen antwortete nicht, legte das Notizbuch in seine Lade zurück, schloß sie behutsam.

»Nun?« fragte er wieder.

»Sie wollen mich jetzt ausfragen?«

»Nein. Ich weiß ja alles; aber Sie, was wollen Sie wissen?«

»Diese Dinge haben Sie doch nicht von ihr erfahren!«

»Ihr Vergnügungsprogramm und die Daten? Oh, Madame de Viborne und ich sind nicht intim genug für solche Geständnisse.«

»Wollen Sie mir vielleicht einreden, daß zwischen Ihnen und Madame de Viborne niemals...?«

»Monsieur Hubert Doissel, erlauben Sie einem wesentlich älteren Mann, als Sie es sind, Sie daran zu erinnern, daß Diskretion die wichtigste Eigenschaft eines Gentleman ist!«

Mehlen spottete!

»Und Sie... Sie... der Sie nachspionieren... aufschreiben, Sie halten sich für einen Gentleman?«

»Ich bemühe mich, einer zu sein. Aber ich bekenne, daß ich gewisse Schwächen besitze. Eine davon ist der Wissensdrang... alles über die Menschen zu wissen, die mich interessieren.«

»Und ich gehöre dazu?«

»Mittelbar, nur sehr mittelbar.«

Hubert hieb mit der Faust auf den Tisch, was die opalisierende Lampe in Gefahr brachte. Mehlen schob sie zurück.

»Sie haben mich beleidigt, sogar bedroht. Immerhin haben Sie nicht gewagt, mich tätlich anzugreifen, und das ist gut. Glauben Sie nicht, daß wir jetzt zu den wesentlichen Punkten übergehen sollten? Bitte, setzen Sie sich. Sitzend spricht es sich bedeutend leichter.«

»Nicht nötig«, knurrte Hubert. »Es wird nicht lange dauern.«

Er stützte sich mit beiden Händen auf den Schreibtisch Mehlens, beugte sich zu dem kleinen grauen Mann hinunter und suchte den Blick hinter den getönten Brillen zu erspähen.

»Nehmen Sie das Ding doch herunter!« schrie er.

»Meine Brille? Bitte.«

Mit einer langsamen, wohl berechneten Geste nahm er sie ab. Nun sah Hubert seine Augen. Sie waren hell, grau, wie alles an ihm, aber ihr Blick war scharf, durchdringend, daß Hubert ihn nicht ertragen konnte und die Augen senkte.

»Und was weiter?« fragte Mehlen.

Hubert setzte sich nieder, als hätte man ihn gewaltsam auf den Sessel gedrückt. Er war verwirrt, er rang nach Fassung, er suchte nach Worten, die treffen sollten.

»Ich lausche«, sagte Mehlen.

Und als Hubert noch immer schwieg, erklärte Mehlen leise seufzend: »Na schön, dann werde eben ich sprechen. Bei unserem letzten Zusammentreffen war Monsieur de Viborne noch am Leben. Es war bei jener Parforcejagd, deren Einzelheiten Ihrem Gedächtnis sicher nicht entschwunden sind, ebensowenig wie die Vorfälle des Abends vorher. An jenem Abend ging Madame de Viborne nicht direkt in ihr Zimmer – nicht um sich, nach lieber Gewohnheit, eine Weile bei Ihnen aufzuhalten, sondern um sich ihrem Gemahl zu widmen. Ich weiß auch, daß sie nachher nicht zu Ihnen kam. Sie konnte es nicht, Doissel, und dafür gab es seine Gründe.«

»Sie wahrscheinlich!«

»Aber nein! Sie befinden sich wieder auf dem Holzweg. Es ging nicht um mich. In jener Nacht durfte es nur dieses eine Gespräch zwischen Gatten und Gattin geben, ein sehr wichtiges Gespräch, Doissel.«

»Ich weiß, der Marquis hat ihr gesagt...«

»Wieder falsch. Monsieur de Viborne kannte Ihre Beziehungen zu seiner Frau. Er war ein, ich will nicht sagen, toleranter Ehegatte, aber ein Mann, der bereit war, gewisse Risiken auf sich zu nehmen, um sich die Frau zu erhalten, an der er hing. Es gibt solche Männer. Gewiß, er hat in jener Nacht auch Sie erwähnt; niemand hat mir genau erzählt, was gesprochen wurde, aber Sie waren eines der Elemente des Problems – nicht das wichtigste, wenn Sie es auch gerne glauben möchten –, nein, es gab viel Ernsteres zu sagen, und das ahnte niemand, nicht einmal seine Frau. Marquis de Viborne stand vor dem Ruin und hatte, um sein Gesicht, seine Ehre und alles andere zu retten, beschlossen, sich selbst zu töten.«

»Er ist am nächsten Tag einem Unfall erlegen.«

»Einem vorgetäuschten Unfall... mit außergewöhnlichem Mut, vor dem wir uns nur verbeugen können. Monsieur de Viborne war ein Edelmann, der zuweilen Unvorsichtigkeiten beging, der sie aber auch zu bezahlen wußte.«

»Sie werden mir nicht einreden, daß der Marquis diesen ganzen Tag lang seine Todesstunde kannte!«

»Doch. Und Madame de Viborne ebenfalls.«

»Und sie hat nichts dagegen getan!«

»Sie konnte nicht anders. Madame de Viborne brauchte sogar noch weit mehr Mut, denn wenn der Marquis auch fest entschlossen war, so durfte sie doch noch hoffen, daß er es sich anders überlegen oder vielleicht sogar feige werden könnte. Aber er war hart, an ihm konnte man nicht zweifeln; ich, der ich eingeweiht war, habe ihm keine Sekunde mißtraut.«

Mehlens farblose Stimme klang ganz eigen bei diesen Worten.

»Wenn das wahr ist«, sagte Hubert langsam, »dann wird mir vieles klar.«

»Zum Beispiel, daß Sie Ihnen an jenem Tag den Abschied gegeben hat. Tatsächlich war das eine Bedingung des Marquis. Er hatte ihr seinen Entschluß mitgeteilt und verlangt, daß sie mit Ihnen bricht.«

Ja, alles schien Hubert jetzt klar. Er klammerte sich an eine jäh auftauchende Hoffnung. Angèle hatte nur unter Zwang gehandelt, sie liebte ihn, sie hatte niemals aufgehört, ihn zu lieben. Er holte sie sich zurück, wenn nötig entriß er sie diesem Mann, den sie unmöglich lieben konnte und an den sie nur durch den Willen Dritter gebunden war.

»Ich verstehe«, wiederholte er, »sie hat mich bei der Jagd angelogen, dem Marquis zuliebe, damit er ruhig sterben kann.«

»So ist es.«

Da aber fiel Hubert etwas anderes ein:

»Sie kannten doch die Lage Monsieur de Vibornes, hätten Sie ihm da nicht helfen und ihn retten können? Er gehörte zu Ihrem Bekanntenkreis, zu Ihren Freunden!«

»Ich habe keine Freunde«, sagte Mehlen, »ich habe immer nur Freunde gehabt, die mich nachher betrogen haben. Sie werden die Menschen noch kennenlernen, Hubert. Ich mußte bitteres Lehrgeld zahlen.«

»Aber Sie hätten es können?«

»Vielleicht.«

»Ah, ich begreife ... wegen Madame de Viborne!«

»Nehmen wir es an«, nickte Mehlen.

Hubert sah auf und begegnete neuerlich den Augen des Mannes, dem unerträglichen Blick. Nein, nein, noch war nichts verloren! Er würde Angèle retten, seine Angèle, die zu früh kapituliert hatte. Aber mit einem Male ging ihm dumpf durch den Kopf, daß er den Kontrakt unterzeichnet hatte.

Es fröstelte ihn plötzlich. Er hatte mit dieser Unterschrift sein eigenes Urteil und vielleicht auch das ihre unterschrieben. Er hatte letzten Endes das gleiche getan wie Monsieur de Viborne, und das Ende war unausweichlich, ganz nahe!

Mehlen fuhr fort:

»Der Marquis war ein Mann, der überhaupt nichts von Geschäften verstand. Die Versuchung hoher Gewinne, die er benötigte, hatte ihn so weit getrieben. Bedenken Sie, daß er nach gefaßtem Beschluß nicht einmal daran dachte, eine Lebensversicherung abzuschließen, die seine Familie vor . . . vor Unannehmlichkeiten bewahrt hätte. Das war sehr gedankenlos und sehr gewissenlos gehandelt. Was hätte ich für einen solchen Mann unternehmen können, frage ich Sie?«

»Sie haben vorgezogen, sich um die Witwe zu kümmern.«

»Sie sprechen wie der Blinde von der Farbe. Madame de Viborne ist hier, sie wohnt unter meinem Dach, aber kennen Sie auch den Grund?«

»Er liegt auf der Hand, denke ich!«

»Madame Paris, ihre Mutter, ist krank, gelähmt. Bettlägerig für immer, wie man fürchtet. Sie wissen vielleicht, daß Madame de Viborne eine Tochter hat. Diese Tochter will im Kloster bleiben und den Schleier nehmen. Madame de Viborne und ihre Mutter haben ein einziges Mittel gefunden, sie in die Welt zurückzuholen: Sie zwingen sie, die alte Dame zu pflegen. Deshalb darf Madame de Viborne nicht mehr in der Rue Caulaincourt wohnen, sie kann aber auch Paris nicht verlassen, um ständig in Verbindung mit ihrer Mutter zu bleiben. Sie wußte nicht, wohin. So hat sie meine Gastfreundschaft angenommen.«

»Wunderbar! Und Sie denken, daß ich Ihnen das glaube?«

»Schließlich und endlich«, sagte Mehlen, »welche Gefühle Sie auch mit Angèle« – er sagte Angèle, und das verletzte Hubert – »verbanden, Sie haben keinen Grund mehr, sich mit ihr zu beschäftigen. Ich habe mich herbeigelassen, Ihnen alle diese Aufklärungen zu geben, weil ich Mißverständnisse verabscheue, und vor allem, weil ich wünsche, daß Sie diese Frau in Ruhe lassen. Sie haben kein Recht auf sie. Sie haben keines mehr, seit Sie Ihnen den Abschied in La Gardenne gegeben hat. Für Madame de Viborne bedeuten Sie nichts mehr.«

»Nichts mehr!« schrie Hubert. »Nichts mehr! Fragen Sie Angèle selbst! Was bilden Sie sich ein? Daß ich sie nicht wiedergetroffen habe? Daß wir nicht beisammen waren, seit sie in Paris ist? Daß sie nicht mehr meine Freundin ist? Glauben Sie, daß ich sonst hier stünde?«

XII

Hubert spürte augenblicklich, daß er dem Gegner einen unerwarteten Schlag versetzt hatte. Ob sich Angèle nun aus diesem oder einem anderen Grund hier eingenistet hatte, Mehlen ahnte sichtlich nichts von den wiederaufgenommenen Beziehungen zum Sohn Henriette Dervais', so gut er auch über ihr früheres Verhältnis Bescheid wußte. Angèle hatte sich gehütet, dem Finanzmann von ihren Besuchen bei Hubert zu erzählen. Um so stärker traf ihn die Eröffnung, trotz seiner äußeren Haltung und zur Schau getragener Überlegenheit. Hubert nahm an, daß er Angèle mit fragwürdigen Versprechen und unter Vorspiegelungen, die er nicht eingestehen wollte, angelockt habe und mit Drohung und Gewalt festhielt.

Er hatte sich halb aufgerichtet, mit den Ellbogen auf die Lehne des Fauteuils gestützt und überragte Mehlen, den kleinen Mehlen, dessen Blick zum erstenmal verschwamm. Was bedeutete alles andere in diesem Augenblick, alles Zukünftige, alles, was Angèle war oder nicht war?

Da saß er vor einem grausamen und tückischen Gegner, der ihm auf Gnade und Ungnade ausgeliefert war! Er sah ihn zum erstenmal unsicher, mühsam nach Fassung ringend. Oh, wie er es begriff, daß man töten konnte, und welche Wonne es bedeuten mußte, zu töten!

»Ja, waren Sie denn blind?« schrie er. »Nun, seit Madame de Viborne in Paris ist, hat sie mich jeden Tag besucht, sooft ich es wollte, sooft ich es verlangt habe, ganz offen, unbekümmert um die Leute! Sie sind wirklich harmlos, und Ihr Überwachungsdienst funktioniert schlecht, sonst wäre Ihnen diese Überraschung erspart geblieben!«

Mehlen war unwillkürlich aufgestanden, und so befand er sich ungefähr in gleicher Höhe wie Hubert. Während ihn der junge Mann mit einer Flut von Worten überschüttete, um ihn zu beleidigen, zu verletzen, nahm er Distanz, suchte eine Stelle, wo er zuschlagen könnte. Hubert, siegessicher, prahlte weiter:

»Sie glaubten, auf Ihren Lorbeeren ruhen und sanft schlummern zu dürfen, wenn Sie es schon nicht auf ihrem Kissen können? Aber sie schlief mit mir, und Sie wußten es nicht!«

»Doissel«, sagte Mehlen schließlich, »eines müssen Sie wissen: Madame de Viborne war niemals meine Geliebte.«

»Was treibt sie dann hier? Und was ändert das an den Dingen? Hoffen Sie nicht, daß sie einmal Ihre Geliebte wird?«

»Nein«, sagte Mehlen, »meine Frau, vielleicht, aber nicht meine Geliebte.«

»Und Sie bilden sich ein, daß eine Frau wie sie... die Marquise de Viborne als Madame Mehlen!«

»Es wäre immerhin natürlicher als Madame Doissel.«

»Wenn ich will, heiratet sie mich morgen!« schrie er.

»Morgen keinesfalls. Monsieur de Viborne ist noch nicht lange genug unter der Erde. Zehn Monate, ein Jahr... und bis dahin hat sich so viel ereignet. Gott weiß, wo wir da sind... wo Sie sein werden...«

Unbewußt hatte Mehlen den wunden Punkt berührt. Oh, diese Meldung, diese Unterschrift! Aber er wußte nichts davon, konnte nichts wissen.

Nein, Mehlen wußte es nicht, aber Hubert war zusammengezuckt, und schon war Mehlen auf der Lauer. Was steckte dahinter? In einem Winkel seines Gedächtnisses blieb es haften, er würde es im gegebenen Moment herausholen.

»Nun, Mehlen«, sagte Hubert, »haben Sie denn gar nicht nachgedacht? Sind Sie so berauscht von Ihrer angeblichen Machtstellung, daß Sie jeden Wirklichkeitssinn verloren haben? Haben Sie sich Madame de Viborne und dann sich selbst angeschaut? Glauben Sie, daß sich eine solche Frau mit einem Mann wie Sie abgibt, nur weil er eine äußere Position hat?«

»Wie jung Sie sind!«

»Ich verbiete Ihnen, Madame de Viborne zu beleidigen!«

»Ich beleidige sie doch nicht. Ich bewundere, ich schätze sie zu sehr. Trotz der Jahre, die uns trennen, und allem anderen... Doissel, es ist Zeit, daß wir uns wie Männer unterhalten, einfach und ohne große Worte, die Ihnen genauso sinnlos und lächerlich vorkommen müssen wie mir. Wollen wir es versuchen?«

Hubert hob die Schultern.

»Soll ich beginnen?« fragte Mehlen. »Mir fällt es leicht. Als erstes will ich Ihnen eine große Freude bereiten. Sie haben mir weh getan, als Sie mir vorhin Ihre wiederaufgenommenen Beziehungen zur Marquise gestanden haben. Zufrieden? Nicht daß mich Madame de Viborne damit betrogen hätte, denn sie hat sich zu nichts anderem verpflichtet, als vielleicht einmal, später... wie ich Ihnen schon gesagt habe... Sondern weil sie so bald eine Verbindung wieder eingehen konnte, die sie freiwillig abgebrochen hat.«

»Wissen Sie nicht, was die Liebe ist?«

»Aber ja, aber ja«, sagte Mehlen leise, »nur sehe ich sie anders als Sie. Ich wundere mich zwar, daß sie der körperliche Trieb so bald wieder in Ihre Arme treiben konnte, aber das liegt wohl in der weiblichen Natur. Madame de Viborne, die niemanden anders als Mehlen zum Trost hatte und plötzlich leer und verlassen dastand, konnte bei gegebener Gelegenheit leicht wieder rückfällig werden, und sei es nur, um sich behütet zu fühlen und um nicht nur durch Worte, Notariatsakte und Bankauszüge aufgerichtet zu werden. Allerdings verstehe ich nicht, wie Angèle Sie gefunden hat?«

»Angèle ist aus freien Stücken zu mir zurückgekommen.«

»Ohne den geringsten Druck Ihrerseits? Doissel, ich spiele mit offenen Karten, ich bitte Sie, es genauso zu halten. Und außerdem muß ich mich informieren.«

»Gut, dann gestehe ich Ihnen, daß sie erfahren hat, wie unglücklich ich war und daß ich mich verpflichten wollte, um von ihr wegzukommen.«

»Bei der Legion?« lächelte Mehlen.

»Spotten Sie nur! Das habe ich erwartet.«

»Aber nein, mein Junge. Ich hätte es in Ihrem Alter nicht getan, aber ich bin eben ich, Mehlen, und Sie sind Sie, Doissel. Und darin liegt alles, was uns trennt, und zugleich die verschiedene Art unseres Verhältnisses zu Angèle. Da war ja Feuer am Dach, Doissel! Ich hoffe jedenfalls, daß Ihnen nicht wieder ein solcher Unsinn eingefallen ist, als Sie erfuhren, daß die Marquise unter meinem Dach schläft, und Sie glaubten, sie sei meine Freundin.«

»Nein, nein, gewiß nicht! Und wenn ich es getan hätte, wäre es ganz allein meine Sache. Der Beweis meiner Treue, meines echten Gefühls ...«

»Eines echten Gefühls! Bestimmt, es gibt nicht viele junge Leute, die dazu imstande wären. Jedenfalls eine schöne Geste ... dumm, aber schön. Um so mehr als es mit den nötigen Beziehungen immer Möglichkeiten gibt ... Ein kleiner Handel mit dem Himmel ... Haben Sie nicht Gardas in La Gardenne kennengelernt, der jetzt Ministerpräsident geworden ist?«

»Ja, aber wir sprechen, als ob ...«

»Wir plaudern eben ... da ich überzeugt bin, daß Sie diese Dummheit nicht begangen haben. Immerhin haben Sie daran gedacht, und das ist schön. Sehr edel, Doissel. Ich ziehe meinen Hut vor Ihnen.«

Er blickte auf die Kaminuhr: Viertel acht. Angèle kehrte bestimmt nicht vor halb acht oder acht Uhr heim; sie würde lieber nach Hause kommen, und nicht nach dem vergeblichen Besuch bei Hubert ziellos durch die Straßen laufen. Bei Hubert, der hier vor Mehlen saß und der heute nicht mit ihr zu Abend essen würde, weil Mehlen es so wollte, weil Mehlen seine Hand im Spiel hatte. Nun war ihm leichter zumute. Es war ein harter Schlag gewesen. Jetzt hatte er sich wieder in der Gewalt.

»Ja«, sagte er, »gehen wir auf ernste Dinge über. Ich glaube, es ist am besten, wenn ich Ihnen meine Lage ... meine Absichten verrate. Verstehen Sie mich recht: Ich habe die Partie nicht aufgegeben. Trotzdem fühle ich mich nach Ihren Enthüllungen etwas behindert. Entweder Sie sind für Madame de Viborne die große Liebe ihres Lebens oder nur der begehrte und vollkommene Geliebte, der sie, trotz seiner extremen Jugend, leidenschaftlich, wenn nicht unwiderstehlich fesselt, der ihr noch jetzt, aber doch nur vorübergehend Trost bedeutet.«

»Das ist die Psychologie eines Geschäftsmannes, Mehlen. Es gibt noch etwas anderes.«

»Eben. Und davor beuge ich mich, mit der Logik, die mich die Kämpfe in meinem Geschäftsleben lehrten, und mit der Zähigkeit, die dazu nötig war. Ich habe beschlossen, zu warten und es auf mich zukommen zu lassen. Es wäre interessant zu erfahren, was Madame de Viborne dazu sagen wird, wenn sie von Ihrem Besuch bei mir und von Ihren Absichten hört.«

»Das geht mich ganz allein an.«

»Sehen Sie denn die Entwicklung der Dinge noch nicht ganz klar, wissen Sie nicht, was Sie tun werden? Nun, Doissel, ich habe offen gesprochen. Wollen Sie mir jetzt vielleicht verraten, was Sie beschlossen haben?«

»Bitte. Ganz einfach, ich habe an Angèle gezweifelt, jetzt zweifle ich nicht mehr. Ich brauche nur . . .«

»In Paris zu bleiben?«

»Bitte?«

»Entweder habe ich mich geirrt, oder Sie verstehen mich ganz genau.«

»Ich habe es doch nicht getan . . . Was glauben Sie! Ich bin doch nicht so blöd!« schrie Hubert außer sich.

»Ich hielt Sie nur für treu und aufrichtig, und ein echtes Gefühl hätte Sie immerhin dazu treiben können.«

»Ja, aber ich habe es nicht getan.«

»Um so besser. Um so besser für Sie, um so schlechter für Mehlen. Denn man muß sehr viel Vermögen, sehr gute Beziehungen haben, um einen solchen voreiligen Schritt rückgängig zu machen. Wir haben vorhin Gardas erwähnt, in seiner gegenwärtigen Stellung wäre er imstande . . . der einzige jedenfalls. Aber er müßte es später vielleicht teuer bezahlen, sehr teuer. Es sind schon andere als er aus geringeren Ursachen zu Fall gekommen. Nein, ich wüßte wirklich nicht, wie . . .«

In kaum verhehlter Ironie zog er sein Gesicht in besorgte Falten. Hubert merkte es genau. Von neuem überfiel ihn die Wut über diesen kaltblütigen Menschen, der ihn durchschaute und so mühelos an die Wand spielte. Da war er wutschnaubend zu Mehlen gerannt und was blieb übrig von seiner ganzen heldenmütigen Attacke? Er glaubte den Worten Mehlens. Er stritt nicht einmal mit ihm darüber. Selbst ohne zu wissen, ob Mehlen die Wahrheit sprach, war er bereit,

Angèle zu verzeihen. Und was Mehlen betraf, was hatte er von ihm erwirkt? Nichts, im Gegenteil, der andere trieb mit ihm, was er wollte, hielt ihn in seinen kleinen, scheinbar so zarten Händen fest, die aber niemals losließen, was sie gepackt hatten. Er spürte die Gefahr, nahm sich einen letzten Anlauf:

»Ich denke, daß Sie mir alles gesagt haben«, begann er.

»*Wir* haben uns alles gesagt, meinen Sie. Im Grund genommen wissen wir beide jetzt das Wesentliche voneinander. Diese gegenseitigen Informationen werden sich gewiß als nützlich erweisen.«

Mehlen erhob sich, ein Blick auf die Uhr verriet ihm, daß die Unterhaltung wegen der möglichen Rückkehr Angèles nun abzuschließen war.

»Wir kennen unsere Positionen, und wir hassen uns deshalb nicht mehr und nicht weniger. Zumindest was mich betrifft, denn Haß ist ein Gefühl, das mir immer fremd war. Ach, noch eine letzte Frage: Wie soll ich mich Madame de Viborne gegenüber verhalten?«

»Ich ersuche Sie, sich nicht in unsere Angelegenheiten zu mischen.«

»Verlassen Sie sich darauf... solange es nicht meine Angelegenheiten geworden sind.«

Er stockte einen Augenblick, die Hand auf die Klinke gelegt:

»Sehen Sie, Sie sind hergerannt, um mir etwas anzutun. Ich behaupte nicht, daß Sie Ihre Absichten aufgegeben haben... trotzdem haben Sie ein paar Kleinigkeiten erfahren, die Ihnen nützlich sein können und mir auch. Es hat niemals Sinn, sich anzuschreien, man spricht sich aus, das ist besser. Man redet nie genug, Doissel, oder man redet zuviel. Genaugenommen haben Sie mich kränken wollen, und das ist Ihnen auch gelungen, aber haben Sie dieses Vergnügen nicht eigentlich ziemlich teuer bezahlt? Die Zukunft wird es uns lehren. Ich meinerseits kann trotz allem sagen, daß ich über Ihren Besuch entzückt war.«

Er drückte die Klinke nieder und öffnete die Tür zu dem schlecht beleuchteten Salon. Ohne zu schauen, ob der Sekretär da war, rief er:

»Landier, führen Sie bitte Monsieur Doissel hinaus.«

Dann ging er in sein Büro zurück.

XIII

Henriette kam nächsten Tages um halb zehn Uhr früh in die Rue des Arbustes zurück. Hubert wartete bei der Eingangstüre im Vorraum auf sie.

»Also was hast du getan?« fragte sie ihn voll Angst.

»Das Blödeste«, antwortete er.

Er erzählte ihr alles, seinen plötzlichen Einfall, seinen Besuch bei Mehlen und was daraus geworden war.

»Bist du böse, daß ich dich gerufen habe?«

»Böse! Aber erst einmal mußt du mir alles ganz genau sagen.«

»Nach meiner Aussprache mit Mehlen war es zu spät, sie konnte nicht mehr auf mich warten. Ich habe versucht, sie telefonisch zu erreichen, aber es hat sich niemand gemeldet. Sie hat mir ein paar Zeilen auf dem kleinen Tisch dort hinterlassen, sie hat keine Ahnung von dem Vorgefallenen.«

»Sie ist unwichtig«, erklärte Henriette, »wichtig bist du. Für sie wird sich alles wieder einrenken. Du aber?«

»Ich hab' dir's gesagt: unterschrieben.«

»Und was geschieht jetzt?«

»Das geht seinen Amtsweg. Ich werde zur ärztlichen Untersuchung vorgeladen, und dann . . .«

»Gut. Wir haben also ein bißchen Zeit.«

»Was stellst du dir denn vor?«

»Daß ich jetzt unternehme, was nötig ist. Wer ist jetzt Kriegsminister?«

»Der Ministerpräsident. Er hat sich die beiden wichtigen Ressorts vorbehalten: Krieg und auswärtige Angelegenheiten. Du hast es doch in den Zeitungen gelesen.«

»Und wer ist der Ministerpräsident?«

»Gardas.«

»Gardas? Hast du den nicht in La Gardenne kennengelernt?«

»Er war zur Jagd dort, er ist ein Bekannter von Angèle.«

»Du kennst ihn also, sehr gut. Er kennt dich, noch besser. Du kannst nicht in eigener Sache vorsprechen, du kannst nicht zum Lenker unserer Armeen gehen und sagen: Ich habe mich nach Algerien verpflichtet, aber jetzt habe ich keine Lust mehr. Es muß jemand Außenstehender sein, der ihm, wenn ich so sagen darf, die Angelegenheit im günstigsten Licht unterbreitet. Oder gerade das Gegenteil: Jemand, der – gewaltig – an deinem Bleiben interessiert ist. Wie steht er zu Madame de Viborne?«

»Er ist verliebt in sie.«

»Das hat seine gute und seine schlechte Seite. Alles hängt von dem Mann ab. Am besten wäre, wenn Angèle selbst zu ihm ginge.«

»Aber Mama, versetz dich an meine Stelle . . . das ist doch sehr peinlich.«

»Liegt ihr an dir oder nicht? Im übrigen hast nicht du sie darum zu ersuchen, sondern ich. Gib mir den Apparat, ich rufe sie sofort an.«

Und schon hatte sie die Nummer der Rue de la Faisanderie gefunden, gewählt und Madame de Viborne verlangt.

»Wer ist am Apparat?« fragte die Stimme Landiers.

»Madame Dervais.«

»Leider«, antwortete er prompt, »leider ist Madame de Viborne abwesend. Verreist.«

»Für lange? Ist sie nach La Gardenne zurückgefahren?«

»Ich glaube nicht, Madame.«

»Danke«, sagte Henriette.

Hubert war dem Gespräch aufgeregt gefolgt.

»Sie ist nicht zu Hause? So hat sie ihn also verlassen. Mehlen hat ihr alles erzählt, und sie ist ausgezogen. Sie kommt zu mir!«

»In diesem Fall müßte sie schon hiersein«, erklärte Henriette, »wenn Mehlen ihr von deinem Besuch erzählen wollte, dann hat er nicht bis heute früh damit gewartet. Ist sie also wirklich abgereist, dann gestern abend...«

»Warum sagst du ›wirklich‹?«

»Weil ich nicht recht daran glaube. Vielleicht läßt sie sich verleugnen, vielleicht ist es eine Ausrede.«

»Das tut Angèle nicht, Mama!«

»Angèle wie jede andere, mein Junge, mehr als jede andere. Du vergißt ziemlich schnell, welchen Verdacht du noch vor kurzem gegen sie gehegt hast.«

»Aber, Mamoune, das war ja sinnlos, und ich liebe sie, und sie...«

»Sie dich auch, glaube ich. Was nicht hindert, daß sie dir ganz gern eine Lektion erteilen möchte, die du verdient hast, versetz dich nur in ihre Lage! Außerdem ahnt sie nicht, welchen Unsinn du angestellt hast, vergiß das nicht!«

»Was tun wir also?«

»Warten. Wenn sie bis Mittag nicht hier ist... dann suche ich persönlich Gardas auf.«

»Er empfängt dich doch nicht!«

»Ich habe noch nicht alle Verbindungen zu den Ministerkabinetten verloren. Und dann« – sie biß die Zähne zusammen –, »ich setze es durch.«

Um halb zwei war Angèle noch nicht da, wie Henriette vorausgesehen hatte. Auf ihren Anruf in der Rue Caulaincourt eine halbe Stunde zuvor hatte eine weibliche Stimme geantwortet: Angélique. Madame Paris sei sehr müde, sie schliefe. Keine Besserung, nein, aber ein berühmter Professor behandle sie jetzt. Von wem dürfe Angélique ausrichten...? Von einer Freundin ihrer Mutter. Ach, Mama sei nicht da, nein. Auch nicht in La Gardenne, niemand wußte, wo sie sich aufhielt, sie suchten nach ihr. Aber es dauerte sicher Tage, bis man sie fand, und Angélique brenne danach, ihr die Pflege zu übergeben ...

Schweigend aßen sie zu Mittag *chez Jean*. Um halb drei kamen sie heim, eine rosa Drucksache steckte unten in der Tür. Es war die Ladung zur ärztlichen Untersuchung für den nächsten Vormittag.

Um drei Uhr sagte Henriette: »Jetzt gehe ich.« Eine halbe Stunde später drang sie in den Hof des Hôtel Matignon ein, dessen Kies unter ihren feinen Schuhen knirschte.

Der Portier in Uniform beugte sich hinter seiner verglasten Loge vor: Was sie wünsche?

Sie wünschte, beim Herrn Ministerpräsidenten persönlich vorzusprechen.

Mit abweisender Miene überreichte er ihr einen Block mit den Anmeldeformularen: Name ... Zweck der Vorsprache ... Er betonte, daß der Herr Präsident nur auf ausdrückliche Genehmigung empfange, daß die Stunden der Audienz genau eingeteilt wären.

Er verschwand. Fünf Minuten später erschien ein junger Mann in Uniform im Warteraum, stellte sich vor:

»Berdon, Attaché im Kabinett des Herrn Präsidenten. Hätten Sie die Liebenswürdigkeit, mir zu sagen, Madame ...«

Nein, diesen Offizier, der Papier und Bleistift bereithielt, um ihre Angaben zu notieren, ging ihre Sache nichts an.

»Ich muß mit dem Herrn Präsidenten persönlich ...«

»Leider ausgeschlossen ... Der Herr Präsident ist jede Minute besetzt ... schwer überlastet ...«

»Trotzdem«, erklärte sie, »es ist eine rein persönliche Angelegenheit, und ich kann sie nur mit ihm besprechen.«

»Der Präsident bedauert, Madame ... Ich versichere Ihnen, daß ich Ihre Wünsche ebenso ...«

»Nein«, sagte sie, und in einer plötzlichen Eingebung: »Melden Sie ihm nur, daß es sich um Madame de Viborne handelt.«

»Madame de ...? Bitte, Madame. Ich glaube trotzdem nicht ...«

»Melden Sie es ihm, Monsieur. Ich glaube, er wäre ungehalten, wenn Sie es unterließen.«

Er notierte den Namen, kam fünf Minuten später, noch höflicher, fast ehrerbietig, zurück:

»Wollen Sie mir bitte folgen, Madame?«

Sie schritt hinter ihm, ein Gang nahm sie auf. Endlich standen sie vor einer Türe:

»Ich lasse Sie durch mein Zimmer gehen. Draußen warten Leute ... Für vier Uhr ist der Herr Finanzminister angesagt.«

Sie durchquerte ein Büro mit ihm, dann noch eines, in dem zwei junge Beamte, auf dem Tischrand sitzend, Anrufe entgegennahmen und notierten. An einem dritten, leeren Schreibtisch vorbei gelangten sie in ein großes, antik eingerichtetes Zimmer, in dem ein Mann hinter einem mit schweren Bronzen überladenen Schreibtisch aufrecht stand. Er war stämmig, untersetzt und kräftig und ließ schnell sein Sacktuch in der Tasche verschwinden, mit dem er sich die Stirn getrocknet hatte. Mit ausgestreckten Händen wollte er ihr freudig entgegeneilen. Mit den Armen in der Luft blieb er stehen und starrte sie an:

»Aber, Madame ...«

Seine sichtliche Enttäuschung störte Henriette Dervais keineswegs. Sie war eingedrungen, alles Weitere ergab sich; sie war an den Umgang mit Männern gewöhnt.

»Verzeihen Sie mir, Herr Präsident, ich bin nicht Madame de Viborne.«

»Zum Teufel, das sehe ich!« brach er in seinem meridionalen Tonfall los. »Sie sind von ... Madame de Viborne geschickt?«

»Ich bin eine Freundin der Marquise. Sie hat mir gesagt, daß ich mich an Sie wenden darf ... Madame de Viborne kann Sie gegenwärtig leider nicht selbst besuchen, Sie haben sicher von dem neuerlichen Unglück gehört, das sie betroffen hat? Ihre Mutter ...«

Gardas sah verblüfft auf. Er hatte vorgestern noch mit der alten Dame telefonisch gesprochen und ihr seine Geheimnummer für Angèle gegeben. Sollte sie ...?

»Tot?« rief er.

»Nein, nein«, beruhigte ihn Henriette, die diese Szene stark an ein Vaudeville erinnerte, »nein, nur krank. Aber leider, wie man fürchtet, ohne Aussicht auf Heilung. Madame Paris ist plötzlich gelähmt im Bett aufgewacht.«

»Das ist ja entsetzlich!«

Heimlich aber atmete er auf. Nun begriff er, warum ihm Angèle kein Lebenszeichen gab, obwohl sie seine Geheimnummer besaß.

»Ich rufe sie sofort an«, erklärte er.

»Nein, nein!« rief Henriette. »Madame de Viborne möchte lieber nicht ... sie hat es mir ausdrücklich aufgetragen. Sobald sie kann, wird sie Ihnen alles persönlich berichten. Im übrigen, muß ich gestehen, komme ich zwar in ihrem Auftrag, aber in eigener Sache ...«

»Bitte, Madame. Wenn ich etwas für die Marquise oder für Sie, die von ihr gesandt werden, tun kann, werde ich selbstverständlich ...«

»Sie kennen meinen Sohn, Herr Präsident.«

»Ich kann mich nicht erinnern, Madame ...?«

»Doch, Monsieur, Sie haben ihn in La Gardenne getroffen: Doissel, Hubert Doissel.«

Sie wunderte sich über seine plötzlich veränderte Miene, sein verschlossenes Gesicht. Trotzdem sprach sie weiter:

»Mein Sohn Hubert, Herr Präsident, hat einen Irrtum... eigentlich eine Dummheit begangen. Und an diesem Irrtum trägt zum Teil unsere Freundin schuld. Sie kennen Angèle, ich brauche Ihnen nichts von ihrem Charme, ihrer Anziehungskraft, kurz, von ihrem Wert, ihrer Bedeutung zu erzählen. Mein Sohn, der Gast im Schloß war, hat sich unsterblich in sie verliebt...«

»Und was geht das uns an?« fragte Gardas recht schroff.

»Wenn ich ›verliebt‹ sage, dann ist sein Gefühl sehr mangelhaft ausgedrückt. Sie wissen, Herr Präsident, wie die jungen Leute sind, sie geben sich zynisch und sind dabei die schlimmsten Romantiker.«

»Aber, verehrte gnädige Frau«, fuhr Gardas auf, »ich sehe wirklich keinen Zusammenhang! Ich habe im Schloß selbst bemerkt, daß Ihr Sohn der Marquise nachläuft, aber soviel ich weiß, bedeutet ihr das herzlich wenig!«

»Eben, eben, und gerade deshalb...«

»Ich verstehe nicht.«

»Ganz einfach: Hubert war über ihre Abweisung so unglücklich, daß er sich für Algerien verpflichtet und den Vertrag unterzeichnet hat.«

»Dazu kann ich ihm nur gratulieren, Madame; Männer wie ihn brauchen wir dort.«

»Ich bin ganz Ihrer Meinung, aber wenn man aus solchen Ursachen einrückt...!«

»Glauben Sie nicht, Madame, daß ihm dort etwas Blei in seine Schwungfedern gejagt werden wird?« Und da ihm das Doppeldeutige seiner Worte bewußt wurde, verbesserte er sich schnell: »Daß ihm ein Licht aufgeht und er zur Vernunft kommt? Angèle selbst muß sich sagen...«

»Angèle, Herr Präsident, hält sich für die Schuldige an diesem Entschluß. Angèle weiß, welche Gefahren dort drohen. Wenn ihm etwas zustößt, dann war sie es, die es verursacht hat.«

»Aber schließlich, Madame, wenn alle jungen Leute, denen es einfällt, der Marquise die Cour zu schneiden...«

»Angèle hängt an Hubert, Herr Präsident. Angèle bittet sie durch mich...«

»Worum?«

Es war schwer, fast unmöglich in Worte zu kleiden:

»Zu intervenieren. Sie sind nicht nur Ministerpräsident, Sie sind auch Kriegsminister. Sie können also...«

»Ich! Nein! Ich bin kein Rekrutierungs-Sergeant.«

»Sie haben aber die Macht...«

»Das Gesetz zu befolgen, ja, und das Volk zu veranlassen, es zu befolgen.«

»Aber, Herr Präsident, ich bin seine Mutter... seine Mutter bittet Sie!«

»Madame, wenn ich während der Besatzung auf alle Mütter gehört hätte, säßen die Deutschen heute noch im Land.«

»Jetzt sind wir nicht im Krieg.«

»Das glauben Sie! Fragen Sie die Männer, die sich dort unten herumschlagen!«

»Hubert hat sich nicht aus Vaterlandsliebe gemeldet.«

»Sehr bedauerlich.«

»Und wenn er fällt, verzeiht es Ihnen Madame de Viborne niemals.«

»So seien Sie doch vernünftig, Madame, ich kann einfach nichts tun.«

»Doch, Monsieur.«

Sie war zäh. Diese Frau ließ nicht locker. Gardas mußte Zeit gewinnen, vertrösten.

Mehlen hatte ihn gestern abend angerufen, er war sehr deutlich gewesen – alles wußte dieser Mann im vorhinein.

»Sollte irgend jemand, wer es auch ist, wegen des Kontrakts eines gewissen Doissel, Hubert, den Sie genausogut kennen wie ich, bei Ihnen vorstellig werden, dann lassen Sie sich nicht um den Finger wickeln, mein lieber Gardas; die Sache könnte sehr gefährlich für Sie ausgehen und Ihre Karriere empfindlich stören, denn Ihre Feinde erfahren es gewiß und drehen Ihnen einen Strick daraus!« Seine Stimme hatte bei diesen Worten genauso höflich und eiskalt, so drohend geklungen wie damals auf der Jagd in La Gardenne, als er über seine politische Zukunft sprach.

»Madame«, sagte Gardas bedauernd, »Sie setzen mich in größte Verlegenheit, in einen Kampf zwischen Freundschaft und Pflicht« – er liebte klassische Redewendungen, er hatte sie sich in den letzten Monaten der Résistance angewöhnt –, »aber ich sehe nicht die geringste Möglichkeit, in dieser Sache etwas zu unternehmen.«

»Darf ich wenigstens hoffen, daß Sie nicht nein sagen, Herr Präsident, daß Sie Madame de Viborne nicht nein sagen?«

»Natürlich, natürlich! Im übrigen spreche ich selbst mit ihr darüber, wenn ich sie treffe, was hoffentlich bald der Fall sein wird.«

Ich muß sie um jeden Preis finden, dachte Henriette.

»Erst einmal lasse ich den Akt heraussuchen und überprüfen.«

Und zu sich: Fällt mir doch gar nicht ein! Du fährst hinunter, du

Grünschnabel, du Gigolo, das tut dir gut, und außerdem hat Mehlen es verlangt. »Ich werde die Angelegenheit an meine Dienststelle in der Rue Saint-Dominique weiterleiten«, fuhr er fort, »seien Sie überzeugt, daß die Sache mit der gebotenen Aufmerksamkeit behandelt wird.«

Er wollte Henriette Dervais zur Tür geleiten, als das Telefon läutete.

»Entschuldigen Sie, das ist meine Privatlinie... auf der niemand außer mir sprechen kann. Ja, Monsieur... Aber natürlich, mein lieber Junge. Nein, nein, Sie stören mich nicht. Sie wollen mich im Auftrag Ihrer Frau Mutter aufsuchen? Aber natürlich!«

Er legte die Hand auf den Hörer und drehte sich zu Henriette:

»Es ist Enguerrand, der Sohn Madame de Vibornes«, und dabei dachte er: ein Tag, an dem Angèle nach mir schickt. Solche Zufälle gab es, das hatte er oft festgestellt.

Maya, die Hellseherin, die er stets befragte, ohne deren Ratschlag er nichts unternahm, hatte ihn unzählige Male darauf aufmerksam gemacht.

»Aber, mein lieber Junge, natürlich, gern. Ich gebe die nötigen Weisungen, daß man Sie direkt zu mir führt, wenn Sie nach vorheriger Anmeldung in mein Büro kommen. Wünschen Sie persönlich etwas von mir? Aber von Herzen gern, mein lieber Junge.«

Mit plötzlich veränderter Stimme fuhr er fort:

»Ach so, von Ihrer Großmutter... schließlich ist es die Mutter Ihrer Frau Mama... Ja, ja, ich habe schon davon gehört, durch eine ihrer Freundinnen...« Er blickte Henriette an. »Ernst? Und keine Aussicht auf Besserung? Das ist ja entsetzlich! Und Ihre arme Mutter mitten in allen diesen Sorgen! Richten Sie ihr bitte aus, wie sehr ich Anteil nehme, vergessen Sie es nicht! Und auch, daß ich es ihr gerne persönlich ausdrücken möchte. Ich vermute, daß sie Ihnen meine Geheimnummer gegeben hat. Also dann, auf bald!«

Er legte ab, kam hinter seinem Schreibtisch hervor und schob Henriette förmlich zu der Tür des prunkvollen Präsidentschaftsbüros.

»Wie sonderbar, nicht wahr? Man spricht von jemandem, und schon meldet er sich selbst.«

Henriette hingegen dachte: »Angèle de Viborne ist in Paris. Ihr Sohn hat mit ihr gesprochen, also muß er sie hier getroffen haben. Ich weiß schon, wie ich sie finde, und sie wird durchsetzen, was mir mißlungen ist, denn Madame Dervais gab sich keinen Illusionen über die Absichten Gardas' hin: Er würde nichts für ihn unternehmen, er wollte nichts unternehmen, zweifellos aus politischen Rücksichten, die – das war ihre letzte Hoffnung – bei einer persönlichen Vorsprache Angèles – in Nichts zerfallen würden.

Ehe sie noch die Türe erreicht hatten, öffnete sie sich: Gardas hatte beim Aufstehen auf einen Klingelknopf unter der Tischplatte gedrückt.

Der Vorzimmerbeamte erschien und verbeugte sich:

»Jouffroy, begleiten Sie die Dame hinaus!« Und zu Henriette: »Verlassen Sie sich auf mich, Madame.«

»Darf ich anrufen?«

»Nein, nein, wenden Sie sich nur an Berdon, teilen Sie ihm alles Nötige mit, geben Sie Name, Adresse an. Ich veranlasse, daß er die Affäre persönlich in die Hand nimmt... nach meinen Weisungen natürlich.«

Sie fand weder Zeit noch Gelegenheit, ihm zu danken. Er war in sein Büro zurückgegangen.

Draußen auf der Straße sank ihr mit einem Male der Mut. Die Füße versagten den Dienst, sie lehnte sich an einen Baum. Es nieselte, sie stand im Regen, sie war wie betäubt. Endlich raffte sie sich auf. Sie mußte Angèle aufstöbern, sie mußte sie finden.

Aber wo suchen?

Wohin laufen? Wo steckte nur Angèle?

XIV

Henriette hatte ihr erstes Gefühl bei der Auskunft Landiers nicht getrogen: Angèle befand sich in der Rue de la Faisanderie. Sie war am Abend nach dem versäumten Rendezvous mit Hubert zurückgekommen; sie konnte sich zwar nicht erklären, was ihn abgehalten hatte, aber sie war überzeugt, es binnen kurzem zu erfahren. Sie hatten ein für allemal ausgemacht, daß sie diejenige sein sollte, die wieder anrief, wenn einer von beiden aus einem gewichtigen Grund eine Verabredung ohne vorherige Verständigung nicht einhalten konnte.

Um dreiviertel acht war sie endlich aufgebrochen, hatte, wie schon einmal, den Schlüssel auf das linke Fensterbrett, das man nur von der obersten Stufe der Freitreppe erreichte, zurückgelegt und war von der Rue des Arbustes auf der Suche nach einem Taxi gegen Montparnasse gewandert. Wäre sie nur einige Minuten später in entgegengesetzter Richtung gegangen, dann wäre sie vielleicht mit ihm zusammengestoßen, und wenn dadurch auch nicht alles anders geworden wäre, so hätten sich doch recht ungewöhnliche Aspekte ergeben können.

Was tun? Außer Haus essen? Bis um zehn Uhr herumbrodeln, um

dann zu Bett zu gehen? Ein eiskalter, feiner Sprühregen setzte ein; sie fröstelte und dachte an das Holzfeuer »ihres« Zimmers, an »ihr« gemütliches Appartement. Die Wirtschafterin hatte ihr gesagt, daß sie ihr zur Verfügung stehe. Sie war müde; es würde ihr guttun, sich nach einem leichten Abendbrot in dem Bett auszustrecken und den Nerz auf den Füßen zu spüren.

So ging sie in das Stadtpalais zurück.

Nicht ohne ein wohliges Gefühl der Wärme führte sie den winzigen Schlüssel in das Schloß, betrat die Wohnung, die Mehlen für sie eingerichtet hatte. Mehlen war ein seltsamer und anziehender Mann. Sie wußte selbst nicht, woher ihr der Vergleich kam, aber sie mußte an Metternich denken, wenn sie ihn sah. Mehlen, das war kein Durchschnittsmensch! Jedenfalls ein Mann, dessen Geheimnis man durchdringen, dessen Leben man kennen, vielleicht sogar teilen wollte. Werde ich vielleicht alt? fragte sie sich.

Eigentlich ärgerte sie sich gar nicht so sehr, daß sie heute nicht mit Hubert ausging, sie war so müde ... und schließlich, morgen sah sie ihn ja doch wieder!

Sie legte Hut und Handschuhe ab und läutete der Wirtschafterin:

»Ich möchte gern eine Kleinigkeit zu Abend essen; etwas kaltes Fleisch, wenn Sie es haben, und Mineralwasser auf einem Tablett.«

»Vielleicht nachher ein Pfirsichkompott?«

»Großartig.«

Sie sprach von der Schwelle des Badezimmers aus. Das Wasser rann dampfend in die Wanne. Ja, sie fühlte sich wohl, als sie sich entkleidete, in ihren gefütterten Schlafrock schlüpfte und die Schuhe mit den Pantoffeln wechselte.

»Madame weiß sicher nicht, daß Monsieur daheim ist?« fragte die Wirtschafterin.

Mehlen war von seiner Reise zurückgekehrt! Vielleicht brachte er schlechte Nachrichten von Fromenti? Ihr wurde plötzlich kalt, das Herz klopfte schneller.

»Monsieur ist in seinem Büro; ich soll Madame ausrichten, daß sie ihn, wenn sie es wünscht, durch das Haustelefon erreichen kann.«

»Danke«, sagte Angèle, »ich rufe an.«

Sie tat es, nachdem die Wirtschafterin hinausgegangen war.

»Ich hätte Sie nicht belästigt«, sagte Mehlen.

»Sie sind schon zurück?«

»Ich bin gar nicht weggewesen, das heißt, nicht aus Paris weggewesen. Ich habe nur das Haus verlassen und bin ins *Ritz* übersiedelt. Ich halte immer meine Versprechen. Meine Reise wurde abgesagt, ich konnte daher Fromenti heute vormittag zu Ihrer Mutter begleiten.«

»Sie haben Mama gesehen?«

»Es mußte sein. Wenn Sie nicht zu müde sind, würde ich mir erlauben, zu Ihnen heraufzukommen. Ich hätte einige wichtige Neuigkeiten.

»Natürlich, kommen Sie.«

»Dann sofort.«

Sie hängte ab, als ihr einfiel, daß sie schon im Schlafrock war. Schnell wollte sie sich umkleiden, aber die Zeit war zu kurz. Er klopfte. Sie öffnete ihm.

Er verbeugte sich in seiner zeremoniellen Art, wartete, daß sie ihn aufforderte einzutreten.

»Es war richtig, daß Sie zurückgekommen sind. Unmöglich, im *Ritz* zu bleiben.«

»Meine Koffer stehen noch dort. Wenn Sie wünschen, gehe ich sofort zurück. Ich war heute früh bei Madame Paris. Ich habe Fromenti einfach aus seiner Klinik entführt, ehe er wie täglich nach Beaujon fuhr.«

»Und was sagt er?« fragte sie erregt.

Er erzählte ihr alles, ohne unnütze Schonung, sie mußte es wissen. Fromenti würde verschiedenes versuchen, er hatte ihn nachmittags angerufen: erst einmal Elektrobehandlung, dann, wenn es nichts half, vielleicht einen chirurgischen Eingriff ... aber nur, wenn gar nichts anderes zu tun blieb.

»Wie haben Sie Mama gefunden?«

»Erstaunlich«, sagte er, und es kam ihm von Herzen.

»Furchtbar, diese Krankheit, gerade für sie! Sie mit ihrer Aktivität!«

»Ihr Hirn arbeitet wie zuvor. Eine Frau von bewundernswerter Tatkraft!«

»Mehr als das«, nickte Angèle.

»Sie ist Ihre Mutter«, sagte er so schlicht, daß dem Kompliment alle Schmeichelei genommen war. »Aber«, fuhr er fort, »da Sie so freundlich waren, mich zu empfangen, möchte ich Ihnen noch etwas berichten, was ich ebenfalls für sehr wichtig halte. Darf ich?«

Jetzt erst bemerkte sie, daß sie ihn nicht aufgefordert hatte, sich zu setzen, und wies auf einen der beiden Lehnstühle beim Feuer. Er nahm unter dem Lichtschein des Wandleuchters Platz, sie fand ihn abgespannt, gealtert.

»Meine liebe Angèle«, sagte er und wandte sich ihr zu, »heute, ungefähr eine Stunde vor Ihrem Heimkommen, hat mich Hubert Doissel besucht.«

»Wie?« rief sie, »Hubert?«

»Er wollte mich unbedingt sehen. Um mich zu schlagen, zu ermorden ... Er dachte, Sie lebten hier mit mir. Sehen Sie, wie recht ich mit meiner Absicht hatte, nachher wieder ins *Ritz* zu ziehen: Er glaubte es, weil Sie unter einem Dach mit mir wohnen. Er erklärte mir auch, daß er ganz allein Rechte auf Sie besitze, Rechte, die ich keinesfalls besitzen kann, denn Sie wären, trotz des Abschieds, den Sie ihm in La Gardenne an jener verhängnisvollen Jagd gegeben hatten, wieder seine Geliebte geworden.«

»Aber das ist doch unmöglich!« rief sie.

»Nun – wenn ich mir's genau überlege: Als der Junge, mit dem Sie gebrochen und dann die Beziehungen wiederaufgenommen haben, schließlich von Ihrem jetzigen Aufenthalt erfuhr ...«

»Aber wie ... ich habe ihm nicht gesagt, daß ich hierhergezogen bin!«

»Gewiß nicht. Ebensowenig, wie Sie mir gesagt haben, daß Sie bei ihm gewesen sind.«

Es lag kein Vorwurf in seiner Stimme, nur eine bittere und traurige Feststellung.

»Ich möchte, daß Sie mich zu verstehen versuchen, lieber Freund.«

»Aber ja, natürlich, Angèle. Sie haben damit ja nicht mich betrogen, mich, dem Sie nichts versprochen, dem Sie sogar vor nicht allzu langer Zeit gesagt haben: Ich liebe Sie nicht, sondern ihn, und zweifellos, ohne es zu wollen. Als er erfuhr, wo Sie sich befinden, da mußte er es eben glauben. Es darf Sie nicht wundern, daß ich von dieser ... mir völlig unerwarteten Eröffnung hart getroffen wurde, ebensowenig wie Sie über den Überfall des jungen Mannes zu staunen brauchen, der sich zurückholen wollte, was ihm gehört, nachdem er, Gott weiß, wieso, Ihre Adresse bekam. Nein, das Problem liegt ganz woanders. Nämlich ...«

Es klopfte. Die Wirtschafterin brachte einen kleinen fahrbaren Tisch mit dem Abendessen Angèles herein. In einem Eimer mit Eiswürfeln stand neben dem verlangten Mineralwasser eine Flasche Champagner.

»Wünscht Madame noch etwas? Bitte zu läuten, wenn Madame noch etwas will.«

Angèle blickte auf den Champagner. Mehlen lächelte.

»Ich habe ihn bestellt. Ach, nicht um diesen Tag zu feiern, sondern weil wir beide eine kleine Auffrischung brauchen. Ich persönlich trinke niemals Alkohol, zuweilen aber, wenn ich abgespannt bin, lasse ich mir Champagner geben, der regt an und kräftigt. Ich habe mir manchmal vorgestellt, daß auch wir zwei eines Tages am Kamin sitzen und eine Flasche leeren werden; freilich habe ich nicht gedacht, daß es unter solchen Umständen geschehen würde.«

»Mehlen«, sagte sie, nicht vorwurfsvoll, sondern betroffen durch die Trauer, die in seiner Stimme klang. Er nahm die Flasche, entkorkte sie, hielt sie schräg, um das Aufspringen des Pfropfens zu verhindern, und füllte die beiden Kristallgläser.

»Trinken Sie?«

»Bitte, ja.«

Sie nahmen die Gläser zur Hand und hielten sie einen Augenblick wie zu einem Toast in der Höhe ihres Gesichts, und diese Geste tat jedem von beiden weh. Angèle dachte: »Warum kann ich nicht? Warum bin ich so fern von diesem Mann? Er tut alles für mich. Jetzt noch, nachdem er erfahren hat, daß ich einen Geliebten habe, benimmt er sich so anständig, und dabei weiß ich doch, daß er leidet!

Es war ihr nicht unangenehm, daß er litt, nicht, weil sie ihm Übles gönnte, sondern weil es bewies, wie sehr er an ihr hing. Und zugleich errötete sie vor Zorn bei der Vorstellung eines tobenden, schimpfenden, bei Mehlen eindringenden Hubert. Führte er sich nicht wie ein junger Hund auf? Konnte er niemals vernünftig denken? Er hatte also an ihr gezweifelt, sie verdächtigt. Wußte er denn nicht, wer Mehlen war? Konnte Mehlen ein Liebhaber sein? Ein Liebhaber, nein, sagte sie sich sofort, aber ein Mann, ja, ein Mann. Hubert hingegen unüberlegt, kindisch... Was hatte er beabsichtigt? Mehlen zu demütigen? Oder sie zum Verlassen des Hauses zu zwingen? Mußte er unbedingt einen Skandal heraufbeschwören? In diesem Augenblick dachte Angèle reumütig an Patrice, und damit kehrten ihre Gedanken fast automatisch zu Mehlen zurück.

Sie betrachtete ihn. Das war nicht mehr der gleiche Mann, oder vielleicht sah sie ihn nur anders, mit anderen Augen? Er hatte nichts von seiner Kraft, seiner Allmacht verloren, aber er war ein anderer Mensch, ein Mensch, dem sie sich näher fühlte; die Kluft zwischen ihnen verengte sich.

Sie suchte nach Worten:

»Lieber Freund, ich bin sehr unglücklich...«, brachte sie nur heraus. Und so war ihr wirklich zumute.

»Seien Sie es nicht«, erwiderte er. »Wenn es so gekommen ist, mußte es eben sein. Wir können nicht dagegen an, weder Sie noch ich. Nur habe ich mir Ihnen gegenüber die Ehrlichkeit zum Gebot gemacht, und ich bin zu allem bereit, um uns diese Ehrlichkeit zu bewahren.«

»Damit wollen Sie andeuten, daß ich nicht ehrlich zu Ihnen war.«

»Nein«, sagte er mit verhaltener Zärtlichkeit, »das meine ich nicht. Ich glaube nur, daß Sie mir noch nichts von sich gegeben haben, nicht einmal ein bißchen Vertrauen.«

»Ich konnte Ihnen doch nicht erzählen, daß ich Hubert Doissel wieder-getroffen habe?«

»Das will ich damit nicht sagen. Und doch ist es genau das. Solange Sie nicht zu mir gehören, wäre es möglich. Nachher nicht. Ich bin kein Mann, der teilt, ich weiß, daß Sie neben Patrice de Viborne viel Freiheit genossen haben, bei mir wäre das ausgeschlossen. Sie sehen, daß ich mit offenen Karten spiele: Ich würde es niemals zulassen. Nicht aus lächerlicher Eifersucht, sondern weil ich Sie auf eine andere Art liebe. Für mich gibt es nur die totale Vereinigung alles dessen, was unser Leben ausmacht, und zugleich erkenne ich, wie schwierig, ja geradezu unmöglich das ist. Trotzdem hoffe ich noch immer: Sehen Sie, so bin ich! Sie sind noch nicht soweit, mir Ihre Gedanken anzu-vertrauen. Vielleicht deshalb, weil Sie von mir nichts anderes kennen als meinen Ruf, die Legende von meiner Grausamkeit, meiner un-nachgiebigen Härte. Gewiß, ich bin grausam und unnachsichtig, und ich führe meine Pläne bis zum Ende durch, ohne mich um Hindernisse zu kümmern, aber alles das ist viel komplizierter, viel subtiler. Ihnen gegenüber verliere ich meine Kraft nicht, aber es ist nicht die gleiche Kraft, vielleicht weil das Problem so verschieden liegt als die ande-ren, alle anderen, die ich bisher zu lösen hatte. Nein«, wiederholte er, »wir stehen nicht auf der gleichen Ebene. Sie wissen nichts von mir, und ich weiß alles von Ihnen.«

Er ging zu dem Sekretär im Stil Louis' XVI., der hinten an der Täfe-lung stand, nahm einen Schlüssel aus seiner Tasche und klappte die Vorderwand auf. Dahinter lagen Papiere, Briefe, Fotos aufgehäuft. Er griff wahllos hinein, holte einen Stoß heraus und legte sie auf das fahrbare Tischchen, das mit den Gläsern zwischen ihnen stand.

»Ich habe Ihnen den Schlüssel zu diesem Schrank noch nicht gegeben, und doch enthält er Dinge, die Ihnen allein gehören. Im wahrsten Sinn des Wortes. Schauen Sie!«

Sie beugte sich über den Tisch und nahm auf gut Glück ein auf Kar-ton aufgezogenes Foto heraus, das ein kleines Mädchen darstellte.

»Aber das bin ja ich mit drei Jahren! Wie sind Sie dazu gekommen? Nicht einmal Mama besitzt es mehr!«

»Und dieses da?« fragte er.

Es war das Bild einer Galaaufführung der Reitschule mit Angèle im Reitdreß. Daran waren Ausschnitte aus Zeitschriften im Hochglanz-papier jener Zeit geheftet.

Mehlen zeigte auf Hefte, die eng mit stenographischen Notizen voll-geschrieben waren.

»In diesen Blättern habe ich Ihr Leben festgehalten. Vielleicht hassen Sie mich jetzt, oder vielleicht, im Gegenteil, rührt es Sie. Ich habe

Ihnen versprochen, Ihnen alles zu sagen, ich verberge Ihnen das hier ebensowenig wie alles übrige. Ich habe Nachforschungen betrieben, um Ihr Leben nachzuzeichnen.«

»Wie?«

»Ihr Leben«, erklärte er mit Nachdruck, »Ihr ganzes Leben. Ich wollte es kennen, daran teilhaben. Ich mußte alles wissen, nichts durfte mir verborgen bleiben, wenn ich wollte, daß Sie mir ganz gehören. Niemand kennt Sie, niemand kann Sie so kennen wie ich, Angèle. Ihr ganzes Leben«, sagte er leise.

Sie betrachtete ihn mit weit aufgerissenen Augen, als fasse sie es nicht.

Er griff nach den Heften, blätterte darin. Und sie sah die Eigennamen in normaler Schrift, rot unterstrichen, aus dem Text herausstechen wie in den Polizeiberichten: Vicomte de Landrezac... Bouvier... Gaston Fargeot... und andere, bedeutungslose: Livron ... Saint-Aymery... Jouvençal. Dann plötzlich: Hubert, Hubert Doissel, in den letzten Seiten, die der Angestellte Mehlens nach dem Diktat von Euloges Neffen in Saint-Viâtre aufgenommen hatte.

»Das haben Sie getan!«

»Ja, das habe ich getan«, bestätigte er in einer Art verhaltener Leidenschaft.

»Dazu hatten Sie kein Recht!« rief sie zitternd.

»Das Gefühl, das ich für Sie empfinde, gab mir meiner Meinung nach das Recht. Vergessen Sie niemals, Angèle, daß ich anders als die anderen Männer bin. Bei jedem anderen könnten Sie eine solche Handlungsweise niedrig und abstoßend finden, aber der andere hätte es Ihnen auch nicht verraten. Wir nähern uns einem großen Augenblick meines und Ihres Lebens. Alles kann zerbrechen oder aber eine neue Richtung nehmen. Sie haben zu entscheiden. Bevor wir darüber sprechen, muß ich Ihnen noch von Hubert Doissel berichten. Er ist weggelaufen, wie er gekommen ist, sogar ein wenig besänftigt, weil er weiß, daß Sie nicht meine Freundin sind. Für ihn ist das ›Drama‹, zumindest soweit es Ihre Person betrifft, beendet: Sie sind nicht die Mätresse Mehlens, er hat Sie zu Unrecht verdächtigt, er verzeiht Ihnen. Sie brauchen nur aus meinem Haus auszuziehen – denn Ihr Aufenthalt hier paßt ihm trotzdem nicht –, und alles käme ins alte Geleise, wenn er jetzt nicht gezwungen wäre, Paris zu verlassen.«

»Wieso? Wohin will er?«

»Es schmeichelt Sie vielleicht: Hubert hat eine Verpflichtungserklärung nach Algerien unterschrieben, bevor er zu mir gerannt ist.«

»Unterschrieben?«

»Ja. Er hat es mir nicht gesagt, aber es war unschwer zu erraten, daß

326

er einen Unsinn gemacht hat. So zahlt man eben für die Romantik, meine liebe Angèle, die sich unter langen Haaren, sportlicher Kleidung, zynischen Liebesaffären verbirgt und die genauso wie die echte mit Gift, mit Gardenal oder dem Revolver enden kann.«

»Das hat er getan!«

»Er hat es getan.«

»Aber kann man nicht...?«

»Man könnte. Ich habe Gardas angerufen, den Sie ebenso gut kennen wie ich. Er ist nicht nur Ministerpräsident, sondern auch Kriegsminister. Vorläufig habe ich gesagt, daß ich nicht möchte. Wenn Sie aber anderer Meinung sind als ich...?«

»Aber... aber... es ist doch so gefährlich...«

»Gefährlich für Sie, und auch gefährlich für mich. Persönlich hätte ich die Möglichkeit, Gardas in diesem oder im entgegengesetzten Sinn handeln zu lassen. Ich habe nur eine Wartefrist eingeschaltet, weil ich erst mit Ihnen sprechen wollte.«

»Aber ich kann doch nur eines wünschen! Wenn er unten fällt...«

»Das ist ausgeschlossen. Sobald er einmal dort ist, stellt ihn Gardas auf einen Posten, wo ihm nichts passieren kann.«

»Nein, nein, er darf nicht weg...!«

»Gardas ist um diese Zeit bestimmt im Matignon. Sagen Sie es ihm bitte persönlich. Ich werde meine Zustimmung geben, und er braucht nichts von mir zu fürchten.«

Sie griff nach dem Hörer:

»Ja.«

»Er hat eine Privatleitung, seine Geheimnummer ist Elysées 14-45. Landier ist noch im Haus, er kann Sie verbinden, aber Sie werden lieber selbst anrufen, denke ich.«

Sie schaute Mehlen an, der ihr den Apparat reichte, und es schien ihr, als sähe sie ihn zum erstenmal. Er hatte seine schreckliche Brille abgelegt, und sie begegnete seinem Blick. Sie las Gefühle darin, die sie niemals vermutet hätte. Unschlüssig hielt sie den Hörer in der Hand.

Welcher Zwiespalt – Hubert ... sie mußte Hubert retten ... Aber wer war Hubert? Wer war Hubert wirklich? Mehlen hatte es ihr zugesichert: Hubert lief keine Gefahr; eine Reise, weiter nichts... Ah, Hubert, war aber trotzdem... Aber, zum Teufel, es gab nicht nur das eine, und sie war nicht Angélique, sie war vierzig Jahre alt. Sie hatte ihren Teil gehabt. Und Mehlen stand neben ihr, Mehlen, der alles von ihr wußte, selbst die Namen ihrer früheren Liebhaber, Mehlen, der trotzdem oder gerade deshalb, ob sie es nun wollte oder nicht, ihrem Leben angehörte. Durfte sie sein Angebot annehmen, und mit dieser Hast? Würde sie Mehlen damit nicht zutiefst kränken? Verdiente er es, so gequält zu werden, denn, das wußte sie jetzt genau, er war leidensfähig wie jeder andere.

Mechanisch nahm sie das Glas Champagner aus seiner anderen Hand und trank es aus.

Als sie es niederstellte, legte sie den Hörer hin.

»Morgen . . . morgen ist auch noch Zeit dazu.«

Dann ließ sie ihr Haupt in ihre Hände sinken.

Eine Woge tiefer Müdigkeit überflutete sie, wie in den ersten Tagen nach dem Tod Patrices. Sie wollte schlafen, vergessen. Selbst das Bild Huberts, dieses verwöhnten Muttersöhnchens, der nichts vom Leben wußte, der sich trotz seiner sechsundzwanzig Jahre nicht wie ein Mann aufführen konnte, verschwamm allmählich. Eine Kluft tat sich plötzlich zwischen ihm und ihr auf. Was war er denn? Schließlich und endlich Hubert und nicht mehr.

Mehlen goß Champagner in die Gläser. Er schwieg. Auch Angèle schwieg.

Endlich hob er sein Glas. Sie wußte nicht, warum, aber sie tat es ebenfalls, wie von einer unwiderstehlichen Kraft gezwungen. Sie betrachteten sich durch das Kristall, durch den klaren Wein. Sie hätte in diesem Augenblick gern etwas für ihn getan. Sie verabscheute ihn nicht wegen des Eindringens in ihr geheimstes Leben. Sie fühlte sich schuldig an seinem Leiden, das sie von seinem Gesicht ablesen konnte. Sie wollte irgend etwas sagen oder tun, was Sinn und Bedeutung für ihn hatte, unbekümmert, ob sie sich dadurch band, denn sie rechnete nicht mehr:

»Lieber Freund, ich weiß wirklich gar nichts von Ihnen. Glauben Sie nicht, daß auch Sie mir von sich erzählen sollten . . . alles, was ich nicht weiß . . .?«

»O ja, das glaube ich schon. Aber ich mußte warten, bis Sie es verlangen.«

»Ich bitte Sie darum.«

»Das wird lange dauern«, sagte er, »vielleicht sollten wir vorher essen. Ihr Tablett steht da . . .«

»Später, später dann. Jetzt habe ich keinen Hunger.«

»Gut«, nickte er. »Aber erwarten Sie nichts Großartiges. Nur das Leben eines Mannes, einfach, und nichts Außerordentliches. Ich werde Ihnen nichts verheimlichen, weder, was ich anstrebte, noch meine Fehler, noch meine Schuld . . . alles, wie es sich ereignet hat. Vielleicht wollen Sie nachher nichts von mir wissen. Aber ich nehme die Gefahr auf mich. Ich glaube, daß hier meine einzige Chance liegt.«

Er versank in Schweigen. Dann:

»Es ist nicht leicht.«

Da schob sie ihre Hand zu seiner hin, die auf der Lehne lag, um ihm zu helfen.

Etwas schien sich in ihm zu lösen, und er begann mit einem tiefen Seufzer:

»Mehlen ist nicht mein richtiger Name.«

Fünftes Kapitel

LES FAUX-FUYANTS
Mehlen

»Mehlen ist nicht mein richtiger Name«, wiederholte der kleine graue Mann.

Er ließ sich Zeit, holte Atem, als wolle er Kräfte sammeln, die er brauchte, um seine Lebensgeschichte, seine Lebensbeichte, wie es Angèle nannte, von Anfang bis zum Ende darzulegen. Sie betrachtete ihn gespannt, erregt, zu ihrer eigenen Verwunderung fiebernd vor Interesse. Endlich begann er:

»Die Welt weiß nicht, wo ich geboren bin. Viele glauben wegen meines Namens, daß ich aus Mitteleuropa stamme. Ihnen verrate ich, daß ich armselig und ganz simpel im französischen Gebirge, unter Bauern, das Licht der Welt erblickt habe.«

Angèle schaute Mehlen an, während er sprach. Das war Mehlen und doch nicht er. Es schien, als wäre die Eismauer, die sie sonst trennte, zwar nicht geschmolzen, aber durchsichtig wie Kristall geworden und als erblickte sie dahinter ein neues, sich belebendes Wesen, das zu Fleisch und Blut wurde.

Äußerlich blieb er der gleiche. Doch hatte er seine Brille nicht wieder aufgesetzt, und das eigenartige, kalte Feuer seiner Augen, das Hubert Doissel so verwirrt hatte, rückt grell aus dem Gemälde Ton in Ton.

»... im Gebirge. Ja, in einem sehr hoch gelegenen, weltverlassenen Bergdorf, oberhalb von Saint-Véran ... ganz an der italienischen Grenze. Ein Dorf — das ist schon zuviel gesagt. Ein Nest, ein Weiler, ein paar aneinandergedrängte Häuser, neben denen Saint-Véran mit seinen dreihundert Einwohnern geradezu eine Stadt war; Saint-Véran, das immerhin das höchstgelegene Dorf Frankreichs und Europas ist ... Kennen Sie diese Gegend?«

»Nein«, sagte Angèle.

»Einer der einsamsten Flecken der Welt. Die Bergstraßen, die von Château-Queyras ausgehen, sind steil und enden vor den Wänden. Der Weg von Saint-Véran an der Kapelle vorbei nach Closis zwängt sich zwischen fast dreitausend Meter hohen Felsen und Zinken durch, bis er an eine Mauer stößt, die er nicht bezwingen kann. Denn die Gipfel von Longet, Toillies, Caranantran sind höher, und nur über Steige und Paßwege ist die italienische Grenze zu erreichen. Und dort in Closis bin ich geboren, dort habe ich meine Kindheit verbracht.«

Sie blickte ihn schweigend an, und nur ihre Augen fragten. So fuhr er fort:

»Vier Häuser — und da sind schon die Ställe mitgezählt. Zwei Familien, die Ciabrière und die Orcino. Ich gehörte keiner von beiden an, nein, ich war der ›Sohn der Mélanie‹, der ›Mélane‹, denn man sprach das I an der italienischen Grenze natürlich nicht aus. Und da ich keinen Vater hatte, nannte man mich einfach den ›kleinen Mélane‹.

Wir hausten in einer Art Verschlag, der an den Stall der Orcino angebaut war. Der Bauer hatte zahllose Male versucht, uns hinauszuwerfen, es war ihm niemals gelungen, und so duldete er uns schließlich. Man wußte außerdem nicht mehr so recht, wem die wackelige Bude eigentlich gehörte; sie war mit der Zeit von uns ersessen worden; und schon meine Großmutter hatte meine Mutter dort auf einem Strohhaufen zur Welt gebracht, denn damals gab es nicht einmal ein Bett in der Hütte. Von ihrem zwölften Jahr an hauste meine Mutter allein darin und richtete sich etwas wohnlicher ein. Mit eigenen Händen bastelte sie eine Pritsche und Bänke; Gott weiß, von woher, tauchten zwei Strohsessel und Militärkotzen auf; Leintücher gab es natürlich nicht. Wovon wir lebten? Von dem, was uns die Hirten zukommen ließen, was wir im Wald sammelten, von Brot, das um die Groschen gekauft wurde, die meine Mutter bekam, wenn sie die Kühe an Stelle der erkrankten Tochter Orcino oder Ciabrière auf die Weide führte – und sie waren oft krank, denn sie hatten's auf der Brust –, oder von ihrem Entgelt für die Freundlichkeiten, die sie den Männern erwies. So war es eben, von klein auf, und ich meinte, es müsse so sein.

Es war das nackte Elend, nicht das Elend der Städte, aber ebenso trüb, ebenso jämmerlich.

Ich weiß nicht, wessen Sohn ich bin. Wie sollte ich es wissen? Das habe ich noch niemandem gestanden, nur Ihnen, weil Sie es sind, sage ich es, ohne mich zu schämen. Ich glaube, daß Sie nicht Anstoß daran nehmen. Es genügt, daß ich der Mann bin, der ich bin, und daß Sie eben dieser Mann interessiert... genau wie ich mich für die Frau interessiere, die Sie, hinter alldem, was ich von Ihnen weiß, tatsächlich sind, die Sie sein werden, wenn ich mich nicht auf ganz falschem Weg befinde.

Meine Mutter war keine Prostituierte; sie war eine Frau, die im Elend lebte, und dieses Elend war total, materiell ebenso wie moralisch. Ich bin in dieser Hütte wie ein Hund geboren worden. Immerhin ist im letzten Moment die Tochter Ciabrière erschienen und hat mich abgenabelt, sie hat es mir zwischen ihren Hustenanfällen zehnmal erzählt, denn die Unglückliche hat sieben Jahre gebraucht, bis sie der Tod erlöste. Ich höre noch ihre brüchige Stimme, die abgehackten Worte, die sie in ihrem Patois herauskeuchte. Ich fragte sie:

›Weißt du denn nicht, wer mein Vater war?‹

›Woher soll man das wissen?‹ entgegnete sie, und das schien ihr ganz natürlich.

Mein Vater, das konnte ebensogut Orcino wie Ciabrière, der Hirte Delfino wie Tronchet, wie der Köhler Bois-noir, wie Manzol oder ein anderer gewesen sein. Oder vielleicht ein Sommergast, ein Hochtourist, dem sie bei der Jacquette oder an der Aigue Agnelle in den Weg gelaufen war; der Werkmeister oder der regelmäßig heraufkommende Ingenieur der armseligen Kupfermine, die sich etwas unterhalb unserer Anwesen befand, eines kümmerlichen Betriebs, der im Zeitlupentempo arbeitete. Denn meine Mutter war eine magere, kleine Person, aber mit hellen, blauen, fast weißlichen Augen, klar und durchscheinend wie die Wässer der Aigue Blanche oder wie die vereisten Quellen in den Wintermonaten, in denen eine Flamme lohte, die auf jeden Mann wirkte.

Bei meiner Geburt war ich ›ein verhungerter Hund‹, wie Orcino sagte, wobei er ausspuckte – man wußte nicht, ob aus Verachtung oder aus Gewohnheit. Als Kind einer unterernährten, von allen Feuern gebrannten Mutter wog ich ganze vier Pfund, und wenn ich überhaupt geboren wurde, so nur deshalb, weil es nicht anders gegangen war, nachdem sie alles mögliche versucht hatte, mich ›wegzukriegen‹. Im Lauf der Monate allerdings gewöhnte sie sich so an diese Bürde, daß sie – wie sie mir Jahre später vor einer geleerten Flasche Branntwein gestand – ohne sie nicht mehr leben zu können glaubte. In animalischem Wohlgefühl saß sie stundenlang mit emporgehobenem Rock vor einem Reisigfeuer und streichelte zärtlich diesen Bauch.

Sie brachte mich spät nachts ganz allein zur Welt. Ich weiß nicht, durch welches Wunder oder welchen Hilferuf die Tochter Ciabrière herbeigelaufen kam. Sie war es auch, die mir eine Art Wiege im Stroh mit der vom Bett meiner Mutter gezogenen Decke bereitete und mich hineinlegte, denn die Mélane hatte das Ereignis nicht so früh erwartet. ›Ein komischer Gebirgler‹, sagte Ciabrière wegwerfend, als er mich sah.

Unbegreiflich, daß ich die Hürde der ersten Monate nahm. Meine Mutter liebte mich, und sogar stürmisch, aber sie wußte es nicht – sie wußte nichts. Man hat mir später erzählt, daß sie mich mindestens zehnmal hätte verlieren können. Eine ständige grüne Ruhr laugte mich aus. Ich muß allerdings bemerken, daß kaum ein Kind, auch das kräftigste, durchgehalten hätte, denn außer der Milch, die sie natürlich niemals abkochte, stopfte sie mir ganze Löffel von Kartoffeln, in der Asche gebraten und zerquetscht, oder Bohnenbrei in den Mund, um ›mir Körper zu geben‹, und zweifellos meinte sie es gut.

Sobald ich auf allen vieren kriechen konnte, rutschte ich in einer grotesken, aus einem alten Hirtenmantel zusammengeflickten Hose über den gestampften Lehmboden. Instinktiv suchte ich die Wärme; immer wieder entdeckte man mich im Winter zwischen den Füßen des Viehs in den Ställen, von wo mich die Nachbarn schimpfend vertrieben. Im Sommer dann, wenn meine Mutter verschwunden war, tappte ich bis zum Wasserfall, bis zum Gebirgsbach und hielt stundenlang die Hände in die klare Flüssigkeit getaucht, ohne zu ahnen, daß ich unweigerlich ertrinken mußte, wenn ich stolperte. Und seit ich einen Funken Verstand im Kopf hatte, folgte ich dem plätschernden und strömenden Wasser in Gedanken weit, weit über dieses Gebirge, diese hohen Felsmauern, hinaus, die mich begruben. Später war mir, als hätte ich erst atmen gelernt, als ich ihnen entronnen war.

Ich weiß nicht, von wem ich diesen Drang nach der Weite habe. Ich brauche Luft, weiten Raum vor mir. Alles ist mir zu eng, die Welt zu klein.

Manchmal schrecke ich des Nachts auf und stoße die Decken weg, ich glaube, unter ihnen zu ersticken.

So empfand ich es im Gebirge, und wenn ich zuweilen bei Schnee und Eis in die Ställe flüchtete, dann aus reinem Selbsterhaltungstrieb, denn ich war oft tagelang allein. Meine Mutter war weiß Gott wohin entschwunden, ohne daß sie mich deshalb im Stich gelassen hätte – ich war nur völlig ihrem Gedächtnis entfallen, ich existierte nicht, sobald sich ihr Geist oder Körper anderswo befanden.

An solchen Tagen schwelte nur ein mattes Feuer in unserer Hütte; es gab keinen Holzvorrat, und ich war zu schwach, um aus der nächsten Umgegend etwas anderes als Reisig heimzuschleppen, das schnell verfluschte. Ebensowenig war für meine Nahrung vorgesorgt; entweder starb ich vor Hunger, oder wenn ich Glück hatte, konnte ich mich mit den Resten von Ragouts aus geschenkten minderwertigen Innereien von Schafen oder Ziegen anstopfen. Dann war ich zwar satt, aber ein paar Stunden später todkrank, geschüttelt von Magenkrämpfen.

Ich brauchte Weite und Raum, und trotzdem vertrug ich die frische Luft nicht. Sie verbrannte mir die Lungen, das Herz, trieb mir alles Blut in den Kopf und preßte mir einen eisernen Reif über Stirn, Gesicht und Nacken. Ich leide seit damals immer wieder unter fürchterlicher Migräne, aber ich habe sie stets überwunden. Es begann bereits in frühester Kindheit, und trotzdem zog ich es vor, mit Schmerzen in der freien Luft zu bleiben, als mich drinnen zu verkriechen und zu ersticken. In dieser Beziehung habe ich mich bis heute nicht geändert.

So wuchs ich heran, praktisch mir selbst überlassen. Meine Mutter liebte mich, gewiß, aber auf ihre Weise, und forderte eine ganz bestimmte Liebe von mir: eine tierhafte, ausschließliche Anhänglichkeit, die ihr gebührte, wie sie meinte, weil sie mich in die Welt gesetzt hatte – wenn sie auch nachher nicht sehr viel dazu tat, mich auch dieser Welt zu erhalten.

Selbstverständlich fiel ihr gar nicht ein, mich in die Schule zu schikken. Eines Tages im Oktober sah ich den Enkelsohn Orcino – er war ein Jahr älter als ich – sauber gekleidet nach Saint-Véran hinuntergehen. Er steckte in einer glänzenden schwarzen Ärmelschürze, auf den Schultern hing ein wollener Umhang mit Kapuze, unter dem Arm trug er eine nagelneue Mappe aus gepreßtem Karton. Von diesem Tag an verkörperte mir der Begriff ›zur Schule gehen‹ den Reichtum, etwas, das es für mich nicht gab. Ich wäre sogar bereit gewesen, mir die Hände zu waschen – was ich niemals tat –, um dieses Glück zu erlangen, mir die Nägel zu schneiden und die Ohren abzureiben, bis sie rot wurden wie die Ohren Fernand Orcinos, da ich annahm, so wenig Blut zu haben, daß es niemals auf der Haut sichtbar werden konnte.

Denn ich war schmächtig und schwach, und ich entwickelte mich nicht. Die Jungen der Umgebung, die mich in die Gräben stießen und bei jeder Gelegenheit verprügelten, wußten es wohl. Für sie war ich ein elender, verhungerter Krüppel. Wo ich auftauchte, setzte es Fußtritte und Geschimpfe, wozu die Väter Orcino und Ciabrière übrigens das beste Beispiel gaben. Deshalb zögerte ich auch so lange, einen Entschluß zu fassen.

Dann aber, eines Tages, war ich bereit. Meine Mutter war natürlich wieder nicht da. Zwei Nächte war sie nicht heimgekommen, und ohne die Tochter Ciabrière, die mir ein paar Bissen zusteckte, hätte ich nichts zu essen gehabt. Aber das kümmerte mich wenig. Mit sieben Jahren war ich schon genauso wie heute. Damals bereits führte ich meine gefaßten Entschlüsse unbeirrt durch, wahrscheinlich weil ich das Für und Wider vorher genau erwogen hatte. Um halb acht früh war ich fertig – es war November –, ich hatte mich mit kaltem Wasser abgerieben, sogar Seife verwendet; zufällig war gerade ein Stückchen daheim. Am Abend vorher hatte ich schlecht und recht meine Lumpen instand gesetzt, mit großen, ungeschickten Stichen meinen klaffenden Hosenboden und die Risse meines Hemdes, das zugleich mein Rock war, geflickt. Ich wartete hinter meiner Tür, bis Fernand Orcino erschien und den Weg nach Saint-Véran einschlug, und folgte ihm in gehörigem Abstand.

Seine Gestalt hob sich im Morgengrauen vor mir ab. Ich hörte ihn

337

pfeifen, die Steine mit den Galoschen wegspritzen – ich selbst trug die weggeworfenen, ausgetretenen und zu großen Sandalen Manzols auf meinen bloßen Füßen. Er hörte mich nicht und wußte nicht, daß ich ihm folgte. Nach einer Stunde war er nicht mehr allein. Von den Hütten und Bauernhöfen der Hänge und vom Tal kamen andere Jungen herbei, die einander erwarteten und dann gemeinsam weitermarschierten; eine lachende, schreiende, sich balgende und plärrende Schar – denn die Stärkeren fanden immer eine Gelegenheit, den Schwächeren etwas anzutun –, eine Schar, die sich schließlich vor den ersten Häusern gesittet in Gruppen schloß und im Laufschritt der Schule zustrebte, denn die Turmuhr schlug halb neun.

Ich war ihnen auf den Fersen und kam zugleich mit ihnen vor dem Gebäude an. Sie drängten sich hinein, ich schloß mich ihnen an und rannte einfach mit.

Ich hatte Fernand aus den Augen verloren, entdeckte ihn aber bald wieder im Gang. Er hängte seinen Kapuzenmantel auf einen Haken. Das konnte ich ihm nicht nachtun, denn ich hatte keinen. Knapp hinter ihm betrat ich nun auch den Klassenraum.

Er erblickte mich erst, als ich im Mittelgang neben ihm stand. Der Lehrer erschien, es wurde ruhig. Mir ist, als sähe ich heute noch den fragend erstaunten Blick, mit dem mich Fernand musterte. Er setzte sich, und ich setzte mich neben ihn. Es gab keine Pulte, sondern lange Bankreihen und schmale Tische mit eingelassenen Tintenfässern in Abständen von sechzig Zentimetern. Er mußte hereinrücken und sich drängen, war aber so verblüfft, daß er vergaß, mich hinauszustoßen.

In der Ecke bullerte ein großer Ofen, dessen Rohr durch den ganzen Saal lief und beim Fenster ins Freie mündete. Es war angenehm und warm. Es roch nach Tinte und Bohnerwachs. Alles rundum war mir neu: die schwarze Tafel, die bunten Landkarten und die ›Jahreszeiten‹ in Farbdruck, die so viel schöner waren als die an Nägeln hängenden Postkalender in den Küchen der Orcino und Ciabrière, die einzigen Kunstwerke, die ich bisher gesehen hatte. Das Scharren der Galoschen auf dem Boden verstummte. Man hörte nur mehr das Geräusch der aus den Mappen geholten Bücher, deren Einbände beim Aufschlagen knisterten.

Der Lehrer hielt sein Buch offen in der Hand. Er runzelte die Stirn und sagte:

›Schlagt Seite siebzehn auf: Fortsetzung der Geschichte des kleinen Gustave.‹

In diesem Augenblick entdeckte er mich. Gewiß war ihm auch mein Gesicht ungewohnt, denn die Schule hatte schon vor fünf Wochen begonnen, vor allem aber war ihm wohl mein zerlumpter Anzug aufgefallen. Er schob seine Brille zurecht und wies mit dem Finger auf mich:

›Wer ist denn das?‹ fragte er.

Alle drehten sich mir zu. Und da ich schweigend den Kopf hängenließ:

›Was sucht der hier?‹

Fernand hob seine Hand, schnalzte mit den Fingern:

›Herr Lehrer, das ist der Sohn von Mélane!‹

›Mélane? Wer ist die Mélane?‹

›Aber die Mélane natürlich, Herr Lehrer.‹

Die Jungen kicherten.

›Komm her zu mir‹, befahl der Lehrer.

Ich stand auf und ging durch den Mittelraum zum Katheder hin. Ich fühlte mich ganz klein, unendlich klein, aber ich wußte, warum ich da war und was ich wollte.

›Wie heißt du?‹

›Mélane‹, sagte ich, denn das war der Name, den ich kannte.

›Und was tust du da?‹

›Ich gehe in die Schule‹, antwortete ich fast unhörbar.

›Herr Lehrer‹, rief Fernand, ›er gehört nicht in die Schule!‹

›Kennst du ihn?‹

›Aber ja . . . der Sohn von Mélane. Und die Mélane ist eine Dame, die bei uns wohnt, in einem Stall.‹

›So, und was macht diese ‚Dame'?‹

›Nichts, Herr Lehrer‹, flüsterte ich. ›Sie macht nichts.‹

Nun lachten die Jungen laut.

›Und was willst du eigentlich?‹

›Ich bin in die Schule gekommen‹, wiederholte ich, hob den Kopf und sah ihn gerade an.

›Aber du bist noch sehr klein‹, meinte der Lehrer.

›Ich bin sieben Jahre‹, erklärte ich.

›Kaum zu glauben. Dann müßtest du ja schon bei uns sein. Wieso kommt das?‹

›Ich weiß nicht, Herr Lehrer. Die Mutter hat vielleicht nicht daran gedacht.‹

›Sie ist nicht die einzige‹, murrte der Lehrer. ›Im zwanzigsten Jahrhundert! Wo wir Schulpflicht haben! Sie sind alle gleich im Gebirge. Kannst du lesen?‹

›Nein, Herr Lehrer.‹

›Schreiben?‹

›Auch nicht.‹

›Du kannst also gar nichts?‹

Ich nickte stumm.

›Und du kommst, um etwas zu lernen?‹

Ich wußte nicht, ob ich wegen des Lernens oder aus einem andern Grund gekommen war, ich kam, um in die Schule zu gehen, um jeden Tag wie die anderen dazusein, um das gleiche wie sie zu tun, um mich nicht von ihnen zu unterscheiden.

›Ich gehe in die Schule‹, wiederholte ich störrisch.

›Gut‹, sagte er. ›Ich werde mit deiner Mutter sprechen. Wohnst du weit?‹

›In Closis‹, sagte Fernand.

›Dann muß ich bis Sonntag warten, um sie aufzusuchen. Aber inzwischen komm herunter, ich verlasse mich auf dich. Setz dich einstweilen dort nach hinten ... nun, setz dich schon, Mélane‹, wiederholte er ungeduldig, denn ich rührte mich nicht.

Er betonte meinen Namen auf der ersten Silbe und wußte gar nicht, wieviel Verachtung er in seinen Ton legte. Ich setzte mich in die letzte Bank, wo Platz war. Ich blieb während des ganzen Unterrichts dort sitzen, das Herz war mir warm bei dem Gedanken, den ich mir unablässig wiederholte: Ich bin in der Schule, sie haben mich nicht hinausgeworfen, ich bin in der Schule ... in der Schule wie die anderen.

In der Pause umringten sie mich alle. Da ich aber auf ihre Fragen nicht zu antworten wußte, ließen sie mich bald stehen: Ich war nicht mehr interessant.

Ich sah ihnen zu, wie sie spielten, und ich beneidete sie. Das alles schien ihnen ganz natürlich, es war ihr Leben, und morgen würde es auch mein Leben sein, wenn alles gutging; dann war ich auch die Katze im Katz-und-Maus-Spiel, oder ich durfte den Fetzenball werfen, den mir Bois-noir zusammengestoppelt hatte. Und einmal würde auch ich soweit kommen, die Hand zu heben, wenn der Lehrer eine Frage stellte, und ich würde sie glorreich beantworten, ja, antworten, wenn alle anderen schwiegen und nichts wußten, wie es vorhin einem Jungen namens Panestrel zweimal hintereinander gelungen war.

Zu Mittag führte man uns in einen Saal mit wachstuchbespannten weißen Holztischen. Wir bekamen nichts zu essen, aber die Jungen packten ihre Brote aus. Man hörte das Knarren der Weidekörbchen, aus denen die dick belegten Stullen mit dem heraushängenden Fleisch und die blanken Äpfel geholt wurden. Ich hatte natürlich nichts, aber wenn ich auch Lust auf alle diese guten Sachen verspürte, so litt ich doch nicht übermäßig unter dem Fasten; ich war so wenig an regelmäßige Mahlzeiten gewöhnt.

Mein Magen war leer, und mir schwindelte bei dem Lärm und dem

Geschnatter ringsum. Ich hob ein Stück Brot vom Boden auf, das ein Knabe weggeworfen hatte, weil ihm das Fleisch allein besser schmeckte, reinigte es vom Staub und kaute daran. Ich glaube, daß ich niemals vorher so glücklich war. Monsieur Peyron hatte uns in den Saal geführt und überwachte uns aus der Ferne; es war ihm nicht aufgefallen, daß ich nichts zu essen hatte, sonst hätte er mir bestimmt etwas zugesteckt. In den späteren Monaten dann — es gab so selten etwas daheim — antwortete ich auf seine Fragen, daß ich keinen Hunger oder einen verdorbenen Magen hätte, und so ließ man mich in Ruhe. Die Jungen durchschauten mich natürlich, hüteten aber neidisch ihre Päckchen. Sobald ich nur die Hand nach einem Stück Rinde ausstreckte, das sie nicht mehr wollten, schrien sie mich an: ›Laß das, das gehört dir nicht!‹, und ich wagte es kein zweites Mal.

Ich wanderte nach Closis zurück, nicht mit den anderen, denn die wollten nichts von mir wissen, sondern zwanzig Schritt hinter Fernand. Meine Mutter war noch nicht daheim. Ich fand ein Stückchen Ziegenkäse, das wurde mein Abendessen. Dann schlief ich ein, todmüde von den Anstrengungen und Aufregungen dieses denkwürdigen Tages. Ich hörte die Mélane nicht zu Bett gehen, was weckt einen Siebenjährigen auf! Am Morgen aber war ich rechtzeitig für den Schulweg wach.

Meine Mutter lag noch in schwerem Schlaf auf ihrer Pritsche, betäubt von Liebe und Alkohol.

›Was tust du? Wohin gehst du?‹ murmelte sie benommen.

›In die Schule‹, antwortete ich.

›Ah so, gut‹ — und sie drehte sich zur Wand und schnarchte weiter.

So zog ich los, diesmal aber mit ein paar Groschen im Sack; genausoviel, wie nötig war. Ich hatte sie meiner Mutter aus der Rocktasche genommen. Vor Fernand, vor den anderen, rannte ich den Hang hinunter. In Saint-Véran hatte ein Bäcker offen, ich kaufte Brot; beim Kaufmann daneben einen Hering — ein königliches Mittagsmahl . . .!«

Angèle sah Mehlen an. Sein Bericht klang um so unglaubwürdiger, als er ihn in diesem Rahmen von erlesenem Luxus erstellte. Ein Märchen, dem allein die schlichte, nüchterne, leidenschaftslose Darstellung Wirklichkeitsgehalt verlieh. Man kann das Elend nur schildern, wenn man es selbst erlebt hat, und nichts klang falsch in Mehlens Erzählung. Wie er es beschrieb, so war es gewesen. Und dieser harte Mann lächelte in der Erinnerung an die Schule, den Hering, während auf dem Tablett vor ihm die feinsten Fleischwaren lagen und perlender Champagner im silbernen Eimer stand. Er beugte sich vor:

»Langweile ich Sie nicht?« fragte er leise.

»Wie können Sie das glauben!« rief sie. »Nein, nein, erzählen Sie weiter, bitte!«

Und wie aus einem jähen Gefühl heraus berührten ihre Finger die Hand des kleinen Mannes, die auf der Stuhllehne lag.

II

»Nun ging ich also regelmäßig zur Schule. Meiner Mutter paßte es ganz gut, zeitweise von mir befreit zu sein. Eines Sonntags erschien Monsieur Peyron in Closis, aber die Mélane war abwesend, obwohl ich ihn angesagt hatte, und das war zweifellos besser so. Er trat nicht ein, als er merkte, daß ich allein war, und ich brauchte wegen meiner Mutter nicht zu erröten. Er besuchte Orcino, trank ein Glas und wanderte dann ins Tal hinunter, ohne noch einmal in unseren Verschlag geschaut zu haben. Ich atmete auf.

Damals hatte ein wohlhabender Bauer der Umgebung, Brunissard, einen neuen Hirten namens Basile für seine Herde angestellt. Es war eine schöne Herde von über hundert Stück Vieh, die durch die Heirat der Tochter Granero mit dem Sohn des reichsten Bauern der Gegend zustande gekommen war. Auch ihre Weiden, ihre Felder bis tief in die Täler hinunter, die von der Jacquette bis zur Pierre-Grosse und hinauf in die Steinwände des Col Blanchet unter der Farnacilla und den Marcelettes reichten, gehörten ihm. Basiles Keusche stand auf einer freien Hochfläche nahe dem Gebirgsbach, der Aigue. Er war ein riesiger Bursche, sehnig und zäh, mit blauen Augen, dicht behaartem Kopf und Oberkörper, und die Mélane war bald ganz toll nach ihm.

Ich war neben jenem Mann völlig vergessen, und wenn sie auch früher viele Männer gehabt hatte, so glaube ich doch, daß dieser Bursche eigentlich der erste für sie war. Er hatte etwas urtümlich Wildes, Rohes in seinem Wesen und in der Art, wie er das Fleisch mit beiden Händen ergriff, auseinanderriß und dann ganze Fetzen mit seinen langen weißen Zähnen schnappte. Er leerte das Glas in einem Zug, ob es Wein oder Branntwein war. Er war es, der meiner Mutter das Trinken beibrachte, zu dem sie allerdings eine angeborene Neigung besaß. Sie hatte sich schon oft mit der Flasche getröstet, wenn sie durch ein Wunder zu Geld gekommen war. Die Alm, auf die der Hirt des Abends seine Herde trieb, war nicht weit von Closis entfernt, und so tauchte meine Mutter manchmal mitten in der Nacht bei mir auf, um Nachschau zu halten. Sie fand, daß es mir ausgezeichnet ging, und so gewöhnte sie sich bald an, tagelang bei Basile auf der Alm zu bleiben. Ich merkte keinen großen Unterschied.

In der Schule wußte man alles, erzählte man sich alles, ich war wie ausgestoßen, ein Gegenstand der Verachtung und ein Ärgernis. Es kamen sogar Eltern in die Schule zu Monsieur Peyron und fragten, warum man mich bei den anderen Kindern dulde. Er mußte antworten, daß es das Gesetz eben so gebiete, daß ich die gleichen Rechte wie die anderen besäße. Er konnte zwar nicht verhindern, daß sie mich ›räudig‹ oder ›Dreckfink‹ schimpften – zu Unrecht, denn ich wusch mich jetzt regelmäßig, aus Angst, sonst aus der Schule gewiesen zu werden – oder ›das Balg von jedermann‹; aber ich blieb in der Klasse wie ein auf Wogen schwimmender Korken, in der Pause von einem zum anderen gestoßen; auf dem Heimweg gequält, verhöhnt – niemals beklagte ich mich, aus Angst, beim Lehrer Anstoß zu erregen. Bald war ich ebenso daran gewöhnt, wie ich mich seit jeher an alles Schlechte hatte gewöhnen müssen.

Ein Problem gab es allerdings zu lösen: das Problem der Hefte und Bücher. Das kostete Geld. Von den ersten Groschen, die ich meiner Mutter entwendete, kaufte ich nichts zu essen, sondern einen Bleistift, einen Federhalter und ein liniertes Heft. Aber bald brauchte ich andere Behelfe und teurere, um so mehr, als ich hinter den anderen nicht zurückstehen und verbergen wollte, daß ich von daheim nichts bekam. Es war eine erdrückende Sorge, die mich bis in die Träume verfolgte, über die ich während des Unterrichts grübelte und die ich verbissen zu beseitigen suchte. Schließlich gelang es mir auch.

Meine Mutter hatte mich einige Male hinauf zu dem Hirten geschleppt. Sie meinte es gut, denn der Mann hatte immer etwas zu essen – später erfuhr ich, daß er verbotene Geschäfte mit den Schafen trieb, ja, daß er einmal ein Kalb verschacherte und dem Bauern erklärte, es sei verendet. Er hatte einen unheimlichen Appetit, und die Mélane war es, die ihm in einem riesigen Kessel Fleisch- und Gemüse-Eintöpfe kochte, von denen er ihr kleine Reste überließ. Sie holte auch für ihn ein; einmal verpaßte er ihr in meiner Gegenwart eine gewaltige Ohrfeige, die sie nach hinten auf den Boden warf, weil sie mit einer angebrochenen Flasche Branntwein zurückkam, sie hatte sich auf dem Heimweg gestärkt.

Der Bursche fraß, prügelte sie, warf sich über sie, und alles das, ohne jemals nur ein Wort zu sprechen. Eines Tages wollte er sie während der Mahlzeit an dem selbstgezimmerten, ungehobelten Tisch vor meinen Augen nehmen. Ein Rest von Scham flammte in ihr auf:
»Nein, nein, nicht vor dem Jungen!« wehrte sie ihn ab.
Er hielt sie mit einer Hand fest, packte mich mit der anderen und schleuderte mich durch die Tür hinaus auf die Steine, wo ich mit zerschundenen Knien liegenblieb. Mühsam rappelte ich mich zusam-

men und rannte heulend in unseren Verschlag; ich hoffte, daß meine Mutter wenigstens diese Nacht nach mir schauen würde, aber als ich am nächsten Morgen zur Schule ging, war sie noch nicht gekommen.

Der Hirt hatte Geld versteckt. Er verbarg es in einer Schweinsblase, die seinem Tabaksbeutel glich und die er stets in seinem Hirtenumhang am Leib trug. Ich sah, wie er meiner Mutter Geld für die Einkäufe gab, und beschloß sofort, es ihm zu stehlen, zumindest soviel ich brauchte. Aber die Sache war schwierig, denn er zog sich niemals aus und wickelte sich in seinen Mantel, wenn er auf dem Stroh schlief.

Er wusch sich nicht häufig, aber es überkam ihn zuweilen, wie ihn alle seine Gelüste überfielen. Dann riß er sich unbekümmert um Stunde und Wetter alle seine Kleider vom Leib, als könnte er sie nicht mehr ertragen, und stürzte sich in die eisige Aigue, stieg heraus, nackt und rot, und zog sich, naß wie er war, Hose, Rock und Mantel wieder an, die er dann wochenlang nicht ablegte. Er rasierte sich niemals; wurde ihm aber sein Bart zu lang, dann schnitt er ihn einfach mit einer verrosteten Schere ab, und war die Schneide zu stumpf, riß er eben die Haare wie mit einer Zange fluchend aus.

Eines Tages suchte ich meine Mutter auf der Alm, aber ich fand weder sie noch ihn, wohl aber die Kleider Basiles weit verstreut vor der Hütte. Es war ganz still, nur in der Ferne hörte man das Plätschern im Wildbach, wo sich der Bursche schnaubend und prustend abrieb. Sofort dachte ich an das Geld, und ohne zu überlegen, wühlte ich in der Tasche des Umhangs und fand endlich die Schweinsblase unter Schlüsseln, Tabakresten und einer Hundepfeife.

Ich nahm sie an mich und wollte nach Closis zurücklaufen. Da fiel mir ein, daß er den Verlust sofort entdecken mußte. Ich hatte noch etwas Zeit, sprang zu der Sennhütte zurück, holte aus der Schweinsblase so viel Scheine und Münzen heraus, als mir für meine Einkäufe nötig schien, steckte den Beutel in die Tasche zurück und flüchtete Hals über Kopf. Unten bei dem kleinen Fichtenwald hielt ich an und rang keuchend nach Luft. Niemand rief mir nach: Basile hatte mich nicht gesehen.

Am nächsten Tag kaufte ich Lehrbücher, Hefte, eine Federschachtel und eine Schultasche. Es blieb mir noch ein bißchen Geld übrig. Ich gab es beim Kaufmann aus und leistete mir zum erstenmal in meinem Leben ein Bonbon.

Abends fand ich meine Mutter in der Hütte. Mit einem verschwollenen blauen Auge lag sie stöhnend auf ihrer Pritsche. Basile, der häufig sein Geld zählte, hatte den Verlust bemerkt und sie geprügelt, da er sie für die Diebin hielt. Die arme Person begriff nichts, wußte nicht, was sie verbrochen hatte, und lag nun benommen mit einer Flasche Branntwein auf dem Stroh. Sie trank in großen Schlukken, um ihre Schmerzen zu betäuben und um zu vergessen, denn Basile hatte sie hinausgeworfen, die Türe versperrt und ihr verboten wiederzukommen.

Mitten in der Nacht weckte mich ihr Geschrei. Da wälzte sich die Mélane betrunken, heulend, johlend, auf dem Boden. Sie beschimpfte den Mann unflätig, dann wieder schluchzte sie. Ich richtete mich auf meiner Pritsche auf, in panischer Angst betrachtete ich sie durch halbgeschlossene Lider. Meine Schulmappe lag auf der Bank, die Mélane torkelte zum Feuer, um Holz aufzulegen, sah sie und stierte sie lange an. Aber sichtlich erfaßte sie keinen Zusammenhang: Das war ein Schulgegenstand, und den hatte man mir eben gegeben, geschenkt, ebenso wie ich den ersten Bleistift, das erste Heft bekommen hatte. Dann packte sie von neuem das heulende Elend, sie verbarg das Gesicht in den Händen und schrie und jammerte.

Sie stürzte, zerbrach die Flasche und lag nun in einer Rotweinlache, von schrecklichem Schluckauf geschüttelt. Ich zitterte am ganzen Körper vor Angst und Reue, aber auch vor Verzweiflung und Ekel; ich wollte, daß sie nie mehr aufstand, daß sie tot wäre. Es schien mir, als könnte ich, von ihr befreit, sofort zu einem anderen Kind werden, das man nicht mehr herumstoßen, das von all dem Schmutz gereinigt würde, in dem ich jetzt vegetierte. Ich wünschte nicht ihren Tod, gewiß nicht, ich wünschte nur, daß sie nicht mehr existiere und ich sie nie mehr wiedersehen müßte. Unbewußt begriff mein kindliches Gehirn, daß für mich alles erst beginnen konnte, wenn sie entschwunden war.

Die folgenden Tage waren schrecklich, und das verstärkte diesen Eindruck. Basile ließ sie nicht mehr in seine Hütte. Stundenlang lag sie auf der Lauer, beobachtete aus der Ferne sein Kommen und Gehen und lechzte nach einem Wink, einer Aufforderung. Er erledigte seine Arbeiten und sperrte sich dann ein, ohne auch nur zu ihr hingeschaut zu haben. Bis tief in die Nacht hinein, frierend in der Winterkälte, hockte sie dort, lange nachdem das Licht seiner Kerze erloschen war, verzweifelt, besessen vor Gier nach diesem Mannstier, dessen brutale Umarmungen die einzige Wonne ihres elenden Daseins bedeuteten. Ich schildere die Dinge, wie sie waren, wie ich sie mir heute aus Kindheitserinnerungen zurechtlege. Ohne daß sie es wußte, beobachtete auch ich sie in der Kälte, im fallenden Schnee – in einer unklaren Hoffnung. Ich kehrte erst in den Verschlag zurück, wenn die Finger klamm und die Füße trotz der ausgetretenen, von Ciabrière geflickten und seiner Tochter geschenkten Holzschuhe steif waren.

Basile war starrköpfig. Zweimal war es ihr gelungen, bei ihm einzudringen, während er schlief; das erste Mal hatte er sie wortlos und roh hinausgeworfen, das zweite Mal mit dem Messer bedroht.

Sie war dabeigewesen, wenn er die Tiere schlachtete, sie wußte, wessen er fähig war. Selbst die Hunde, die sie doch kannten, ließen sie nicht mehr in die Nähe. Trotzdem zog es sie immer wieder zu der Keusche hin, besonders wenn sie getrunken hatte; sie trieb sich auf der Alm herum, schlich näher und näher und wich nur vor den knurrenden Hunden zurück. Was geschah in jener Nacht?

Es hatte den ganzen Tag geschneit, der Schnee blieb liegen. Für mich war es ein guter Tag gewesen: Der Lehrer hatte mich vor der ganzen Klasse belobt und als Beispiel hingestellt. Ich lernte sehr leicht, hatte bald alles nachgeholt und war jetzt besser als Panestrel, der mich dafür haßte. Mit eisernem Willen verbiß ich mich in meine Aufgaben. Bei mir lagen die Dinge anders als bei meinen Klassenkameraden: Ich besaß nichts, alles, was man mich lehrte, bedeutete mir ein unverhofftes Geschenk, eine Verheißung.

Das Lob des Lehrers brachte mir freilich noch mehr Rippenstöße, noch mehr tückisches Beinstellen in der Pause ein und außerdem eine Hetzjagd auf dem Heimweg durch den Schnee, bis meine Verfolger vom Weg abkamen und ich keuchend und mit wildem Herzklopfen, aber trotzdem triumphierend in Gedanken an die Worte Monsieur Peyrons die Hütte erreichte. Ich tröstete mich damit, daß es Dinge gab, gegen die sie machtlos waren und die mir niemand rauben konnte.

Meine Mutter war nicht da, das Feuer erloschen. Ich heizte ein, denn es war bitter kalt; Holz für die Nacht lag bereit. Ich setzte mich eine Weile hin und verschnaufte, zündete eine Kerze an – wir besaßen keine Lampe, würden niemals eine besitzen – und machte mich an meine Aufgaben. Endlich schaute ich auf, ich spürte, daß es spät war, ich erriet die Zeit fast genau; es war wohl halb acht geworden. Die Mélane war noch nicht zurückgekommen. Ich war hungrig. Vielleicht kam sie heute wieder nicht. Ich suchte etwas zu essen. Es mußte ein Liter Milch und etwas Brot vom Frühstück übrig sein, immerhin genug für eine Suppe. Erst holte ich den Kessel, schürte das Feuer. Als ich aber mit der Hand zu dem Brett langte, das noch zu hoch für mich war, spürte ich mit den tastenden Fingern, daß nichts mehr auf dem Teller lag und der Topf leer war.

So wartete ich auf ihre Rückkehr. Da sie ihre Milch nicht mehr von Basile bekam, war sie wahrscheinlich zum Hof Berencs hinuntergegangen, um sie zu holen. Seit dem Ärgernis mit dem Hirten versperrten ihr die Ciabrière und Orcino endgültig das Haus, nur die

Tochter steckte mir zuweilen heimlich ein paar Bissen zu. Als es meiner Berechnung nach ungefähr neun Uhr sein mochte, und ich noch immer allein war, öffnete ich die Tür und trat hinaus. Es schneite weiter, und von den Nachbarn fiel nur ein schwacher Lichtschein herüber; ich hatte zu lange gewartet.

Eine Weile stand ich frierend draußen und wußte nicht, was tun. Gut, also wieder einmal ein Tag, an dem ich mit leerem Magen zu Bett gehen mußte. Es kränkte mich nicht allzusehr, obwohl ich schrecklich hungrig war. Ich legte Holz auf das Feuer und sank auf mein Bett.

Ich war wohl eingeschlummert; plötzlich aber schreckte ich auf, was mir sonst niemals geschah. Mechanisch wollte ich mich auskleiden, ließ es aber aus einem mir selbst unerklärlichen Grunde sein.

Reglos blieb ich eine Zeitlang im Licht der Flammen stehen, und ich erinnere mich erstaunlich genau, wie mit einem Male tausend Gedanken durch mein kindliches Gehirn schwirrten. Meine Mutter war nicht heimgekommen, und ich empfand einen übermenschlichen, nie gekannten Schmerz darüber. Die Aigue fiel mir ein, die Wildbäche, der Steinschlag, die glitschigen Hänge, auf denen man nur auszugleiten brauchte, um ein Leben zu beenden, das ich mit meinen acht Jahren nicht mehr ertragen zu können glaubte. Nie vorher hatte ich an all das gedacht. Wozu sollte ich ewig der Sündenbock, der Hungerleider, das elende Balg bleiben, dem man seine Mutter vorwarf? Ich war einsam; niemals mehr konnte ich einsamer sein. Damals glaubte ich noch, daß man allein nicht leben kann. Später dann habe ich jahrelang das Gegenteil geglaubt... bis zu dem Tag, an dem es mir vergönnt war, Ihnen zu begegnen.

Ich zog mir den aus zahllosen Flicken gestückelten Rock wieder an und lief, getrieben von einem unerklärlichen Gefühl, hinaus in die Nacht. Vielleicht suchte ich den Tod?

Wie ich mich entsinne, schneite es nicht mehr, aber die tiefhängenden Wolken lagen als dicker Nebel – wir nennen ihn den lombardischen – über der Landschaft. Die Steige, die Wege, selbst die Hecken und Gatter verschwanden im Schnee. Basile hatte meine Mutter eingelassen, bei einem solchen Wetter konnte sie sich nicht im Freien herumtreiben, denn es war klirrend kalt. Der harte, metallische Schnee knirschte unter meinen Holzschuhen. Ich bahnte mir einen Weg durch die eisige Watte. Wohin? Das wußte ich selbst nicht. Ich marschierte, das genügte, um mich zu befreien, um nicht länger der armselige Tropf sein zu müssen, der ich war.

Lange stapfte ich so dahin und fragte mich nicht einmal, ob ich mich noch auf dem Weg befand. Die Winternächte sind lebensgefährlich in unserem Gebirge; die geringste Rast kann den Erfrierungstod verursachen. Ich wanderte blind drauflos den Wänden zu, einmal würden mich die Kräfte verlassen, und dann konnte ich eben nicht mehr umkehren – ich glaube, daß mir so etwas Ähnliches unklar im Sinn lag.

Mein Gesicht fühlte sich eiskalt an, und trotzdem brannte mein Kopf wie Feuer. Dicke Tränen rannen über meine Wangen, die sofort froren und wie salzige Schneeflocken zu meinem Mund glitten.

Und da, plötzlich, eben als ich aus Kälte und wohl auch aus übergroßer Einsamkeit zu zittern begann, vernahm ich ein Ächzen. Es klang fast wie das Wimmern eines verletzten Tiers, das mich nicht hören konnte, weil der Schnee meinen Tritt verschluckte. Ich folgte dem Klagelaut.

Erst fand ich nichts als Nebel, bis ich mit meinem Fuß an eine weiche und reglose, unförmige Masse stieß, in der ich zu meinem Entsetzen ein menschliches Geschöpf erkannte. Und schon erklang eine Stimme, es war die Stimme der Mélane. Ich beugte mich über sie.

›Du bist es!‹ stöhnte sie und schrie vor Schmerzen auf, denn sie hatte sich umgedreht, ›das ist ein Glück!‹

Ich kniete nieder und tastete ihr Gesicht ab, das feucht vom Angstschweiß und zugleich eiskalt vom Nachtwind war.

›Was hast du?‹ fragte ich.

›Diese Biester... diese Hunde... Basile, der Schuft, hat sie auf mich gehetzt... Mir war kalt, und ich wollte in seine Hütte hinein... Er hat aufgemacht und die Hunde losgelassen. Ich bin gerannt, sie hinterher... ich hab' geglaubt, sie zerreißen mich...‹ Ihre Hände zitterten, sie keuchte, als wären die Tiere noch hinter ihr: ›Ich weiß nicht, woher ich auf einmal einen Stock hatte... mit dem konnte ich sie ein wenig abhalten... Aber diese Viecher, die sind nicht davon. Eine halbe Stunde haben sie mich gehetzt, bis ich gestolpert und der Länge nach hingefallen bin. Ich hab' die Hecke unter dem Schnee nicht gesehen. Die Hunde haben sich verzogen. Mein Bein! Da, greif her... schau... gebrochen.‹

›Seit wann bist du da?‹ fragte ich.

›Es war sicher schon zwei Stunden finster. Ah, hilf mir, hilf mir... ich darf nicht dableiben... du hast niemals die Kraft, mich wegzuschleppen. Was soll ich tun?‹

›Ich muß wen holen‹, sagte ich.

›Ja, ja, lauf, und schnell... Bring Leute her... sie können nicht nein sagen. Du mußt dir nur genau merken, wo es ist... ich glaub', in der Nähe der Agnel-Hütte. Zu weit, daß du mich hinziehen kannst... Aber vielleicht versuchen wir's...?‹

Wirklich, ich mußte es versuchen. Weiß Gott, wie lange ich brauchen würde, um heimzulaufen und dann mit Leuten wiederzukommen. Ich wollte sie aufstellen. Sie stöhnte, sie schrie, aber es gelang mir wie durch ein Wunder. Dann fiel sie ächzend zurück.

›Ich kann nicht... ich kann nicht... auch wenn du mich stützt. Niemals kann ich es.‹

Sie verstummte. Dann heiser, verbissen:

›Gut. So mußt du mich dalassen. Aber ja keine Zeit verlieren... Du kannst in zwei Stunden hin und zurück sein, trotz des Schnees. Wenn ich bis morgen früh hierbleiben muß, dann...‹

›Ich weiß‹, fiel ich ihr ins Wort. ›Ich laufe, ich komme zurück. Hab keine Angst.‹

Ich stand auf, wollte davonlaufen. Sie klammerte sich an meinen Arm:

›Ah, mein Junge, ohne dich wäre ich gestorben...‹

Ich riß mich los und rannte verstört davon, so schnell es mir der tiefe Schnee erlaubte. Und dabei ging es mir nicht aus dem Kopf: Freilich, sie hatte Schwein, die Mélane, ohne mich könnte man ihr den Sarg zimmern.

Ich schwöre Ihnen, Angèle, daß ich in diesen Minuten nichts anderes im Sinn hatte, als die Orcino, die Ciabrière um Hilfe zu holen. Ich sah mich bereits an der Spitze der kleinen Kolonne marschieren; es lag, ähnlich wie im Lob des Lehrers, etwas Heroisches in dieser Vorstellung, das mir durchaus nicht mißfiel; es machte mich interessant in den eigenen Augen. Ich kannte unsere Berge, und ich fand mich trotz des verschneiten Wegs zurecht. Von neuem fiel der Schnee in großen Flocken vom Himmel, und das erleichterte die Sache nicht. Meine Fußspuren waren bestimmt längst verweht, wenn wir zurückwateten. Ach, ich würde mich auch dann nicht verirren. Wir mußten nur die Agnel-Hütte als Zielpunkt nehmen; wenn wir erst einmal dort waren, hielten wir Ausschau nach der Mélane und riefen sie.

Ich war ziemlich bald auf der Hochfläche und wanderte von dort weiter zu unserer Hütte; schon waren die schwarzen Flecken der beiden Höfe vor mir. Kein Licht. Wo sollte ich zuerst anklopfen? Ah, vorher noch rasch Holz auf mein Feuer legen, damit es nicht ausging, damit es warm war, wenn wir sie zurückbrachten.

Ich trat also zuerst in ›unser Haus‹ ein. Waren die Bauern erst geweckt, konnte ich mich nicht mehr um unser Feuer kümmern, dann hieß es sofort losstapfen. Ich packte ein paar Scheiter, warf sie in die Glut, sie brannten knisternd an. Da ich naß vom Schnee war, zog ich die Decke von meiner Pritsche herunter, um sie mir als Leibbinde umzuwickeln.

Ich hatte keine Kerze angezündet, aber die Flammen warfen Licht in den Raum. Was sollte ich noch mitnehmen? Was wäre noch nützlich für diesen Weg zur Mélane, die, wie sie sagte, ohne meine Hilfe bis zum Morgen erfroren wäre?

Am Morgen erfroren. Ja, und wenn ich nicht in einem Anfall von Verzweiflung, an dem sie Schuld trug, auf gut Glück in die Felsen gerannt wäre, um den Tod zu suchen, den sie, ungewollt, beinahe gefunden hätte, was wäre aus ihr geworden? Hätte dann nicht das Schicksal gesprochen und die Ordnung der Dinge hergestellt? Wäre ich nicht endlich frei gewesen?

Gewiß, so klar überlegte ich nicht. In meinem Gehirn schwelte nur dumpf der Gedanke: Bleibe ich hier, dann ändert sich alles; rette ich sie, dann geht es so weiter wie bisher.

Lange stand ich benommen im Schein der höher züngelnden Flammen. Eine tödliche Müdigkeit kroch mir in die Glieder. Mir war, als leere sich mein Hirn, als verschwimme, verschwinde alles um mich her. Fast unbewußt, langsam, begann ich mich zu entkleiden, ließ meine armseligen Lumpen an mir hinabgleiten und sank auf meine Pritsche. Und ich schlief ein, Angèle, ich schlief sofort ein, weil ich am Rand meiner Kräfte und weil ich acht Jahre alt war.

Am nächsten Morgen erwachte ich pünktlich, und wie alle Tage folgte ich Fernand auf dem Weg zur Schule, als er den Hof seines Vaters verließ.«

III

»Ich habe Ihnen versprochen, daß ich nichts beschönigen werde«, fuhr Mehlen fort. »Sie sehen, ich halte Wort. Sie schweigen, und ich weiß, was Sie empfinden. Aber ich kann nicht anders: Sie müssen alles von mir wissen.

Als ich abends heimkam, war die Mélane nicht zurückgekommen, und niemandem fiel es auf. Man fand sie erst drei Tage später, zufällig, aber nicht an der gleichen Stelle, wo ich sie verlassen hatte, sondern dreißig Meter von der Agnel-Hütte entfernt; es war ihr gelungen, sich ein Stückchen weiterzuschleppen.

Dichter Schnee war seither gefallen, in dem sie halb versunken lag; meine Spuren waren verschneit. Ich weinte ehrliche Tränen, denn so sonderbar Sie es auch finden werden, ich hatte sie gern. Und ich glaube nicht scheinheilig oder zynisch gehandelt zu haben, wenn ich ihr auf dem Friedhof von Saint-Véran ein schönes Grab errichten ließ, das regelmäßig betreut wird und vor dem ich selbst mindestens einmal im Jahr das Knie beuge. Auch das muß ich Ihnen gestehen.«

Mehlen sprach in dem kühlen, unpersönlichen Ton wie immer, und Angèle, die sich eine Weile seltsam zu ihm hingezogen fühlte und seiner Erzählung ergriffen gelauscht hatte, betrachtete ihn mit großen, entsetzten Augen. Es fröstelte sie.

»Und wirklich: Alles änderte sich von diesem Tag an«, sprach Mehlen weiter. »Anfangs lebte ich in einer schrecklichen Angst, denn man redete von der öffentlichen Fürsorge. Aber die Tochter Ciabrière, die in der Krankheit mild geworden war, bewog ihren Vater, sowohl dem Lehrer wie dem Bürgermeister zu versprechen, daß er mich in Pflege nehmen würde. Ich blieb also in meiner Hütte und erhielt mein Süppchen und auch die gelegentlichen Liebkosungen dieses kranken Geschöpfs, das mich, das fremde Kind, unbewußt als Ersatz für ein eigenes, das sie niemals haben würde, ans Herz drückte.

Sie starb, als ich elf Jahre alt war. Ich war traurig, ja, aber ich war von klein auf mit der Vergänglichkeit alles Irdischen vertraut. Wenn ich zuweilen in das Schicksal eines Menschen so oder so eingegriffen habe, dann wußte ich immer ganz genau, warum.

Sie dürfen nicht glauben, daß die Not mit dem Tod meiner Mutter geendet hätte. Nein, ich erhielt zwar das unumgänglich Nötige, aber nachdem sich die Anwandlung an Großmut und Mitleid gelegt hatte, verwies man mich rasch an den mir gebührenden Platz eines von der öffentlichen Wohlfahrt lebenden Kindes. Der Lehrer, Monsieur Peyron, unterstützte mich nach Kräften, zumindest in allen Schulfragen, denn ich war sein bester Schüler. Ich bekam in jenem Jahr mein Abgangszeugnis der Volksschule; damit waren alle Verpflichtungen mir gegenüber erfüllt.

Die Tochter Ciabrière war gestorben, meine Abschlußprüfung hatte ich bestanden. Ich sage nicht, daß mir die Familie Ciabrière den Unterhalt verweigerte, nein, sie vergaß mich einfach, sie sah mich nicht. Ein elfjähriger Junge, auch ohne Mutter, hat für sich selbst zu sorgen. Ich mußte eben schauen, wie ich weiterkam.

Und ich kam weiter. Ich erhielt keine Suppe, ich war hungrig, gut, so war ich eben gezwungen, etwas Eßbares zu suchen. Ich erwähnte schon, daß es in unserer Nähe eine Kupfermine gab. Ein lahmer Betrieb, mangelhaft und altmodisch ausgebeutet, aber immerhin stand eine Kantine dort und auch ein Aufenthaltsraum, wo die Bergleute, wie die Schüler in Saint-Véran, ihr mitgebrachtes Essen zu Mittag verzehren konnten. Ich strich in der Gegend herum, suchte mich nützlich zu machen und half mit meinen schwachen Kräften die kleinen Wagen ins Freie zu schieben. Zu Mittag dann lief ich den Männern nach. Einer von ihnen, ein Alter namens Folompelle, schenkte mir eine Scheibe Wurst und ließ mich von seinem Rotwein trinken. Ich kam am Nachmittag wieder, am nächsten Tag ebenfalls. Man stellte mich deshalb nicht ein, aber dann erkrankte der Mann, der auf Grund der Arbeitszeitlisten die Lohnverrechnung vornahm und die Höhe der Löhne bestimmte. Es war ein Samstag. Niemand kannte sich in den Listen aus, auch der Werkmeister nicht, der zwar seine Arbeit verstand, praktisch aber ein Analphabet war. Es herrschte große Aufregung, denn der Meister wollte das Geld nicht auszahlen, bevor er nicht den genauen Aufteilungsschlüssel hatte. Ich trug mich zur Hilfe an. Sie lachten mich aus. Wie, ein Lausejunge von kaum zwölf Jahren sollte etwas zusammenbringen, was erwachsenen Männern zu schwierig war? Ich holte mir die Listen, die Hefte; das System war überaus einfach, ich wurde leicht damit fertig. Der ausbezahlte Betrag stimmte tatsächlich mit ihren eigenen überschlagsmäßigen Berechnungen überein. Drei Wochen lang nahm ich diese Lohnverrechnung vor, ohne offiziell dazu beauftragt zu sein. Als der Rechnungsführer zurückkam, stellte er fest, daß alles in Ordnung war, und da er im Sommer den Betrieb verließ, suchte man erst nicht lange nach einem Nachfolger, sondern übertrug mir automatisch sein Geschäft.

Der Ingenieur war freilich überaus erstaunt, als er mich an dem Schreibtisch sitzen sah. Mißtrauisch überprüfte er meine Listen und die Bücher und gab verwundert zu, daß ich sogar eine vereinfachende Methode entwickelt hatte.

›Ist dir das wirklich ganz allein eingefallen?‹ fragte er skeptisch. ›Schön, mach's weiter. Da du aber noch nicht erwachsen bist, kann ich dir natürlich auch nicht den Lohn eines Erwachsenen zahlen.‹

Er gab mir ungefähr ein Zehntel dessen, was mein Vorgänger verdient hatte. Ich war zufrieden, denn ich hatte Höheres im Sinn.

In diese Zeit fiel ein wichtiges Ereignis meines Lebens: Folompelle glitt aus, stürzte in einen Schacht und brach sich beide Beine. Man brachte ihn nach Briançon ins Spital. Sein Zustand war hoffnungslos, ich wollte ihn noch einmal vor seinem Tod sehen, und so beschloß ich, am nächsten Sonntag hinzufahren.

Es war 1919. Der Krieg war eben zu Ende gegangen; ein Krieg, von dem wir im Gebirge höchstens soviel wußten, als uns der Lehrer in der Schule erzählte, und das schien einer so anderen Welt anzugehören, daß es eher einem Märchen als der Wirklichkeit glich.

Die Schwierigkeit lag darin, nach Briançon zu gelangen und in einem Tag wieder zurückzukommen. Es gab damals keine direkte Verbindung, der Autobus existierte noch nicht. Ich konnte nicht radfahren, sonst hätte ich mir ein Rad ausgeborgt und wäre auf gut Glück direkt bis nach Izvard geradelt, was, nebenbei bemerkt, heller Wahnsinn gewesen wäre. Von einem Arbeiter wußte ich, daß es einen Zug im

Durancetal gab, der in Reotiers, nach Guillestre, hielt und nach Briançon fuhr. Aber bis zur Durance mußte ich erst einmal siebzehn Kilometer auf der Straße von Closis nach Château-Queyras marschieren und von diesem Dorf noch ungefähr fünfundzwanzig Kilometer bis zur Haltestelle zurücklegen. Ich war schnell entschlossen. Es war ein Samstag, an dem wie an allen anderen Tagen gearbeitet wurde. Am Abend zog ich meinen besten Anzug an – ich hatte mich nach und nach fast annehmbar ausgestattet – wanderte zu Fuß über Saint-Véran nach Château-Queyras, wo ich nach kaum drei Stunden eintraf, denn es ging steil bergab.

Um zehn Uhr also war ich unten, und alles war geschlossen. Ich trug dreiundachtzig Francs bei mir, ein wahres Vermögen, ich hatte sehr sparen müssen, um es zusammenzukratzen. Ich klopfte an der Tür der einzigen Herberge an, die Puy-Cot hieß. Man öffnete und zeigte mir ein Zimmer zu einem Preis, der mir entsetzlich hoch schien. Aber es war ein Zimmer, ein richtiges Zimmer – das erste wirkliche Zimmer, in dem ich geschlafen habe. Ich verzichtete seinetwegen auf das Abendbrot; ich wußte nicht, was der Zug und die Fahrt bis zur Station kosteten, und noch weniger, was ich in Briançon ausgeben würde. Ich konnte mir also keine Mahlzeit erlauben.

So blieb ich allein in meinem Herbergszimmer und blickte um mich. Es war einfach, aber sauber und schien mir so luxuriös, wie ich es mir in meinen kühnsten Träumen nicht hätte vorstellen können. Vorher schon hatte ich mich vergewissert, daß es am Morgen einen Wagen zum Zug gab. Er fuhr um halb acht ab, und ich ersuchte, mich zu wecken, denn ich hatte, ehe mich die Wirtin verließ – nicht ohne vorsichtigerweise den Preis für Zimmer und Bedienung kassiert zu haben –, die Decke aufgeschlagen, die weißen Bettücher gesehen, die federnden Matratzen betastet und es einfach für unmöglich gehalten, ein so köstliches Lager überhaupt jemals verlassen zu können.

Aber ich war wach, ehe es an der Türe pochte. Mit weit offenen Augen lag ich reglos in der weichen, warmen Mulde des Bettes und starrte ins Dunkel. Damals wurde mir zum erstenmal bewußt, welch herrliche Dinge es gab, von deren Existenz ich nichts ahnte und deren Besitz immerhin recht angenehm war. Bis dahin hatte ich mir nur gewünscht, erwachsen zu sein, um wie ein Mann bezahlt zu werden und wie ein Mann leben zu können. In jenen Morgenstunden blickte ich schon weiter; ach, ich konnte nicht wissen, wie weit mich das Schicksal treiben würde!

Auch den ersten Zug lernte ich an diesem Tag kennen. Es waren Holzwaggons, unbequem, und eine alte Lokomotive keuchte das Tal hinauf, aber die Landschaft zog an mir vorüber, in weiße Dampfwolken gehüllt, die aus dem Rauchfang der Lokomotive wallten und den vorübergleitenden Häusern, Wäldern und Dörfern etwas Unwirkliches verliehen. Endlich fuhren wir in einen großen Bahnhof ein, auf dem es von geschäftigen Menschen wimmelte. Ich verließ mein Abteil und befand mich unversehens in der Menge, gestoßen, geschoben bis zum Ausgang, dann weiter durch die Halle bis hinaus auf einen weiten Platz – da lag die Stadt.

Es war die erste Stadt meines Lebens. Das bedeutete einen ungeheuren Eindruck für mich. Eigentlich sah ich zwei Städte; die untere Stadt, der moderne Teil mit dem Bahnhof, vor dem ich stand, und die Altstadt, mauerbewehrt, hoch oben auf einem Hügel. Die Festung kam mir unheimlich, drohend vor; hingerissen aber staunte ich die neue Stadt mit den hohen Gebäuden, der langen, ansteigenden Avenue an. Ich erkundigte mich nach dem Spital, aber ich vergaß es sofort wieder. Gewiß, in der Schule hatte man uns von Paris, Lyon erzählt, aber die Schilderungen blieben ungenau und unvollständig. Niemals zum Beispiel hatte ich solche Läden gesehen, und niemals hätte ich geahnt, daß solcher Luxus in ihren Schaufenstern herrschte. Man denke doch: neue Kleider in Hülle und Fülle und Wollsachen, Sweater, Strümpfe, Lederschuhe waggonweise, funkelnde Fahrräder, Hickory-Ski, Rucksäcke, und hinter alldem Verkäuferinnen, die verbindlich lächelten, und Verkäufer, die sich devot verneigten. Und Hotels, neben denen das Puy-Cot in Château-Queyras wie eine Hütte wirkte, ach, und die Steinbänke und die vorüberflitzenden Autos, gleich mehrere in der Stunde, während wir im Gebirge nur den alten Panhard des Ingenieurs heraufkeuchen sahen!

Ich verlor jedes Zeitgefühl, der Tag konnte niemals genug lange währen, um alles anzuschauen. Ein einziger Gedanke quälte mich: daß der Zug um sechs Uhr abfuhr, und es dann mit der ganzen Herrlichkeit vorbei war!

Ich verlebte diesen Tag wie einen Traum. Ich kann nicht mehr genau sagen, wie ich die Stunden verbrachte, die mir wie im Wind verflogen. Ich weiß, daß nichts mehr galt, weder die Zeit noch das Geld, das ich wie in einem seligen Trancezustand ausgab. Ich aß in einem richtigen Restaurant zu Mittag, ich kaufte sogar Orangen und Schokolade für Folompelle, der schon in Agonie lag. So übergab ich das Päckchen der Krankenschwester und lief schnell wieder davon; dabei war ich schandbar glücklich, ihn so vorzufinden und keine Zeit mit ihm versäumen zu müssen. Er starb übrigens in der gleichen Nacht, aber ich bewahre keine Erinnerung an ihn als Sterbenden, denn ich sah ihn nicht einmal. Ich lief, ich rannte fast durch die ganze Stadt. Ich sah alles. Ich begriff alles. Als ich mit leerer Börse und mit einer Fahrkarte als einziges Vermögen – dafür trug ich ein paar neue Schuhe, einen Sweater, eine lange und sorgfältig ausgewählte Hose heim – den Zug besteigen mußte, zerriß es mir das Herz; es war mein erster wirklicher Abschied. Ich war verzweifelt und niedergeschlagen, ich konnte mich nicht trösten.

Die Heimfahrt war schwierig. Ich nahm den Wagen nach Château-Queyras, aber ich mußte meinen Platz bezahlen und hatte kein Geld mehr. So ließ ich dem Schaffner meine neuen Schuhe zum Pfand, und es dauerte zwei Wochen, bis ich sie auslösen konnte. Am Tag nach dieser Reise befand ich mich wieder bei meiner Arbeit, aber ich war schon nicht mehr dort, wenn sich auch mein Körper mit den Bergwerkswagen und meine Hand mit der Lohnverrechnung beschäftigten: Ich wußte, was ich wollte.

Man sollte meinen, daß sich von diesem Augenblick an ein neues Leben für mich eröffnete: keineswegs. Ich war zwar fest entschlossen, meine Armut zu überwinden, mein Schicksal und Leben in andere Bahnen zu lenken, aber noch fehlten mir alle Mittel dazu. Ich kannte meinen eigenen Wert; ich war ein schmächtiger, magerer, trotzdem widerstandsfähiger Junge, der stets im Kampf mit seinem anfälligen Leib lag, dessen Geist und Verstand aber seiner Umgebung weit überlegen waren. Ich erkannte, daß es Menschen gab, denen alles gestattet war, die sich alles leisten durften und die ihre Mitmenschen fest in der Hand hielten: Ich nahm mir vor, diesen Auserwählten anzugehören, koste es, was es wolle.

Sie erlauben mir wohl, daß ich bei meiner Erzählung Einzelheiten überspringe. Ich habe in dieser Epoche gelebt, und Sie werden finden, daß ich besser gelebt habe als mit meiner Mutter und der Tochter Ciabrière. Das stimmt, aber damals war ich noch nicht in Briançon gewesen. Seither schien mir mein Dasein unerträglich, und ich hatte nur eines im Kopf: fort aus den Bergen, so leben, wie man anderswo leben konnte. Ich erwähnte schon, daß ich von meiner Intelligenz überzeugt war. Ich suchte die Dinge zu verstehen, zu durchschauen und dann, wenn es mir gelungen war, den großen Regeln zu folgen, die mir meine Erkenntnis diktierte. So zum Beispiel bei dem Diebstahl in der Hütte Basiles: Ich hatte die Borniertheit des Mannes, die stumpfe Gleichgültigkeit meiner Mutter, der nicht einmal die neue Schultasche auffiel, in Rechnung gezogen; noch im nachhinein erzitterte ich bei dem Gedanken, daß ohne diese Eigenschaften der beiden alles gescheitert und ich selbst verloren gewesen wäre. Sie können sich denken, daß mich nach meiner Rückkehr von Briançon bei der Auszahlung der Löhne ganz eigene Gefühle bewegten: Hier lag das Geld, das zur Verwirklichung zumindest des ersten Teils meiner Pläne nötig war, nämlich die Berge zu verlassen und mein Glück in der Stadt zu versuchen. Wir hatten einen Hilfsarbeiter in der Werkstatt, einen gewissen Tôtier, der sich jeden Samstag betrank und dann unflätig schimpfte. Er fluchte über das Arbeitshaus, über die Heime von Schwererziehbaren, über die Schrecken der Strafkompanien – die er alle zu kennen schien, aber nur, wie er behauptete, wegen eines entwendeten Fahrrades, das er am nächsten Tag wieder zurückgestellt hatte.

Ich brauchte das Geld der mir anvertrauten Kasse, aber ich konnte es nicht nehmen; ich mußte daher etwas ›Legales‹ erfinden. Wochenlang grübelte ich, abends lag ich mit offenen Augen im Bett und erwog in Ruhe das Für und Wider aller Möglichkeiten, die mir einfielen, bis ich todmüde, aber mit dem festen Vorsatz, mein Ziel zu erreichen, einschlief. Eines Tages dann kam mir plötzlich die Erleuchtung: Ich war nicht durch eine geniale Idee, sondern auf Grund angestrengter Überlegungen zu einer Lösung gelangt, wo nichts dem Zufall überlassen blieb.

Wie jede Woche trafen am Samstag vormittag die Lohngelder ein. Sie waren in einer kleinen Eisenkasse verwahrt und wurden entweder von dem leitenden Ingenieur persönlich in seinem Panhard oder von seinem Sekretär, namens Tuporc, einem jungen Mann, dem Typ eines Kanzleibeamten, heraufgebracht. Man übergab mir die Kasse mit dem Schlüssel. Dann machte ich mich sofort an die Arbeit, steckte die Lohnzettel und das Geld in die schon vorbereiteten Kuverts. Dafür brauchte ich einen ganzen Tag, und um ungestört zu bleiben, stellte man mir bis zum Abend das einzige Bürozimmer zur Verfügung, das während der Woche geschlossen war und nur für den Ingenieur oder seinen Vertreter geöffnet wurde. Alles andere, das Berechnen der Arbeitsstunden und des Lohnes, ging draußen im Freien vor sich, denn die eigentliche Buchhaltung wurde in Briançon, dem Sitz der Firma, durchgeführt. Ich erhielt das Geld ziemlich genau abgezählt; selten verblieb ein Rest, den ich dann bei der nächsten Lohnauszahlung verrechnete; ich selbst gab die Beträge im vorhinein ab und irrte mich fast nie. Nur im Fall von Krankheit oder plötzlicher Abwesenheit eines Arbeitnehmers erhöhte sich die verbleibende Summe um ein paar Banknoten. Die ließ ich dann in einem versperrten Schrank des ebenfalls versperrten Büros liegen, und in der nächsten Woche sandte man mir entsprechend weniger zur Auszahlung.

Tuporc ging immer direkt ins Büro; befand ich mich in der Nähe, dann folgte ich ihm; zuweilen aber hatte ich gerade an einer anderen Stelle des Bergwerksgeländes zu tun, dann stellte er die Kasse auf den Tisch, sperrte sie auf, öffnete auch den Schrank und legte das darin enthaltene Geld zu dem Betrag, den er brachte. ›Soundso viel macht es aus‹, sagte er mir dann, ehe er mich im Büro allein ließ, um die Mine und die Arbeiten zu inspizieren, worüber er dann seinem Chef Bericht erstattete. Der Patron selbst erschien äußerst selten, nur wenn ihn besondere Anlässe zu diesem beschwerlichen Ausflug zwangen.

An jenem Samstag spielte sich alles wie gewohnt ab. Tuporc war heraufgekommen und hatte das Geld im Büro deponiert. Ich setzte mich zu meiner Arbeit, verteilte wie immer die Beträge, und der Sekretär machte sich auf den Weg nach Château-Queyras, um vor Dunkelheitseinbruch in Briançon zu sein. Da, abends, beim letzten Kuvert, fehlten mir einhundertdreiundsechzig Francs.

Sie fehlten mir, Angèle, weil ich sie absichtlich weggenommen, unter einem Brett des Schranks versteckt hatte, wo man sie bestimmt nach dem Abgang Tuporcs nicht suchen würde. Diese einhundertdreiundsechzig Francs entsprachen bis auf zwanzig Francs meinen Ersparnissen, die ich zu Hause in einem Topf auf dem Ofenbrett verwahrt hatte.

Beim Auszahlen benahm ich mich auffallend unruhig und verlegen. Den letzten Arbeiter, den alten, gutmütigen Blanchy, seit dreißig Jahren in der Mine, zog ich zur Seite und händigte ihm sichtlich befangen die Lohntüte aus:

›Hier, Monsieur Blanchy‹, stotterte ich, ›aber es ist nicht alles, es fehlen hundertdreiundsechzig Francs.‹

›Was??‹

›Ja, es ist weniger ... weil mir selbst das Geld fehlt. Tuporc ist mit der Kasse und der Liste gekommen, wo die Endsumme aufgeschrieben war. Er hat das Kuvert mit dem Rest aus der Vorwoche aus dem Schrank genommen. Ich hab' das Geld zusammengegeben, ohne nachzuzählen, und zum Schluß haben mir hundertdreiundsechzig Francs gefehlt, hundertdreiundsechzig Francs, für die ich verantwortlich bin und die ich Ihnen von meinem Geld ersetzen werde, wenn Sie so freundlich sind, mit mir zu kommen. Ich hab' nämlich etwas erspart.‹

›Hm ... hm ... ich versteh' nicht ...‹

›Das ist ganz einfach. Das Geld ist verschwunden ... entweder aus der Kasse selbst oder aus dem Schrank. Wenn aus der Kasse, dann müßte es schon unten oder auf dem Weg herauf passiert sein ... wenn aus dem Schrank, dann hat jemand in der Nacht hier eingebrochen.‹

›Ja ... hm ...‹ – er schaute zu den Fenstern und zur Tür –, ›schwer wäre das nicht!‹

357

›Ob da oder dort, es ist gestohlen worden‹, erklärte ich.
›Bestimmt‹, nickte er. ›Und wie du richtig sagst, kann es genauso-
gut jemand von hier oder jemand von auswärts gewesen sein. Ich
tippe eher auf hier . . . Es gibt verdächtige Burschen bei uns . . .‹
Er drückte sich nicht näher aus, aber ich wußte, daß er auf Tôtier
anspielte. Ich widersprach ihm nicht.
›Kommen Sie mit‹, bat ich.
Die anderen waren schon heimgegangen, er begleitete mich in meine
Hütte. Ich holte den Topf vom Ofenbrett herunter und zahlte ihm
sein Geld aus.
›Das wird dir abgehen, armer Junge‹, meinte er bedauernd. ›Ah,
wenn meine Alte nicht wäre . . .‹
Er steckte das Geld fast widerwillig ein.
›Ich werde es dem Ingenieur am nächsten Samstag melden.‹
Das, und gerade das, wollte ich. Er fügte noch hinzu:
›Er sollte dir eine Entschädigung geben. Es ist wirklich nicht gerecht,
daß du das büßen mußt.‹
Die Sache ging ihm nicht aus dem Kopf, denn er redete mehrmals in
der Woche davon. Er verdächtigte vor allem Tôtier, aber auch Tuporc
war ihm nicht geheuer:
›Wann bist du in das Büro gekommen?‹
›Die Kasse war offen . . . die Gelder beisammen . . .‹
›Wieviel ist von der letzten Woche übriggeblieben?‹
›Ungefähr zweitausend Francs. Drei Leute waren krank.‹
Er kratzte sich am Kopf und schlurfte davon. Am Samstag sah ich
ihn vom Fenster aus auf den Ingenieur zugehen, der mir eben vorhin
das Geldbündel gegeben hatte. Gleich darauf kam der Mann zu mir
herein und erklärte mir mißmutig, daß ihm Blanchy von dem Verlust
gesagt habe.
›Wann hast du es festgestellt?‹
›Bei den letzten Tüten.‹
›Erst dann?‹
›Gewiß, Herr Ingenieur. Ich hatte keinen Grund, vorher nachzu-
zählen.‹
›Und du hast es aus deiner Tasche ersetzt?‹
›Ich war ja verantwortlich.‹
›Gut, daß dir das klar ist. Dadurch fällst du aus dem Kreis der
Verdächtigen.‹
›Aber, Herr Ingenieur . . . !‹
Mit keinem Wort erwähnte er eine Entschädigung, ihn beschäftigte
allein die Sicherheit seiner Lohngelder.
›Genaugenommen‹, murmelte er wie im Selbstgespräch, ›genauge-

nommen geben wir einem kleinen Jungen recht beträchtliche Summen in die Hand.‹

›Das Alter spielt in diesem Fall keine Rolle, glaube ich, Herr Ingenieur; ein Erwachsener wäre genauso bestohlen worden.‹

›Das ist richtig. Aber die Sache wird dadurch nicht weniger unangenehm. Was könnte man tun?‹

›Vielleicht einen Tresor . . .?‹

›Einen Tresor! Weißt du, was das kostet? Und der Transport hier herauf . . .!‹

›Gibt es keine Versicherung?‹ fragte ich zögernd.

›Wogegen?‹

›Gegen Einbruch, zum Schutz des hier verwahrten Geldes. Es kommt immer wieder vor, daß von einem Zahltag zum anderen beträchtliche Summen liegenbleiben, an Feiertagen zum Beispiel. Ich hab' einmal sechstausend Francs hier gehabt . . .‹

›Ja, ja . . .‹, murmelte er unschlüssig.

Ich brachte ihn auf die Versicherung, weil ich selbst erst kürzlich von dieser Einrichtung erfahren hatte. Eines Tages war ein recht schäbiger, verhungerter Vertreter mit einer abgewetzten Aktentasche unter dem Arm zu uns heraufgekommen, der mich sofort mit Beschlag belegte. Er zeigte Formulare, Tarife, Policen. Wie, wir waren nicht versichert! Weder gegen Brandschaden noch gegen Betriebsunfälle – siehe Folompelle! – noch gegen Einbruch! Ich ließ mir alles genau erklären, es war ja alles völlig neu für mich. Man durfte also ruhig schlafen, brauchte keine Verluste in Katastrophenfällen zu fürchten, wenn man nur die jährlichen Prämien zahlte . . .!

›Richtig . . . eine Versicherung . . .‹

Er redete an diesem Tag nichts mehr über die Angelegenheit, und ich hätte so gerne gewußt, was er nun im Sinn hatte. Ich erfuhr es ziemlich bald. Noch vor dem Wochenende erschien ein geschniegelter junger Mann, der wie einer der Vertreter aussah, die zuweilen an Samstagabenden im Puy-Cot vor ihren Gläsern saßen und ihre Erzählungen mit so kräftigen Witzen würzten, daß man das schallende Gelächter bis hinaus auf die Straße hörte.

›Ich komme von der *Sicheren Zukunft*‹, stellte er sich vor ›ich habe die Besichtigung dieser Örtlichkeit vorzunehmen.‹

Mit einem Blick auf die Türe, die Fenster meinte er achselzuckend:

›Vor allem müssen Eisengitter her.‹

Das sei eine Kleinigkeit, erklärte ich, wir hätten einen Schmied in der Werkstatt, der etwas Solides herstellen könne. Dann richtete er Fragen an mich. Man habe ihn zwar herausgeschickt, um das ›Objekt‹ an Ort und Stelle anzuschauen, aber ihn nur recht mangelhaft informiert. Ich zog daher die Formulare des Agenten von damals heraus, die ich aufbewahrt und sehr genau studiert hatte. Vorderhand interessierte uns Feuer und Einbruch. Was das Feuer betraf, so sei unser Büro zwar eine wertlose Bude, aber immerhin der Aufbewahrungsort unserer Karteien, Akten und Listen, was ich großartig unsere Buchhaltung nannte. Außerdem liege auch oft Geld im Schrank.

›Namhafte Beträge?‹

›Das hängt davon ab.‹

Man müßte ihm auf jeden Fall eine Höchstgrenze nennen, gleichgültig, wieviel tatsächlich aufbewahrt wurde:

›Unser Risiko muß zu jedem Tag und zu jeder Stunde das gleiche sein; nur auf dieser Basis können wir eine Garantie bieten.‹

›Dann ist der Wert des Maximums als Grundlage zu nehmen.‹

›Allerdings, schließlich könnten ja einmal die gesamten Lohngelder verschwinden.‹

Dann fragte er mich, ob schon einmal eingebrochen worden sei, ob wir einen Einbruch befürchteten. Ich verneinte mit Nachdruck.

Ich konnte natürlich nicht die Bedingungen festlegen oder die Police unterschreiben, das war Sache der Zentrale in Briançon; offensichtlich hing aber alles von meinen Angaben ab. Ich mußte mit meinem Willen, meiner Überredungskunst so auf diesen Mann einwirken, daß er unten von meinen Chefs genau das verlangte, was ich wünschte. Außerdem wollte ich mir selbst meine eigenen Fähigkeiten beweisen; es schien mir, als sei meine Zukunft, wie ich sie mir zurechtgelegt hatte, ganz allein von diesem Erfolg abhängig; als bedeute ein Fehlschlag das Scheitern aller meiner Aussichten und Hoffnungen. Heute weiß ich, daß ich die Partie trotzdem nicht verspielt hätte.

Er begab sich also mit meinen ›Instruktionen‹, wie ich es nennen möchte, hinunter ins Tal. Ich hatte meine Wünsche so abgefaßt, daß er sie nicht nur vorschlagen, sondern daß er auch obsiegen mußte. Alle Unterlagen hatte ich ihm in die Hand gegeben, die er brauchte, um sich durchzusetzen, selbst die Klausel, die am weitesten hergeholt schien, die Klausel, die ich meine Schutzklausel nennen möchte: Im Fall eines Einbruchs sollte jede Person, ob nun Arbeiter oder leitender Angestellter des Bergwerks, der es gelang, den Betrag wiederaufzutreiben und sicherzustellen, ein Viertel der gestohlenen Summe als Belohnung erhalten. Später habe ich gehört, daß dem Ingenieur gerade diese Klausel überaus gefiel; gewiß war er überzeugt, sich im Ernstfall mit Hilfe seiner geschulten Belegschaft als glänzender Sherlock Holmes erweisen zu können. Acht Tage später war alles abgesprochen, die Verträge unterzeichnet, die Fenstergitter von dem Agenten überprüft, ich brauchte nur mehr einzugreifen.

Tôtier mochte noch so lautstark seine Unschuld beteuern, ich hatte mehrere Male bemerkt, daß er Dinge einsteckte, die seine Kameraden liegenließen, und ich wußte, daß er gerne stahl, das Laster war ihm angeboren. Von Anfang an hatte er sich in einer Beschützerrolle mir gegenüber gefallen, und es war nicht schwer, ihn unter dem Vorwand, die in der Werkstatt hergestellten Gitter zu befestigen, ins Büro mitzunehmen. Es war Samstagabend, die Löhne waren ausbezahlt, Tôtier wartete auf mich, denn er wohnte in Saint-Véran und hatte den gleichen Weg. Wir unterhielten uns über das Sicherheitsschloß, das jetzt an der Schranktür prangte. Ich bemerkte achselzuckend:

›Das alles hat keinen Sinn. Schau mal, die Stange braucht nur nicht ganz hinuntergedrückt zu sein, und schon kann sie jeder mit dem kleinsten Stück Draht hinaufschieben. Dann stößt man einfach den Fensterflügel auf, spaziert gemütlich herein ins Büro zum Schrank...‹

›Ja, aber den Schrank muß man aufsperren!‹

›Ein Kinderspiel! Das Schloß hat einen flachen Schlüssel, ein Wachsabdruck genügt.‹

›Aber den Schlüssel hast du in deiner Tasche.‹

›Natürlich!‹ Und hastig, als bedaure ich meine Redseligkeit, fügte ich hinzu: ›Ich sage es auch nur dir, weil ich weiß, daß ich dir vertrauen kann.‹

›Da hast du wohl recht, mein Bursche. Ich mit meiner Vergangenheit... Mich könnten sie ja ins Bagno schicken, in die Verbannung...‹

Wir lachten beide und sprachen nicht mehr über die Sache. Einmal aber, als ich ohne Rock vom Arbeitsplatz zur Lohnverrechnung gegangen war, fand ich meinen Schlüsselbund später in einer anderen Seitentasche.

Und Tôtier war es, dem ich meinen Rock anvertraut hatte.

Ich fürchtete nur eines, daß er in seiner Dummheit zu bald ans Werk ging, an einem Tag nämlich, an dem nichts oder fast nichts im Schrank war. Ein Diebstahl von sechs- oder achttausend Francs hätte mir nichts eingebracht. Aber ich hatte alles genau berechnet. Ostern stand vor der Tür, und ich wußte, daß Tuporc und der Ingenieur unten bleiben und erst nach zwei Wochen wiederkommen würden; da sie jetzt versichert waren, lag ihnen nichts daran, vierzehn Tage lang einen hohen Betrag oben zu lassen. So brachte mir Tuporc vor dem Palmsonntag die Lohngelder für zwei Wochen, das waren rund sechzigtausend Francs. Ein Viertel davon bedeutete für mich mehr als ein Vermögen: *mein* Vermögen. Ich war fest entschlossen, es mir zu verschaffen, um welchen Preis immer, denn, das war meine tiefste Überzeugung, mein Leben war ebensoviel wert wie das eines anderen. Zahlte ich die Löhne pünktlich am Samstag aus, dann verlor ich die Hälfte der erhofften Summe. Auch das hatte ich bedacht.

Tuporc übergab mir in Eile das Geld; er wollte schnell hinunter, denn er gewann einen halben Tag, wenn er den Ein-Uhr-Zug nach Briançon erreichte. Ich half ihm nach besten Kräften; die Listen und Quittungen waren vorbereitet. Er nahm das Paket, rief mir, schon auf der Schwelle, ein ›Auf Wiedersehen!‹ zu und entfernte sich im Laufschritt. Ich setzte mich zu meiner Kasse und begann mit der gewohnten Samstagarbeit.

Ich wartete eine Weile, dann, als ich den alten Blanchy aus einem Schacht herauskommen sah, stieß ich das Fenster neben meinem Tisch auf und rief laut nach ihm.

Er lief herbei, kam ins Büro. Ich preßte beide Hände auf meinen Bauch und tat, als müßte ich schreien und beherrsche mich nur mit größter Mühe.

›Was hast du denn, Bürschchen?‹

›Der Bauch . . . oh, mein Bauch . . . !‹

›Eine Kolik?‹

›Nein, nein . . .‹, jammerte ich wimmernd, wie ich es von der alten Ciabrière in ihren letzten Stunden gehört hatte.

›Es wird vorübergehen‹, tröstete der Alte.

›Nein, nein . . . Ich glaube, es ist der Blinddarm. Ich muß hinunter ins Spital . . . sofort operiert werden. Auf jeden Fall brauche ich einen Arzt, einen Arzt . . . einen Arzt . . .‹, stammelte ich.

Er stand ratlos da, ich aber spielte meine Komödie weiter.

›Hier kannst du nicht bleiben‹, sagte er. ›Schaffst du es bis nach Hause?‹

Ich mußte wirklich das Büro verlassen, wenn mein Plan gelingen und alles einen durchaus glaubwürdigen Anschein haben sollte.

›Nein‹, ächzte ich, ›ich glaube nicht, daß ich es zustande bringe. Und dann, die Löhne sind auszuzahlen . . .‹

›Die Löhne, natürlich!‹ rief er. ›Guter Gott, bringst du das zusammen?‹

›Ich glaub' nicht . . . ah, der Bauch! Da müßte ich ja bis abends hier sitzen.‹

Ich erhob mich mühsam, biß mir in die Lippen.

›Ins Bett . . . ich muß ins Bett . . .‹

Blanchy rief durch das Fenster einen Arbeiter her:

›He, Favier, dem Jungen ist schlecht. Im Bauch. Er sagt, der Blinddarm. Wir bringen ihn nach Hause.‹

›Und der Lohn?‹ fragte der Mann.

›Ganz einfach‹, sagte ich ächzend, ›Blanchy wird jedem Kumpel fünfzig Francs Vorschuß geben, gegen eine Bestätigung – das Lohnbuch mit den Abschnitten ist da – und am Montag kriegt ihr den Rest, entweder von mir, wenn's mir besser geht, oder, wenn ich operiert werden muß, von Tuporc oder einem Vertreter aus Briançon.‹

›Da wird meine Alte maulen‹, sagte der Kumpel.

›Wenn's aber nicht anders möglich ist‹, meinte Blanchy.

›Helft mir‹, bat ich. ›Da ist das Lohnbuch mit den Abschnitten, und da sind dreitausend Francs Vorschuß. Ich übergebe es euch beiden, unterschreibt es.‹

Sie unterschrieben, ich nahm das Geld, die Lohntüten und gab alles in die Kasse.

›Dort hinein in den Schrank‹. Mit gewaltsam zitternden Fingern griff ich in meine Tasche, übergab Blanchy den Schlüsselbund: ›Gut absperren, Monsieur Blanchy. So. Und jetzt die Gitter hinaufschieben. Sehr gut. Bitte helfen Sie mir.‹

Wir gingen hinaus, ich spielte meine Rolle, und die beiden Männer trösteten mich mitleidig:

›Reg dich nicht auf, Junge. Es wird schon nichts sein. Wir melden es dem Werkmeister, der unten ist. Sobald du im Bett liegst, geht's vorüber. Wir verständigen den Doktor.‹

›Es muß gehen‹, stöhnte ich. ›Schließt gut ab. Gebt mir den Schlüssel, danke.‹ Mühsam versuchte ich die ersten Schritte. ›Ihr braucht nicht beide mitzukommen. Monsieur Blanchy genügt.‹

Er führte mich also nach Closis, und ich stützte mich auf seinen Arm. Ich zog mich aus, während er einheizte; trotz der nahen Ostern war es noch kalt. Dann lief er um den Arzt, denn ich jammerte noch ärger. Gegen vier Uhr erschien der Doktor, Blanchy war mittlerweile zu seiner Arbeitsstätte zurückgekehrt.

Der Doktor besuchte mich bei den Ciabrière. Der Ofen rauchte, und ich hatte gebeten, im Bett der verstorbenen Tochter liegen zu dürfen, weil ich krank war.

Ich stellte mich schlafend, als er kam, und rieb mir die Augen, während er mir seine Fragen stellte.

›Ich habe geschlafen‹, sagte ich, und jetzt tut's nicht mehr so weh. Ich war ganz schwach vor Schmerzen. Ah, Herr Doktor, es ist schrecklich gewesen, wie Messer im Bauch. Da, auf der rechten Seite‹ (ich hatte in der Schule gelernt, wo sich der Blinddarm befindet).

Er griff die Stelle ab, schüttelte den Kopf:

›Es kann eine Reizung, vielleicht auch etwas anderes gewesen sein. Bleib jedenfalls im Bett, wir werden sehen, wie die Sache morgen ausschaut. Vorsicht beim Essen, möglichst wenig . . .‹

›Gewiß‹, nickte die jüngere Tochter Ciabrière, die keineswegs die Absicht hatte, mich zu mästen.

Ich blieb im Bett, und sonntags besuchte mich Blanchy mit seiner Frau. Ich erklärte, keine Schmerzen mehr zu haben, doch fühle ich mich noch sehr schwach.

›Morgen stehe ich auf‹, erklärte ich, als sie gingen.

›Das glaub' ich‹, bestätigte der alte Ciabrière.

›Trotzdem möchte ich Sie bitten, mich abzuholen, Monsieur Blanchy; es ist ja kein Umweg für Sie.‹

›Aber gern, mein Junge‹, versprach er.

Montag früh erschien er, und ich war bereit.

›Es geht mir viel besser‹, sagte ich, ›ich bin vielleicht noch nicht ganz fest auf den Beinen, aber das schadet nichts, denn ich sitze heute sowieso den ganzen Tag wegen der Rechnungsarbeiten im Büro; ich muß den Samstag nachholen.‹

Zu zweit wanderten wir den Berg hinunter.

Der aufregende Moment war da: War alles so geschehen, wie ich es berechnet hatte? Ich war meiner Sache ganz sicher, um so mehr, als Tôtier am Freitag recht ungeschickt das Gespräch darauf gebracht und von mir erfahren hatte, daß ich die Löhne für zwei Wochen in der Kassette verwahrte. Ein Wink des Himmels für ihn: doppelte Beute! Er hatte eingebrochen, bestimmt. Nun mußte der Einbruch entdeckt werden, und nur ich konnte ihn entdecken. Ich geriet aber unfehlbar selbst in Verdacht, wenn ich die Kasse ohne Zeugen öffnete. Deshalb stützte ich mich ein paar Meter vor dem Ziel schwerer auf den Arm Blanchys und ließ mich humpelnd von ihm bis zum Büro geleiten. In seinem Beisein steckte ich den Schlüssel ins Schloß, und ehe er sich noch einen Meter entfernt hatte, schrie ich:

›Monsieur Blanchy, kommen Sie! Das Fenstergitter . . .!‹

›Was?‹ fragte er und kam zurück.

›Schauen Sie doch! Hinaufgeschoben!‹

Ich ging zum Schrank, sperrte auf:

›Die Kasse! Um Gottes willen!‹

›He?!‹

›Sie ist weg.‹

IV

Nun entwickelte sich alles haargenau so, wie ich es errechnet und vorausgesehen hatte. Blanchy entdeckte den Diebstahl gleichzeitig mit mir. Es setzte riesige Aufregung, die Neuigkeit schlug wie eine Bombe ein. Um acht Uhr zwanzig drängten sich sämtliche Arbeiter vor dem Büro. Um drei Uhr nachmittags erschien der Ingenieur, an seiner Seite Tuporc mit zwei Gendarmen. Sie versperrten die Türe und unterzogen mich einem Verhör. Blanchy war mein Kronzeuge, und er schilderte alles, was er wußte: meine plötzlichen Magenkrämpfe, den Besuch des Arztes, die Vorsichtsmaßnahmen, die ich in seiner Gegenwart ergriffen hatte; wie ich das Geld eingeschlossen, die Fenstergitter hinuntergeschoben, die Türe doppelt versperrt habe. Man war sich einig darüber, daß der Einbrecher durch das Fenster eingestiegen war – die hinaufgezogenen Gitter bewiesen es –, aber man konnte sich nicht erklären, wie er den Schrank geöffnet hatte.

Ich als einziger besaß den Schlüssel, und deshalb nahmen sie mich wieder vor. Aber ich hatte alles genau bedacht. Am Samstag konnte ich nicht zum Bergwerk zurückgekommen sein, man hätte mich gesehen, da gearbeitet wurde. Und es war leicht zu beweisen, daß ich am Feierabend bei den Ciabrière geschlafen hatte. Ein Gendarm wanderte hinauf, überprüfte meine Angaben und bestätigte sie. Die Kammer der Tochter Ciabrière hatte kein Fenster, und wenn ich des Nachts oder im Lauf des Sonntags fortgeschlichen wäre, dann hätte ich das große Zimmer durchqueren müssen, in dem der seit zehn Jahren gelähmte älteste Sohn Ciabrière lag, er hätte es um so sicherer verraten, als er mich niemals hatte leiden können. Meine Unschuld war also bewiesen, aber damit war das Rätsel nicht gelöst.

Es bestand keinerlei Grund, Tôtier mehr als einen anderen zu verdächtigen, es sei denn wegen seines Vorlebens. Der Tag neigte sich, und die Polizei hatte nichts herausgebracht. Die Stimmung des nächsten Tages war gedrückt, und die wiederaufgenommene Arbeit hinderte die Zungen nicht, sich eifrigst zu betätigen. Ich sah den Versicherungsagenten recht übel gelaunt heraufkommen.

›Verstehst du, auch wenn ich nichts dafür kann, werde ich es ausbaden müssen. Ich verliere mein Geschäft. Hast du gar keine Idee? Denk an die Prämie.‹

›Würde ich sie denn wirklich kriegen?‹

›Von uns aus jedenfalls gern‹, sagte er.

Das wußte ich genau. Aber der Zeitpunkt war noch nicht gekommen. Eine Woche verging, und man brachte mir das Geld zur Auszahlung der Löhne. Tuporc verteilte es. Ich hingegen erhielt einen Brief der Direktion. Ich müsse einsehen, daß man mir auf Grund der Vorfälle nicht länger einen so verantwortungsvollen Posten anvertrauen könne, ich solle mir anderswo Arbeit suchen.

Das hatte ich erwartet, aber ich machte mir nichts daraus. Ich erhielt meine letzte, dünne Lohntüte und holte Tôtier auf der Straße ein. Eine Weile trottete ich schweigend neben ihm, dann sagte ich:

›Aus mit dem gemeinsamen Weg. Sie haben mich hinausgeschmissen.‹

›Guter Gott!‹ rief er nur. Vor meiner Hütte aber, als er mir die Hand reichen wollte, ergriff ich sie nicht:

›Komm herein, ich muß mit dir sprechen‹, sagte ich.

Er folgte mir. Ich zündete die Lampe an – jetzt besaß ich eine –, dann ging ich zur Tür zurück, verschloß sie. Er schaute mir wortlos zu:

›Tôtier‹, erklärte ich, ›ich weiß alles.‹

›Was alles?‹

Ich schilderte ihm den Hergang des Einbruchs genau so, wie er sich abgespielt hatte, ich konnte ihn mir leicht vorstellen. Er versuchte zu leugnen, brauste auf:

›Ich! Wieso gerade ich . . .! Man verschickt mich doch . . .‹

›Hör zu, ich will dich nicht anzeigen, für mich ist die Geschichte vorbei, sie haben mich auf die Straße gesetzt und stellen mich nicht mehr ein. Du aber riskierst deine Haut. Sie verdächtigen dich, und ich will dich warnen, deshalb spreche ich mit dir. Der Gendarm hat's mir gesagt. Sie packen dich im Moment, wo du glaubst, daß die Sache schon eingeschlafen ist, und das erste Geld ausgibst. Denn, das muß ich dir verraten, sie haben es zwar wohlweislich verschwiegen, aber sie kennen die Nummern der Banknoten, das weiß ich. Die Bank hat sie notiert und ihnen durchgegeben. Also kannst du mit dem Geld nichts anfangen.‹

›Teufel!‹ murmelte er.

›Wirklich, es ist so.‹

Er stieß einen Fluch aus, der allein schon ein Geständnis war.

›Ich, dein Kamerad, rate dir: Schau, daß du die Pinke wegkriegst.‹

›Aber wohin damit?‹

›Nicht eingraben, da finden sie's, und du kannst durch die Finger schauen. Am besten ist die Aigue, das Forellenloch. Das ist tief, du kennst doch den Strudel. Dort sucht es niemand. Auf jeden Fall muß das Geld samt der Kasse verschwinden, und schnell. Heute noch, bevor sie dich beschatten.‹

Er rannte davon. Das Geld brannte ihm in den Fingern, er wollte es auf schnellstem Weg loshaben. Und sicher versteckte er es genau dort, wo ich ihm geraten hatte.

Als es soweit war – ›Erledigt!‹ hatte Tôtier auf meine Frage geantwortet –, suchte ich den Gendarmen auf:

›Herr Gendarm, ich weiß, wo das Geld versteckt ist.‹

›So? Hm – und wo denn?‹ meinte er ungläubig.

Ich erzählte ihm, daß mir gestern abend ein Mann aufgefallen sei, der vor mir den Weg zur Aigue eingeschlagen habe. Ich war ihm nachgegangen. Es war Tôtier. Er trug ein Paket in Größe und Form der Kasse unter dem Arm, die ich ja gut kannte, und ich hatte sogar im Mondlicht etwas metallisch aufblitzen gesehen. Der Gegenstand war ins Forellenloch geworfen worden, ich hatte den Aufprall gehört, und der Mann – in dem ich jetzt ganz genau Tôtier erkannte – war eilends davongelaufen. Ich bat, das Loch zu durchsuchen, um sich von der Wahrheit meiner Aussage zu überzeugen, und dann, wenn das Geld wirklich dort war, Tôtier zu verhören, ohne ihm zu sagen, wer ihn entdeckt hatte. Ich ließ es mir sogar schriftlich geben, ich dachte an die Prämie und wollte nicht, daß sie den Gendarmen in die Hände fiel.

Den Gendarmen war es eine leichte Sache. Sie verhörten Tôtier, der sich nach meiner Warnung in Sicherheit glaubte und sie anfangs sehr von oben herab behandelte. Unsicher wurde er erst, als man das Forellenloch erwähnte. Ich wußte, warum ich dem Mann geraten hatte, die Kasse dort zu versenken: Das Loch war so tief, daß ein Gegenstand, der hereinfiel, liegenblieb, ohne von der Strömung herausgeholt und fortgetragen zu werden. Tôtier war überzeugt, daß man ihn gesehen hatte, und gestand, daß er wirklich des Abends zum Wildbach gegangen war. Warum? Ach, um spazierenzugehen, was weiter! Hatte er nichts ins Wasser geworfen? Bestimmt nicht! Was hatte er denn fortschaffen sollen? Das wollen wir eben wissen, erklärte der Polizist.
Er stellte eine Gruppe Freiwilliger zusammen, die sich mit Haken, Netzen, an Stangen gebundenen Rechen bewehrten und zwei Stunden lang in dem Bach herumstocherten. Eben als man es aufgeben wollte, verfing sich ein metallisch schimmernder Gegenstand in dem Netz. Tôtier, der zuschaute, brach zusammen:
›Ja, ich bin's gewesen‹, stammelte er.
Dann gestand er alles, wie er den Abdruck des Schlüssels verfertigt hatte, während ich ihm meinen Rock überließ, wie er die äußere Gitterstange aufgehoben und dadurch das Fenster geöffnet und wie er schließlich die Kasse aus dem Schrank geholt hatte. Mit einem Wort, die Sache war haargenau so durchgeführt worden, wie ich sie ihm eingegeben hatte, und das machte mich unbeschreiblich glücklich.
Tôtier wurde verhaftet, ohne daß er jemals erfuhr, wer der Anzeiger war, während mir nichts anderes mehr zu tun blieb, als mit meiner von der Gendarmerie bestätigten Erklärung die Prämie einzukassieren. Es ging nicht ganz reibungslos vonstatten, denn meine Arbeitgeber in Briançon schlugen mir nichts Geringeres vor, als wieder bei

ihnen einzutreten und dafür auf meine Belohnung zu verzichten. Es wurde auch erwogen, den Betrag in der Bank einzuzahlen und ihn mir erst bei erreichter Großjährigkeit auszufolgen; ich war ja noch minderjährig. Aber schließlich setzte ich alles durch, wie ich es wünschte, und gelangte zu meinem Recht. Ich kehrte mit dem Geld in der Tasche nicht nach Closis zurück. Später habe ich die Mine gekauft. Ein Spaß, den ich mir leistete.

Schauen Sie mich gut an, Angèle. Aus solchen Anfängen hat sich meine Laufbahn entwickelt. Daraus ist Mehlen geworden. Ich habe Ihnen alles gestanden, ich suchte nichts zu beschönigen, nichts zu entschuldigen. Es gibt ja auch keine Entschuldigung. Alles wurde nach meinen festen Plänen, mit meinem unbeugsamen Willen durchgeführt. Vielleicht finden Sie manches schändlich, aber letzten Endes habe ich nur nach dem Gesetz der natürlichen Auslese gehandelt, das für die Menschen ebenso gilt wie für die Kreatur.

Sie schweigen, und ich merke wohl, daß Sie mir nicht ganz zustimmen. Das verlange ich auch gar nicht. Sie können nicht über Ihren eigenen Schatten springen. Sie stammen aus einer anderen Welt als ich, und Sie waren niemals vor solche Entscheidungen gestellt, zu solchen Wegen und Kniffen gezwungen wie ich, um dem Elend zu entrinnen.

Damit also begann ich: mit diesen fünfzehntausend Francs. Ohne dieses Geld wäre ich nichts gewesen und hätte Sie niemals kennengelernt. Ich spreche von der Vergangenheit, weil sie, so wie sie war, Ihnen gehört, Angèle, wie Ihnen alles andere gehört, das Beste und das Schlechteste, nicht nur das Künftige, auch das Gewesene. Sagen Sie jetzt nichts, bitte. Sie wissen noch nicht alles. Sie müssen mich bis zu Ende anhören.«

Er seufzte tief, beugte sich zu der Champagnerflasche, die sich im Eimer beschlagen hatte, und schenkte die beiden Gläser voll. Ohne Angèle auch nur zuzunicken, leerte er seines zur Hälfte, als müsse er aus diesem Pokal Mut und Kraft schöpfen. Dann erst sprach er weiter:

»In meiner Einfalt hatte ich angenommen, daß die Welt in Briançon begann und in Briançon endete. Um ein Haar wäre ich dort geblieben, so fest glaubte ich, daß diese Stadt mit ihren dreitausend Einwohnern alles besaß, was die Welt zu bieten habe. Ich versuchte meine ersten Schritte: Sie waren nicht gerade von Glück begünstigt. Ich mietete mich zuerst ganz billig bei einer alten Frau ein, um die Summe, die mein Reisegeld und zugleich mein Betriebskapital war, möglichst lange zu bewahren. Ich machte mir keine Illusionen, und trotz meiner großen Jugend war mir klar, daß ein Betrag, der einem als Vermögen erscheint, sehr bald zerrinnen kann. Da ich niemals Geld besessen hatte, war mir der Sinn dafür angeboren, ebenso wie der Sinn für den wahren Wert der Dinge.

Ich hatte nicht die geringste Vorstellung, was ich tun wollte. Ich wollte mich durchsetzen, Erfolg haben, das war alles. Erst suchte ich mir alles zurechtzulegen, verschiedenes ging mir durch den Kopf, aber ich konnte mich zu nichts entschließen. Bis ich durch Zufall einen Freund gewann, zumindest hielt ich ihn für einen Freund.

Ich lernte Vitard in einem kleinen Restaurant kennen, wo ich manchmal mein Menü aß. Es war eine recht obskure und billige Kneipe, mit Marmortischen; nach jeder sechsten Mahlzeit gab es eine frische Serviette. Ich sah Vitard mehrere Male, ohne daß wir miteinander ins Gespräch kamen. Damals machte ich meine ersten Geschäfte.

Einige Zeit vorher nämlich war ein alter, schlecht rasierter Mann in dieses Lokal gekommen und ächzend auf die Bank gesunken. Er stellte einen schäbigen Koffer zwischen seine Beine, und nach einiger Zeit redete er mich an:

›He, Bürschchen ... möchtest du dir ein paar Sous verdienen?‹

›Was soll ich tun?‹

›Ansichtskarten verkaufen.‹

›Das ist keine Hexerei.‹

›Glaubst du?‹

Er holte mich an seinen Tisch, zahlte mir ein Dessert und einen Kaffee, und als wir fast allein waren – die anderen Gäste waren zur Arbeit gegangen –, ließ er Einzelheiten hören:

›Hm ... ich kann nämlich nicht überall zugleich sein. Ich, ich arbeite oben bei der Burg. Die Einheimischen sprech' ich natürlich nicht an, aber dort wimmelt's von Touristen. Doch während ich oben bei der Festung bin, versäume ich die Leute unten beim Bahnhof ... und verliere eine Menge. Du stellst dich beim Bahnhof auf ...‹

Er holte die Päckchen aus seiner Rocktasche heraus. Es waren Aufnahmen von der Stadt, man sah Panoramen, man sah die Festungsruinen, auch Bilder aus der Umgebung. Dann, weiter unten, lagen Fotos von Damen in Skianzügen, neckisch lächelnd, an Geländer gelehnt oder lachend durch den Schnee watend. Diese Fotos wirkten sehr reizvoll, sehr ›künstlerisch‹.

›Ich könnte dir fünf Sous für die verkaufte Karte geben.‹ Er hüstelte: ›Es sind auch welche dabei, für die würdest du mehr kriegen ...‹

Wie ein Taschenspieler zauberte er unter den Postkarten ein anderes Päckchen hervor, Bilder, an denen mir beim ersten Anblick gar nichts auffiel. Dann nahm er eines in seine Hand mit den schwarzen Fingernägeln und hielt es gegen das Licht, und hinter dem durchscheinenden Papier hob sich eine Szene von so obszöner Eindeutigkeit ab, daß ich bis über die Ohren errötete, obwohl ich durch die von den Männern aufgeschnappten Gespräche schon einigermaßen abgebrüht war. Er flüsterte:

›Für die bekommst du zwanzig per Stück. Und man verkauft oft ein halbes Dutzend auf einmal davon. In der Reisesaison kannst du dir leicht bis zu hundert Francs am Tag verdienen. Wie ich dir schon gesagt habe, gibt es viele Touristen hier. Jetzt haben wir Mai, und sie tröpfeln bereits herein. Der Bahnhof ist ein guter Platz; die Männer, die du bei der Ankunft verpaßt, holst du dir bei der Abfahrt. Und dann die Soldaten, die Gymnasiasten... sie haben nicht viel Geld, aber sie geben's aus, um vor ihren Kameraden zu protzen.‹

Ich zögerte mit der Antwort. Der Job als solcher widerte mich nicht gerade an, aber ich fürchtete die Gefahr, die damit verbunden war. Hundert Francs am Tag! Davon konnte man bequem leben, sich umschauen, abwarten. Ich wollte ein ganz vernünftiger Junge sein und sagte: ›Einverstanden.‹ Schließlich war es noch immer möglich auszuspringen, wenn ich merkte, daß die Geschäfte nicht gingen oder die Risiken zu groß wurden. Der Gauner hatte mir nicht verraten, daß er von der Polizei gesucht wurde und ich an seiner Stelle arbeiten sollte.

Somit sagte ich ja und begann am gleichen Tag.

Anfangs war ich entsetzlich verlegen, aber sehr bald, nachdem ich gemerkt hatte, wie die kleinen alten Herren und die jungen unternehmungslustigen Burschen beim Anblick der durchscheinenden Fotos grinsten und schmunzelten, fühlte ich mich völlig wohl bei meiner Beschäftigung.

Das ging eine Weile so, und der Alte rieb sich die Hände. Ich begann ziemlich spät am Vormittag, beim Zug von zehn Uhr fünfzig, und wirklich, ich setzte meine Ware recht ordentlich ab. Es war nicht schwierig, man mußte nur den Richtigen anreden. Ich verdiente nicht hundert Francs am Tag, aber manchmal siebzig, und das war nicht schlecht.

Freilich, das war nur eine Tätigkeit während der Wartezeit. Ich hatte eine Menge Ideen für die Zukunft, konnte mich jedoch nicht recht entschließen, ich wartete erst einmal ab. Sobald der Zug um acht Uhr dreiundzwanzig pfeifend aus dem Bahnhof fuhr, traf ich den Alten im Gasthaus, und wir rechneten ab. Er zahlte genau, was mir zukam. Er selbst arbeitete nicht mehr. Er hatte mir eingeprägt: ›Wenn dich einmal ein Flic ausfragt, woher du die Karten hast, dann kennst du mich nicht. Du bist ein Jugendlicher, dir kann nichts passieren. Du sagst nur, daß du sie von einem Mann kriegst, der alle Monate herkommt und von dem du sie bar kaufst. Sie werden dir eine Standpauke halten, aber dich laufenlassen, und nachdem du den Lieferanten nicht kennst ...‹

Er log, der alte Gauner: Ich erfuhr erst später, daß man mich ohneweiters in eine Besserungsanstalt hätte stecken können. Das Übrige entsprach der Wahrheit: Allmonatlich erschien ein Mann aus Lyon mit Nachschub, und der Alte hütete sich wohl, mich mit ihm zusammenzubringen. Es wäre mir bestimmt auch niemals eingefallen, ihn ausfindig zu machen, wenn mein ›Boß‹ nicht eines Abends, als er leicht beduselt war, geplaudert hätte. Kurz, ich, der ich arbeitete und der Gefahr ausgesetzt war, verdiente einen Franc, während er — ich rechnete es mir schnell aus — vier- bis fünfmal mehr einstrich: zwei- bis dreihundert Francs täglich. Das empörte mich genauso, als hätte er mir den Betrag gestohlen.

Ich sagte ihm natürlich nichts. Ich beobachtete ihn nur, als der Vorrat zu Ende ging. Eines Tages erklärte er: ›Jetzt brauchen wir den Lieferanten, sonst stehen wir ohne Ware da.‹ Und wirklich, achtundvierzig Stunden später war er hier.

Der Alte wußte von seiner Ankunft, denn ich sah, wie er einen Herrn begrüßte, während ich ihm in gehörigem Abstand in der aus dem Bahnhof strömenden Menge folgte, und wie die beiden dann in das Café de la République eintraten. Das genügte mir: Ich hatte mir gemerkt, wie der Fremde aussah: ein langer Hagerer mit grünlichem Teint, er trug einen Überzieher von gleicher Farbe wie sein Gesicht, einen Mantel mit großen, vollgestopften Taschen, in denen ein Haufen ›Ware‹ stecken mußte — so nannten wir unsere Karten. Ferner trug er auch eine Aktentasche, die ebenfalls gefüllt schien, sie enthielt augenscheinlich das Geld. Ich kehrte zum Bahnhof zurück und wartete dort auf ihn.

Meiner Berechnung nach mußte er mit dem Zug um fünf Uhr zwanzig zurückfahren. Um fünf Uhr zehn war er da, in der Avenue, und strebte dem Bahnhof zu. Ich sprach ihn an, zauberte meine durchsichtigen Fotos heraus, er wollte mich wegschieben, ich aber blieb ihm auf den Fersen: ›Freilich brauchen Sie keine‹, sagte ich, ›weil Sie selbst genug davon haben!‹

›Was fällt dir ein, du Rotzbub!‹

›Hören Sie, ich bin im Bild — das merken Sie doch? Der Alte liefert mir die Karten, aber ich hab' keine Lust mehr, für ihn zu verkaufen, damit er den Gewinn einstreicht. Ich möchte Ihnen etwas vorschlagen.‹

›Schau, daß du weiterkommst!‹

Ich packte den Ärmel seines scheußlichen, fettglänzenden Überziehers, auf dem der Schmutz aller Waggons dritter Klasse klebte, in denen er reiste.

›Ich verkaufe Ihnen Ihre Karten um sieben Francs das Stück‹, erklärte ich.

›Hau ab!‹

›Acht.‹

›Du würdest auch zahlen?‹

›Ja, unter der Bedingung, daß Sie mir allein liefern. Ich muß sicher sein, das Monopol zu haben, wie die Zeitungen sagen. Der Alte verkauft keine einzige Karte selbst, ich mache alles, ich hab' die Schnauze voll, und außerdem ist es verboten. Er hat Angst und verschanzt sich hinter mir. Wenn ich ihn fallenlasse, nimmt er Ihnen nichts mehr ab, er wird von der Polizei gesucht.‹

›Ich kann mich auf dich verlassen?‹

›Wenn etwas passiert: Ich kenne Sie nicht. Im übrigen, wenn ich auch mit Ihnen gesprochen habe, ich weiß wirklich nicht, wer Sie sind.‹

Das schien ihm einzuleuchten, und wir wurden handelseinig. Er hatte dem Alten nur wenig ›Ware‹ mitgebracht, da er den Großteil in Grenoble abgesetzt hatte, aber er kam in vierzehn Tagen wieder, bis dahin war unser Vorrat verbraucht. Er würde den Zug gar nicht verlassen und mir das Paket aus der Waggontür herausreichen. Ich aber würde das Geld bereithalten.

›Aber‹ – er stutzte plötzlich – ›das ist ein hoher Betrag!‹

›Keine Sorge, ich habe ihn.‹

›Hast du wen umgebracht?‹ spottete er.

›Solange es nicht Sie sind ...‹

Es verschlug ihm die Rede. Vierzehn Tage später war er da. Am selben Abend teilte ich dem Alten mit, daß ich nicht mehr für ihn arbeite.

Er war wütend, er wollte, daß ich weitermache. Er wurde laut, und ich sah, daß ein Mann am Nebentisch, den ich später als Vitard kennenlernte, die Ohren spitzte. Am nächsten Tag saß er wieder in dem Wirtshaus, als der Alte hereinplatzte und mich mit Schimpfwörtern überschüttete:

›Du Dreckfink, du Rotzbub, du hast mich begaunert! Von mir hast du das Geschäft gelernt, und jetzt läßt du mich sitzen ... Ich hab' dich gesehen: Wo hast du dir das Zeug verschafft, wenn wir gestern blank waren? Der Lieferant war sicher da, du hast ihn ausspioniert und selbst die Ware genommen! Und woher hast du das Geld? Gestohlen natürlich!‹

›Geld habe ich genug‹, erklärte ich.

›Geld von anderen!‹

›Ich habe Geld, und Geld, das mir gehört. Viel sogar, wenn Sie's wissen wollen ... und mir allein gehört es.‹

›Das möchte ich sehen!‹

Ich steckte ihm meinen Bankausweis unter die Nase. Er starrte ihn an.

›Fünfzehntausend Francs‹, erklärte ich und schlug auf das Papier. ›Und schauen Sie sich das Datum an: Bevor ich Sie kennengelernt habe.‹

Er fluchte, stand auf, schlug krachend die Tür hinter sich zu und murmelte etwas wie: ›Wir werden schon sehen – so einfach geht das nicht...‹

Vitard rutschte auf der Bank bis zu mir her:

›Fein hast du's ihm gegeben! Erlaubst du, daß ich dir einen Fine für den Ärger zahle? Mir sind solche Typen widerlich!‹

V

Von diesem Tag an war Vitard mein Freund. Ein großer Bursche, stark wie ein Bär, dessen Gliedmaßen, Arme, Beine, mit denen er nichts anzufangen wußte, rebellisch wie sein Haar schienen, das nach seinen Worten immer ›widerborstig‹ war. Er war zwanzig Jahre alt und hatte alles gesehen. Er wußte alles. Und er lebte wie ein Mann, rauchte Pfeife, lief den Mädeln nach und soff wie ein Loch. Wir leerten drei Gläser Schnaps an jenem Abend, und ich durfte nicht zahlen. Ich fühlte mich völlig glücklich. Wir saßen in dem Lokal, bis uns der Wirt wegen der Sperrstunde hinauswies, und alles, was er mir erzählte, schien mir wunderbar wie ein Märchen.

›Was treibst du da schon? In einem solchen Kaff kann man nichts anfangen. Da schau dir die großen Städte an ... und dabei gibt's nur eine einzige: Paris. Ich halte mich notgedrungen hier auf, aber ich haue ab, sobald sich eine Gelegenheit ergibt, glaub mir, ich verschimmle nicht in diesem Drecksnest! Ein heller Kopf wie du sollte seine Zeit nicht in so einem Hasenstall vertrauern ... und sich auch nicht mit Schwarzhändlern von schweinischen Karten abgeben ... Bestimmt, man verdient dabei, aber man kann auch verlieren ... Wenn sie dich erwischen, dann bist du reif für die Kinderbewahranstalt – weißt du, was das ist? Das Heim für Schwererziehbare! Und wie lange? – bis du großjährig bist! Wo das Leben so schön ist, du weißt ja noch gar nicht, wie schön!‹

Er, er wußte es. Er erzählte, erzählte. Paris, Oper, Bastille ... und die Place Pigalle und die Denkmäler und die Wagen, die Autos, das Theater, die Cafés, die Dancings ... und die Mädchen und die Taschen voll Geld, weißt du, wieviel Mecs es in Paris gibt? Fünf Millionen – stell dir das vor! Da kannst du dir denken, daß es zu verdienen gibt!‹

Und während er redete, bemühte ich mich, mir alles vorzustellen, was er beschrieb, und vor allem zerbrach ich mir damals schon den Kopf über die Möglichkeiten, die sich dort ergeben mußten. Was hatte ich wirklich in diesem Provinznest verloren? Ich war wie berauscht, ich schwankte fast, als wir aufstanden. Er nahm mich unter den Arm wie seinesgleichen, wie einen Freund, trotz des Altersunterschiedes, und mir schwoll das Herz vor Freude.

›Wo wohnst du, Mélane?‹ Ich hatte ihm meinen Namen gesagt.

›Möbliert. Und du?‹

›Ich ... einmal da, einmal dort ... Im Augenblick bin ich ziemlich parterre.‹

›Hast du kein Geld mehr?‹

›Blank, mein Lieber! Aber ich krieg' wieder eines. Ich warte nur auf einen Brief, und dann schwimme ich wieder in Moneten.‹

Er ließ sich über diesen Brief nicht näher aus, und ich wagte nicht, ihn danach zu fragen.

›Findest du es nicht eigentlich blöd, daß wir zwei Mieten zahlen, wo wir befreundet sind? Mich kostet das momentan elf Francs täglich in dem Loch, und wozu? Hast du Platz bei dir? Dann könnten wir teilen?‹

›Du hast doch kein Geld mehr?‹

›Heute – aber du wirst Augen machen, wenn die Sache anläuft! Hör zu ...‹, er drückte meinen Arm fester, ›so machen wir's: Ich geh' in mein Hotel, packe meinen Kram, du stellst dich unter mein Fenster und fängst ihn auf. Ich wohne im Zweiten, ich lass' dir den Koffer an einem Strick herunter. Fällt mir gar nicht ein, den Zinsgeier zu zahlen, noch dazu, wo ich ihm vierzehn Tage schuldig bin.‹

Eigentlich gefiel mir diese Geschichte nicht, und ich spürte schon eine schwere Hand auf meiner Schulter, während ich da unten heimlich seinen Koffer in Empfang nahm. Ich spielte nur auf Nummer Sicher, und für Gewinne, die sich lohnten. Aber Vitard war Vitard, und er hatte bereits an jenem ersten Tag so viel Einfluß auf mich gewonnen, daß ich ihm einfach gehorchen mußte.

Gesagt, getan, wenn auch mit einigen Hindernissen. Da der Hausherr den flüchtigen Mieter erwischte, mußte sich Vitard mit den Fäusten den Weg ins Freie bahnen, während eine keifende Alte auf den Koffer losfuhr, den ich festhielt, und mir in unserm Handgemenge büschelweise das Haar ausriß. Wir brachten uns bei meiner Wirtin in Sicherheit; auf dem Heimweg kaufte Vitard noch mit seinem letzten Geld ein Glas Bier.

Nun verbrachte ich herrliche Tage. Ohne meinen Eifer und meinen Ehrgeiz hätte ich die ganze Arbeit sein lassen, nur um ihm zuzuhören. Aber ich zwang mich wegzugehen, während Vitard bis zu Mittag in dem Eisenbett liegenblieb oder bis zum Abend durch die Straßen flanierte. Trotzdem fragte ich ihn nach einer Woche, in der ich alles gezahlt hatte, was mit seinem Brief sei, den er erwarte? Das könne nicht mehr lange dauern, antwortete er. Und richtig, kaum waren drei Tage verflossen, da erschien er triumphierend mit einem Kuvert in der Hand, als er mich vom Bahnhof abholen kam; er habe es poste restante erhalten, was schließlich wahr sein mochte, denn er hatte ihn sich selbst geschrieben. Es handle sich, sagte der Briefschreiber – dessen Unterschrift unleserlich war und den Vitard den ›Algerier‹ nannte –, um ein geradezu märchenhaftes Geschäft, dessen Details er schriftlich natürlich nicht niederlegen könne, das aber einen sofortigen gigantischen Gewinn abwerfen würde. Vitard müsse allerdings persönlich nach Paris kommen: ›Du übernimmst die Droge und brauchst sie nur dem Bewußten weitergeben und hast dein Kapital verfünffacht‹, las ich in dem Brief.

›Wann reisen wir?‹ fragte Vitard.

Es traf mich wie ein Blitzschlag, geblendet schloß ich die Augen, ich taumelte. Aber mit eiserner Kraft beherrschte ich mich:

›Das ist eine Geldfrage.‹

›Du hast es doch! Stell dir nur vor; was du mit fünfzehn Mille herzaubern kannst!‹

›Ich habe keine fünfzehn Mille mehr‹, entgegnete ich, ›du weißt, was ich für uns beide ausgegeben habe.‹

›Och, du hast bestimmt noch gut deine zwölf bis vierzehn Mille…‹

›Zehn‹, korrigierte ich. Mein Instinkt riet mir zu lügen.

›Auch zehn Mille ist noch immer sehr schön.‹

Er nahm meinen Arm und redete auf mich ein. Und alles, was er versprach, zog an meinen geistigen Augen vorüber, die Bedenken verblaßten vor seiner Überredungskunst. Ich kämpfte lange mit mir, aber als er abschließend drängte: ›Paris, versteh doch, Paris… Panama‹, da sagte ich ja.

Wir beschlossen, gleich am nächsten Tag abzureisen. Die wenigen Karten, die ich noch übrig hatte, konnte ich in Paris ebensogut und mit weniger Risiko verkaufen.

Niemals werde ich den Augenblick vergessen, als wir in den Waggon stiegen und sich der Zug in Bewegung setzte. Es wurde finster, mit gewaltigen, keuchenden Stößen bahnte sich die Lokomotive den Weg durch die Nacht. Vitard schnarchte bald, die anderen Reisenden ebenfalls. Ich, ich schloß kein Auge.

Am Morgen fuhren wir zwischen den Steilmauern schwarzer Hauswände in Paris ein. Mit unwiderstehlicher Gewalt zog es mich zu etwas Geheimnisvollem, das ich seit jeher unbewußt gesucht hatte und neben dem alles andere verblaßte. Glauben Sie mir: Wie ein Triumphator betrat ich den Pariser Boden.

›Du hast doch dein Geld bei dir?‹ lauteten die ersten Worte Vitards in der neuen Umgebung.

Freilich hatte ich es, ich brauchte nicht nachzusehen. Zehnmal in der Nacht und eben vorhin noch hatte ich meine Tasche abgetastet. Er ging zum Ausgang und gab die von mir gezahlten Karten ab. In der Halle erklärte er:

›Siehst du dort das Bistro an der Ecke? Setz dich hinein und trink einen Kaffee, ich bin in einer Stunde zurück. Jetzt gib mir deine Pinke, damit ich die Ware besorge.‹

›Ich begleite dich.‹

›Nein, das ist nicht möglich; wenn wir zu zweit auftauchen, geben sie nichts heraus. Im übrigen ist es unnötig, daß wir uns beide der Gefahr aussetzen. Also, gib her.‹

Ich holte die Banknoten aus meiner Tasche.

›Da – fünf Mille.‹

›Zehn Mille‹, verbesserte er. ›Hast du am Ende nicht alles abgehoben. Großer Gott! Ich hab' dir doch gesagt, du sollst alles herausnehmen!‹

›Ich hab' aber nur die Hälfte herausgenommen. Ich werfe nicht alle Eier in einen einzigen Korb. Versuchen wir das Geschäft zuerst mit fünftausend. Wenn es gelingt, lass' ich die anderen fünftausend nach Paris überweisen.‹

›Aber du Idiot, dann ist es zu spät!‹

›Kann man nichts machen. So will ich es, und so geschieht es.‹

›Ist dir nicht klar, was ich dadurch verliere?‹

›Ich bleibe dabei‹, erklärte ich eigensinnig.

›Aber gestern vor der Bank hab' ich dich doch ersucht . . .‹

›Wozu hätte ich dir sagen sollen, daß ich nur fünftausend behebe? Du hättest mir so lange in den Ohren gelegen, bis ich nachgegeben hätte, und das wollte ich eben vermeiden.‹

›Na schön. Gib her.‹

›In einer Stunde also.‹

Ich sah ihn niemals wieder, und das kostete mich fünftausend Francs.

Aber ich war ihm nicht wirklich böse, das brachte ich einfach nicht über mich, ich verdankte ihm zuviel, und sei es, hier in Paris zu sein, wohin ich niemals ohne ihn gekommen wäre.

Wovon ich eigentlich lebte in dieser ersten Zeit? Wozu soll ich es Ihnen sagen. Sie können sich's denken. Irgendwie brachte ich mich durch, ich wartete meine Stunde ab, und ich lernte. Die gewaltige Erschütterung, die mir die erste Berührung mit der Metropole bereitet hatte, verebbte; ich gewöhnte mich an sie. Mein Geld blieb in der Bank liegen, und ich verdiente, was ich brauchte. Es war oft schwierig, aber selbst in den schlimmsten Augenblicken fiel mir nicht ein, das anzugreifen, was ich ›mein Kapital‹ nannte. Alles war mühsam in diesen Jahren, es ging nur zäh weiter, und es kostete viel Überwindung, der Versuchung zu widerstehen, die in Reichweite lockte. Ich plagte mich, ich schuftete, ich handelte, aber ich vermied mehr und mehr die Risken. Ich wußte, daß ich noch nicht bereit war, ich bildete mich, ich schliff mich glatt. Allmählich wurde mir die Tatsache bewußt, daß ich eben doch noch ein Kind war, und zwar ein Kind mit sehr beschränkten Mitteln: Ich hatte auf den Rat eines Angestellten meiner Bank auf der Börse Kautschukaktien genommen und zweitausend Francs verloren; ich schwor, daß mir das nie wieder passieren würde. Später erkannte ich, daß man auf der Börse nur auf Grund eigener Berechnungen und nie nach fremden Tips spielen darf.

Das versuchte ich zum erstenmal mit neunzehn Jahren, und auch da zauderte ich noch lange. Es war mir peinlich, wegen meiner Minderjährigkeit zu gewissen Machenschaften gezwungen zu sein. Ich will nicht auf Einzelheiten eingehen und Ihnen nicht schildern, durch welchen komplizierten, gefährlichen Mechanismus, der mir zwei Monate lang den Schlaf raubte, es mir gelang, aus den verbliebenen siebentausend Francs – die sich durch Ersparnisse um weitere fünftausend vermehrt hatten – schließlich siebenundvierzigtausend zu machen; mein unbestrittenes, ordnungsgemäß auf der Bank hinterlegtes Eigentum nach Ängsten, Aufregungen und Wagnissen sonder Zahl. Damals trat ich bei einem Börsenmakler ein, rannte aus freien Stücken von der Rue Saint-Marc, wo sich das Büro befand, zur Börse; ich kümmerte mich um alles, machte eine Lehrzeit auf dem Geldmarkt durch, in der ich alles hörte, alles sah und nichts vergaß und unzählige fiktive Kombinationen ausarbeitete, die manchmal gelangen, manchmal in nichts zerplatzten; ich studierte sie, kritisierte sie, bildete mir meine Meinung, aber nur in meinen vier Wänden, ohne daß es jemand ahnte, denn ich blieb absichtlich im Schatten; ich wollte neutral und farblos sein, was mir mein Äußeres und meine kleine

Gestalt erleichterten. Aber schon damals besaß ich eine erstaunliche Menschenkenntnis und durchschaute die Leute mit unfehlbarer Sicherheit, konnte ihren Erfolg oder ihr Scheitern voraussagen; ich witterte den Geruch des Todes und wußte, wo die Gräber waren; und dies um so mehr, als ich selbst unauffällig blieb.

In den Augen der anderen war ich ein Nichts; ich selbst aber kannte meinen Wert. Ich sage das ohne Überheblichkeit, es war wirklich so. Alles, was ich geschaffen habe, was ich war, habe ich bewußt gewollt und die Quintessenz meines Verstandes dazu verwandt. Ich sage nicht, daß es genügt hat, denn ich habe trotzdem immer wieder etwas übersehen, und es gab nicht nur Triumphe und Siege; aber nichts läßt sich ohne unbeugsamen Willen erreichen, und ich für meine Person mußte das Vergehen sühnen, das in den Augen unserer Gesellschaft unverzeihlich ist: das Vergehen, ohne Geld geboren zu sein.

Als ich alles gelernt und verdaut hatte, was sich bei der Klientel meines Maklers begab, kündigte ich und trat bei einem anderen ein, was ersteren höchlichst wunderte, denn das Gehalt war das gleiche. Mir aber war klar, daß mir ein Chef, der mich als blutigen Anfänger aufgenommen hatte, niemals einen höheren Posten anvertrauen würde. Dort hatte ich niemals versucht, mich hervorzuheben. Bei meinem neuen Chef spielte ich die andere Tour: Ich gab ihm zwei oder drei Tips – todsichere Coups –, die ihn aufhorchen ließen. Eines Abends, knapp vor Geschäftsschluß, erlaubte ich mir, ohne Auftrag fix Wertpapiere zu kaufen – ich kannte den Verkäufer und wußte, warum er verkaufte; er war ein Kunde meines ehemaligen Büros, dessen Geschäfte ich auch später verfolgte. Mein neuer Chef ließ mich zu sich rufen und wusch mir den Kopf: Ein Halbwüchsiger erlaubte sich, noch dazu mit fremdem Geld, aus eigenen Stücken Geschäfte zu machen! Was würde der Kunde sagen? Und wie würde die Sache ausgehen? Wenn es fehlging, wovon er überzeugt war, dann konnte ich meinen Kram zusammenpacken und verschwinden, womit freilich der Schaden nicht getilgt wäre.

Ich ließ ihn ruhig ausreden und griff dann in meine Tasche. Ich zog mein Scheckbuch heraus. Er sah mich verdutzt an, während ich meine Worte sorgsam abwog:

›Monsieur Bulaton‹, sagte ich und reichte ihm das Buch, ›Ihrer Meinung nach habe ich einen Betrag von vierzigtausend Francs aufs Spiel gesetzt. Hier ist er. Bewahren Sie ihn bis zur abgelaufenen Frist, es ist die Deckung für meinen Leichtsinn, wie Sie meine Handlungsweise zu nennen belieben.‹

›Was soll das!‹ fuhr er mich mit rotem Kopf an, ›du verdienst fünfzehnhundert Francs monatlich bei mir und willst vierzigtausend auf dem Konto haben? Dein Scheck ist nicht gedeckt!‹

›Rufen Sie die Bank an‹, sagte ich und reichte ihm den Hörer seines Telefons.

›Aber warum hast du dann nicht auf eigene Rechnung gespielt?‹

›Weil ich Ihr Angestellter bin und Sie mich vor die Tür setzen, wenn Sie erfahren, daß ich spiele. Und ich mag nicht spielen, Monsieur Bulaton.‹

›Verdammter Lausekerl‹, murrte er, faltete den Schein und verwahrte ihn in seiner Lade. ›Ich rufe die Bank an, und wenn du wirklich so viel Geld hast, dann behalte ich es hier bis zur Fälligkeit . . .‹

›Darum eben möchte ich Sie bitten, Monsieur Bulaton.‹

Am Fälligkeitstag gab er ihn mir zurück: Sein Klient hatte den Einsatz verdoppelt. Drei Tage später fragte mich Monsieur Bulaton – oh, nur aus simpler Neugier! – nach meiner Meinung in einer Ölsache. Nach weiteren sechs Monaten, nachdem ich beim Militär für untauglich erklärt worden war, stellte er mich als seinen Sekretär an.

Immer wieder gab ich ihm entscheidende und gewinnbringende Tips – was riskierte ich schon? –, niemals aber spielte ich für mich. Es fielen natürlich trotzdem Brosamen für mich ab, mit denen ich meine siebenundvierzigtausend Francs aufbesserte. Gewiß, es gab immer wieder interessante Geschäfte, bei denen ich mich gern beteiligt hätte, aber die siebenundvierzigtausend genügten nicht dazu. Ich stand knapp vor der Erreichung meines einundzwanzigsten Jahres, und diesen Termin hatte ich mir als Beginn selbständiger Tätigkeit gesetzt. Dazu brauchte ich allerdings ein beträchtliches Betriebskapital, und ich wußte noch nicht, wie ich es mir verschaffen sollte. Da aber bot sich eine Gelegenheit: Es war die Affäre der Adjudikation.

Ich hatte jetzt ständig mit den Kunden zu tun, ich kannte sie alle, mit denen der Chef persönlich verhandelte. Während sie auf ihn warteten, unterhielten sie sich mit mir.

Eines Nachmittags, nach Börsenschluß, erschien Monsieur Delaperrière. Ich hatte ihn schon mehrere Male in der Kanzlei gesehen, ich hielt ihn für einen klugen und manchmal sogar übervorsichtigen Klienten, obwohl er zuweilen plötzliche Risken auf sich nahm, wie es Leute tun, die sichere Informationsquellen besitzen.

Kaum zwanzig Minuten saß er da – Monsieur Bulaton war in seinem Büro und nicht zu sprechen –, als er halblaut vor sich hin zu schimpfen begann:

›Zu blöd . . . wirklich zu blöd . . .‹

›Was ist blöd?‹ fragte ich, ebenfalls mit gedämpfter Stimme zurück.

›Ich verpasse dieses Geschäft. Und doch ist noch sechs Monate Zeit bis dahin... die Adjudikation des Auftrages findet erst im Dezember statt.‹ Wir waren im Mai.

›Ah, erst so spät?‹

›Haben Sie gedacht, schon früher?‹

›Nein, nein, aber in sechs Monaten kann man sich doch umschauen.‹

›Ich brauche nämlich dreihunderttausend Francs.‹

›Das ist viel.‹

Ich kannte Monsieur Delaperrière. Außer etlichen, stets limitierten Geschäften mit uns führte er ein Unternehmen für öffentliche Arbeiten, das ihm einiges aufzulösen gab.

›Monsieur Bulaton borgt Ihnen bestimmt das Geld, wenn Sie ihm die nötigen Sicherheiten bieten.‹

›Sie wissen selbst, daß ich meine Papiere wieder verkauft habe. Ich brauche flüssiges Geld und die Differenz dazu... O Gott, und es wäre ein so schöner Auftrag!‹

›Worum handelt es sich eigentlich?‹ fragte ich vorsichtig.

›Um einen Auftrag der Pariser Stadtverwaltung. Ich kenne den Mann, an den ich mich wenden muß, um ihn zugesprochen zu bekommen, aber ich habe am ersten Dezember dreihunderttausend Francs bar zu hinterlegen. Eine Million würde man dabei verdienen!‹

›Bulaton oder Sie?‹

›Beide zusammen.‹

Monsieur Bulaton ließ sich niemals in solche Spekulationen ein, das war mir bekannt. Er behauptete in diesen Fällen, nichts davon zu verstehen, und lehnte sie grundsätzlich ab, auch wenn ein noch so hoher Gewinn winkte. Nachdem mir jedoch Monsieur Delaperrière die Einzelheiten dargelegt hatte, begriff ich, daß man nicht das geringste Risiko lief. Eine Klausel des Vertrages gestattete nämlich die sofortige Abtretung des Auftrags an einen Dritten – er zeigte mir das Dokument –, und das hatte Monsieur Delaperrière vor, er wollte sich nur seine Provision auszahlen lassen. Jetzt aber brauchte er Geld, das war alles.

›Hören Sie, Monsieur Delaperrière‹, erklärte ich nach einigem Überlegen, ›wenn Sie persönlich mit meinem Chef sprechen, dann lehnt er ab. Wollen Sie, daß ich mich einschalte?‹

›Aber gern. Auf Sie hört er. Und Sie wissen, mein Junge, daß ich zu den Menschen gehöre, die sich erkenntlich zeigen, wenn man ihnen gefällig war!‹

›Oh, Monsieur Delaperrière...!‹ wehrte ich in gespielter Bescheidenheit ab.

Er wurde noch etwas deutlicher, was auf mich Eindruck zu machen schien, und wir drückten uns die Hand. Tags darauf rief ich ihn an und bat ihn um ein Rendezvous um sieben Uhr im Grand Café de la Bourse. Er war früher dort als ich. Ich erschien mit gedrückter Miene.

›Er will nicht!‹ rief er sofort.

Ich mußte gestehen, daß Monsieur Bulaton nicht wollte. Um die Wahrheit zu sagen: Ich hatte gar nicht mit ihm geredet. Tiefe Niedergeschlagenheit malte sich auf dem Gesicht des Mannes, dessen Korrektheit außer Zweifel stand.

›Teufel‹, murrte er, ›dann weiß ich wirklich nicht ...‹

›Aber ich weiß‹, erklärte ich in gänzlich verändertem Tonfall. Er schaute erstaunt auf. ›Sie kennen mich nur oberflächlich, Monsieur Delaperrière‹, fuhr ich fort, ›glauben Sie mir, wenn ich auch noch sehr jung bin, so habe ich doch schon allerhand Geschäfte zu einem glücklichen Ende gebracht, mir sind einige Coups geglückt, und so konnte ich mir ein eigenes Vermögen in gewisser Höhe schaffen. Ich habe hunderttausend Francs flüssig und disponibel. Meine Bank kann es Ihnen bestätigen. Würden Sie die mit Monsieur Bulaton geplante Abmachung auch mit mir treffen, wenn ich Ihnen versichere, Ihnen zum angegebenen Termin die dreihunderttausend Francs zur Verfügung zu stellen?‹

Er zögerte nur kurz:

›Warum nicht?‹ sagte er nach einer Weile.

›Unter den gleichen Bedingungen?‹

›Den gleichen wie für jeden anderen. Und für Sie bestimmt lieber als für jeden anderen, weil Sie das Anfangskapital beistellen können.‹

›Topp‹, sagte ich. ›Aber ich will an allem teilhaben, überall aufscheinen, auf dem Vertrag, in den Akten, und zwar sofort.‹

Er schien eine Minute zu überlegen. Für mich ging's um Biegen oder Brechen.

Ich wußte übrigens noch keineswegs, wie ich mir die fehlenden zweihunderttausend Francs verschaffen sollte, aber ich würde mich lieber umbringen als wortbrüchig werden – das gelobte ich mir selbst in diesem Augenblick.

Endlich raffte er sich auf:

›Schließlich besteht kein Grund, einem Partner, der mir die Garantien gibt, diese Bedingungen zu verweigern.‹

›Sofortige Garantien‹, sagte ich und zog mein Scheckbuch heraus. Er schob es zurück:

›Ich hole erst Erkundigungen ein, wie Sie es selbst wünschen. Natürlich nicht bei Monsieur Bulaton! Ist alles in Ordnung, dann schließen wir das Geschäft Fünfzig zu Fünfzig ab, der fehlende Betrag muß meiner Bank spätestens am zwanzigsten November überwiesen werden. Im gegenteiligen Fall behalte ich mir die vorgestreckten Hun-

derttausend als Entgelt für meine Vorarbeiten und als Entschädigung
für den erlittenen Kreditverlust meiner Firma.‹
›Einverstanden‹, sagte ich, und zum zweitenmal schüttelten wir uns
die Hände.
Alles geschah, wie besprochen, und ich muß anerkennen, daß sich
Monsieur Delaperrière äußerst anständig benahm. Er ließ mir einen
Vertrag nach unseren Vereinbarungen ausstellen, und dieser Vertrag
wurde mit dem Namen MEHLEN gezeichnet (ich hatte bis jetzt noch
nicht meine Dokumente aus Saint-Véran kommen lassen, und nun
war keine Zeit mehr dazu). Was lag schon daran, da mich jedermann
Mélane nannte und mein Partner, zweifellos veranlaßt durch meine
Begabung in Geldangelegenheiten, diesen Namen zugleich klang-
voller – wie einem Finanzmann angemessen – gestaltete? Ich wollte
ihn nicht enttäuschen. Von diesem Tag an war ich Mehlen, und als
ich meinen ersten Paß brauchte, verschaffte ihn mir Monsieur Delaperrière persönlich – er hatte Bekannte auf der Präfektur –, und der
Paß wurde auf diesen Namen ausgestellt – auf diesen Namen, der
mir viel mehr gehört als der frühere, nicht wahr, liebe Freundin? Der
andere war schließlich nur der Name meiner Mutter und stellte niemanden dar.«

VI

»Ich hatte kein Geld, aber ich hatte sechs Monate Zeit, es aufzutreiben«, fuhr Mehlen fort. »Meine hunderttausend Francs lagen noch
unter meinem Namen auf meinem Konto in der Bank, Monsieur Delaperrière besaß nur die Ermächtigung, sie am dreißigsten November
zu beheben, wenn ich meine Verpflichtung nicht einhielt. Ich wußte
noch nicht, wie ich die Sache anpacken sollte. Es hieß schnell handeln und einen Plan ausarbeiten. Ich gestand mir selbst acht Tage
Zeit zu. Das genügte mir.
Am folgenden Samstag – die Börse war samstags geschlossen – ließ
ich mich in einer Fahrschule bei der Porte Maillot einschreiben. Zwei
Gründe bewogen mich dazu: Erstens wünschte ich nichts sehnlicher,
als ein Auto lenken zu können, und zweitens war es unbedingt nötig
für den Coup, den ich beabsichtigte. Ich nahm die Sache sehr ernst,
um so mehr, als ich in Zeitnot war. Jeden Morgen vor meinem Büro
ging ich hin, in weniger als einem Monat hatte ich den Führerschein
in der Tasche. Später war ich zu beschäftigt und zu abgelenkt, um
selbst zu fahren, deshalb nahm ich einen Chauffeur.
Ebenfalls an einem Samstag ging ich an die Ausführung meines
Plans; ich mußte allerdings eine Woche verstreichen lassen. Nach dem

Mittagessen fuhr ich, den Führerschein in der Tasche, mit der Metro zur Porte Vincennes. Ich kam um drei Uhr an, schlenderte durch die Straßen und besichtigte die Gebrauchtwagen, die dort in verschiedenen Geschäften ausgestellt waren. Es gab drei solcher Firmen, deren Besitzer bei ihrer Schau frisch lackierter, frisierter, verjüngter alter Karren auf Kunden warteten. Ich trat in die erste ein.

Ich trug meinen besten Anzug, den ich mir zwei Monate zuvor hatte schneidern lassen und in dem ich sehr distinguiert wirkte. Ich warf noch einen schnellen Blick in den Spiegel des Bonbonladens bei der Station und war mit meiner Erscheinung – grauer Filzhut, Handschuhe, Rohrstock, von einem Kollegen geborgt – recht zufrieden.

Man zeigte mir zehn Wagen, ich rümpfte die Nase, keiner gefiel mir. Ich wollte einen Okkasionswagen, ja, aber keine vorsintflutliche Karosse. Wahrscheinlich gab es so was gar nicht, aber ich war auch bereit, einiges auszugeben.

›Wieviel?‹ fragte der Mann.

›Mein Gott‹ – ich zuckte die Schultern –, ›bis sechzig-, siebzigtausend könnte ich leicht gehen.‹ Es verschlug ihm den Atem. Einen solchen Kunden ließ man nicht laufen. ›Darf ich telefonieren?‹ fragte er.

›Bitte.‹ Er ließ die Tür des Büros offen, und ich hörte ihn mit einem Kollegen sprechen.

›Alfred, ich hab' einen Kunden für dich . . ., einen Kunden für deinen Handley-Page. Er will etwas Großes, Schweres. Und er hat Peseten . . . Ich schicke ihn dir, laß ihn nicht aus. Du kannst bis siebzigtausend gehen . . . und klarerweise zehn Prozent für mich . . .‹

Lächelnd kam er zurück:

›Ich habe mit einem Kollegen geredet, auf gut Glück . . . Er hat gerade, was Sie wünschen. Eine einmalige Gelegenheit, verläßlich. Sie gehen die Avenue rechts weiter und biegen bei der zweiten Straße ein . . . Dort ist die Garage de l'Est. Ich begleite Sie nicht, ich kann am Samstag mein Geschäft nicht allein lassen, aber glauben Sie mir, schließen Sie ab, Sie werden sich die Finger lecken. Ich selbst bin an der Sache völlig desinteressiert, wie Sie sehen; ich bedaure sehr, nichts Passendes für Sie zu haben.‹

Ich dankte ihm bewegt und bemerkte, wie er mir nachsah, um sich zu vergewissern, daß ich in die richtige Straße einbog.

Alfred erwartete mich beim Eingang seiner Garage. Mit einer tiefen Verbeugung begrüßte er mich:

›Hier, Monsieur, wenn ich bitten darf.‹

Schweigend schritt ich vor ihm, während er sich zu Erklärungen verpflichtet fühlte:

›Ferment, mein Kollege Ferment, hat mich angerufen und mir gesagt, was Sie suchen ... Ich beschreibe Ihnen den Wagen nicht, Sie werden sich selbst überzeugen. Ein Wagen, der in Amerika katalogmäßig seine hundertzehntausend wert ist. Schauen Sie bitte, da ist er ...‹

Ja, da stand er, hinten in der Garage, ein schöner Wagen, cremefarben, solid und breit, gut eineinhalb Tonnen schwer. Trotz der leichten Staubschicht wirkte er kaum gefahren und vertrauenerweckend; eine Limousine, die leicht ihre dreißig Liter pro hundert Kilometer fraß. Mit achtzigtausend, wie er mir einreden wollte, war sie sichtlich überzahlt, aber siebenundsechzigtausend, wie wir uns einigten, waren angemessen, wobei er immerhin berücksichtigen mußte, daß sich solche Straßenkreuzer nicht alle Tage verkaufen.

›Einverstanden‹, sagte ich endlich. ›Ich finde ihn zwar sehr teuer, aber da ich ihn heute brauche, nehme ich ihn.‹

›Heute! Das wird sich aber kaum ausgehen!‹

›Entweder – oder‹, erklärte ich. ›Ich kaufe den Wagen, weil ich sofort verreisen muß. Im übrigen zahle ich bar.‹

›Wenn Sie das Geld haben ...‹, begann er und verbesserte sich schnell: ›Aber die Zulassungskarte ... es ist Samstag ...‹

›Gleichgültig‹, gab ich zurück, ›ich habe einen Freund in der Präfektur‹ – es war der Mann, der mir auf Ansuchen Monsieur Delaperrières den Paß auf Grund keiner anderen Unterlage als eines mit dem Namen Mehlen unterzeichneten Vertrages ausgestellt hatte –, der erledigt das in einer Viertelstunde. Haben Sie einen Laufburschen?‹

›Emile!‹ rief der Garagist.

Ein aufgeweckter Junge reinsten Pariser Wassers im blauen Overall kam gerannt.

›Emile, zieh deinen Rock an, du mußt rasch zum Boulevard de Palais; ich habe diesem Herrn den Wagen verkauft.‹ Und zu mir: ›Wir schließen inzwischen schnell das Geschäftliche ab; schreiben Sie bitte dem Jungen die Daten auf diesen Zettel. Darf ich Sie in mein Büro bitten?‹

Er hatte es eilig, diese Gelegenheit durfte er auf keinen Fall versäumen!

›Sie zahlen den Betrag sofort?‹

›Sofort‹, nickte ich und zog mein Scheckbuch heraus. Und schon verdüsterte sich seine Miene. Mit dieser Reaktion hatte ich gerechnet.

›Haben Sie denn kein Bargeld?‹ fragte er enttäuscht.

›Glauben Sie, daß ich solche Summen spazierentrage? Ich kann Ihnen zehntausend Francs geben, die ich bei mir habe, und was das übrige betrifft: Es ist drei Uhr fünfunddreißig, wenn sich Ihr Bursche etwas beeilt, ist er vor vier Uhr auf der Bank.‹ Damals hatten die Banken auch an Samstagen offen.

Er kratzte sich hinter dem Ohr. Ich zog meine zehntausend heraus. Dann, in plötzlichem Entschluß:

›Los, Emile, geschwind, du mußt auch auf die Bank dieses Herrn . . .‹

›Wo ist sie?‹

›Auf der Place Victor-Hugo.‹

›Das ist aber weit!‹

›Aber woher‹, widersprach ich, ›direkt mit der Metro zur Etoile, dann eine Station Richtung Dauphine; das ist schneller als ein Taxi.‹

›Er kommt niemals rechtzeitig hin!‹

›Gewiß nicht, wenn er hier herumbrodelt.‹

Ich stellte rasch einen Scheck auf siebenundfünfzigtausend aus und gab ihn dem Jungen:

›Fünfzig Francs für dich, wenn es gelingt.‹

Wir sahen ihm nach, wie er Hals über Kopf davonrannte.

›Da steht's dafür zu laufen‹, sagte ich kühl.

Ich wußte, was ich tat. Die Sache war bis ins kleinste ausgeklügelt. Dreimal hatte ich die Fahrt selbst gemacht, um zu wissen, ob sich alles programmgemäß gestalten konnte. Wir setzten uns also ins Büro, besprachen die Einzelheiten, füllten den Tank mit Benzin – das ich sofort beglich –, der Garagist ließ den Motor laufen, übergab mir das ›Objekt‹. Um halb sechs kam Emile völlig außer Atem zurück, während das Auto schon draußen am Gehsteig wartete und ich mich nochmals überzeugt hatte, daß es ein recht präsentabler Wagen war.

›Da ist die Zulassungskarte‹, keuchte er, ›das ist glattgegangen. Sie könnten uns den Leuten dort ein bißchen empfehlen . . . ist mir gleich aufgefallen, daß Sie in dem Laden eine sehr angesehene Persönlichkeit sind. Den Scheck . . .‹

›Nun?‹ fragte der Chef.

›Das Gitter der Bank ist gerade heruntergelassen worden. Sie wollten nicht mehr öffnen.‹ Freilich, sie sperrten pünktlich um vier Uhr, eisern. Die noch nicht abgefertigten Kunden verließen das Haus durch einen Nebenausgang.

›Pech‹, meinte ich achselzuckend, und lässig fügte ich hinzu: ›Dann müssen Sie den Scheck eben Montag beheben.‹

Der Mann schien zu zaudern. Gewiß hatten die zehntausend Francs und das Verhalten des Beamten auf der Präfektur seine Bedenken beseitigt. Ein Mann wie ich war kein Betrüger. Und dann, wann fand er wieder einen Käufer für seinen Handley-Page? Was aber mich betraf: Die Bank hätte nur fünf Minuten später sperren oder der Anschluß beim Umsteigen der Metro schneller als gewöhnlich kommen müssen, und meine Sache wäre schiefgegangen. Ich hätte einen empfindlichen, aber, wie Sie sehen werden, nicht unersetzlichen Verlust erlitten und wieder von vorne anfangen müssen.

›Einverstanden‹, sagte der Mann schließlich, ›nehmen Sie den Wagen. Man sieht ja, mit wem man es zu tun hat.‹

Ich setzte mich an den Volant, winkte den beiden nonchalant zu, während sich Emile dank der fünfzig Francs tief verbeugte, nahm, so gut ich konnte, das Hindernis des Bois de Vincennes, wo ich ungefähr eine Viertelstunde herumfuhr. Dann kehrte ich um und brauste schnurstracks in die Stadt zur *Grand Garage Bobillot* in die Straße gleichen Namens zurück, wo auf einem flatternden Leinwandband in Großbuchstaben die Aufschrift: ›Barkauf von Wagen aller Marken in gutem Zustand!‹ prangte, zog einen Bogen und hielt. ›Schauen Sie, ich habe kürzlich diesen Wagen gekauft‹, erklärte ich dem Herrn, der herbeigeeilt war, als ich ausstieg, ›ich mag ihn nicht, und er gefällt mir nicht. Er ist breit und läßt sich schlecht lenken. Und dann, ich habe nachgerechnet, was er braucht; es war eine Dummheit, ihn zu kaufen. Wenn Sie mir einen guten Preis zahlen, lasse ich ihn sofort hier.‹

›Wieviel?‹ fragte er.

›Achtzig.‹

›Vierzig.‹

›Na, hören Sie, das ist die Hälfte!‹

›Anders ausgeschlossen. Der Wagen kann mir ja ein Jahr stehenbleiben.‹

›Nun ja, dann . . . schade, aber ich glaub', ich gebe ihn trotzdem her.‹

›Haben Sie ihn neu gekauft?‹

›Nein, als Gebrauchtwagen.‹

›Wo denn?‹

›Garage de l'Est.‹

›Die kenne ich.‹

Das wußte ich wohl, ich hatte mich vorher erkundigt.

›Haben Sie die Papiere?‹

Ich händigte sie ihm aus.

›Erlauben Sie?‹ Er ließ mich stehen und ging zu dem kleinen verglasten Verschlag, seinem Büro. Ich hörte nicht, was er am Telefon sprach, aber das war nicht nötig, um zu wissen, mit wem er sich unterhielt und was er redete. Er kam gespielt unbefangen, aber etwas blaß zurück, besichtigte den Wagen eingehend, stieg auf den Vordersitz, ließ den Motor laufen, horchte aufmerksam nach dem Motorgeräusch, stieg wieder aus, öffnete die Motorhaube, ging nach hinten und bückte sich, um das Verdeck zu untersuchen. Sichtlich wollte er

386

Zeit gewinnen. Er schob sogar die Garagentür halb zu, was eine Ausfahrt ziemlich erschwert hätte. Und alles geschah wie erwartet: Ein Auto fuhr vor und stoppte mit kreischenden Bremsen. Ferment und Emile sprangen mit zwei Polizisten heraus. Alle vier stürzten in die Garage, umringten mich, und mein Autohändler der *Grand Garage Bobillot* zeigte schreiend auf mich:

›Da ist er! Verhaften Sie ihn!‹

Und schon lagen die Hände der Polizisten auf meinen Schultern. Ferment und Emile überschlugen sich vor Erregung, mein Autohändler übertönte sie noch:

›Ein Dieb! Ein Betrüger! Verhaften Sie ihn, Herr Inspektor!‹

›Er hat mir einen Scheck ohne Deckung gegeben!‹ brüllte der Besitzer der Garage de l'Est.

›Er hat es so gerichtet, daß ich nach Schluß der Bank hinkam!‹ schrie Emile.

›Und er hat geglaubt, daß ich ihm den Wagen sofort bar abkaufe!‹

›Ein klarer Fall‹, stellte der Polizist fest und sah mich an.

Dieser Idiot hielt mich für dümmer, als ich war, für einen kleinen Schwindler. Genau das hatte ich erwartet. Und nun brüllte auch ich los:

›Was! Wie! Ich kaufe einen Wagen und soll nicht das Recht haben, ihn weiterzuverkaufen!‹

›Eine halbe Stunde, nachdem Sie ihn mit einem Scheck gezahlt haben – einem Scheck, der nach Geschäftsschluß der Bank präsentiert wird . . . So dumm sind wir nicht, Ihnen darauf hereinzufallen!‹

›Aber so rufen Sie doch an!‹ schrie ich, ›es ist sicher noch jemand dort!‹

›Ihre Bank‹, erklärte der Polizist, ›Ihre Bank ist erstens geschlossen, und wenn sie sogar bis sechs Uhr offen hätte; schauen Sie gefälligst auf Ihre Uhr, es ist sechs Uhr fünfzehn.‹

Das stimmte, und ich wußte es genau.

›Folgen Sie uns!‹ befahl der Polizist.

›Ich bin Monsieur Mehlen, leitender Angestellter des Börsenmaklers Bulaton. Sie werden es bereuen!‹

›Hoho‹, sagte der Polizist, ›folgen Sie mir, und ohne Widerstand. Die Firma, die Sie angeben, ist ebenfalls geschlossen, und wir fallen Ihnen auf solche Ausreden nicht herein. Erst einmal, wo wohnen Sie?‹

›Möbliert.‹

›Darauf hätte ich geschworen.‹

Trotz meines Protestes luden sie mich in den Wagen. Alle begleiteten mich ins Kommissariat, und alle gaben ihren Senf dazu. Ich schlug mich wacker, wehrte mich nach Kräften und schwor, daß ich meine Verleumder nach Strich und Faden für alle mir erwachsenden Schäden und Nachteile verantwortlich machen würde. Einen unbescholtenen Bürger so schändlich zu verdächtigen, ohne die geringste Veranlassung... Mein Ruf wurde untergraben, vor allem in Börsenkreisen... Nicht nur, daß ich meine Stelle verlieren würde – ich war ohnehin entschlossen zu kündigen –, man verschloß mir auch alle anderen Türen zur Ausübung meines Berufs...

Sie schleppten mich in den Arrest, und dort blieb ich den ganzen Sonntag und einen Teil des Montags, bis der Kommissar gegen halb zwölf mittags geruhte zu erscheinen. Mit eisiger Miene stand ich vor ihm, als man mich schließlich zum Verhör vorführte:

›Herr Kommissar‹, sagte ich, während er über den Bericht: ›Vorsätzlicher Diebstahl mit Hilfe eines ungedeckten Schecks‹ gebückt saß, ›ich protestiere gegen dieses Verfahren. Ich bin ohne Schuldbeweis achtundvierzig Stunden im Arrest festgehalten und grundlos entehrt worden. Sie werden sofort die Bank anrufen und sich nach meinem Konto erkundigen. Sie werden hören, daß mein Scheck voll gedeckt ist. Los, los!‹

›Ich werde erst einmal Ihre Firma anrufen, die Sie Ihr Büro nennen...‹

›Und da haben Sie recht.‹

›Um mich zu versichern, daß Sie wirklich dort angestellt sind, und um mitzuteilen, daß Sie verhaftet worden sind.‹

›Nur schnell, schnell; man erwartet mich seit neun Uhr früh.‹

Gesagt, getan, und da er meinen Chef nicht erreichte, der auf der Börse war, sprach er mit einem Angestellten, der nicht wenig erstaunt war zu erfahren, daß ich wegen Verdacht des Diebstahls und der Prellerei bei der Polizei saß. Der Kommissar musterte mich spöttisch:

›Wirklich, er schaut nicht danach aus.‹

›Die Bank‹, sagte ich kurz, nachdem er abgehängt hatte.

›Stimmt, die Bank... Legen Sie wirklich Wert darauf?‹

›Es wäre das erste, was Sie zu tun hätten, meine ich.‹

Endlich war die Verbindung hergestellt.

›Was... was... sagen Sie da? Das ist nicht möglich! Gedeckt? Wirklich gedeckt? Und noch ein Überschuß? Nicht erst seit gestern... dieser Herr hat seit Jahren ein Konto bei Ihnen gehabt? Immer ein Konto, und Geld... Danke, ich...‹

›So, jetzt sind Sie informiert, Herr Kommissar‹, erklärte ich kühl, als er ablegte. ›Die gegen mich erhobene Anzeige ist also unbegründet. Weiters: Durfte ich den mit einem gedeckten Scheck gekauften Wagen

als mein Eigentum betrachten und nach Gutdünken über ihn verfügen?‹

›Ja ... ja ...‹, stotterte er.

›Ich merkte eben erst, als ich am Volant saß und losfuhr, daß mir der
Wagen nicht paßte.‹

›Aber Sie haben die Hälfte bei dem Verkauf verloren!‹

›Das ist ganz allein meine Sache. Ich suchte die Folgen meiner Vor-
eiligkeit auf diese Weise wenigstens fest zu begrenzen.‹

›Doch der äußere Anschein ...‹

›Das gebe ich zu, aber der Schein hat getrogen, und ich kann nichts
dafür. Ihr Verhalten hat mir beträchtlichen moralischen und finanziellen Schaden verursacht, auf dessen Wiedergutmachung ich bestehen werde, und zwar werde ich sowohl Sie wie die Autohändler
belangen, wenn Sie mir nicht zu meiner vollen Rehabilitierung verhelfen. Ich habe zweifellos meine Stellung verloren und bin in einem
Milieu in Mißkredit geraten, wo der geringste Verdacht einer Unregelmäßigkeit schon alle Türen verschließt. Ich begebe mich direkt
zu meinem Anwalt — denn Sie müssen mich natürlich sofort frei-
lassen —, der die Schadenersatzklage wegen Verleumdung im Streit-
wert von einer Million aufsetzen wird.‹

Er saß vernichtet auf seinem Stuhl, begriff nicht, was ihm widerfahren war, und ich rauschte hinaus. Am nächsten Tag gelang es den
beiden Autohändlern, mich ausfindig zu machen, nachdem sie mich
den ganzen Tag gesucht hatten. Die Klage gegen sie war schon eingebracht. Ich schlug ihnen einen Vergleich vor. Erst lehnten sie ab.
Dann aber, sechs Wochen später, erklärten sie sich — übrigens auf
Anraten des Kommissars — bereit, für die Rückziehung meiner Klage
je einhundertfünfzigtausend Francs zu überweisen. Auf diese Weise
hatte ich das Geld für Monsieur Delaperrière lange vor dem Tag der
Auftragserteilung bereit.«

VII

»Wenn ich an jene Zeit zurückdenke, glaube ich zu träumen. Gewiß,
ich war geschickt gewesen und hatte den erwünschten Erfolg erreicht,
aber alles das war nur ein schüchternes Tasten. Was mich noch
heute an der ganzen Geschichte freut, ist, daß ich dank meines
Scharfsinns, meiner nüchternen Berechnungen ans Ziel gekommen
bin. Später begriff ich noch viel mehr, und der Wert des Individu-
ums fiel bei meinen Aktionen schwerer ins Gewicht. Stets handelte
ich nach fest umrissenen Plänen, und dem verdankte ich meine steil
aufsteigende Karriere.

Ich hatte dreihunderttausend Francs gebraucht, und ich hatte sie erhalten, indem ich auf die Dummheit der Menschen baute. Ich entdeckte sehr bald, außer der Dummheit oder der Borniertheit, eine ganze Reihe anderer Mängel in ihrem Küraß, sei es nun der Ehrgeiz, die Eitelkeit, das Laster oder eine andere der sogenannten ›Hauptsünden‹.

Ich, den man unmenschlich nennt, bin im Gegenteil unendlich menschlicher wegen meiner Menschenkenntnis als viele andere. Ich weiß genau, was ich zuweilen opfern muß, Menschen zum Beispiel, die ich gezwungen bin, von meinem Weg zu entfernen, manchmal auszuschalten, was mir, entgegen der allgemeinen Ansicht, oft sehr leid tut, denn ich bin nicht aus Überzeugung oder Veranlagung grausam, sondern nur um der Ordnung und der Notwendigkeit willen. Wie ich Ihnen gesagt habe: Es gibt die ›Meinen‹. Es sind sehr wenige, ach ja; Leute, denen ich etwas schulde, und ich zahle immer und pünktlich, aber niemals mehr als meine Schuld – und es gibt Sie und mich – und sonst nichts mehr.«

Er schwieg.

Nach einer langen Pause sagte er:

»Sie haben doch sicher Hunger? Es ist spät.«

Ohne zu antworten, nahm Angèle einen Teller – auf dem kleinen fahrbaren Tisch war eine Platte kaltes Fleisch angerichtet –, legte eine Schnitte Schinken und ein Brötchen darauf. Es war ihr plötzlich ein physisches Bedürfnis, sich zu vergewissern, daß sie noch ein lebendes, fühlendes Geschöpf war. Schweigend leerte sie das Glas Champagner, das ihr Mehlen einschenkte. Sie brannte auf die Fortsetzung – weiter, weiter! –, und trotzdem wunderte sie nichts mehr. Sie saß keinem Ungeheuer, keinem unheimlichen, undurchschaubaren, dämonischen Menschen gegenüber, sondern einem Mann, der wie jeder andere war. Mehlen löste sich aus den Wolken, in die er sich sonst hüllte, und das tat er für sie. Vielleicht war er abscheulich und zynisch, aber was bedeutete das schon! Er hörte auf, ein Begriff, eine körperlose Wesenheit zu sein, er gewann Dichte, unter seiner grauen Haut sah sie warmes Blut kreisen.

Auch er aß, in der gleichen gedankenbewegten Stille, die ihnen allein gehörte. Dann stellte er den leeren Teller wieder zurück.

»Ich fahre also fort, aber ich werde manche Einzelheit überspringen. Es wäre mir als Betrug an mir selbst und an Ihnen erschienen, wenn ich Ihnen auch nur das Geringste aus meiner Kindheit und Jugend verschwiegen hätte, und so habe ich alles Wesentliche erzählt. Auch auf dem anderen Gebiet, das man die Welt der Gefühle nennt, will ich kein Geheimnis vor Ihnen haben, aber darüber sprechen wir später. Wie schon angedeutet, hat mir die Verbindung mit Monsieur Delaperrière, die ich zur Erledigung eines bestimmten Geschäfts geschlossen hatte, die Menschen gezeigt, wie sie wirklich waren; anders jedenfalls, als ich sie mir vorgestellt hatte. Und gerade ihr Verhalten, ihre Schwächen, ihr oft unerklärliches Versagen wurden für mich zum Panzer. Es gibt keinen bedeutenden Mann ohne fixe Idee, das begriff ich sehr bald, alle großen Drahtzieher sind so und sind es immer gewesen. Wollte ich in meiner Sphäre Drahtzieher sein, dann mußte ich ihrem Vorbild folgen. Es wurde alles viel leichter, als ich mich dazu entschlossen hatte. In meinem System darf es nicht das geringste Schwanken, die geringste Abweichung, keinen wunden Punkt geben; ein einziger Fehler — behaupte ich heute, da ich ein unerhörtes Gebäude errichtet habe, wo ein Stein den anderen hält —, und es bricht wie ein Kartenhaus zusammen.

Monsieur Delaperrière empfing somit lange vor dem dreißigsten November meinen Besuch und die nötigen dreihunderttausend Francs. Zugleich teilte ich ihm mit, daß ich das Büro Bulatons verlassen hatte und ihm nun völlig zur Verfügung stehe, um ihm bei der Ausführung seiner Sache behilflich zu sein, die ich jetzt auch als die meine ansähe. Er war glücklich. So hatte er also jenen Mehlen zur Seite, für den er sich interessiert, dem er vertraut und dem er seinerseits Dienste — wie die Ausstellung des Passes — erwiesen hatte; einen jungen Mann, dessen Zähigkeit und Spürsinn er bewunderte und den er wörtlich einen ›verstandesmäßigen kühlen Systematiker mit genialen Einfällen‹ nannte. Das mußte er ausnutzen!

Er nutzte es aus. Zuerst etwas zurückhaltend, denn er kannte mich, den Einundzwanzigjährigen, der ihm dreihunderttausend Francs versprochen und verschafft hatte, noch nicht genau; dann immer mehr, weil ich mich einschaltete, eindrang und ihn führte, ohne daß er es merkte. Der Zuschlag des Auftrags der Pariser Stadtverwaltung erfolgte unter schwierigeren Umständen, als Monsieur Delaperrière vorausgesehen hatte; ich darf ohne Eitelkeit behaupten, daß die Sache ohne meine Unterstützung schiefgegangen wäre.

Monsieur Delaperrière hatte beabsichtigt, den Auftrag einem anderen Unternehmer weiterzugeben, der ihn brennend gern in unserem Namen durchgeführt hätte. Es schien mir nicht in Ordnung, daß dieser Mann aus unserer angestrengten Arbeit — wenn sie ihm auch weniger einbrachte als uns — so gewaltigen Nutzen zog. Ich gab es ihm auch zu verstehen, und er begriff sehr gut. Noch besser: Ich gewann ihn zum Bundesgenossen. Die Firma Delaperrière stand zwar auf etwas wackeligen Beinen, aber es war ein altes, vom Vater über-

nommenes Unternehmen mit gutem Ruf und einer seriösen Kund-
schaft. Nach kaum achtzehn Monaten war es meine Firma, und zwar
auf Grund des logischen Ablaufs genau berechneter Ereignisse, deren
Aufzählung Sie langweilen würde. Nur so viel, daß ich das Unternehmen ganz legal mit Hilfe meines neuen Kompagnons erworben
hatte. Wir gründeten gemeinsam zwei Häuser und fuhren nicht
schlecht damit, er zumindest in der ersten Zeit nicht. Meine Aufgabe
bestand darin, die Aufträge zu verschaffen, während er die technische
Ausführung übernahm. In noch kürzerer Zeit als Delaperrière war
Simiant gezwungen abzutreten; entweder zu verschwinden oder
– als kluger Mann wählte er letzteres – mein leitender Angestellter
zu werden. Damit vermied er jedenfalls das Äußerste zum Unterschied von Monsieur Delaperrière, den man eines Morgens mit
durchschnittener Kehle in seiner Badewanne gefunden hatte; wohl
eine unappetitliche Art, aus dem Leben zu scheiden.

Zu dieser Frage möchte ich Ihnen übrigens sagen, daß ich persönlich
den Selbstmord eines zugrunde gerichteten Menschen sehr gut verstehen kann; ich würde in einem solchen Fall ebenso handeln; zumindest würde ich bestimmt den Tod einer echten Schande vorziehen.
Vom Augenblick an, da das Leben seinen wahren Wert, alles das,
was man, zu Recht oder Unrecht, als seinen wahren Wert betrachtet,
eingebüßt hat, fällt das Sterben nicht schwer. Ich habe den Namen
Monsieur de Vibornes seit seinem Tod niemals vor Ihnen ausgesprochen; glauben Sie mir aber, daß ich ihn verstanden habe, daß ich ihn
bewundere, weil er meiner Meinung nach ein Mann war, der wußte,
was er wollte, und der unbekümmert um alles andere seinen Weg zu
Ende ging.

Mein Kompagnon Simiant war nicht dumm. Als er sich zur Kapitu-
lation gezwungen sah, sprachen wir uns klar aus. Er war ein fairer
Kämpfer; er gab offen zu, weder meine Zähigkeit noch meine Ge-
wandtheit zu besitzen. Ich bin ein völlig unbelasteter Mensch, von
Anfang an völlig frei, frei vor allem von Gefühlen und vorgefaßten
Begriffen. Auf dieser inneren und äußeren Freiheit beruhte meine
eigentliche Stärke, und ich kann sehr gut nachempfinden, daß sich
gewisse Menschen mir unterlegen fühlen, weil sie es nicht zusammenbringen, die Dinge wie ich zu betrachten, Wagnisse auf sich zu
nehmen, kurz, weil sie sich vor mir ein bißchen so vorkommen, wie
ich mir vor Ihnen vorkomme, liebe Freundin.

Ich habe weder Muße noch Zeit noch Lust gehabt, das Erworbene
mit irgend jemandem zu teilen, am wenigsten mit einer Frau. Bei den
Frauen habe ich mich immer allein, völlig allein gefühlt. Bei Ihnen
ist es anders, was auch zwischen uns beiden stehen mag, und bevor

Sie mein Leben teilen – wenn Sie wirklich eines Tages dazu bereit sind –, liefere ich Ihnen alles aus, was bis heute meine Existenz war.

Auch meine Vorstellung von der Liebe unterscheidet sich von der Anschauung anderer Menschen. Die Liebe kann für mich nur eine vollkommene Gemeinschaft sein, ein Teilen nicht nur des Besten und Schlechtesten, wie die Engländer sagen, sondern auch ein Teilen des Lebens und des Todes. Und ich füge hinzu, daß der Bund zweier Menschen meiner Ansicht nach nicht von der Eintragung zweier Namen ins Standesregister abhängt, sondern einzig und allein von dem reiflich überlegten, festen Willen, sich zu vereinen und zu ergänzen. Kann ich eine solche Liebe nicht empfinden und nicht erlangen, dann lehne ich sie von vornherein ab und ziehe die gegenwärtige Leere meines Daseins einer kleinen, bunt verbrämten Lüge vor.«

Er schaute auf und sah sie gerade an; Angèle senkte den Blick nicht.

»Ich will nicht davon sprechen, was mir die körperliche Liebe bedeutete. Für die physischen Freuden habe ich stets nur so viel Zeit verwendet, als unbedingt nötig war – zuwenig, zu schnell abgetan, ich weiß; aber ich hatte zwischen zwei Dingen zu wählen, und so bin ich notgedrungen zum schlechten Liebhaber geworden. Hier habe ich noch viel zu lernen. Es ist ein so heikles Gebiet, daß man es mit Worten nicht behandeln kann. Vielleicht kommt einmal der Tag, wo die Frage auch für uns bedeutsam wird; und dann will ich Ihnen mit der Ehrlichkeit gegenübertreten, die ich Ihnen, und Ihnen allein, in allen Dingen meines Lebens schulde.

Meine karge Freizeit benützte ich, um meine sehr mangelhafte Bildung zu vertiefen. Ich habe gelesen und studiert, ich brannte vor Wißbegier. Oft schluckte ich dieses Wissen unverdaut hinunter, aber gerade das, was ich, von meiner fixen Idee besessen, mißverstand und verbildete, bewirkte, daß ich mich häufig weit mehr um Kenntnisse bemühte, die mir dienlich waren, als die mich innerlich hätten bereichern können. Immerhin tat ich mein Bestes, um mich zu entwickeln, und auf gewissen Gebieten habe ich tatsächlich einiges gelernt. In der Kunst zum Beispiel irre ich mich nicht mehr, und diese Kenntnis ist mir nicht als Eingebung zuteil geworden, sondern als Ergebnis einer bewußten Erziehung, der ich mich ebenso zäh und bedingungslos unterzog wie allem anderen, was ich unternahm.

Was soll ich Ihnen von meinem weiteren Leben erzählen, nachdem ich Ihnen meine Kindheit und meine Jugend geschildert habe? Ich war zum Mann geworden, und es hatte sich nichts geändert. Freilich, ich setzte jetzt andere Mittel ein, die Reichweite meiner Unternehmungen hatte sich gewaltig ausgedehnt, aber alles wurde durch die gleiche Kühnheit, die gleiche Logik, den gleichen unbeugsamen Willen bewirkt. Sagen wir vielleicht, daß ich mich von meinem fünfundzwanzigsten Jahr an ›organisiert‹ habe.

Ich organisierte mich systematisch. Gewiß, primär suchte ich nach Möglichkeiten, die mir nützten, vor allem aber nach Mitteln, die mir zur Macht verhelfen konnten. Ich erkannte die Chancen, die mir ein bestimmtes Milieu bot – somit mußte ich eben vor allem einmal in dieses Milieu Eingang finden. Anfangs handelte es sich einzig und allein um die Kreise der Wirtschaft. Sehr bald aber rührte ich in hundert Zellen, in hundert Verwachsungen, wie die Ärzte sagen, an die lebenswichtigen Organe der Gesellschaft, ja der ganzen Welt. In den Bereich der Politik war ich schon durch meine Tätigkeit eingedrungen. So hätte meiner Meinung nach niemand die Karriere eines Gardas vorausgeahnt und sich vorgestellt, was das Schicksal und die Ereignisse später aus ihm gemacht haben. Wer ihn damals kannte, sah nichts als einen kleinen Anwalt mit südlichem Akzent in ihm, der in den Gerichtssälen herumsaß und hoffte, daß ein paar Brosamen für ihn abfielen. Ich aber mit meinem Ahnungsvermögen, meinem ›Riecher‹, wenn ich so sagen darf, auf den ich mich stets verließ, konnte ihm vor dem Krieg ein- oder zweimal Dienste erweisen, und niemals hatte ich es nötig, ihn daran zu erinnern.

Ich habe das Glück, ein außerordentliches Gedächtnis zu besitzen. Ich notiere nichts, ich vergesse nichts. Ich brauche einen Menschen nur einmal gesehen zu haben, um zu wissen, was und wer er ist – ich erkundige mich, ich habe einen eigenen Apparat dazu –, dann kann ich später einmal, wenn ich ihn wiedertreffe, ganz beiläufig Einzelheiten seines Lebens, seiner Tätigkeit erwähnen, die ihn entweder wundern, beunruhigen oder ihm schmeicheln – ganz, wie ich es wünsche. Die Menschen sind dumm und eitel, alle... Seit ich mit dieser Herde in Kontakt stehe, habe ich mir eine Regel gestellt – ganz kindisch, aber unerhört wirksam: Ich gratuliere zu den Geburtstagen. Alle Personen, wer sie auch sind, die ich brauche, die ich gebraucht habe oder brauchen werde, und sogar jenen, die ich nur einmal gesehen habe und die gar nicht ahnen, daß ich sie mir gemerkt habe, erhalten an ihrem Geburtstag entweder eine Glückwunschkarte, einen Brief oder auch Blumen oder ein Geschenk, je nachdem. Mehlen hat an meinen Geburtstag gedacht! Das schmeichelt ihnen, bringt sie mir nahe, macht sie geneigt, sich mir gefällig zu erweisen... Es kostet ein wenig Mühe, ein wenig Geld. Ein primitives System, gewiß! Aber das sind meistens die besten. Sie wissen nicht, welche Erfolge ich ihm verdanke!

Doch das nur so nebenbei. Immer gab es – und gibt es noch heute – so viel anderes: die großen Schlachten, die großen Kämpfe, die großen Pläne und ihre Durchführung, die großen Wagnisse, die großen Siege und natürlich auch die Fehlschläge. Ich habe mein Tuch gewebt, und ich sehe genau jeden Faden, ich weiß, wo er ausgeht und wo er endet. Und dieses Tuch – oder diese Strickerei, der Vergleich ist besser, denn Sie wissen, wie leicht sich Gestricktes auftrennt; man braucht nur an dem Garn zu ziehen – stützt mich, hebt mich über den Boden, über die Erde hinaus, über die Niederung, in der die anderen leben. Solange diese Strickerei nur aus einigen Fäden bestand, war die Gefahr beschränkt, aber es wurde notgedrungen so viel angestrickt, daß man fortwährend aufmerken, fortwährend überprüfen und oft in der letzten Sekunde verstärken oder auftrennen und neu stricken mußte – ein ewig zu erneuerndes Wunder. Und dieses Wunder, das mein Alltag ist, habe ich zu vollbringen. So war ich, zum Beispiel, unlängst in Triest, um ein Grundstück zu erwerben, und das nur deshalb, weil es für die Durchführung eines schon angelaufenen Unternehmens in Rio, bei dem ich die Hände im Spiel habe, unerläßlich ist: die Errichtung einer neuen Luftfahrtlinie.
Es würde Tage brauchen, wenn ich Ihnen die Entwicklung meiner sogenannten ›Geschäfte‹ seit den dreihunderttausend Francs für Monsieur Delaperrière im einzelnen schildern wollte. Trotzdem werde ich den Verlauf in großen Zügen darstellen – keine leichte Aufgabe. Mein Gedächtnis wird mir dabei helfen. Verzeihen Sie mir aber, wenn ich die Dinge extrem vereinfache, und vergessen Sie nicht, daß alles viel komplizierter, vielfältiger, undurchsichtiger war, als ich es Ihnen beschreibe. Aber Sie werden das Wesentliche behalten, nämlich das Bild Mehlens, des wirklichen Mehlen, des Mannes, wie Sie ganz allein ihn kennen.«

VIII

»Meinen Erfolg in der Angelegenheit des öffentlichen Auftrags, von dem ich Ihnen erzählt habe, habe ich bewußt herbeigeführt, und ebenso bewußt war mir, daß es sich nur um eine Etappe handelte. Ich sah schon weiter, ich würde mich nicht mit dem – wenn auch beneideten – Chefposten eines industriellen Unternehmens begnügen; ich war nicht der Typ des Mannes, der, nachdem er seine Barke in den sicheren Hafen gelenkt hat, nun nur mehr dem Betrieb lebt, ihn vielleicht ausweitet, aber seinen Wirkungskreis niemals mehr verläßt.
Eines Tages brachte mir Simiant die schriftliche Anfrage eines ge-

wissen Judah Technoian, der einen Kostenvoranschlag für den Bau einer Fabrik nach beigefügten Angaben wünschte. So etwas kam alle Tage vor; wir schickten meistens einen unserer Architekten zu der geplanten Baustelle, um sich die Sache selbst anzuschauen, wenn ein großer Auftrag winkte. Hier aber – und das fiel mir auf – war kein bestimmter Platz angegeben, nur ganz allgemein die Ausmaße des Terrains angeführt, auf dem ein nicht näher definiertes Gebäude errichtet werden sollte. Aus den Angaben zu schließen, konnte es sich um eine Automobilfabrik oder etwas Ähnliches handeln, aber der Brief ließ durchblicken, daß die Regierung in der Geschichte mitzureden habe.

Dieser Passus ließ mich aufhorchen. Ein Regierungsgeschäft brauchte staatliche Bewilligung, den Zuschlag. Man verlangte also einen Voranschlag nach sehr vagen Angaben unter dem Vorwand, daß es sich um einen Großauftrag handle! Entweder war die Geschichte unseriös oder im Gegenteil... Unten am Brief stand eine Adresse, an die man die Antwort richten sollte. Ich beschloß, selbst hinzugehen und mir die Sache anzuschauen.

Ich verstand nichts vom Technischen und hätte eigentlich Simiant hinschicken sollen. Ich tat es nicht, aus meinem Flair heraus, wenn man das Ahnungsvermögen so nennen darf, das aus der genauen Untersuchung eines Problems erfließt, von dem ich allerdings nur ganz rudimentäre Angaben besaß. Am nächsten Tag fuhr ich also nach Neuilly, ohne ein Wort darüber verlauten zu lassen.

Wahrscheinlich wollte ich mir nur selbst einmal den Platz anschauen, das Terrain sondieren, Erkundigungen einziehen; vielleicht antwortete ich auf die Anfrage gar nicht. Als ich dort stand, glaubte ich an einen Scherz: Die Straßenfront der Nummer 23 c der Rue de la Ferme bestand in einer schäbigen Gartenmauer und einer verrosteten Gittertür; hinter einem ganz schmalen Garten zeigte sich ein halbverfallenes einstöckiges Haus mit einem eingesunkenen Dach. Es ging bei dem Voranschlag um einige zwanzig Millionen damaliger Währung, und der Bauherr sollte in einer solchen Hütte wohnen? Trotzdem, oder vielleicht gerade deshalb, zögerte ich keinen Augenblick; diesen Judah Technoian mußte ich unbedingt kennenlernen.

Die verrostete Glocke an der Mauer rasselte, und ganz hinten öffnete sich die verglaste und vergitterte Tür über den drei Stufen des Gartenhauses. Ein kleiner alter Mann, der wie ein Kassier im Ruhestand aussah, erschien und winkte mir näher zu kommen.

Ich tat es, er musterte mich von Kopf bis Fuß mit der ruhigen Überlegenheit, die das Alter verleiht. Die Prüfung fiel augenscheinlich zu seiner Zufriedenheit aus:

›Treten Sie ein, junger Mann‹, sagte er.

Ich muß erwähnen, daß ich mich schon damals trotz meines jugendlichen Aussehens so korrekt und unauffällig kleidete wie jetzt; meine heutigen Anzüge stammen von einem besseren Schneider, das ist der ganze Unterschied.

›Monsieur Judah Technoian?‹

›Worum handelt es sich?‹

›Um die Fabrik‹, antwortete ich.

Er führte mich in ein Zimmer, das wohl sein Büro war, denn alles, Schränke, Stühle, waren von Akten, Papieren, Schriften übersät. Er schob einen Stoß zur Seite, um mir Platz zu machen, und setzte sich selbst auf seinen Rohrsessel, von dem er nur aufgestanden war, um mich einzulassen.

›Monsieur‹, sagte ich, ›ich bin der Direktor der Firma Delaperrière & Co. Ich habe Ihren Brief erhalten.‹

›Danke, daß Sie so schnell gekommen sind. Bringen Sie mir eine Antwort?‹

›Ja und nein — wir brauchen noch einige Einzelheiten für einen genauen Kostenvoranschlag.‹

›Aber nein, nein, Monsieur!‹ gab er ungehalten zurück, ›Sie wissen genug, das muß Ihnen genügen. Wir haben den gleichen Brief an zweiunddreißig Firmen geschrieben und werden uns nach Erhalt der Kostenvoranschläge entscheiden. Wir sondieren . . . ein Test, Monsieur. Wir wählen die brauchbarsten Angebote aus und schicken sie Monsieur Technoian nach London, der sie gutheißen wird oder nicht.‹

›Sind Sie denn nicht . . .?‹

Er warf einen Blick in sein Zimmer und lachte:

›Nein, nein, ich bin es nicht . . . ich bin der Korrespondent Monsieur Technoians. Monsieur Technoian lebt nicht in Paris. Monsieur Technoian will nur seine Fabrik hier errichten und hat daher eine Rundanfrage ausgeschickt. Ich bin nichts anderes als sein Briefkasten.‹

›Und wer ist Monsieur Technoian?‹

›Sie sind sehr jung und sehr frisch im Geschäft, mein Junge‹, antwortete er freundlich. ›Monsieur Technoian ist Monsieur Technoian. Die Milliarden Technoians . . .‹

›Und was erzeugt er?‹

›Das wird er Ihnen selbst sagen, wenn Sie ihn jemals sehen.‹

Ich sah ihn. Mein Entschluß war gefaßt, als ich das Häuschen in Neuilly verließ. Ich versprach ein schriftliches Angebot und verriet nicht, daß ich Technoian persönlich aufsuchen wollte, Technoian, dessen Adresse mir der Alte nicht einmal gab.

Am übernächsten Tag schiffte ich mich nach London ein. Es war schwierig, sich die Anschrift zu verschaffen; der Mann verstand es, sich abzuriegeln. Ich mußte Stufe um Stufe erklimmen, von Büro zu Büro wandern, die alle ihm gehörten, bis ich endlich in seine nähere Umgebung gelangte, schließlich landete ich in seiner Villa in Teddington an der Themse und setzte es durch, tatsächlich von ihm empfangen zu werden. Eine Serie von Wundern, allerdings gelenkten Wundern, hatte es bewirkt; besonders, wenn man bedenkt, daß ich selbst kein Wort Englisch sprach und einen pensionierten Professor durch eine Stellenvermittlung aufgenommen hatte, der mich den ganzen Tag begleitete und der zwar durchaus keine blendende Erscheinung war, aber wenigstens sein Metier so halbwegs verstand. Kurz, es glückte, und ich drang, begleitet von meinem Double, in die Bibliothek des Landhauses ein, das Baronet Judah Technoian bewohnte.

Es war ein großer Raum, mit schweren altertümlichen Möbeln prunkvoll eingerichtet, an dessen Wänden sich etwa zwanzigtausend Lederbände in Goldschnitt reihten. Sir Judah saß hinter seinem gotischen Tisch, untadelig in seinem hellgrauen Anzug, sehr aufrecht, sehr rosig, mit dem Teint, den halbrohes Roastbeef verleiht, einem kleinen weißen Schnurrbart auf der Oberlippe, und er kam mir einfach wunderbar vor. Er war weder schroff noch abweisend und zwang sich sogar zu einem freundlichen Lächeln. Trotzdem konnte ich erst in seiner Gegenwart ganz ermessen, was für Glück ich gehabt hatte, hier vorzudringen.

Das ganze Gespräch hindurch schien er selbst leise erstaunt, mich vor sich zu sehen. Erstens, weil er besser als jeder andere wußte, wie schwer es war, an ihn heranzukommen, und dann, weil es ihn wunderte, daß ich mich auf Grund eines simplen Rundschreibens zu dieser Reise entschlossen und keine Mühe gescheut hatte, um bei ihm Einlaß zu finden.

›Sir‹, erklärte ich, ›wenn ich mich für eine Sache wirklich interessiere, dann gehe ich eben aufs Ganze.‹

Er lächelte über meine unbefangene Art.

›Und haben Sie bestimmte Gründe, sich für diese hier besonders einzusetzen?‹

›Als ich erfuhr, wer der Auftraggeber ist, war ich dazu entschlossen.‹

›Nun, Sie sind bis jetzt der einzige, der direkt auf meine Anfrage geantwortet hat, und da Sie schon hier sind ...‹

Er gab mir nun eine genauere Darstellung der Angelegenheit, wie es nur in einem persönlichen Gespräch möglich ist. Ich will weder in die Einzelheiten noch in die Irrgänge eines Dialogs eingehen, bei dem ich sowohl gegen die Widerspenstigkeit meines Partners wie gegen die Mißverständnisse und Fehler meines verzagten Dolmetschers kämpfen mußte. Um ein Uhr waren wir noch nicht zu Ende, und Sir Judah bat uns zu Tisch. Um vier Uhr nachmittags wußte ich endgültig, worin die ›Affäre‹ bestand. Sir Judah erzeugte Waffen – vor allem Maschinengewehre – und hatte die Absicht, in Frankreich, in der Nähe von Paris, eine Fabrik zu errichten, die an Ort und Stelle produzieren sollte. Drei Areale waren ihm angeboten worden: eines in Triel, eines in Issy-les-Moulineaux, das dritte in der Nähe von Etampes in Chamarande. Die Verhandlungen mit der französischen Regierung waren schon angelaufen, aber irgendwo ›haperte‹ es, und selbstverständlich war die Sache nur im Einvernehmen mit Regierungsstellen möglich, sowohl zur Sicherung des Unternehmens wie wegen der nötigen Staatsaufträge. Am Schluß der Besprechung war mir klar, daß jener Konkurrent den Sieg davontragen würde, der nicht nur den günstigsten Preis, sondern vor allem die, wenn ich so sagen darf, ›moralische Stütze‹ bieten, das heißt die staatliche Bewilligung, gewährleisten konnte.

Heute wundere ich mich, daß Sir Judah Technoian einem jungen Mann, der zwar anständig und vertrauenerweckend wirkte, aber in seinen Augen nur als Grünschnabel dastand, so tiefe Einblicke in seine geschäftlichen Pläne und Unternehmungen gab. Bestimmt hatte ich ihm – trotz der Übersetzungsschwierigkeiten – genügend klar und präzise auf seine Fragen geantwortet. Mein zaher Wille setzte sich wieder einmal durch, denn als ich des Abends von London abfuhr, war ich ermächtigt, binnen acht Tagen die nötigen Schritte in Paris zu unternehmen; gelang es mir nicht, so würde sich Sir Judah Technoian an eine andere Firma wenden.

Meine Mission war schwierig, darüber gab ich mich keiner Täuschung hin. Aber zugleich erkannte ich klar die große Chance, die sich mir im Fall des Gelingens bot: die Chance, in den Wirkungskreis dieses Magnaten, den ich schon um seine Macht beneidete, einzutreten und mich in seine Kombinationen einzugliedern. Zahllose Wege und Nachforschungen waren nötig, um den ›right man‹ auszukundschaften und an ihn heranzukommen. Ich will Ihnen Details ersparen: In fünf Tagen war ich soweit. Der junge Mann war Advokat, der Sekretär eines in seinem Bereich allmächtigen Ministers, sein Name war Gardas.

Gardas war ungefähr in meinem Alter, und vor ihm stand ich also. Er war es, der mich in dem Appartement der zweiten Etage in der Rue des Martyrs empfing, in einer Kanzlei, in der junge Konzipienten kamen und gingen, die Akten unter dem Arm, um die sorgfältig formulierten künftigen Klagen einer riesigen Klientel auszuarbeiten, deren einziges Bestreben war, ihre Sorgen und Wünsche dem berühmten Anwalt anzuvertrauen. Und dieser Meister des Barreaus war zugleich ein wichtiger Mann in der Politik, der in den Räten verschiedener Regierungen Karriere gemacht hatte.

Der junge Adlatus war eigentlich nur dazu da, um mich höflich hinauszukomplimentieren; höflich, weil ich mir recht ansehnliche Empfehlungsschreiben verschaffen konnte. Ich muß gestehen, daß er vorerst keinen sonderlichen Eindruck auf mich machte. Als ich ihm aber mein Anliegen auseinandergesetzt hatte, antwortete er mir mit seinem südlichen Akzent:

›Ja, natürlich ... dieses Projekt Sir Judah Technoians ist der Aufmerksamkeit meines Chefs nicht entgangen, aber die Angaben waren so vage ... wenn man es vielleicht ... etwas ... konkreter abfassen könnte ...?‹

Ich schaute ihn an. Sollte ich richtig verstanden haben?

›Was brauchen Sie also?‹

›Nun ...‹, sagte der junge Mann, ›... einen Bericht ...‹

›Kurz und knapp?‹

›Nicht zu kurz‹, sagte er. Er erhob sich, um mich hinauszugeleiten.

Auf der Schwelle fragte ich noch:

›Und wenn ich diesen Bericht bringe, darf ich dann hoffen, daß ich von Maître X empfangen werde, um ihn persönlich zu übergeben?‹

›Gewiß; ich bin der engste Mitarbeiter des Herrn Ministers‹ – der Anwalt war Minister und würde es wieder werden –, ›ich darf ruhig behaupten, daß ich ihn ... intim kenne. Wenn Sie einen solchen Bericht persönlich unter vier Augen überreichen, dann hat der Akt einige Chance, bis zum Ende durchgeblättert zu werden.‹

›Morgen also?‹ fragte ich.

›Können Sie ihn in so kurzer Zeit verfassen?‹

›Ich besitze alle nötigen Unterlagen ...‹

›Dann haben Sie recht, wozu die Sache auf die lange Bank schieben? Morgen um sechs? Paßt Ihnen das?‹

Es paßte mir.

Ich muß allerdings bekennen, daß ich sehr schlecht in dieser Nacht schlief, obwohl ich sofort entschlossen gewesen war. Hatte ich richtig verstanden, oder täuschte ich mich? Würde man mich hinauswerfen oder aber gnädig aufnehmen? Wie immer löste ich das Problem in seine Grundelemente auf; und das überzeugte mich von der Richtigkeit meiner Absicht. Was wollte ich? Und was wollte der Mann, der mir gegenüber saß? Glauben Sie mir, das allein war entscheidend!

Am nächsten Tag um sechs Uhr also führte mich der junge Gardas direkt ins Büro seines Chefs. Der Kandidat faßte den Zweck meines Besuchs in wenige Worte zusammen: Ich war von Judah Technoian gesandt, und ehe mit dem Bau einer Fabrik, die ebensogut auf hohen Touren laufen wie niemals ihre Pforten öffnen konnte, begonnen wurde, wollte ich den Rat von Maître X erbitten; um das Projekt in seinen Einzelheiten zu erläutern, hätte ich mir erlaubt, einen von mir verfaßten Bericht mitzubringen. – Ob ich ihn bei mir habe?

Er befand sich in meiner Aktentasche. Ich holte das Dossier heraus und überreichte es. Einen Augenblick hielt er es in der Hand, ohne es aufzuschlagen, als ob er es abwäge. Dann, langsam, nahm er das erste Blatt zwischen Zeigefinger und Daumen und drehte es vorsichtig um.

Ich gebe zu, daß mir in diesem Augenblick ein leiser Angstschauer über den Rücken lief. Zur näheren Erklärung: Zwischen jedes Blatt dieser Broschüre hatte ich einen Tausendfrancschein gelegt. Unser Mann schien ihn nicht zu bemerken. Er blätterte weiter, eine Seite nach der anderen, drei, vier, fünf:

›Interessant, sehr interessant‹, murmelte er halblaut. Dann plötzlich sprang er zur letzten Seite, auf der die Zahl Hundert stand, und hob den Kopf:

›Ein ausgezeichneter Bericht‹, sagte er, ›aber meines Erachtens ein wenig kurz. Könnten Sie ihn nicht komplettieren? Er wäre, denke ich, mit zweihundert Seiten noch überzeugender.‹

›Selbstverständlich‹, sagte ich.

›Gut, junger Mann, bringen Sie ihn. Kann ich diese ersten hundert Seiten behalten?‹

›Selbstredend. Im zweiten Teil führe ich nur die Einzelheiten aus.‹

Er fiel mir ins Wort:

›Um klar zu sprechen: Ich werde auch nach der Errichtung der Fabrik, sobald die Maschinen anlaufen, einen Bericht über die Ausgestaltung und die Betriebsführung brauchen... einen detaillierten Bericht, der mir erlaubt, gegebenenfalls auf jede Anfrage, jede Interpellation zu antworten. Ein Bericht, sagen wir, von dreihundert Seiten...‹

Ich verbeugte mich:

›Sie bekommen ihn, Maître; ich werde Sir Judah Technoian verständigen. Er wäre außerdem bestimmt sehr erfreut, Sie kennenzulernen.‹

›Aber wir kennen uns ja schon! Ich wurde ihm voriges Jahr in London vorgestellt, als ich dienstlich drüben war. Er hat das Projekt auch erwähnt, aber er konnte es nicht so stichhaltig darstellen wie

Sie. Sollten sie ihn in nächster Zeit sehen, dann grüßen Sie ihn von mir und sagen Sie ihm, daß ich jetzt mit allem einverstanden bin.‹

In der nächsten Woche suchte ich Sir Judah Technoian auf und berichtete ihm von dieser Besprechung. Er hätte es im Vorjahr nicht gewagt, seinem Ansuchen eine solche Unterlage zu geben wie ich, gestand er. Ich hatte es gewagt, und ich hatte recht behalten. Ich habe noch viele andere Dinge im Lauf der nächsten Jahre gewagt.

Ich wagte, Angèle, ich wagte alles. Im Sport wie im Krieg bleibt das Glück nur dem Angreifenden hold; ich denke mir etwas aus und warte niemals. Keine Parade wiegt eine Aktion auf; die Zeit zählt wie Geld. Grundwahrheiten, die sicher entsetzlich banal sind, aber glauben Sie mir, nur die einfachen Ideen taugen, immer und überall, und nur Logik, Vernunft und nüchterne Berechnung führen zu Leistungen, die unanfechtbar sind.

Aber kehren wir zu meinem Lebensweg zurück. Sie können sich vorstellen, daß die ›Chance Technoian‹ sich nicht auf dieses eine Unternehmen beschränkte. Sir Judah Technoian setzte mich ein, und ich ließ mich einsetzen. Er war damals unendlich geschäftstüchtiger, weltklüger und erfahrener, als ich es sein konnte. Ehrlich gesagt: Er war weit geschickter als ich. Es war meine besondere Stärke, das einzusehen und mich bei meinen Unternehmungen danach zu richten, solange ich nicht loskonnte; warten hieß in diesem Fall Zeit gewinnen. Selbstverständlich nützte ich die Zeit auch aus, um einige Steine in mein Gebäude zu fügen, wovon ich ihn Jahre hindurch stets am laufenden hielt. Ich stieg langsam, allmählich auf; sonst hätte er mir unweigerlich das Genick gebrochen, solange ich noch nicht solide genug auf eigenen Füßen stand. Dann aber kam der Tag, da ich aus dem Baronet das Optimum an Quellen, Beziehungen und Bekanntschaften gezogen und – dank ihm – auf den Anfangsstufen der Macht Fuß gefaßt hatte, und es war mir klar, daß für uns beide zugleich nicht Platz war, daß einer weichen mußte, und das konnte zwangsweise nur er sein. Ich war schlau genug, rechtzeitig, aber nicht zu früh zu handeln. Es ist wirklich ein Wunder, nicht nur den richtigen Tag, sondern sogar den richtigen Augenblick zu finden, in dem es zu handeln gilt. Sir Judah war ein charmanter Bandit, aber ein Bandit, der mir im Wege stand. Ich mußte nicht einmal sein Vertrauen mißbrauchen: Er fühlte sich so selbstsicher, daß er übermäßige Gewinne forderte. Ich, der ich noch sehr jung war, verlangte weit geringere, und diese einfache Tatsache ruinierte ihn, ohne daß ich einzugreifen brauchte – ich brauchte mich nur nicht zu widersetzen, das war alles.

Gewiß, der Krach, den sein Sturz zur Folge hatte, verursachte auch mir empfindliche Verluste, aber ich verdiente dafür anderwärts. Sie erinnern sich bestimmt, daß er auf einem Flug von Amsterdam aus seinem Privatflugzeug ins Meer sprang; alle Zeitungen waren voll davon. Sie wissen ebenfalls, daß man seine Leiche niemals fand, und das aus gutem Grund. Ihnen darf ich verraten, daß Technoian nicht tot ist und das Ganze nur vorgetäuscht wurde. Er lebt, und sogar sehr gut, in Mittelamerika. Er ruht sich aus; sagen wir, daß er in Pension ist.

Ich will nicht behaupten, daß ich nach seinem Verschwinden seine Stelle einnahm, das wäre falsch, denn meine Funktionen sind ganz andere, aber ich wurde ein Mann, mit dem man rechnete, man begann von Mehlen zu sprechen. Ich hatte mich nicht geirrt: Sir Judah mußte abtreten, damit ich im Licht der Öffentlichkeit erscheinen konnte. Zu seiner Zeit schon hatte ich die Fäden eines unendlich heiklen, unendlich komplizierten, weltumspannenden Netzes in die Hand genommen; ich ließ es nicht mehr aus, und mit erstaunlicher Behendigkeit holte ich mir die Fäden wieder zurück, die mir zuweilen entgleiten wollten.

Der junge Gardas hatte seine Vermittlung nicht zu bereuen. Er wußte damals noch nicht recht, was er anfangen sollte, er hatte den Weg noch nicht gewählt, den er später einschlagen und der sich dann unter den gegebenen Umständen als der richtige erweisen sollte. Außerdem wußte er noch nicht, was man in einer bestimmten Stellung tun darf und was nicht. Er nahm als Zeichen meiner Dankbarkeit einen Betrag von mir an, was ihm an sich ganz natürlich schien; einen lächerlichen Betrag, doch weit höher, als er erwartet hatte. Er war so freudig überrascht, daß er glaubte, sich bei mir bedanken zu müssen, und das in einem völlig eindeutigen Brief, den ich mir selbstverständlich aufgehoben habe; es ist einer jener unseligen Briefe, die man in einer ersten Aufwallung unüberlegt hinschreibt und die sich der Partner aufbewahrt, weil sie die Seele eines Menschen so schonungslos widerspiegeln. Sicher wäre es ihm peinlich, wenn dieser Brief mit der angehefteten Zahlungsnachricht in der Öffentlichkeit bekannt würde; was ich natürlich verhindern werde, denn sonst wäre es um sein ganzes Ansehen geschehen.

IX

Das kühne Gebäude, das ich errichtete, festigte sich also, war aber zugleich stärkeren Gefahren ausgesetzt, weil es komplizierter war. Diese Tatsache ließ ich nicht aus dem Auge, ich verdoppelte meine

Wachsamkeit und verstärkte tagtäglich meine Vorsichtsmaßnahmen. Das Netz meiner Waffengeschäfte – alle legal, das möchte ich betonen – erstreckte sich um die ganze Welt. Im spanischen Bürgerkrieg zum Beispiel konnte ich beide Parteien beliefern, ich habe keine begünstigt, denn ich bin unpolitisch. In puncto Vaterlandsliebe halte ich mich für unangreifbar; nämlich vom Gesichtspunkt des Landes betrachtet, dem ich jeweils diene. Am liebsten arbeite ich freilich für mein Geburtsland, wenn es möglich ist; eine angeborene Neigung, denn ich denke zwar international, besitze aber eine besondere Vorliebe für die französische Kultur und die französische Sprache. Es liegt also kein großes Verdienst darin, wenn ich französische Geschäfte vorziehe; die Vorteile, die ich bringe, wirken sich in der Entwicklung und in der Kreditfestigung dessen aus, was ich ›mein Haus‹ nennen möchte. Mein Haus, dessen Fenster sich genauso nach Paris, London, Berlin, Amsterdam, Triest, Washington wie nach Tokio, Seoul, Hanoi, Saigon, Casablanca oder Fez öffnen. Und ich halte mich immer an diesen Fenstern auf. Ich brauche mich nicht besonders hinauszubeugen, um zu sehen, was geschieht; es entgeht mir kaum etwas, und so kann ich rechtzeitig die zu ergreifenden Maßnahmen überlegen, um eine Sache weiterzuführen oder sie zu stoppen. Ein Mechanismus, der zwangsweise im Lauf der Jahre immer komplizierter wurde; die Räder lassen sich eben nicht zurückdrehen, auch wenn ich wollte, und das hält mich in ständiger Bewegung.

Ob mir dieses Leben gefällt? Bestimmt; zumindest hat es mir lange gefallen und war mir viele Jahre der Ersatz für alles andere... bis *Sie* erschienen. Ich glaubte, daß es kein anderes Leben geben könne. Jetzt denke ich oft an Sir Judah – aber werde ich die Zeit, die Möglichkeit haben, meinen ›Abgang‹ wie er vorzubereiten, wenn es nötig werden sollte? Und wünsche ich es überhaupt? Im Augenblick lebe ich auf sehr kurze Sicht, denn Gefahren lauern überall, und kaum habe ich eine überwunden, stehe ich schon vor der nächsten.

So bin ich also nach und nach zu dem Mann geworden, den Sie heute hier sehen. Es ist weder an einem Tag noch mit einem Schlag dazu gekommen. Ich bin diese steile, geländerlose Treppe von Stufe zu Stufe geklettert, und jede bedeutete eine ungeheure Anstrengung und die Gefahr, ins Bodenlose zu stürzen. Kein Wunder half mir – wenn man es so nennen will –, außer dem immerwährend erneuerten Wunder der Geduld und der Überzeugung. Und nur dank diesem Wunder befinde ich mich dort, wo ich heute stehe.

Aber das weiß ich, und man gewöhnt sich daran, wie man sich an alles gewöhnt. Ich lebe also von Gefahr, Schwierigkeit und Wunder, und ich glaube, daß ich heute mit diesem Wunder rechne, als gebühre es mir. Nur bei Ihnen, Angèle, war es anders: Da habe ich es nicht geglaubt«, sagte er leise.

»Alles andere betraf ja tatsächlich das Leben einer aus einzelnen Stücken zusammengesetzten Person. Solange Mehlen nichts Menschliches hatte, war es ganz gleichgültig, ob er lebte oder vegetierte, und das habe ich wahrscheinlich unbewußt gespürt. Vom Tag an, da Sie ihn zu etwas anderem wandelten, müssen sich notgedrungen auch die Gegebenheiten des ganzen Problems geändert haben. Sie haben mich zugleich größer und kleiner gemacht. Was war ich vor Ihnen, und was bin ich dann geworden?

Was ich war, das wissen Sie; ich habe es Ihnen nicht verheimlicht: ein Mensch, der einem Ziel zustrebte und überzeugt war, daß es das richtige Ziel war. Und dabei war es ein Ziel, das sich wie eine Fata Morgana in dem Augenblick entfernte, da ich es in Reichweite glaubte. Als ob man, zwischen zwei Mauern wandernd, vor sich am Ende den Himmel erblickte und in der irrsinnigen Vorstellung, diesen Himmel erreichen, berühren zu können, mit ausgestrecktem Arm weiterstrebte. Trotzdem hat mir das jahrelang genügt, Angèle.

Ich habe Ihnen heute einmal von der Macht der fixen Idee gesprochen. Sie hat mich lange gehalten, bis Sie erschienen. Glauben Sie nicht, daß ich mich im ersten Augenblick blind in Sie verliebt habe. Dann wäre nichts als eine banale Geschichte daraus geworden, wie ich sie schon oft genug erlebt habe und deren Triebfedern Begehren und Geld sind. Nein, Ihre Person hat mich veranlaßt, unsere Beziehungen als ein Problem zu betrachten, das man lösen muß; diesmal aber als ein Problem, bei dem ausnahmsweise nicht meine bloße Existenz, sondern mein Leben selbst den Einsatz bildete.

Ich habe es nicht anders als die übrigen behandelt. Wie immer habe ich mir die doppelte Frage gestellt: Was will ich, und was will sie? Zuerst beantwortete ich die zweite Frage: nichts – denn ich gab mich keinen sinnlosen Illusionen hin, und ›Nichts‹ war die nackte, unumstößliche Wahrheit. Da ich es erkannte, mußte ich Sie also dazu bringen, etwas zu wünschen, etwas zu brauchen. Glauben Sie nicht, daß ich eine einzige Sekunde dachte, Sie mit materiellen Mitteln zu erobern, Sie täten mir unrecht damit. Ich habe die Wohnung hier ebenso zu meiner Freude wie zu Ihrer eingerichtet und nichts anderes im Sinn gehabt, als Ihnen etwas zu geben, was mich, den Schenkenden, beglückte: Ich durfte sie zusammenstellen, und Sie gaben mir Gelegenheit, zum erstenmal für einen anderen als mich selbst, diesen Mehlen, der nichts als Mehlen ist, zu denken und zu handeln.

Dann die erste Frage. Ich habe sie genauso klar, aber nicht auf einen

Schlag beantwortet wie die zweite, denn es gab verschiedene Etappen. Ich habe Sie gesehen, und beim ersten Anblick habe ich trotz der physischen Anziehungskraft, die Sie sofort auf mich ausübten, trotz Ihrer Persönlichkeit, die tiefen Eindruck auf mich machte, gewußt, daß Sie nicht die Mätresse, das Abenteuer, ja nicht einmal die Liebe sind, sondern die Frau, die einzige Frau, die ich brauche. Ich habe alles überdacht, abgewogen, nüchtern berechnet, alles, was Sie mir bringen können und was Sie zweifellos keinem anderen brächten, was Sie mir und mir allein geben würden. Ich kann nicht sagen, daß ich mich mit Ihnen identifiziert habe, aber ich habe Sie mit mir identifiziert, Sie mit mir so ganz vermischt, daß ich alles von Ihnen wissen, alles verstehen und daher alles verzeihen mußte. Nach und nach habe ich erst Ihr vergangenes, dann Ihr gegenwärtiges Leben zu meinem eigenen gemacht. Ich habe mir alles vorgestellt, was mich von Ihnen trennt: mein Äußeres, mein Ungeschick in der Liebe, meine Art, die Gefühle auszudrücken – ich kann es nicht anders –, und auch das, was ich sonst in die Waagschale werfen kann, wenn man von der Macht und von den grenzenlosen Möglichkeiten absieht, von den Möglichkeiten, die anhalten werden, solange Mehlen lebt: das nämlich, was ich wirklich bin, wenn Sie bereit sind, es aus mir zu machen – einen Mann, der endlich seinem totalen, dem angeborenen Elend entrinnt, das er bis zu Ihrem Erscheinen unwiderruflich tragen mußte.

Lange Zeit wagte ich es nicht, dann, eines schönen Tages, beschloß ich, es zu versuchen. Vieles stand gegen mich: das, was Sie waren, ebenso wie Patrice de Viborne und die Jugend Doissels und ich selbst, Angèle – das alles mußte ich überwinden; erst linkisch und unbeholfen, bis meine Selbstsicherheit wiederkehrte. Ich wandte ›meine‹ Mittel an, ich wußte, daß ich Ihnen damit kein schwereres Leid zufügte, als wenn ich Sie einem trügerischen Frieden und einem Dahindämmern überließ, die den nächsten Tag nicht überdauern konnten. Sie fragen mich vielleicht, mit welchem Recht? Schauen Sie mich an, und Sie werden es verstehen. Wäre ich einfach Mehlen, der eine Frau will und sie sich mit allen ihm zur Verfügung stehenden Mitteln zu gewinnen sucht, dann gäbe es keine Hoffnung für mich, und ich wüßte wohl, was ich von Ihnen bekäme, falls Sie der Tod Ihres Gatten, der Abschied Doissels und alles, was ich selbst in die Wege geleitet habe, tatsächlich zu mir brächten. Aber für Sie, für uns – ja, *für uns«*, wiederholte er mit Nachdruck, »habe ich einen noch höheren Ehrgeiz als für Mehlen allein – den ganz simplen Ehrgeiz, etwas Dauerhafteres aufzubauen, das länger währt als alle Kombinationen, Geschäfte, Vermögen, ja, als das Leben. Ihnen verdanke ich diesen Wunsch, Angèle. Für Sie will ich es, und für Sie bringe ich es auch zustande. Und um dahin zu gelangen – was schwer ist, was sogar zu denken schwierig ist –, habe ich alles, Trug und Täuschung, Beschönigungen, Hinterhalt und die heimlichen Seitenpfade – die faux-fuyants, wie es in Ihrer Jägersprache heißt – ausgeschaltet. Solche Mittel und Wege haben mich zu Ihnen, zu dem heutigen Tag geführt, jetzt aber liegen die Karten auf dem Tisch, wir spielen offen. Ich kenne Ihr Spiel und habe Ihnen meines gezeigt. Gewiß, ich habe Sie noch nicht erreicht, aber ich zweifle nicht mehr daran, daß ich Sie erreichen werde, und dann, wenn es mir geglückt ist, nicht, um Sie zum Halali, zum Tode zu führen, sondern um an Ihrer Seite zu wandeln, Sie zu stützen, Sie zu schützen, als Ihr Retter und Ihr Gefährte, um Sie über die Jagd, ja, über das Leben hinauszugeleiten.«

Sie betrachteten sich eine lange Weile, stumm, ohne sich zu rühren. Es trieb sie keine unüberwindliche Kraft einander zu. Sie waren sich fern und doch so seltsam nahe. Niemals hatte Angèle ähnliches empfunden, niemals hatte sie geglaubt, ähnliches in einem solchen Augenblick empfinden zu können.
Sie schaute Mehlen an und sagte sich: Ich liebe ihn nicht. Und zugleich, gegen ihren Willen, überwältigt: Es ist viel mehr als das!
Angèle begriff sich selbst nicht: Was gab es Schöneres, Kostbareres als die Liebe? Gestern noch hatte sie in Huberts Armen gelegen. Eine heiße Welle durchflutete sie, wenn sie an seinen Körper, an seine Umarmung dachte. Zugleich aber erwachte ein grenzenloses Mißtrauen in ihr, nicht gegen sich selbst – sie leugnete nichts und wußte, was sie war und was sie liebte –, aber gegen diese gesamte Lebensauffassung. Weil – wie in einer Erleuchtung erkannte sie es in dieser Minute –, weil es eben *nicht mehr als das war*. Und diese plötzliche Erkenntnis verdankte sie Mehlen, dem sie etwas anderes werden konnte, als sie war. Es traf sie wie eine Offenbarung, ähnlich, wie Mehlen bei ihrem ersten Anblick mit einem Schlag die Wendung in seinem Schicksal erfaßt hatte.
Und in tiefem Staunen fühlte sie, daß sie machtlos war gegen das, was auf sie zukam, ob sie es nun wollte oder nicht; daß die Lockungen des Reichtums, des Ruhms nichts zählten, daß nur eines galt: alles mit diesem Mann hier zu teilen, alles bis zur Schande seiner Vergangenheit, bis zum Verbrechen, wenn es sein müßte, denn nichts gab es mehr als das, was noch zu tun blieb, und das allein hatte Bedeutung.
Sie standen beide auf. Knapp vor ihm wirkte sie größer als er, und so

blickten sie sich an, still und wortlos. Etwas Feierliches lag in dieser Minute, die so leicht grotesk hätte sein können. Denn es schien sie so viel zu trennen, diese schöne, lebensvolle, glühende Frau, an der alles ›Klasse‹ war, und diesen kleinen grauen Mann mit den etwas hängenden Schultern, korrekt wie ein Kassenbeamter, unscheinbar und bescheiden, trotz seiner Macht – gedrückt von Natur aus, dachte sie. Aber alles war wie ausgelöscht. Nichts Lächerliches in den Händen, die sich entgegenstreckten, in den Worten, die sie tauschten. Was sagte er? Sie wußte es nicht. Sie hörte sich nur sagen, und ohne daß sie es noch ganz begriff, war es ein Versprechen:

»Ich glaube, ich werde es versuchen.«

X

Nun war alles anders zwischen ihnen geworden.

Es war spät in der Nacht – die Uhr stand auf eins –, aber sie hatten sich noch nicht ausgesprochen. Mehlen fragte nicht einmal, ob Angèle müde war, er wußte, daß er auf jeden Fall bis zum Ende gehen mußte.

Mit keinem Wort spielte er auf den Bund an, den sie stillschweigend geschlossen hatten, weder frohlockend noch sich darauf berufend. Er fuhr nur fort, sie »ins Bild zu setzen«, weil es jetzt mehr denn je nötig war.

»Ich will und kann nicht die vielfältigen Geschäfte, die Angelegenheiten, in die ich verwickelt war, auf die ich Einfluß nahm und die ich lenkte, aufzählen, es wäre langweilig und ermüdend, und außerdem sind Ihnen manche Gebiete, manche Positionen fremd. Ich habe mir eine einzige feste Regel aufgestellt: dem Geschehen voraus zu sein. Daran halte ich mich, und das hält mich. Was ich wünschte, hat einzutreten, und nicht das Unvorhergesehene, der Zufall.

Trotzdem stehe ich jetzt mitten in einer Schlacht, von der Sie wissen müssen, einer Schlacht, die mir entscheidend vorkommt und die alle anderen Kämpfe in sich vereint. Ich will von ihr sprechen, weil sie uns, wenn ich obsiege – und ich habe alle Trümpfe in der Hand –, die ersehnte Flucht möglich macht.

Es handelt sich darum:

Ich erwähnte, daß ich nicht gern spiele. Und dennoch habe ich vom ersten Tag an nichts anderes getan, weil mich einfach die Umstände dazu zwangen. Ich habe gespielt, als ich Vitard nach Paris folgte, als ich den mit einem Scheck gekauften Wagen eine Stunde später wieder verkaufte, als ich Maître X den geldscheingespickten Bericht Technoians aushändigte. Wenn es aber irgendwie möglich war, dann bewirkte ich im vorhinein, daß die richtigen Würfel aus dem Becher fielen – ohne die Würfel zu fälschen. So habe ich mich zum Beispiel sehr lebhaft für die französische Politik interessiert. Aber glauben Sie mir, nicht aus besonderer Vorliebe, sondern weil sämtliche großen Interessen so sehr von jeder politischen Erschütterung, jedem politischen Wechsel abhängen. In einem Land wie dem unseren, wo alles in ständiger Bewegung ist, wo die Parteien Herren sind und regieren, kann leicht ein ähnlicher Umsturz erfolgen, wie ihn zum Beispiel England erlebt, wenn die Leitung des Staatswesens aus den Händen der Labourpartei in die der Konservativen übergeht. Die einen streben die Nationalisierung bis ins Extrem an; kaum aber haben die anderen das Steuer in der Hand, ist ihre erste Sorge, die gestern noch unter Staatsaufsicht stehenden Betriebe an den Meistbietenden zu verschleudern.

Man darf sich daher nicht von der Politik leiten lassen, man muß sie selbst lenken. Das war mir schon seit langem klar und ich habe auf weite Sicht geplant. Gewiß, ich war rechtzeitig informiert, und das war sehr wertvoll für mich, ich hatte mir genug Antennen im Plenum des Parlaments wie in den Ausschüssen aufgestellt; aber obwohl man mir in bester Absicht an die Hand ging, konnte ich nur selten auf Grund sicherer Fakten arbeiten.

Im allgemeinen haben mich mein Instinkt und das logische Denken gut geleitet; ich habe, könnte man meinen, eher gespielt als gewählt, als ich während der deutschen Besetzung nicht ›kollaborierte‹ und mich abseits hielt. Deutschland und seine Vasallen konnten nirgends anders als in Stalingrad enden, nachdem sie Rußland angegriffen hatten. Sinnlos, die Zukunft für drei Jahre Wohlfahrt aufzuopfern. Ich möchte aber bemerken, daß ich glücklich über die Entwicklung der Dinge war. Und auch in der Frage der gegenwärtigen Politik habe ich meine Wahl getroffen und die Pläne ausgearbeitet, die zur heutigen Situation führten.

Frankreich ist kein Land, das nach neuen Wegen sucht, sondern ein Land, das müde geworden ist, weil es zuviel gesucht hat. Wir haben mit unserer Ideologie im Reinzustand begonnen und daher den anderen Staaten seit 1789 viel voraus. Unsere Landsleute büßten zwar ihre Fähigkeit zu glauben noch nicht ganz ein, aber sie ähneln den ausgedehnten, locker gewordenen Stahlfedern oder den alten Weckern, die nicht mehr pünktlich, sondern zu spät läuten, und nur, um den Schläfer zu erschrecken. Somit ist die Politik, die noch von tausend anderen Faktoren als vom Glauben abhängt, unstet und unendlich wandelbar geworden; sie ist von keinem festen Knochengerüst gestützt. Deshalb eben, weil sie geschmeidig ist, kann man auf sie einwirken und sie schließlich in eine bestimmte Form kneten.

Eine starke Macht, ich will nicht sagen eine Diktatur, aber eine echte wirkliche Macht müßte meiner Meinung nach in dem Chaos, in der Inkohärenz, die Außenstehenden, die Zögernden vereinen können. Dazu aber braucht man einen Mann. Ich hatte weder lange noch weit nach ihm zu suchen.

Gardas schien mir vom ersten Moment an der Richtige. Sie wissen, wer er ist, woher er kommt, daß er für die Politik geboren ist. Er besitzt sogar die sehr seltene Eigenschaft, anständig zu sein. Ich habe erwähnt, daß er erst etwas unschlüssig war, daß er aber dann, als er sich zu dieser Laufbahn entschloß, zielbewußt und gerade seinen Weg verfolgte. So gerade, als es einem Politiker eben möglich ist, der von hundert anderen Dingen als vom eigenen Willen abhängt. Gardas flößt Vertrauen ein, er ist ehrgeizig, er besitzt sogar den jungenhaften Stolz und die Freude über die öffentlichen Ehrungen, die ihn zum großen Kind stempeln. Ich mußte niemals den geringsten Druck auf ihn ausüben, und niemals brauchte ich den bewußten Brief mit der Zahlungsnachricht aus dem Akt holen. Es genügte, ihm zu verstehen zu geben, daß sein Glück in meinen Händen lag, und er hörte auf mich. Er gehorcht mir blind. Mit dem gesunden Menschenverstand des Mannes aus dem Süden weiß er ganz genau, was ihm selbst fehlt, um die höchste Stufe erklimmen zu können. Ich habe die Sache in die Hand genommen, er braucht sich also nur einfach von mir lenken zu lassen.

Auf meinen Rat – ich will nicht sagen, auf meinen Befehl hin – hat er kürzlich seine Attacke im Parlament geritten. Ich habe ihm alles vorbereitet, sogar die Knalleffekte, die ihm zum Sieg verholfen haben. Man lauschte ihm begeistert, man glaubte ihm, hob ihn gewissermaßen wie nach einer Volksabstimmung auf den Schild und übertrug ihm alle Macht. Mit einem Schlag – und wahrscheinlich für einige Monate – hat er ein neues politisches Klima geschaffen. Ein totaler Umschwung, der ihm, wie ich weiß, bereits die Gegnerschaft der extremen Linksparteien eingetragen hat, weil er ihnen mehr oder minder alle Vorteile und Begünstigungen entziehen wird, die ihnen seine Vorgänger aus Feigheit, aus Packelei zugestanden haben. Wir müssen mit Tumulten rechnen, aber auch die sind nötig für seine Popularität. Der untadelige Mann, der nichts anderes im Sinn hat als das Heil seines von allen anderen in Stich gelassenen, hilflos auf den Wellen schaukelnden Vaterlandes, darf alles wagen und alles ausschalten, was seinem Ziel hindernd im Weg steht. Und das tut er eben.

In wenigen Tagen hat er es geschafft, eine richtige, friedliche Revolution durchzuführen. Geleitet vom Parlament, dessen Hilfe ich ihm gesichert habe, kann Gardas mit seiner Unterstützung durchgreifen und einschreiten, wie er es für richtig hält, denn er ist von einer Mehrheit getragen, ohne die er zwar nichts vermöchte, die ihm aber heute ergeben ist, weil sie in ihm das stabile Element, den Retter in der Not sieht, der uns fehlte. Gewiß, er wird sein Messer in lebendiges Fleisch versenken, und es wird nicht ohne Heulen und Zähneknirschen abgehen. Bedenken Sie aber: Was sich heute friedlich und vernünftig vollzieht, hätte ebenso im anderen Extrem verlaufen können. Es mußte etwas geschehen. Der Augenblick war da. Ich hatte ja Gardas, und Gardas war es, den ich dazu benutzte.

Bevor ich den Pfeil aber abschoß, traf ich meine Vorkehrungen. Die Basis meines Gebäudes befindet sich hier, in Frankreich, und alles, was sich auswärts, zu meinem Vorteil oder zu meinem Verderben, entwickeln oder was zusammenbrechen kann, ist auf diesen Mauern aufgebaut. Ich habe meine Politik — wenn ich es so nennen darf — als Funktion meiner Voraussicht, meines vorausplanenden Willens geschaffen. Alles habe ich in diesem Sinn eingeleitet und weitergeführt, und Gardas habe ich als Aushängeschild gewählt, weil er siegen mußte, wenn ich den eigenen Sieg wünschte.

Der Triumph Gardas', auf den ich alles gesetzt habe, sichert nicht nur den Weiterbestand meines Gebäudes, er stärkt auch seine Grundfesten. Hätte ich aber den Erfolg dieser Stunde nicht gewollt, nicht vorausgesehen, dann hätte der Zusammenbruch meiner französischen Stützpunkte, meiner Ausgangsstellungen alles andere mitgerissen. Sechs Monate dieser Regierung genügen mir, um meine allzuweit vorgetriebenen Bastionen zurückzuziehen, von denen ich jeden Augenblick ins Bodenlose stürzen kann. Dank dieser sechs Monate erlange ich die Stabilität und sichere mir ein Vermögen, das so krisenfest ist, als ein Vermögen sein kann, denn ich will keine sinnlosen Hände, die wußten, was sie wollten. Die körperliche Berührung, Vermögen, das Leben mit anderen Augen betrachten und es endlich so gestalten, wie ich es mir wünsche und vorstelle.

Nicht, daß ich nichts mehr zusammenbrächte, daß ich müde wäre, aber ich habe immerhin mein Ziel erreicht, Angèle, und es ist merkwürdig, daß dies gerade in der Zeit geschieht, da ich Ihretwegen die Dinge aus einem anderen Blickwinkel betrachten muß, als es ein Mehlen sonst gewöhnt war. Sechs Monate, Angèle, sechs Monate, die Gardas uns schenken wird, und in sechs Monaten...« Seine Stimme erstickte. Niemals noch hatte ihn Angèle so ergriffen, so aufgewühlt, so erschüttert gesehen. Er suchte es nicht zu verbergen.

Er stand auf, er überlegte seine Gesten nicht mehr, er faßte sie mit der gleichen leidenschaftlichen Eindringlichkeit an den Schultern, mit der sie selbst vor wenigen Tagen Angélique gepackt hatte, um sie umzustimmen. Seine Hände waren nun nicht mehr klein, fein und mager, sondern sie wirkten warm, stark und überzeugend; es waren Hände, die wußten, was sie wollten. Die körperliche Berührung, die sie eben vorhin noch vermieden hatten, damit nur Worte zwischen ihnen wären, schaltete sich ein; wie ein Strom lief es vom einen zum anderen, ein Strom, der sie in einen einzigen Kreislauf vereinigte. Ihn, den Mann, traf er heftig und voll Wucht; sie, die Frau, empfand zwar nichts von dem, was sie sonst in der Nähe vertrauter, geliebter Männer aus Fleisch und Blut, wie Hubert Doissel, empfunden hatte, aber mit aller Macht wurde ihr bewußt, daß sie diesem Mann hier angehörte, daß sie sich ihm unterwarf. Sie dachte nicht darüber nach, sie zergliederte nicht, warum es so war; sie gab sich ihrem Gefühle hin.

»Nun«, fuhr er fort, »so entwickelt sich alles nach meinen Wünschen. In wenigen Tagen haben sich die Positionen umgekehrt, und man kommt auf die Stellungen zurück, in denen ich mich festgesetzt habe. Alles hat sich verändert, und ich habe gewonnen. Nun heißt es nur mehr sicherzustellen und die Zeit eine Weile wirken zu lassen. Ich habe alles vorbedacht; und nichts – außer der blinde Zufall – kann mein Gebäude ins Wanken bringen. Jetzt darf ich Ihnen gestehen, daß ich wußte, was ich wagte, und daß ich, aus den angeführten Gründen, buchstäblich Ihre Person als Einsatz des Spiels genommen habe. Und dabei wußte ich gar nicht, ob ich Sie gewinnen würde, wenn ich die Partie gewinne, aber das Spiel war Bedingung, wenn nicht sogar Pflicht. Nun sind Sie da, und alles, was ich Ihnen erzählt habe, brachte Sie mir näher, wo es Sie doch so leicht hätte entfernen können! Auch hier habe ich ein Spiel gewagt, und noch dazu ein blindes Spiel, denn ich verstehe nichts von Frauen. Gut, daß ich meinem Instinkt folgte und Sie als eine Frau betrachtete, die von den anderen verschieden ist. Ich habe vorher Ihr Leben mitgelebt, mitgelitten und mitgehofft, als ob ich selbst Ihre Stelle eingenommen hätte. Dadurch habe ich Sie so gut gekannt, daß ich keine Enttäuschung mehr zu fürchten brauchte und daß ich heute abend die Karte ausspielen durfte. Aber auch das wird noch eine Weile brauchen, wird sich festigen müssen, ich weiß es. Niemals hat man ganz gewonnen. Es hängt oft an einem Faden: ein Versehen, ein Irrtum ... ein Zufall kann zum Verderben werden. Das ist das Spiel, ein unsicheres Spiel zuweilen, das aber allein die Lebenden spielen. Ich hatte nichts zu verlieren, um ein Mehlen zu werden. Jetzt hingegen kann ich alles verlieren, und das weiß ich mit unumstößlicher Sicherheit. Aber nein, ich werde nichts verlieren. Alles ist festgefügt, weil wir beide zusammen sind. Wir werden bestimmt nicht ein Paar wie alle anderen sein, wenn wir überhaupt eines werden, wie ich jetzt fest hoffe. Aber trotzdem werden wir ein Paar bilden, dessen Gemeinschaft vielleicht auf anderen, unendlich festeren Grundlagen als bei den anderen Menschen ruht; ein Paar, das enger verbunden ist, weil es alles voneinander weiß, so daß jeder Irrtum, jede Überraschung ausgeschlossen ist. Das war mein Weg. Und jetzt bin ich am Ziel, Angèle.«

Ja, sie waren am Ziel. Es war so, sie konnte es nicht abstreiten. Nichts Körperliches hatte sie zu diesem Manne hingezogen wie zu den anderen vor ihm, und doch stand er hier, die Hände auf ihren Schultern. Er hatte kluge Hände, die keine ungeschickten Liebkosungen versuchten; sie hätte sie noch nicht ertragen. Aber es waren Hände, die ihr schon vertraut waren und die ihr fehlen würden, wenn er sie sinken ließ. Es waren Hände, die sie brauchte, die sie brauchen würde, wie sie schon die Nähe dieses unscheinbaren, wenig anziehenden Mannes benötigte, der aller Liebe so fern schien, und wie sie alles brauchte, was er – für sie, für sie allein – ausstrahlte. Vielleicht weil ich vierzig bin, dachte sie. Nein, nein, das war nicht der Grund. Sie mußte nur an Madame Paris denken, um es zu wissen: Es vergeht nichts mit dem Alter, aber die Werte wandeln sich. Hatte sich nicht plötzlich alles für die alte Dame geändert, als sie ans Krankenlager gefesselt wurde? Und war nicht auch für Angèle, und auf ähnliche Weise, heute mit einem Male alles anders geworden?

Ihr war, als trete sie in eine Ruhezone ein. Wie ein Schiff, das durch stürmische Wogen segelt und nun in den Hafen einfährt, in die stillen Gewässer, wo es landen kann. Keine Dramen mehr, keine Seelenqualen. Frieden! Der wahre Friede, der Friede des Geistes, des Herzens und auch des Leibes. Ah, auch das war möglich, wenn der Geist den Vorrang hatte!

»Mein Freund...«, begann sie.

Sie verstummte. Das schrille Läuten des Telefons zerriß die Stille, die friedvoll zwischen ihnen lag. Einmal, zweimal, dreimal...

»Wer wird so spät...?«

»Ich habe befohlen, mich auf keinen Fall zu stören«, sagte Mehlen.

»Es kann nur...«

»... mich angehen?«

Sie hob ab, nahm den Hörer zum Ohr:

»Ja«, sagte sie, »ja, Angèle ... Wie, Mama, du? Geht es dir schlechter? Nein? Mein Gott, bin ich erschrocken! Es ist zwei Uhr, weißt du! Was sagst du da? Was? So sprich doch, was ist...?«

Mehlen sah, wie ihr Gesicht verfiel. Alle Müdigkeit dieses langen Abends, ja, eines ganzen Lebens stand plötzlich in ihren Zügen. Trotzdem schwieg er und wartete. Endlich legte sie ab, und wieder war es still zwischen ihnen.

»Was ist geschehen?« fragte er endlich.

»Lambert«, sagte Angèle unhörbar, aber sehr ruhig, »Lambert, mein Sohn. Lambert ist verschwunden.«

Sechstes Kapitel

DIE DÜFTE UND DIE LAUTE
Lambert

I

»Lambert! Kannst du nicht hören?« rief Angélique aus der Küche.

»Nein«, antwortete Lambert.

Aus dem Zimmer ertönte die Stimme seiner Großmutter, der Madame Paris, die seit ihrer Krankheit zwar etwas schwächer geworden war, aber immer noch kräftig durch alle vier Räume der Wohnung in der Rue Caulaincourt schallte:

»Lambert, würdest du mir das Telefon bringen?«

»Ja, Großmutter«, sagte er, schlurfte langsam ins Speisezimmer, nahm den Apparat und stellte ihn auf das Tischchen am Krankenbett, während die alte Dame brummte:

»Angélique könnte es auch hier lassen, sie weiß, daß ich es gern in Reichweite haben will.«

»Sie tut es, damit sie die Gespräche übernehmen kann, wenn du schläfst, Großmutter.«

»Ich schlafe niemals untertags«, erklärte sie. »Ich schließe nur die Augen.«

Es stimmte, sie schlief niemals. Sie senkte nur die Lider, die alten und schweren Lider, weil sie dann das Gefühl hatte, sich nicht mehr zu sehen, zugleich aber in sich selbst zu schauen, da die Szenen, die sie in Wirklichkeit nicht mehr erblicken würde, scharf und zum Greifen nahe abrollten; Szenen aus ihrem Bezirk, ihrer Straße, ihrer Stadt Paris, die sie immer nur ungern verlassen hatte; und auch die Menschen sah sie, deren Leben, Schicksal sie von ihrem Lager aus verfolgte: ihre Tochter Angèle, Doissel, Mehlen und alle andern, die mitspielten und mehr als bloße Komparsen waren: Enguerrand, Gardas, Madame Dervais und andere noch, die sie sich in Gedanken selbst schuf und vorstellte: die Lieferanten, die Türsteher der Ministerien, die Pförtner, den Chauffeur des Finanzmannes, die Spielkameraden ihres Enkelsohnes und viele andere, eine bunte Schar, aber alle lebendig und scharf.

Manchmal fiel ihr etwas ein, dann riß sie sich aus diesem vorgetäuschten Dämmerzustand, den Angélique für Schlummer hielt, und rief: »Lambert!«

Er hörte sie oft nicht – da er meist im Freien mit Kameraden »spielen« war, was sie, die Großmutter, ihm selbst in den ersten Tagen nach dem Tod Monsieur de Vibornes geraten hatte – nein, Lambert konnte sie nicht hören, denn auch vor seinen weit offenen Augen rollten Bilder ab, die ihn immer wieder zu dem gleichen Ziel lenkten.

Da fragte er:

»Brauchst du noch etwas, Großmutter?«

»Nein«, sagte sie und wählte die Nummer. Sie wartete mit den letzten Ziffern, bis er draußen war, als fürchte sie, er könne horchen und erkennen, mit wem sie sprach.

Und das war ihm doch ganz und gar gleichgültig. Er hatte andere Dinge im Kopf. Wenn Großmutter wüßte...

Aber, das war es eben: Niemand wußte es. Niemand würde es jemals erfahren. Weder Großmutter noch Angélique, noch Mama, die sich nicht mehr blicken ließ, der er es zwar auch nicht hätte erzählen können, die ihm aber trotzdem fehlte, seit jener Hubert Doissel in La Gardenne aufgetaucht war. Mama, deren Nähe, deren Wärme und Zärtlichkeit ihm vielleicht dieses schreckliche Alleinsein erspart hätten; ach, Mama, die ihn verlassen hatte!

Er liebte sie, seine Mama; er liebte sie körperlich. Alles, was so fein und warm an ihr war, von ihrer Haut bis zu ihrem Duft, ihren weichen Händen, ihrem Haar, dem Klang ihrer Stimme. Lambert war empfänglich für ihre Wärme, für ihre Nähe; das Entscheidende für ihn aber waren – an ihr wie an allem, was ihn umgab – die Düfte und die Laute, die er als erstes aufnahm und die sich ihm fest einprägten.

Die Gerüche, ja. Wenn er an La Gardenne dachte, dann konnte er es nicht von den Düften trennen, die eine so wunderbare Gesamtheit schufen: zuerst die Gerüche des Hauses selbst, der gebohnerten Parketten, der Steine, die im Lauf der Zeit vom Rauch des Holzfeuers durchtränkt wurden, des Lederzeugs der Jagdgäste, des frisch geschnittenen Holzes, das in den beiden großen Kisten zum Trocknen lag und auf den Winter wartete; die Gerüche des morgendlichen Milchkaffees, des Waschtages am Mittwoch, des Fleischeintopfs am Samstag, der gebratenen Rebhühner im September, des Brüsseler Kohls im November, der Erdbeeren im Juni und dann der Himbeeren, wenn der Herbst wiederkam.

Und die anderen Gerüche, besonders im Freien: die Gerüche des Zwingers vor allem, der Meute und der Pferde in den Ställen, wo es so kräftig nach dem Fell der Tiere, nach den Salben roch, die auf die Wunden und Kratzer der Jagd geschmiert wurden, nach dem Terpentin, das man in die gewärmten Futterraufen rieb, der Streu, dem Stroh, dem über das Pflaster in langen dünnen Fäden rinnenden gelben Urin, obwohl er doch sofort von den Knechten durch gewaltige Wassergüsse weggeschwemmt wurde.

Und erst die Düfte des Waldes, wo sich alles vereint: Bäume, Gewässer und der Himmel; Holz und frisches oder welkes Laub, auch das

Moor der Sologne, die bittersüßen Sümpfe mit dem spitzen Schilf, den Zuflußkanälen, über denen in Kindeshöhe die Wolken tanzender Mücken stehen, mit ihrem fauligen Gestank, süßlich, widerlich und schwer, in dem man vor Unruhe, Übelkeit und allen den Gedanken, die ihr seltsamer Duft erweckt, zu vergehen glaubt, während der abendliche Schrei des Reihers durch die Stille tönt wie die Sirene eines im Nebel verirrten Schiffes.

Denn die Laute, alle die Laute fügen sich zu den Gerüchen. Vielfältig, unendlich. Die Geräusche des Lebens zuerst, die Geräusche des Schlosses. Jedes hatte seine Bedeutung für ihn.

Der Schritt Mamas, der Schritt des Vaters und die Schritte aller anderen: der feste und rasche Schritt Euloges, der schleichende Schritt seines Neffen, die Schritte der Dienerschaft, so verschieden, vom hastigen Trippeln bis zum dröhnenden Tritt; die Schritte der Gäste – der fast unmerkliche Schritt Mehlens, der kräftige Doissels, der tänzelnde Gardas' und anderer, vieler anderer; sie alle hafteten für immer in seinem Gedächtnis.

Und das Klirren der Tassen auf dem Tablett oder der Teller beim Mittagessen. Das Husten Papas, der die Pfeife raucht, und das Husten La Frondées – der sie nur in der Hand hält; das Räuspern des ersten Pikörs und der krähende Keuchhusten der kleinen Tochter des Pförtners. Dann alle anderen Geräusche: die Holzschuhe auf dem Pflaster, die Hufe im knirschenden Kies der Allee, das Geräusch des trotz des Gurtes schlenkernden Bauchs der Stute, die ihre zehn Liter klares Wasser getrunken und ihren Hafersack ausgefressen hatte. Aber das alles war noch nichts. Die echten, wahren Geräusche waren die Geräusche des Waldes.

Ja, hier mischten sich selbst die Düfte in die Geräusche, als wollten sie die Töne noch verlängern. Lambert brauchte nur in den Wald einzudringen, und schon vermengte sich alles, was die Sinne berührte, und blieb trotzdem klar und deutlich ein fest umrissenes Eigenes: Geräusche des Himmels, des Wassers, der Erde und die lebendigen Geräusche der schweifenden Tiere.

Das reichte vom Sturmwind des Westwetters mit seinen Regenböen bis zu den heftigen Stößen des lauen Südwinds, der den Duft des Harzes oder des jungen Laubs auf seinen Schwingen trug, während sich das Flügelrauschen der sehnigen Holztaube oder des geschmeidigen, steile Kreise ziehenden Bussards in den Hauch mischte, der von Vierzon oder von noch weiter kam, von der Ferne, wo die Sonne grell, unerträglich, langsam sinkend ihren Tageslauf beendete.

Vom Himmel fiel das Wehen, und von der Erde stieg es auf, und darein mengte sich alles andere, das er unterscheiden konnte: das Reiben der Äste aneinander, das Raunen der Blätter, das sich verdichtete und zum Rauschen des Waldes vereinte, der schrille Schrei einer aufgescheuchten Rohrdommel oder eines Rotschwänzchens. Und dann alle andern Geräusche im Hochwald, die weitertönen: die Schläge der Axt, der Baum, der zu Boden fällt, die Glocken von den Dorfkirchen her, der Volkstanz an den Sonntagen in Saint-Viâtre und das Horn der Reiterjagd – die Fanfaren der Vue, des Bien Aller, des Halali und des Todes.

Und da waren schließlich die Tiere: die tappenden Kaninchen, die von ihrem Nest aufspringen, die schleichenden Füchse, die plötzlich wie Hunde bellen und sich zurufen, um zu zweit das Wild leichter täuschen zu können, die keuchenden Hindinnen, die ihre Jungen werfen, die schnüffelnden Wildschweine, grunzend und wühlend, die Hirsche endlich, in deren klagendem Ruf aller Schmerz der Welt aufklingt, wenn sie ihre Hoffnung und ihre Verzweiflung hinausröhren und zeugen müssen, um nicht zu vergehen.

Und jetzt dieses Paris. Ein Paris aus Asphalt und Stein. Und dennoch: ein Paris aus Düften und Lauten.

In den ersten Tagen bedeutete es für Lambert nur eine einförmige graue Masse, aus der sich nichts abhob, nichts löste; eine schwere, lastende Wolke, reglos, aus menschlichen Stimmen, Stößen, Rufen, Kreischen, aus ätzendem Qualm, Benzin, Mülleimern, aus denen wie aus den gähnenden Öffnungen der Kanäle ein Dunst von Verfaultem und Verwestem aufstieg, der sich sofort mit allen andern Gerüchen der Stadt vermischte und zu dem eigenartigen summenden Zusammenklang stimmender Instrumente vor den Konzerten, den Symphonien für Orchester und Soli, vereinte; nicht mehr pastoral, sondern pathetisch und bald in heroisch aufrauschende Akkorde.

Aber wie die Baumwipfel mit einem Schlag aus dem Morgendunst tauchen, wenn der Nebel zerreißt, so lösten sich allmählich die Laute, trennten sich, nahmen Form, Eigenart an, wurden unterscheidbar, prägten sich ihm, so neu sie waren, in aller Schärfe ein, so daß er ihre Bedeutung, ihren Wert, ihre Resonanz, ihre Übersteigerung erkennen und deuten konnte.

Und so war er nun in eine neue Welt – ebenfalls eine Welt aus Gerüchen und Lauten – gelangt, in der er sich nach und nach zurechtfand, daheim fühlte wie im Wald, eine Welt, in der sich binnen weniger Tage die steilen Mauern, die freudlosen Zementwände, die unterirdischen, durch die Tritte menschlicher Füße und den einheitlichen Kresolgeruch unpersönlicher Gänge, das Stimmengewirr, das Geräusch zahlloser Räder und Motoren trennten, aussonderten und zu Häusern, Läden, einzelnen Wohnungen, den Metros mit ihren verschiedenen Zielen, dem Parfum einer Dame oder dem Geruch einer Fischhandlung wurden – lauter Meilen- und Marksteine in diesem Raum, der auch seine Alleen, seine Flüsse, seine Sümpfe, seinen Hochwald und sein dichtes Gestrüpp besaß.

Selbst die einzelnen Räume der Wohnung hatten ihre besondere Atmosphäre, obwohl sie doch ineinandergingen. Da gab es die Eingangstüre, in der sich die Duftströme trafen, die Küche, die nach rohem Lauch und Kartoffeln roch, von der man ins Speisezimmer gelangte, in dem der Duft des Brotes im Korb, des Honigkuchens im Buffet lag und wo der Geruch des Beefsteaks vom Vortag noch in den Gardinen hing; oder in den Salon, wo das letzte Veilchensträußchen Mamas dahinwelkte, wo vielleicht unter dem Kissen eines Fauteuils noch eine Naphthalinkugel vom Sommer vergessen war und wo jetzt der Geruch Angéliques vorherrschte: der Geruch des schlichten Tuchs der Pensionatsuniform, durchtränkt von dem Duft der Kapelle und auch von dem ihres eigenen Körpers, der stark und herb war wie der Duft der Sümpfe der Prée; das Schlafzimmer der Großmutter mit dem scharfen, durch Kölnischwasser gemilderten Arzneiengeruch oder dem Lavendel der aus dem Schrank geholten frischen Leintücher; und endlich das Zimmer, wo Lambert jetzt schlief und wo früher Mama geschlafen hatte, deren Düfte wie leise untermalende Musik in den Wänden hafteten, aber von seinem eigenen Geruch verdrängt wurden, Lamberts Geruch, den zu seiner Verwunderung niemand anderes bemerkte; der Geruch seiner Hände, die das Mädchen gestreichelt hatten und die er manchmal zum Gesicht hob, um ihn besser zu spüren, der Geruch seines Rocks, an dem ihr Haupt geruht hatte, das Haupt der Kleinen, die seine Freundin geworden war und an die er sich so stark gebunden fühlte.

Und um mit alldem allein zu bleiben, schloß er sich ein.

»Lambert!«

Er hörte nicht. Er war von allem abgetrennt, in seine eigene Gegenwart verloren. Er wußte genau, warum man ihn rief. Selbst durch die geschlossene Tür hörte er alles. Aber dieser Ruf gelangte nicht sofort in sein Hirn. Er wehrte sich dagegen, er wehrte sich gegen alles, was ihn aus dieser belebten Einsamkeit riß, in die er sich absichtlich verkroch.

»Ja, Großmutter.«

»Lambert, geh hinunter zum Apotheker. Es ist halb sieben. Du mußt unbedingt vor der Sperrstunde unten sein. Die Medikamente sind bestimmt schon fertig. Nicht, daß ich mir viel davon erwarte, aber ich habe versprochen, alles zu versuchen, und so tue ich es eben auch.«

»Ja, Großmutter.«

Es freute ihn gar nicht. Er hatte Mathilde um fünf Uhr verlassen, sie war heimgegangen. Ihr Vater kam um halb sechs aus der Fabrik, er arbeitete in Tagschicht, die zeitig früh in Saint-Ouen begann; er war sehr schnell auf seinem Fahrrad, und sie mußte zu Hause sein, denn wenn er auch nicht bösartig war, so rutschte ihm doch sehr leicht die Hand aus. Lambert würde sie also nicht sehen – bis morgen nicht! Um zehn Uhr würde er hinuntergehen, um zu »spielen« – mit wem? Seit einigen Tagen »spielte« er nicht mehr, er hatte die Gassenjungen aus den Augen verloren. Bis Mittag mußte er also durch die Straßen streifen, nach allen Seiten ausspähend, um sie beim Einkaufen zu entdecken und sie vielleicht einen, ach, so kurzen Augenblick in den Rohbau zu ziehen, dort ihre Hände zu ergreifen und sie, wie er es so liebte, langsam zu streicheln, was sie steif, passiv, mit hängendem Kopf geschehen ließ, weil sie wußte, daß es ihm gefiel.

So mußte er sich gedulden und abquälen, selbst noch im Bett, wo er mit offenen Augen lag, weil dieses Gefühl alles andere in ihm verdrängt hatte.

Ihm war ganz sonderbar zumute: Er glaubte, nur draußen in den Straßen atmen zu können, wenn er auf der Suche nach ihr war. Die vier Wände seines Zimmers erdrückten ihn, und nur die kurze Zeit spätabends, nachdem Angélique das Geschirr gewaschen hatte, schien ihm erträglich. Dann drehte er heimlich die Lampe an, die Mama benutzt hatte, als sie hier schlief, und ließ den Lichtschein auf die Zeichnung fallen, die er Hubert in La Gardenne entwendet hatte und die eine nackte Frau darstellte.

Lange, lange schaute er sie an. Eine warme Welle stieg in ihm auf, er atmete schneller. Er dachte an die Kleine, aber nicht an etwas Bestimmtes, sondern an alles, aus dem sie für ihn bestand: an ihre Haut, ihren Geruch nach billiger Seife und schlecht gewaschenem, fettigem Haar, die ein wenig heisere, von allzuviel Erkältungen rauh gewordene Stimme, die ihn ergriff, wie ihn jeder Ton, jede Musik berührten.

Er stieg durch das dunkle Treppenhaus hinab. Draußen empfingen ihn das Licht und der Lärm des Abends, ein vielstimmiger Chor schimpfender und klatschender Frauen mit ihren Einkaufsnetzen am Arm, ein scheltender Ruf nach einem Kind, Getrappel zahlloser Füße auf dem Asphalt, auf den aus den Metzgereien herausgetragenen Sägespänen. Und dazu kam der faulige Gestank der Rinnsale, das Aroma der Früchte auf den Ständen, die Gerüche, die wie eine Woge aus den Milch- und Feinkostläden strömten, wenn sich die Türen öffneten. Hier glaubte Lambert wieder leben zu können. Aber ehe er sich noch dieser Empfindung überließ, schüttelte er sie ab: Nein, es war vergeblich, ja sinnlos, zumindest solange er sich nicht in ihrer Gegenwart befand.

So beeilte er sich, obwohl er sich gerne im Freien aufhielt. Die Rezepte in der Apotheke waren fertig. Er stopfte die Fläschchen, Packungen, Ampullen und Salben in seine Taschen. Es war sieben Uhr, in einer halben Stunde wurde gegessen. Um neun Uhr war er »zu Hause«, in seinem Zimmer, wo er wartete, bis Angélique die Großmutter für die Nacht vorbereitet hatte und sich dann, nachdem der Tisch abgedeckt und das Geschirr gespült war, auf den gewachsten Boden kniete und zwei Stunden lang betete.

Auf dem Rückweg kam er bei dem Rohbau vorbei. Der verlassene Bauplatz war durch eine Bretterwand abgeschlossen. Aber Lambert wußte, daß eines dieser Bretter mit einem riesigen Nagel gehalten war, den man nur um seine Achse zu drehen brauchte, um durchschlüpfen zu können. Er blieb stehen, schaute, ob ihn jemand beobachtete. Die Straße war menschenleer, die Leute waren entweder weiter oben bei den Läden oder weiter unten auf dem Platz. Er zwängte sich durch den Spalt.

Er stieg die eiskalte Treppe empor, wo der Wind durch alle scheibenlosen Fenster, alle Türöffnungen blies. Im ersten Stock bog er nach links ein und trat in die leere Wohnung, in die er Mathilde meistens führte. Was wollte er dort tun? Er wußte es nicht. Er dachte nicht nach. Er handelte nur instinktiv. Sicherlich trieb es ihn unbewußt hierher, ähnlich den Tieren, die ihren Weg nicht finden und witternd zu dem Platz zurückkehren, der noch einen Geruch birgt. Er blieb eine Weile in dem Winkel des letzten Zimmers stehen, dort, wo ihn Enguerrand unlängst entdeckt hatte. Wie eine Woge stürzte unendlicher Kummer über ihn herein, ein uferloser Schmerz, der aus alldem bestand, was ihm fehlte, was er suchte, ohne es finden zu können. Nein, es war nicht möglich, so konnte es nicht weitergehen...

Er warf sich auf die Knie, ohne den rauhen Zement zu spüren. Er wiegte seinen Kopf von links nach rechts, als wollte er einem Schmerz ausweichen, der in ihm war und an dem er zu vergehen glaubte, und wie in einer Litanei, in der er um Linderung oder Gnade flehte, wiederholte er immer, immer wieder: »Ich halte es nicht mehr aus... Ich halte es nicht mehr aus...«

Eine halbe Stunde schon lauerte er, jede Minute gewärtig, Mathilde zu sehen; endlich, gegen zwölf Uhr, erblickte er sie.

Jedesmal, wenn sie so auftauchte, schien sie kein bißchen dem Bild zu gleichen, das er vom Vortag her von ihr bewahrte. Er drängte sich durch die Menschen, die eilig ihre Einkäufe besorgten, und stand vor einem langen, mageren Ding, unausgewachsen, eckig, in einem hängenden, sehr dünnen, zu kurzen Mantel, der schlecht über dem Kleid saß, das sichtlich aus einem mütterlichen Gewand umgearbeitet war. An den endlos langen Armen hingen Einkaufsnetze und ein Korb, die bald schwer von dem Gewicht riesiger Nahrungsmittelmengen sein würden, denn die Familie des Fabrikarbeiters brauchte viel, und die fünf Kinder – Mathilde war die Älteste – verschlangen alles, was man ihnen vorsetzte. Die Last zog ihre Schultern nach vorn, so daß sie mit ihrem langen, dünnen Hals wie eine Mineralflasche aussah.

Aber bald drängte sich ein anderes Bild vor diesen Anblick: die Frau, die Hubert gezeichnet hatte. Und obwohl Mathilde Mathilde blieb, wurde sie wieder zu dem Mädchen, das ihn betörte, dessen Stimme sein Ohr, dessen Duft seine Nase entzückten. Wenn sie allein waren, schloß er häufig die Augen und streichelte sie und entdeckte allein mit Hilfe seiner Sinne Formen, die er in Wahrheit selbst schuf. Dann schien ihm, als sähe er sie endlich wahrhaftig, weil sie zu jener Frau wurde, deren Bild in ihm lebte.

Ehe er sie mit ihrem glatten, schwarzen, hinabfallenden Haar, den vorspringenden Backenknochen und der freien Stirn über den etwas eng stehenden wasserblauen Augen, die sich bis zu den Schläfen hinzogen, kurz, mit alldem, an dem er sie erkannte, in der Menschenmenge sah, strich er in einem genau berechneten Bogen um den Platz, kam zehnmal an der elektrischen Uhr der Straßenkreuzung und an dem Uhrengeschäft vorbei, in dem er von zwanzig »Jes«-Weckern, zehn Standuhren mit Westminsterschlag, die auch gegen Ratenzahlung verkauft wurden, von hundert aufgereihten Armbanduhren die Zeit ablesen konnte, die ihm verriet, daß sie bald kommen würde, und sein Herz klopfte heftig, obwohl es auf den Schock vorbereitet war.

Dabei hatte er beim ersten Male gar nichts gespürt.

Es war am Tag nach seiner Ankunft in Paris gewesen, zwei Tage nach dem Begräbnis Monsieur de Vibornes. Er hatte nichts mit sich anzufangen gewußt, hatte allen im Weg gestanden, bis Madame Paris, die damals noch flink und lebhaft in den Zimmern herumlief, nervös geworden war:

»Geh mir doch aus dem Weg, Lambert!«

Er war zum Fenster gegangen, hatte die Nase an den Scheiben platt-
gedrückt und in die Straße hinuntergeschaut. Er kam sich eingesperrt
vor, ähnlich wie während der Unterrichtsstunde in La Gardenne mit
dem Lehrer, vor dessen Geruch nach abgestorbener Haut und Schweiß
ihn ekelte.

»Mir ist fad«, maulte er.

Und das war richtig. Was sollte er tun? Mama war stumm und niedergeschlagen; abwesend und zerstreut streifte sie mit den Lippen
seine Stirn, wenn sie ihn küßte. Da Enguerrand und Angélique auswärts wohnten, war er allein, ganz allein. Bei jedem Schritt stieß er
mit der lebhaften, stets tätigen Großmutter oder mit Jules zusammen,
der zwar nur seine Zigaretten drehte, aber doch schimpfte, weil er deshalb den Tabak verstreut hatte. »So geh hinunter, spielen! Auf die
Straße!«

»Kann man denn auf der Straße spielen, Großmutter?«

»Warum denn nicht? Du mußt nur auf die Wagen achtgeben. Außerdem gibt es die ›Gründe‹... Baustellen mit Sand. Dort findest du
eine Menge Jungen.«

»Ich kenne sie doch nicht, Großmutter. Das sind Arbeiterkinder.«

»Und hast du in La Gardenne nicht auch mit den Söhnen von den
Pferdeknechten gespielt? Kinder wie alle anderen.«

Gewiß waren sie genauso, nicht gröber und nicht derber als Gaspard
oder Lothaire, mit denen er Murmeln tauschte und denen er die Kastanienschleuder Huberts gezeigt hatte.

So war er hinuntergegangen. Man konnte sich's ja anschauen. Und
dann, es war etwas Neues, es konnte lustig, vielleicht auch aufregend
werden. Alles war besser, als in diesen vier Zimmern ohne Ausgang
und ohne Luft zu hocken, deren Fenster man nicht öffnete, um nicht
die »Wärme zu vergeuden«.

Anfangs hatte er nicht die Absicht gehabt zu spielen, oder wenn, dann
nur ganz allein, und Spiele, die er selbst erfand. Außerdem sah er
gar keine Jungen auf der Straße. Großmutter hatte gewiß vergessen,
daß nicht Donnerstag war und die Kinder daher in der Schule saßen.

Sie hatte von »Baugründen« gesprochen. Schön, er wollte einmal hingehen. Warum eigentlich Baugründe, in der Mehrzahl? Er sah einen
einzigen Bauplatz, den dort unten zwischen den Häusern, der durch
eine Bretterwand abgesperrt war und dessen Einfahrt tiefe Wagen-
spuren im Lehmboden aufwies, die Spuren der Lastwagen, die auf
diesen Schutt nicht nur Müll, sondern toten Abfall abgeladen hatten: alte, durchlöcherte Blecheimer, alte Schuhe, alte, verbeulte Eisen-

öfen, gußeiserne Pfannen ohne Henkel, Siebe ohne Boden, zahnlose eiserne Gabeln. Er stieß mit dem Fuß an einen großen zerbrochenen Kochlöffel und hob ihn auf. Der Platz war leer. Kein Kind weit und breit. Vielleicht ging er gerade deshalb hinein.

Bei der Mauer mündete eine Art Gang, der sich zwischen die Häuser zwängte. Er wagte sich weiter: Nach kaum zehn Schritten hörte er Stimmen, Geschrei. Tatsächlich erweiterte sich der Schlauch und mündete in ein kleineres Terrain, einen »Grund«, in den keine Wagen einfahren konnten, wohin die Jungen aber alles aus dem größeren geschleppt hatten, was sich für ihre Spiele eignete. Es waren fünf – an einem Schultag! –, die sich stießen, hintereinander herrannten und dabei das Rad eines alten Fahrrads vor sich her rollten. Lambert erkannte zwei von ihnen; er hatte sie vom Fenster der Großmutter aus in einem selbstgebastelten Karren, den sie mit den Füßen lenkten, die Straße hinunterfahren sehen; ein langer Lümmel von ungefähr zwölf Jahren und ein kleinerer von höchstens acht. Sie rauften, kollerten über den Boden, der Stärkere hielt den andern beim Haar und ließ ihn »Dreck fressen«.

Sie standen auf, zogen sich die Jacken zurecht, reinigten sich so halbwegs vom Staub, und Lambert wollte sich eben davonmachen, als ihn der Knabe, der mit dem kaputten Rad spielte, erblickte. Er gab Alarm:

»He, Jungs! Da ist wer!«

Nun sahen ihn alle, und gemeinsam stürzten sie auf ihn zu. Lambert machte kehrt und flüchtete, den Löffel in der Hand. Er wußte, daß er ein flinker Läufer war, und der Zugang zu dem großen Grund war nahe. Er hatte Vorsprung, und sie würden ihn nicht erwischen. Dort hinten war der Spalt im Bretterzaun. Noch zwanzig Meter . . .

Plötzlich stockte sein Fuß mitten in dem Müll, Lambert fuhr zurück. Zehn andere Knaben tauchten auf. An ihren Mappen erkannte man, daß sie von der Schule kamen. Sie hoben die Arme, brüllten und versperrten ihm den Weg. Einen Augenblick zögerte Lambert, aber die Verfolger waren ihm auf den Fersen. Er stürzte vor.

Vielleicht hätte er ohne diesen kurzen Aufenthalt an ihnen vorbei können, aber die verlorene Sekunde erlaubte den Ankömmlingen, eine Kette zu bilden. Er versuchte einem kleinen Jungen auszuweichen und stieß mit ihm zusammen, so daß beide zu Boden fielen. Ehe er sich aufrichten konnte, waren sie über ihm.

Er verschwand unter ihnen, alles ging drunter und drüber. Einen Augenblick später tauchte er auf; der Große hatte ihn beim Kragen gepackt, herausgezerrt, die anderen mit Fußtritten und Fauststößen abgewimmelt.

»Führt ihn zum Schießstand!« befahl er.

Sie hielten ihm die Arme am Rücken fest, und zwei stießen ihn vorwärts und rissen ihm den Löffel aus der Hand, den er noch immer umklammerte.

»Schweinehund!« sagte er.

»Ich habe nichts getan!« rief Lambert.

»Nun, und das?« Der Große hielt den Löffel hoch.

»Und? Ich habe ihn vom Boden aufgelesen.«

»Er gehört uns. Nicht wahr, Jungs?«

»Uns allen. Da wird gespielt, aber nichts mitgenommen.«

»Das hab' ich nicht gewußt«, sagte Lambert.

»Du wirst dir's schon merken!«

Sie drückten ihm die Knie in die Schenkel und trieben ihn weiter. In dem engen Durchgang zwickten sie ihn, weil es fast finster war. So kamen sie kreischend und schreiend auf den hinteren Bauplatz.

»Zum Schießstand!« kommandierte Fabret.

»Was wollt ihr mir tun?« fragte Lambert.

»Dich erschießen...«, erklärte der Große. »Kein Mitleid mit Verrätern.«

Lambert wehrte sich, stieß mit den Fäusten.

»Packt ihn bei den Flossen!« befahl Fabret.

Lambert ließ sich fallen, machte sich so schwer als möglich.

»Hebt ihn auf!« gebot Fabret.

Sie trugen ihn bis zu der Stelle, die sie den Schießstand nannten.

Es war ein widerlicher Platz, schmutziger als alle andern, wo sich der Unrat häufte, den die Leute, unbegreiflich im Zeitalter der Koloniakübel, abgelagert hatten. Die Jungen trieben einen Pfosten in die Erde: Das war die Hinrichtungsstätte.

Hier spielten sie Gestapo. Sie hatten vier Jahre lang zuviel von Verhaftungen, von Verhören und von Verrat gehört, um nicht den Kopf voll davon zu haben. Das war ihr Mont Valérien, und aus allen seinen Schrecken hatten sie ein Spiel gemacht, ein grausames Spiel, gewiß, weil sie Kinder waren und zwangsweise die Erwachsenen nachahmten, die ihrerseits wieder nur die Schlechtesten ihrer Art nachahmten.

»Wer hat einen Strick?«

Er holte sie aus drei oder vier Taschen: Bindfaden, Eisendraht.

»Fesselt ihn!«

Sie banden ihn schlecht, mit Knöpfen und Schlingen, die kompliziert schienen.

Lambert blickte um sich. Er wußte wohl, daß es ein Spiel war, aber alle Spiele, die er bis jetzt gespielt hatte – die Spiele des Waldes, wo die Tiere ihr Leben verteidigen und kämpfen, um dem Tod zu entrinnen –, waren ernsthafte Spiele. Er sah die eisigen, blinden Feuermauern, den engen Platz, der einem Kerker glich, und schließlich die Kinder, in deren Augen tückische Schadenfreude glitzerte, und er sagte sich, daß er verloren war.

So war es also, wenn man wehrlos den Tod nahen spürte? So einfach und so entsetzlich zugleich? Und so erstaunlich es scheinen mochte: Lambert fügte sich in sein Schicksal.

Er würde also sterben. Über eine kurze Weile erging es ihm so wie dem gestellten Hirschen oder dem gemordeten Hasen, der steif und kalt auf der Dezembererde lag, oder wie Papa auf seinem Bett in La Gardenne. Er kannte den Tod der andern, an den eigenen Tod hatte er niemals gedacht.

Nein, er hatte nie ernsthaft daran gedacht, obwohl es ihm manchmal durch den Kopf gegangen war. Zuweilen, als Mama sich von ihm entfernte, hatte er gefunden, daß es nichts Schlimmeres gäbe, als etwas Geliebtes zu verlieren, als zu leben, ohne etwas Geliebtes zu besitzen. Und mit einemmal spürte er, außer der Angst, die ihm die Kehle zuschnürte und die ihm doch eine eigenartige, nie gekannte Lust schenkte, daß er vielleicht in ganz kurzer Zeit bei allen jenen kalten Tieren sein würde, die er so oft betrachtet hatte und für die alles, vor allem die Jagd, vorbei war.

»Verbindet ihm die Augen!« gebot Fabret.

»Nein«, sagte Lambert und ging auf das Spiel ein, das keines mehr für ihn war, »ich weigere mich! Ich will als Held sterben.«

»Das Peloton!« kommandierte der Chef.

Vier von den Knaben traten sechs Schritt zurück, stellten sich Lambert gegenüber. Es war möglich, daß sie Waffen besaßen. Nach der Befreiung gab es viele Jungen in Saint-Viâtre, die lange Zeit mit alten, weggeworfenen Gewehren gespielt, in den Wäldern Munitionslager gefunden und dann blind herumgeschossen hatten. Vielleicht zogen die Burschen Revolver oder Parabellumpistolen aus der Tasche? Und selbst als sie Stäbe ergriffen und an die Wangen hoben, hatte sich nichts geändert: Lambert glaubte, daß er sterben mußte.

»Bum ... bum ... bum ...«, machten die Jungen und ahmten mit dem Mund Gewehrschüsse nach.

Da stürzte Lambert zu Boden und erkannte, daß er in diesem Augenblick gestorben war.

Fabret näherte sich dem auf der Erde Liegenden; er drückte ihm ein Stück gebogenes Holz in Form einer Pistole an die Schläfe. Lambert spürte es an der Haut, er hatte die Augen geschlossen.

»Bum!« sagte der Große.

Und Lambert wußte, daß er jetzt endgültig tot war.

Dann endete das Spiel, und er kam zu sich. Die andern umringten ihn; sehr zufrieden, daß er so brav mitgespielt hatte. Fabret sagte nur:

»Jetzt weißt du, wie man mit Verrätern umgeht.«

Dann überschütteten sie ihn mit Fragen:

»Woher kommst du?«

»Wie heißt du?«

»Wir haben dich niemals in der Gasse gesehen.«

»Deviborne – ein komischer Name!«

»Auch nicht komischer als Mercancier, du Aff'!«

»Hast du Marie?«

Lambert hatte zwanzig Francs. Man nahm sie ihm ab.

»Damit kaufen wir Bonbons«, erklärte Fabret und steckte den Schein in die Tasche.

Dann spielten sie, und es ging wüst zu. Lambert war natürlich auf der schlechten Seite, bei denen, die man mit Beinstellen zu Fall brachte, denen man nachjagte, die man »zum Sprechen brachte«, die man nochmals hinrichtete, aber jetzt flinker, denn die Zeit verging. Es war Mittag, und die Bande zerstreute sich. Fabret sagte zu Lambert:

»Wir fünf haben Schule geschwänzt. Kommst du heute nachmittag?«

Er versprach es. Er kam wieder. Er »spielte« bis zum Abend und auch noch, als die andern wieder von der Schule gekommen waren, bis in die Nacht hinein, im Dunkeln, was die Angst und das Erschrekken vervielfachte, bis sie nur mehr zu dritt waren, ein Kleiner, Fabret und er.

»Jetzt muß ich heim«, erklärte der Kleine, »es ist spät. Ich krieg' eine verpaßt und weiß nicht, ob ich morgen kommen darf.«

»Ich auch«, zischte Fabret, »sie werden mich prügeln. Vielleicht bis aufs Blut. Aber ich komme wieder. Nichts kann mich aufhalten zu kommen. Ich pfeife auf die Schule, ich mag sie nicht. Weil ich hier... hier...«

Nein, nichts konnte das atemberaubende Glück ersetzen, das er hier, auf dem »Grund«, empfand. Nirgends konnte er befehlen, kommandieren wie hier, wo er Herr über Tod oder Leben war. Lambert fühlte zwar nicht so wie er, aber er begriff ihn. Jetzt, in diesem Augenblick, war er eifersüchtig, er beneidete Fabret, der etwas im Leben besaß, für das er sich nach seinen Worten prügeln, demütigen, ja schlagen ließ, bis er besinnungslos auf dem Fußboden liegenblieb.

Und an jenem Abend, beim Verlassen der Baustelle, begegnete er Mathilde.

Zu dritt trotteten sie auf dem Gehsteig die Straße hinauf, Fabret, der Kleine und er, als sie ein Mädchen, lang, dünn, von etwa dreizehn Jahren auf sich zukommen sahen, armselig gekleidet, zwei prall gefüllte Einkaufsnetze schleppend, die unförmig wie die Brüste einer Bäuerin herabhingen.

»Da schau her«, sagte Fabret, »die Göre Minette!«

Er wußte selbst nicht, warum er sie so nannte, aber er nannte sie niemals anders.

Die »Göre Minette« erblickte sie zwei Meter vor ihnen, blieb stehen und verzog ihren Mund bis zu den Ohren, so daß ihr Gesicht wie von einem Säbelhieb gespalten aussah und das Gebiß sichtbar wurde, in dem anscheinend noch einige Zähne fehlten. Sie lächelte ihnen zu. Das heißt, sie lächelte Fabret zu denn sie ignorierte ihren kleinen Begleiter offensichtlich, der noch im Alter der rinnenden Nase stand, die er mit dem Ärmelaufschlag abwischte. Und auch für Lambert hatte sie keinen Blick. Lambert aber, der ihr die schrankenlose Bewunderung für Fabret vom Gesicht ablas, war sofort eifersüchtig.

Sie unterhielt sich mit Fabret:

»Heute haben wir sechs hingerichtet«, erklärte er. »Toll! Ein Riesenspaß!«

»Mich auch!« sagte Lambert.

Sie drehte sich ihm zu und musterte ihn von Kopf bis Fuß. Sie war größer als er, und ihr Blick verriet klar, daß sie ihn vorbehaltlos in die Kategorie der Opfer und Delinquenten und keineswegs in die der Töter und Folterer reihte. Ihre durchscheinenden Augen, die lang und schmal wie ihr Mund waren, richteten sich wieder auf den Großen:

»Du bist der Kapo.«

»Selbstverständlich«, nickte er. »Auf dem Grund regiere nur ich.« Er unterbrach sich: »Wie spät ist es?«

»Bei der Uhr unten war es nach acht.«

»Schon . . . na, da wird er mich wieder was anschauen lassen.«

»Der Meine ist auch nicht so übel«, sagte sie, »aber prügeln kann er, und er hat harte Pratzen. Mutter spürt ihre auch nicht, das kommt vom Wäschewaschen.«

»Ich troll' mich.«

Er konnte sich vorstellen, was ihn daheim erwartete, und rannte Hals über Kopf davon. Auch Lambert hatte gehört, daß es acht Uhr vorbei war, zu Hause war man bestimmt schon besorgt. Trotzdem aber lief er dem Mädchen nach, das seinen Weg fortsetzte:

»Soll ich Ihnen Ihre Netze tragen?«

Sie drehte sich um: »Wozu?«

»Die müssen schwer sein.«

»Ich bin's gewohnt.«

»Weil ich nämlich stärker bin«, sagte er in kindlichem Stolz.

Sie musterte ihn wieder, sah, daß er mager, aber kräftig war, braun gebrannt, denn der Sommer war noch nicht lange vorbei.

»Geben Sie her!« befahl er.

Er nahm das Netz, riß es ihr fast aus der Hand.

»Schüttel es nicht so, es sind Eier obendrauf!«

Sie hatte »du« gesagt. Er war glücklich. Aber daraus ergab sich sofort die Frage: Wie durfte er zu ihr sagen?

»Fräulein...«, begann er. Dann, entschieden: »Gibst du mir nicht auch das andere?«

Sie reichte es ihm mit der Miene einer Königin und schritt ihm voran, ohne ein Wort zu verlieren.

Sie ging in die Gemüsehandlung, nahm zwei Kohlköpfe von der Stellage, wog sie mit Kennermiene ab. Er stand hinter ihr, bereit, ihr zu dienen.

»Mach auf!« befahl sie.

Und da sich seine Finger in dem Netz verfingen und er es zuzog, statt es zu öffnen, nahm sie es ihm ungeduldig ab, während sie die beiden Kohlköpfe mit dem Kinn auf der Brust festhielt:

»Ungeschickt bist du!« tadelte sie.

Die Gemüsehändlerin schaute ihnen zu und lachte gutmütig über die Unbeholfenheit des Jungen:

»Ist das dein Liebster, Mathilde?« fragte sie.

»Ich kenne ihn gar nicht«, antwortete Mathilde.

Sie zahlte und ging hinaus. Sie schaute nicht, ob er ihr folgte; sie trat in die Läden ein, kam meistens heraus, ohne etwas gekauft zu haben. Sie hatte die Nahrungsmittel nur abgegriffen und mit gerümpfter Nase wieder zurückgelegt. Es dauerte lange. Aber plötzlich war sie fertig:

»Gib mir meine Sachen wieder«, sagte sie.

»Nein«, erklärte Lambert, »ich trage sie dir noch ein Stück.«

»Ich gehe jetzt heim. Es ist ziemlich weit.«

»Ist mir egal.«

Und das stimmte. Es war spät, aber er hatte nur eines im Kopf: sich nicht von ihr trennen zu müssen. Er trabte hinter ihr her.

Er sah sie vor sich, ihre rutschenden Strümpfe, ihre nackten Waden, deren grobe, von der Winterkälte gerötete Haut wie die einer frisch gerupften Henne aussah, ihre schiefgetretenen Absätze, die sie zu einem Entengang zwangen, und den mit unzähligen getrockneten Spritzern wie mit Konfetti gesprenkelten Mantelsaum. Die Netze waren schwer, aber er spürte ihr Gewicht nicht. Sie gingen die breite Straße hinauf und bogen in ein schlecht beleuchtetes Gäßchen ein, wo die Straßenlaternen im Wind schaukelten. Plötzlich blieb sie stehen:

»Gib her!« verlangte sie.

Er gehorchte. Sie nahm ihre Netze. Sie sagte kein Wort mehr, öffnete eine schmale Haustüre und verschwand in dem dunklen Gang, an dessen Ende sich eine ausgetretene Treppe abzeichnete.

Schlecht und recht fand er heim und rannte, als er sich endlich auskannte. Niemand schalt ihn beim Heimkommen. Großmutter war in der Küche, er hörte die Beefsteaks brutzeln; Mama schlief bereits. Jules trank seinen Aperitif in kleinen Schlucken und las die Zeitung.

Am nächsten Tag lief Lambert wieder hinunter, um mit den Jungen zu spielen. Fabret war auf dem Grund, aber er hatte ein ganz schwarzes Auge. Es schien stolz darauf zu sein wie auf einen Orden.

»Da schau«, sagte er, »schau, wie er mich zugerichtet hat. Und er glaubt, daß ich deshalb die Schulbank drücke! So hart wie der Alte bin ich noch lang. Und wenn er mich in die Besserungsanstalt steckt, dann brenne ich durch. Entweder man ist ein Mann, oder man ist keiner.«

Alles war wie am Tag zuvor. Es waren die gleichen Spiele, die gleichen Geschichten. Sie unterhielten Lambert nicht mehr. Er wäre nicht wiedergekommen, wenn er nicht gehofft hätte, über Fabret das Mädchen wiederzusehen.

Sein Gefühl sagte ihm, daß sie genau wußte, wann Fabret den Grund verließ, und trachten würde, ihm in den Weg zu laufen. Trotzdem traf er sie am zweiten Tag nicht.

Am dritten ging sie mit Fabret weg, ohne auch nur ein Wort an ihn, Lambert, zu richten. Er war gekränkt und niedergeschlagen. Am vierten erschien Fabret nicht. Sicher hatte ihn sein Vater verprügelt oder die Drohung wahr gemacht. Er kam am Morgen nicht, und die andern blieben nach der Schule nur kurz auf dem Grund. Ohne Fabret, über den sie zwar geschimpft und den sie beneidet hatten, wollte nichts recht gehen. Am Nachmittag versuchte Lambert mit den beiden Kleinen, die wiederauftauchten, die Sache in die Hand zu nehmen, aber sie waren widerborstig und taten nur, was ihnen paßte. Die Schuljungen ließen sich überhaupt nicht blicken, und als der Kleine am Nachhauseweg fragte: »Kommst du morgen, Deviborne?« – da antwortete Lambert:

»Nein, es kotzt mich an.«

Aber trotzdem verließ er auch am nächsten Tag das Haus, um Mathilde abzufangen. Zu Mittag traf er sie nicht, am Abend jedoch stand er plötzlich vor ihr, und es traf ihn wie ein Schlag. Er näherte sich ihr, sie musterte die ausgelegten Waren, griff ein Kaninchen ab, das zu ermäßigtem Preis verkauft wurde. Sie schien ihn nicht zu erkennen.

Am nächsten Morgen trieb er sich schon zeitig auf der Straße herum und sah die Großmutter aus dem Haustor treten. Vorsichtshalber versteckte er sich. Er beobachtete sie, wie sie suchend nach rechts und links blickte. Dann sprach sie eine elegante Dame an – jedenfalls ganz anders gekleidet als die andern Frauen dieser Gegend –, unterhielt sich angeregt mit ihr auf dem Gehsteig – es war Madame Dervais. Flüchtig dachte Lambert, daß er es Jules erzählen würde. Er hätte es auch sicher getan, wenn er nicht an diesem Vormittag mit Mathilde ins Gespräch gekommen wäre. Vielmehr: Sie redete ihn an. Er sah sie nicht als erster. Er befand sich am oberen Teil der Straße, wo es ein Geschäft neben dem anderen gab, als er eine Hand auf seiner Schulter spürte:

»Du«, sagte eine Stimme, die er sofort erkannte, »du bist doch der Junge, der unlängst mit Fabret zusammen war?«

»Ja.« Er drehte sich um. »Du hast mich erkannt?« fragte er bebend.

Sie schien ihn gar nicht zu hören:

»Wo steckt er?«

»Weg ist er.«

»Das ist nicht wahr!« schrie sie.

»Doch.«

Er wußte alles. Einer von den Kleinen, der Schule geschwänzt hatte, entdeckt und bestraft worden war und der jetzt schnurstracks nach dem Unterricht heimrannte, hatte es ihm erzählt.

»Fabret ist in die Besserungsanstalt geschickt worden, weil er Schule gesturzt hat.«

»Nein!« sagte sie.

Sie hielt es eben einfach für unmöglich, daß man Fabret so etwas antun, daß man so etwas gegen ihn wagen konnte.

»Es ist aber so«, bekräftigte er, »aus für Fabret. Man« – er sagte aus einem Taktgefühl heraus nicht »du« – »wird ihn nicht mehr sehen.« Und da sie mit gesenktem Kopf schwieg, fügte er hinzu: »Mir wäre das nicht passiert. Ich bin freilich auch kein Arbeitersohn. Bei uns straft man nicht auf diese Weise. Da wird nicht geschlagen.«

»Was?« staunte sie. »Dein Vater gibt dir nie ein paar auf den Hintern?«

»Niemals. Erstens einmal ist er tot. Und dann: Er ist Marquis.«

433

»Marquis?« Sie schaute ihn an.

»Ja«, erklärte er. »Ich bin nur nach Paris ... zu meiner Großmutter, die in dieser Straße wohnt, gekommen, weil mein Vater gestorben ist. Sonst wohnen wir in einem Schloß.«

»Einem Schloß?«

»Einem großen Haus mit Bäumen rundherum.«

»Ein wie großes Haus?«

»Wie das Rathaus«, sagte er und streckte beide Arme aus. Schweigend ging das Mädchen weiter. Sie dachte sichtlich nach. Endlich fragte sie:

»Ist das wahr?«

Er spuckte auf den Boden, wie er es bei Lothaire und vor wenigen Tagen noch bei Fabret gesehen hatte: »Kreuz aus Holz und Kreuz aus Eisen – lüg' ich, mag der Teufel mich verspeisen!«

Und da sie noch immer schwieg:

»Ich heiße nämlich de Viborne, das schreibt man in zwei Wörtern.«

Stumm setzte sie ihren Weg fort, die Straße hinauf, an den Läden vorbei. Er brauchte sie nicht zu fragen, er merkte, daß sie ihre Einkäufe beendet hatte und nach Hause mußte. Er marschierte einen Schritt hinter ihr, aber er ersuchte sie nicht, ihm die Netze zu geben. Bei der Einbiegung in ihre Gasse blieb sie stehen.

»Besser, du gehst nicht weiter«, sagte sie. »Wegen meiner Alten: Sie schaut immer, wenn ich heimkomme.«

»Sehe ich dich wieder?« fragte er. Und wie zur Entschuldigung: »Ich muß dir doch alles erzählen. Wann?«

»Heute abend«, antwortete sie. »Und« – niemals noch hatte sie so viel und so schnell gesprochen –, »und ich werde eine Ausrede suchen und früher weggehen, damit wir mehr Zeit haben. Um halb sieben bei der Uhr. Der Vater wird zu Hause sein, er kommt bald, denn er arbeitet in der Frühe. Um die Zeit streiten sie oft, da kann ich mich drücken, sie merken's nicht. Oder sie sperren sich im Zimmer ein ...«

»Wozu?« fragte Lambert naiv.

Sie erschien fünf Minuten vor sieben Uhr, nachdem er schon eine Viertelstunde gewartet hatte. Sie empfing ihn mit den Worten:

»Bist du wirklich ein Marquis?«

»Nein, aber ich werde es einmal sein. Papa ist tot, und darum ist es jetzt mein Bruder. Wenn mein Bruder tot ist, dann werde ich Marquis.«

»Ist er alt, dein Bruder?«

»Schon sehr alt – vierundzwanzig Jahre.«

Sie standen auf dem Gehsteig, die Straße belebte sich, Leute liefen vorbei und stießen sie.

»Hier kann man sich nicht richtig unterhalten«, erklärte er und zog sie weiter.

»Wohin führst du mich?«

»Willst du, daß ich dir alles erzähle oder nicht?«

»O ja, aber ich möchte wissen, wohin du mich führst.«

»Auf den Grund.«

»Nein, nein!« sagte Mathilde und wußte, daß sie an Fabret, an ein unvermutetes Zusammentreffen dachte.

Da kamen sie an dem Rohbau vorbei, der jetzt menschenleer war. Er hob den Kopf hinauf zu den Fensterhöhlen. Dort drinnen war es ganz finster, ganz schwarz.

»Komm!« befahl er.

Er wußte noch nicht, wie er da hineinkommen sollte, aber er wußte, daß es dort richtig war. Schon draußen erschauerte er bei dem Gedanken, mit ihr in dieser Finsternis beisammen zu sein, wo sie nur mehr ihre eigenen Worte hören, wo es nur mehr ihren Geruch, ihr Hüsteln hinter der vorgehaltenen Hand geben würde.

Er zog sie mit, und sie ließ es geschehen. Gewiß glaubte sie, daß er einen festen Plan und alles vorausbedacht hatte. Aber er hatte nur eines im Sinn: mit ihr allein zu sein, ihr heute abend alle die Geschichten zu erzählen, mit denen er sie, wie er fühlte, erobern konnte, und sie ja nicht entschlüpfen zu lassen. Er würde Fabret besiegen, weil er Dinge wußte, von denen der andere nichts ahnte. Wenn Fabret dann wiederkam, dann war es zu spät, dann war Mathilde ganz auf seiner Seite. Er mußte daher in diesen Bau eindringen, aber er wußte nicht, wie. Fabret hatte ihm einmal erzählt, daß sich die Clochards hier des Nachts verkrochen. So griff er die Bretter der Palisade an der Stelle des künftigen Tores ab. Und das Wunder geschah: Eines davon drehte sich um den Stift eines großen Nagels, an dem es oben befestigt war. Er drückte es zur Seite, und ein Spalt öffnete sich, durch den ein Kind seiner Größe bequem durchschlüpfen konnte.

»Komm mir nach«, sagte er beim Vorangehen.

Er drehte sich um und sah in dem trüben, von der Straße einfallenden Licht die Umrisse der gebückten Gestalt Mathildes. Eine warme Woge überflutete ihn.

IV

Er fand im Dunkeln ihre Hand, in der er die Strippe des Netzes fühlte, das sie krampfhaft festhielt, um es nicht zu verlieren. Mit dem Fuß tastete er sich weiter, spürte eine Zementstufe. Es war die erste Stufe der Treppe, es wehte und zog. Er stieg hinauf. Noch eine Stufe.

So führten sie sich gegenseitig, hielten sich an der Wand fest. Einmal stolperte sie und wäre beinahe nach vorn gefallen. Er fing sie auf und spürte ihr Haar an seinem Gesicht.

Sie sprach nichts, fragte nichts mehr. Das schwarze Loch einer Türöffnung tat sich im ersten Stock vor ihnen auf. Er schob sie vor sich hinein.

Nun standen sie in einer Wohnung, die einmal aus einigen Zimmern bestehen würde. Eines ging ins andere über, und das letzte bildete mit dem vorletzten einen rechten Winkel, eine Art Sackgasse. Es war fensterlos, aber vom Nebenraum, der zur Straße sah, fiel ein Schimmer herein; der Schein ferner Straßenlampen, und so herrschte Dämmerung und nicht totale Finsternis. Lambert zog Mathilde in einen Winkel. Als sie sich mit den Händen zur Wand getastet hatten, blieben sie zuerst wortlos nahe beisammen stehen.

Lambert fühlte ihren warmen, ruhigen Atem auf seinem Gesicht oder vielmehr auf seiner Stirn, denn sie war größer als er. Aber er wagte nicht, sie an sich zu ziehen, obwohl er große Lust dazu hatte. Dieser Atem strömte etwas Lebendiges, aber auch Vulgäres aus, wie bei Leuten, die ihre Speisen reichlich mit Zwiebeln und Knoblauch würzen. Er dachte, daß sie wie die Frauen der Piköre roch, und das stieß ihn nicht ab, im Gegenteil, es machte sie vertraut. Aber er mußte sprechen. Sie erwartete es von ihm.

»Ich will dir alles erzählen...«

»Alles«, forderte sie gierig.

»Alles«, versprach er. »Aber du wirst mir auch alles sagen?«

»Natürlich.«

»Schön, wie ich dir schon gesagt habe, bin ich nur vorübergehend in Paris. Ich bin mit Mama von der Sologne gekommen... eine Gegend mit Wäldern, Sümpfen... und massig Bäumen und massig Tieren...«

»Und Städten?«

»Nein, nur Häuser hie und da, aber große, dichte Wälder, in denen es viele Tiere gibt.«

»Was für Tiere?«

»Hasen, Vögel, Fasane, Rehe, Wildschweine, Hindinnen, Hirsche...«

»Ich hab' schon welche gesehen: im Zoo.«

»Ja, aber dort sind sie in Freiheit.«

»Wie kriegen sie dann zu fressen?«

»Sie suchen sich was. Sie äsen in den Äckern... und die Hasen, die knabbern die jungen Bäume an. Deshalb jagt man sie. Man bringt sie eben um.«

»Mit Gewehren?«

»Die kleinen ja. Die großen nicht. Die hetzt man mit den Hunden, bis man sie gestellt hat. Man reitet ihnen nach und folgt ihrer Fährte. Die Hunde stürzen sich auf sie, und dann . . .«

»Und dann eßt ihr sie?«

»Nicht nur das. Man tötet sie . . . so zum Vergnügen . . .«

»Wie Fabret die Kameraden auf dem Grund? Ist es denn ein Spiel?«

»Ja«, sagte Lambert. »Ja«, wiederholte er, »ein Spiel.«

Es war zum erstenmal, daß er darüber nachdachte.

»Das habe ich nicht gewußt«, meinte sie. »Lauter Sachen, die ich niemals gewußt habe.«

Er war glücklich: »Siehst du. Und wir, wir haben ein großes Schloß mit massenhaft Zimmern und massenhaft Fenstern. Und massenhaft Spiegeln, großen Kaminen und Bildern, Lehnstühlen . . .«

»Da hat deine Mutter viel Arbeit im Haushalt.«

»Wir haben Dienstboten: eine Köchin und dann auch Männer . . .«

Sie lachte glucksend: »Es gibt Männer, die wie Frauen arbeiten?«

»Natürlich. Bist du niemals in einem Gasthaus gewesen?«

»Stimmt«, sagte sie, »aber daß sie das auch zu Hause tun können . . .«

Die Sache ging ihr nicht in den Kopf: »So arbeitet deine Mutter also auswärts?«

»Aber nein«, sagte er.

»Was macht sie denn dann den ganzen Tag? Und dein Vater?«

»Genauso. Aber ich hab' dir schon gesagt, daß er gestorben ist.«

»Ach ja. Ist er krank gewesen?«

»Nein: auf der Jagd . . .«

»Ein wildes Tier?« fragte sie mit einem Schauer.

»Nein, er ist mit dem Kopf an einen dicken Ast geprallt, während sein Pferd rannte.«

»Da muß er sich aber stark angeschlagen haben! Hast du ihn gern gehabt?«

»Freilich, er war mein Vater!«

»Ich . . . ich weiß nicht, ob es mir was ausmacht, wenn meiner stirbt«, meinte sie nachdenklich. »Ich weiß nicht«, sagte sie noch einmal. Dann, nach einer Weile: »Ihr müßt aber Sous haben, daß Ihr in einem so großen Haus wohnen könnt, und noch dazu, ohne zu arbeiten. Hast du auch Sous?«

»Ich nicht«, sagte er. »Aber wenn ich was brauche, dann bitte ich Mama, daß sie es mir kauft.«

»Bonbons? Spielsachen?«

»Was ich will.«

»Außer Weihnachten und Geburtstag krieg' ich keine Geschenke«, sagte sie, »und dann auch nur praktische ... Aber ich mach' mir ein Körbchengeld beim Einkaufen. Ich tät' was erleben, wenn sie mir draufkämen!«

»Ich nicht«, erklärte Lambert. »Und dann, ich werde nicht geschlagen. Einmal hab' ich eine Ohrfeige bekommen«, korrigierte er, um ehrlich zu sein.

»Man kann mich schlagen, soviel man will«, sagte Mathilde, »das ist mir egal, aber Ohrfeigen, die mag ich nicht. Da werde ich wild.«

»Ein einziges Mal«, wiederholte er.

»Trotzdem!«

Eine frostige Stille lag zwischen ihnen. Lambert fühlte, daß er den Boden verloren hatte.

»Hast du noch niemals ein Schloß gesehen?« fragte er.

»O ja, in Vincennes. Dort gibt's eines mit Türmen. Mindestens vier ...«

»Wir haben zwölf«, prahlte Lambert. »Unseres ist ein richtiges Schloß mit Lichtern überall ... massenhaft Lichtern ... Und dann haben wir Hunde ... und massenhaft Pferde ...«

»Habt ihr kein Automobil?«

»Drei Stück.«

Er log. Es gab nur den Citroën in La Gardenne, und den benützten alle.

»Und überall stehen Schatullen mit Edelsteinen ... und Goldstücken ... ein ganzer Schatz! Und massenhaft anderes noch ...«

»Vergoldet, wie in den Kirchen?«

»Echtes Gold«, betonte er, »und Halsbänder ... und Kreuze ganz aus Perlen ... und Kristall – farbige Gläser ... und schweres Silber mit großen kostbaren Steinen, roten, grünen ...«

»Und bei deiner Großmutter, die hier in der Straße wohnt?«

»Dort ist es auch sehr schön.«

»Warum hat sie kein Schloß?«

»Sie hat eines. Aber hier ist sie nur, wenn sie sich nicht auf ihrem Besitz aufhält.«

»Nummer wieviel wohnt sie?«

»Zweiundsiebzig b.«

»Das kenn' ich, da geh' ich oft vorüber. Das Haus schaut genauso aus wie alle anderen. Aber wenn sie ein Schloß hat ... größer als das Schloß deiner Mutter?«

»Natürlich. Sie ist die Ältere.«

Nun schwiegen sie wieder. Es fiel ihm nichts mehr ein. Zwangsweise hatte er alles das erfunden. Lieber hätte er die Wahrheit gesprochen, den Duft der Sologne geschildert, von den gehetzten, aus dem Buschwerk aufgescheuchten Tieren, dem zuckenden Raunen der Sümpfe, dem Dreiecksflug der Wildenten am Winterhimmel, kurz, hätte von alldem erzählt, was La Gardenne wirklich war, von seinen Hunden, seinen Pferden, seiner Jagd. Aber er hatte sich zum Spiel entschlossen, zum Spiel, das Lüge war und ohne das es keine Eroberung gab.

»Und was ist deine Großmutter?«

»Herzogin«, sagte Lambert.

Wieder war es still. Er hörte, daß sie schneller atmete, und ihr Atem verbreitete den vulgären Geruch, der ihn aufwühlte, weil sie es war, die ihn ausströmte; ein wirklicher, lebendiger Geruch, der sich mit den andern Gerüchen vereinte und für immer zu dem Geruch Mathildes wurde.

»Küßt du mich nicht?« fragte sie.

Das hatte er nicht erwartet. Er sagte:

»Willst du es?«

»Fabret hat mich immer geküßt?« erklärte sie unbefangen.

Und als er sich schüchtern zu ihrem Hals beugte, zeigte sie auf ihren Mund:

»Da her.«

Sie bot ihm ihre schmalen Lippen, ihre Zähne, die seine berührten und von denen einer auf der Seite fehlte.

»Drück mich!« forderte sie.

Er drückte sie ungeschickt. Er spürte den magern, kleinen Körper, den Stoff; den Stoff des Mantels und darunter beim Ausschnitt den dünneren des Kleides, ein bißchen Haut beim Kragen, ihre eingefallenen Wangen, ihr Haar, das ihn kitzelte.

»Besser«, befahl sie, »stärker!«

Er gehorchte, artig und enttäuscht. Er tat, was sie wünschte, weil er sie nicht verärgern wollte, aber er hatte sich alles anders vorgestellt, nicht so einfach, nicht so direkt, sondern mit leisem Streicheln, zärtlichem Näherkommen, einem abgestimmten Zusammenwirken der Sinne, gelenkt durch die ungeheure Keuschheit, die ihn band und die ihm niemals erlaubt hätte – obwohl er fühlte, daß es höchstes Glücksempfinden wäre –, ein Mädchen, eine Frau zu bitten, sie möge ihn ihre nackte Haut berühren lassen, die Haut ihres Körpers an den geheimen Stellen, die Hubert mit seinem Stift gezeichnet hatte.

»Da her gib deine Hand ...«

Und sie führte seine Handfläche an ihre ganz junge, kleine Brust, die er wie eine verkehrte, aber lebende Schale hielt, und er beugte sich vor, tiefer und tiefer ...

Langsam glitten seine beiden Hände unter dem Mantel an ihr hinab. Sicher, es war nicht der Körper, von dem er geträumt hatte, aber es war ein warmer Körper, an dem alles lebte, selbst die Knochen, die seine Hand berührten und die in der Höhe der Schenkel entsprangen. Bald kniete er vor ihr, und sein Kopf ruhte an ihrem Leib. Da legte er die Wange an die Stelle, die am wärmsten war, wo sich die Schenkel vereinten, und so blieb er, die Arme um sie geschlungen, und preßte sie mit aller Kraft, berauscht von einem neuen Duft, den er niemals gekannt hatte, ohne zu denken, daß ihn jemals etwas dieser Ekstase entreißen könnte, in der verzweifelten Hoffnung, daß es ewig währen möge, bereit, wenn nötig, dafür zu sterben.

V

Am nächsten Tag trafen sie sich gegen Mittag. Das Mädchen hatte es so vorgeschlagen. Sie erschien nach ihren Einkäufen vor zwölf Uhr auf einen Augenblick, um ihm zuzurufen:
»Kannst du heute abend?«
»Natürlich kann ich«, antwortete Lambert.
Er konnte um so eher, als sich die Mutter besser fühlte. Sie schien die Betäubung zu überwinden, die sie seit dem Tod des Vaters gefangenhielt.
»Heute abend haben wir Zeit«, sagte Mathilde, »ich werde noch einmal hinunterlaufen und sagen, daß ich etwas vergessen habe. Papa kommt spät, er ist bei einem Meeting.«
Lambert wußte nicht, was das war. Sie versprach, es ihm zu erklären, und rannte davon. Um sechs Uhr stand sie vor der Palisade, und sie war es, die ihm sagte: »Komm!«
Kaum waren sie in der finstern Ecke, begann er mit den Zärtlichkeiten, die sie tags zuvor von ihm verlangt hatte. Gehorsam küßte er ihren Mund, ihre Lippen – das hatte sie gern, Fabret hatte es sie gelehrt. Er aber wünschte nur das eine; wie gestern vor ihr knien, sie streicheln zu dürfen. Und er tat es, strich liebkosend über ihre magern, zarten Schenkel, ihre langen, dünnen Beine, die sich wie die Beine von Stelzvögeln anfühlten. Niemals noch hatte ihn ein Gefühl wie dieses überwältigt, so stark, so süß, so wunderbar. Der Kuß enttäuschte ihn jetzt zwar weniger, aber wenn er seinen Mund an ihren Mund drückte, dann empfand er den gleichen Widerwillen wie auf den Pachthöfen seines Vaters, wenn man ihm Wein oder Milch in ein gebrauchtes Glas schenkte. Seltsames Kind, das den Ekel wie eine Buße oder eine Abtötung auf sich nahm und das nur auf zahllosen Umwegen, über Ängste, Schrecken und Einbildungen, zur Freude fand!

Mathilde ließ es geschehen. Sobald sie genug hatte, glitt sie einfach zu Boden. Der Zement war rauh, aber sie konnten nebeneinander, an die Mauer gelehnt, im Winkel sitzen. Bevor sie mit den Zärtlichkeiten wieder begannen, hatte sie ihm einiges zu sagen, worüber sie nachgedacht hatte:

»War dein Vater, der gestorben ist, ein Chef?«

»Ein Herr, meinst du?«

»Hat er Arbeiter gehabt, Angestellte?«

»Freilich, denen er seine Befehle gegeben hat, Piköre, Reitknechte, Jagdgehilfen...«

»Er hat sie arbeiten lassen? Das hab' ich mir gedacht. Ja«, bekräftigte sie, »ich hab's mir gedacht, denn wenn man lebt und nichts tut, dann braucht man eben andere Leute, die für einen arbeiten. Eigentlich war er also ein Kapitalist. Ich hab' meinen Vater von ihnen reden gehört, aber ich hab' niemals einen gekannt. Du bist also der Sohn von einem Kapitalisten«, meinte sie nachdenklich; ohne Verachtung, ohne eingelernten Haß stellte sie es fest, nur leicht staunend, daß sie einmal vor einem solchen Kapitalisten stand, den sie sich nach den Worten ihres Vaters so ganz anders vorgestellt hatte.

»Die Leute, die du da aufgezählt hast, arbeiten also jetzt für dich?«

»Ja, ich glaube«, sagte Lambert ehrlich.

»Das ist nicht gerecht«, stellte sie fest.

»Wenn du mich heiratest...«, begann er.

Sie lachte ihr kehliges Lachen, das eher wie ein trauriges Glucksen klang:

»Wozu?«

»Weil wir uns doch lieben.«

»Das hat nichts damit zu tun. Ich hab' Fabret nicht geheiratet.«

»Weil du weißt, daß nur ich dich wirklich liebe.«

»Aber du wirst mich nicht heiraten, deine Eltern werden es nicht erlauben. Und dann, wenn wir uns ohnehin so sehen, so beisammen sind...«

»Wie mit Fabret, he?« knurrte er und ballte die Fäuste.

»Ich hab' dir schon gesagt, daß es mit dir was anderes ist.«

»Weißt du«, flüsterte er verzagt und unglücklich, »ich glaub' nämlich, daß ich ohne dich nicht mehr leben kann. Und du? Könntest du es?«

»Sicher nicht«, sagte sie wie eine Frau.

Er barg den Kopf an der Schulter des Mädchens. Unbewußt schmiegte er sich an sie, wie er sich an seine Mutter schmiegte, ein Kind, das Schutz und Wärme sucht. Sie streichelte ihn langsam, lange und starrte ins Dunkel.

441

»Der Vater«, sagte sie endlich, »der Vater mag die Kapitalisten nicht.«

Das sollte heißen, daß etwas zwischen ihnen lag, daß es eine Schranke, etwas Unüberwindliches gab. Sie hatte es gestern abend sofort gespürt, als sie erfahren hatte, wer er war, und als er so großartig redete, um sie zu blenden. Eine Weile wiegte er seinen Kopf an ihrer Brust, während sie ihn nachdenklich und stumm liebkoste.

Er dachte nicht an später, er spürte nur, daß er alles, was er seit langem gesucht, dem er auf seinen endlosen einsamen Waldläufen nachgespürt, worauf er hinter den Türen des Schlosses gewartet hatte, jetzt, hier, in seinen Händen hielt. Nein, niemals mehr durfte er es loslassen.

»Drück mich«, sagte er.

Stumm gehorchte sie und preßte ihn fest an sich, um ihn zu überzeugen. Im Grunde genommen wollte sie sich selbst überzeugen, aber das konnte er nicht wissen.

Endlich sprach er:

»Dein Vater kommt also heute abend spät heim? Wo ist er, was hast du gesagt?«

»Bei einem Meeting« – als Pariser Gassenmädchen sprach sie es »Meteing« aus –, »das ist eine Versammlung aller Männer . . . aller Männer, die gegen die Kapitalisten sind.«

So gab es also Menschen, die gegen seinen Vater und jetzt gegen ihn waren?

»Was machen sie dort bei ihrem Meteing?«

»Sie reden, was man tun muß, damit die andern nicht alles haben, während sie selbst arm sind. Vater hat gesagt, daß er nicht immer ein Sklave bleiben wird, daß einmal alle Menschen gleich sein werden . . .«

»Das möchte ich wirklich auch«, sagte Lambert aus ehrlichem Herzen. Durfte er nicht Mathilde behalten, wenn er dem Vater Mathildes gleich war?

»Sie haben sich verbündet, damit sie stärker sind, damit sie sich aussprechen und man ihre Forderungen erfüllt«, erklärte sie.

Das stürzte Lamberts Gehorsamsbegriffe um:

»So? Wenn Euloge also bei der Jagd zum Jagdherrn sagt: Ich nehme diesen Hirsch nicht, Herr Marquis, und außerdem, ich bin schon genug herumgestiefelt, ich geh' heim . . .«

»Dann muß dein Vater auch heimgehen.«

»Das verstehe ich nicht«, sagte Lambert.

»Du kannst es eben nicht«, meinte sie ein wenig verächtlich, »das ist die Politik.«

Ja, das war die Politik. Einmal hatte er Mama mit Enguerrand in La Gardenne davon sprechen gehört. Sie waren nicht einer Meinung gewesen, es hatte fast wie ein Streit geklungen, und er, Lambert, verstand den Grund nicht.

»Ja«, fuhr sie fort, »heute abend haben sie ihr Meteing. Es soll sehr wichtig sein. Wir werden eine neue Regierung kriegen... und diese Regierung hat einen Kerl an der Spitze, der Gardas heißt...«

»Ich kenne einen mit dem Namen«, warf Lambert ein.

»Das ist ein anderer«, erklärte Mathilde entschieden. »Du kannst ihn nicht kennen – das ist die Politik. Und wenn er ernannt wird, streiken sie, dann gibt's einen Umsturz, dann ›ergreifen sie Maßnahmen‹, wie der Vater sagt. Sie kämpfen, und wenn es Tote gibt...«

»Wo denn?«

»In den Straßen... in den Fabriken... überall, wo es nötig ist. Mein Vater, der ist jemand, weißt du. Wirst du auch kämpfen?«

»Ja, wenn es um dich geht!« erklärte Lambert mit fester Stimme.

»Tun wir wieder?«

»Was denn?«

»Küssen?«

»Wenn du willst.«

Am nächsten Tag wartete er vergeblich auf das Mädchen. Mama ging an jenem Morgen zum erstenmal aus.

Sie hatten verabredet, sich nicht mehr auf der Straße zu treffen, um nicht von einer Bekannten ihrer Mutter, die geklatscht hätte, oder vielleicht von Jules oder der Großmutter gesehen zu werden.

Sie kam nicht. Um halb neun kehrte er in die Rue Caulaincourt zurück. Jules war wütend, daß er so spät kam: Er hatte Karten für das Theater. Er saß allein bei Tisch; Großmutter, die sehr müde schien, trug auf.

»Woher kommst du so spät?«

»Du solltest ihn nicht so herumlaufen lassen, Pauline! Man muß ihn wirklich einmal strenger behandeln. Da, Lambert, damit du dir's merkst: Heute gibt's nur ein Stück trockenes Brot zu Abend, und jetzt marsch ins Bett!«

Lambert zuckte die Schultern. Es war ihm völlig gleichgültig, was sie ihm antaten. Seit er Mathilde kannte, interessierte ihn nichts anderes mehr, nicht einmal das Essen, das ihm sonst viel bedeutete. Vor allem wollte er allein sein. Ja, ganz allein, um denken zu können.

Kaum war Jules draußen, erschien die Großmutter. Sie brachte ihm ein großes Sandwich aus frischem Brot, dessen knusprige Rinde so gut schmeckt und bei dem die Butter in die Mundwinkel rinnt; dazu eine Orange und einen Florentiner. Großmutter sagte:

443

»Ich lege mich jetzt nieder. Ich bin müde. Enguerrand kommt morgen zum Mittagessen.«

»Und Angélique? Hält sie wieder Einkehrtage?«

»Nein, aber sie bleibt eine Zeitlang im Kloster.«

Spät, sehr spät, hörte er Mama heimkommen. Sie schaute in sein Zimmer, aber er stellte sich schlafend.

Am nächsten Tag war er hinuntergelaufen und hatte Mathilde getroffen.

Es war Mittag. Sie trug ihren Korb und eilte sich, weil Sonntag war:

»Du warst gestern abend nicht da!«

»Es war nicht möglich ... es war Samstag. Papa ist früh gekommen und nicht allein. Ein paar Kollegen von ihm waren bei uns, sie haben miteinander zu sprechen gehabt. Es scheint, es ist wegen der Regierung, und es muß sehr ernst sein. Ich hab' zu Hause bleiben und hübsch ein paar Liter aus dem Bistro holen müssen!«

Im Gänsemarsch gingen sie die Straße hinunter.

»Komm herein!«

»Nein, nein, das geht nicht. Vater ist in einer Stimmung ... da möchte ich ihn lieber nicht ärgern. Es setzt was, wenn ich zu spät komme!«

»Bitte«, bat er flehentlich, »nur ganz kurz, Mathilde!«

Er sah so unglücklich, so verzweifelt aus, daß sie einwilligte:

»Aber wirklich nur ein paar Minuten!«

Er zog sie schnell mit, denn mit einem Seitenblick auf die Uhr hatte er gesehen, daß es schon halb eins vorbei war. Flüchtig fiel ihm Enguerrand ein, der zum Essen kam. Dann vergaß er alles.

Niemals noch hatte er sie bei hellem Tag in das leere, kahle Haus geschleppt. In dem grellen Licht sah das Haus unmenschlich, wie gefroren aus, was jeden andern als Lambert erschreckt hätte. Er aber sah nichts mehr. Das Zimmer hinten schien ihnen ganz klein, ganz eng zu sein. Der Wind drehte ein kleines Häufchen staubiges Stroh auf dem Boden im Kreis, immer auf der gleichen Stelle.

Das Mädchen lehnte an der Wand, er fiel vor ihr nieder:

»Mathilde«, klagte er, »Mathilde, ich kann nicht hiersein, ohne dich zu berühren!«

»Dann berühr mich«, sagte sie einfach.

Er begann sie zu streicheln, langsam, liebevoll, keusch. Niemals hätte er gewagt, seine Hand zu ihrer Scham zu heben, und wenn sie es unbewußt wünschte, so sagte sie doch nichts. Dieses stumme Streicheln, die Beine, die Schenkel hinab, ihre Wärme, der Duft ihres Körpers, das war es, was er brauchte. Gewiß, er würde bald ein Mann sein, er war es schon beinahe, aber es war etwas ganz anderes als die Befriedigung eines jahrtausendalten Triebes, die er suchte, die er wünschte: Diese Ekstase war es, in der er aufstöhnte, das Glück, das sie ihm in solchen Augenblicken weit mehr bewies als in allen andern und vor allem bei ihren Küssen – all das war seine Wonne, seine Seligkeit, ohne die er nicht mehr leben zu können glaubte.

Lange blieben sie so, sie hatten jeden Zeitbegriff verloren. Es gab nichts mehr als sie beide und diese Liebkosung, die auch sie betäubte, betörte und die sie nicht zu beenden, nicht zu unterbrechen vermochte.

Sie hörten die Schritte im Haus nicht, und dabei hallten sie auf dem Zementboden wie Trommelschlag auf der gespannten Haut. Die Stimme Enguerrands schreckte sie auf:

»He, Lambert, weißt du, wie spät es ist?«

Wie spät es war? Was bedeutete das schon? Konnte es jemals eine Stunde geben, die diese hier aufwog?

»Hast du vergessen, daß wir Sonntag haben?«

Sonntag, freilich, und was schon?

»Wir sitzen bei Tisch und warten auf dich . . . Mama hat schon Angst. Hörst du?«

Und jetzt endlich ein Befehl, eine strenge Stimme, die Stimme des älteren Bruders, der erwachsen genug ist, um gebieten, strafen zu können:

»Laß dieses Mädel hier und komm mit!«

»Nein«, sagte Lambert tonlos, aber fest. »Nein«, wiederholte er zischend und biß die Zähne zusammen.

»Ich verlange, daß du sie läßt und mir folgst!«

»Nein«, antwortete er nochmals. Und als sich der Große ihm drohend näherte: »Rühr mich nicht an! Und noch weniger sie . . . rühr sie nicht an!« schrie er wild. »Rühr sie nicht an . . . weil ich sie liebe.«

VI

Wortlos waren sie nach Hause gegangen, Enguerrand und er. Ob ihn der Bruder verpetzte? Nein, er sagte oben nur:

»Da habt ihr den Ausreißer. Er hat beim Spielen die Zeit vergessen.«

Enguerrand war ein feiner Kerl.

Bevor er wegging, hatte er ihn allerdings zur Seite genommen und versucht, ihm freundschaftlich klarzumachen, daß alles nur eine dumme Kinderei war. Mit dreizehn Jahren liebt man noch nicht. Er solle das Mädel nicht mehr wiedersehen, diese magere Heugeige, die weder hübsch noch appetitlich wäre. Er habe noch lange Zeit für solche Dinge, der gute Lambert. Später, dann werde er es schon ein-

sehen; jetzt aber müsse er ihm versprechen, die Kleine nicht wiederzutreffen.

Lambert hatte alles versprochen, was Enguerrand wollte. Er mußte es,
um Ruhe zu haben, vor allem aber, weil ihn der Bruder trotz seiner
polternden Gutmütigkeit, seines Wohlwollens und harmlosen Spotts
nicht verstand.

Lauter Hindernisse auf seinem Weg! Bei dem Gedanken, Mathilde
könne erschrocken sein und sich nun weigern, ihn weiterhin in dem
Haus zu treffen, rann ihm kalter Schweiß über den Rücken. Nein,
nein, alles, nur das nicht! Ah, wenn das Erscheinen Enguerrands
Mathilde für immer vertrieben hatte! Er wütete über seine adelige
Abstammung, über seine Familie, warum war er nicht »wie alle«?
Mathilde war wie alle in seinen Augen, während er, das wußte er
jetzt, ein abscheuliches Ungeheuer war, das die Bücher einen Tyran-
nen nannten, einen Despoten, einen Satrapen, der sich vom Schweiß
seines Volkes nährt. Alles stellte sich zwischen sie. Man würde ihn
von Mathilde trennen, sie nicht mehr aus dem Haus lassen. Nein, nur
das nicht! Er mußte ... er mußte ...

Was mußte er?

Nichts. Er mußte sie nur sehen können, sooft er wollte, das heißt,
alle Tage, immer und nicht nur heimlich, einen kurzen Augenblick,
während die Angst vor der Trennung, der endgültigen Trennung,
schon wie eine dunkle Wolke über ihnen lag.

Was tun?

Ach, er wußte es nicht. Er war in seinem Zimmer eingesperrt – Großmutter hatte sich niedergelegt, Mama war wieder ausgegangen – und
haderte mit dem Schicksal, verzweifelt, daß er noch so jung war, daß
er von den andern abhing, daß er nicht tun und lassen durfte, was
ihm gefiel; und er brauchte seine Freiheit doch wie die Luft zum Atmen. Er dachte laut: Wenn ich Mathilde nicht wiedersehen darf, dann
töte ich mich. Sterben, ja! Aber gab es gar keinen andern Ausweg?

In diesem Augenblick entsprang seinem Kopf die Idee, wie eine Rakete, aber wie eine Rakete, die in den Himmel steigt, um niemals zu
verlöschen. Ja, ja, das war es ... das und nichts anderes. Wenn er sogar an den Tod gedacht hatte, dann konnte er wohl auch das andere
versuchen, das, was ihm jetzt eingefallen war. Freilich, vorher mußte
er Mathilde treffen, sie überreden, und das würde ihm gelingen. Er
war überzeugt davon.

Ein Schauer freudiger Unruhe lief über seinen Rücken.

Abends täuschte er Magenschmerzen vor, um allein bleiben zu können. Großmutter brachte ihm eine Tasse Tee. Obwohl er fürchtete,
fasten zu müssen, hatte er einen verdorbenen Magen der Erkältung

vorgezogen, denn sonst hielt man ihn vielleicht morgen daheim fest. Um zehn Uhr erklärte Großmutter, »sehr müde« zu sein, und legte sich nieder. Jules blieb noch lange Pfeife rauchend im Speisezimmer. Als er mit seinen Zeitungen verschwunden und das Licht gelöscht war, konnte Lambert endlich allein im Finstern sein. Er atmete tief auf und begann einen Plan auszuarbeiten.

Am nächsten Morgen war er draußen. Gegen Mittag erblickte er Mathilde. Nun also, es ging gut. Er stellte sich in ihre Nähe, während sie mit einem Schuster verhandelte, dem sie ein Paar grobe Männerschuhe zum Besohlen gab. Er redete sie nicht sofort an, obwohl sie sich umgedreht und ihn gesehen hatte, sondern wartete, bis sie ungefähr zwanzig Meter weiter war.

»Mathilde!«

»Nein, nein, geh! Dein Bruder...?«

»Er ist nicht mehr da. Ich hab' dir doch gesagt, daß er nicht bei uns wohnt und nur zum Mittagessen gekommen ist.«

»Nein«, sagte sie.

»Heute abend im Haus?«

»Nein... nein... wenn uns wieder jemand sieht...«

»Aber, Mathilde, du: Es ist doch nicht aus zwischen uns?«

»Ja, es ist aus.«

Er packte sie bei den Schultern und drehte sie unsanft um ihre eigene Achse:

»Nein, es ist nicht aus. Es kann nicht aus sein!« schrie er ihr ins Gesicht.

»Gestern war es nicht nur dein Bruder... auch mein Vater... Ich bin zu spät gekommen, es war Sonntag, er war zu Hause. Er ist im Zimmer auf und ab gerannt. Es scheint mit seinen Kollegen nicht ganz zu klappen, mit der Geschichte... er hat seine Wut an mir ausgelassen und mich gesalzen.«

»Ich will nicht, daß er dich salzt.«

»Was kannst du schon dagegen tun?«

»Alles«, erklärte er. »Ich habe meine Idee. Niemand wird dich mehr schlagen. Und sehr gut wird es dir gehen. Komm heute abend in den Rohbau, dann sag' ich dir alles. Kommst du?«

Sie ließ sich erweichen:

»Aber nur ein paar Minuten, um Punkt sechs Uhr. Um Viertel nach sechs geh' ich wieder... aber bist du sicher...?«

»Wenn ich dir schon sage, daß du nichts zu fürchten hast.«

Am Abend kam sie, zitternd, nach allen Seiten ausspähend. Er erwartete sie auf dem Treppenabsatz vor der Wohnung, in der sie sich meist versteckten. Er zog sie weiter.

»Wohin führst du mich?«

»Ins obere Stockwerk. Dort steigt keiner hinauf.«

Die Wohnungen waren in allen Etagen gleich angeordnet, oben aber war es heller. Die Umrisse ihrer Gestalten traten in dem Dämmerschein hervor, und ihre Gesichter wirkten wie zwei milchige Flecken. Ihre Zeit war kurz bemessen:

»Küß mich, Lambert«, sagte sie, »so küß mich doch!«

»Nein«, antwortete er, »erst müssen wir sprechen.«

Er starb vor Lust, sie an sich zu drücken, vor ihr in die Knie zu sinken und sie zu liebkosen.

Aber sie hatten nur ein paar Minuten zur Verfügung, und da mußte er ihr sagen, was er sich ausgedacht hatte:

»So geht's nicht weiter«, erklärte er wie ein Mann, »daß wir uns treffen und immer fürchten müssen, daß uns jemand sieht.«

»Wenn es nicht anders möglich ist!«

»Es ist anders möglich«, erklärte er.

»Wieso?«

»Wir laufen davon. Fertig.«

»Wohin?«

»Weit weg.«

»Wie?«

»Zusammen.«

»Du meinst, daß wir beide zusammen fortlaufen sollen?«

»Ja«, sagte er heftig. »Du und ich, wir beide, laufen fort.«

»Aber wie sollen wir das tun? Dazu braucht man Geld.«

»Ich habe Geld.«

»Aber nicht genug.«

»Soviel ich will. Großmutter hat immer Hunderter und Tausender in der Tasche . . . und dann meine Schätze, vergiß nicht!«

»Auch wenn wir das Geld haben, lassen sie uns nicht weg.«

»Wir sagen ihnen nichts.«

»Nein, nein«, wehrte sie verstört ab, »nein, meine Eltern . . .«

»Dein Vater schlägt dich.«

»Er ist mein Vater. Und dann, meine Mutter . . .«

»Du liebst mich nicht«, sagte Lambert.

»Aber ja«, beteuerte sie, »natürlich liebe ich dich. Aber weggehen, das ist doch . . .«

Er gab nach:

»Nicht sofort, schau. Aber wir überlegen es uns. Wir bereiten uns vor.«

»Ja, das schon, wenn du willst.«

Ja, das war ein Spiel, und ein aufregendes dazu. Dieser Lambert hatte

Einfälle! Das konnte die Gefühle freilich wieder aufwärmen, die seit gestern plötzlich etwas abgekühlt waren. Mit der Furcht, mit der Gefahr spielen und ein Geheimnis, ein richtiges Geheimnis teilen!

»Ist es wahr, möchtest du wirklich?«

»Ja, ich möchte gern.«

»Dann küss' ich dich jetzt.«

Aber heute lief sie schnell davon, gleich nach dem ersten Kuß. Sie ließen einander los, als sie durch den Bretterzaun krochen, und nach einem flinken Blick nach rechts und links sagte er:

»Du denkst also dran!«

»Ich verspreche es dir«, gelobte sie.

Bei ihrem nächsten Rendezvous sprach sie als erste davon:

»Wie stellen wir es denn an, das Fortlaufen?«

»Ich bereite alles vor. Ich habe einen kleinen Koffer oben auf dem Schrank gefunden. Niemand weiß, daß er dort steht, er ist ganz staubig. Den werde ich nehmen.«

»Ich habe keinen Koffer«, sagte sie.

»Du tust deine Sachen in meinen.«

»Och, ich hab' sowieso nur, was ich am Leib trage.«

»Und außerdem bin ich ja dann reich, ich kaufe dir alles, ein Kleid, einen Pulli...«

»Eine Handtasche?«

»Ja, auch eine Handtasche.«

»Eine richtige, mit Seitenfächern... und einer Puderdose!«

»Und Rouge«, sagte er.

»Wenn ich noch was will, wirst du dann nicht nein sagen?«

»Natürlich nicht.«

»Seidenstrümpfe nämlich... Strümpfe aus echtem Nylon. Ich hab' noch niemals Seidenstrümpfe gehabt, weißt du?«

»Ich kauf' dir welche.«

»Du bist lieb, Lambert«, sagte sie. »Wenn du mich wieder küssen willst, dann darfst du es jetzt.«

Am nächsten Tag erklärte sie:

»Ich muß schauen, daß meine Sachen gebügelt sind. Wir sollten an einem Donnerstag fortlaufen.«

»Wann du willst.«

»Und wohin?«

»Überallhin. Nach Lyon. Nach Lille...« Er zählte auf gut Glück die Namen von Städten auf, die ihm sehr entlegen dünkten. »Und dann, wenn du Lust hast, nach Amerika.«

»Oh, nach Amerika!« Aber mit schlechtem Gewissen fügte sie hinzu: »Papa mag die Amerikaner nicht, weißt du.«

»Dann gehen wir eben woanders hin. Aber trotzdem, Amerika wäre fein.«

»Ach, wenn ich einmal mit dir dort bin . . .«

Am Dienstag sagte sie:

»Bei uns haben sie keine Ahnung. Jetzt sind alle sehr nett mit mir. Sogar Papa, obwohl er mit dem Gardas nicht zufrieden ist, von dem ich dir erzählt habe. Ich glaube, der ist jetzt Ministerpräsident geworden, und das wird den Arbeitern schaden. Vielleicht gibt's morgen oder nächste Woche Streik, und zu Hause haben wir kaum Geld in der Lade.«

»Was macht das schon, wenn wir zwei Geld haben?«

»Da mußt du aber viel mitnehmen.«

»Zehntausend Francs«, erklärte Lambert.

»Ooch . . . das ist allerhand!« sagte sie bewundernd.

»Vielleicht noch mehr«, prahlte er.

Sie preßte sich an ihn:

»Das ist schön, wenn man sich liebhat!«

»Es gibt nichts anderes«, stellte Lambert fest.

»Ja, wirklich, es gibt nichts anderes.«

Aber sie wußte genau, daß das alles nur ein Spiel war.

Ja, es war ein Spiel, aber ein Spiel, wie sie es bis jetzt noch niemals gespielt hatte, ein Spiel, gewebt aus Plänen, Träumen und Hoffnungen, aus einem Glück, das man sich vorstellen konnte, ehe man es besaß, das grenzenlose Freude schenkte, ehe man es erreichte. Mit Fabret spielte man Dinge, die andere vor ihm gemacht hatten: verhaften, hinrichten, foltern, züchtigen oder auch küssen – was schön war, aber mit Lambert war es anders. Er war so zart, er berührte sie so leise, es prickelte in allen Gliedern, wenn er sie liebkoste; und auch sein Kuß auf den Mund war schöner als der Kuß Fabrets. Ach, und alles Verheißene: die Schätze, die Reisen, die Schiffe und die Flugzeuge, die sie benutzen würden, die Hotels, die Theater, alles, was die Erwachsenen besaßen und was sie jetzt haben würden, weil er reich und weil alles ein Traum war: Pelze, Schmuck und als Anfang ein Kleid und ein Paar Nylonstrümpfe.

Trotzdem fragte sie ihn einmal. »Und bei dir? Deine Familie?«

»Großmutter ist krank – scheint, daß sie gelähmt ist. Meine Schwester Angélique ist gekommen und pflegt sie. Mama ist weggefahren.«

»Es wird sie vielleicht kränken.«

»Daran darf man jetzt nicht denken. Zuerst kommen du und ich. Und noch mehr als du und ich. Bereitest du schon alles vor? Denkst du fest daran? Denn jetzt ist es bald soweit.«

Eines Tages erklärte er:
»Also, nächste Woche.«
Nächste Woche! Bis dahin war es noch lang. Zeit genug...
So kam der Montagabend, und beim Abschied sagte er:
»Diesen Donnerstag.«
Den ganzen Heimweg summte es ihr im Kopf: Donnerstag! In vier
Tagen! Auch zu Hause dachte sie an nichts anderes: Donnerstag...
in vier Tagen...
Am nächsten Morgen erschien ihr der Donnerstag so fern, obwohl er
doch näher gekommen war. Und dann, war es nicht ein Spiel? Lam-
bert freilich, der spielte noch immer:
»Ich habe mir's überlegt: Wir müssen am Abend aufbrechen. In der
Frühe läßt dich deine Mutter nicht hinaus. Da gehst du nur einkaufen
und mußt zu Mittag zurück sein. Es fällt ihnen gleich auf, wenn du
nicht rechtzeitig kommst. Am Abend fangen sie frühestens um halb
acht, acht zu warten an. Wirst du einen Brief hinterlassen?«
»Ja... das wäre vielleicht gut, unter meinem Kissen. Damit sie nicht
glauben, daß ich verunglückt bin. Sie sollen nur wissen, daß ich in
die Welt gezogen bin, für immer... das möchte ich ihnen gern unter
die Nase reiben.«
»Ja«, sagte Lambert, »das wäre gut und außerdem richtig. Für mich
wird es auch das beste sein. Vor acht erwarten sie mich nicht, und
nicht einmal dann. Da fangt Angélique zu beten an, und wenn sie
betet, dann vergißt sie alles andere.«
»Wirst du das Geld haben?«
»Natürlich, und den Koffer auch. Wir sind schon weit, wenn sie es
bemerken. Für mich ist es sehr leicht: Großmutter liegt im Bett und
kann sich nicht rühren, und sonst ist nur Angélique im Haus. Mama
ist wieder weg, ich glaub', sie hat Geschäfte zu erledigen.«
»Und wirst du ihnen auch einen Brief hinterlassen?«
»Schreiben werde ich auf jeden Fall, aber ob ich ihn wirklich hinlege,
das weiß ich noch nicht.«
Den Mittwochabend lebte sie wie in einem Glücksrausch. Keinen
Augenblick dachte sie, daß ihre Umarmungen, ihr Kuß die letzten
sein könnten. Nein, das Spiel war nicht beendet, und daß man es so
weit führen konnte, war einfach wunderbar. Morgen? Nun, morgen
würde sie mit einer Ausrede erscheinen, etwas vorflunkern. Die Flucht
wurde verschoben... und dann, wenn er es noch immer nicht aufgeben würde, dann erfand sie eben etwas Neues. Im Augenblick genoß
sie die Minuten des Märchens. Ach ja, sie liebte Lambert, diesen Lambert, der solchen Zauber schenken konnte!
Sie hatten ausgemacht: sechs Uhr. Sie verspätete sich absichtlich. Er

erwartete sie auf dem Treppenabsatz des Rohbaus, er war nicht einmal bis hinein in die Wohnung gegangen.

»Warum brodelst du so herum?« fragte er, als er sie neben sich spürte.

»Ach«, klagte sie, »der Vater ...«

»Schön, schön, aber jetzt heißt's sich sputen. Ich weiß nicht, wie spät es ist, aber wohl fast sieben auf der großen Uhr.«

»Dreiviertel sieben.«

Ihr Fuß stieß an einen Gegenstand:

»Ah, du hast den Koffer mit?«

Bis jetzt hatte sie gehofft, daß er es sein würde, der ihr bedauernd erklärte: leider, heute unmöglich ... Aber nein, er stand vor ihr, und das Spiel war kein Spiel mehr. Er griff nach ihrem Arm, versuchte sie mitzuziehen. Sie widersetzte sich:

»Eine Minute noch ... Haben wir nicht ein bißchen Zeit, bevor wir weglaufen ...?«

»Zeit wozu?«

»Du weißt schon!«

»Nein«, erklärte er, »nicht jetzt und nicht hier. Dann, wenn wir weg sind.«

»Lambert«, sagte sie, »es ist jetzt sieben Uhr. In einer halben Stunde werden sie auf mich warten.«

»Na schön, dann warten sie eben.«

»Der Vater nämlich ... Ich hab' dir's schon gesagt: mit ihm ist jetzt nicht gut Kirschen essen. Seinetwegen bin ich eine Stunde zu spät gekommen. Schließlich hat er mich weggelassen, aber er hat gedroht: Und wenn du um halb acht nicht da bist ...«

»Was kann er dir tun, wenn du nicht zu Hause bist?«

»Wir sind noch nicht weit weg um diese Zeit, sie werden uns zu suchen anfangen. Lambert«, flehte sie, »Lambert, wenn sie uns erwischen ...!«

»Drum los.«

»Nein, nicht heute. Heute dürfen wir nicht, ich spür' es ...«

»Ist es ausgemacht, ja oder nein?«

»Heute abend, das weiß ich, bringt es uns Unglück.«

»Heute nicht mehr als an einem andern Abend. Ich bin schon richtig von daheim weggelaufen, ich hab' einen Brief hinterlassen.«

Das war nicht wahr. Er sagte es, damit sie die Brücken hinter ihm abgebrochen glaubte. Den Koffer hätte er leicht ungesehen zurückstellen können, denn Angélique war bestimmt in der Küche. Aber sein Entschluß war gefaßt: Er hielt Mathilde fest, sie war da, sie mußte mit ihm gehen, weil sonst alles verloren war.

»Einen Brief! Ich nicht, ich hab' keinen Brief geschrieben. Du mußt mich doch verstehen. An einem andern Tag, bitte! Heute nicht!«

»Heute nicht, heute nicht!« spottete er. »Das heißt: überhaupt nicht.«

»Aber nein, an einem andern Abend. Wir werden's einrichten können. Vor allem: Ich habe nichts mitgenommen, nichts vorbereitet, ich hab' keine Zeit gehabt.«

»Was macht das schon aus? Ich habe Geld.«

Er wühlte fieberhaft in seiner Rocktasche, sie hörte das Rascheln von Geldscheinen.

»Großmutter hat Angélique auf die Bank geschickt. Ich hab' ihre Tasche genommen; wir haben, was wir brauchen.«

»Du hast geklaut!«

»Ich hab' nicht geklaut. Ich hab' es nur genommen. Später, wenn ich groß bin, zahle ich es zurück. Auf jeden Fall, es ist geschehen, ich kann jetzt nicht mehr nach Hause. Du siehst, daß wir weg müssen. Hast du denn alles vergessen? Die Schiffe, die Züge, die Hotels, das Leben zu zweit ... und die Nylons?«

»Ich habe nichts vergessen«, klagte sie, »aber wir können es doch aufschieben. Schau, eine Woche ... vier Tage ... Du steckst das Geld einfach in die Tasche deiner Großmutter zurück.«

»Wir müssen weg«, erklärte er. »Heute abend. Unbedingt.«

»Dann geh allein«, sagte sie, »wenn du nicht anders kannst. Ich komme dir nach. Ich schwöre es ... du brauchst mir nur Ort und Zeit zu schreiben.«

»Nein. Weil Fabret wieder da ist.«

Das hatte er erfunden. Es war ihm plötzlich eingefallen, es war seine letzte Chance.

»Wer hat dir das gesagt?«

»Der Kleine, er hat ihn gesehen.«

»Fabret ... getürmt ... Was hat er hier vor?«

»Er hat von uns beiden erfahren. Er will uns ermorden ... Er hat ein großes Messer mit Sperrklinke.«

»Ah!« schrie sie auf, als dringe die eisige und gleich darauf vom Blut glühheiße Klinge bereits tief in ihr Fleisch.

»Er tut's bestimmt. Du kennst ihn.«

Sie sah im Geist die grausamen Augen des Jungen, die gräßlichen Spiele, die er liebte. Ja, er war dazu fähig, denn er, der Bandenchef, er, der blutrünstige Häuptling, würde sie umbringen! Ja, umbringen!

»Ja, er ersticht uns!« schrie sie und warf sich Lambert in die Arme, als suche sie Schutz. Er spürte, wie sie am ganzen Leib zitterte. Ihre Zähne schlugen aneinander.

»Siehst du? Glaubst du jetzt, daß wir unbedingt fortlaufen müssen?«
»Ja, ja . . .«, stammelte sie.
»Morgen ist es zu spät. Er findet uns hier. Sogar auf offener Straße überfällt er uns.«
»Hier!« stöhnte sie in tödlicher Angst.
»Er hat mir dieses Haus ja gezeigt. Siehst du? Wir müssen weg.«
»Ja, ja . . . schnell . . .«
Er griff mit der Linken nach dem Koffer, mit der Rechten faßte er Mathildes Arm.
»Schnell«, wiederholte sie, toll vor Angst, nur das eine im Kopf: »Wenn er uns hier findet!«
Sie zwängten sich durch den Bretterzaun, bogen links ab und liefen Hand in Hand davon.

VII

Die Stadt nahm sie auf und schloß sich über ihnen. Sie nahm sie auf und verbarg sie sofort, wie der Wald der Sologne die Tiere verbarg. Wie der Forst hat auch die Stadt ihr Gestrüpp, ihr Dickicht, ihre ragenden Stämme, ihre Wurzeln, ihre Verstecke und Ruheplätze, ihre Sümpfe, ihre Lichtungen, die das gehetzte Tier mit einem Sprung überquert wie die Alleen. Hier sind es die Steilwände der steinernen Gebäude, die sich starr zur Höhe recken wie die kerzengeraden Stämme des Hochwalds an windstillen Tagen; die jungen Gebüsche der Neubauten, die noch gebrechlich sind und beim leisesten Windhauch erzittern und die das kleinste Geräusch zurückwerfen; hier sind die häßlichen Gründe, jene Inseln zwischen den abbröckelnden Häusern, und alle Verstecke: dunkle Einfahrten, Lichthöfe, enge finstere Gassen, Sackgassen, verlassene Baracken und Kanäle. Hier sind die großen asphaltierten Plätze, die wie schwarze Wasserlachen, in denen sich ein Himmel gleicher Farbe spiegelt, im Stadtbild liegen, und die schwarzen Ströme, die zwischen den Häusermauern wie zwischen Ufern dahinziehen; hier sind die entfesselten Sturzbäche der steilen Straßen mit Kopfsteinpflaster, die kleinen Plätze, die den Lichtungen gleichen, die krummen Schneisen, die das Wild, links und rechts spähend, übersetzt; hier ist endlich ein Fluß, ein wirklicher, nach so viel starren Dingen etwas Lebendiges, das dieses Dschungel mit der ganzen Flora und Fauna seiner Ufer in zwei Stücke teilt; die Obdach bietenden Bogen der Brücken; die über die Wellen spielenden Lichter und Schatten. Und über alldem ein Himmel, dunkel und schwer wie Blei oder von einer blassen Sonne erhellt, oder aber tausendfach strahlend in den künstlichen, gleißenden Sonnen der

Nacht, drohend, blinzelnd, zuckend, rot und gelb, erbarmungslos mit dem kalten Neonlicht; warm mit den schimmernden Schildern der großen Kaffeehäuser, der Restaurants, der Kinos, der Vergnügungslokale, den Zufluchtsorten für Glück und Qual.

Instinktiv waren sie die Straße hinuntergelaufen. Instinktiv suchten sie die Gegend auf, wo das ärgste Gedränge herrschte, den Boulevard an seinem belebtesten Teil, in dem zu dieser Stunde alles aufeinanderprallt: Hunger, Lust, gierige Wünsche, lechzender Durst nach Freude und Vergessen, und wo sich hinter grellem Licht und Flitter so oft Elend und Verzweiflung verbergen.

Er nahm sie an der Hand und zog sie mit. Sie ließ es geschehen, denn sie hatte sich noch nicht beruhigt. Sie wollte nur eines: flüchten, so weit weg als möglich. Sie wußte jetzt, daß ein Spiel nicht immer Spiel bleibt, daß es eines Tages, wenn man es am wenigsten erwartet, zur Wirklichkeit werden kann. Fabret, der zum Spaß folterte, würde auch im Ernst töten können. Und Lambert, der »Durchbrennen« spielte, hatte das Spiel so weit getrieben, bis eine wirkliche Flucht daraus wurde, auf der sie ihn begleitete.

Im Menschenstrom rannten sie nicht mehr. Sie keuchten vor Angst und Anstrengung, denn auch er zitterte, als sei ihnen Fabret tatsächlich mit dem Messer in der Faust auf den Fersen. Lambert hatte Mathilde so lange Angst gemacht, bis er selbst Angst bekam. Ja, er fürchtete sich wirklich. »Komm, komm«, drängte er.

Auf der Place Pigalle fingen sie zu laufen an.

»Nein«, ächzte sie, denn sie konnte nicht mehr, und die Vernunft kehrte langsam wieder. »Nein, wir dürfen nicht laufen, sonst glaubt man, wir haben was angestellt oder gestohlen, und hält uns auf.«

Sie hatte recht. Er zwang sich zu einer langsameren Gangart. Unruhig blickte er nach allen Seiten. Niemand schaute sie an, niemand beachtete sie, nur eine Zeitungsverkäuferin rief ihnen etwas zu; sie mochte Kinder gern und plauderte immer mit ihnen. Sie liefen davon.

Wohin aber, damit die Zeit verging und man sie nicht fand? Vor allem nicht in dieser Gegend bleiben, wo jederzeit eine Frau aus der Nachbarschaft oder ein Kollege des Vaters auftauchen und sie zur Rede stellen konnte? Sie bogen rechts in eine dunkle Gasse ein.

Dort war es ruhig. Es erinnerte Lambert an das Moor seiner Heimat. Der Schatten verbarg sie wie das Schilf an den Rändern des Weihers, das man beim Vorwärtsgehen mit den Händen auseinanderbiegt und durch das man sich gesenkten Kopfes zwängt, um besser geschützt zu sein.

»Kommst du mir nach?«

»Ja, ich bin da.«

Er schritt so schnell aus, als er konnte. Sein Koffer war schwer, er hatte zuviel hineingepackt, seine Kleider und auch die aus dem Gartenversteck in La Gardenne mitgebrachten »Andenken«; und dieser schwere Koffer hinderte ihn beim Gehen, schlug an seine Beine, an seine Waden, so daß er stolperte.

»Bist du sicher, daß er nicht hinter uns her ist?«

»Ja, aber wir haben viel zuviel Zeit verloren.«

Sie zogen die Gasse weiter, die sich bald verbreiterte und zu einer verkehrsreichen Straße mit schmalen Gehsteigen wurde, durch die sich Taxis und andere Wagen wie in einen Kanal zwängten. Sie streiften die Fußgänger beinahe und drückten sie an die Hauswände. Es war Theaterbeginn.

Lambert hatte nur eines im Kopf: weiterzukommen. Er durfte Mathilde nicht verlieren, die sich so schwer hatte überreden lassen mitzulaufen. Wenn man sie beide jetzt aufgriff, dann, das wußte Lambert, fand sie sich mit allem ab: mit der Rückkehr ins elterliche Haus, mit der Strafe und mit der Trennung auf ewig.

Sie kamen zum Boulevard bei der Oper. Sie überquerten ihn. Die Verkehrsschutzleute schienen sie nicht zu beachten. Breite, lichterfunkelnde, erregende Boulevards lagen vor ihnen: Wohin sollten sie gehen?

»Wart einen Augenblick!«

»Was ist, Mathilde?«

»Mein Rock . . . ich verliere ihn.«

Ja, er rutschte. Mathilde griff unter den Mantel, um ihn festzuhalten. Wahrscheinlich war beim Laufen ein Druckknopf aufgesprungen oder ein Haft abgerissen. Der Rock war ins Gleiten gekommen.

Der Junge zeigte auf eine Hauseinfahrt. Drinnen stellte er den Koffer auf den Boden. Sie hob ihren Mantel hoch, hielt ein Eckchen mit den Zähnen fest und versuchte den Rock zu befestigen.

»Ich kann es nicht«, klagte sie, »du mußt mir helfen.«

Er kannte sich mit Frauenkleidern nicht aus.

Er plagte sich redlich, die Zungenspitze im Mundwinkel; seine Hände verfingen sich in einem Schlitz und in den Falten des Rocks. Die Bluse stieg heraus, und er konnte die beiden Enden des Gürtels nicht aneinanderschließen. Er zitterte vor Ungeduld: so viel verlorene Zeit!

»Hast du keine Sicherheitsnadel?«

Ja, sie hatte eine im Mantelaufschlag stecken und reichte sie ihm. Er nadelte den Rock fest, so gut es ging. Sie ließ sich schleppen, sie wurde schwer:

»Ich bin so müde!« – und nach einer Weile: »Ich bin hungrig.«

Das stellte ihn vor ein Problem und erinnerte ihn gleichzeitig daran, daß er selbst nicht zu Abend gegessen hatte. Wie spät mochte es sein? Lange nach neun, gewiß. Und dann, hatten sie bei ihren Plänen nicht auch von feinen Gaststätten gesprochen? Konnte er ihr verweigern einzukehren, ohne daß sie sofort annahm, von ihm betrogen zu sein? Trotzdem: Es war gefährlich, ein öffentliches Lokal zu betreten. Gefährlich? Wieso? Er hatte Geld. Er faßte einen Entschluß. Alle Bedenken würden bei dem Vergnügen verblassen. Sie waren schon weit; sie kannten die Stadt nicht, aber wie lange waren sie schon gelaufen!

An der Kreuzung zweier Straßen stand goldschimmernd ein Restaurant. Das Licht war warm, ein verlockender Gegensatz zu der herrschenden Kälte, die sich in ihre Wangen verbiß. Vom langen Marschieren war ihr Rücken feucht und zugleich vom Wind eisig geworden; es blies durch ihre Ärmel.

»Da hinein«, sagte er, »wenn er uns verfolgt, dann braucht er lange, bis er uns hier aufgespürt hat.«

Fast alle Tische waren besetzt. Ein paar Köpfe hoben sich, als die Kinder eintraten, senkten sich aber sofort wieder, es war nur die übliche Neugier. Trotzdem errötete Lambert bis über die Ohren.

»Wollen Sie essen?« fragte der Kellner. »Dort, bitte.«

Die Frau aus der Garderobe trat auf sie zu:

»Ihren Koffer, junger Herr?«

»Nein«, sagte Lambert. Zu spät, sie hatte ihn schon gepackt. Es ging ihm durch den Kopf, daß er ihn hierlassen mußte, wenn ihn die Umstände zu einer plötzlichen Flucht zwangen. Die Frau reichte ihm eine Nummer:

»Beim Weggehen geben Sie mir diesen Zettel.«

Inzwischen war der Kellner verschwunden. Sie fanden einen leeren Tisch und setzten sich verlegen, Seite an Seite, nieder. Wortlos saßen sie dort und wußten nicht, wie sie den Kellner rufen sollten; da aber kam er mit der Speisekarte zurück. Mit einem leichten Stirnrunzeln sagte er:

»Macht es Ihnen etwas aus, drüben an dem kleinen Tisch Platz zu nehmen? Das hier ist ein Tisch für vier Personen, und es können noch Gäste kommen!« Er schaute Mathilde an, die ihm die Ältere schien: »Setzen Sie sich bitte dorthin mit Ihrem kleinen Bruder.«

Er führte sie zu einem Tisch für zwei Personen und legte die Karte vor Mathilde hin. Sie aber sah nichts, alles verschwamm vor ihren Augen, sie konnte keine Buchstaben unterscheiden. Lambert rettete die Situation:

»Geben Sie uns eine Suppe, Fleisch, Gemüse und ein Dessert.«

»Was für eine Suppe?« fragte der Kellner. Er zählte die Suppen auf:

»Potage Crécy, Frühlingssuppe, Gemüsesuppe, feine Cremesuppe, Krebsensuppe, Lamballe oder gratiniert?«

»Mit Zwiebeln und Kartoffeln«, entschied Lambert.

»Also Gemüsesuppe. Und nachher? Es gibt Hasenbraten, Huhn, Hammel, Kaninchen, auch Langusten, aber die sind teuer...«

Seine Miene schien zu fragen: Habt ihr überhaupt Geld?

»Magst du Languste?« fragte Lambert.

»Nein«, sagte Mathilde, »das hab' ich noch nie gegessen, ich weiß nicht, ob es mir schmeckt. Ich möchte Kalbsbraten.«

»Ist da«, sagte der Kellner, »mit Champignons, Erbsenpüree, Saint-Aignan, à la Limoges oder durchgebraten.«

»Durchgebraten. Mit Püree«, bestellte Lambert. »Und zum Dessert?« Das interessierte ihn am meisten. Damit wollte er Mathilde besonders imponieren, die, außer an Sonntagen, Tag für Tag das gleiche Wassermelonenkompott bekam, das in einem gelben Metalleimer aus der Werksküche der Fabrik gebracht wurde.

»Geben Sie uns Eis und Kuchen«, sagte Lambert.

»Einen pro Person?«

»Drei«, sagte Lambert.

Die Suppe tat ihnen gut. Sie mochten beide dicke Suppen, er, der Junge vom Land, sie, die Tochter des Arbeiters. Sie fühlten sich gleich wohler, fürchteten sich weniger. Das Licht, die Wärme, das Essen entspannten sie. Sie kauten wortlos und gierig. Nur manchmal sagte sie mit vollem Mund: »Fein ist das.« Und Lambert antwortete: »Ja, fein.« Erst beim Eis und bei den Kuchenschnitten begannen sie wieder zu sprechen. Mathilde seufzte.

»Was hast du?« fragte Lambert.

»Ich denke nach«, erwiderte sie.

»Das sollst du nicht. Wir sind weggelaufen, und damit basta.« Er zeigte auf die Kuchen. »Und außerdem: So wird es uns jetzt alle Tage gehen«, versprach er.

Er log nicht, er glaubte es tatsächlich.

Sie fand, daß es wunderschön war, in einem Restaurant zu speisen, einem Lokal, das in keiner Weise der Kneipe von Saint-Ouen glich, in die sie der Vater ein paarmal mitgenommen hatte und dessen Inhaber er duzte. Aber trotzdem, wenn sie an die Mutter und die kleinen Geschwister dachte... Ah, hätte sich Lambert nach der Mahlzeit bereit erklärt, ihr die Nylons zu schenken, dann wäre sie trotz der zu erwartenden Tracht Prügel heimgelaufen. Er spürte, daß sie sich von ihm entfernte. »Du vergißt Fabret«, sagte er düster.

Ja, sie hatte ihn vergessen. Sie stellte sich ihn vor, während Lambert sprach, aber er erschreckte sie schon weniger. Gewiß würde er ihr eine herunterhauen, er hatte sie gewarnt: Wenn du jemals mit einem andern gehst! Aber umbringen, nein, umbringen, das brauchte sie nicht zu fürchten.

»Ich vergesse ihn nicht. Los, wir müssen weiter.«

»Schon?«

Er hörte nicht mehr auf sie:

»Die Rechnung«, verlangte er, wie er es einem dicken Mann am Nebentisch abgelauscht hatte, der sich von Zeit zu Zeit die Stirn trocknete und über seine Zeitung zu ihnen blinzelte.

Der Kellner brachte sie. Das Blut stieg ihm in die Wangen, als er den Betrag las. Siebzehnhundert Francs! Das war nicht möglich. So viel Geld! Er nahm seine Banknoten heraus. Bis jetzt hatte er immer nur einen einzigen Schein in der Hand gehabt, wenn man ihn Einholen schickte. Was machte das schon aus ...?

»Gib mir zwei Tausender«, half ihm der Kellner. »Ich gebe dir dreihundert Francs zurück.«

Jetzt duzte er ihn. Er ging mit dem Geld und der Tasse weg, auf der er die Rechnung präsentiert hatte. Die Garderobiere brachte den Koffer und lächelte, während sie ihn hinstellte. Der Kellner kam mit den drei Hundertfrancscheinen zurück. Lambert wollte sie nehmen. Der Kellner sagte:

»Vergiß nicht das Trinkgeld. Zwölf Prozent. Aber es genügen zweihundert, weil Ihr noch solche Fratzen seid.« Er steckte die beiden Scheine ein. »Und jetzt die Dame, die deinen Koffer verwahrt hat ...«

»Wieviel?« fragte Lambert.

»Was Sie gern geben«, sagte die Dame, immer mit dem gleichen Lächeln, »wenn Sie kein Kleingeld haben, gebe ich Ihnen fünfzig auf Ihre hundert heraus.«

Fünfzig Francs! Teuer, das große Leben! Aber er reichte ihr den Schein. Wo er doch so viel Geld in der Tasche hatte – da war ja kein Ende abzusehen, nicht wahr?

Während die Dame das Wechselgeld heraussuchte, plauderte sie:

»Kommt ihr von einer Reise zurück?«

»Nein«, erklärte Lambert, »wir fahren weg.«

»Wohin denn?«

»Nach Lyon.«

»Das kenne ich«, sagte die Dame, »dort wohnt die Kusine meines Mannes. Und so fahrt ihr beide also weg, du und deine Schwester?« Jetzt duzte sie ihn auch.

»Sie ist nicht meine Schwester«, sagte Lambert böse, und ohne das Wechselgeld zu nehmen, zog er ab.

Draußen stürzte wieder die Kälte auf sie ein. Ein heftiger Wind blies, und sie froren nach dem behaglichen Saal und der Mahlzeit.

»Glaubst du nicht...«, begann Mathilde zaghaft.

»Nein«, sagte Lambert, »es kommt nicht in Frage, wir gehen bis ans Ziel.«

Mathilde schwieg. Sie stellte ihren Kragen auf. Sie wanderten weiter. Lambert stand vor Problemen, die er nicht bedacht hatte: wo und wie Quartier für die Nacht finden? Natürlich, es gab Hotels, aber wenn er durch ihre Glastüren schaute und dahinter einen Hoteldiener in gestreifter Weste oder eine Wirtin sah, dann wagte er nicht einzutreten. Sie würden ihn ausfragen und sofort merken, daß bei ihnen etwas nicht stimmte. Er kannte die Gegend nicht. Irrtümlich waren sie in die Richtung zurückgegangen, aus der sie gekommen waren, und standen nun wieder auf den Boulevards vor der Oper. Mathilde schleppte sich nur mehr weiter, die Hände zitterten, die er hielt.

»Lambert«, sagte sie plötzlich und blieb stehen. »Lambert, gehen wir heim.«

»Niemals!« fuhr er in fanatischer Entschlossenheit auf.

Sie standen vor einem riesigen Kino, das einen amerikanischen Farbfilm ankündigte. Er schob sie hinein, denn er hatte die Aufschrift »Ununterbrochener Einlaß« gelesen.

VIII

Zwei Billetts sprangen aus dem Kartenapparat, während die Stimme des Kontrolleurs sagte:

»Der Hauptfilm hat eben begonnen.«

Sie hatten Orchesterfauteuil genommen. Die Vorhalle, in die sie hinabstiegen, war mit Mosaikfliesen ausgelegt; Fresken, die fast ägyptisch aussahen, schmückten die Wände. Alles schimmerte Gold in Gold. Mathilde blickte fasziniert umher – das war etwas anderes als das Lamarck-Palace, in dem ihre Mutter und ihr Vater freitags Tränen über die Rührfilme vergossen oder über Fernandel lachten!

»So schön!« sagte sie bewundernd.

»Nicht wahr?« antwortete Lambert stolz, geschmeichelt, als wäre er der Eigentümer dieses Palastes.

»Hier herein«, sagte die Frau mit der Stablampe in der Hand.

Geräuschlos öffnete sich eine Polstertür von innen: Sie standen drin im Tempel.

Es war ein riesiger, prachtvoller Saal, die flimmernde Leinwand, das einzig Lebendige, reichte über die ganze Breite der Wand. Laute Stimmen, mechanisch verstärkt und von lieblicher Musik untermalt, überfielen Lambert, als sie eintraten. Ein junger, lockiger Held und ein bildschönes Mädchen zeigten sich in Großformat. Aber ehe sich die Kinder noch schlecht und recht in eine Reihe gezwängt hatten, erschienen feurige Pferde mit glänzendem Fell, in deren Sattel sich kühne Reiter im reinsten »Western«-Stil schwangen. Und bald entwickelte sich hinter dem Paar, das auf einem edlen Mustang hügelan, hügelauf, über Prärie und durch Dickicht und Dschungel floh, eine regelrechte, zauberhafte Jagd. Lambert bewegte Beine und Knie im Rhythmus des Galopps. Erregt verkrampfte sich seine Hand im Arm Mathildes, er wippte auf dem Fauteuil, als säße er selbst im Sattel.

»Mathilde!« rief er laut, »schau ... genauso ist es ...«

»Was?«

»Die Hetzjagd!«

»Könnt ihr nicht still sein, ihr Fratzen?« ertönte eine Stimme hinter ihnen.

Lambert drehte sich um. Er sah nur die Umrisse eines Mannes, der sich etwas vorbeugte. Er wollte entgegnen, da aber fiel ihm ein, wieso sich Mathilde und er überhaupt hier befanden. Besser er hielt den Mund und beherrschte sich.

Inzwischen waren die beiden Helden, um sich besser verbergen zu können, vom Pferd gesprungen und in den Wald gelaufen, der wie ein Urwald aussah. Sieghaft in ihrer Jugend, erhobenen Hauptes, schritten sie unberührt durch alle Fallen und Lianen, durch im Gestrüpp verborgene Gräben, durch die Steine, mit denen sie die Affen aus den Wipfeln bewarfen, vorbei an den aufschnellenden Pumas und den im Hinterhalt liegenden tückischen Wilden. Eine Gefahr war immer schrecklicher als die andere, doch sie überwanden alle.

In strahlenden, heroischen Akkorden, einem Hochzeitsmarsch vergleichbar, ging es plötzlich zu Ende. Langsam wurde es hell im Saal. Pause. Eine Stille, ähnlich der Flaute am Meer, lag im Saal, der sich sogleich wieder verdunkelte. Man löschte die Lampen wegen der Reklamefilme und der Programmvorschau der nächsten Woche.

»Jetzt kommt noch ›Zeit im Bild‹ und ein Kulturfilm und dann sicher noch ein Trickfilm.«

Und schon setzte wieder mit mächtigem Paukenschlag und Orchestervorspiel der Hauptfilm ein. Mathilde wollte aufstehen, er aber drückte sie auf ihren Stuhl zurück:

»Nein, wir haben den Anfang doch noch nicht gesehen!«

Er mußte die Reiter noch einmal sehen, die ihm so gefallen hatten, vor allem aber war ihm unklar, was sie weiter tun sollten. Wieder

461

galt es, eine Entscheidung zu treffen, ein unlösbares Problem in Angriff zu nehmen. Er spürte zwischen den Beinen den schweren Koffer, der ihn ständig daran mahnte, daß er sich mit Mathilde auf der Flucht befand. Als die Bilder auf der Leinwand erschienen, bei denen sie hereingekommen waren, rührte sich das Mädchen nicht, und er war ihr dankbar dafür. Sie lehnte sich an seine Schulter, er spürte ihren Kopf mehr und mehr. Wie wohl das tat! Ach, ewig sollte es dauern! Alles verschwamm in einem Nebel von Bildern, Empfindungen, leiser Musik und Wärme, in der er weich versank.

»He, Kinder!«

Sie zuckten zusammen. Die Stimme und das Licht brachten sie in die Wirklichkeit zurück.

»Schluß! Schlafen gehen!«

Es war eine Frau mit Kopftuch, die sich hinter ihnen zum Weggehen bereit machte. Nachdem sie ihre Zeitungen verkauft, das Paket mit den »Schleifen« neben sich gelegt hatte, durfte sie sich hier ihre Stunde Traumfabrik gönnen.

Beide rieben sich in der gleichen kindlichen Geste die Augen mit dem Ärmelaufschlag. Lambert war als erster hellwach, und alle Sorgen stürzten auf ihn ein. Mathilde hingegen hatte zu tief geschlafen, um sich so bald aus der Fessel des Schlummers zu befreien. Draußen, auf der Straße, froren sie.

Ratlos standen sie eine Weile auf dem Gehsteig.

»Stell deinen Kragen auf«, riet Lambert.

Mathilde tat es mechanisch, gehorsam. Sie schlief im Stehen. Sie dachte an nichts mehr, erinnerte sich an nichts, sie wußte nicht genau, wo sie sich befand und wie sie hergekommen war.

»Wohin gehen wir?« fragte sie mit einer ganz dünnen Stimme und geschlossenen Augen.

»Du wirst schon sehen«, sagte Lambert, dem plötzlich etwas eingefallen war.

Ein Mann ging mit schnellen Schritten vorbei; ein Kellner auf dem Heimweg, man bemerkte seine steife Hemdbrust unter dem Schal.

»Pardon, Monsieur«, fragte Lambert höflich, »können Sie mir sagen, wo es zum Bahnhof geht?«

»Zu welchem?«

Es gab also mehrere! In Vierzon, in Orléans gab es nur einen, und nach Paris waren sie immer im Wagen gekommen.

»Der dort, in dieser Richtung«, sagte Lambert und wies mit einer unbestimmten Geste nach vorn.

»Nordbahnhof oder Ostbahnhof?«

»Den meine ich«, sagte Lambert, der keine Ahnung hatte.

»Sie liegen nebeneinander. Aber es ist noch weit. Wollt ihr denn noch heute wegfahren? Meint ihr nicht doch den Bahnhof Saint-Lazare? Vom Saint-Lazare fährt man in die Vororte und mit den Fernzügen nach Le Havre.«

»Wo die Dampfer sind?« fragte Lambert.

»Ja, genau. Der Bahnhof ist ganz nah, einfach die Avenue entlang.«

»Dorthin wollten wir eben, danke sehr, Monsieur«, sagte Lambert hastig.

»Eure Eltern hätten es euch auch auf einen Zettel schreiben können«, brummte der Mann, »wie leicht hättet ihr euch verirrt!«

Er ging weiter, zuckte die Schultern und schimpfte über die Provinzler, die glaubten, Paris wäre ein Dorf wie Carpentras. Lambert marschierte und zog Mathilde, die nichts mehr sprach und nichts mehr dachte, in der angegebenen Richtung nach. Sie hatte nur ein unbändiges Bedürfnis: zu schlafen.

Am Ende der Rue d'Auber sahen sie die Fassade des Bahnhofs mit der erleuchteten Uhr. Sie zeigte auf ein Viertel nach zwei. Dann und wann flitzte ein Taxi vorüber; Privatwagen parkten aufgereiht vor den Kaffeehäusern, aus denen die Nachtbummler herauskamen. Eine breite, geländerlose Treppe erhob sich unter einem riesigen Bogen, ein Schild kündigte an: »Nahverkehr – Fernverkehr.«

»Das ist es«, erklärte Lambert.

Oben landeten sie in einer langen Halle, deren fernes Ende durch ein leeres Buffet mit aufgestapelten Tischen und Stühlen abgegrenzt war. Der Bahnhof schien ausgestorben. Fast sämtliche Schalter waren geschlossen, aber hinter einigen schimmerte noch ein kleines Licht wie von einer Nachtlampe. Männer in weißen Jacken saßen gebückt hinter diesen Schaltern, als ob sie alchimistische oder mathematische Bücher studierten; gewiß waren sie es, die diese Züge in Fahrt brachten, lenkten oder anhielten.

Links davon lag ein Saal in blauem Dämmerlicht, durch dessen Glastür man bespannte Bänke und rund um zwei große Tische Stühle und Fauteuils erblickte. Ein Paar Leute lehnten dort oder lagen ausgestreckt auf den Bänken, in Decken gewickelt, die Koffer wie Barrikaden um sich aufgetürmt. Es war der Wartesaal »erster und zweiter Klasse«. Dorthin führte Lambert seine Freundin, die sich kaum mehr auf den Beinen halten konnte.

Lautlos traten sie ein. Sie vernahmen verschlafenes Brummen da und dort sowie das Geräusch eines Schläfers, der sich auf seinem knarrenden Sessel bewegte. Sonst war tiefe Stille. Die Fauteuils waren alle besetzt, aber die Bänke an den Wänden waren leer. Lambert zog Mathilde dorthin.

Sie setzte sich, vorgebeugt und willenlos, wie erstarrt in ihrem Schlaf-
bedürfnis.

»Streck dich aus!« befahl er.

Sie stellte keine Frage, legte sich auf die Bank, wickelte sich, so gut es
ging, in ihren Mantel. Er schob den ausgebeulten, vollgestopften
Koffer unter ihren Kopf. Er war hart, zur Not aber konnte er als
Kissen dienen.

»Bleib hier. Ich erkundige mich.«

Sie fragte nicht, wonach. Er verließ sie.

Er selbst war ganz wach. Vorhin im Kino war er zwar auch einge-
nickt, jetzt aber wünschte er nur eines: klar zu sehen, was er tun
sollte. Er trat zu einem Schalter, über dem in Großbuchstaben »FERN-
ZÜGE« stand.

»Monsieur?«

Der Mann an der Kasse hob den Kopf nicht. Er hob ihn niemals. So
ließ er seit fast zwanzig Jahren Tausende Menschen an sich vorüberziehen, ohne sie zu sehen.

»Monsieur? Nach Havre?«

»Ja, das bekommen Sie hier. Aber vor sieben siebenunddreißig geht
kein Zug. Welche Klasse?«

Nach Vierzon nahm Mama immer die zweite.

»Zweite Klasse«, sagte Lambert.

Der Beamte griff an den Apparat.

»Nein«, sagte Lambert, »erst möchte ich wissen, wieviel es kostet.«

»Vierzehnhundertvier Francs. Eine?«

»Nein. Erstens brauche ich zwei, und dann, ich komme lieber morgen früh wieder.«

Vierzehnhundertvier Francs! wiederholte er sich beim Weggehen.
Das bedeutete fast dreitausend für beide. Und was fing er in Le
Havre an? Er hatte nicht genug Geld, um sich einzuschiffen. Ach,
wie blöd war er gewesen, nur zwanzigtausend aus der Tasche der
Großmutter genommen zu haben – mit zwanzigtausend kam man
nicht weit!

Er ging in den Wartesaal zurück. Die abgestandene Luft schlug ihm
entgegen. Mathilde lag ausgestreckt auf der Bank. Steif, in ihrer
ganzen Größe, mit ihren beiden rechtwinklig abgebogenen großen
Füßen am Ende der langen magern Beine, in ihrem vor drei Jahren
gekauften, zu kurzen Mantel. Ihr spitzes Kinn berührte die Brust,
weil der Nacken auf dem Koffer ruhte, und so sah ihr Hals wie in
zwei Stücke gebrochen aus. Eine steile Falte stand auf der Stirn, als
brüte sie über einer geheimen Sorge. Ihre Lungen waren so schmal,
daß man sie nicht atmen sah.

Lambert setzte sich neben sie. Es blieb ihm gerade ein bißchen Platz, sie nahm fast die ganze Bank ein. Aber er wollte nicht schlafen. Erstens einmal, weil er zu denken hatte, und dann, weil er sie während ihres Schlummers bewachen und beschützen, weil er bereit sein mußte. Es konnte jemand kommen und sie fragen, was sie da trieben und woher sie kämen. Eine Sekunde dachte er wirklich an Großmutter, Angélique und Mama. Aber wütend verjagte er den Gedanken: Er durfte nicht zurückblicken. Nein, jetzt galt es zu verteidigen, was er gewollt hatte, was er festhielt.

Eine Pflicht, die ihm immer schwieriger, immer verwirrender schien, je weiter die Nacht fortschritt.

Mit weit offenen Augen dachte Lambert nach. Allmählich begann sich seine Umgebung abzuzeichnen. Die Umrisse der Tische, der Sessel, der ruhenden Leute hoben sich aus dem Dunkel ab, erhielten Form, ja Farbe. Da plötzlich erblickte er auf der gegenüberliegenden Wand die Wipfel hoher Bäume. Auch sie schienen aus dem Schatten emporzuwachsen. Vielleicht war es ein Wunder, sicher aber ein Wink des Himmels, eine plötzliche Eingebung. Nun fügten sich Worte zu der Vision, die sie verdeutlichten und unterstrichen. Es waren die auf das Plakat geschriebenen Worte, und sie sagten klar und einfach: »Kommt nach Fontainebleau. Besucht den Wald von Fontainebleau.«

Lange noch schaute Lambert auf diese Wand, dann drang allmählich Nebel in den Saal, hüllte ihn mehr und mehr ein, bis nur mehr hoch und steil Bäume mit unerreichbaren Wipfeln aus ihm ragten. Und endlich sah er gar nichts mehr: Er war eingeschlafen, er war ruhig.

IX

Die morgendlichen Geräusche weckten sie beide gleichzeitig, das Schlurfen zahlloser Füße, das Stimmengesumm, die flüchtig ausgetauschten Morgengrüße im Menschenstrom, der von der großen Treppe hinunter der Stadt zu strebte. Es waren die Bewohner der Außenbezirke, die von den elektrischen Zügen nach Paris hereingeschleust wurden.

»Hast du gut geschlafen?« fragte Lambert seine Freundin, die eben die Augen öffnete.

»Ja«, sagte sie. »Und du, hast du auch geschlafen?«

Sie saßen da einander gegenüber, schüchtern, als ob sie sich kaum kennten, als ob sie sich nicht zurechtfänden. Lambert schüttelte seine Befangenheit ab:

»Wir gehen zum Buffet und trinken eine große Tasse Milchkaffee und essen Croissants.«

Sie folgte ihm in die Halle. Jetzt mußten sie sich durch einen geradezu reißenden Strom von Näherinnen, Angestellten, Buchhaltern, Abteilungsleitern, Beamten, Sekretärinnen, Verkäuferinnen und Laufburschen winden, um an die andere Seite der riesigen Halle zu gelangen, wo eben der Tabakladen geöffnet wurde und wo die Kunden die Zeitungsstände mit dem Geld in der Hand belagerten. Endlich saßen die Kinder an einem kleinen Tischchen unter den anderen Leuten, die ihr Frühstück verzehrten.

»Zweimal!« rief der Kellner.

Er goß die heiße, schäumende und dampfende Flüssigkeit in zwei dicke Tassen und stellte einen Zelluloidkorb mit sechs Croissants vor sie hin.

»Iß!« kommandierte Lambert, »das wird dir guttun.«

Er tauchte sein Gebäck in den Kaffee, verschlang es in zwei Bissen und nahm ein zweites. Sie machte es ihm artig nach, ohne etwas zu fragen, denn er sah jetzt so fröhlich und selbstsicher aus, daß sich jede Frage erübrigte. Ehe sie noch den Mund aufmachen konnte, sagte er:

»Wenn du aufgegessen hast, dann gehen wir.«

Sie merkte gleich, daß er jetzt ein festes Ziel vor Augen hatte und es sich nicht mehr um einen Aufbruch ins Ungewisse handelte. »Bist du fertig?«

Und als sie aufstand, packte er energisch seinen Koffer und wendete sich mit einem Ruck der Treppe zu:

»Dorthin.«

Die Treppe mündete in den Hof, wo sich die Menschenströme kreuzten. Ein Taxi fuhr langsam vorbei, Lambert winkte ihm und öffnete die Tür, als es hielt:

»Gare de Lyon«, sagte er, denn dieser Bahnhof hatte auf dem Plakat gestanden.

Der Chauffeur schaltete den Taxameter ein und schlängelte sich durch die morgendlich belebten Straßen. Gestern war das Wetter einförmig grau und winterlich gewesen, heute aber durchbrach ein Strahl der noch tiefstehenden Sonne die Wolken wie eine himmlische Gnade, zwängte sich zwischen die Häuser, fiel auf ihn und streifte die Wange Mathildes. Lambert sah ein glückliches Omen darin, zum erstenmal hatte er den Eindruck, schon weit weg zu sein.

Der Bahnhof am Ufer des von parkenden Privatwagen und Taxis verstellten Flusses war noch unpersönlicher mit all den Reisenden, die abfuhren oder ankamen und einander begrüßten. Die Kinder

stiegen aus. Nun mußte sich Lambert erkundigen, herumlaufen, um
so rasch wie möglich einen Weg zu jenem Ziel zu finden, das ihm
endlich heute nacht eingefallen war.

»Warte hier auf mich... dort ist der Schalter... Paß auf den Koffer
auf, während ich mich anstelle... Ich habe die Fahrkarten schon, da
sind sie. Der Zug steht auf Bahnsteig dreiundzwanzig... Fontainebleau? Ist das hier? Danke, Monsieur... So steig doch ein, Mathilde,
in die zweite Klasse, da, in dieses Abteil, es ist ganz leer... Mach
dir's bequem dort in der Ecke!«

Der Zug setzte sich langsam in Bewegung. Hinter den beschlagenen
Scheiben waren nur verschwommen die dunklen Schatten von vor-
überziehenden Fabriken, Häusern sichtbar, eine Welt, mit der sie
nichts mehr zu tun hatten.

Der Waggon war fast leer. Die Vorstädte lagen hinter ihnen, und
nun blieb das kleine Paar ganz allein zurück. Bis dahin hatte Lambert nur die Hand Mathildes krampfhaft festgehalten; nach Melun,
in dem leeren Abteil, wagten sie endlich, sich auf ihren Sitzen zu
rühren und miteinander zu sprechen. Sie drückten die Stirn auf die
Scheiben, die sie mit dem Ärmel blankgewischt hatten. Jetzt würde
sie ihn fragen, er mußte ihr daher zuvorkommen. »Nun sind wir
erst richtig fort, es geht los.«

»Aber wohin fahren wir? Nach Fontainebleau?«

»Das steht nur auf der Fahrkarte, wir sehen etwas viel Schöneres.«

»Aber wohin, sag doch!«

»Das wirst du sehen. Eine Überraschung.«

Sie kuschelte sich an seine Schulter. Ihre Angst, ihre Zweifel waren
verdrängt, sie dachte nur noch an das neue Versprechen, das fremde
Zauberreich, das er ihr verhieß, und sie zitterte vor freudiger Erwartung.

Die Landschaft flog an ihrem blanken Fenster vorüber, und das
Band der Seine hatte eine entfernte Ähnlichkeit mit dem silbernen Fluß auf den flimmernden überzuckerten Weihnachtskarten.

Nun brauste der Zug durch zwei Waldflecken, aber Lambert drückte
Mathilde gewaltsam auf ihren Sitz zurück:

»Schau nicht... später erst!«

Er verdeckte ihre Augen mit seinen beiden Händen, und sie ließ es
fast glücklich geschehen. Die trüben Gedanken des Vortags, die Sorgen, die sie noch heute früh beim Erwachen gequält hatten, verflüch-
tigten sich von neuem und wurden in die Welt zurückgedrängt, die
sie hinter sich gelassen hatten.

Der Zug hielt.

»Schau noch nicht!« bat Lambert.

Sie gehorchte und stand mit geschlossenen Lidern auf.

»Stütz dich auf mich. Ich helfe dir beim Aussteigen. Öffne sie auch dann nicht, wegen der Überraschung. Schwörst du es mir?«

Um nichts in der Welt hätte sie die Augen geöffnet, sie fügte sich in das Spiel, sie würde erst schauen, wenn er es erlaubte.

»Da«, sagte er, »drei Stufen, sehr hohe. So, jetzt sind wir auf dem Perron. Halte dich an meiner Schulter fest . . .«

»Ich spiele die Blinde!« lachte sie.

Und zugleich bildete sie sich ein, wirklich blind zu sein, aber nur für eine kurze Zeit, bis sie durch das Wunder, an das sie glaubte, das Augenlicht wiederbekäme und ein Feenreich erblickte. Lambert erklärte alles:

»Jetzt gehen wir dem Ausgang zu . . . Da steht ein Mann, der unsere Fahrkarten will, ich gebe sie ihm . . . So, jetzt sind wir draußen.«

»Darf ich schauen?«

»Nein, nein, noch nicht! Wir stehen vor einer Treppe . . . jetzt verlassen wir den Bahnhof . . . er ist offen, er hat keine Halle. Die Treppe ist aus Holz . . . Jetzt stehen wir auf der Straße.«

»Es riecht frisch«, sagte sie.

»Es riecht gut«, bestätigte er.

Sie hörte die Schritte der Vorübergehenden, aber es wurden immer weniger. Sie dachte: Man hält mich für eine Blinde, für eine wirkliche . . . und war ganz gerührt beim Gedanken an das Mitleid, das sie erregte. Schließlich verstummten die Schritte endgültig, sie hörten nur noch ihre eigenen.

»Achtung«, sagte Lambert, »eine Lache.«

»Wo sind wir denn?«

»Auf einer Straße. Gestern hat es geregnet, aber heute früh ist es schön. Fühlst du die Sonne?«

»Ich fühle sie auf meiner Hand, die auf deiner Schulter liegt . . . und auch auf meiner Stirn. Ich möchte sie sehen!«

»Gleich – sie ist später auch noch da. Es sind keine Wolken am Himmel, er ist ganz blau«, sagte Lambert.

»Dunkelblau?«

»Nein, blaßblau.«

Sie spürte den Lehm der Straße unter ihren Schuhen und hörte das Knirschen. Es war frisch. Sie war froh. Immer sollte es so weitergehen! Zum erstenmal begriff sie, warum sie mit Lambert durchgebrannt war: Er war anders als die andern. Sie hatte die Verliebte gespielt, weil sie es den Erwachsenen nachmachen wollte und auch weil Fabret sie küssen gelehrt hatte, aber niemals noch hatte sie für einen Menschen etwas Ähnliches empfunden wie jetzt für diesen

Jungen, während sie mit geschlossenen Augen an seiner Seite schritt und sich ihm völlig auslieferte.

Er zog sie nach rechts. Sie kannte an dem Klang ihrer Schritte, an dem gedämpften Ton ihrer Stimmen, daß sich dieser Weg von der Straße unterschied.

»Ist es noch weit?«

»Noch ein bißchen. Laß dich führen.«

Ein leises Lächeln lag auf ihren Zügen, während sie ihm folgte, knapp hinter ihm, die Hand auf seine Schulter gestützt. Eine Weile wanderten sie so, wortlos, als ob sie sich sammeln müßten. Er suchte einen Platz, den er brennend gerne finden wollte und der am besten dem Bild entsprach, das er in sich trug. Aber er konnte nicht weiter gehen: Vielleicht würde Mathilde des Spieles müde und blinzelte durch die Lider. Heiser sagte er:

»Da sind wir.«

Wieder war es still, er drehte sich langsam im Kreis, um es zu betrachten. Alle Unruhe schwand, und er sagte:

»Jetzt kannst du schauen.«

Da öffnete sie die Augen.

Das jäh einfallende, gleißende Licht blendete sie wie eine riesige, weiße Flamme, und sie brauchte eine Weile, um zu erkennen, wo sie sich befand. Und dann sah sie es.

Es war keine Waldlichtung, sondern eine Wegkreuzung im Wald, in einem Halbrund ragender Bäume. Zwischen den geraden Stämmen und den windbewegten Wipfeln schimmerten große blaugraue Flekken. Die Sonne selbst blieb hinter dem dichten Geäst verborgen, aber man erriet ihr Licht an einem Flecken Gold, an einem Widerschein auf dem toten Laub. Stumm schaute sie um sich, und Lambert glaubte, das Entzücken hätte ihr die Sprache geraubt.

»Sieh, das ist der Wald«, sagte er, und es klang wie: Ich gebe ihn dir. Sie starrte ihn an. Er breitete seine beiden Arme weit aus, in einer Geste wie der Priester in der Kirche, in die sie Mutter einmal geführt hatte. Sie begriff Lambert nicht, sie hätte ihn gerne gefragt, was er eigentlich meine, obwohl sie das Außerordentliche des Augenblicks dumpf fühlte, das freilich über ihr Verständnis ging. Sie hätte ihn so tief verletzen können, aber aus einem unbewußten Taktgefühl heraus schwieg sie noch. Mathilde konnte nicht ahnen, daß ihr Lambert in dieser Minute ein Geschenk darbot, das er niemandem noch geboten hatte, und etwas mit ihr teilte, was er mit niemandem, nicht einmal mit seiner Mutter, geteilt hatte.

»Das ist der Wald«, wiederholte er entrückt. »Du hast ihn noch niemals gesehen, nicht wahr, Mathilde?«

»Nein . . . nein . . .«, antwortete sie unsicher, »niemals . . .«

»Nun, da ist er.«

Er hätte keine anderen Worte zu sagen, nichts zu erklären gewußt. So war es, es war nicht »sein« Wald, in dem er seit den ersten Kindertagen sein Doppelleben geführt hatte, wo er Tiere, Düfte und Laute verfolgte, aber in diesem Wald hier sah er alle Wälder, und er legte sie dem kleinen Mädchen zu Füßen, weil es, wenn auch ärmlich, kränklich und nicht einmal hübsch, so doch seine Liebe war.

Es geschah aus einem brennenden Bedürfnis, sich mitzuteilen, der eigenen Einsamkeit zu entfliehen und aus der plötzlich erlangten Gewißheit heraus, sich ihr ohne Furcht vor Spott oder Unverstand anvertrauen zu können – Merkmale eines echten, grenzenlosen Gefühls. Wenn ein solches Gefühl enttäuscht und betrogen wird, dann trifft es wie ein unvorhergesehener, grausamer, ja tödlicher Schlag.

»Das hab' ich noch niemals gesehen«, wiederholte sie töricht.

Aber er hörte sie nicht mehr, er hörte nur sich allein.

»Riech doch, riech!« schwärmte er, »alle diese Düfte!«

Und wirklich, alle Gerüche vereinten sich, die Gerüche des modernden Holzes, des feuchten, toten Laubs, des Mooses, der Flechten, der Rinden und tausend andere . . . Tief atmete er sie ein, sog sie ein, ließ sich ganz von ihnen durchtränken, sie waren sein wahres Leben. In Paris hatte er, entwöhnt, eine Zeitlang geglaubt, daß diese Düfte durch andere ersetzt werden könnten, aber jetzt erst, da er der Stadt entflohen war, wußte er, daß nur sie alle Furcht zu stillen vermochten, daß er nur hier wieder frei geworden war.

»Hör doch!«

Aus der Ferne kam ein dumpfer Schlag, widertönend von der Erde, wie das Herz eines gefesselten Menschenfressers oder eines sterbenden Riesen: der Hieb einer Axt, die eine Eiche fällte. Ein Windstoß brachte ihn her, ein Windstoß, belebt von Vogelrufen, von dem Krächzen eines Krähenschwarms, der vom Himmel herunterwirbelte, vom ganz nahen Klopfen eines Spechts, dem ein anderer antwortete – vom »Tsi-Tsi« der Drosseln, die von Baum zu Baum flogen. Und von weit her, aus einer Welt, die nur mehr in der Phantasie zu bestehen schien, tönten der Pfiff einer Lokomotive und die Sirene der Seinedampfer, die in die Schleusen einfuhren.

Tränen standen in Lamberts Augen. Ihm war, als hebe ihn etwas unendlich Mächtiges, unendlich Großes weit hinaus über die Welt, als wären alle Zweifel, alle Leiden gestillt, als müsse sich alles auf übernatürliche, wunderbare Weise lösen und als wäre er gerettet für immer.

Er drehte sich zu Mathilde und ergriff ihre beiden Arme:

»Bist du glücklich?« fragte er.

»Ja ... ja ...«, stotterte sie.

»Ganz glücklich?«

»Ja ... ich glaube ...«

Eine Wolke flog über Lamberts Stirn, eine Wolke, wie sie über die Sonne strich. Plötzlich war alles grau, und er fröstelte:

»Ja, was hast du denn, Mathilde?«

»Aber ... aber die Überraschung ...«, stammelte sie.

»Eben«, sagte er und mit einer weiten Geste über alles hin, was sie umgab. Sie aber sah zweifellos nichts davon, denn sie sagte:

»Du hast mir doch eine Überraschung versprochen ... und ich sehe keine.«

X

So blieb man also immer von seinem Nächsten getrennt, wer es auch war. Oft schon hatte Lambert das bei seinem Vater, dem Marquis, gespürt; und bei Euloge und den Jagdgehilfen, bei Lothaire, Enguerrand und Hunderte Male bei Angélique. Und selbst bei Mama war es so gewesen, die ihm doch so nahestand. Mathilde war seine Liebe, und töricht glaubte er, daß es keine Kluft zwischen ihnen geben könne und sie alles auf ersten Anhieb verstehen, alles mitfühlen und begreifen mußte, was den Sinn seines Lebens, das Glück seines Körpers und seines Geistes ausmachte.

»Die Überraschung ...? Aber das hier ... das alles ...« Und wie vorhin breitete er die Arme aus, um es ihr zu zeigen.

»Ah so«, murmelte sie.

»Aber ... der Wald!«

»Ja«, sagte sie wie zuvor.

»Gefällt er dir nicht?«

»O ja ... Aber ich hab' geglaubt, es ist was anderes.«

»Was?«

»Ich weiß nicht ... was anderes.«

Zum erstenmal dachte er zornig, daß sie dumm war.

»Du hast immerhin noch niemals einen Wald gesehen!«

»Nein ... aber das schaut genauso aus wie der Park von Vincennes zum Beispiel, das sind eben Bäume ...«

»Vielleicht«, erwiderte er heftig, »vielleicht, aber Bäume, wie du sie gestern im Kino gesehen hast.«

»Das ist doch kein Urwald?« fragte sie leise beunruhigt, »da gibt's doch keine Pumas oder Löwen ...?«

»Nein, gewiß nicht.«

»Nun, siehst du«, sagte sie enttäuscht und befriedigt zugleich.
»Deshalb ist es trotzdem ein richtiger Wald, mit Tieren, Wildschweinen, Hirschen, wie in allen wirklichen Wäldern. Und mit allem andern, was du siehst, allem, was du riechst...«
»Es riecht wie in einem Garten.«
»Besser!« behauptete Lambert.
Nun schwiegen beide. Nach einer Weile fragte sie:
»Aber was machen wir jetzt?«
»Den Wald anschauen.«
»Und dann?«
»Vertraust du mir, oder vertraust du mir nicht? Laß alles meine Sorge sein und kümmere dich um nichts.«
Sie gingen die Waldstraße geradeaus, aber alle seine Freude war dahin. Trotzdem wuchsen rundum wundervolle Bäume ins Unendliche, alle verschieden und doch jeder das Abbild seines Nachbarn. Obwohl es Winter war, spürte man mächtig das Großartige, über alles menschliche Maß Hinausgehende dieser ebenso geordneten wie wilden Natur. Er fragte Mathilde nichts mehr: Er wußte genau, daß sie sich den Kopf zerbrach, was sie hier eigentlich zu suchen hätten. Noch immer aber klammerte er sich an die Hoffnung, sie überzeugen, Verständnis für seine Empfindungen in ihr wecken zu können. Es war doch undenkbar, daß sie, die er liebte, die mit ihm geflohen war, nicht so fühlte wie er, unberührt bleiben konnte, wo er... Und plötzlich fiel ihm ein, welcher Grund sie nach so langem Zureden bewogen hatte, mit ihm zu gehen; leise begann er an ihr zu zweifeln. Aber vielleicht war noch nicht alles verloren. Anständig, wie er war, tat er das Nötige.
Vor allem mußte er sich fröhlich und zuversichtlich stellen. Da er schon zur Komödie gezwungen war, würde er sich eben verhalten, wie sich unzählige Männer vor ihm verhalten hatten, Männer, die keine Kinder mehr waren. Als sie aus dem Wald heraustraten und die Seine vor ihnen lag, rief Mathilde: »Schau, wie hübsch!« Und er antwortete blutenden Herzens: »Nicht wahr, sehr hübsch?« und rühmte die Schönheiten der Ströme... Er ging sogar noch weiter: weil sie das Wasser liebte, führte er sie hin.
Lange standen sie auf der Brücke, über das Geländer gebeugt, und betrachteten die Strudel und Wirbel an den Pfeilern und das Astwerk, das sich darin verfing. Ein Schwarm Felchen oder Äschen stand entgegen der Strömung fast reglos auf der Lauer, nur die Schwanzflossen bewegten sich.
»Oh, schau, Lambert!«
Er hatte sie bereits gesehen. Am Ufer der Prée in der Sologne ent-

deckte er als erster die schlafenden Hechte, die Karpfen, deren Rücken kaum die Oberfläche des Wassers berührten.

Die zwölf Schläge von der Turmuhr des Dorfes gegenüber gaben ihm einen Vorwand, sie wegzuführen. Er setzte eine muntere Miene auf und gestand ihr, daß er Hunger habe. Aber das war falsch: Eine tiefe Angst preßte sein Herz zusammen, versperrte seinen Magen. Er hob den Koffer auf, der ihm jetzt unerträglich schwer vorkam.

Sie fanden eine Herberge mit Lauben, an denen kahle Reben weinten. Fischer und Matrosen verzehrten hier an Sommertagen ihre einfache Mahlzeit. Aber die Tische troffen vor Nässe, und die Bänke moderten. Sie betraten den Saal, der nach Sägespänen und Hartwurst roch, setzten sich vor einen wachstuchbespannten Tisch und warteten auf ihre Omelette. Nach dem Essen waren ihre Wangen gerötet von dem derben Landwein und von dem Feuer, das man ihretwegen geschürt hatte.

Eine Weile blieben sie schlaff, wie gelähmt sitzen. Der volle Magen machte sie schläfrig nach der Nacht am Bahnhof. Lambert war es trotz seiner völligen Erschöpfung klar, daß er jetzt nicht nachgeben durfte, daß ein längeres Verweilen hier einer Niederlage gegenüber Mathilde gleichkäme.

»Komm, wir gehen«, sagte er und stand auf.

Die Fische am Brückenpfeiler waren verschwunden. Jetzt war der Himmel bedeckt, und als sie den Wald betraten, war es fast finster.

Eine Fahrstraße führte in den Wald. Lambert folgte ihr; auf eine Frage Mathildes hätte er nur antworten können: Komm nur; er hatte keine Ahnung, wohin sie ging.

Er wußte nur eines: daß der Versuch noch nicht endgültig gescheitert war, daß ihm eine Chance – oh, eine winzige! – blieb, daß mit einem schlechten Ausgang sein Leben verspielt war und daß er auf jeden Fall bis zum Ende durchhalten mußte, wie auch das gehetzte Wild sich erst bei sinkender Nacht ergibt, wenn die Fanfare des Todes ertönt.

Jetzt war es noch taghell, und sie befanden sich mitten im Forst. Lambert glaubte unverbrüchlich an seine Zauberkraft. Wie zu seinem Heil war er dem Wald entgegengeflüchtet – wenn der nicht half, dann war alle Suche vergebens.

So erzählte er ganz schlicht, was er von dem Wald wußte:

»Man sagt, daß die Bäume tot sind, aber das stimmt niemals ... Wenn du die Erde an ihren Wurzeln aufgräbst, dann bemerkst du, wie lebendig sie sogar jetzt im Winter sind. Sie haben Blut wie wir: ihren Saft, aber er kreist kaum, wenn es kalt um ihn her ist; er wartet auf den Frühling, und dann springt alles auf. Ich habe dir von den Tieren erzählt. Denn auch die Tiere sind da, Mathilde... Schau, dort, das Waldkaninchen, das über den Weg springt – ich weiß ganz genau, wohin. Es ist herausgekrochen, weil es die Sonne spürte. Ja, selbst ganz unten in seinem Bau weiß es, wann die Sonne scheint, es spürt es an der Wärme, die in den Boden dringt, an dem Geruch des Windes, weil die Sonne draußen die Rinden und das Moos erwärmt und die Gerüche verstärkt, die er mit sich führt. Ach, und die Hasen! Die werden vor allem in der Nacht lebendig und suchen im Dunkeln ihre Atzung. Sie haben keine Erdlöcher, aber sie halten sich in Gruben versteckt. Man muß manchmal direkt auf ihrem Bau stehen, daß sie sich rühren. Die Hirsche...«

»Ich bin müde«, klagte Mathilde.

»Rasten wir. Setz dich da auf den Baumstumpf.«

Sie setzte sich. Er kauerte sich auf den Boden neben seinen Koffer. Sie sank nach vorn, sie war so groß, daß sie sich niemals ganz geradehielt. Wie in der vergangenen Nacht fiel ihr Kinn auf den mageren Brustkorb, diesmal aus Erschöpfung. Nach einer Weile fragte sie:

»Sind wir bald dort?«

Er konnte ihr nicht erklären, daß hier das Ziel war, daß sie angelangt waren und daß sie es niemals erreichen konnte, weil sie es nicht sah. Er sagte:

»Ruh dich aus. Dann gehen wir weiter, wir sind bald dort...«

»Fein«, seufzte sie.

Dort – am Ziel! Niemals würden sie hinkommen, das wußte er jetzt. Jedenfalls war es nicht dort, wohin er gehen wollte. Jetzt mußten sie einfach weiterziehen, und wohin sie ihre Schritte lenkten, das war ganz unwichtig. Er kannte den Wald hier nicht. Er war vertrauensvoll eingedrungen, weil es »der Wald« war, das war alles. Wie groß war er eigentlich? Bestand er nicht aus einer Masse von Bäumen, unendlich wie das Meer, so weit das Auge reichte? Ein Wald, in dem man sich verirrte, in dem sie kein Obdach fanden. Und wovon sollte man sich im winterlichen Wald ernähren? Er, Lambert, ja, er würde es können. Er wußte, wo sich die Tiere versteckten, und er fürchtete sie nicht. Aber sie?

Eine Zeitlang hatte er sich mit ihr identifiziert, weil er sie liebte, aber jetzt wußte er, daß sie zwei verschiedene Menschen waren und daß er ihr nicht helfen konnte.

Aufgeben? Umkehren?

Er kannte den Weg nicht mehr, sie waren planlos herumgelaufen, einfach seinen Entdeckungen nach; er hatte eine bestimmte Richtung eingeschlagen, weil sie zu den Fichten führte, und war dann abgebogen, weil er eine Mulde erblickte, die ihn an die »Hautbois« von

La Gardenne erinnerte. Jetzt gab es nur eines: auf gut Glück geradeaus weiterzuwandern, trotz des einfallenden Abends, trotz der
empfindlichen Kälte.

Je finsterer es wurde, desto dichter schien der Wald, desto tiefer die
Schatten und die Nacht, die sie aufnahm. Dort hinein, sich verlieren
in der Dunkelheit ... Das war die letzte Hoffnung: von dem Dunkel
verschlungen, vernichtet zu werden, zu vergehen, sich in ihr aufzulösen.

»Sind wir bald dort?« wimmerte Mathilde.

»Ja.«

Sie wanderten weiter. Nun war es Nacht. Er führte sie an der Hand.
Ihre Füße stolperten über Wurzeln, Steine und Reisig. Er spürte, wie
sie vor Kälte zitterte:

»Ich fürchte mich.«

Wovor sollte man sich fürchten? Es gab nichts Schreckliches mehr.

»Es ist noch ein Stück«, sagte er.

»Ich kann nicht ...«

»Halt dich fest an mich an.«

»Nein, ich will nicht weiter.«

»Blöde Gans«, zischte er, »willst du, daß ich dich hier allein lasse?«

»Nein, nein, Lambert!« bettelte sie.

»Dann komm.«

Schweigend trotteten sie weiter. Sie sagte nichts mehr. Er hörte, daß
sie leise weinte.

Ah, sie konnte weinen! Wirklich, all das war bittere Tränen wert!
Niemals würde sie genug Tränen vergießen!

»Wir verirren uns«, schluchzte sie, »wir werden sterben!«

»Und was ist schon dabei?« fuhr er sie an.

Aber sie hörte ihn nicht:

»Ich hab' solche Angst ... ich will nicht ... ich will nicht mehr ... ich
will nach Hause ...«

Er hatte große Lust, sie zu schlagen.

»Schweig!« schrie er.

Sie verstummte, aber ganz leise jammerte sie vor sich hin:

»Ich will weg von hier ... ich will weg von hier ...«

Heftig zerrte er sie weiter, ruckweise, und sie ließ sich, neuerlich
schluchzend, mit all ihrem Gewicht weiterschleppen.

Ja, da waren sie tief im Herzen des Waldes, und sie brauchten sich
nur ganz darein zu versenken, wenn alle Kräfte versagten. Dann
war alles gesprochen, alles getan worden, dann konnte er mit diesem
bittern Geschmack gräßlichen Ekels im Mund still auf das Ende warten. Weiter ... weiter ... bald waren sie soweit ...

In diesem Augenblick sah sie das Licht, ganz fern, sanft schimmernd hinter den Bäumen.

»Ein Haus!« rief sie.

Wirklich, es war ein Haus, er erkannte es gleichzeitig mit ihr. Da wußte er, daß nun alles endgültig verloren war.

XI

Es war ein Haus. Nach zehn Minuten hatten sie es erreicht. Es war nicht nur ein Waldhüterhaus, sondern eine Villa am Rand des Forstes. Und daneben stand ein anderes und dann noch eines: ein ganzes Dorf. Mathilde weinte nicht mehr. Gebrochen und verzweifelt spürte Lambert, daß sie wieder Mut faßte.

Nun, er hatte verspielt.

Eine elektrisch beleuchtete Straße tat sich vor ihnen auf, und ein Schild verkündete: Bois-le-Roi. Lambert wußte nicht, wo das war, aber er wußte, daß sie das Ziel erreicht hatten und das Leben, das andere Leben, wieder Besitz von ihnen ergriff.

Am Ende einer langen ansteigenden Alleestraße ertönte der Pfiff einer Lokomotive, man hörte das Anrollen eines Zuges. Ein Bahnhof!

Es gab sogar einen Bahnhof hier!

Dorthin also mußten sie gehen. Mathilde weinte nicht mehr, aber sie war zu Tod erschöpft, und sie wäre einfach auf den Boden gesunken und liegengeblieben, wenn nicht der Bahnhof dort vorne Rettung und Heil für sie bedeutet hätte. Endlich tauchten sie unter eine kleine Unterführung, bogen nach rechts und standen auf dem Perron.

Die große, helle Uhr zeigte wenige Minuten vor acht. Lambert erkundigte sich, wann der nächste Zug nach Paris ging, und als er »elf Uhr zehn« erfuhr, gingen sie wieder. Drüben winkte ein Wirtshaus. Wortlos schob Lambert Mathilde hinein.

Eine Frau um die Sechzig mit grauem Haar, das ihr weißgepudertes Gesicht umrahmte, empfing sie in der Türe.

»Können wir hier essen, Madame?«

»Ja«, sagte sie und maß sie mit einem sonderbaren Blick.

»Vor elf geht kein Zug«, fühlte sich Lambert verpflichtet zu erklären, »wir haben Hunger, und so nützen wir die Zeit richtig aus.«

»Es gibt nicht viel«, erklärte die Frau, »jetzt ist keine Saison. Und ich muß Sie auch bitten, um zehn Uhr zu gehen, denn dann sperren wir.«

»Selbstverständlich, Madame«, sagte Lambert.

Das Gasthaus hatte einen großen Saal für den Sommer, den man zu Hochzeiten und Banketten vermietete. Eine Wand war verglast, es war eisig kalt. Sie setzten sich an den Tisch, der dem Eingang am nächsten stand. Eine einzige Glühbirne brannte, und der Saal lag fast im Dunkel, was ganz und gar zu ihrer trostlosen Stimmung paßte. Die heiße Suppe schien sie etwas zu beleben, etwas zu erfrischen, vom Ragout aber brachte Mathilde kaum einen Bissen hinunter. Sie war völlig entkräftet, die Entspannung nach der überstandenen Angst löste ihre Muskeln, der Schlummer überwältigte sie. Die Wirtin kam zurück, sah den fast vollen Teller und blickte Mathilde von der Seite an:

»Sie schläft im Sitzen«, sagte sie, »am besten, ihr geht nach dem Essen gleich auf den Bahnhof und wartet dort auf den Zug. Im Warteraum ist es wärmer als hier.«

Sie drehte sich um, Lambert aber ging ihr nach und holte sie unter der Türe ein:

»Madame, meine Schwester kann einfach nicht mehr, wie Sie sehen. Elf Uhr, das ist sehr spät. Könnten wir vielleicht hier schlafen?«

»Warum nicht?« sagte die Frau. »Aber eure Eltern in Paris werden auf euch warten und besorgt sein.«

Lambert hatte schnell eine Lüge bereit:

»Oh, die Eltern sind verreist. Wir waren bei einer Tante, die krank geworden ist, und unsere Eltern kommen erst morgen.«

»Nun, dann ist es wirklich das vernünftigste, hierzubleiben. Ich richte euch ein Zimmer. Geht ihr gleich hinauf, oder wollt ihr erst zu Ende essen?«

»Nein, es ist besser für Mathilde« – es widerstrebte ihm, sie wieder »meine Schwester« zu nennen, wenn es nicht unbedingt nötig war –, »gleich ins Bett zu gehen.«

Er folgte der Wirtin, die mühsam die Treppe mit dem fadenscheinigen Läufer hinaufkeuchte. Sie öffnete eine Tür, an der noch ein Schlüssel steckte, und zeigte ihm ein Zimmer, das eher dem Raum einer bürgerlichen Wohnung als einem Hotelzimmer glich.

»Ich gebe euch dieses hier. Da habt ihr einen Ofen, es ist zum Einheizen gerichtet, man braucht nur anzuzünden. Das Bett ist sehr groß – ihr habt leicht beide darin Platz. Wenn man müde ist, schläft man überall.«

Die Wirtin heizte ein; es prasselte bald, und sie ließ das Kamingitter herab. Sechs Scheiter lagen noch auf dem Marmorboden. Sie schlug das saubere Bett auf:

»Ihr legt euch sicher jetzt gleich nieder. Wann soll ich euch wecken?«

»Lassen Sie uns ausschlafen, wir haben Zeit.«

»Um neun Uhr? Frühstück? Milchkaffee?«

»Ja, gerne.«

Er ging wieder in den Saal hinunter. Mathilde schlief fest. Ihr Kopf lag auf den gekreuzten Armen auf dem Tisch, das Haar war über das Tischtuch vor dem Teller und der Schüssel mit dem endgültig gestockten Ragout gebreitet. Eine Weile stand Lambert vor ihr.

»Mathilde«, rief er schließlich.

Sie schlief den tiefen Schlaf der Kindheit. Sie hatte lange dagegen angekämpft, nun aber war sie an der Grenze ihrer Widerstandsfähigkeit angelangt. Sie zuckte nicht zusammen, sie rührte sich nicht.

»Mathilde!« rief er noch einmal.

Aber er wußte schon, daß sie ihn nicht hören würde. So nahm er sie unter die Achseln und versuchte sie hochzuheben. Sie war groß, doch nicht sehr schwer. Er dachte: Ich werde sie aufstellen und hinaufführen. Es gelang ihm, sie zu heben, aber sie sank sofort wieder zurück. So richtete er sie mühsam auf, und als er sie endlich festhielt, legte sie unbewußt im Schlaf den Arm um seinen Nacken. Mit dem Fuß stieß er die Tür des Zimmers auf. Das Feuer warf ein sanft flackerndes Dämmerlicht in den Raum und zum Bett, wohin Lambert sie trug.

Er legte sie nieder und betrachtete sie stumm. Dann ging er zum Kamin, wo das Reisig vergloste, und legte drei Scheite auf, die er kräftig schürte, um das feuchte Zimmer wohnlicher zu machen. Lange starrte er in die Glut, in die züngelnden Flammen, und spürte, wie ihre Wärme in sein geneigtes Gesicht drang.

Er empfand keinen wirklichen Schmerz, nur eine unendliche Leere. Er sah nicht einmal das schäbige Mobiliar des Zimmers, die beiden Fauteuils mit den ausgesessenen Polstern, die kitschigen Bilder – angelnde Fischer in einer Barke –, das Bett, dort hinten im Schatten, auf dem eine unbewegliche Gestalt lag, die den Namen Mathilde trug.

Wenn er etwas sah, dann war es nur dieses Bett. Und vielleicht unterschied er es nicht einmal, er wußte nur von seiner Existenz. Als ihm die Temperatur des Zimmers etwas wärmer schien, erhob er sich und ging darauf zu.

Er hätte die Deckenlampe oder auch eine der beiden elektrischen Leuchter des Kamins aufdrehen können, aber er wollte das Mädchen um keinen Preis wecken. Nein, nein, nur das nicht! Einen Augenblick zögerte er sogar vor dieser gekrümmten Gestalt auf dem Bett. Endlich entschloß er sich.

Er richtete sie auf, so gut er es vermochte, ohne daß sie die Augen öffnete, und zog den Mantel von ihrer Schulter. Er brauchte lange dazu. Manchmal stöhnte sie leise, klagend, aber sie war so tief im

Schlaf befangen, daß sie nur auf die andere Seite sank. Dann streifte er ihre Schuhe ab und stellte sie nebeneinander unter das Bett. So, und jetzt mußte er sie entkleiden.

Ja, das mußte er. Sie konnte nicht so in Bluse und Rock schlafen. Er zog beides ziemlich leicht herunter, denn jetzt, da es wärmer wurde, war sie weicher und gelöster. Nun lag sie in ihrer Kombination aus engmaschigem Trikot, die eher einem großen, warmen Hemd glich, vor ihm. Ein Loch war mit andersfarbiger Wolle gestopft. Er schlug die Decke weit zurück, schob Mathilde hinein und schob die Decke wieder bis zu ihrem Kinn hinauf. Sie war keinen Augenblick aufgewacht.

So stand er vor dem Bett und schaute Mathilde an.

Das also war seine Liebe, der er vertraut hatte und die alle seine Hoffnung gewesen war! Was war sie, von der er geglaubt hatte, daß sie ihm alles sein mußte? Er hatte es klar in der Sekunde erkannt, als sie ihre Augen im Wald aufgeschlagen und ihm damit zugleich die seinen geöffnet hatte. Er betrachtete den reglosen, eingerollten, halb in der Steppdecke vergrabenen Körper und versuchte, sich alle Ereignisse ins Gedächtnis zu rufen, die ihn bis in dieses Zimmer gebracht hatten. Große kindliche Tränen, die schon die Tränen eines Mannes waren, stiegen in seine Augen. Da lag sie vor ihm wie eine Tote und war so lebendig gewesen! Er glaubte die Form der langen Beine noch unter seinen Fingern zu fühlen, wie er sie zart liebkost hatte, er meinte die Wärme dieser Haut und den etwas scharfen Duft zu spüren, den Duft eines menschlichen Körpers, der ihm zum erstenmal bewußt geworden war. Und vor diesen Anblick, vor diese Empfindungen schoben sich die Gefühle des Traums oder Dämmerzustands, die ihn so beglückt hatten, und er wußte nicht mehr, wo die Wirklichkeit begann und wo sie endete.

Sie schlief, ausgelöscht, wie das, was sie dargestellt hatte. Nichts strahlte mehr von ihr aus, kein lebendiger Duft, nicht einmal das Geräusch ihres Atems. Er sah das von der Decke versteckte Gesicht nicht mehr und sah nicht ihr Haar, ihren zu großen Mund und auch nicht ihre rötlichen Hände. Eine Weile betrachtete er sie noch, sie, die nur mehr leblose Hülle für ihn war; dann, als zehn schnelle Schläge von der Kaminuhr ertönten, drehte er sich um und schritt der Türe zu.

Er stockte, der Koffer fiel ihm ein. Er ging in die Ofenecke, wo er stand, und dort, vor den Flammen, öffnete er ihn.

Er fand auf den ersten Griff, was er suchte: seine Jagdpeitsche, den Quarz mit den eingesprengten Goldpünktchen, seine Schätze von La Gardenne. Mathilde lag jetzt in der Mitte des Betts, sie war in die

Grube geglitten, die ein Schläfer in die Matratze gedrückt hatte. Er legte die Dinge, die ihm die teuersten waren, links und rechts neben sie hin – sein Vermögen. Dann verschloß er den Koffer und hob ihn auf. Er warf noch einen Blick in das Zimmer, nun lag das Bett im Dunkeln, und das Mädchen war für ewig verschwunden. Er bückte sich, warf die beiden letzten Scheite in das knisternde Feuer, denn sie sollte es nicht kalt haben. Dann schlug er den Kragen seines kleinen, marineblauen Mantels hoch.

Er wollte die Tür öffnen, da fiel ihm noch etwas ein: Fast hätte er es vergessen! Wo hatte er nur seinen Kopf?

Er suchte in seiner Tasche, nahm das Geld heraus. Fünfzehntausend Francs waren ihm noch verblieben. Er brauchte sie nicht mehr. Er behielt nur einen einzigen Schein und legte das Bündel auf den Nachttisch. Dann riß er eine Seite aus einem kleinen schwarzen Notizbuch mit den rastrierten Blättern, das er immer bei sich trug, nahm seinen abgekauten Bleistift, und langsam, bedächtig schrieb er:

»Mathilde!

Es ist aus. Geh nach Haus zurück. Ich lasse Dir das Geld. Es bleibt etwas übrig, und das bringst Du Deinem Vater, dann wird er weniger schimpfen. Ich lasse Dir auch meine Sachen, die mir allein gehörten. Ich gehe weg. Das ist besser. Du wirst böse sein, daß ich Dich mitgenommen habe: ich wußte es nicht. Es grüßt Dich Dein Freund.«

Und er unterschrieb: »Lambert«

Er hob seinen Koffer auf und verließ das Zimmer.

Nichts rührte sich im Haus. Die Wirtin schien in der Küche zu sein, beim Geschirrspülen oder beim Strümpfestopfen. Die Treppe knarrte kaum, die Eingangstür ebensowenig. Vorne am Bahnhof brannte eine Lampe und wies ihm den Weg. Leise schloß Lambert das Tor hinter sich.

XII

Es war zwar noch nicht Abfahrtszeit, aber Lambert, der auf einer Holzbank saß, rechnete sich aus, daß er kaum etwas riskierte. Mathilde wachte bestimmt nicht auf, und die Wirtin würde abschließen, ohne sich zu vergewissern, ob die Kinder oben im Zimmer schliefen. Er nahm also seine Fahrkarte, steckte das Wechselgeld ein – es blieb ihm noch mehr als genug – und wartete.

Alles ging ganz einfach und ohne Zwischenfall vonstatten. Das Drama spielte sich nicht in den äußeren Ereignissen, sondern im Innern

Lamberts ab, ein ganz alltägliches Drama, dem er sich nicht entziehen konnte und das ihm vertraut war, seit er mit Mathilde auf der Lichtung gestanden hatte.

Es war ein Bummelzug, der an allen Stationen hielt. Paris schlief, als er ankam. Selbst auf der Esplanade des Bahnhofs standen nur noch wenige Taxis. Die Reisenden eilten sich, sie mußten zu Fuß gehen, die letzte Metro war schon abgefahren.

Warum kehrte er, Lambert, nach Paris zurück? Er hatte nicht aus klarer Überlegung gehandelt, er wußte nicht, wohin er gehen sollte. Einen Augenblick war ihm La Gardenne eingefallen, aber er hatte den Gedanken sofort wieder aufgegeben, er wollte den Wald nicht wiedersehen. Paris war eine ungeheure Stadt, in der man sich ebenso leicht verirren konnte. Außerdem handelte es sich ja nur mehr um ein paar Stunden.

Es war ihm nur noch nicht klar, wie er es bewerkstelligen sollte, aber er war fest entschlossen. Wozu verlängern, wenn doch alles zu Ende war? Er hatte Hirsche und Rehböcke beobachtet, die sich nach einem ganzen Tag des Kampfes freiwillig stellten, weil sie erkannten, daß jede Wehr sinnlos war. Lambert schüttelte bei dem Gedanken an eine große Jagd mit ihren Listen und Täuschungsmanövern nur mitleidig den Kopf: All das war überflüssig geworden, es hatte die Angst, den Schrecken, die Verzweiflung der todgeweihten Tiere nur verlängert. Ach, wie würden sie sich verhalten haben, wenn sie es von vornherein gewußt hätten?

Nun, er, Lambert, erkannte, was er zu tun hatte.

Er brauchte sich nicht einmal lange den Kopf zu zerbrechen: Die erlösende Idee war ihm wie eine Eingebung gekommen, obwohl er noch nicht erwachsen war. Es war so, weil es nicht anders sein konnte. Entweder es gelang etwas oder es scheiterte. Einen neuen Anfang gab es nicht.

Einen Augenblick dachte Lambert an den Fluß, die Seine; sie floß durch diese Stadt, wie sie unter den Pfeilern von Fontaine-le-Port geflossen war. Es war die gleiche Seine, und sie gefiel ihm nicht. Es gab andere Möglichkeiten, bestimmt – und gerade in diesem Moment gelangte er vor einen beleuchteten Laden.

Es wäre ihm nicht eingefallen, daß es Apotheken mit Nachtdienst gab, vor allem in Bahnhofsnähe. Das kam ihm gelegen. Er trat ein und wartete artig, bis die wenigen Kunden bedient waren.

Er erinnerte sich an eine Krankheit der Frau Euloges, die mit einer Teekanne von ihren Eltern gekommen war und sich eine Tasse zur Erfrischung kochen wollte, wobei sie vergaß, daß sie ein paar Tabletten Pyramidon darin verwahrt hatte. Ahnungslos hatte sie das

Gebräu getrunken und wäre fast daran gestorben. Und auch Monsieur de Pyrènes fiel ihm ein, der an Rheuma litt und immer Aspirin bei sich trug. Mama hatte Aspirin ein ausgezeichnetes Medikament genannt, das man aber nur in geringen Dosen nehmen dürfe, sonst könne es tödlich wirken. Und dann . . .

Er war an der Reihe:

»Sie wünschen, junger Herr?«

»Aspirin«, sagte er.

»Eine Tube?«

»Zwei, bitte.«

»Dann nehmen Sie besser gleich eine Hunderterpackung.«

»Gut«, sagte Lambert, »geben Sie mir eine.«

»Noch etwas?«

»Ich möchte auch Pyra . . . Pyra . . .«

»Pyramidon? Wieviel Pillen?«

»Zehn Stück«, sagte Lambert.

Er erhielt sie.

»Ist das alles?«

»Nein«, sagte Lambert und zeigte mit dem Finger auf die Stellage mit den Bonbons, »Gummizuckerln, bitte.«

Er zahlte, öffnete seinen Koffer, der auf dem Sessel stand, steckte seine Päckchen hinein. Was er jetzt nur noch brauchte, war ein Hotel. Es gab Dutzende in der Umgebung, er konnte das erstbeste nehmen, er riskierte nichts mehr.

Der Hotelportier saß mißmutig in seiner Loge und versteckte seine Zigarette in der hohlen Hand.

»Ich möchte ein Zimmer für heute nacht«, sagte Lambert.

»Sechshundert, ist das recht?«

Er wußte, daß er noch sechshundertsechzig Francs besaß, er nickte.

Der Mann nahm einen Schlüssel vom Brett, das hinter dem verglasten Zahltisch hing, und schob Lambert ein Blatt zu:

»Die Anmeldung, bitte.«

»Was ist das?«

»Der Meldezettel. Ihren Namen, Adresse, woher Sie kommen, wohin Sie gehen.«

»Ist das nötig?« fragte Lambert.

»Ja, die Polizei verlangt es. Sie kommt meistens in der Früh und holt die Zettel. Deshalb lassen wir sie abends ausfüllen.«

»Ah, morgen früh!« Lambert seufzte erleichtert auf. Dann war es völlig gleichgültig. Wo war er morgen früh? Er nahm den Bleistift, den ihm der Hoteldiener reichte.

»Lambert de Viborne«, schrieb er.

»Geboren am . . .«, er machte sich um zwei Jahre älter, weil das sein Ansehen hob.

»Wohnung« – er schrieb die Adresse seiner Großmutter auf.

»Letzter Aufenthalt« – »Fontainebleau« . . . »Abreise nach –« Er konnte doch nicht gut »in den Himmel« schreiben. Vor allem kam er gar nicht in den Himmel wegen seiner Sünden und besonders wegen der schweren Sünde, die er noch begehen würde. Zumindest nicht sofort . . . Er füllte die Zeile nicht aus.

Darunter setzte er das Datum und die Unterschrift, den bloßen Namenszug mit den kindlichen Buchstaben.

Der Hoteldiener führte ihn in das Zimmer. Lambert zog den Schlüssel von außen ab und verschloß die Türe doppelt von innen. Es klang wie das Laden einer Flinte.

Er stellte seinen Koffer auf den dafür bestimmten Tisch, entnahm ihm den Pyjama, den er von der Rue de Caulaincourt mitgenommen hatte, kleidete sich aus und hängte seinen Anzug ordentlich auf die Stuhllehne. Dann schlug er die Bettdecke auf, um sich niederlegen zu können, wenn es soweit war. Lauter gewohnte Handgriffe. Schließlich und endlich war heute ein Tag wie alle andern, außer daß er in einem fremden Zimmer, vor einem fremden Bett stand und daß eine tödliche Müdigkeit von zwei Tagen in seine Glieder kroch, ihn allmählich wie in einen Nebel hüllte und sogar seinen abgrundtiefen Kummer linderte.

So. Alles war in Ordnung. Alles war bereit. Nur mehr das letzte blieb zu tun. Er schaute suchend nach einem Glas und entdeckte eines auf einer kleinen Pyrex-Etagere oberhalb des Waschbeckens hinter dem Wandschirm. Es war ein Zahnputzglas, das trotz des Abreibens nach Zahnpaste roch. Er drehte den Hahn auf und füllte es zur Hälfte mit Wasser.

Zuerst mußte er wie die Frau Euloges das Pyramidon nehmen. Niemals brachte Lambert diese großen, ein Gramm schweren Pillen hinunter. Vielleicht war es doch besser, er zerdrückte sie und löste sie im Wasser auf.

Er zerbröselte sie also zwischen den Nägeln, tauchte seinen Finger hinein und schleckte ihn ab. Es war so scheußlich bitter, daß ihm fast übel wurde. Er beschloß, Pille für Pille hinunterzuwürgen. Was bedeutete das alles, wenn es ans Sterben ging?

Es war genauso schwierig wie zuvor. Wenn er sie auch mit einem Schluck Wasser hinunterzuspülen versuchte, die Pille blieb im Hals stecken. Drei Stück brachte er endlich hinunter, aber die vierte nicht mehr. Sie zerfiel in seinem Mund, und er spuckte sie voll Ekel aus. Mit dem Aspirin würde es leichter gehen, er hatte es schon oft genommen. Mama ließ es in einem Glas Wasser mit einem Stück Zucker zergehen, und das schluckte sich leicht. Leider hatte er nur keinen Zucker zur Hand, und Aspirin mußte man viel nehmen. Mindestens zehn bis zwanzig Pillen!

Er schüttete eine Handvoll aus der Hunderterpackung in das Glas. Nein, noch besser: gleich alle hundert! Er rührte dann einen Brei an und nahm so viel davon, wie er nur konnte.

Gesagt, getan. Bald befand sich in dem Zahnputzglas eine Art weiße Paste, dick wie Gips, die er mit möglichst viel Wasser verdünnte. Er stellte es auf den Tisch neben das Bett und legte zwei Bonbons dazu, die er auswickelte. Er hatte den schlechten Geschmack von Pyramidon im Mund und suchte ihn mit ein paar Hustenbonbons zu vertreiben. Dann legte er sich nieder, das Glas in Reichweite, und wartete, bis die Paste zerging.

Er hatte Zeit. Die ganze Nacht lag vor ihm. Hätte er alles Pyramidon hinuntergebracht, dann wäre es gleich ausgewesen. Was jetzt hinunterzuwürgen war, das schmeckte scheußlich, sehr scheußlich; er konnte es gut und gern ein bißchen aufschieben.

Komisch eigentlich – da lebte er, und binnen kurzem würde er tot sein. Oh, Mama, die würde weinen, ja, bestimmt und dann vielleicht ganz ermessen, wie sehr Lambert sie geliebt hatte und wie unrecht sie tat, ihn um anderer Leute willen, wie diesen Hubert, zu vernachlässigen. Und Großmutter? Was würde sie davon denken? Sie erfuhr es bald; Lambert war sich über die Folgen des ausgefüllten Meldezettels klar. Sie würde außer sich sein und wütend schimpfen: »Dieser Lausbub, dieser dumme Junge!« ja, aber mit dicken Tränen in den Augen und mit erstickter Stimme. Oh, alle würden betrübt sein, alle: Enguerrand, Angélique und auch die Leute von La Gardenne, Euloge vor allem, der dem Herrn Marquis immer wieder gesagt hatte: »Eines Tages wird Ihr Sohn Lambert die Meute halten...« Lambert gab es einen Stich im Herzen, als er es sich vorstellte, und er bekam selbst feuchte Augen. Alles würde so sein wie beim Tod Papas. Brachte man ihn auch nach La Gardenne, legte man ihn ebenfalls auf ein so großes Bett? Und kamen auch alle Leute aus der Umgebung, um ihn zu sehen, und würden sie auch alle ganz leise reden, sich verneigen und dabei wehmütig den Kopf schütteln?

Wie ist das, wenn man stirbt? Friert man? Tut es weh? Würde er Schmerzen haben, sich in Krämpfen winden? Mama nahm Aspirin zur Nervenberuhigung, um besser zu schlafen; sie gab ihm manchmal eine halbe Tablette, wenn er aufgeregt war. Schlief er also ein – um nie mehr aufzuwachen?

Er gab sich einen Ruck, hob das Glas an die Lippen und schluckte zweimal. Der Brei schmeckte widerlich, aber mit Wasser ging er hinunter. Er stellte das Glas auf den Nachttisch zurück, legte sich auf den Rücken und wartete.

Entweder kam der Schlummer, der Tod, oder es genügte noch nicht, dann mußte er eben noch einmal schlucken, wenn er es merkte. Da ihm die widerwärtige Paste an Gaumen und Zähnen klebenblieb, steckte er sechs riesige Gummibonbons in den Mund, sog daran mit geblähten Wangen. Er hatte Gummibonbons immer gern gemocht, besonders die roten, die er auch heute gekauft hatte.

Das war ein angenehmer Geschmack im Mund, zugleich wurde ihm mit einemmal so wohl und leicht. Die Müdigkeit war vergangen, die von dem langen Marsch aufgewetzten Füße schmerzten nicht mehr. Es war kein Schlaf, eher eine leichte Betäubung. Er fühlte sich wohl. Er litt nicht mehr. Er dachte an nichts mehr, die Umgebung verschwamm hinter einem Nebel, der alle Qualen lindert, die körperliche Qual und die unendliche Qual seines gekränkten Herzens, die ihn seit gestern peinigte. Alles rückte auf den richtigen Platz und löste sich in der Ferne auf wie die blauen Morgendünste über der Prée.

Und jetzt Schluß machen? Gewiß. Aber die Bonbons in seinem Mund waren zergangen, und er durfte sich ruhig das Vergnügen leisten, eine weitere Handvoll zu essen, bevor er nach dem zähen Gipsbrei griff, der im Mund steckenblieb.

Vor dem Zubettgehen hatte er den Luster abgedreht. Nun leuchtete nichts mehr außer einer kleinen, mit lächerlicher rosa Gaze bespannten Nachttischlampe. Dieses Halbdunkel war angenehm, es hüllte das Zimmer in matten Dämmerschein.

Jetzt sah er plötzlich Mathilde vor sich. So wie früher in der Rue Caulaincourt, wenn er abends im Bett ihre Gegenwart in Gedanken wieder erlebte. Ja, da war sie, unverkennbar, ein bißchen zu groß, mit ihrem straffen Haar, ihren langen Beinen, die er in einer eigenartigen süßen, nie gekannten Entrücktheit sanft streichelte, während sie ihn, leicht vorgebeugt, mit ihren wasserblauen, ins Meergrüne schillernden Augen anblickte; ja, und ihren Geruch spürte er, ihn besonders, der ihn schmerzend, mächtiger als alle Formen und alle Farben verwirrte. Alles, was später geschehen war, versank und entschwand. Er war in die Vergangenheit getaucht. Es hatte keine Flucht, keinen Wartesaal im Gare Saint-Lazare und keine Waldlichtung gegeben. Ja, alles war gut so und wie es sein mußte. Nicht anders, oh, nicht anders!

Und nun klang seltsame Musik im Zimmer auf: ein Orchester aus allen Lauten, die er geliebt hatte. Erst menschliche Stimmen, die Stimme Mamas vor allem, die alles übertönte. Die Stimme Euloges,

485

der die Hunde zurückpfiff, die Stimme Papas, der die *Vue* verkündete; das Murmeln, das aus der Küche drang; das Klagen des Windes in den beiden hohen Fichten, die sich ächzend bogen und berührten, das Knistern des Feuers in den Kaminen; und der Aufschrei der Kreatur, alles dessen, was da kreucht und fleucht; der dumpfe Unkenton im Sumpf, der schrille Ruf eines auffliegenden Kiebitz, das Aufheulen eines überfallenen Tiers, dem beklemmende Stille folgt. Und das murmelnde Gebet Angéliques, das heitere Summen der nähenden Großmutter am Fenster; der Lärm der Motoren beim Schalten vor der Steigung der Rue Caulaincourt; und die kleine, spitze und doch so weiche – oh, so weiche! – Stimme Mathildes, die von zu Hause erzählte oder sagte: »Streichle mich, Lambert, streichle mich, wenn du es gerne tust.«

Und mit alldem verbunden, beherrschend, der Geruch der Holzfeuer von La Gardenne, der mit dem des Zimmers von Bois-le-Roi verschmolz, wo das Mädchen jetzt noch schlief. Und dieser Geruch zog alle andern herbei. Den Geruch Euloges, Lothaires, der Pferde, der Hunde, der Salben, der Streu, der Wiesen im Frühling, der Bäume im Sommer, mächtig und stark in ihrer neuen Kraft, berauschender als der Duft der Blüten oder der Obstbäume, der Lärchen im Winter oder des Wacholders im Herbst.

Ah, er konnte sterben, und das bedeutete ihm nichts mehr. Das allein galt, was ihn in diesem Augenblick nicht verließ und was ebensolang bestand wie das ewige Leben selbst, an das Angélique glaubte und das alles Häßliche, alles Unvollkommene und Verfehlte vertrieb. So war es und würde es immer sein.

Und so war es auch. Es änderte sich nichts daran, als Lambert der Schlummer überwältigte. Die aus Lauten und Düften gewonnene Musik setzte sich fort. Es waren nicht die Gesänge der Engel, von denen Angélique redete. Aber etwas Besseres, Vollkommeneres sollte es sein, wenn es nicht der wahrhaftige Himmel war, der Himmel, in dem Lambert nicht allein war: Mama war da, das Lächeln von einst auf den Lippen. Und Enguerrand war da, nicht mehr hart und verschlossen, sondern fröhlich und friedvoll. Angélique trug ein schönes buntes Kleid statt ihrer Klostertracht, und Großmutter lief mit schnellen Füßen wie einst durch die Räume, heiter und lustig, und Jules war an ihrer Seite. Und Papa war da, kerzengerade auf seinem Pferd, und Euloge entkoppelte die Hunde, und ein Hirsch, ein kapitaler Zehnender mit einem herrlichen Geweih, sprang auf, ließ sich jagen, fangen wie in einem Spiel, denn er spürte genau, daß man ihm nicht nach dem Leben trachtete.

Es dauerte lange, sehr lange. Und es war noch wunderbarer, weil

Lambert dachte, daß es kein Erwachen mehr gab. Keine Mühe, keine Anstrengung mehr, nicht einmal das lästige Anziehen. Ah, wie zauberhaft, wie schön es abseits, außerhalb des Lebens war...

Nun dumpfe Schläge mitten in der Musik. Gewiß ein Holzfäller, dessen Axt aber eine Eiche traf, die daran nicht starb, deren Saft nicht wie Tränen über die abgerissene Rinde floß. Die Holzfäller konnten den Bäumen nichts mehr anhaben, ebenso wie die Menschen ihren Mitmenschen, ebenso wie Mathilde der Liebe des kleinen Lambert.

Noch stärker klang es. Was war das? Es konnte nicht sein, daß dieses andere Leben gestört wurde, in dem er sich so glücklich fühlte. Was, was noch?

Und plötzlich fuhr Lambert aus dem schweren und doch so süßen Schlummer auf: Es klopfte ... es klopfte stark an der Tür.

Was war das? Wo war er?

Mühsam hob er die Lider und sah, daß er sich in einem Zimmer befand, in einem unbekannten Zimmer. Die Lampe neben ihm brannte noch. Ein dünner Streifen Tageslicht drang zwischen den vorgezogenen Gardinen des Fensters herein. Draußen, im Flur, erklang eine Stimme:

»Lambert... mach auf... wirst du öffnen!«

Man rief ihn. Ja, ihn meinte man. Wo war er? Was ging draußen vor?

Ach, das war es: Er war nicht tot.

Nicht tot! Aber er mußte sterben, und sei es, um der Ruhe, des Friedens, der Freude und des Vergessens willen, aus denen er jetzt erwachte. Er hatte nicht genug Gift genommen, da war welches in Reichweite seiner Hand. Schnell, schnell, ehe es zu spät war!

Er griff nach dem Glas, hob es zu den Lippen. Mit unendlicher Mühe, denn seine Hand wog gut hundert Kilogramm. Furchtbar war das, aber was machte es aus? Schnell... schnell...

»Lambert... öffne... ich flehe dich an..., sperr auf!«

Ein Schlüssel bohrte sich ins Schloß, der Nachschlüssel des Hoteldieners, aber er konnte nicht herein, denn Lambert hatte seinen drinnen steckenlassen.

»Lambert... hörst du mich?«

Er hörte sie. Ein Röcheln entrang sich seinem Mund, der von dem Brei verklebt war; er stöhnte vor Angst, den gräßlichen Brei nicht hinunterbringen zu können.

»Lambert!«

Und jetzt eine andere Stimme, die Stimme eines Mannes:

»Ich werde die Tür aufbrechen.«

Stöße gegen das Holz wie ein Rammbock, Stöße einer festen Männerschulter. Ein Ächzen, ein Knarren, ein Bersten. Aufgebrochen krachte die Tür an die Wand.

In der Öffnung steht Angélique, verwandelt vor Angst, verwandelt von etwas anderem, etwas Menschlichem, was Lambert noch niemals in ihrem Gesicht gesehen hat. Und hinter ihr, neben ihr, die Hand in einer beschützenden, zarten und liebevollen Geste auf ihre Schulter gelegt, steht ein großer, junger, schöner Bursche, steht ruhig und sicher, ein Mann.

Siebentes Kapitel
LE DEBUCHER
Gardas

I

Eugène Hippolyte Victor Gardas war ein Mann, dem Mut nicht abzusprechen war. Das hatte er wiederholt im Lauf seines Lebens und seiner Karriere bewiesen. Sonst hätte er kaum so viel erreicht.

Er besaß einen ganz bestimmten Mut, der sich, so echt er war, nach außen hin auf eine etwas südländische Art ausdrückte – einen Mut, der Fanfaren, Trommeln, Reden, Eklat brauchte, einen Mut, der ihn auf die Barrikaden führen, aber auch in plötzlichem Entschluß zum Verzicht der so geliebten äußeren Ehren bewegen konnte.

So sind die Menschen eben; voll von Widersprüchen, werden sie von wechselnden Strömen getrieben, nicht zum Guten oder Bösen – das wäre zu oberflächlich betrachtet –, sondern zu ihrem Verhalten, zu ihren Handlungen, die Ehrenmänner oder Lumpen aus ihnen machen können.

Gardas hatte sich immer viel mehr auf seinen Instinkt als auf den reinen Verstand verlassen. Der Instinkt hatte ihn geleitet, hatte ihn nach und nach in die rechte Richtung gewiesen, auf den Weg, wo Anstand und Erfolg zusammenfallen. Freilich waren auch ihm, wie jedermann, Versuchungen begegnet, aber der Ehrgeiz, sauber den Gipfel zu erreichen, hatte sehr bald alle anderen Neigungen überwunden und das aus ihm gemacht, was er war.

Dabei war er in einer Gegend geboren, wo das Klima, die Sonne, alle Härten mildert, alle Gegensätze abschleift, wo so manches, das man sonst verurteilen würde, durchaus natürlich erscheint: in Draguignan im Departement Var.

Der Vater Gardas' war Landwirt, ein kleiner Weinbauer aus Tradeau, der sich schon zur Politik hingezogen fühlte: Er gehörte dem Gemeinderat an. Bevor man in Var den Kommunismus kannte, gab es dort praktisch nur eine politische Richtung: den Sozialismus. Var war, wie man damals sagte, ein »rotes« Departement.

Wie sein Vater begann auch Gardas junior in der Gemeindeschule. Es gab keine anderen Schulen auf dem Lande. Er war ein braver Durchschnittsschüler, dessen solide Intelligenz sich am Praktischen, an der Lebenstüchtigkeit zeigte. Seine beste Eigenschaft, die er sich allezeit bewahrte, war trotz gelegentlicher Ausbrüche südlichen Temperaments sein realistischer Verstand, seine angeborene Ausgeglichenheit und das Gerechtigkeitsgefühl, an denen man den anständigen Menschen erkennt.

Von seinen ersten Jahren ist daher nicht viel zu berichten. Er unterschied sich nicht von so vielen anderen Kindern, die allmählich in die sogenannte Elite hineinwachsen, wenn sie erst einmal erfaßt haben, was das Leben in dem maßvollen Rahmen einer der Entwicklung der Welt stets nachhinkenden Gesellschaft ist.

Gardas brauchte seine Zeit, um auf den Gipfel zu gelangen. In seiner Jugend gab es keinerlei Anhaltspunkte für die künftigen Chancen. Ein unvoreingenommener Beobachter seines Werdegangs hätte feststellen können, daß ihm nichts geschenkt wurde, daß er sich alles mühevoll erkämpfen mußte. Manchmal begünstigten ihn die Umstände, aber um sie überhaupt zu nützen, mußte er vorher einen Weg einschlagen, zu dem ihn sein Instinkt geleitet hatte. Wäre er nicht zur richtigen Zeit am richtigen Ort bereit gewesen, hätte er nicht einmal jene Höhen erklommen, die ein durchschnittlicher Ehrgeiz erwarten durfte. Unbeirrt traf er mit seinem gesunden Menschenverstand die richtige Wahl, und das war der sicherste Garant seines Erfolgs.

Mit dem Abschlußzeugnis der Schule von Draguignan in der Tasche begab sich Victor – das war sein Rufname – an das Gymnasium von Toulon, nachdem er seine Fähigkeiten und den durch die Strafen und Ohrfeigen Vater Gardas' kräftig unterstützten Wissensdrang bewiesen hatte.

Der alte Gardas war ein asthmatisch keuchender, ständig schwitzender Dickwanst mit gesunder Gesichtsfarbe, eine träge, im eigenen Fett erstickende Masse. Da er selbst im Gemeinderat war, stellte er auch an seinen Sprößling höhere Ansprüche. Seine Mitbürger hatten ihn auf einen wichtigen Posten gestellt; er wollte sich auf jeden Fall dieser Stellung würdig erweisen, die ihm, dem Witwer, Lebensinhalt war. So konnte er nicht dulden, daß sein Sohn Victor ein armer Schlucker blieb, und das wäre er in seinen Augen gewesen, wenn er nicht an der Spitze seiner jugendlichen Freunde geglänzt hätte, die nicht einen solchen Vater besaßen wie er. Ihm, dem Vater, bereitete jede körperliche Bewegung eine Qual, dazu kam die selbst auferlegte »Kopfarbeit«: das Studium, ja, die Entschlüsselung von Texten, Verordnungen und Entscheidungen, deren Zweckmäßigkeit er untersuchen mußte. Und da er von sich selbst so viel verlangte, behandelte er auch den Jüngling, der seinen Namen trug, mit unnachsichtiger Strenge.

Toulon mit seinen hunderttausend Einwohnern war etwas anderes als Draguignan mit nur achttausend. Victor sah anfangs nicht viel davon, da ihn sein Weg nur vom Bahnhof zur Schule und zurück führte, aber das lebhafte Treiben, die Straßenbahnen, die Matrosen mit ihren Quasten, die Offiziere mit den goldenen Aufschlägen, die Sirenen der Küstendampfer, der Kriegsschiffe und die hallenden

Schläge der Hämmer auf die Panzerplatten im Arsenal vereinten sich zu einer Symphonie, die ihn begeisterte, weil sie so ungewohnt war. Später kam die verwirrende Lockung der Weiblichkeit in der Altstadt dazu, die Beklemmung von jäh zugezogenen Gardinen ebenerdiger Räume, hinter denen sich die käufliche Liebe verbarg, der Reiz der auf die Zinktheken der Bars aufschlagenden Gläser und der Läden mit ihren Auslagen voll Schuhen, Anzügen, Geschirr und Bronzegegenständen, all dieser Reichtümer, die einen heranwachsenden Jungen mit der Freude am Licht, am Glitzernden und Blinkenden bezaubern, besonders wenn man ihn in den vier Wänden einzuschließen versucht.

Gardas war zwar nicht übertrieben temperamentvoll, besaß aber immerhin Feuer genug, um auf die Dauer den Lockungen nicht widerstehen zu können und zuweilen so lichterloh zu brennen, daß er zu vergehen glaubte. Er war nicht der einzige im Gymnasium, seine Kollegen Pantoustier, Toumazot, Semblefigue waren genau wie er. Bis zur vorletzten Klasse wachten die Erzieher darüber, daß abends alles brav im Bett lag; in der letzten aber drückten sie ein Auge zu. Im Land der Sonne ist man nachsichtig und meint, daß die Jugend jung sein muß und daß dies auch für die Humanisten und Realschüler mit sprießendem Schnurrbart zu gelten hat.

Vater Gardas wäre krank vor Zorn geworden, wenn er etwas von den nächtlichen Ausflügen seines Sohnes gehört hätte. Victor, der sehr kurz gehalten war, kratzte jeden Sou zusammen, verkaufte sogar zuweilen Bücher, um sich zum Wochenende Vergnügungen leisten zu können, auf die er zu seinem Kummer aus Geldmangel oft verzichten mußte.

Er bestand das Abitur, zwar ohne Auszeichnung, aber mit guten Durchschnittsnoten. Nun stand das Tor zu einer glänzenden Laufbahn, wie sie der Vater wünschte, offen. Welcher Beruf erschloß mehr Möglichkeiten, formte geschicktere Volksvertreter als der Beruf des Anwalts? Vater Gardas hatte die Advokaten stets beneidet, deren Weg überallhin führen kann: zur Berühmtheit, ins Parlament und vor allem: ein Anwalt war den Unzähligen turmhoch überlegen, die sich nicht richtig ausdrücken, das Wort nicht gebrauchen können. Denn die Sprache war die höchste Gabe Gottes − soweit Gott eben für einen Sozialisten dieses gesegneten Departements existierte; eines Departements, das paradoxerweise den Namen eines Flusses trägt, der es gar nicht durchzieht.

Victor mußte also Jura studieren. Vater Gardas hatte einen Freund Montpellier loben gehört. Aix war zu nahe, und er fürchtete Marseille. Montpellier paßte ihm, weil es eine Stadt des Südens war.

Victor wagte zwar schüchtern Paris zu erwähnen, aber für Vater Gardas bedeutete der Name Paris Sodom und Gomorrha. Niemals durfte sein Sohn Paris betreten! Er hatte Jura zu studieren und dann eine Kanzlei in der Stadt zu eröffnen, in der ihm sein Erzeuger dank seiner Beziehungen eine sichere Zukunft garantieren konnte. Dann gab es endlich ein Familienmitglied, das offiziell seine gelehrte Beredsamkeit funkeln lassen durfte, was natürlich auf ihn, den Vater, rückstrahlte, dem solcher Ruhm niemals beschieden gewesen war.

So mußte Victor von Semesterbeginn an in der winzigen Kammer eines alten Hauses in Montpellier leben, die im Winter eiskalt und mückendurchschwirrt im Sommer war. Am Abend strich er mit seinen Kollegen auf dem Platz herum, der wegen seiner Form »Das Ei« hieß, und oft setzte er sich mit einem Buch auf die wundervolle Terrasse, den Peyrou, und las, bis die Sonne unterging. Am Sonntag fuhr er mit der Lokalbahn nach Palavas und traf sich mit Studenten und Kellnerinnen am Strand. Er verkehrte gern in dieser unkomplizierten Gesellschaft; da die Mädchen aber meistens nur an Montagen frei waren, war er häufiger mit Verkäuferinnen aus der Rue Foch oder der Rue Saint-Guilhem zusammen, deren affektiertes Wesen und Großtuerei ihm allerdings gar nicht gefielen. Das ging so drei Jahre lang, drei Jahre eines Studentenlebens, das sich in nichts von dem Leben anderer Studenten aus der Provinz unterschied und keinesfalls spektakuläre Leistungen, große Leidenschaften oder Bravourstücke erwarten ließ. Drei Jahre, gewoben aus kleinen Sorgen, Prüfungen, dem Ärger über einen gelegentlichen Verweis eines Professors und dem Kummer eines Zwanzigjährigen, der um eines reicheren, erfahreneren Vierzigjährigen betrogen wird. Absolut nichts. Victor Gardas war a priori kein Romanheld.

Er hatte das Schlußexamen bestanden und bereitete sich auf die Heimreise nach Draguignan vor. Sein Koffer war gepackt, der stolzgeschwellte Vater verständigt, als Maître Vergenson aus Paris in Montpellier eintraf.

II

Maître Vergenson war ein berühmter Anwalt, er hatte das Leben von gut einem Halbdutzend überführter Mörder gerettet. Trotz seiner Jugend – er war noch keine vierzig Jahre alt – kannte man seinen Namen nicht nur in Kollegenkreisen, sondern in der breiten Öffentlichkeit. Die Zeitungen berichteten von seinen Reisen, Fotografen verfolgten ihn im Gerichtssaal und auf der Straße; eine glänzende politische Laufbahn lag vor ihm. Seine Kollegen freilich übten oft heftig Kritik und ließen kein gutes Haar an ihm; ein bitterer Geschmack blieb ihnen im Mund zurück, wenn sie seinen Namen erwähnten. Man rügte seine Wichtigtuerei, nannte ihn einen Poseur und verurteilte die Eitelkeit, mit der er sich stets ins beste Licht zu setzen wußte: Er war ein Meister der Propaganda für die eigene Person. Aber er lachte nur darüber – es war der Neid, der aus ihnen sprach; sie lehnten seine Methoden ab, weil sie selbst dazu unfähig waren.

Es war natürlich ein Verbrechen, ein »großer Fall«, der ihn nach Montpellier brachte. Er vertrat nur in Sensationsprozessen, aus denen er immer als bejubelter Sieger hervorging; das war das Schicksal einem Mann schuldig, der so augenfällig für höchste Posten berufen schien. Er hatte in einem Departement kandidiert, dessen einziger aussichtsreicher Anwärter plötzlich gestorben war, und war natürlich mit großer Mehrheit gewählt worden. Kein Konkurrent konnte sich gegen seine Redegewalt, seine persönliche Ausstrahlung behaupten. Er wurde im Triumph ins Parlament geleitet, um dort Interessen zu vertreten, die er nicht kannte, was aber gleichgültig war, denn wenn er seine eigenen Interessen verfolgte, setzte er sich damit zugleich für die Interessen seiner Wähler ein.

Ein Jahr zuvor hatten die Titelseiten der Zeitungen in Balkenlettern von den Untaten der »Bestie von Maguelloune« berichtet.

Es war ein Sumpffischer, ein geistig zurückgebliebener Analphabet, wie ein Tier behaart, struppig, bei dessen bloßer Beschreibung den Bovarys der Städte, der Präfekturen und der Dörfer ganzer Landstriche Schauer über den Rücken liefen. Der Mann hieß Boudrague; er trug den Namen der scheußlichen Insekten, die jene Gegend verpesten, die sich gegenseitig mit ihrem Stachel töten, über die Straßen kriechen, in die Häuser dringen, sich in Kellern und Ritzen einnisten und deren Anblick allein schon Übelkeit erregt. Er hatte gemordet um des Mordens willen; mehrmals, sei es, weil sich die Triebe eines verrohten Einzelgängers an dem Opfer auslebten; sei es, weil er sich etwas aneignen wollte, was ihn reizte – ein Messer, eine Uhr –, sei es, weil er, der seit jeher Verachtete und Herumgestoßene, sich während der letzten Zuckungen des Sterbenden als Herr über Leben und Tod fühlen durfte. Sieben eingestandene Morde und sicher noch weitere, die man ihm nicht nachzuweisen vermochte; zynische Geständnisse, Bekenntnisse eines Verbrechers, der mit sich selbst zufrieden war. Ein sicherer Kandidat für die Guillotine. Maître Vergenson aber war anderer Ansicht.

Man wunderte sich, daß er die Verteidigung des Mörders übernahm. Es war ein gewagtes Spiel. Er mußte den Kopf des Ungeheuers retten – er hatte sich verpflichtet, also gab es kein Zurück –, wenn er sich seinen Ruf und seinen Ruhm bewahren wollte.

Victor verschob die Heimreise. Eine solche Gelegenheit durfte er sich nicht entgehen lassen. Am Tag vor dem Prozeß stand er mit vielen anderen Neugierigen auf dem Bahnsteig, um den Maître ankommen zu sehen. Der Pariser Zug hatte Verspätung, die Leute wurden ungeduldig. Zwei einheimische Anwälte, die Vergenson morgen assistieren sollten, gingen mit am Rücken verschränkten Händen in fiebernder Nervosität auf und ab, während ein kleines Mädchen mit einem Blumenstrauß zur Begrüßung des berühmten Mannes aufgestellt war. Endlich fuhr der Zug qualmend und keuchend ein. Der Ordnungsdienst drängte die Neugierigen zurück, aber Gardas war flinker und konnte in der ersten Reihe des Spaliers bleiben. Eine Bewegung ging durch die Menge, als ein noch junger Mann elegant aus dem Wagen sprang. Er war klein, verlor aber keine Nagelbreite seiner Größe, als er mit hochgerecktem Kinn und napoleonischem Blick auf die Wartenden zuschritt. Mit natürlicher und souveräner Gebärde übergab er seine Koffer den Provinzanwälten, die an der Spitze der kleinen Empfangsabordnung herbeigelaufen waren. Der Adjutant des Präfekten, die Konzipienten der Anwälte und einige Honoratioren der Stadt folgten ihnen. Federnden Schrittes bewegte sich der Gast dem Ausgang zu.

Ein bewunderndes Murmeln begleitete ihn wie eine leise Brandung, während er nun kriegerisch und selbstsicher an der Menge vorbeidefilierte. Vereinzelt applaudierte man sogar, als er die Fahrkarte abgab. Eine schwache Röte stieg in Victor Gardas' Stirn. Niemals würde man ihn so auf dem Bahnhof empfangen; ihm war kein Ruhm bestimmt, und niemand würde sich nach ihm umdrehen und flüstern: »Schau, da ist er.« Einen Augenblick lang identifizierte er sich mit dem Helden, und die ersten ehrgeizigen Regungen verwirrten seinen Kopf wie die grelle Sonne seiner Heimat. Als er sich gefaßt hatte, war der Anwalt verschwunden.

Er sah ihn am nächsten Tag im Gerichtssaal.

Zwei Stunden vor Beginn der Verhandlung war er dagewesen, um einen guten Platz zu ergattern. Trotz seines Anstellens aber mußte er weit hinten bleiben; es gab zu viele Protektionskinder, die durch Nebentüren mit Eintrittskarten hereingekommen waren und die besten Sitze reserviert hatten.

Als man das »Hohe Gericht« verkündete, streckte er sich nach Kräften und schaute zwischen zwei Rücken durch. Es war nicht das erste Mal, daß er einem Prozeß beiwohnte. Zu verschiedenen Gelegenheiten war er – wie auch schon in Draguignan – zu Gericht gegangen, um mit dem Prozeßverfahren vertraut zu werden. Niemals aber noch hatte ihn die Atmosphäre seiner Umgebung so gefangengenommen. Er sah die Richter eintreten, den Staatsanwalt, den Angeklagten wie ein gestelltes Tier, und plötzlich erblickte er Vergenson. Nun gab es nur mehr ihn.

Der Maître schien größer auf seinem Platz vor dem Angeklagten; Gardas konnte nicht wissen, daß er auf einem Schemel stand, den er ständig in seinem Gepäck mitführte und den ihm der Gerichtsdiener hingestellt hatte. Die Gesten und Bewegungen des Anwalts fand Gardas ungeheuer eindrucksvoll, sie wurden durch die weiten Ärmel des Talars noch unterstrichen. Man mußte anerkennen, daß der Mann neben seinem posierenden und eingelernten Auftreten ein echtes Talent besaß, das teils auf seinem scharfen Verstand und seiner Findigkeit, teils aber auch auf seinem Sinn für Theatereffekte beruhte, denen sich weder das Auditorium noch die Geschworenen entziehen konnten. Mit schauspielerischem Talent warf er alles ins Spiel: Schmähung und Schmeichelei, Empörung und Hohn.

Boudrague schien rettungslos verloren. Alles belastete ihn, sogar die Entlastungszeugen. Die Kopfspezialisten – damals nannte man sie noch nicht Psychiater – erklärten ihn zwar für primitiv, aber für seine Taten voll verantwortlich. Auf der Waagschale lagen sieben Tote, die gerächt werden mußten und die keinen Frieden finden konnten, ehe der gräßliche Mörder bestraft war. Der Mann erregte kein Mitleid, er verleitete nicht zur Nachsicht. Man brauchte nur die Geschworenen anzusehen, um davon überzeugt zu sein; ihre entsetzten und angewiderten Mienen bei der Schilderung schrecklicher Einzelheiten verrieten zur Genüge, daß sie keine Gnade walten lassen würden.

Vergenson schien nicht einmal kämpfen zu wollen, sondern seine Sache aufzugeben. Er stellte nebensächliche Fragen an die Zeugen, ließ sich den Hergang der furchtbaren Bluttaten schildern, für die nicht der kleinste Milderungsgrund vorlag; warf seine Bemerkungen »Wird in den Akt genommen« und »Darüber werden die Herren Geschworenen entscheiden« hin, ohne sonderlich Eindruck zu machen. Der Fall schien verloren; man erwartete sich zwar wieder ein meisterhaftes Plädoyer; aber auch die gewandteste Rhetorik konnte nichts an einem Urteil ändern, das schon jetzt vom gesamten Auditorium gebilligt wurde.

Im gegebenen Moment erhob sich der Anwalt. Man erwartete Ausbrüche, Knalleffekte, aber nichts davon. Trotzdem war es Theater, aber nüchternes; er suchte den Angeklagten menschlich näherzubringen, der sich selbst von der menschlichen Gesellschaft ausgeschlossen hatte; ein aussichtsloses Beginnen. Er sprach nicht lange, kaum eine

Stunde, er brachte Argumente vor, und jedes hatte seinen Wert. Er gab vorbehaltlos zu, daß der Mann schuldig war, und schien sich sogar in der Aufzählung der Mordtaten zu gefallen. Er ließ sich breit in Einzelheiten aus; unterstrich die schrecklichen Umstände der Verbrechen; man glaubte, die Axt zuschlagen, das Blut rinnen, an die Wand spritzen, das Messer zehnmal hintereinander zustechen, das Scheit den Schädel zerschmettern zu sehen. Und plötzlich stellte er die Frage, die keiner erwartet hatte: »Ein Mensch, meine Herren, ein Mensch – kennen Sie einen einzigen Menschen, der solcher Greueltaten fähig wäre?« Man lauschte ihm schweigend und wußte nicht, worauf er hinauswollte. Er fuhr fort: »Boudrague, dieser Boudrague, der hier vor Ihnen sitzt, ist nicht der wirklich Schuldige.«

Dann begründete er seine Ansicht. Ja, Boudrague hatte gemordet, aber war es wirklich der Mensch Boudrague als solcher oder nur die von unmenschlichen Trieben gelenkte Hand Boudragues? Woher kam Boudrague? Woher stammte er? Wer war sein Vater?

Niemand hatte seinen Vater gekannt. Es hieß, der Angeklagte sei das uneheliche Kind einer vor vielen Jahren verstorbenen Frau. Wer war sie gewesen? Wo hatte sie gelebt? Er, Vergenson, hatte es herausbringen wollen. Diese Frau hatte in einer Schilfhütte gehaust, nicht weit von Maguelonne, in der gleichen, in der man den Angeklagten verhaftet hatte, in der er selbst seit dem Tod seiner Mutter wohnte. Wann war er geboren? Im Standesamt war der zwanzigste September 1878 vermerkt. Auf den ersten Blick schien das völlig bedeutungslos zu sein. Und dennoch ... und dennoch: Wenn man neun Monate zurückrechnete, was konne man dann feststellen? Man brauchte nur die Zeitungen jener Tage zu lesen, und es ging einem ein Licht auf, ein Licht, das jäh die Wahrheit enthüllte. Was hatte sich in dieser Gegend neun Monate vor der Geburt Boudragues abgespielt, genau neun Monate vorher, zu Ende 1877?

Vergenson entnahm seiner Mappe vergilbte Zeitungsausschnitte, reichte sie den Geschworenen und fuhr fort:

Am fünfundzwanzigsten Dezember 1877 wurde Ventrou, den man damals die »Bestie von Herault« nannte, nach einer langen Reihe grauenvoller Verbrechen von den Gendarmen gestellt und nach erbittertem Kampf auf dem Deich des Sumpfes von Maguelonne getötet, ja, erschlagen, wie es einem Ungeheuer wie ihm gebührte – und das kaum einen Kilometer von der Hütte entfernt, in der die Mutter dieses Unseligen hier genau neun Monate später ihren Sohn zur Welt bringen sollte.

Mit leiser Stimme sprach Vergenson weiter:

»Neun Monate später, auf den Tag genau, wissen Sie, was das bedeutet, meine Herren Geschworenen? Nun wird es klar, wessen Sohn der Unglückliche ist. Können Sie im geringsten daran zweifeln? Boudrague ist, es kann gar nicht anders sein, der Sohn Ventrous, der sich in Sumpf und Schilf verborgen und den die Frau zweifellos versteckt hat, weil er sie dazu zwang und sie bedrohte, und die aus Angst schwieg. Niemandem wagte sie das schreckliche Geheimnis anzuvertrauen, am wenigsten dem eigenen Kind. Ventrou war der Vater Boudragues! Und Ventrou war zwei Monate vorher der Irrenanstalt von Vieussens entsprungen, wo man ihn nach seinen früheren Untaten interniert hatte. Denn es war medizinisch erwiesen, daß er irrsinnig war!«

Die Sensation!

Vergenson setzte sich nieder. Er sprach nicht mehr. Der Gerichtshof zog sich zur Beratung zurück und anerkannte trotz der Erklärung der Ärzte mildernde Umstände. Boudrague sollte neuerlich auf seinen Geisteszustand hin untersucht werden, und es stand jetzt schon außer Zweifel, daß man ihn der Heilanstalt und nicht der Guillotine ausliefern würde. Der Verbrecher war mit dem Leben davongekommen.

Gardas hatte einen großen Augenblick des Prätoriums erlebt. Es gelang ihm, sich in dem Tumult nach dem Urteil mit den Ellbogen einen Weg zu dem Anwalt zu bahnen. So hingerissen war er, daß er ihn ganz aus der Nähe sehen und den Talar berühren wollte. Ja, Vergenson war ein Vorbild. Bis zu dieser Minute hatte Gardas nicht einmal der Gedanke gestreift, auch einmal ein Mann solchen Formats zu werden. Das war etwas anderes als die öden Prozesse des Amtsgerichts, die Scheidungen und das Gezänk unter Marktweibern in der Provinz. Wenn er nicht nach Paris ging, dann würde er zwangsläufig ein Anwalt wie die beiden Dummköpfe in ihren schwarzen Roben, die nicht nur im Schatten vegetierten, sondern überhaupt nicht das Recht hatten, sich Verteidiger zu nennen. In dieser Sekunde war sein Entschluß gefaßt:

»Maître ... Maître ... Ich habe Sie bewundert. Sie sind ein zweiter Berryer ... Sie sind ...«

»Und Sie, mein Junge?«

»Ich habe mein Rechtsstudium eben beendet und würde so gerne ... Ach könnten Sie ...«

»Schön, wenn Sie einmal nach Paris kommen, dann besuchen Sie mich.«

»Das tue ich, ich schwöre es, Maître ... Ich möchte Ihnen noch sagen ...«

Aus. Die Menge schwemmte den Triumphator weg.

Victor Gardas ging in sein möbliertes Zimmer zurück. Dort zählte er sein Geld, den Betrag, den ihm Vater Gardas für die Heimfahrt geschickt hatte. Mit seinen geringen Ersparnissen reichte es gerade für eine Fahrkarte dritter Klasse nach Paris. Es waren zwei Stunden bis zur Abfahrt, er benützte sie, um einen langen Brief an den alten Gemeinderat zu schreiben, in dem er ihm mitteilte, daß Vergenson, der große Vergenson – und er glaubte es wirklich – ihm vorgeschlagen habe, mit ihm nach Paris zu kommen; daß man eine solche Gelegenheit nicht versäumen dürfe; daß er inständig um Verzeihung bitte. Es stehe ihm eine glänzende Zukunft offen, und sein Vater werde später einmal stolz auf ihn sein. Dann begab er sich zum Bahnhof und warf den Brief in den Postkasten der Station.

Der Zug fuhr ein, er kauerte sich in einen Winkel des Ganges, weil kein Platz frei war. Und während Vergenson in seinem Schlafwagen erster Klasse schlummerte, blieb Victor die ganze Nacht wach, und doch war er es, der träumte.

III

Er traf am Morgen in der Hauptstadt ein und ließ den Koffer in der Aufbewahrung. Aus Sparsamkeit und auch, weil er es nicht wagte, so früh am Morgen bei dem Maître vorzusprechen, wanderte er zu Fuß durch die Straßen, nachdem er sich die Anschrift aus dem Telefonbuch herausgesucht hatte.

Zum erstenmal sah Gardas Paris. Sonderbarerweise staunte er nicht über die neue Umgebung, wahrscheinlich, weil die Gedanken an die bevorstehende Unterredung mit dem Anwalt ihn ganz ausfüllten. Er fand sich mit Hilfe eines Plans, den er in einem Bahnhofskiosk erstanden hatte, zurecht und befand sich um halb zwölf Uhr bei einer Kirche am Anfang einer steil ansteigenden Straße, die Rue des Martyrs hieß. Er brauchte sich nicht einmal nach dem Stockwerk zu erkundigen: Ein Schild gab an, daß sich die Kanzlei Vergenson in der zweiten Etage befinde.

Gardas kam zu einer Tür, hinter der es lebhaft zuging. Von der Schwelle aus hörte man das Durcheinander von Stimmen und Schritten, es summte wie in einem Bienenkorb. Gardas drückte auf den Knopf, und die Türe öffnete sich automatisch vor ihm. Er befand sich völlig unvorbereitet inmitten eines beschwingten Balletts: Sechs Türen, die sich unentwegt schlossen und aufsprangen, mündeten in das runde, geräumige Empfangszimmer. Männer, meist jüngeren Jahrgangs, kamen und gingen, bewegten sich in einer ungeregelten, aber angeregten Choreographie; fast alle trugen Akten, Zettel, bunte Mappen; andere, mit leeren Händen, eilten mit sorgenvoll gefurchten

Stirnen an ihm vorbei. Verwirrt suchte Gardas den einen oder andern aufzuhalten oder anzusprechen, aber keiner schien ihn zu bemerken. Da aber kam ein junges Mädchen aus einer der Türen:

»Sie wünschen?« fragte sie. »Um welchen Fall handelt es sich? Kommen Sie von Maître Baudrat . . . oder von Anwalt Giry?«

»Nein, nein«, sagte er, »ich komme von Montpellier.«

»Ah, dann bringen Sie gewiß die Akten zum Fall Boudrague. Was, er hat sie dort unten fein in die Tasche gesteckt, der Chef?«

»O ja«, bestätigte Gardas mit ungeheuchelter Bewunderung, »ich habe dem Prozeß beigewohnt.«

»Nun, haben Sie die Akten?«

»Nein . . . ich bringe keine Akten . . . ich komme, weil ich . . . weil ich mit Maître Vergenson sprechen möchte.«

Das Mädchen lächelte:

»Ich glaube nicht, daß es möglich sein wird.«

»Aber . . . ich bewundere ihn . . .«

Sie verzog das Gesicht:

»Oh, wenn er alle empfangen müßte, die ihn bewundern . . .!«

»Er hat mir aber gesagt, daß ich kommen soll«, beharrte er.

»Dann nehmen Sie bitte hier Platz«, sagte das Mädchen und verschwand.

Er wartete zwanzig Minuten, bis sie wiederkam. Sie ging gerade auf ihn zu und sagte kurz:

»Unmöglich.«

»Haben Sie ihm ausgerichtet, daß ich eigens deshalb aus Montpellier hergefahren bin? Und er will mich trotzdem nicht empfangen?«

»Er hat keine Zeit. Ich bedaure sehr.« Sie kehrte ihm den Rücken und folgte einem Sekretär, der sie rief.

Es blieb Victor also nichts anderes übrig, als wegzugehen. Gestoßen von links nach rechts, wollte er sich eben bedrückt dem Ausgang zuwenden, da fiel ihm etwas ein. Fieberhaft suchte er nach seiner Brieftasche, in der sich noch ein leeres Kuvert mit dem Aufdruck »Ministerium für Unterricht« befand. Dieses Kuvert enthielt Drucksorten und Instruktionen für die Prüfungskandidaten, die an alle Studenten verschickt wurden. Er zückte seine Füllfeder, lehnte sich an einen kleinen, mit Zeitschriften bedeckten Ecktisch und schrieb: »Maître Pierre Vergenson«. Und darunter: »Persönlich«.

Er ließ die Schrift trocknen und trat dann auf einen Mann zu, der etwas älter als die andern war und von der letzten Türe rechts herauskam, durch die das Mädchen entschwunden war.

»Monsieur«, sagte er, »ich habe Maître Vergenson eine Mitteilung des Herrn Unterrichtsministers zu überbringen.«

»Geben Sie her«, sagte der Mann mit einem Blick auf den Umschlag.

»Nein«, erklärte Gardas, »es ist ein vertrauliches Schreiben, und ich habe Auftrag, es nur persönlich zu übergeben.«

»Dann kommen Sie.«

Und Gardas folgte ihm.

Vergenson saß hinter seinem aktenüberladenen Schreibtisch, im Schlafrock, ohne Krawatte, schlampig, voll Krumen, denn er brach ein Croissant und stippte es in eine Tasse Milchkaffee. Er glich nicht im mindesten dem Advokaten, den Victor abends zuvor als Meister des Gerichtshofs und des Barreaus bewundert hatte. Er sah verrauft, ungepflegt und sehr klein in seinem zersessenen Fauteuil aus. Er schaute nicht auf, als sie eintraten.

»Maître«, begann der Sekretär, »der Herr kommt vom Herrn Unterrichtsminister.«

Da hob Vergenson den Kopf, erblickte Victor, erkannte ihn und meinte erstaunt: »Sie sind es?«

»Ja, ich bin es, Maître«, antwortete Gardas und nahm allen Mut zusammen. »Verzeihen Sie mir, aber ich mußte unbedingt von Ihnen empfangen werden. Gestern haben Sie mir gesagt . . .«

»Freilich«, nickte Vergenson, »ich kann Sie schließlich nicht einfach fortschicken, wenn Sie mir gratulieren kommen. Aber wieso sind Sie in Paris . . . und vom Minister . . .? Sind Sie seit gestern Beamter im Ministerium?«

»Ich bin von niemandem geschickt«, bekannte Gardas, »ich wollte einfach zu Ihnen vordringen, so habe ich eben einen Umschlag benutzt, den ich zufällig bei mir hatte.«

»Nicht schlecht«, lächelte Vergenson. Und zu seinem Mitarbeiter: »Er hat Sie zum besten gehabt, Barraud!«

»Einfach unerhört!« fuhr Barraud auf, »ich . . .«

Vergenson lachte:

»Der Zweck heiligt die Mittel. Er wollte mich sprechen, und das ist ihm gelungen. Wer von euch hätte das zustande gebracht? Der kleine Bursche da scheint mir tüchtig zu sein und eine Zukunft zu haben.«

»Dann bitte, Maître, behalten Sie mich.«

»Wozu?«

In einem Atemzug legte Victor los:

»Ich habe mein Studium eben beendet. Ich will nicht in der Provinz versumpfen. Mein Vater möchte mich dazu zwingen. Nehmen Sie mich in Ihre Kanzlei. Bei Ihnen werde ich lernen . . .«

»Solche Burschen wie Sie habe ich schon . . .« Er schien nachzudenken.

»Siebzehn«, ergänzte Barraud.

»Dann bin ich eben der achtzehnte, wenn Sie erlauben, Maître.«

»Er kennt sicher nicht die Bedingungen«, sagte Maître Vergenson lächelnd. »Barraud wird sie Ihnen sagen.«

»Keine Kost, kein Quartier, kein Gehalt«, schnarrte Barraud mit ironischer Miene.

Gardas jammerte nicht: »Ich habe kein Geld, ich weiß nicht, wo ich wohnen werde, ich weiß nicht, wovon ich leben werde«, er sagte nur: »Einverstanden.«

»Haben Sie ein Einkommen?«

»Ich halte schon durch.«

»Papa?« fragte Vergenson.

»Nein, ich selbst«, sagte Victor.

»Gut, wenn Ihnen das gelingt!«

»Wann soll ich beginnen, Maître?«

»Aber bitte, wenn es Ihnen recht ist, betrachten Sie sich bereits in Amt und Würden.«

Inzwischen erhielt der auf die Rückkehr seines Sprößlings wartende Vater Gardas den Brief in Taradeau. Er schäumte vor Wut. So verriet, verleugnete Victor sein Draguignan, alle Mühe und Sorge für den undankbaren Sohn waren vergeblich gewesen. Seine Wut trieb ihn schnurstracks aufs Postamt. Dort schrieb er mit kratzender Feder nur zwei Worte auf das Formular: »Komm zurück!«

Victor erhielt das Telegramm des Vaters erst viel später. Mit einiger Überlegung hätte der Alte freilich wissen müssen, daß ihn ein an Vergenson gerichtetes Telegramm am sichersten erreicht hätte. Vielleicht glaubte er anfangs, sein Sohn flunkere nur und sei nach Paris gefahren, um dort ein paar lustige Tage zu verleben. Der nächste Brief Victors stellte die Dinge klar.

Vater Gardas schrieb verärgert zurück; später forderte er ihn auf, wenigstens die Ferien in Taradeau zu verbringen. Er dachte wohl, daß sich alles einrenken würde, wenn er den Jungen erst einmal daheim hatte.

Aber daraus wurde nichts. In seinen Briefen pries Victor seine Stellung in hohen Tönen, während sie in Wirklichkeit unerträglich war. Er erzählte vom Justizpalast, von den Leuten, mit denen er verkehrte und die er durch den Anwalt kennengelernt hatte. Er übertrieb nach Kräften, um dann in seine elende, unheizbare Dienstbotenkammer zurückzukehren, die nur durch eine Dachluke Licht empfing, nährte sich von Milchkaffee und schuftete des Morgens von vier bis neun Uhr in den Hallen wie ein Schwerarbeiter, wo er Ladungen von Hühner-, Gemüse- und Obstkörben auf einem Karren schob. Es waren schwierige Jahre, aber er ließ den Mut nicht sinken, er gab nicht nach. Oft war er nahe daran, sich gehenzulassen, in die Heimat zurückzukehren und dort das angenehme Leben zu genießen, das die Menschen des Südens so sehr lieben. Aber sein Stolz war stärker: Er hielt durch.

Im übrigen genügte es ihm in solchen Augenblicken der Depression, an Vergenson zu denken, wie er im Gerichtshof von Montpellier sein Plädoyer gehalten hatte.

Aber das Leben war nicht einfach in Paris, und nichts ging weiter. Er hatte Tage, an denen er rebellisch wurde: wenn er bedachte, was er und seine Kollegen leisteten, wieviel sie von der Arbeit des Advokaten selbst erledigten, wie sie alle Akten vorbereiteten, ihn zuweilen im Wagen zu Gericht begleiteten, nur um ihn über einen Fall zu informieren, von dem er keine Ahnung hatte. Aber Victor war gerecht und immer wieder hingerissen von der Begabung seines Chefs, dem er sich übrigens sehr bald anpaßte. Tatsächlich verstanden sie sich gut, wenn auch nur in der Arbeit und in den Diensten, die Victor leistete und die Vergenson anerkannte. Der berühmte Advokat war allerdings nicht gewohnt, sich um die materiellen Verhältnisse und das Privatleben seiner Angestellten zu kümmern; er war ein grenzenloser Egoist, ein Geldraffer und Jäger nach Auszeichnungen, Macht und Wohlleben. Seine einzige Leidenschaft war das edle Waidwerk, und ihm opferte er seine Einkünfte; alles, was ihm seine Plädoyers einbrachten, steckte er in sein Jagdgut in der Sologne, das er gekauft hatte. Sonst war er kleinlich, ja geizig, besonders seinen Mitarbeitern gegenüber. Immerhin, wenn sie ihm so nützlich wurden, wie es ihm Victor mit der Zeit geworden war, ließ er ihnen dann und wann die Brosamen einer mageren Causa zukommen, was sie bewog, geduldig weiterzuarbeiten und bei ihm auszuharren. Victor fristete von diesem Abfall einer großen Kanzlei ein kümmerliches Dasein, er lernte das Palais, den Saal der Pas Perdus, wie der Gerichtssaal hieß, gründlich kennen und machte die Bekanntschaft zahlreicher Kollegen, die Hungerleider waren wie er.

Vergenson hatte ihm »versuchsweise« zwei- oder dreimal delikate Fälle übergeben, Fälle, die ihm nicht durchaus mit seinem Beruf zu vereinbarende Vorteile einbrachten. Er erkannte sofort, daß Gardas ihn durchschaute und ein Verständnis bewies, das ihn zu einem recht brauchbaren Angestellten stempelte. Vergenson gab Unsummen aus, und das verleitete ihn dazu, großzügig über die Quellen seiner Einnahmen hinwegzusehen. Er war kein unanständiger Mensch, aber manchmal hart »am Rande« – das war alles. Er war auch nicht zynisch, doch bedenkenlos; er gehörte zu den Leuten, die es dumm finden, ihre Macht, ihre Stellung nicht auszunützen und sich ihren Anteil nicht sicherzustellen. Und dann, er war Abgeordneter, er wollte Minister werden, und die Wahlkampagne kostete Geld. Victor bereitete diesen Wahlfeldzug sechs Monate lang aufopfernd vor, er tat sein Bestes und war sehr stolz, als sein Chef im Parlament wiedergewählt wurde, obwohl er selbst im Schatten blieb.

Es war nur eine Frage der Zeit, daß Vergenson das höchste Amt der Republik besetzte. Die Beredsamkeit ist eine starke Waffe, wenn sie richtig eingesetzt wird, und weit häufiger macht man seinen Weg mit Hilfe wohlgesetzter Worte als mit Akten, in denen man sich so leicht festlegen kann. Vergenson stieg also empor und hinter ihm, in sehr weitem Abstand, folgte ihm Victor wie ein treuer und ergebener Hund, und keiner der bedeutenden Männer, mit denen er jetzt verkehren konnte, hätte ihm einen besonderen Platz für die Zukunft vorausgesagt. Als unscheinbarer Untergebener eines zum Minister gewordenen Vergenson mit weitreichenden Befugnissen wäre er unfehlbar in der Masse untergegangen, wenn nicht eines schönen Tages ein Mann, noch jung an Jahren, grau gekleidet, unauffällig, die Augen hinter getönten Brillen verborgen, die Kanzlei in der Rue des Martyrs betreten, ihn angesprochen und gebeten hätte, beim Maître vorgelassen zu werden. Er stellte sich vor: »Mehlen«, ein Name, der Gardas nichts sagte.

IV

Gardas befand sich an einem Wendepunkt seines Lebens, als er vor Mehlen stand. Er war unzufrieden. Die Zeit verrann, und er hatte noch nichts Wesentliches erreicht. Nicht aus Freude, sondern nur aus Ergebenheit für seinen Chef hatte er sich bereit gefunden, als verständnisvolle Mittelsperson zwischen den freigebigen Klienten und dem einflußreichen Anwalt zu dienen. Er war mißvergnügt und verdrossen; er wollte seine Zukunft in sichere Bahnen lenken und hatte das unbestimmte Gefühl, daß er sich binnen kurzem oder langem entscheiden mußte, welchen Weg er einschlug. Dies wurde akut, als er Mehlen kennenlernte.

Mehlen kam von London. Er hatte dort mit dem Rüstungsfabrikanten Sir Judah Technoian Fühlung genommen, der beabsichtigte, in Frankreich einen Betrieb zu errichten, dem die nötigen Aufträge gesichert wurden. Mehlen stand eine Frist von acht Tagen zur Verfügung, um sich diese Sicherheit zu beschaffen; andernfalls mußte er das Projekt fallenlassen. Er suchte den Mann, der ihm den Weg zur Regierung erschloß, um von den zuständigen Stellen die unerläßliche

Garantie und die Genehmigung zu erlangen. Nach vierundzwanzig Stunden schon hatte er im Rathaus erfahren, daß Vergenson die Sache ins Rollen bringen konnte.

An einem Abend im Abgeordnetenhaus erfuhr er auch, wie man an ihn herankam:

»Vergenson? Das ist ganz einfach«, erklärte ihm ein Freund des Stadtrats, der ihm damals bei der Adjudikation an die Hand gegangen war und damit seine eigentliche Karriere begründet hatte, »Sie werden nicht auf erstem Anhieb zu ihm vordringen, aber es genügt, daß Sie sich mit Gardas ins Einvernehmen setzen.«

»Wer ist Gardas?«

»Sein ›Sekretär‹«, antwortete der andere mit ironischem Unterton, womit er sehr deutlich die damalige Stellung Victors ausdrückte, die Gardas selbst in ihrem vollen Ausmaß gar nicht erfaßte. »Wollen Sie eine Empfehlung für ihn?«

»Ich bitte darum«, sagte Mehlen, »ich vergesse Sie nicht, wenn es glückt«, fügte er hinzu.

So kam es, daß sich Mehlen im zweiten Stock der Rue des Martyrs einfand und, eine Karte in der Hand, Gardas begegnete. Die Kanzlei war klein, es gab keinen Raum, in dem die Besucher einzeln empfangen werden konnten. So unterhielt sich Victor mit Mehlen in dem zum Sekretariat umgewandelten Salon, und, so paradox es scheinen mochte, gerade der Kontakt mit diesem kleinen, skrupellosen, zynischen Mann war es, der ihn veranlaßte, sein Leben grundlegend zu ändern und in korrekte und legale Bahnen zu lenken.

Am Beginn dieses Gesprächs war das allerdings noch nicht abzusehen. Im Lärm und Getriebe der Kanzlei setzte Mehlen auseinander, was er brauchte, knapp und taktvoll, wie er war. Er mußte sich aber sehr deutlich ausdrücken, um Gardas begreiflich zu machen, daß es sich bei seinem Ansuchen nicht um etwas Alltägliches handelte. Sir Judah Technoian plante, diese Fabrik in Frankreich zu errichten, aber nur dann, wenn ihm der Erfolg garantiert war. Und dieser Erfolg eben, das betonte Mehlen, hing von dem Regierungsbeschluß ab, den nur ein heller Kopf, der wußte, wo sich die wahren Interessen befanden, durchsetzen konnte.

Gardas hörte ihm gedankenvoll zu. Er erinnerte sich, daß Vergenson ein ähnliches Projekt erwähnt hatte, das ihm vor einiger Zeit anläßlich seines Aufenthalts in London vorgelegt worden war. Hellhörig hatte er sofort gemerkt, was dahintersteckte. Man schien die Sache aber nicht weiter verfolgen zu wollen; es war nur vorgefühlt worden, wie es so oft geschah. Gardas war übler Laune, unbefriedigt von seiner Stellung und verärgert über sich selbst. Wieder ein Geschäft – und was würde für ihn dabei herausschauen? Nichts. Er hörte sich sprechen:

»Ja, natürlich – dieses Projekt Sir Judah Technoians ist der Aufmerksamkeit meines Chefs nicht entgangen, aber die Angaben waren so vage... wenn man es vielleicht etwas – konkreter darlegen könnte...?«

Gardas war nicht habgierig. Trotzdem konnte er nicht vermeiden, daß bei dem Wort »konkret« riesige Banknotenbündel vor seinem geistigen Auge erschienen, die er niemals beziehen würde und deren zehnter, vielleicht hundertster Teil genügt hätte, ihn aus dem grauen Elend zu reißen. Er sah in den Augen Mehlens den Schein des Verstehens aufblitzen; die getönte Brille konnte ihn nicht verbergen. Er hörte ihn antworten:

»Was brauchen Sie also?«

»Nun... einen Bericht...«

Das war für Vergenson. Während er es aussprach, dachte er aber an sich selbst und versuchte unbeholfen, die eigene Person ins Rennen zu führen.

»Kurz und knapp?«

»Nicht zu kurz!«

Er erhob sich, um den Besucher hinauszugeleiten. Ach, wie sollte er es ihm begreiflich machen, wie sollte er es sagen? Daß er, er, der kleine Sekretär, auch seinen Teil wollte, der ihm gebührte! Er hatte genug davon, für einen andern zu arbeiten, für ihn zu intrigieren, die Schande des andern einzustecken, ohne selbst etwas davon zu haben; alles für diesen Star, diesen Blender zu tun, den die Zeitungen priesen, als sei er der Beschützer der Witwen und Waisen, und der einmal ein so schönes Begräbnis haben würde, weil man ihn bis über den Tod hinaus mit Ehren und einmütiger Achtung bedachte.

»Und wenn ich diesen Bericht bringe, darf ich dann hoffen, von Maître Vergenson empfangen zu werden?«

Sein bescheidenes Auftreten schien Gardas genauso unerträglich wie sein eigenes.

Einen Augenblick juckte es ihm in den Händen, den Burschen hinauszuwerfen. Aber der Besucher setzte seinen Satz fort:

»... um ihm diesen – Bericht persönlich zu übergeben?«

Ein leises Lächeln erschien auf den Lippen Gardas', das er sofort unterdrückte:

»Gewiß, ich bin der engste Mitarbeiter des Herrn Ministers, und ich darf ruhig behaupten, daß ich ihn... intim kenne. Wenn Sie einen solchen Bericht persönlich unter vier Augen überreichen, dann hat der Akt einige Chance, bis zum Ende durchgeblättert zu werden.«

Nun hatte Mehlen begriffen, das war gewiß! Aber er mußte ihm noch etwas sagen – ja, sofort, sonst ging der Mann durch diese Tür hinaus, und alles war verloren außer dem, was für Vergenson, für Vergenson allein bestimmt war.

Aber nein, Gardas brachte es nicht über sich. Die letzten Worte waren gewechselt, und sie enthielten nichts, was Mehlen auf die persönlichen Wünsche des Sekretärs hätte hinweisen können. Ach, wie jämmerlich das alles war! Für andere, für den einen andern, Dinge fertigzubringen, die man für sich selbst niemals wagte!

»Morgen um sechs?« fragte Mehlen.

»Gut.«

Und die Türe schloß sich hinter dem Besucher.

Mehlen schlief schlecht in dieser Nacht, aber Gardas ebenfalls. Er ärgerte sich über seine Feigheit, seine Zimperlichkeit, wie er es nannte, er hatte Mehlen weggehen lassen, ohne seine Bedingungen zu stellen. Wenn er morgen wiederkam, dann wollte er ihn noch vor der Besprechung mit dem Chef zur Seite nehmen und offen mit ihm reden...

Um sechs Uhr paßte er ihn bei der Eingangstür ab. Das Haus war um diese Zeit etwas ruhiger, einige Mitarbeiter fehlten oder waren noch nicht vom Palais zurück. Mehlen erschien mit seiner prall gefüllten Aktentasche unter dem Arm, die verriet, daß er begriffen hatte. Vor Vergenson würde er den Bericht herausholen, übergeben, und Gardas wußte, daß der Advokat in jeder Seite eine Banknote als Lesezeichen finden würde.

»Monsieur...«, begann Gardas.

Aber er kam nicht weiter. Er brachte die Sätze, die er sich gestern eingelernt und seither immer wiederholt hatte, nicht über die Lippen. Wütend über die eigene Unzulänglichkeit sagte er grob:

»Dort – der Chef erwartet Sie.«

Er trat zur Seite, um Mehlen in die Kanzlei treten zu lassen.

Gardas selbst nahm an der Besprechung nicht teil, aber er konnte sich die Szene vorstellen, als wäre er dabeigewesen. Vergenson übernahm den Bericht, den Mehlen aus der Aktenmappe zog. Er sah ihn den Kopf schütteln, wie es seine Gewohnheit war. Gardas glaubte förmlich zu hören, was er sagte, nachdem er den Bericht langsam durchgeblättert hatte:

»Interessant... sehr interessant...«, mit dem bewußten zynischen Unterton. Und dann, bei der letzten Seite, gleichgültig, welche Zahl sie trug, denn Vergenson war nicht der Mann, der sich mit dem begnügte, was man ihm anbot: »Könnten Sie das nicht näher ausführen und vervollständigen... damit ich die Sache klar überblicke?«

Und Gardas sah die Geldscheine, die niemals ihm gehören würden, aus den Seiten fallen.

Das Bild war so deutlich, daß es noch vor ihm stand, als Mehlen herauskam. Die Handflächen schmerzten ihn von den Nägeln, die er sich mit geballter Faust in die Haut gepreßt hatte. Ein Faden Schweiß rann zwischen seinen Schulterblättern hinab, als er sich den Anlauf nahm:

»Sind Sie zufrieden, Monsieur Mehlen? Zufrieden mit dem Chef?«

»Grundsätzlich, ja. Er hat meinen Bericht behalten und will einen weiteren zur Vervollständigung.«

Und dann geschah etwas, was Gardas nicht erwartet hatte. Mehlen sagte:

»Es ist sieben Uhr. Sind Sie jetzt nicht frei? Wir könnten ein Glas zusammen trinken ... und ein kurzes Gespräch führen.«

»Ja ... ja ... natürlich«, stotterte Gardas. »Ich muß es nur melden.«

Das Mädchen kam heraus.

»Georgette«, sagte Gardas, »ich glaube nicht, daß mich der Chef heute noch braucht. Wenn er nach mir fragt, sagen Sie ihm, daß ich weggehen mußte.«

Er holte schnell seinen Überzieher vom Haken und seinen etwas schmierigen, allzulange getragenen Kragenschoner. So hastig, als fürchte er, man könne ihn rufen und zurückhalten, schob er Mehlen dem Ausgang zu.

Dann war alles sehr einfach. Mit Mehlen war immer alles einfach. Sobald die Wermutgläser auf dem Tisch standen, ging der graue Mann mitten ins Thema:

»Ich bin sehr zufrieden. Bei einem richtigen Geschäft sollen alle Beteiligten zufrieden sein. Ich glaube, daß ich die Bewilligung jetzt in der Tasche habe, und dies zum Teil dank Ihres Entgegenkommens ... Es ist daher ganz natürlich ...«

Gardas wußte, was sein Gegenüber sagen wollte, aber er errötete wie eine Erstkommunikantin. Er stotterte, suchte nach Worten, die ihm nicht einfielen. Sie brauchten ihm gar nicht einzufallen, denn Mehlen scheute die Umschreibungen:

»Nach dem Abschluß überweise ich Ihnen, wenn Sie gestatten ...«

Zwei Monate später empfing Gardas einen Scheck. Nicht nur, daß er sich eine andere Form der Zahlung vorgestellt hatte, er dankte Mehlen in seiner freudigen Überraschung sogar schriftlich dafür, da er ihn persönlich nicht erreichen konnte.

Erst als er das Geld in der Tasche hatte, kamen ihm sonderbare Gedanken. Die Einzelheiten, die er zufällig später über das abgeschlossene Geschäft erfuhr, trugen dazu bei. Mehlen hatte Vergenson gekauft und durch seine Vermittlung, das heißt durch die Verbindungen des ehemaligen Ministers, die Genehmigung zur Errichtung einer Waffenfabrik erlangt, eines Unternehmens also, das Tod und Verderben produzierte. Obwohl Gardas nicht eingerückt gewesen war, haßte er den Krieg seit 1918. Er geriet in einen schweren Gewissenskonflikt. Mit seinem angeborenen Mut, den er später noch wiederholt beweisen sollte, beschloß er, zum Chef zu gehen und sich mit ihm auszusprechen. Er wartete einen späten Nachmittag ab, als die Volontäre schon gegangen waren und er damit rechnen konnte, mit Vergenson allein zu bleiben, um mit ihm zu reden.

Wie meistens, wenn er abends ausging, hatte sich Vergenson ein Sandwich bringen lassen und kaute mit vollen Backen, zwar noch vor seinem Schreibtisch, aber bequem zurückgelehnt im Fauteuil, und genoß die erste Ruhepause des Tages. Er liebte niemanden, aber er kannte die Verläßlichkeit seines Mitarbeiters Gardas aus tausend Fällen. Er empfing ihn daher familiär:

»Kommen Sie, mein Junge. Setzen Sie sich hier in den Fauteuil. Ich erhole mich etwas, bevor ich weggehe. Ich schaue mir das neue Stück im Varieté an. Und Sie? Gehen Sie auch aus? Sie sind sehr lange hiergeblieben.«

»Ich wollte mit Ihnen sprechen, Monsieur.«

Es fiel Vergenson sofort auf, daß er ihn nicht Maître genannt hatte.

»Und worum handelt es sich?« fragte er merklich kühler. »Wollen Sie mich etwas fragen?«

»Ja, Monsieur«, sagte Gardas, »was Sie von sich selbst halten?«

»Oh, nur Gutes ... nur Gutes!« sagte Vergenson erleichtert und lachte wieder. »Das ist ja ein Interview! Arbeiten Sie in Ihrer Freizeit für eine Zeitung?«

»Nein«, entgegnete Gardas, »für mich selbst.«

»Dann wird man einmal Ihre Memoiren herausbringen ... da muß ich ja vorsichtig sein! Gewiß, ich vertraue Ihnen vollkommen, Gardas, und ich habe Ihnen in viele Angelegenheiten Einblick gewährt ... und andere haben Sie selbst durchschaut. Aber ich halte es für ausgeschlossen, daß Sie mein Vertrauen jemals mißbrauchen könnten.«

»Keine Angst, ich habe nicht die Absicht, Geheimnisse auszuplaudern. Man würde mich Verleumder und Verräter nennen. Ich habe weder zum einen noch zum andern das Zeug.«

»Und überdies bemühe ich mich, ein anständiges Leben zu führen. Ich sitze in einem Glashaus, und alle meine Handlungen lassen sich erklären.«

»Alle, gewiß«, bestätigte Gardas, aber er meinte es auf andere Weise.

»Na, sehen Sie!«

»Ja, ich sehe es. Aber, seien Sie beruhigt, darum geht es nicht. Wie gesagt: Ich möchte gerne wissen, was Sie von sich selbst denken?«

»Und Sie, Gardas?«

»Oh, was mich betrifft, ist es leicht: Ich weiß es ganz klar, seit kurzem erst, aber ich weiß es.«

»Nun?«

»Ich liebe mich selbst nicht«, sagte Gardas.

»Und aus welchen Gründen?«

»Weil ich nicht der Mann bin, der ich gerne sein möchte. Ich verurteile mich.«

»Sie sind jung. Ich, ich lebe.«

»Nein«, erklärte Gardas mit einer Bitterkeit, die sein unverkennbarer südlicher Akzent nicht verbarg, »ich bin nicht der Mensch, der ich sein möchte. Ich bin nach Paris gekommen, um mit Ihnen zu arbeiten. In Montpellier haben Sie mich verhext, Ihre Fähigkeiten haben mich begeistert. Ich wäre besser nach Draguignan zurückgekehrt.«

»Um ein kleiner Winkeladvokat in der Provinz zu bleiben? Sie sind ein Kind, Gardas!«

»Und hier, was bin ich hier?«

»Nichts, oder sehr wenig zur Zeit, das stimmt. Aber Sie haben allerhand gelernt, viel gesehen und sind mit Leuten in Berührung gekommen. Ich hoffe, Sie haben begriffen, daß die Begabung zwar wichtig ist, daß es aber weit schwieriger ist, sie zu verwerten, als sie zu besitzen. Sind Sie begabt? Möglich. Auf jeden Fall hoffe ich, daß Sie alles hier gelernt haben, was man außer dem Talent noch braucht.«

»Mag sein, Sie haben mir den Weg gezeigt. Aber ist es auch der richtige?«

»Ach, Gardas«, sagte Vergenson, »ich bitte Sie, Sie haben das Pfadfinderalter mit der täglichen ›guten Tat‹ hinter sich! Die erste gute Tat besteht darin, sich um sich selbst zu kümmern, denn diese Sorge nimmt einem kein anderer ab. Sie haben mir in verschiedenen delikaten Fällen sekundiert, und ich weiß daher, daß Sie kein Chorknabe mehr sind und zu allerhand Hoffnungen berechtigen. Ich halte Sie für gewandt und verständig, daß Sie dabei auch ordentlich sind, rechne ich Ihnen hoch an und will es Ihnen gerne ... werde es Ihnen im gegebenen Moment vergelten«, verbesserte er sich, ohne sich weiter festzulegen. »Sie sind hart daran, die Etappe zu erreichen und auf die andere Seite der Barrikade hinüberzuwechseln. Sie haben hier wohl festgestellt, daß ich ein einflußreicher Mann bin. Man macht nichts ganz allein und ohne fremde Hilfe.«

»O ja, gewisse Dinge schon!« erwiderte Gardas mit gesenkter Stirn.

»Und welche?«

»Jene, an die Sie denken.«

»Sie sind naiv«, sagte Vergenson.

»Bewußt naiv, auf jeden Fall.«

»Das ist ernster. Und häufig das Zeichen von Dummheit.«

»Dann, Maître, will ich lieber ein Dummkopf sein.«

»Aber ... aber ... Sie machen da eine Gewissenskrise durch, zumindest nennt man es so. Das ist so ähnlich wie eine Wachstumskrise, manche Jugendliche sind anfällig in dieser Zeit und neigen zu Schwindsucht, Schwermut oder zum Selbstmord. Ich habe Sie für ein solideres Temperament gehalten.«

»Monsieur«, sagte Gardas, »halten Sie es nicht für eine Schwäche, es ist ein Entschluß.«

»Und was haben Sie beschlossen?«

»Sie zu verlassen.«

»Und wohin wollen Sie gehen? Zurück nach Draguignan?«

»Das weiß ich noch nicht. Es wird sich ergeben.«

»Man wird Sie auslachen, und Sie werden nichts erreichen. Ihr Vater ist tot, wenn ich mich recht erinnere. Sie wollen Ihren Mitbürgern das Schauspiel Ihres Niedergangs bieten?«

»Ich werde in Paris bleiben.«

»Und was tun?«

»Plädoyers halten.«

»Für wen? Sie sind jetzt ein paar Jahre hier, lang genug, um sich keine Illusionen mehr zu machen. Vorher aber sagen Sie mir, warum Sie mich verlassen? Bin ich ein gemeiner Mensch? Wollen Sie nicht mehr mit dem korrupten Vergenson arbeiten? Gehen Sie nur, schreien Sie das in die Stadt hinaus, und keine Türe wird sich Ihnen mehr öffnen. Was haben Sie mir vorzuwerfen?«

»Die Sache Technoian. Ich wußte nicht, worum es sich handelte.«

»Sonst hätten Sie Ihre Provision nicht angenommen?«

Wie? Vergenson wußte davon? Gardas wurde blutrot.

»Ich werde das Geld zurückgeben«, murmelte er.

»Vielleicht. Aber zu spät. Dieser kleine Mehlen, der ein sehr tüchtiger Junge ist, hat mir einen Brief gezeigt, einen ergreifenden ... und aufschlußreichen. Aus Takt habe ich nicht mit Ihnen darüber gesprochen. Sie sehen, daß Sie mir unrecht tun.«

»Ich will von dieser Geschichte nichts mehr wissen!«

»Ich will nicht, ich will nicht! Es ist aber geschehen, mein junger Freund.«

»Vielleicht ist es geschehen, aber künftig wird so etwas nicht mehr vorkommen.«

»Sie sind noch viel bornierter, als ich dachte. Glauben Sie nicht, daß sonst ein anderer an meiner Stelle zu diesem Handel bereit gewesen wäre? Ich kann Ihnen zehn, zwanzig Namen nennen, und das Resultat wäre das gleiche gewesen ... außer für Sie und für mich. Sie sind also schockiert, und Sie wollen nicht mehr?«

»Nein«, sagte Gardas. »Ich kann nicht mehr.«

»Ausgezeichnet. Gut, ich will auch nicht mehr. Ich will keinen Tölpel an meiner Seite, dem ich glaubte vertrauen zu können und den ich etwas höher einschätzte als die andern. Ich hielt Sie in gewisser Hinsicht für klug und gewandt, mit einem Schuß gesunden Menschenverstand und Sinn für Tatsachen. Ich habe mich also getäuscht. Und ich will um nichts in der Welt wegen Ihrer Skrupel ständig hangen und bangen müssen – ich habe mit meinen eigenen genug. Sie treten bei mir aus, Sie werden sich in Paris die Füße ablaufen und nach höchstens sechs Monaten Ihr Bündel packen, um in Ihre schöne Heimat zu ziehen, dort Ihre traurigen Provinzcausen nach bestem Können führen; allerdings brauchen Sie dann Ihr Honorar mit niemandem zu teilen ...«

»Oh, Monsieur«, sagte Gardas, »ich schwöre Ihnen, daß ich nicht gedacht habe ...«

»Nein, aber ich habe daran gedacht. Das also ist Ihr Dank dafür, daß ich Ihnen in den Steigbügel geholfen habe? Ich dulde keine Verräter und keine gefährlichen Dummköpfe in meinem Haus. Und bilden Sie sich nicht ein, daß Sie Gerüchte ausstreuen können! Ich würde sofort wissen, woher sie stammen, und ich habe – zumindest Mehlen hat sie – Mittel in der Hand, die Ihnen ohne weitere Umstände das Genick brechen können. Hinaus«, sagte er, »und daß ich Sie hier nicht mehr sehe!«

V

Gardas traf erst Jahre später wieder mit Vergenson zusammen, und das unter ganz besonders dramatischen Umständen. Vorderhand waren alle Brücken zwischen ihnen abgebrochen, und er sah ihn nur zufällig hie und da im großen Saal »Pas Perdus« des Justizpalastes oder aus der Ferne bei einem Sensationsprozeß. Ebensowenig kam er mit Mehlen zusammen, von dessen Aufstieg im Schatten er lange Zeit nichts ahnte. Er verkehrte jetzt in ganz andern Kreisen: im Kreis der anständigen Durchschnittsmenschen.

Dabei erholte er sich nicht leicht von seinem Gewaltstreich. Er richtete sich eine Kanzlei ein, nachdem er die väterliche Erbschaft verkauft hatte, den kleinen Weingarten und das Haus in Taradeau, aber die

513

Zeiten waren schwer, und er lehnte Kompromisse ab. Er schien vom Pech verfolgt zu sein, woran zum Teil sein Bruch mit Vergenson schuld war.

Ach nein, das Leben war nicht lustig. Es wäre geradezu ein Vergnügen gewesen, sich von früh bis spät abzuplagen und auf die Amtsgerichte der Provinz zu laufen, aber die Untätigkeit in Paris, die vielen Vormittage, an denen es keine Akten zu studieren gab, die waren unerträglich. Das Lauern auf einen Klienten, das ewige Vorsprechen bei den Friedensrichtern, das mühselige Eintreiben des Honorars zum Fälligkeitstermin... Ach, das waren keine Leistungen, auf die man stolz sein konnte! Gardas hätte in den endlosen, gleichförmigen Jahren zwischen den beiden Kriegen kaum die Anlagen zu einem Volkshelden ahnen lassen, bis er, trotz der Entbehrungen und Mühen rundlicher geworden, noch immer freundlich und wohlwollend, trotz des täglichen Ärgers und des Verdrusses – seiner treuesten Weggefährten –, mit nicht mehr ganz so dunklem Haar wie einst, am zweiten September jenes unseligen Jahres angelangt war.

Von seiner Wahlkampagne mit Vergenson her hatte er sich das Interesse für Politik bewahrt. Er schrieb sich in einer Partei ein, in der man aber nichts von ihm wissen wollte; er stand im Ruf, ängstlich und übervorsichtig, ja einfältig zu sein, und mit solchen Leuten war nichts anzufangen. Er besaß daher nichts, was sein Leben lebenswert gemacht hätte, und wenn er einst ehrgeizig und voll Idealen gewesen war, so hatte sich all das kraft der Ereignisse und durch die gespeicherte Müdigkeit in der Resignation des »Wozu überhaupt?« aufgelöst. Auch im Gefühlsbereich hatten sein trüber Alltag, seine Einstellung von Jugend an, sein notorischer Geldmangel, ebenso wie eine gewisse Unempfindlichkeit den Frauen gegenüber, bewirkt, daß er niemals über ein flüchtiges Abenteuer hinauskam. Nun stand Gardas am Beginn seines fünften Jahrzehnts; er unterschied sich in keiner Weise von den Millionen Individuen, die morgens aufstehen, abends zu Bett gehen und die trotzdem wie längst gestorben wirken. Das war aber unrichtig: Gardas war noch nicht tot.

Der zweite September 1939 erschütterte ihn nicht besonders. Er gehörte zu den zahllosen Menschen, die, durch ständige kleine Alltagssorgen abgestumpft, dem großen Unheil nur fatalistisch begegnen können. Es war zuviel Zeit vergangen, und er hatte vergessen, daß seine Einstellung zum Krieg mit schuld an seinem Austritt aus der Alchimistenküche Vergensons war. Ein schwerer Schock war nötig, um ihn aus seinem Dämmerzustand zu reißen, und auch der genügte nicht sofort. Monate zogen sich hin, Monate jenes fauligen Kriegs, die genauso aussahen wie die Monate vorher. Gardas wurde nicht eingezogen, man stellte ihn frei, obwohl er in der Artillerie gedient hatte. Er war zu schwer für seine Plattfüße geworden; ach, sogar unfähig, Soldat zu spielen.

Sein Leben hätte übrigens kaum anders ausgesehen, wenn er eingerückt wäre. Bis auf wenige Ausnahmen führten die Soldaten ein recht angenehmes bürgerliches Leben in ihren Kasernen und Baracken, die sie mit aus den Wäldern gestohlenem Holz heizten; gut genährt und leicht benebelt von dem herben Rotwein, der die Gemüter der Beschäftigungslosen sanft einlullt. Gardas steckte zwar nicht in Uniform, ähnelte ihnen aber, mit dem Unterschied allerdings, daß er sich sein tägliches Brot verdienen mußte, was jetzt noch schwerer war. Er schlug sich durch, vielleicht ein bißchen mühsamer, aber sein freudloser Alltag änderte sich dadurch nicht. Als die Deutschen im Mai angriffen, dachte er: »Zu blöd!« Ja, das störte den Trott; man hatte sich an den Gedanken gewöhnt, daß nichts geschehen würde; man hatte sich im Krieg häuslich eingerichtet.

Vom Juni an begriff Gardas die Ereignisse nicht mehr. Wie viele Franzosen hatte er sich seit 1918 in der Erinnerung an einen anscheinend endgültigen Sieg in Sicherheit gewiegt; er wunderte sich, ja er war empört, daß die Geschlagenen so mächtig geworden waren, um in sein Vaterland eindringen und so rasch vorrücken zu können. Vor der harten Wirklichkeit der Flüchtlingskolonnen, der Bombardements und der Stukaangriffe packte ihn, wie so viele seiner Landsleute, wildes Entsetzen, das durch die Überraschung noch gesteigert wurde. Er verließ Paris vor dem Einzug der Deutschen, wurde von ihnen zur Loire, dann zur Garonne getrieben. Gehetzt, in ständiger Lebensgefahr, erreichte er Bordeaux; noch immer stand das fassungslose Staunen in seinen Augen. In seinem Herzen aber begann sich eine Wandlung vorzubereiten, bewirkt durch den Kummer über einen unbegreiflichen Zusammenbruch, durch die Verzweiflung über eine Niederlage, die sein französisches Herz zutiefst traf. Dort erreichte ihn die Nachricht von dem Waffenstillstand, dort erst begriff er das ganze Ausmaß seines Unglücks, das zugleich das Unheil aller jener Menschen war, die trotz allem seine Landsleute blieben.

Der Deutsche bezog Quartier und benahm sich betont korrekt. Das Leben mußte weitergehen, und Gardas kehrte nach Paris zurück. Er nahm seine Beschäftigung wieder auf, soweit es eben möglich war, und brachte sich mit gelegentlichen kleinen Prozessen durch. Aber die Anwesenheit der grünen Männer bedeutete ihm eine körperliche Qual, er konnte sich nicht an ihre Gegenwart in der Metro, in den Straßen und Gassen der Stadt gewöhnen, die er als seine Heimat ansah, seit er dem Süden den Rücken gekehrt hatte. Alles in ihm widersetzte sich immer entschiedener dieser drückenden, schweren Macht, die sich zu tarnen suchte, aber sich trotzdem Tag für Tag durch Dekrete, Aufrufe und Verordnungen bemerkbar machte. Und gerade daran, daß ihm dieses Dasein unerträglich wurde, erkannte er, daß er noch lebte.

Im Justizpalast traf er zuweilen einen Kollegen namens Anjoulbert, der etwa zehn Jahre älter sein mochte als er selbst. Er kannte ihn nur von einem gemeinsamen Prozeß her und hatte weiter nichts mit ihm zu tun. Sie grüßten sich, wenn sie sich in der Garderobe sahen, das war alles. Anjoulbert sah älter, verbrauchter aus, als er war, er schien auf seinen Schultern ständig die Bürde zahlloser Schwierigkeiten, zahlloser Mißerfolge zu tragen. Als verheirateter Mann mit drei Kindern hatte er Mühe durchzukommen. Daheim plagte sich seine Frau und kümmerte sich um alles, von der Wäsche bis zu den Hausaufgaben der Kinder; außerdem betreute sie die Kanzlei als Empfangsdame und Sekretärin ihres Mannes. Auch Anjoulbert hatte am Beginn seiner Laufbahn große Rosinen im Kopf gehabt; bis er allmählich bescheidener wurde. Seit zwanzig Jahren war ihm sein Beruf, an den er einst geglaubt hatte, nichts mehr als bloßer Broterwerb; das heißt, er bewahrte seine Familie gerade vor dem Verhungern.

Eines Tages hörte Gardas auf dem Weg zum Justizpalast Militärmusik, aus der die Trommeln und Querpfeifen hervortönten. Er drehte sich um. Es war eine deutsche Abteilung mit ihrem Musikzug, deren Cheftambour seinen Stab im Takt des Marschtritts wirbeln ließ. Gardas biß die Zähne zusammen, aber er schaute hin: Er mußte hinschauen. Zufällig stand Anjoulbert neben ihm.

Sie sprachen nichts, sie rührten sich nicht. Sie blieben wie angewurzelt stehen, alle beide, bis die Musik vorüber war, und es würgte in ihrer Kehle. Sie redeten kein Wort, aber als sie sich trennten und jeder nach einer anderen Richtung fortstrebte, begegneten sich ihre Blicke, in denen es verdächtig und hell schimmerte.

Wochen vergingen, ehe sie sich wiedersahen. Eines Tages im Justizpalast fühlte Gardas plötzlich eine Hand auf seiner Schulter. Es war Anjoulbert, der ihm mit seiner müden, farblosen Stimme sagte:

»Ich habe Sie gesucht. Ich möchte gern eine Sache mit Ihnen besprechen. Können Sie heute gegen neun Uhr zu mir kommen? Es sind noch zwei, drei Leute dort. Ich kann Ihnen zwar nichts Besonderes anbieten, aber die Unterhaltung wird uns bestimmt beiden nützlich sein.«

Am Abend zur besprochenen Zeit läutete er an der kleinen Tür des Hauses, in dem der Anwalt wohnte. Da ihm niemand öffnete, betrat er den Hof, in dem ein Baum sein kümmerliches Dasein fristete. Er befand sich in einer winzigen, von Künstlerateliers umgebenen Gartenanlage; an den Türen steckten Visitenkarten; Gardas strich ein Zündholz an und mühte sich, in seinem Schein die Namen zu entziffern. Ganz hinten entdeckte er die Wohnung Anjoulberts. Er läutete, und eine Dame öffnete ihm.

»Mein Mann erwartet Sie, Monsieur Gardas«, sagte sie, als ob sie ihn erkannt hätte. »Wollen Sie mir folgen?«

Sie führte Gardas in ein Atelier. Ein seltsamer Raum zur Ausübung des Anwaltsberufes! Wahrscheinlich hatte sein Kollege nichts anderes gefunden, als er die Kanzlei eröffnete. Diese Umgebung mit dem Anstrich des Künstlerischen, Bohèmehaften wollte überhaupt nicht zu dem Bild des Mannes passen, der im Justizpalast verhandelte und plädierte, sie wirkte geradezu unseriös. Madame Anjoulbert ließ Victor mit ihrem Mann und drei andern Personen allein, einer Frau und zwei Männern. Sie kochte draußen Kaffee, der einen Geruch nach gerösteter Gerste und Erbsen verbreitete. Außerdem brachte sie einen Teller mit ein paar Stückchen Obstkuchen herein, die weder Zucker noch Obst enthielten. Nachdem sie sich bedient hatten, setzten sie sich zum Ofen, der sichtlich nicht zu besonderen Gelegenheiten geheizt wurde, denn das Atelier war nicht warm zu kriegen. Nun begann Anjoulbert.

»Ich habe Sie hierhergebeten, weil ich weiß, daß Sie genauso denken wie ich, daß Sie der gleiche Geist der Auflehnung und des Überdrusses beseelt wie mich. Sie, Bielhomme, weil sich die Katastrophe wie immer und seit jeher in Ihrer Heimat abspielt. Sie, Kaprer, weil Sie in einem Elsaß geboren sind, das viel gelitten hat, das gleiche, das wir jetzt erleiden; Sie, Emilie, weil Ihr Mann gefallen ist. Sie, Gardas, weil ich Ihre Gesinnung kenne. Immer wieder müssen wir hören, daß Frankreich am Ende und besiegt ist, und dabei ist es nur geschlagen; man liebäugelt mit einer Kollaboration – mit Männern, die doch unsere Feinde sind. Allzu viele Franzosen sehen den Krieg als endgültig verloren an und finden sich mit der Untreiheit ab. Sie fügen sich widerstandslos. Wir aber, die wir hier versammelt sind, wollen anders denken. Was meine Person betrifft: Ich sehe nicht untätig zu. Ich glaube, wir sind einer Meinung?«

Sie stimmten ihm bei. Sie trugen die gleiche Wunde und erduldeten die gleiche Demütigung. Gardas betrachtete Anjoulbert. Das war nicht mehr der unscheinbare, unansehnliche Mann, wie er ihn sonst kannte. Er sprach mit einem Feuer, einer Überzeugungskraft, die Gardas niemals in ihm vermutet hätte. Selbst seine Gebärden waren weniger gehemmt. Ja, man mußte ihm einfach folgen – aber wie? Anjoulbert sagte noch nichts Näheres, er erklärte nur, daß er, ebenso wie seine hier versammelten Freunde, fest entschlossen sei zu handeln und mit einer unterirdischen Tätigkeit zu beginnen. Nun galt es zu überlegen, wie sie diese gefährliche Arbeit ankurbeln sollten, was man anstellen konnte, um die grünen Männer zu vertreiben.

Jeder entwickelte seine Pläne, aber alles war noch recht vage. Die einzelnen Vorschläge mußten aufeinander abgestimmt werden, und nur mit äußerster Vorsicht und bei sicherer Erfolgsaussicht durfte man eingreifen. Auch hier wieder bewies Anjoulbert als einziger, daß er alles Für und Wider erwogen hatte und nicht nur aus blinder Begeisterung und Abenteuerlust handelte. Er hatte seine Ideen, die er einstweilen noch niemandem verraten wollte, um sie dann, im gegebenen Augenblick, zu entwickeln. Heute war es ihm nur darum gegangen zu erfahren, wie weit sie zur Mitarbeit bereit und entschlossen waren, die Gefahren auf sich zu nehmen, die dieser unterirdische Krieg gegen die Besatzungsmacht in sich schloß.

Gardas fand sich wieder draußen in der dunklen Winternacht. Mit schnellen Schritten — wegen des Ausgehverbots — machte er sich auf den Heimweg, denn er hatte nach all dem Neuen, das ihn erfüllte, diesen unverhofften Daseinszweck, das Bedürfnis, zu Fuß zu gehen. Und während er zum Boulevard Saint-Michel hinunterwanderte, bemerkte er, daß er laut vor sich hin pfiff. Das war ihm seit Mai 1940 nicht geschehen.

VI

Alles ging viel schneller, als vermutet. Anjoulbert, der nun wußte, nicht ins Leere arbeiten zu müssen, und der von einer neuen, bis dahin unbekannten Kraft befeuert wurde, erwies sich sehr bald als der richtige Mann. Er hatte Glück, wie alle Menschen, die sich zur Tat entschließen und den nötigen Mut dazu besitzen. Niemals erfuhr man, wie es ihm gelungen war, mit den Gesinnungsgenossen in London Kontakt aufzunehmen; er verhehlte seinen Freunden nicht, daß der Zufall eine große Rolle gespielt hatte.

In Wirklichkeit war er ein paar Tage vor dieser Besprechung aus rein geschäftlichen Gründen in seine Geburtsstadt Saint-Omer gefahren. Die Deutschen führten in diesem nördlichen Departement ein noch strengeres Regiment als anderswo, denn sie hatten ganz bestimmte Absichten mit diesem Gebiet. Und dort begegnete ihm das, was seine Freunde vielleicht den großen glücklichen Zufall genannt hätten, wenn die Sache nicht so böse für ihn selbst ausgegangen wäre.

Trotz der schwierigen Zeiten besaß die Familie Anjoulbert noch ein altes Haus am Wald von Clairmarais. Der Anwalt wollte sich um nichts in der Welt davon trennen, es waren zu viele Kindheitserinnerungen damit verbunden.

Anjoulbert war nicht vom Glück verwöhnt. Seine Frau allein begriff ihn und verzieh ihm, daß er im Beruf nicht recht weiterkam. Sie fand unzählige Entschuldigungsgründe für seine Fehlschläge, vor allem, daß er eine Künstlernatur war, ein echter, wenn auch mittelmäßiger Maler, der nur unverkäufliche Gemälde pinselte. Bei seiner Übersiedlung nach Paris hatte er darauf bestanden, diese Atelierswohnung zu mieten und nicht ein gutbürgerliches Heim, das seiner Klientel Vertrauen eingeflößt hätte. Seine tapfere Gattin bemühte sich zwar nach Kräften, dieses Logis zu verändern und ihm einen ehrbaren und soliden Anstrich zu geben, aber es wollte ihr nicht so recht gelingen. Anjoulbert darbte, und die Geburt der Kinder vereinfachte die Lage nicht.

Die drei Kinder kamen rasch hintereinander: zwei Mädchen und ein Junge, die sich körperlich und charakterlich völlig voneinander unterschieden. Madame Anjoulbert war stets eine pflichtbewußte, ihrem Mann blind ergebene Frau gewesen, die es niemals über sich gebracht hätte, ihn zu betrügen. Da aber war Marindast in ihr Leben getreten.

Martindast war ein haltloser, völlig amoralischer Bursche; ein Lump, der ebenso bedenkenlos einen ungedeckten Scheck unterschrieb wie verheirateten Frauen Kinder anhängte, die dann von den gutgläubigen Ehemännern erhalten wurden. Er war groß, hübsch und brutal. Madame Anjoulbert war alles andere als häßlich, aber eine verschüchterte Provinzlerin, harmlos und voll edler Gefühle. Das war es wohl, was Martindast reizte und belustigte und eine Neigung in ihm schürte, die fast zwei Jahre, somit länger als alle seine anderen Abenteuer, andauerte. Sie waren das erste Mal im Gefängnis der Santé zusammengetroffen.

Sophie Bucamp-Rancourt hatte das Rechtsstudium begonnen und dabei ihren Mann kennengelernt. Er gehörte zu den Menschen, die nur einmal im Leben lieben, und sie war diese Liebe. Er bat um ihre Hand, sie sagte ja, und neun Monate später wurde ihr erstes Kind, ein Mädchen, geboren, das sie Geneviève nannten. Sie hatte ihren Mann vom ersten Augenblick an ehrlich, wenn auch nicht körperlich geliebt. Bis zu dem Tag, da sie auf den jungen Banditen stieß, hatte sie in ihrem Gefühl das wahre Liebesglück gesehen.

Obwohl Anjoulbert der Kunst verfallen war, hatte er in der Begeisterung der ersten Jahre geglaubt, zu einem Helden des Barreaus zu werden, die höchsten Spitzen zu erklimmen und ein Anwalt »mit Namen« zu werden. Seine Frau wurde seine »Mitarbeiterin«, er übergab ihr zuweilen Kommissionen oder Aufträge, was die Kosten verminderte. Das Gericht bestellte ihn zum ex offo-Verteidiger Martindasts. Das war ein unvermuteter Glücksfall, denn dieser Bursche genoß eine gewisse Berühmtheit. Er hatte der Obrigkeit Streiche gespielt, über die man wohlwollend lachte; er hatte schon öfters »gesessen« und war unter Umständen ausgebrochen, die in der Öffentlichkeit schallende Heiterkeit erregten. Er gehörte eben zu der Sorte sympathischer Lumpen, die dem Bürger gefallen, die ihren Wärtern ein Schnippchen schlagen und die Justiz verulken. Anjoulbert hatte nicht selbst Zeit, ins Gefängnis zu gehen, und bevollmächtigte seine Frau, ein paar Unterschriften von dem Beschuldigten zu holen, die von der Gerichtskanzlei verlangt wurden.

Die junge, zarte Frau mit den regelmäßigen Zügen, frisch, hübsch und voll Leben nach der eben überstandenen Schwangerschaft, wurde von dem Wärter in die Zelle geführt. Es war ganz natürlich, daß Martindast, Abstinent seit zwei Monaten, sie mit den lüsternen Augen eines jungen Wolfs betrachtete. Er war sehr höflich, einmal, weil sie von seinem »Schwätzer« kam, zum andern, weil sie ihn amüsierte. Sie war so grundverschieden von den Mädchen, mit denen er sonst verkehrte und die ihm auf einen bloßen Blick hin wie reife Früchte in den Schoß fielen. Sie faltete ihre unterschriebenen Papiere, steckte sie in den Aktendeckel und wollte sie in der Mappe verstauen. Da sagte er:

»Sie werden doch nicht einfach von mir weggehen!«
»Aber ja, ich muß doch nach Hause! Die Unterschriften habe ich...«
»Und ich? Was habe ich?« fragte er und trat auf sie zu.
Er spielte ein gewagtes Spiel. Er hatte eine wohlklingende, tiefe Stimme und verstand es, sich ihrer wie aller seiner andern Reize zu bedienen.

»Eine Frau wie Sie kann freilich nicht wissen, was es heißt, eingesperrt zu sein, wenn man die Freiheit liebt! Sie, die Sie frei sind, Sie haben keine Ahnung... und wenn ich wenigstens noch schuldig wäre! Aber diesmal habe ich nichts gemacht...«
»Sie sind unschuldig?« fragte Madame Anjoulbert.
»Natürlich! Nur will ich meinen Freund nicht anzeigen, der mindestens zwanzig Jahre bekäme, weil er schon einiges ausgefressen hat. Deshalb schweige ich, nehme ich es auf mich, schweige ich wie ein Grab. Ach, so ein Unglück!« fügte er mit einem tiefen Seufzer hinzu.
Sie betrachtete ihn und dachte insgeheim, daß es wirklich schade um ein so prachtvolles Mannsbild war. Da mußte er sitzen und noch dazu unschuldig, wie er eben noch behauptet hatte!

Er war auf seinen Strohsack gesunken und barg in einer verzweifelten Geste das Haupt in den Händen. Ihr warmes mütterliches Herz, das für ihren Gatten, ihr Kind schlug, zog sie zu ihm hin, wie es sie zu jedem Geschöpf zog, das sich in Not befand.

»Aber ... aber ... wir werden Sie schon herausbringen ...«

Sie trat noch näher, legte ihre Hand auf seine Schulter.

»Sie dürfen nicht ... Sie müssen sich zusammennehmen, lieber Freund ...«

Vertrauensvoll legte er seine Hand auf die ihre:

»Ja, ja, Sie haben recht ...«

Aber er ließ sie nicht frei und streichelte leise ihre Finger. Sie wollte sich ihm entziehen, er hielt sie zurück, und sie wagte nicht, ihm diese körperliche Berührung zu versagen, die ihm so sichtlich wohltat. Trotzdem erklärte sie:

»Jetzt muß ich aber ...«

»Nein«, sagte er, »gehen Sie noch nicht weg. Verlassen Sie mich nicht. Kommen Sie nur einen Augenblick näher her zu mir ... es ist mir ein solcher Trost ...«, vollendete er als perfekter Komödiant.

Sie ließ sich herumkriegen:

Gut, einen Augenblick, ein paar Sekunden, dachte sie.

Als sie neben ihm auf der Bettstelle saß, spürte sie seine Wärme, seine Kraft und freute sich unbewußt, daß sie diesem großen, trostlosen Burschen helfen konnte, dessen scharfer Geruch ihr in die Nase stieg, ein Geruch, der ihr fremd war und den sie bis vor wenigen Minuten unerträglich gefunden hätte. Sie blieb neben ihm sitzen und beruhigte sich selbst: Nur einen Augenblick ... ich habe gesagt, einen Augenblick ... Aber es gelang ihr nicht, den Augenblick abzukürzen, der weit mehr als Sekunden währte. Endlich entschloß sie sich aufzustehen. Er hielt sie zurück:

»Nein, nein, noch nicht!«

Und er barg seinen schweren Lockenkopf an der zarten Schulter dieser bürgerlichen Frau. Sie spürte den herben Geruch seines Haars, aus dem der Duft der kosmetischen Mittel längst entschwunden war. Sie überraschte sich dabei, wie sie diese groben Locken streichelte, und im Augenblick, als sie sich selbst zurechtwies: Was fällt mir nur ein, da drehte er sich zu ihr und küßte sie.

Sie entzog sich ihm sofort. Er war verrückt! Sie sagte es ihm auch. Aber wie lautete der einzige Vorwurf, der über ihre Lippen kam?

»Das ist doch ein Wahnsinn! Und wenn uns der Wärter sieht!«

Das war lächerlich, und gerade das hätte sie nicht sagen dürfen. Er kannte sich aus und wußte schon, daß er sein Ziel erreichte. Sophie wäre freilich bei einer solchen Zumutung empört aufgefahren, war sie doch eine anständige Frau, die junge Mutter eines herzigen Mädelchens, verheiratet mit einem Mann, der ihr alles bedeutete und dem eine aussichtsreiche Zukunft winkte! Sie zwang sich zu der Ruhe, die sie für eine Sekunde verlassen hatte, und sagte kühl abweisend:

»Mit wem glauben Sie es zu tun zu haben? Ich bin Sophie Anjoulbert, die Gattin Ihres Anwalts!«

Die Mamsell war die Frau des »Schwätzers«! Ein Heidenspaß! Das eröffnete ungeahnte Perspektiven. Jetzt spielte er erst recht seine Komödie.

Er warf sich auf die Knie, küßte ihren Rocksaum:

»Nein, nein«, stammelte er, »ich denke nichts Böses... Ich bin nicht der Mann, für den Sie mich halten. Ich bin nur ein verzweifelter armer Teufel, den man nicht abweisen darf, der Sie braucht, Madame, ja, Sie, als Retterin, die ihn vor dem Tod bewahrt, die ihn zu einem besseren Menschen wandelt...«

Er trug so dick auf, daß er heimlich selbst darüber lachte. Wird das ziehen? fragte er sich. O ja, es »zog«, und noch dazu großartig. Wie einfältig die Frauen waren!

»Gehen Sie jetzt, gehen Sie«, fuhr er fort, »aber glauben Sie mir, Sie haben mir wunderbar Trost gespendet. Nehmen Sie die Gefühle nicht so wichtig, die mich außer der Sympathie für Sie überwältigt haben und mich alle Zurückhaltung vergessen ließen! Ich bin nur ein Mann, nichts als ein Mann, der den Kopf verloren hat. Rauben Sie mir nicht alle Hoffnung, schleudern Sie mich nicht in den Abgrund zurück... Versprechen Sie mir, daß Sie wiederkommen.«

»Ich... vor allem werde ich keine Gelegenheit mehr haben.«

»Aber das ist doch leicht! Eine Unterschrift... zumindest als Vorwand... Die Anwälte haben jederzeit freien Zutritt... Sie brauchen nur anzusuchen. Ach, Madame!« flehte er pathetisch, »ach, Madame, rauben Sie mir doch nicht meine letzte Hoffnung!«

Und während sie sich zurückzog, warf er ihr Kußhände nach.

Wütend und erregt lief sie nach Hause. Ich werde meinem Mann alles erzählen, gelobte sie sich. Dann aber, nach einigem Nachdenken, fand sie die Geschichte lächerlich und unwichtig; also schwieg sie.

Am nächsten Tag zwang sie sich, nicht mehr daran zu denken. Die Kleine hatte Fieber, und sie pflegte sie. Am übernächsten Tag lief das Kind wieder herum, und Madame Anjoulbert lächelte über ihr Erlebnis in der Santé: Könnte mir fehlen, diesen Gauner, diesen Betrüger, diesen Weiberhelden wiederzusehen! Aber zugleich fragte sie sich, ob der Mann nicht doch die Wahrheit gesprochen hatte und unschuldig ... und auch aufrichtig in dem Geständnis gewesen war, als er zu ihr sprach. Egal, dachte sie, ich habe gar keinen Grund, die Santé wieder zu betreten, das nächste Mal geht mein Mann hin. Ich werde Martindast niemals wiedersehen.

Der Gedanke erleichterte und bedrückte sie zugleich. Am Abend aber, als sie zu Bett ging und Anjoulbert schon schlief, wollte ihr der Kerl nicht aus dem Sinn gehen. Sie schalt sich: Fein, ich kann mir was einbilden! So sehen meine Verehrer aus! – Als ob sie jemals an »Verehrer« gedacht hätte!

Acht Tage vergingen, und eines Morgens erklärte der Anwalt: »Heute muß ich in die Santé.«

»Kann ich dir den Weg nicht abnehmen?« rutschte es ihr über die Lippen, ohne daß ihr zu Bewußtsein kam, was sie dazu trieb. Und als Anjoulbert zustimmte, eilte sie schnurstracks ins Gefängnis.

Was dort geschah, war unfaßbar und ging über ihr Verständnis. Es war, als handle ein ganz anderer Mensch an ihrer Stelle. Kaum hatte sie die Zelle betreten – Martindast flüsterte ihr sofort zu, daß es Mittagszeit sei und sie gut zwanzig Minuten ungestört sein würden – da sank die bürgerliche, ja prüde Sophie Anjoulbert, von einer unbekannten, rein körperlichen Kraft getrieben, in die brutalen Arme des Mannes und ließ sich, während sie »Nein, nein, nicht ...« stöhnte, auf die häßliche Pritsche mit dem dünnen Strohsack zerren, ohne an den drohenden Verlust ihrer eigenen Ehre und der Ehre ihres Mannes zu denken. Sie wurde die Geliebte dieses Spitzbuben, dem sie vor acht Tagen nicht einmal die Hand gereicht hätte.

So war es, und es gehört zu den vielen unerklärlichen Dingen, die man einfach als gegeben hinnehmen muß. Sicher hatte Madame Anjoulbert unbewußt seit jeher auf diesen Augenblick gewartet, den ihr der eigene Gatte nicht zu schenken vermochte, und beim ersten Anblick dieses verkommenen Burschen, der keine Umwege nötig fand, gefühlt, daß er ihn ihr zu geben vermochte. Sie verließ ihn verstört, verzweifelt vor Scham und doch beseligt. Nun wußte sie, was die Sünde war, die sie in einem bürgerlichen Ehebruch – gesetzt den Fall, sie wäre bereit dazu gewesen – niemals kennengelernt hätte.

Anjoulbert merkte wohl eine Veränderung im Wesen seiner Frau. Sie war lebhafter, strahlender, temperamentvoller in seiner Gegenwart als zuvor, wahrscheinlich aus Schuldbewußtsein, da sie dem anderen mehr gab als dem Mann, dem es gebührte. Sie war nervös und brach bei dem geringsten Anlaß in Tränen aus, wie eine echte Frau, das heißt wie fast alle Frauen – und dabei hatte er sie für so passiv gehalten! Er setzte ihr sprunghaftes Wesen auf das Konto der beginnenden zweiten Schwangerschaft, während Sophie, von

Zweifeln gepeinigt, durch diesen Zustand in noch größere seelische Verwirrung geriet.

Erwähnt muß werden, daß der von ihr gewissenhaft vorbereitete Akt einem Anjoulbert in Hochform als Unterlage der Verteidigung diente und dem Gauner zu einem glänzenden Freispruch verhalf. Damit aber begann ein Leidensweg für die unglückliche Frau, die sich mit geschlossenen Augen in ein Abenteuer verrannt hatte, das sie nicht bewältigen konnte und das mit ihrer Erziehung, ihrer Herkunft und ihrem Charakter in völligem Widerspruch stand. Es ergab sich eine seltsame Parallele: Wie Vergenson in einem Prozeß, der Gardas' Pariser Laufbahn begründete, durch den Hinweis auf die dunkle Abstammung seines Klienten Boudrague mildernde Umstände erzielt hatte, so erlebte auch Madame Anjoulbert die Kraft der Vererbung in ihren beiden jüngeren Kindern, die während ihres »Verhältnisses« geboren wurden. Sie entdeckte Instinkte und Neigungen in ihnen, die der Veranlagung ihrer eigenen Verwandten oder jener Anjoulberts völlig widersprachen. Geneviève, die Älteste, war still, zärtlich, schüchtern; Madeleine, die zweite – die Sophie zur Verwunderung aller Nenette rief, weil Martindast sie so nannte, wenn er von ihr sprach – war ein waghalsiges Geschöpf, ein halber Junge, ein Kind, das man von Geburt aus von allen Gefahren bedroht wußte, aus dem einfachen Grund, weil es selbst sie suchte. Was Albert betraf – Martindast hieß Albert! Madame Anjoulbert wußte selbst nicht, aus welcher Verirrung heraus sie auf diesem Namen bestanden hatte –, er glich seinen legitimen Eltern überhaupt nicht. Er war egoistisch, verlogen, grausam und tollkühn. Ganz natürlich, daß Maître Anjoulbert diese beiden Kinder vergötterte, während er für die Älteste nur eine bläßliche Zuneigung aufbrachte. Er bewunderte die Kraft der beiden Jüngeren, die er von sich selbst herleitete und die ihn doch immer wieder in Erstaunen versetzte, und alles das, was die beiden Verblüffendes und Außergewöhnliches in ein Leben brachten, das ohne sie ein ganz anderes Leben geworden wäre.

VII

Anjoulbert mußte damals also nach Saint-Omer fahren und entschied plötzlich, daß seine Frau mit der Ältesten in Paris bleiben und Albert, der sich überall geschickt durchschlug, mit ihm reisen solle.

Beim Aufbruch erklärte Madeleine:

»Ich komme mit.«

Maître Anjoulbert war nicht gewohnt, ihr zu widersprechen.

Es bestanden damals allerdings erhebliche Schwierigkeiten, eine mehr oder weniger verbotene Zone zu besuchen. Anjoulbert hatte als Eigentümer eines Hauses im Departement die Bewilligung erhalten, doch war er durchaus nicht ermächtigt, sich von seinen Kindern begleiten zu lassen. Er wies darauf hin, aber Albert zuckte die Achseln: »Wir werden schon sehen«, und Madeleine meinte: »Dann ist es noch viel spannender.« Sie war übrigens alt genug durchzukommen, sie war siebzehn und sah nicht nur physisch wie eine Frau aus, sie war es auch. Sie war bekannt als verläßliche Gefährtin, die ihre entflammten Partner nicht mit leeren Versprechungen hinhielt, sondern bar und prompt zahlte. Madame Anjoulbert wußte genau, daß ihre Tochter keine Skrupel kannte, sie ahnte allerdings nicht, wie weit diese Freizügigkeit ging. Madeleine war mit allen Wassern gewaschen und weit belesener in der gewissen Lektüre, die Sophie selbst nur sehr ungeschickt in der Zeit Martindasts durchblättert hatte. Selbstverständlich war jene Liaison längst vorbei, sie hatte nur so lange gedauert, bis der Bandit einer Episode völlig überdrüssig geworden war, die für den Freund der Straßenmädchen nicht nur den Reiz des Einmaligen und Ungewohnten gehabt, sondern ihm auch gewisse Vorteile in seinem Prozeß gebracht hatte. Der Bruch war dramatisch gewesen. Nur ihre Kinder und ihr trotz der »Sünde« unerschütterlicher Glaube hatten Sophie vor dem Selbstmord bewahrt. Aber sie dachte an ihr Heim, ihren Gatten, dem sie so viel verdankte, und sie dachte an ihre drei Kinder, ihr Küken Geneviève und die beiden Entchen Madeleine und Albert. So überwand sie siegreich das Kap der Verzweiflung und umschiffte bald danach wacker das Kap der Resignation.

Anjoulbert brach also mit seinen Begleitern nach Saint-Omer auf. Die beiden Kinder waren bester Laune, bloß um des Abenteuers willen hatten sie sich ihrem Vater angeschlossen. Sie verkehrten völlig ungezwungen mit ihm, sie schätzten ihn und mochten ihn gern; ihre Zuneigung war allerdings vor allem darauf zurückzuführen, daß sie genau wußten, wie sehr sie ihm imponierten.

Die Mutter hatte sie mit einem bescheidenen Proviant versorgt; als aber Anjoulbert den Brotbeutel vom Gepäcknetz holte, um den Pastetenersatz und das Kleienbrot an die jungen Wölfe zu verteilen, da zauberten sie ihrerseits eine Dose echten Thunfisch, reine Schweinswurst und Butter aus der Normandie aus ihren Taschen, von drei kleinen Weißbroten ganz zu schweigen, die ihnen ein Bäcker verschafft hatte, der sein Mehl streckte, die Zutaten den Markenkunden vorbehielt und den Weizen den Leuten gab, die anders waren als die andern – wie Madeleine und Albert zum Beispiel.

Von Abbéville an begann die Fahrt unangenehm zu werden. Der Zug, der für die hundertsechzig Kilometer fünf Stunden gebraucht hatte, stand jetzt im Bahnhof still, und niemand wußte, wann er weiterfahren würde. Anjoulbert und die Kinder fanden sich damit ab und dösten auf ihren Ecksitzen, als ein Deutscher in Uniform, ein Feldwebel, gefolgt von zwei bewaffneten Posten, erschien und die Passierscheine verlangte. Er studierte sorgfältig den Paß Anjoulberts und zeigte dann auf die Kinder:

»Mein Sohn und meine Tochter«, erklärte der Anwalt.

»Sie stehen nicht auf dem Schein«, sagte der Deutsche, »ich bedaure, sie können nicht weiterfahren. Sie, Monsieur, dürfen die Reise fortsetzen, nicht aber der junge Herr und Mademoiselle.«

»Was sollen wir dann tun?« fragte Albert in ungezogenem Ton.

»Hier warten, bis Ihr Herr Vater Sie auf der Rückfahrt mitnimmt, oder gleich nach Paris zurückkehren. Nehmen Sie bitte Ihr Gepäck, falls Sie welches haben, und steigen Sie aus, der Zug fährt gleich weiter.«

Albert erhob sich widerwillig und fluchend und machte sich maulend zum Aussteigen bereit. Madeleine war ebenfalls aufgestanden, und fassungslos mußte Anjoulbert sehen, daß sie dem Deutschen recht deutliche Blicke zuwarf und ihn mit der Schulter streifte. »Das wirst du uns doch nicht antun, mein hübscher Junge?« hörte er sie gurren. Der Herzschlag stockte ihm. Daß sich Madeleine so vor dem Fremden benehmen konnte, schien ihm ungeheuerlich.

»Madeleine!« rief er vorwurfsvoll und empört.

Aber Madeleine zwinkerte ihm nur zu:

»Laß doch, Papa, wir handeln es aus.« Und zum Feldwebel, breit und ordinär: »Nicht wahr, mein Dicker?«

Er lachte schallend:

»Ja, ja ... freilich ... Aber gerade, wenn wir es aushandeln wollen, müssen Sie aussteigen.« Und er lachte noch lauter.

»Herr Offizier«, begann Maître Anjoulbert erregt.

»Laß, Papa, ich steige mit dem Herrn aus, und in fünf Minuten haben wir alles geregelt«, lachte Madeleine.

»Eben, eben«, nickte der Deutsche.

Madeleine öffnete die Waggontüre, setzte den Fuß auf den Bahnsteig, und der Feldwebel schickte sich an, ihr zu folgen.

Da aber schaltete sich Albert ein:

»He!« rief er und packte den Feldwebel beim Arm, »rühren Sie meine Schwester nicht an! Sie steigt nur mit mir zusammen aus!«

Madeleine zuckte die Schultern und warf ihm einen wütenden Blick zu, den er aber nicht zu bemerken schien:

»Nichts zu machen ... ich bleibe bei ihr ... ich lass' sie nicht allein!«
»Genau das wünsche ich!« herrschte ihn der Feldwebel an, dem plötzlich die Geduld ausging, »los, ihr beide, hinaus auf den Bahnsteig!«
»Dann gehe ich mit!« rief Anjoulbert voll Angst.
»Nein, Sie fahren nach Saint-Omer. Das ist der Bestimmungsort in Ihrem Paß. Sie kommen zurück, wenn man Sie wieder hinausläßt. Für den jungen Herrn und das Fräulein unternehme ich das Nötige.«
Der Zug pfiff. Die Tür, durch die man die beiden jungen Leute recht unsanft hinausgedrängt hatte, schlug zu. Einer der Soldaten blieb auf dem Bahnsteig genau vor ihm stehen, so daß er sich nicht einmal hinausbeugen konnte, um zu sehen, wohin man sie führte.
Trotz der Idee, die in ihm reifte, trotz seiner Tapferkeit zitterte Maître Anjoulbert, und zwar viel mehr aus Sorge um das Los seiner Kinder als aus der ständig bohrenden Wut, die seit der Besatzung in ihm nagte. Was würde mit ihnen geschehen? Verhaftete man sie? Schleppte man sie ins Gefängnis? Und er mußte nach Saint-Omer fahren! Warum hatte er nachgegeben und sie überhaupt mitgenommen!
Der Zug war keine fünfzehnhundert Meter gefahren, als er neuerlich hielt. Wieder war es still. Ein Flugzeug, zweifellos ein englisches, kreiste hoch oben. In der Ferne heulte eine Sirene auf, der eine andere Sirene antwortete. Ein paar Detonationen auf dem Boden, Sprengwölkchen am Himmel. Dann wieder tiefe Stille. Aber der Zug fuhr nicht an.
Das dauerte eine gute halbe Stunde. Wo waren Madeleine und Albert?
Ach, er liebte diese Kinder so sehr, obwohl sie so ganz anders waren, als er sie erwartet hatte! Madeleine war eine verschönerte Ausgabe Sophies, lebendiger, wilder; Albert, der skrupellose Draufgänger, war genau der Mann, der Anjoulbert selbst so gerne gewesen wäre. Was trieb man mit ihnen während dieser Zeit?
Laufschritte auf der Gleisbettung, knirschender Kies. Die Tür flog auf:
»Guck-guck, Papa! Ich bin's ... wir sind's ...«
»Wie ... ihr ... Wie habt ihr ...?«
»Das erzählen wir dir alles später. Laß uns einsteigen. Zuerst müssen wir dir sagen: Wir haben Junge gekriegt ... wir sind jetzt drei ...«
»Was?«
»Da, steig ein. Komm her ...«, sagte die Stimme Alberts.
Ein Mann erschien. Er mochte vierzig Jahre zählen. Er war wie ein Bauer gekleidet, sobald er aber den Mund öffnete, gab es keine Täu-

schung mehr: Er sprach in reinem englischen Akzent, ein Oxford-Englisch, das mit seiner äußeren Erscheinung in groteskem Widerspruch stand.

»Papa«, sagte Albert, »ich stelle dir Mister Smith vor – so nennt man ihn, aber ich brauche dir nicht zu verraten, daß er in Wirklichkeit anders heißt, er ist zumindest ein Lord oder ein Pair; er war wie wir im Loch in Abbéville, sie haben ihn geschnappt.«

»Aber«, sagte Maître Anjoulbert, »ein Engländer! Wie ist er . . . was tut er . . .?«

»Er ist zur Aufklärung hier«, sagte Albert.

»Und jetzt halt die Klappe«, erklärte Madeleine, »ich hab' das Ding gedreht, ich muß jetzt auch meinen Senf dazugeben. Erst einmal, wenn du mich in Ruhe gelassen und nicht herumgekräht hättest: ›Das ist meine Schwester, lassen Sie meine Schwester, ich geh' mit!‹, dann wäre überhaupt nichts passiert, und wir wären in dem Zug geblieben.«

»Und ich wäre nicht da«, sagte der Engländer mit seinem unnachahmlichen Akzent.

»Na, siehst du«, trumpfte Albert auf, »ich habe also recht gehabt!«

»Auf jeden Fall war ich's, die alles gemanaged hat. Weißt du, Papa, sie haben uns weggeführt . . .«

»Das weiß ich«, seufzte Anjoulbert, »ich hab' Angst genug ausgestanden.«

»Als ob du um einen Burschen wie deinen Sohn Angst haben müßtest!«

»Und um deine Tochter!« ergänzte Madeleine. »Ich erzähl' weiter, ja, du erlaubst doch? Wir stehen also auf dem Bahnsteig, und dieser Idiot Albert beflegelt den Deutschen weiter. Der ist ganz ruhig geblieben, aber gerade das war nicht geheuer. In diesem Augenblick heult die Sirene los. Wir haben geglaubt, der Fritz will uns in den Keller des Bahnhofskommissärs stecken, aber nein, sie schleppten uns weiter, ich mit dem Feldwebel vorn, Albert mit dem Posten hinter uns, weit über das Bahnhofsgelände hinaus. Wir sind bei ein paar Güterwagen vorbeigekommen, das hat uns in die Nase gestunken, um es bildlich auszudrücken, es war uns klar, daß wir abhauen mußten . . . Nach dem Sirenengeheul ist es ganz dunkel geworden. Also habe ich mich unter einen der Waggons geworfen und Albert hat mir's nachgemacht. Wir haben die Fritzen fluchen gehört, diesmal aber in ihrer Sprache. Wie Aale haben wir uns durchgeschlängelt, wir waren plötzlich nebeneinander – wir haben uns gefunden, aufeinander gewartet, was weiß ich. Wir sind den ganzen Wagenzug entlanggelaufen und dann unter die Lokomotive gekrochen, die nicht unter Dampf war. Und dort, wie wir uns links hingeschmissen haben, sind wir plötzlich mit der Nase auf einen andern gestoßen, kannst dir den Schrecken vorstellen, wir haben geglaubt, daß es ein Fritz ist!«

»Wir konnten nicht ahnen, daß das eben Mister Smith war!«

»Wir haben ihm gesagt, daß wir ausgerissen sind, und er hat uns verraten, daß er sich hier nicht auskennt und nicht weiß, wie er wegkommen kann. Wahrscheinlich hat ihn sein Flugzeug hier abgesetzt, nur eine Viertelstunde vorher.«

»Ja«, nickte Smith, »das Flugzeug, auf das geschossen wurde.«

»Wie sind Sie ausgestiegen?« fragte Anjoulbert.

»Mit Fallschirm«, antwortete Smith, »aber zu nah beim Bahnhof.«

»Er hat uns erzählt, daß er nach Saint-Omer will, weil sich dort anscheinend was zusammenbraut. ›Wir fahren auch nach Saint-Omer‹, haben wir ihm gesagt, ›mit Papa, der uns im Zug erwartet.‹ So sind wir gemeinsam zum Zug gelaufen, der eben gepfiffen hat, weil Alarm war und er stehenbleiben mußte.«

»Aber jetzt dürfen wir auf keinen Fall hier bleiben«, erklärte Maître Anjoulbert, während der Zug anfuhr.

»Warum?« fragte Albert.

»Ganz einfach«, Anjoulbert fühlte sich plötzlich von einer Kraft befeuert, die er seit langem versiegt geglaubt hatte. »Man braucht ja nur zu überlegen: Die Fritze werden sich doch denken, daß ihr zu mir gerannt seid. Auch sie haben gesehen, daß der Zug wieder angehalten hat, um den Alarm abzuwarten. Vielleicht sind sie gar schon im Zug und suchen euch; wenn nicht, dann kommen sie bestimmt an der nächsten Station, das ist unvermeidlich. Und wenn sie uns verhaften, verhaften sie auch Mister Smith. Los, hopp!« sagte er, ehe noch der Zug seine volle Geschwindigkeit erreicht hatte.

Er öffnete die Tür und sprang als erster ins Freie.

VIII

In dem Moment, da Maître Anjoulbert hinaussprang und sich der Zug schlecht und recht nach Saint-Omer weiterquälte, begann das neue Leben des Advokaten. So paradox es war: Diese neue Persönlichkeit wurde von den beiden Kindern in die Welt gesetzt, die er für die seinen hielt.

»Hierher!« rief er und duckte sich wie ein Mohikaner auf dem Kriegspfad.

Instinktiv schlich er gebückt den Bahndamm entlang und sprang dann links in einen kleinen dunklen Wald. Er lief so schnell, wand sich so geschickt durch die Büsche, daß Albert, Madeleine und Smith Mühe hatten, ihm zu folgen. In seinem Hirn, das bis jetzt dumpf gedöst und das nur für uninteressante Plädoyers Platz gefunden hatte, klang mit einem Male eine neue Musik auf. Ein klares, eindrucksvolles Thema leitete die große Symphonie ein, das Thema, das bald, so fühlte er, die Begleitung der Streicher, der Holzbläser, der Blechbläser fordern würde, um in einem grandiosen Triumph- oder Trauermarsch aufzurauschen und machtvoll in einem gewaltigen Finale seinen Höhepunkt zu finden. Schon die Vorstellung allein beglückte ihn so sehr, daß ihm Tränen der Freude in die Augen stiegen.

Er war es, der in dieser Nacht alles leitete, alles entschied; er, der den sicheren Fuhrmann fand, der sie nach Clairmarais brachte, und er war es, der die nötigen Lebensmittel während ihres Aufenthalts in dem einsamen Haus auftrieb und der, ohne zu rechnen – wo er doch bis jetzt so sparsam mit jedem Groschen umgegangen war – das Geld hinauswarf, wenn es nötig war, als hätte es keinen Wert mehr.

Zwei Tage später sagte Albert bewundernd und ehrfürchtig zu seiner Schwester:

»Was sagst du dazu, hm? Der Vater ... allerhand ...«

Der Vater hatte in wenigen Stunden das volle Vertrauen Mister Smiths gewonnen, und ebenso das Vertrauen seiner Kinder, die von Geburt aus wagemutig waren. Alles, was Maître Anjoulbert vorschlug und in Angriff nahm, war hieb- und stichfest. Seine genialen Einfälle wurden mit so viel Klugheit durchgeführt, daß er in kurzer Frist der scharfblickende und mutige Chef geworden war, der mit den ihm zur Verfügung stehenden Kräften hauszuhalten verstand, sie aber auch richtig einsetzte, wenn es die Umstände erforderten. Ah, ein herrliches, neues Spiel! Hatte er vorher überhaupt gelebt?

Nun lebte er, dichter und intensiver denn je. Als ersten hatte er Smith zur Seite, unerschütterlich und gewissenhaft, einen von der kaltblütigen Sorte, die, wenn nötig, jedes Wagnis auf sich nimmt, weil sie ganz genau weiß, was sie tut; Smith, der an nichts anderes dachte als an die Mission, die er mit ihnen gemeinsam zum guten Ende bringen wollte.

Smith war sofort damit einverstanden, daß sich eine Handvoll Franzosen in den Dienst seines Landes stellten; als ihm Anjoulbert aber – sehr diskret – seine Pläne enthüllt hatte, wurde er etwas zurückhaltender. Anjoulbert jedoch wußte genau, was er wollte. Nach wenigen Tagen schon war das Haus in Clairmarais die Kommandostelle des Nachrichtendienstes, den Smith zu errichten hatte. In Windeseile wurden ein Sender und ein paar Empfänger aufgestellt; das notwendige Material hatten Flugzeuge abgeworfen. Anjoulbert, der sich mit den deutschen Behörden in Saint-Omer »angefreundet« hatte, erhielt eine Aufenthaltsbewilligung für seine beiden Kinder. Er ließ sie dort zurück, während er nach Paris fuhr, wo er ein paar verläßliche Freunde, darunter Gardas, zusammenrief. Nach seiner Rückkehr machte sich Smith zum Rückflug nach London bereit. Ein Flugzeug sollte an einer versteckten Stelle landen. Anjoulbert übertrieb ein wenig, als er die Stärke und die Möglichkeiten seiner Gruppe schilderte, und setzte es auf diese Weise durch, von dem Engländer mitgenommen zu werden. Nach drei Wochen kam er von England zurück; in der Zwischenzeit hatten sich Widerstandsgruppen in den wichtigen Departements Pas de Calais, Nord, Somme und Seine etabliert, denen sich bald andere Gruppen anschlossen. Smith konnte sich auf sie verlassen.

Maître Anjoulbert fühlte Gewissensbisse, die Kinder in die Affäre hineingezogen zu haben, und versuchte, sie auszuschalten. Das wäre schon bei andern jungen Leuten schwierig gewesen, wie erst bei dieser Wolfsbrut, die vor gar nicht langer Zeit erst die Spiele – nicht altmodische Indianer- oder Cowboyspiele, wie der Vater glaubte, sondern moderne Gangsterspiele – aufgegeben hatte, um zur »zornigen«, harten, aufrührerischen Jugend heranzuwachsen. Seit der Besatzung hatten sie beide in den Bars der Champs-Elysées, in den Garagen der Avenue de la Grande Armée Schwarzhandel mit dem von den Deutschen gestohlenen Benzin, der Seife, dem Kaffee, selbst mit den Menageschalen und den Stiefeln getrieben. Unmöglich, sie von einem Unternehmen auszuschließen, dessen Uranfänge sie miterlebt hatten; sie hätten es in ihrer jugendlichen Überheblichkeit als unerträglich demütigend empfunden. Trotzdem sprach Maître Anjoulbert erst mit seiner Frau. Am Tag, an dem er nach dem Handstreich von Saint-Omer nach Paris zurückkam, erzählte er ihr alles offen und aufrichtig, noch ehe er die Gruppe zusammenrief. Er vertraute ihr wie sich selbst.

Madame Anjoulberts erster Gedanke war, daß sie nun vielleicht eine alte Schuld begleichen konnte, indem sie ihr Teuerstes, ihr eigenes Fleisch und Blut und damit ihre geheimsten Erinnerungen, der Gefahr preisgab. Es war nicht eine Schuld gegen Anjoulbert oder irgendeinen andern, sondern eine Schuld gegen sie selbst. Wie in einer Erleuchtung erkannte sie, daß Gott, an den sie immer geglaubt hatte, ihr jetzt eine Gelegenheit zur Sühne bot. Sie fühlte, wie das Wagnis enden und welche Opfer es von ihr fordern würde. Trotzdem schwankte sie keine Sekunde und sagte ja, bevor er noch in Einzelheiten eingegangen war.

Anjoulbert hatte nichts anderes von ihr erwartet, er stand über den Dingen, er war ein Priester seines Glaubens. Der Gedanke, zu scheitern, entdeckt und gerichtet zu werden, kam ihm kaum in den Sinn, während Smith zuweilen unruhig und Gardas geradezu von Angst gepeinigt war. Ohne Anjoulbert wäre er niemals dieser Gardas geworden, in keiner Weise. Er war klug und ehrlich genug, das später niemals zu vergessen.

Anjoulbert lebte jetzt wie in einem berauschenden Abenteuer, als wäre er seit jeher dafür geschaffen. Er scheute keine Gefahr, er schonte sich nicht und wurde, während er nach außen hin weiter unscheinbar blieb, mit seiner Begeisterung, seinem bedingungslosen Einsatz zum Urbild des Helden. Gardas war sein Leutnant, er wurde es zumindest in der letzten Zeit, nachdem alle nach und nach abgebröckelt oder verschwunden waren:

Bielhomme, Kaprer, Emilie, selbst Smith waren verschleppt, verhört und hingerichtet worden; und schließlich auch die Kinder, die beiden Kinder des Ehebruchs, die der überlebenden Geneviève so wenig ähnelten. Wahrscheinlich hatte sie die Natur von vornherein mit den Eigenschaften ausgestattet, die sie zur Erfüllung ihrer eigentlichen Aufgabe brauchten.

Das Leben Anjoulberts und Gardas' hatte sich sehr geändert, seit sie die Hände in das Räderwerk gesteckt hatten. Es gab keine Geldsorgen mehr für sie, sie erhielten von London ganze Koffer voll Banknoten für den eigenen Lebensunterhalt und für die Errichtung des nötigen Widerstandsnetzes. Gewiß, sie taten es nicht wegen des Geldes, aber die Gewißheit, über reiche Mittel zu verfügen und sie nach Belieben ausgeben zu können, wirkte sich auf ihre Einstellung und ihr Auftreten stark aus.

Anjoulbert diente seinen gleichgesinnten Landsleuten in einem Ausmaß, das man gar nicht überblicken konnte. Wie es oft geschieht, stürzte er über eine Nebensächlichkeit. Nachdem er nicht nur Nachrichten geliefert, sondern sogar beträchtliche Widerstandsgruppen aufgestellt hatte, fiel er bei der simplen Erkundung einer V 2-Abschußrampe.

Die Operation war denkbar einfach. Der Ort, der auszumachen war, befand sich kaum fünf Kilometer von dem Haus in Clairmarais entfernt. Es war eine Rampe wie viele andere und nicht eine Radarstelle, kein geometrischer Ort, der für einen Angriff oder eine Verteidigung entscheidend war. Anjoulbert konnte nicht ahnen, daß es seine letzten Stunden waren, als er sich auf das Rad schwang und zu der ihm bekannten Stelle fuhr, deren genaue Lage er aufzeichnen wollte. Er versteckte sein Rad in einem Gebüsch und ging zu Fuß durch einen kleinen Wald zu einer Lichtung, wo sich, wie er wußte, die Rampe befand.

Dort wollte er sich im Dickicht verstecken und die Differenz zwischen den einzelnen Abschüssen, ihre Anzahl, feststellen, um dann vor Tagesanbruch unauffällig zurückzuschleichen. Da, während er ahnungslos einen Acker überquerte, erblickte ihn ein deutscher Posten, legte an und traf ihn mitten in die Stirn. Es war ihm nicht einmal zu Bewußtsein gekommen, daß er sterben mußte; er hatte sich kein bißchen gefährdet geglaubt – ein einfacher Soldat hatte, blind seinen Befehlen gehorchend, geschossen.

Er stürzte, ohne auch nur zusammenzuzucken, mit dem Gesicht nach vorn und blieb in dem Acker bis zum Morgen liegen, wo ihm eine gleichgültige bleiche Sonne ihre ruhige Wärme schenkte, die er nicht mehr brauchte. Als das Licht auf ihn fiel, sah ihn der Soldat, der auf gut Glück in die Richtung des sich bewegenden Schattens gezielt hatte, lief zu ihm hin und fand ihn ausgestreckt in den Furchen liegen. Er rief den Sergeanten, der den Toten agnoszierte, und erklärte, es handle sich um einen alten, anständigen Mann, durchaus nicht gefährlich, der in der Nähe wohnen mußte, wie seine Papiere zeigten, und der sich wahrscheinlich bei einem Spaziergang verirrt habe. Schade, er hätte eben zu Hause bleiben sollen. Das war die ganze Grabrede. Man legte ihn auf den Küchentisch eines benachbarten Bauernhofes und schickte eine Nachricht zum Bürgermeister seiner Gemeinde, um die Angehörigen des Opfers zu verständigen, falls er welche besaß.

Albert und Madeleine erschienen gegen fünf Uhr nachmittag. Als sie ihren Vater auf dem weißen Küchentisch liegen sahen, mit dem Faden getrockneten Bluts, der wie eine lange, dünne Wunde von der Schläfe bis zum Kinn lief, da brach das Mädchen in einen Weinkrampf aus, den Jungen aber schüttelte es vor Wut. So war der Mann tot, der ihnen alles bedeutete, dessen Stärke und Mut sie drei Jahre lang bewundern konnten, ihr Boß, der Kaid, der Vater, wie sie sich ihn erträumt hatten und der ganz ihren Vorstellungen entsprach, denn sie, die ungebunden wie junge Tiere waren und ganz bestimmte Ehrbegriffe besaßen, durften einfach keinen andern Vater dulden.

Albert war besinnungslos vor Zorn. Sein Rebellenblut kochte über. Mit geballten Fäusten stürzte er sich direkt auf den Sergeanten: »Verbrecher ... ihr Verbrecher!« tobte er. »Ihr habt meinen Vater ermordet ... Aber daß ihr's nur wißt: Ehe ihr ihn erledigt habt, hat er hundert, tausend von euch erledigt ... Ja, ihr Schufte, sein Leben ist bezahlt, und teuer bezahlt! Ein Preis, den ihr gar nicht ermessen könnt ... Denn jetzt kann ich es euch sagen; alles Unheil, das euch widerfahren ist, verdankt ihr ihm ... er war der Chef, hört ihr, der Chef!«

»Ja«, schrie jetzt auch Madeleine mit einer Stimme, die spitz und schrill wie die Stimme eines kleinen Mädchens wurde: »Ja, das war er ... das war er ...!«

Und da die Soldaten sie zu bändigen suchten, sie schweigen hießen und es nicht glauben wollten, schleuderten sie ihnen die ganze Wahrheit ins Gesicht und brachten alle Einzelheiten. Was machte es ihnen schon aus zu sterben, da Papa, »ihr Papa«, hier auf dem Küchentisch lag und durch seinen Tod ihrem eigenen Leben allen Sinn raubte!

Trotz ihrer Jugend zahlten sie den gebührenden Preis. Zuerst der Junge – sofort. Das Mädchen sechs Wochen später. Madame Anjoulbert lebte weiter, allein mit ihrer anderen Tochter Geneviève, die sanft, reizlos und verschüchtert war und die sie an niemand erinnerte.

Als Charles de Gaulle in den Champs-Elysées einzog, da befand sich nur Gardas an seiner Seite.

IX

Das Glück, das Anjoulbert verlassen hatte, war Gardas hold. So geht es eben. Er wurde beweihräuchert und in den Himmel gehoben. Er mußte es geschehen lassen, und schließlich, da kein anderer überlebte, so stand es ihm auch zu. Niemals jedoch schmückte er sich mit fremden Lorbeeren; er trug den Kranz, weil er als einziger verblieben war.

Immer ließ er Anjoulbert Gerechtigkeit widerfahren: Anjoulbert hatte alles getan, alles geplant, alles ausgearbeitet, alles geleitet – das bekannte Gardas mit seiner angeborenen Ehrlichkeit. Und auch diese zur Schau getragene Bescheidenheit wirkte sich günstig aus; man sagte: »Gardas, das ist die Säule, der Integere der Résistance«. Nun, er war der Überlebende, und er war anständig.

Man brauchte Männer, und man holte sie von überall, wohin sie eben die Ereignisse verschlagen hatten; die Leute, die sich geschickt auf einen guten Platz geschlichen hatten ebenso wie jene, die sich aus einem zufälligen Grund dort befanden. Gardas stand von Anfang an ganz vorn, natürlich, denn er verkörperte so viele Gefallene in seiner Person. Auch jetzt hatte er Glück. Er war begabt, doch noch nicht reif genug, um sofort Ministerpräsident zu werden. Seit seiner Trennung von Vergenson hatte er nichts mehr mit Politik zu tun gehabt und war mit der politischen »Küche« nicht mehr vertraut, die das schmackhafteste Tagesmenü herzustellen verstand. So blieb er

»Außenseiter«, aber ehrenhaft; man nannte ihn schon »Staatsminister«.

Das entschied zweifellos seine Zukunft. Er wäre wahrscheinlich bald wieder verschwunden, sein Ansehen wäre verblaßt, wenn man ihn gleich anfangs an die Spitze gestellt hätte. Unbewußt blieb er »in Reserve«, für den Moment, da man einen unbestechlichen Mann brauchte, einen Mann, der den Winteräpfeln glich, die noch kein Finger berührt hatte – einen makellosen Mann.

Gardas mußte sich jedoch für eine politische Richtung entscheiden. Dabei wurde er weit weniger von einer echten Überzeugung als von der Macht der Ereignisse geleitet. Er hatte dorthin zu gehen, wo man ihn brauchte, wo es einen Platz für ihn gab.

Vergenson, wie erwähnt, besaß ein Jagdgut in der Sologne. Als großer Waidmann hatte er der Jagd viel geopfert, eine beträchtliche Anzahl Menschen, die sich auf seinem Weg befunden hatten und auch Grundsätze, wo es sich ergab. Er hatte sein politisches Talent bewiesen; freilich war es sein Fehler, zu schnell zu sein, und das war sein Pech. Er hatte damit begonnen, im Jahre vierzig als Abgeordneter für den Marschall zu stimmen. Er war nicht der einzige, aber nach der Befreiung setzte man ihn auf die Liste der Männer, die nicht wieder gewählt werden durften. Er hatte übrigens während der Besatzung noch andere und schwerwiegendere Unvorsichtigkeiten begangen. Der Maître vertrug keine Verdunklung, nachdem er einmal im Licht der Öffentlichkeit gestanden war, und sei es auch nur eine vorübergehende, durch äußere Umstände bedingte Sonnenfinsternis.

Kaum war Paris befreit, da sah sich der jäh ins Scheinwerferlicht gestellte Gardas umringt und umworben. Alte Bekannte, die seit seinem Austritt aus der Kanzlei Vergensons nichts von ihm hatten wissen wollen, stürmten Paris, um dem Triumph »ihrer Ideen«, wie sie es nannten, beizuwohnen und fanden dort einen strahlenden Gardas, der, wie berauscht von Glück, es nicht lassen konnte, Überlebender und umjubelter Held zu sein. Sie feierten ihn, bewundernd, emphatisch, voll Diensteifer, waren dauernd um ihn und schleppten ihn, ohne daß er auch nur versuchte, sich zu wehren oder nachzudenken, in ihren Wahlkreis der Sologne, der seit dem Sturz Vergensons keinen Vertreter hatte.

Man setzte Gardas ins Bürgermeisteramt und übergab ihm alle Befugnisse. Man wollte ihm sogar eine besondere Freude bereiten und Gelegenheit zu einer verdienten Revanche geben, um die eigene bedingungslose Treue und Ergebenheit zu beweisen: Man führte ihm Vergenson, diesen Verräter, diesen Söldling, diesen Idioten vor, den sie im eigenen Haus verhaftet hatten; man legte Gardas nahe, ihn erschießen zu lassen. Solche Exekutionen standen auf der Tagesordnung und wurden oft ohne jede rechtliche Grundlage vorgenommen – um wieviel eher dann bei diesem Mann, dessen Verhalten in der Besatzungszeit ein strenges Verfahren geradezu herausforderte! So setzte man Gardas – den Helden – hinter einen großen Schreibtisch unter die wieder an die Wand gehängte »Marianne« und brachte ihm, dem völlig Ahnungslosen, einen Vergenson in Ketten, bewacht von jungen Burschen mit Maschinengewehren, einen kläglichen Mann ohne Hemdkragen, mit einem zwei Tage alten Bart, gebücktem Rücken und gehetztem Blick, der jetzt endlich das ganze Ausmaß seiner Kurzsichtigkeit begriff.

Als sich Gardas von seiner Bestürzung erholt hatte, befahl er – er durfte alles –:

»Laßt uns allein!«

Man ließ sie allein, den einen stehend, den andern sitzend, umgekehrt wie einst. Da Vergenson trotz seiner Verfehlungen und seiner Irrtümer nicht feig war und da er in Anbetracht seiner Vergangenheit erkannte, daß seine Lage hoffnungslos war, begann er als erster zu sprechen:

»Gut«, sagte er, »wenn es schon so ist, dann erledigen wir es wenigstens möglichst schnell. Sie werden mich nicht begnadigen, Gardas, das weiß ich.«

»Wir stehen mitten in einer Revolution, und das Leben des einzelnen wiegt nicht viel, selbst wenn man sich geirrt hat. Ich bin überzeugt, daß Sie sich nicht sehr anständig benommen haben, Vergenson, aber bevor ich Sie liquidieren lasse, möchte ich mir den Fall doch erst näher anschauen.«

»Sie werden mich also nicht...?«

»Nein«, sagte Gardas.

Vergenson begann nach der durchstandenen Angst zu zittern. Bis zu diesem Augenblick hatte er sich wacker gehalten. Jetzt, da er wußte, daß er nicht sterben würde, brach er zusammen. Er sank in den Korbsessel neben dem Schreibtisch, ehe ihn Gardas aufgefordert hatte, sich zu setzen. Dort lehnte er nun, er, der erschreckend alt geworden war, ein gebrochener Mann.

»Sie werden mich nicht töten... Sie werden mich nicht töten...«

»Ich übergebe Sie dem Ordentlichen Gericht, dort wird man Ihre Schuld feststellen, falls Sie schuldig sind.«

»Sie wollen ein reines Gewissen behalten«, wagte Vergenson aufzuckend zu sagen.

»Nehmen wir an, ich wollte es... nehmen wir an, daß mich Exeku-

tionen und Rechtsbrüche abstoßen... nehmen wir an, daß ich Ihre
Begabung noch immer achte, wenn ich auch Ihren Charakter durchschaut habe... nehmen wir an, daß ich Ihnen nicht den Gnadenstoß
versetzen will, weil ich weiß, daß Sie auf jeden Fall erledigt sind.«
»Ja, ich verstehe. Sie wollen ruhig schlafen können...«
Jetzt, da er sich gerettet wußte, stieg eine ungeheure Wut in Vergenson gegen den Mann auf, der ihm gnädig das Leben schenkte.
Dieses Mitleid würde er ihm niemals verzeihen. Der Dumme, der
ihn leben ließ!
Gardas rief die Wachen. Er befahl, Vergenson in einem Polizeiwagen
nach Vierzon zu bringen und dem Ordentlichen Gericht mit der aus-
drücklichen Weisung zu übergeben, den Fall gewissenhaft zu prüfen
und zu behandeln. Einige lobten seine Großmut, die meisten aber
tadelten ihn; sie hätten sich einen finstern und bedingungslosen
Regierungskommissär gewünscht – der er eben nicht war –, einen
Rächer, der sich nicht scheute, Köpfe rollen zu lassen. So also sah
der »Held der Résistance« aus? Die andern – die seit August dabei
waren – hätten an seiner Stelle kein Erbarmen gekannt und das
Urteil vollstreckt. Freilich: sie hatten ihre Gründe, so streng zu sein;
sie fürchteten mit einigem Recht, sonst selbst verdächtig zu werden.
Gardas blieb also nichts anderes übrig, als auf dem Platz, auf den er
sich in seiner Gutmütigkeit hatte stellen lassen, auszuharren und
dort dem Wohl der Gemeinde, der Erneuerung eines Landes, das tief
gefallen war, zu dienen. Für die harmlosen Gemüter schien die Union
unter der Etikette einer Nationalen Front gebildet worden zu sein,
nach den ersten Gemeinderatswahlen erwies sie sich allerdings als
bloßer Jahrmarkt der Eitelkeiten. Die Partei Gardas' reagierte mit
Zeitzündung.
Man konnte ihn, den Bürgermeister, nicht absetzen. Er war doch ihr
Banner, ihr Emblem, ihr Lesebuchheld! Man folgte ihm und widersetzte sich ihm nicht, vielleicht weil man mit seiner Dankbarkeit
rechnete, oder auch, um ihn darauf hinzuweisen, wo seine wahren
Interessen liegen mußten. Er aber neigte nun einmal gefühlsmäßig
zur Ordnung, zum Rechtsstaat; er hatte es bewiesen, als er Vergenson den schon im Hof wartenden Henkern entrissen hatte. Der ehemalige Politiker befand sich übrigens nicht mehr in Haft, er war
nach einem kurzen gerichtlichen Verfahren mit einer Freiheitsstrafe
davongekommen. Gardas aber hätte sich vielleicht nicht so bedingungslos ins Lager der »Reaktion«, wie man sie nannte, begeben,
wenn er nicht das Gefühl gehabt hätte, von den andern »hereinge-
legt« worden zu sein; so nannten es die kleinen Adeligen, die sich
jetzt in einem forschen Argot gefielen. Wütend verschrieb er sich

ihnen, ehe es ihm selbst noch ganz bewußt war. Im übrigen fuhr er nicht schlecht damit.

In der ersten Zeit hatte man gerade soviel als nötig mit ihm verkehrt und ihn etwas links liegenlassen. Als er aber erkannte, daß sie ihn zu ihrem Spielball machen wollten, da reagierte er so sauer, daß man sich allmählich um ihn bemühte, ihn aufsuchte und einlud. Oh, dieser dicke Mann ohne Namen und ohne Familie, der den neuen Feinden genau so seine Meinung ins Gesicht sagte, wie er es während der Besatzungszeit getan hatte, der war ein Freund und eine Waffe. So ließen sie sich's etwas kosten, kamen ihm entgegen, zogen ihn in ihren Kreis, nicht um ihn zu bestechen, sondern um ihn zu gewinnen; sie wußten genau, daß er, der aus dem Volk stammte, für solche Aufmerksamkeiten, solche Freundschaftsbeweise besonders empfänglich war, die man freilich augenblicklich eingestellt hätte.

So kam es, daß Gardas anläßlich eines offiziellen Empfangs an der Seite des ihm zugeteilten Vicomte de Pannerais einen Hünen mit riesigen Füßen, riesigen Händen auf sich zutreten sah, den man ihm als Marquis de Viborne vorstellte.

Pannerais erklärte: »Entschuldigen Sie, daß ich Marquis de Viborne mitgebracht habe, aber er hat mich hergefahren. Er ist glücklicher Besitzer eines Automobils!«

»Wie sollte ich denn sonst meine Meute ernähren, he?« lachte Viborne.

»Ich muß Ihnen verraten, mein lieber Herr Abgeordneter, daß sich Monsieur de Viborne durch alle Schwierigkeiten des Krieges – und zu welchem Preis – die beste Meute zwischen Cher und Loire erhalten hat. Der Marquis hat einen schönen Besitz, La Gardenne, und er kann einer Ihrer einflußreichsten Wähler werden.«

»Haben Sie schon bei Parforce-Jagden mitgehalten?« erkundigte sich Viborne.

»Nein, niemals«, antwortete Gardas, »aber ich bin ganz gut geritten. Ich war bei der Artillerie.«

»Das ist eine Empfehlung«, sagte Monsieur de Viborne höflich, »kommen Sie sich's doch einmal anschauen.«

»Aber bitte, sehr gerne. Es muß eine aufregende Sache sein, wirklich, und wenn Sie tatsächlich erlauben...«

»Schön, Monsieur. Donnerstag, sieben Uhr früh. Seien Sie pünktlich, sonst fangen wir ohne Sie an.«

Sprach's, machte kehrt und verließ den Saal. Man hörte ihn unten den alten Wagen anlassen und unter heftigem Geknatter davonfahren, während Gardas, kindlich geschmeichelt, dachte: Jetzt lädt man mich sogar zu einer Parforce-Jagd ein!

X

Er fuhr also am Donnerstag nach La Gardenne. Wie Monsieur de Viborne empfohlen hatte, fand er sich vor sieben Uhr früh dort ein. Erst nach dem Abschied des Marquis hatte er bedacht, daß er weder Pferd noch Ausrüstung besaß; nun, so mußte er eben in einem Fuhrwerk oder einfach in seinem Auto, das er selbst lenkte und dessen Benzin ihn nichts kostete, ihm nachfolgen.

Ein Viertel vor sieben bog er in den Wirtschaftshof ein, nachdem er vergeblich versucht hatte, beim Haupttor Einlaß zu finden. Im grauenden Licht des Morgens verschwammen die Gestalten zu verzerrten, formlosen Schatten: die Pferde, die man aus den Boxen holte, wo sie von den Bronzeringen losgebunden wurden, ebenso wie die Piköre, und mitten unter ihnen ein riesiger, schlaksiger Mann, der wild gestikulierend losbrüllte, als er ihn einfahren sah:

»Was treibt der Kerl dort mit seiner Stinkkiste?«

Bei dieser derben Begrüßung blieb Gardas nichts übrig, als schleunigst aus dem schwarzen Wagen zu springen:

»Gardas«, stellte er sich vor, »erkennen Sie mich nicht? Sie haben mich unlängst eingeladen . . .«

»Ah, Gardas, natürlich«, sagte Monsieur de Viborne, »aber warum sind Sie nicht im Jagdanzug?« Er vergaß, daß der neue Bürgermeister nach seinen eigenen Worten noch niemals gejagt hatte.

»Na, tut nichts, Gardas, kleiden Sie sich um, und schnell. Ich habe ein Pferd für Sie.«

»Aber . . .«, flehte Gardas, »ich wußte nicht . . . Seit Jahren bin ich nicht . . .«

»Was wollen Sie von einer Jagd sehen, wenn Sie nicht zu Pferd mittun? Sie haben doch gesagt, daß Sie reiten können. Los, machen Sie schnell. Dort hinten im Schloß finden Sie meine Frau, die wird Ihnen einen Anzug heraussuchen; bei uns fehlt's nicht an Hosen, Röcken, und was die Stiefel betrifft: ich trage Fünfundvierziger, also, schlimmstenfalls nehmen Sie meine! Entschuldigen Sie mich, ich habe zu tun«, sagte der Marquis, nickte ihm zu und verschwand.

Gardas stellte seinen Wagen ab und ging die wenigen Schritte ins Schloß. Das Bellen der Hunde begleitete ihn wie eine eigenartige wilde Musik. Es schien ihm, als dringe er in eine unbekannte, schrecklich altertümliche und trotzdem ganz neue Welt ein, eine Welt, von der er nicht geahnt hatte, daß es sie gab. Je näher er dem großen Gebäude kam, desto ängstlicher wurde er. Was sollte er sagen . . . was tun . . . wie sollte er sich verhalten? Er hielt es für ausgeschlossen, ein Pferd besteigen zu können, er war ja seit zwanzig Jahren nicht mehr geritten. Er hatte stark zugenommen, seine Muskeln waren schlaff, seine Beine kraftlos. Und noch dazu sollte er über Gräben, Mulden und Ackerfurchen setzen – ein greuliches Abenteuer! Nein, er würde ganz klar sprechen, und dann erließ man ihm die Pein. Wo steckte übrigens diese Schloßdame? Das war doch sicher eine hochfahrende, verblühte Gutsherrin mit Stehkragen; sauer und ältlich.

Eben erschien eine weibliche Gestalt auf den obersten Stufen der Freitreppe, schlank, anmutig, sportlich, keine Amazone, aber in Reithosen und Stiefeln, eine Peitsche mit kurzem Griff und langem Riemen in der Hand.

»Ich suche Madame de Viborne ...«, begann er.

»Das bin ich«, antwortete die Dame freundlich.

Und während er ihr erklärte, was ihn zu ihr führte und warum Monsieur de Viborne ihn zu ihr geschickt hatte, betrachtete er sie genauer: eine Frau, eine wirkliche Frau, nicht so zart, wie es beim ersten Anblick geschienen hatte, eher kräftig, mit dem Reiz der nahen Vierzig, das feine Oval der Wangen unter der etwas schief sitzenden Jagdkappe. Gardas, der sich nach und nach seiner neuen kirchenfreundlichen Welt anpaßte, mußte unwillkürlich an ein kleines geweihtes Sonntagsbrioche denken.

»Nun, Monsieur, es ist gleich sieben Uhr, und mein Mann kennt keinen Spaß, wenn es um die Jagd geht. Kommen Sie rasch«, und sie machte kehrt und ging ins Haus zurück.

Er sah eine große Halle mit Jagdtrophäen, Jagdbildern und eingetretenen Fliesen und eine Steintreppe, die in einem einzigen Bogen ins obere Stockwerk führte. Sie öffnete eine Tür und trat mit ihm in einen Raum, in dem in buntem Durcheinander auf alten Fauteuils und zerschlissenen Lederbänken mit heraushängendem Roßhaar ganze Stöße von ausgebleichten Jagdröcken und verstreutem Lederzeug lagen. Dann riß Madame de Viborne die Türen der Schränke auf, in denen Wollstrümpfe, Unterwäsche und Hosen, verwaschen und verfärbt von den Regengüssen des Oktober und von der Märzensonne, sichtbar wurden.

»Und jetzt noch die Stiefel; die wird Ihnen Euloge bringen. Kommen Sie hinunter, sobald Sie fertig sind. Auf alle Fälle lasse ich Ihnen einen Reitknecht zurück, der Sie zum Sammelplatz führt, wenn Sie sich verspäten. Ich muß mich verabschieden, mein Mann duldet nicht, daß ich ihn beim Rendezvous warten lasse.«

Sie verschwand, ehe Gardas ihr das Herz ausschütten konnte. Vor allem aber hatte sie ihn so beeindruckt, daß er einfach gehorchen mußte. Schließlich und endlich war er beim Regiment geritten, und ganz bestimmt auf schwierigeren Gäulen, als man ihm hier im

Schloß zur Verfügung stellen würde. Nun eilte er sich, denn er fürchtete, nicht nachzukommen, wenn die Gesellschaft vor ihm aufbrach. Er schlüpfte in eine zu enge Hose, die Jagdröcke hingegen waren zu lang für seine kurzen Arme. Die Stiefel, die ihm Euloge durch die halboffene Tür hereinwarf, brauchten drei Paar Socken übereinander, um zu passen. Endlich war er draußen vor dem Schloß; er ließ sich durch das Hundegebell leiten, das jetzt noch lauter war; als er aber zu den Ställen kam, war alles leer und ausgestorben, die Meute war schon im Holz verschwunden.

Ein Reitknecht erwartete ihn mit dem Pferd am Zügel. Es war ein riesiger, derber Fuchs, und Gardas wußte auf den ersten Blick, daß er ihn ohne fremde Hilfe niemals besteigen konnte. Er versuchte es zwar, aber vergeblich. Endlich sagte der Mann:

»Nun, Monsieur, ich helfe Ihnen.«

Er kauerte sich nieder, verschlang die Hände, und Gardas stellte seine Füße darauf. Mit einem: »Hopp!« schleuderte er ihn hoch in den Sattel auf dieses Gebirge, das weit ausholend lospreschte, als er mit Mühe die Steigbügel gefunden hatte.

»Wir werden sie einholen«, tröstete der Mann. Draußen im Wald gab er dem Pferd die Sporen.

Gardas folgte, gestoßen und jetzt schon mit schmerzenden Gliedern. Sein Begleiter kümmerte sich nicht mehr um ihn, er zeigte nur den Weg. Sie bogen in eine Schneise ein und umritten hintereinander ein Kreuz, dann durchquerten sie ein Dickicht, in dem man sich unter den Zweigen bücken mußte. Gardas war wie blind, die Gerten schlugen ihm ins Gesicht.

»So, da sind wir«, sagte der Mann endlich bei einer Wegkreuzung. Eine Gruppe Menschen war dort versammelt. Gardas zog an den Zügeln. Eine sonore Stimme erscholl in der feierlichen Stille:

»Na also, da sind Sie ja, Gardas. Geht doch ausgezeichnet, mein Freund.«

Und alle blickten zu ihm hin.

Sonderbar, es ging wirklich wie durch ein Wunder. Jeder Außenstehende freilich, der nicht zu dieser ganz besonderen Klasse der Parforcejäger gehörte, hätte seinen Auftritt unwiderstehlich komisch gefunden. Mit der prall sitzenden Reithose, die aus den Nähten zu platzen schien, mit dem wehenden Jagdrock, der trotz seines dicken Halses offenstand, mit seiner durch den ungewohnten Galopp nach hinten gerutschten Reitkappe, mit den gepolsterten Händen, mit denen er die Zügel krampfhaft hochhielt, als säße er am Volant, und mit dem unruhigen, ja verzagten Blick erinnerte Gardas zwangsläufig an eine Karikatur aus einem englischen Buch über die Fuchsjagd. Aber neben Gardas befand sich Fanny Nard, im Mund ihren leeren Zigarettenspitz, an dem sie schmatzend sog wie ein Kind an seinem Fläschchen; nachlässig, verwahrlost, nach Stall und Salben riechend; dann die unausgeschlafene Lucienne Caumont, deren silberne Blondheit im Jagdanzug die anmutige weibliche Note einbüßte, die sie sonst so reizvoll machte; dazu kam Madame de Thiellaye, in ihrem Dogcart faul auf der Bank lehnend, das Jabot voll Rotweinflecken und die gewaltige Brust mit Brotkrumen übersät – sie hatte während des Wartens auf die Jagdherren mit ihren schwärzlichen Zähnen an einem Brötchen gekaut. Und keiner dieser Gesellschaft sah in Gardas mit seinem schlecht sitzenden, teils klaffenden, teils zu knappen Gewand etwas anderes als einen Jäger, der sich ihnen angeschlossen hatte – einen Mann, dem alles erlaubt war, sobald er mit ihnen an diesem Spiel auf Leben oder Tod teilnahm, einem Spiel, dem auch ein grotesker Anblick nicht den tödlichen Ernst rauben konnte.

Im übrigen beachtete ihn niemand. La Frondée erschien zum Rapport:

»Herr Marquis, ich habe einen Hirsch ermittelt.«

Was machte es jetzt aus, daß La Bretêche dumm, Pyrènes beschränkt, Gardas komisch war – es gab nur mehr den ermittelten Hirsch, die Hunde und die merkwürdige Anspannung der plötzlich geschärften Sinne, der jählings hellen Köpfe, die jetzt zu dem einzigen Verstand erwachten, dessen sie überhaupt fähig waren.

Man entließ die Spürhunde ins Holz. Eine Fanfare ertönte. Das war der Augenblick, da es Gardas schlecht und recht gelang, sich Madame de Viborne zu nähern. Die aber gab ihrem Pferd die Sporen, bog in die Schneise ein und entfloh, ohne ihn auch nur eines Blickes zu würdigen. Die Jäger warfen sich auf rätselhafte Zeichen und Zurufe rechts und links ins Gehölz.

Ihnen nach ... ihnen nach ... Die Jagd hatte begonnen.

Sie hatte begonnen. Bald raste sie in wildem Galopp dahin, bald zog sie verhalten durch Büsche, Gestrüpp, Lichtungen, Dornenstauden und Moosbetten, über Löcher und Hecken, die sich unvermutet vor dem Reiter aufrichteten, oder über Gruben, die sich unversehens vor dem Fuß des Pferdes auftaten. Und während die Männer und Frauen an Gardas vorüberpreschten, riefen sie ihm verzückt zu:

»Haben Sie ihn gesehen? Ah, ein schönes Débucher ...!«

Das Débucher, ja, so hieß diese Phase der Jagd, in der das Wild aus dem Dickicht trat und ins freie Feld zog, das sich hinter dem Wald öffnete. Der Hirsch stand da in seiner ganzen Pracht, noch erhobenen Hauptes, den Blicken preisgegeben.

Und es dauerte, dauerte... Stunden... Als ob es niemals zu Ende ginge, als ob diese Jäger aus Stahl wären. Endlich, gegen Abend, wurde der Hirsch abgefangen. Es war höchste Zeit. Dann die Retraite. Im Schritt, hintereinander, zogen sie heimwärts, aller Stolz, aller Überschwang verschwand, alle erhabene Größe zerfiel, sie waren nur noch ein bäurischer Marquis, eine alte hustende und spuckende verwitwete Gutsbesitzerin, eine heisere Amerikanerin, ein Offizier der Provinzgarnison und ein ächzender, geräderter Politiker, den alle Knochen schmerzten. Als aber Angèle absaß, erkannte Gardas trotz seines Elends, daß sie dennoch Angèle geblieben war.

Er konnte beim Abendessen nicht sitzen bleiben. So führte man ihn in ein Zimmer. Etwas später erschien Madame de Viborne, trat an sein Bett, in dem er stöhnend und wie gebrochen lag. Erst wollte er nicht, daß sie ihn behandelte und Schenkel und Rücken mit der Salbe einrieb, die sie brachte; dann aber, ergeben, verwirrt vor Scham, duldete er, daß sie sich mit ihm beschäftigte, ihn kräftig massierte und ihm befahl, sich auf den Bauch zu legen, so daß er ihre weichen Hände auf seinem Körper, der eine einzige schmerzende Wunde war, spürte, und sie sagte:

»Das ist ganz natürlich. Wenn man so viele Jahre nicht geritten ist...«

Und er, der sich geschworen hatte, niemals wieder bei einer solchen Jagd mitzutun, hörte sich zu seinem eigenen Staunen sagen:

»Das nächste Mal wird's besser gehen, dann macht es mir nichts mehr, gewiß«, und ahnte nicht, daß er damit seine Zukunft entschied.

XI

Er kam wieder. Er wäre auch wiedergekommen, wenn man ihm alle Folterqualen vorausgesagt hätte. Er kam wieder, weil ihn vieles dazu drängte: die politische Notwendigkeit, der schmeichelhafte Verkehr mit der Kaste, die ihn wie ihresgleichen behandelte, und Angèle, die für ihn zur ersten »Frau« seines Lebens wurde.

Ach, alles hatte sich geändert. Er war nicht mehr der Gardas von einst. Er brauchte nur einen Blick auf die Leute zu werfen und zu sehen, wie man ihn aufnahm, mit welcher Hochachtung man seinen neuen Titel »Mein lieber Herr Abgeordneter« und später »Mein lieber Minister« aussprach, um das zu wissen. Ja, er hatte einen hohen Grad der republikanischen Hierarchie erreicht, aber je höher er stieg, desto fester war er davon überzeugt, später eine Bedeutung zu erlangen, die ihm unbestritten blieb, als wäre er ein geborener

Prinz oder Herzog. Nach und nach redete er sich nicht nur ein, daß er sich jeden Ehrgeiz leisten durfte, sondern sogar, daß ihm die höchsten Ehren geradezu schicksalhaft bestimmt waren. Er strebte sie an, in erster Linie für sich selbst, dann aber auch für Angèle von dem Augenblick an, da sie nicht mehr »Madame de Viborne« für ihn war, und er bedachte, was er ihr alles zu bieten hatte. Warum schließlich nicht? sagte er sich, denn er war arglos wie ein Kind.

Gestützt auf eine Macht, die er blind für die einzig wahre hielt, brauchte er als Abgeordneter, später dann als Minister, nur mehr seinem Stern zu folgen: Nicht mehr der Ehrgeiz, sondern die Gewißheit war es, die ihn trug.

So erging es ihm zumindest bis an einen bestimmten Tag: dem Tag, an dem Monsieur de Viborne einen Mann namens Mehlen nach La Gardenne brachte, der vorher niemals in Erscheinung getreten war.

Gardas hatte alle möglichen Leute auf dem Schloß zu sehen erwartet, nur den Finanzmann nicht. Ehrlich gesagt, er hatte ihn beinahe vergessen: Mehlen vermied tunlichst die Publizität, die Presse, was nicht hinderte, daß man seine Bedeutung überall kannte. Man erinnerte sich vor allem daran, wenn man ihn brauchte. So war es im Fall Patrice de Vibornes gewesen.

Als Mehlen zum erstenmal nach La Gardenne jagen kam, wußte er genau, wen er dort treffen würde. Er war von der Anwesenheit Gardas' unterrichtet und kannte bereits eine ganze Anzahl Gründe, die ihn hinführten. Er benötigte kaum einen Tag, um herauszukriegen, daß es einen zusätzlichen Grund gab: Angèle. Das beunruhigte ihn nicht, im Gegenteil, es belustigte ihn. Gardas zu »neutralisieren« war ein Kinderspiel, um so mehr, als Gardas ihn brauchen würde, weil er, Mehlen, ihn brauchte.

Er ging daher mit ausgestreckten Händen gerade auf den Politiker zu, um zu zeigen, daß er nichts vergessen hatte. Und auf den verwunderten Blick Vibornes warf er nachlässig hin:

»Freilich, wir kennen uns schon. Wir sind uns begegnet ... früher einmal ...«

Er erklärte weder wo noch wann, und Gardas war ihm dankbar dafür. Man erinnerte sich nicht mehr, daß er der Sekretär und die rechte Hand Vergensons gewesen war, jenes Vergenson, dessen lichtscheue Vergangenheit man der kristallklaren Tätigkeit des neuen »Leaders« gegenüberstellte; des Mannes, der seinen Platz eingenommen hatte und der jetzt zu den Höhen emporstieg, die sonst zweifellos der andere erklommen hätte, wäre er nicht so rettungslos verblendet gewesen.

Gardas empfand unter diesen Umständen ein seltsames Unbehagen bei dem Wiedersehen mit Mehlen. Er fühlte sich nicht schuldig, und seine damalige Schwäche schien ihm jetzt, nachdem er zu dem Mann von heute geworden war, unerheblich und ohne Bedeutung. Die Erinnerung an eine Epoche, die der Finanzmann zwangsläufig in ihm wachrief, hätte ihn gar nicht beunruhigen müssen, um so weniger, als jener, außer der Anspielung am ersten Tag, niemals auch nur die geringste ironische oder gar drohende Andeutung machte, wenn sie allein im Salon saßen, um Angèle zu erwarten.

Eines Tages aber ging Gardas aus sich heraus und sprach vor Mehlen mit seiner südlichen Unbefangenheit von den Zukunftsaussichten, an die er wie an eine unumstößliche Wahrheit glaubte: Er würde Ministerpräsident werden und, wenn sich die Dinge normal entwickelten, bestimmt eines Tages ins Elysée als Präsident der Republik einziehen.

Da sagte Mehlen mit seiner ruhigen, kalten Stimme:

»Das ist ein Ziel, das man kaum erreicht, wenn man auf sich allein gestellt ist«. Das war alles. Und doch war es eine Anspielung. Worauf? Auf die Hilfe, die ein Mehlen leisten konnte? Auf die Notwendigkeit, sich an ihn zu wenden? Auf die Unmöglichkeit, ohne ihn zu handeln, ohne ihn zum Ziel zu gelangen? Zum Teufel! Er machte seinen Weg auch ohne Mehlen, er brauchte Mehlen nicht. Wollte sich Mehlen ihm etwa aufdrängen? Wollte Mehlen seinen Anteil, und welchen? Der Ton seiner Worte hallte in ihm nach, denn er war unter seinem derben Äußeren feinfühlig. Er kämpfte gegen sein Unbehagen an, aber er brachte es nicht recht los.

Als er jedoch über die Sache gründlicher nachdachte, mußte er sich eingestehen, daß Mehlen eine nicht zu unterschätzende Macht darstellte. Eine unumgänglich nötige Macht? Das war etwas anderes. Gardas konnte nicht wissen, daß Mehlen beschlossen hatte, eine solche Macht zu sein. Daß er in einem solchen Fall unbeirrt sein Ziel verfolgte, das weit über den Aufstieg oder den Sturz eines Menschen hinausging, und sei er auch ein anerkannter Held. Denn auch dieser bedeutete nicht mehr für ihn als jeder andere; das heißt, er interessierte ihn nur insofern, als es für seine Pläne günstig war.

Mehlen, ja, der hielt die Karten fest in der Hand und lenkte das Spiel. Es waren mehrere, die aber alle zum gleichen Endresultat eingesetzt wurden: zum Spiel Angèle, zum Spiel Patrice de Viborne, zum Spiel Gardas und, wenn nötig, zum kleinen Spiel Hubert Doissel.

Ein lächerlicher Grünschnabel war es, der sich da in La Gardenne eingenistet hatte und nicht mehr ausflog, während er, Gardas, so oft in Paris festgehalten war. Er hatte Rasse, dieser Hubert Doissel, er gehörte einer Generation an, die im Krieg herangewachsen war und glaubte, sich alles gestatten zu können. Er war weder bescheiden noch ehrerbietig, und Gardas war überzeugt, daß er ihn, trotz seiner Berühmtheit und trotz seines Ansehens, für einen alten Bart hielt. Die Leistungen des Ministers in der Résistance machten nicht den geringsten Eindruck auf ihn, als ob das alles längst versunken und vergessen, als ob die Luft der Freiheit, die Hubert atmen durfte, nicht ganz allein ihm und seinesgleichen zu verdanken wäre! Und dann die Blicke, mit denen er Angèle ansah, die Siegermiene, die er aufsetzte! Als ob er Rechte auf sie hätte – lächerlich! Ein unreifer, dummer Junge, fast zwanzig Jahre jünger als Gardas!

Es war eben so: Die Gegenwart Huberts, Mehlens, ja sogar Patrice de Vibornes lösten wohl gewisse Reaktionen in ihm aus; von den wirklichen Vorgängen aber hatte Gardas nicht die geringste Ahnung. Er verfolgte seine geliebte, fixe Idee, er war überzeugt, daß er den Weg zu Ende gehen würde, den er sich vorgezeichnet hatte, daß er alles überwinden würde, was sich im Dunkel, sowohl durch den Willen Mehlens wie durch den Willen der Parteien, die sich gegen ihn stellten, anspann. Gardas war in gewissem Sinn beschränkt, was nicht ausschloß, daß er mit seiner fest verankerten Weltanschauung aktiv eingreifen könnte; die Borniertheit ersetzt solchen Menschen in gewissem Sinn die Intelligenz, sie hindert sie daran, irre zu werden und von dem vorgezeichneten, schnurgeraden Weg abzuweichen. Woraus sich ergibt, daß er ein Politiker über dem Durchschnitt war.

Hubert ärgerte ihn also. Mehlen – wenn er es auch nicht wahrhaben wollte – beunruhigte ihn. Patrice de Viborne ließ ihn gleichgültig, und das Drama, das der Marquis erlebte und in das seine Frau entscheidend verflochten war, war ihm so fremd wie die Verfassung der Dominikanischen Republik. Er ging weiter auf die Jagd, so hart es ihn auch ankam; selbst das Training half nicht viel, die Schmerzen verringerten sich vielleicht, blieben aber weiter bestehen, welche Salben, welche Mittel er auch anwandte und welche Vorkehrungen er traf. Um nichts in der Welt aber hätte er eine Jagd versäumt.

An jenem Tag hatte er das Wild von Anfang an verfolgt. Eine Fanfare blies die Vue, dann das Débucher, das den Hirsch im freien Gelände zeigte. Er erkannte sie: Es war das Horn Monsieur de Vibornes, niemand blies so kräftig wie er. Wohin wendete sich die Jagd? Er hätte es kaum sagen können. Niemals würde er es wissen, niemals es begreifen. Ach, wenn Angèle nicht wäre, und die andern, selbst dieser Mehlen! Ja, wenn man richtig überlegte, dann war Mehlen ein nützlicher Mann, er konnte die Dinge vorwärtstreiben, die sich schleppend hinzogen. Er liebte ihn nicht, erstens, weil er Madame de Viborne so eigen anblickte, und dann, weil Gardas immer zu Eis erstarrte, wenn er mit seinen kalten Augen vor ihm stand.

Immerhin war er eine Persönlichkeit, die Vermögen schuf oder vernichtete, und jeder wußte, was das in sich schloß. Solche Männer konnten auch Regierungen aufstellen oder stürzen.

»Da sind Sie, mein lieber Präsident?«

Gardas zuckte zusammen. Es war die kühle, farblose Stimme Mehlens.

»Ja... ja...« Er hatte sich allein am Waldrand geglaubt und angehalten, während sein Pferd an einem Ästchen knabberte. Nun war ihm Mehlen nachgekommen.

»Ich warte«, sagte er wie zur Entschuldigung, »die Jagd ist draußen im freien Feld.«

»Ich habe die Fanfare des Marquis auch gehört«, bestätigte Mehlen. »Vorhin ist übrigens der junge Doissel aus dem Wald geritten, hinaus auf den Acker. Er geht nach Hause... Er geht nach Hause«, wiederholte Mehlen mit verbissener, grausamer Freude.

»Ins Schloß?«

»Sicherlich ganz nach Hause. Madame de Viborne hat ihm den Abschied gegeben. So nehme ich zumindest an... Sie hat mir vorhin gesagt, daß er hier nichts mehr zu suchen hat.«

»Er ist kein übler Bursche«, sagte Gardas, »aber er hat ihr gar zu auffällig die Cour geschnitten. Er hat sie kompromittiert.«

»Er hat mit ihr geschlafen«, sagte Mehlen kalt.

»Was!«

»Ja. Wußten Sie das nicht?«

»Ich... nein... Sie glauben...?«

Mehlen lachte höhnisch auf:

»Ich kann nicht sagen, daß ich sie gesehen habe, ich meine, zusammen im Bett gesehen habe. Aber mehr als einmal habe ich bemerkt, wie sie sein Zimmer betreten hat.«

»Was beweist das!« rief Gardas. »Sie wissen, wie mütterlich sie ist!«

»Mütterlich! Sie hat mit ihm geschlafen, glauben Sie mir«, erklärte Mehlen heftig. Und dann ihm ins Gesicht: »Das scheint Ihnen unangenehm zu sein?«

Gardas gab es zu:

»Ja... ich habe es nicht vermutet... Ich glaubte nicht...«

»Für einen Politiker sind Sie ziemlich naiv. Aber Frauen, wer sie auch sind, sind eben Frauen. Man muß sich damit abfinden oder sich nicht um sie kümmern.«

Gardas fühlte sich befangen, wie immer vor diesem Mehlen, und versuchte vergebens, das Gefühl abzuschütteln:

»Das habe ich eben bis jetzt getan...«

»Bis jetzt, ja«, fiel ihm Mehlen ins Wort, und noch tonloser fügte er hinzu: »Wenn ich Ihnen einen Rat geben darf: Halten Sie es weiter so. Keine Komplikationen, lieber Präsident, das tut nicht gut bei einer Karriere wie der Ihren.«

Was mischte er sich da ein?

Was wollte er damit sagen?

»Eine etwas – zweideutige ... etwas peinliche Geschichte könnte Ihnen Unannehmlichkeiten bereiten. Die Leute sind nicht gut, wissen Sie ...«

Gardas errötete vor Zorn:

»Und warum sagen Sie mir das?«

»Nur so. Einfach weil ich an Ihre Karriere denke ... weil sie mich interessiert«, fügte Mehlen mit ganz eigener Betonung hinzu. »Eine Karriere wie die Ihre darf man nicht verderben. Und das kann so schnell geschehen, lieber Freund.«

Wieder ertönte das Jagdhorn, diesmal mehr von rechts.

»Sie reiten weiter«, stellte Mehlen wieder im gewohnten Tonfall fest. »Kommen Sie mit?«

»In welche Richtung?«

»Zur Prée.«

»Sie glauben, daß dort ...?«

»Bestimmt. Es kann nur dort sein. Kommen Sie, Gardas, das Halali wird beim Sumpf erfolgen.«

Dreiviertel Stunde später sah Gardas den Marquis dort liegen, tot, auf dem Dammweg, den Schädel zerschmettert von einem Ast, der ihn beim Galopp mitten auf der Stirn getroffen hatte.

XII

Während die Fanfaren dem auf dem Erdwall liegenden Marquis das letzte Lebewohl bliesen, betrachtete Gardas den hünenhaften Körper und konnte in diesem Ende nur die Erfüllung schicksalhaften Geschehens erblicken. Monsieur de Viborne war tot, ein Mann, den er aufrichtig schätzte, wenn nicht ein wirklicher Freund, der mit ihm dahinging. Trotzdem wichen der Kummer und die Erschütterung über das plötzliche Verlöschen eines noch vor Sekunden so vollen Lebens bald einem weniger edlen Gefühl, das er nicht unterdrücken konnte: Monsieur de Viborne war verschieden, Angèle war frei.

In seiner Unschuld – seiner Unbefangenheit, die nicht wenig zu seinem Erfolg beigetragen hatte, glaubte er, daß dieser Umschwung, wie jeder seit 1941, sich wieder einmal zu seinen Gunsten auswirken müßte. Es wunderte ihn nicht: Er hatte immer Glück. Keinen Augenblick vermutete er hinter diesem Leichnam den so kleinen Schatten des kleinen Mehlen. Hätte er es nur geahnt, er hätte gezittert, wie Angèle de Viborne den ganzen Tag lang in Erwartung des unausweichlichen Endes ihres Gatten gezittert hatte.

Kaum hatte sich der schwere Stein auf die Familiengruft gesenkt, fuhr Gardas nach Paris zurück. Es gab gewichtige Gründe dafür, und die bedrückenden, traurigen Begräbnisfeierlichkeiten hatten ihn eine Verspätung von zwei Tagen gekostet. Er brachte den kleinen Koffer zu seiner Hausfrau in die Rue de Montessuy und eilte ins Parlament, wo er eine ungewohnt hektische, kriegerische Stimmung antraf. Gewiß, Gardas hatte seit der Befreiung genug Veränderungen erlebt und Kombinationen entstehen und vergehen gesehen. Um zur Macht zu kommen, mußte man regieren können, und dazu brauchte man Stützen, das heißt, die nötigen Stimmen. Es war eine einfache Rechnung, Addition und Subtraktion genauso wie in der Strategie. Niemals aber noch war es zum Umsturz gekommen, zum totalen, revolutionären Umschwung. Es sah so aus, als würde es in alle Ewigkeit so weitergehen, wie es bei den früheren Regierungen schlecht und recht weitergegangen war; so lange eben, bis jemand das Spiel verdarb, was aber kaum zu erwarten war, denn trotz gelegentlicher Unzufriedenheiten und Mißfallensäußerungen hatte niemand ein ernstliches Interesse an einer radikalen Änderung. Aber nun war irgendeiner – wer nur? – gekommen, um in wenigen Tagen alles durcheinanderzuwerfen, es krachte im Gebälk, die Vereinbarungen wurden nicht mehr geachtet, die Verträge nicht mehr gehalten, selbst die Menschen schienen das Lager zu wechseln, wie sie früher ihre Überzeugungen gewechselt hatten, und das nicht mehr aus einer plötzlichen Notwendigkeit heraus – zum Beispiel wegen des Präsidentenpostens oder eines Portefeuilles –, sondern offensichtlich ohne Anlaß, mutwillig, von unsichtbaren äußeren Kräften getrieben, wie ein Windstoß daherfegt, und man weiß nicht woher. Es war unmöglich, sich auszukennen.

Geradezu unglaublich, daß eine solche Veränderung in weniger als einer Woche eintreten konnte! Es mußte stichhaltige Gründe dafür geben. Gardas ging von einem zum andern, von einer Gruppe zur andern, vom Buffet zum Sekretariat, bis hinauf zu den Spitzen, aber er brachte nichts heraus. Man hielt nicht nur die gegenwärtige Regierung für gefährdet, sondern die ganze Regierungsform; und wenn man nachforschte, woher die Attacke kam, fand man nichts, Gardas wurde befragt, aber er, der selbst aufs äußerste beunruhigt war, stand noch ratloser da als die andern. Irgend etwas lag in der Luft, ungreifbar, das fühlten alle.

Obwohl sich Gardas nicht auskannte, war er als anständiger Mensch fast geneigt, einen möglichen Umsturz heilsam zu finden. Ja, man mußte endlich mit den Kompromissen Schluß machen und ernsthaft mit dem Aufbau beginnen. Und um aufzubauen, mußte man zuerst niederreißen, um dann den Schutt, den Abfall wegräumen und Platz für neue Gebäude schaffen zu können. Damit, so rechnete er sich aus, mußte die Stunde des Unbestechlichen der Résistance, die Stunde Gardas' gekommen sein. Die Wirbel an der Oberfläche des Sumpfes rissen ihn aus seiner Betäubung; es schien ihm plötzlich, als habe er sich sträflich einlullen lassen. Handeln, ja, aber wie? Nicht jeder, der zerstören will, kann es auch. Man braucht Hacken, Pickel, Dynamit, und das besitzt man nicht immer, und am wenigsten ein Mensch wie Gardas, der zukunftsgläubig auf seine Stunde wartet, für den alles unausweichliches Schicksal ist. Nun war der günstige Augenblick da, und das Wohl des Vaterlandes – davon war Gardas fest überzeugt – forderte eine Tat. Man mußte wissen, welche, und sie mußte zu verwirklichen sein.

Spät, mit leeren Händen kehrte er heim. Unter dem Apparat steckte ein Zettel, auf den die Hausfrau mit ihrer schrägen Schrift geschrieben hatte:

»Bitte, Herr Minister, sofort die Nummer Passy 20-20 anrufen. Dringend!«

Gardas kannte den Inhaber der Nummer nicht. Es war nach Mitternacht. Wer könnte es sein? Sicher irgendein Bittsteller. Trotzdem wählte er die Nummer, er rechnete damit, eine Weile warten zu müssen, aber kaum ertönte das Zeichen, meldete sich der Partner bereits.

»Hallo«, begann er.

Und schon wurde er unterbrochen:

»Ah, Sie sind es, Gardas . . .«

»Ja . . . aber mit wem habe ich die Ehre . . .?«

»Mehlen«, sagte die Stimme.

»Mehlen! Monsieur Mehlen«, verbesserte er sich und ärgerte sich sofort darüber.

»Mehlen, ja«, wiederholte die kühle, farblose, unpersönliche Stimme, die er jetzt erkannte. »Gardas, wollen Sie Ministerpräsident werden?«

»Aber . . .«, stotterte Gardas.

»Dann kommen Sie, wir müssen miteinander sprechen.«

Mehlen! Das war nicht zu fassen! Mehlen, mit dem er das letztemal am Waldrand nach dem Débucher der letzten Jagd gesprochen hatte! Und jetzt suchte ihn dieser Mann!

»Wissen Sie, wo ich wohne? Gleich an der Ecke der Avenue Bugeaud und der Rue de la Faisanderie. Darf ich Ihnen meinen Wagen schikken?«

»Nein, danke, ich finde leicht ein Taxi beim Eiffelturm. Notfalls gehe ich zu Fuß«, antwortete Gardas, ohne zu bedenken, daß er damit eine Zusage gab.

»Sehr gut. Dann erwarte ich Sie.«

Ehe Gardas noch etwas äußern konnte, hatte Mehlen abgehängt.

Kaum eine Viertelstunde später landete Gardas an der Tür des Stadtpalais, die sich automatisch öffnete. Man merkte, daß er erwartet wurde. Es war nicht seine Gewohnheit, um sich zu schauen, und Einzelheiten fielen ihm nicht auf, aber vom ersten Augenblick an spürte er die Atmosphäre des Komforts und des Reichtums in dem Haus. In dem halbdunklen Raum empfing ihn ein Diener mit den Allüren eines Leibgardisten und führte ihn durch den Salon zum Büro, wo ihn Mehlen erwartete. Der Finanzgewaltige saß hinter einem Renaissancetisch; Gardas fragte sich nicht, ob er echt war, ebensowenig, ob es die Wandvertäfelungen waren. Er sah nur das helle Feuer des Kamins und die beiden Fauteuils – auf einem davon war vor wenigen Minuten noch Madame de Viborne gesessen, aber das konnte er nicht ahnen. Mehlen erhob sich sofort, bot ihm einen Stuhl an und nahm selbst auf dem andern Platz.

»Beim Verlassen des Friedhofs wußte ich, daß ich heute abend das Vergnügen haben werde, Sie hier zu begrüßen«, sagte er und fugte hinzu: »mein lieber Freund.«

»Ah!« Gardas sah ihn verblüfft an.

»Ja. Ich wurde telefonisch von den Ereignissen auf dem laufenden gehalten. Ich muß Ihnen einen Vorwurf machen, mein lieber Minister: Ihr Nachrichtendienst funktioniert nicht. Sie hätten schon vor vierundzwanzig Stunden in Paris sein müssen. Ich war hart daran, Sie darauf aufmerksam zu machen, aber ich dachte, daß mich das nichts angehe ... noch nichts anging«, verbesserte er sich.

»Jetzt – geht es Sie jetzt etwas an?«

»O ja«, sagte Mehlen. »Nicht im gleichen Maß zwar wie Sie, aber doch. Das können Sie sich denken, wenn ich Sie so spät hierher bitten lasse ...«

»Allerdings.«

»Nett, nicht wahr«, sagte Mehlen, »daß wir hier so wie einst beisammensitzen ... damals, als wir noch nichts, oder so wenig waren ...«

»Heute sehen die Dinge anders aus, Gott sei Dank«, sagte Gardas ruhig.

»Ganz anders – Gott sei Dank. Aber wenn die Zeit auch weitergegangen ist: wir beide können nicht vergessen.«

»Ich habe nichts vergessen«, sagte Gardas. »Wenn Sie darauf anspielen wollen...«

Mehlen fiel ihm ins Wort:

»Ich! Aber mein lieber Freund, Sie kennen mich sehr schlecht. Ich habe natürlich den Brief aufbewahrt, den Sie mir damals geschrieben haben... Ich zerreiße niemals etwas... Aber Sie werden mich nicht durch den Verdacht beleidigen, ich könnte diesen Brief ausnützen. Ich erinnere mich nicht, ihn jemals erwähnt zu haben. Das beweist, wie wacker und tadellos Sie sich seither benommen haben. Seien Sie überzeugt, der Brief befindet sich in sicherem Gewahrsam, und wenn ich sterbe, wird er zugleich mit anderen Papieren vernichtet werden, Papieren, die ich aus purer Sentimentalität aufbewahre. Selbst wenn Sie in einiger Zeit wünschen, daß ich Ihnen dieses Dokument aushändige, werde ich es bedenkenlos tun, vielleicht hängt Ihre Seelenruhe daran. Aber wir haben uns andere Dinge zu erzählen, viel, viel wichtigere! Jetzt spreche ich also zu dem Gardas von heute, dem Mann, von dem ich weiß, daß er mehr als jeder andere um die Freiheit dieses Landes gekämpft hat, daß er mehr als jeder andere berechtigt ist, in der Stunde mitzureden, in der sich das Schicksal des Vaterlandes entscheidet; denn es zeichnet sich eine Krise ab, die zu seinem Verderben oder zu seinem Heil führen kann. Wir beide, Sie und ich, sind der gleichen Anschauung: Sie bedauern ebenso wie ich, machtlos zusehen zu müssen, wie weit die herrschende Partei die Dinge treibt. Die Demagogie dieser Partei hat zu Maßnahmen, zu Nationalisierungen geführt, die sich verheerend auswirken. Da muß eingegriffen, da muß gestoppt und, wenn nötig, ins lebende Fleisch geschnitten werden. Mein lieber Gardas, ich biete Ihnen das Skalpell!«

»Wie?«

»Ich sage Ihnen, daß ich Ihnen bringe, was Sie brauchen, was Ihnen fehlt. Man kann das gegenwärtige Gebäude nur mit Gewalt umstürzen, sich vielleicht auf die allgemeine Unzufriedenheit, vor allem aber auf die notorischen Kompromisse, auf die Korruption berufen. Es gibt immer einen unter den zwanzig Männern einer Regierung, der eine Dummheit gemacht hat. Ich habe den Beweis dafür in der Hand, wie es mir manchmal glückt, wichtige Dokumente aufzutreiben. Sie sind der Mann, und der einzige, der sie benützen und der die Händler aus dem Tempel jagen kann.«

»Ja... ja...«, sagte Gardas, in dessen Kopf neue Gedanken flatterten, wie Tauben, die den Einflug in ihren Schlag suchen. »Sie besitzen wirklich... und es wäre Ihr Wunsch...?«

»Freilich, und ich will Sie auch gleich beruhigen. Glauben Sie nicht, daß ich unentgeltlich arbeite, so dumm bin ich nicht. Die Dokumente, die ich besitze, sind von großer Bedeutung. Von um so größerem Wert, als sie, von einem Mann wie Ihnen benützt, diesem Mann zwangsläufig und rechtens zur Macht verhelfen, und das für lange Zeit; als sie ihm das ganze Land ausliefern, trotz der opponierenden Parteien, die aus eigener Schuld in die Minderheit geraten sind, wenn sie deshalb auch nicht aufgehört haben, um ihre Existenz zu kämpfen. Die Dokumente sollen der unheilvollen Politik dieser Parteien Einhalt gebieten und eine ständig bewegte Lage stabilisieren, die mich persönlich in Stellungen gezwungen hat, die mir durchaus nicht passen. Angenommen, ich brauche diese Umwälzung für meine eigene Zukunft. Der Grund kann Ihnen gleichgültig sein, da wir den gleichen Weg gehen – den Ihnen bestimmten Weg, der Ihren Anschauungen entspricht und Ihnen die Karriere eröffnet, die Sie verdienen, und Ihnen damit verhilft, Ihre durchaus legitimen Ansprüche durchzusetzen. Sie starren mich an. Sie zweifeln? Ich stelle Ihnen keine Falle, Gardas. Wir sind keine Kinder mehr, Unternehmungen auf kurze Sicht sind sinnlos, wir müssen die großen Interessen im Auge haben. Meine Interessen, Ihre und die unseres Staates fallen zusammen; andernfalls würden wir beide anders agieren. Glauben Sie nicht, daß ich mich auf Abenteuer einlasse; nein, alles ist wohl überlegt, und ich bin nicht der Mann, der Unannehmbares vorschlägt. Wir sind zwar nicht direkt befreundet, aber wir schätzen uns, und deshalb können wir Schulter an Schulter marschieren und unbeirrt unsere Aufgabe zu Ende führen, die jetzt unserer beider Sache ist.«

»Und . . . die Beweise?« fragte Gardas.

Wortlos ging Mehlen zu seinem Schreibtisch. Er drückte auf eine Platte der Verschalung, sie öffnete sich, und eine kleine Stahlkassette kam zum Vorschein.

»Bitte   bitte, mein Freund, sehen Sie   «

Mehlen stellte geschickt ein Wort aus sechs Buchstaben zusammen, drehte an einem zweiten Knopf, ein Geräusch wurde hörbar, das wie das Aufziehen einer Uhr klang. Die Kassette war offen: nichts als ein gelber Akt lag darin. Mehlen nahm ihn heraus.

»Diese Mappe enthält alles, was wir brauchen.«

Mehlen zog die Unterlagen aus dem Umschlag. Aber Gardas' Blick war abgelenkt. Er sah auf dem Boden der kleinen leeren Kassette einen gefalteten Brief liegen, dessen Schrift er erkannte; eine etwas altmodische, etwas ungelenke Schrift, die seither entschiedener, fester geworden war: seine eigene Schrift vor zwanzig Jahren.

XIII

Als Gardas die von Mehlen gesammelten Dokumente in seinem Besitz hatte, ging es ihm wie jenem Menschen der Urzeit, der das Feuer entdeckte und sich anfangs davor fürchtete, bis er erkannte, welche Macht er damit in Händen hielt: die Macht, den Gipfel zu erreichen, dem er seit mehreren Jahren zustrebte. Seine Freude und seine Seelenruhe wären vollkommen gewesen, wenn er diese Macht nicht einem Mehlen verdankt hätte.

Das Dossier Mehlens war tatsächlich vollständig. Dieser kleine Mann verließ sich niemals auf den Zufall. Er hatte mit seinen Beweispapieren jeden privaten und jeden öffentlichen Polizeidienst weit überboten. Es war immer Mehlens Methode gewesen, nur Karten auszuspielen, die einen sicheren Stich verhießen, und Gardas war eine solche, nicht gezinkt und nicht zu stechen. Ein Atout eben, wie alle Karten Mehlens. Gardas war überglücklich, trotz des kleinen Schattens, der dahinter stand. Nun hatte er die nötige Rückendeckung, er konnte wie ein Stier losgehen, doch nicht blindwütig, sondern wohl wissend, daß er die »Capa« fest visieren mußte, damit seine Hörner wirklich den Richtigen trafen.

Er kochte vor Ungeduld. Mehlen allerdings goß Öl in die Wogen. Es brauchte seine Zeit, diese Wagner-Musik zu orchestrieren, in der weder die Pauken noch das Walhalla fehlen durften. Vor allem mußte Mehlen seine eigenen Dispositionen treffen, um sich endgültig zu sichern, jetzt, da er wußte, daß der von ihm gewünschte Regierungsumschwung vor der Türe stand. Besonders, da er überzeugt davon war, daß der hochexplosive Stoff, den er in die Hand des künftigen Ministerpräsidenten legte, nicht ein dauerndes Feuer entfachen würde.

Gardas sah aber nicht nur die äußere Macht greifbar nahe vor sich, er erblickte in dieser unverhofften Chance auch ein Mittel, Angèle zu beeinflussen. Als alles vorbereitet und die Lunte gelegt war, suchte er Angèle zu erreichen. Sie war nach dem Begräbnis weggefahren und nicht mehr nach La Gardenne zurückgekommen. Alles sprach dafür, daß sie sich in Paris aufhielt, und zwar bei ihrer Mutter, jener Madame Paris, die man niemals sah, deren Existenz ihm aber bekannt war. Die Telefonnummer der alten Dame war leicht herauszubekommen. So fand er Angèle und lud sie ein, der aller Wahrscheinlichkeit nach denkwürdigen Sitzung beizuwohnen. Er hatte ihr nicht zuviel versprochen.

Sie sah ihn nach der langen zündenden Rede, in der er sein Bestes gegeben hatte, triefend vom Schweiß der guten Sache den großen

Saal betreten, wo ihn eine begeisterte Menge beglückwünschte und jubelnd umringte. Wäre er nicht so schwer gewesen, sie hätte ihn auf die Schultern gehoben. Angèle war gerührt über seinen Mut und seine Anständigkeit und freute sich insgeheim, daß sie zum Diner in einem Restaurant verabredet waren, denn heute wäre er wohl schwer zu bändigen gewesen.

Eine Weile später saß sie ihm in der Rue de Montessuy gegenüber, sie hatte das Tête-à-tête nicht verhindern können und mußte gute Miene zum bösen Spiel machen. Und als echte Frau zog sie sich auch recht geschickt aus der Affäre.

Am nächsten Tag stand Paris im Zeichen von Gardas' Triumph; sein Bild prangte auf den Titelseiten aller Zeitungen. Gewiß, das machte Eindruck auf Angèle, sie freute sich für ihn, war aber so mit all dem beschäftigt, was sie wieder mit Hubert verband und zugleich leise von ihm entfernte, daß sie darüber hinwegging. Das Drama Hubert entwickelte sich, absurd und kindisch, und auch da sollte Mehlen die Entscheidung bringen; jener Mehlen, dessen Wille, dessen Wünsche stärker waren als die Gefühle aller anderen zusammengenommen.

Gardas dachte trotzdem beglückt an den Abend mit Angèle zurück. Wenn sie erst einmal klar erfaßte, wie steil sein Weg bergan ging, dann, dessen war er gewiß, würde sie ihre Trauer allmählich überwinden und ihm aus rein vernünftigen Überlegungen – das genügte ihm vorderhand – näherkommen. Keine Liaison, sondern ein Bündnis, das für beide nur gewinnbringend sein konnte. In dieser Stimmung überraschte ihn wenige Tage später der Besuch Madame Dervais', der Mutter des jungen Malers Doissel.

Er hatte in den vorhergehenden Tagen Angèle nicht erreichen können und nur mit Madame Paris gesprochen. Als man ihm meldete, es komme jemand von Madame de Viborne, zweifelte er keinen Augenblick, daß Angèle endlich auf seinen Anruf reagiere. Aber nicht die Erwartete, sondern Henriette Dervais stand vor ihm. Er konnte seine Enttäuschung nicht verbergen. Und was verlangte diese Frau von ihm? Daß er das Muttersöhnchen vor Algerien bewahre, während so viele andere junge Leute, die Blüte von Saint-Cyr, der Armee, und nicht nur die unnützen, die Künstler, dort ihr Leben aufs Spiel setzten! Seine erste Reaktion war Ablehnung; es hätte Mehlens Warnung nicht bedurft. Denn Mehlen rief ihn jetzt mehrmals des Tages an, was sich oft als überaus vorteilhaft erwies – Mehlen wußte einfach alles.

Aber Madame Dervais brachte ihm Nachrichten von Madame de Viborne. Er wußte ihr höflich Dank dafür. Er wollte sie eben ersuchen, Angèle auszurichten, daß sie sich doch melden solle – dann könne er der Vermittlerin Henriette vielleicht eine günstige Antwort im Fall Huberts geben – da läutete das Telefon. Enguerrand de Viborne rief an.

Enguerrand de Viborne! Er besaß seine Geheimnummer! Von wem konnte er sie haben, wenn nicht von seiner Mutter, die sie ihrerseits von Madame Paris erhalten hatte? Enguerrand war kein vager Bekannter Angèles wie diese Madame Dervais, er war ihr Stiefsohn, der in enger Gemeinschaft mit der Frau lebte, deren Anruf er seit dem Abend des Diners zu zweit, seit seinem Geständnis, so sehnlich erwartete. Enguerrand wollte ihn sehen? Aber ja, natürlich, wann es dem lieben Jungen paßte! Ja, er sollte nur kommen, für ihn war er nicht der Ministerpräsident, der starke Mann, der an die Spitze des Staates gestellt worden war, des Staates, den er um jeden Preis festigen mußte, und sei es mit Hilfe starker und drakonischer Maßnahmen. Enguerrand brauchte nur seinen Namen zu sagen, um vorgelassen zu werden.

Ja, das Schicksal hängt oft an Kleinigkeiten. Alles wäre vielleicht ganz anders gekommen, wenn Enguerrand nicht gerade während der Vorsprache Henriettes telefoniert hätte. Denn dann wäre eben sie die Botin zu Angèle gewesen und der junge Mann hätte nicht so leicht offene Türen bei ihm gefunden.

Nach dem Gespräch erhob sich Gardas, kam von seinem Schreibtisch hervor und verabschiedete die Mutter Huberts. Sie hatte hier nichts mehr zu suchen. Und in dieser Stunde waren die verschiedenen, entgegengesetzten Lose geworfen: das Los Henriette Dervais' und dasjenige Enguerrands; ja ohne daß Gardas es ahnen konnte, schrieb er sich in diesem Augenblick sein eigenes Urteil und entschied damit zusammenhängend – denn alles hat seine Bedeutung in der Jagd, der kleinste Fehler, die kleinste Umkehr, das plötzliche Versagen eines Hundes – auch das Schicksal Mehlens und Angèle de Vibornes, die jetzt seine Gefährtin war.

XIV

Die Staatsgeschäfte haben den Vorrang vor allen Dingen, dennoch braucht man innere Ruhe und den Frieden des Herzens, um sie richtig führen zu können. Der Tag des Präsidenten war in dieser Krisenzeit schwierig und endlos; Gardas nahm sich nur Zeit, gegen zwei Uhr mittag ein Sandwich, das man aus dem nahen Bistro holte, hinunterzuschlingen und dazu ein Glas jenes Weins aus Var zu trinken, den ihm die Winzergenossenschaft seines Heimatdepartements in Paris verehrt hatte. Dann setzte er sich wieder zur Arbeit, empfing eine Delegation nach der andern, die ihm die Beschwerden und Drohungen der Arbeiterschaft übermittelten. Denn diese Arbeiter fürchteten ihre Zugeständnisse zu verlieren, die sie längst als ihr gutes Recht ansahen, ohne zu bedenken, daß solche Vorrechte nur so lange Bedeutung haben, als Friede und Ordnung herrschen und die Lebenshaltungskosten unverändert bleiben. Gardas redete ihnen zu und wurde energischer, als er merkte, daß er tauben Ohren predigte; er verschanzte sich in seinen Stellungen, aus denen er nicht zu vertreiben war – davon war jeder überzeugt, der ihn verließ.

Vielleicht steckte auch ein bißchen Angèle dahinter, aber das wußte er selbst nicht. Er war ihrer Welt, die er bis dahin nicht gekannt hatte, nicht verhaftet, aber vielleicht sah er in ihr, nachdem er sie oberflächlich kennengelernt hatte, den Untergrund, die Basis einer Gesellschaft, die, wenigstens für den Augenblick, nicht ohne ihn existieren konnte. Dazu kam noch die zutiefst bürgerliche Einstellung so vieler Franzosen, selbst jener, die für die fortschrittlichsten, die aufgeklärtesten gelten. Dort, wo sich ein genialer Staatslenker voll Intuition hätte befinden müssen, befand sich kraft der Ereignisse und vielleicht auch, weil kein anderer da war, ein anständiger Bürger, dessen Phantasie eben dazu ausreichte, dasselbe zu tun, was bis jetzt genügt hatte, den nicht einmal der Gedanke streifte, daß der große Zeiger auf dem Zifferblatt der Welt seine Stellung geändert haben könnte und die Sonne nicht mehr zur gleichen Stunde aufging wie früher.

Der Tageslauf des Ministerpräsidenten war aufreibend. Er verließ sein Büro vergiftet von Gedanken und Tabak. Und doch, wenn er abends seinen Schreibtisch für eine kurze Ruhepause verließ, dann atmete er freier; er hatte angestrengt gearbeitet und fühlte nun die Befriedigung über eine erfüllte Pflicht. In solchen Augenblicken war er beinahe glücklich. Dennoch, er war allein, und so konnte er nicht voll glücklich sein. Jetzt wußte er, daß es unmöglich war, dauernd allein zu bleiben, und diese Erkenntnis kristallisierte jenes Gefühl noch mehr heraus, das er lange verborgen in sich getragen und das durch den Tod Patrice de Vibornes frei geworden war.

Ach, warum durfte er nicht mit Angèle rechnen, auch wenn sie fern von ihm war? Selbst wenn sie noch nicht genau wußte, in welcher Form sie ihr Leben weiterführen würde?

Er hatte seit dem denkwürdigen Abend nicht mehr mit ihr gesprochen. Er hatte bis jetzt nur Gelegenheit gehabt, bei Madame Paris anzurufen. Die Mutter konnte ihm nicht sagen, was geschehen war, und schon gar nicht, daß Angèle, von ihr gedrängt, einen andern Weg eingeschlagen hatte. Der Ärger über das Einbrechen Henriette Dervais' verebbte, ja, er gelangte schließlich zur Überzeugung, daß Angèle für den jungen Mann nur mehr mütterliche Gefühle aufbrachte, sonst hätte sie sich eingeschaltet und ihn, Gardas, auf seiner Geheimnummer angerufen. Da meldete sich Enguerrand. So also brachte sich Angèle auf ihre gewohnt diskrete Art in Erinnerung; vielleicht fürchtete sie, ihn zu stören, ihm kostbare Zeit zu rauben? Ach, ahnte sie denn nicht, daß er für sie alles umgestellt hätte, daß er seine Minister, ja, das ganze Volk hätte warten lassen?

Doch der Strudel der Geschäfte riß ihn bald aus seinen Überlegungen. Die Stunden verrannen. Wann hatte Enguerrand eigentlich angerufen? Vor zwei, vor vier Tagen? Er war doch mit ihm verabredet, er wollte etwas vorbringen, sicher eine kindische, lächerliche Sache. Gardas hatte seinem Sekretär ausdrücklich gesagt: »Wenn ein Monsieur de Viborne erscheint, dann lassen Sie ihn sofort ohne Anmeldung herein. Der junge Mann ist der Sohn guter Freunde.«

Und dann stand er eines Tages plötzlich wirklich vor ihm.

Er hatte Berdon wohl eintreten gehört, aber, vertieft in den Text der Notverordnung über die Entnationalisierung, nur einige Worte gemurmelt und sich allein geglaubt, als die Tür hinter Berdon zufiel. Da, von dem Akt aufblickend, sah er den jungen Mann unbeweglich, aufrecht vor sich stehen, den er – sehr selten – in La Gardenne getroffen hatte. Hätte er ihn nicht beim Begräbnis in La Gardenne gesehen, er hätte ihn kaum erkannt.

»Ah ... da sind Sie ja endlich ...«

Dieses »Endlich« verstand Enguerrand nicht, zumindest unterlegte er ihm einen falschen Sinn. Gardas konnte nicht wissen, was ihn herführte, sonst wäre die Begrüßung sicher nicht so herzlich ausgefallen.

»Ich freue mich, Sie zu sehen, Enguerrand ...«

Liebenswürdige, konventionelle Worte. Förmlichkeiten.

»Setzen Sie sich bitte in den Lehnstuhl ... Und Ihre Frau Mutter? Wie geht es ihr?«

Immer dasselbe: Redensarten, die Gesellschaft ... Wo es so wichtige Dinge zu besprechen gab.

»Ich glaube, gut«, antwortete Enguerrand. »Ich habe sie ziemlich lange nicht gesehen.«

Gardas war enttäuscht.

»Aber Sie treffen sie doch demnächst?«

»Wahrscheinlich. Um so mehr, als meine Großmutter krank ist. Angélique, meine Schwester, hat das Kloster verlassen, um sie zu pflegen.«

»Ist Ihre Mutter denn nicht in Paris?«

»Nein, gegenwärtig nicht. Sie muß Nachlaßfragen regeln.«

Nun, das erklärte Angèles Stillschweigen!

»Dann kommt sie bestimmt bald zurück?«

»Sie kann nicht mehr lange fort sein.«

»Und Ihre Großmutter?«

»Die liegt gelähmt im Bett. Eines Morgens beim Aufstehen konnte sie sich nicht mehr bewegen. Man befürchtet eine Myelitis ...«

»Schrecklich! Hoffentlich kommt Ihre Frau Mutter bald zurück, um sie zu betreuen!« Dann im gewohnten, berufsmäßigen Ton: »Was kann ich für Sie tun?«

»Für mich nichts«, sagte Enguerrand.

»Ich dachte ...«

»In eigener Angelegenheit hätte ich Sie niemals belästigt, Monsieur.«

Es fiel Gardas auf, daß er nicht »Herr Präsident« gesagt hatte. Er war wohl der einzige. Alle andern befleißigten sich, ihn mit dem schönen Titel anzureden. Gardas betrachtete ihn. Er war ernst, bleich, mit gefurchter Stirn; er zitterte leicht, aber das vor nervöser Spannung, vor verhaltenem Willen: ein Kind! Er war ein Kind!

»Monsieur«, sagte Enguerrand tonlos, aber in tiefem Ernst, »Monsieur, Sie tun Unrecht.«

»Ich?«

Fassungslos, ungläubig blickte Gardas ihn an. Das war ein unerwarteter Vorwurf aus diesem Mund nach der harmlosen Einleitung des Gespräches!

»Und um mir das zu sagen, sind Sie gekommen? Wer schickt Sie her? Ich möchte wissen, was Ihre Frau Mutter dazu sagen würde!«

»Das weiß ich nicht, und es ist mir auch nicht so wichtig. Es handelt sich nicht um sie.«

»Sondern um wen?«

»Um die andern – alle andern ... die Menschen, die nicht wir sind, wir, unsere überlebte Welt, mit unserer überholten Denkweise, unserer Blindheit, die Welt, die nur ›bewahren‹, behalten will.«

»Und für diese Leute sprechen Sie? Sie, ein Marquis de Viborne?«

»Sie sind der einzige, der darüber staunen kann, Monsieur Gardas, und das erklärt so manches. Ich bin Marquis, ja, aber das hindert mich nicht, meine eigenen Ansichten zu haben, im Gegenteil: dann darf ich erst recht im Namen der Menschen sprechen, die ich ›die andern‹ genannt habe.«

»Aber das darf ich doch auch, mein Junge, ich, der ich kein Marquis bin!«

»Sie glauben es nur.«

»Ich habe es bewiesen.«

»Indem Sie verteidigen, was nicht mehr zu verteidigen ist? Monsieur Gardas« – Enguerrand sprach immer schneller, wie im Fieber, sein inneres Feuer überwand die Befangenheit, die Angst, »Monsieur Gardas, ich mußte mit Ihnen von Mann zu Mann sprechen. Ich nütze es aus, daß Sie meine Familie, meine Stiefmutter kennen, und ich bin glücklich, daß Sie mich empfangen haben. Ich halte Sie für keinen schlechten Menschen, ich weiß, was Sie im Krieg geleistet haben, und das ist der beste Beweis. Sie sind auch nicht habgierig. Sie wollen sich kein Vermögen zusammentragen.«

»Sie stellen mir ein gutes Leumundszeugnis aus!«

»Sonst stünde ich nicht hier. Erlauben Sie, daß ich alles sage.«

»Bitte, ich finde es sehr interessant.«

»Vielleicht viel interessanter, als Sie denken. Wissen Sie, Monsieur Gardas, daß zwei Wochen genügt haben, Ihnen den abgrundtiefen Haß des Volkes einzutragen, weil Sie es um seine armseligen Begünstigungen prellen wollen?«

»Das ist ein sehr großes Wort!«

»Wenn Sie es auch nicht glauben: es drückt die Gefühle nur sehr schwach aus, die man für Sie empfindet.«

»Und Sie?«

»Ich?«

»Da Sie ... zu ihnen gehören ... hassen Sie mich auch?«

»Nein.«

»Na also.«

»Sie halten mich starker Gefühle nicht fähig. Ich hasse Sie nicht. Noch nicht ...«

»Dafür bin ich Ihnen sehr dankbar.«

»Ich warte auf Ihre Antwort.«

Er war unverschämt, dieser Bursche, und wenn er nicht der Sohn Madame de Vibornes gewesen wäre ... Aber was er da erzählte, war wirklich nicht uninteressant. Man erfuhr ja nichts, wenn man in seinem Ministerium eingesperrt saß, man wußte nicht, was die Leute draußen dachten, wenn dieser Enguerrand – nein, das war wirklich kein Proletariername! – tatsächlich die Klasse vertrat, in deren Namen er zu sprechen behauptete. Aber wie konnte sie ihn zu ihrem Wortführer machen? Das war ja absurd, unfaßbar!

»Sagen Sie mir, wer Sie schickt?«

»Niemand. Ich arbeite auf eigene Faust, allein, weil ich das für das beste halte. Ich gehöre allerdings einer Organisation an.«

»Sie verraten mir schon zuviel ... sagen Sie mir nicht, welcher.«

»Sie vereint ...«

».. . die Unzufriedenen.«

»Nein, Menschen, die an ihre Mitbrüder denken.«

»Das heißt, an sich selbst, an ihre Klasse, ihre Vorteile, ihre Forderungen. Diesen Leuten bedeuten Sie doch nichts, die nützen Sie doch nur aus! Wie können Sie, Viborne, ein Intellektueller, so harmlos sein, das nicht zu bemerken?«

»Die andern sind die Masse.«

»Man hat die Masse nicht benachteiligt. Dazu ist sie zu stark.«

Wirklich, von allen Gesichtspunkten aus gesehen, selbst vom politischen, das heißt, vom Standpunkt der Wahl aus, war Gardas dieses Abc seines Metiers geläufig. Er fuhr fort:

»Schön, ob Sie nun aus eigenem oder aus fremdem Antrieb gekommen sind, Sie sprechen im Namen dieser Masse, dieser Partei. Los also. Sagen Sie, was Sie auf dem Herzen haben. Ich glaube kaum, daß es sich von den Vorwürfen und Drohungen der Delegationen – mindestens zehn waren es, seit ich hier sitze – wesentlich unterscheiden wird. Trotzdem, ich lausche Ihnen.«

»Herr Präsident«, sagte Enguerrand – jetzt nannte er ihn Präsident, ein gutes Zeichen! –, »ich will etwas ganz anderes sagen.«

»Also nicht, daß ich ein Verräter, ein Söldling, ein Mann bin, der den Arbeitern raubt, was ihnen gebührt? Das haben mir die andern immer wieder vorgehalten, nicht so offen und deutlich, aber in recht unhöflicher Form. Was also dann?«

»Daß Sie falsch beraten und unterrichtet sind«, sagte Enguerrand, »daß Sie sich irren, und im besten Glauben irren, wie ich überzeugt bin. Daß Sie zu den Männern gehören, denen angst wird und die es nicht wahrhaben wollen.«

»Ich bin also ein Feigling und ein Schlappschwanz?«

»Aber nein, im Gegenteil, ein mutiger Mann, weil Sie es trotzdem wagen. Doch im falschen Sinn, da Sie überzeugt sind, daß der Ausgleich der Kräfte im Land gefährdet ist, daß Sie ihn nur retten können, wenn Sie rückwärtsschreiten, und das trotz der Empörung und der Gefahren, die diese Empörung birgt.«

»Ich danke Ihnen, daß Sie mir wenigstens Mut zugestehen. Ich nehme die Wagnisse auf mich, wenn es nötig ist.«

»Wenn Sie es für nötig finden .. .«

»Meine Überzeugung ist eben, daß es nötig ist.«

»Ich ... wir ... sind vom Gegenteil überzeugt.«

»Also, was tun Sie hier? Warten, daß Sie eine Strömung unwiderstehlich hinaufreißt?«

»Wie Sie hinaufgerissen wurden?«

»Das möchte ich nicht sagen. Sie wissen, wieso ich hinaufkam?«

»Ja, das weiß ich. Die ganze Welt kennt die Dokumente, die Sie benützt haben. Wir haben den Mann, der durch sie kompromittiert ist, selbst abgeschrieben und verurteilt. Auch unter den Gläubigen gibt es nicht nur Heilige. Und selbst die Heiligen straucheln manchmal, begehen Fehler ...«

»Das nennen Sie Fehler? Diebstahl und Korruption!«

»Er war nur ein Mensch.«

»Ich bin nichts anderes.«

Es lag ein Anflug von Größe und tiefer Ehrlichkeit in den Worten des Mannes; Enguerrand konnte es nicht überhören.

»Gerade weil Sie ein Mensch sind, muß ich mit Ihnen sprechen.«

»Sehen Sie, Enguerrand«, sagte Gardas mit einer plötzlichen Vertraulichkeit, die echte Sympathie verriet, »sehen Sie, wir reden und reden und sagen uns nichts Sinnvolles. Ich habe nicht viel Zeit, aber ich bin bereit, Ihnen alle nötige Zeit zu widmen, unter der Bedingung, daß wir zu einem greifbaren Resultat oder zumindest zu einer Erklärung gelangen. Sie bilden sich doch nicht ein, daß Sie mich trotz aller Beredsamkeit umstimmen können. Ich habe die Pflichten auf mich genommen, die Sie kennen, und bin felsenfest davon überzeugt, daß wir uns alle, das Proletariat inbegriffen, seit Jahren auf einem falschen Weg befunden haben, und wie Sie wünsche ich für alle Mühseligen und Beladenen eine bessere Welt. Doch bin ich sicher, daß wir zu schnell vorgegangen sind, mehr gegeben haben, als wir konnten und durften, und damit das gesunde Gleichgewicht gestört haben, das für jedes Bauwerk unerläßlich ist. Und ein Land, ein Staat, eine Gesellschaft sind Bauwerke. Erst wenn man oben auf der Spitze steht, wird es einem ganz bewußt. Man muß ganz hoch stehen, nicht um schwindlig zu werden, wenn man hinunterschaut, sondern um zu begreifen, daß ein Sturz unweigerlich den Tod bedeutet, und nicht nur für die da oben, sondern ebenso für die ganz unten, die von den Trümmern zerschmettert und begraben werden. Ich bin nicht gegen den maßvollen Fortschritt, wenn er organisch wächst, vorbereitet und überlegt ist. Ich bin kein Mann der Revolution, und Sie sind noch so jung, im Alter der Revolutionäre. Ich bin gegen die Revolution, Enguerrand.«

»Die Generäle des Kaiserreichs waren fünfundzwanzig Jahre alt.«

»Womit Sie sagen wollen, daß ich ein alter Esel bin. Und wohin haben sie ihr Reich geführt, Ihre fünfundzwanzigjährigen Generäle? Wie lange hat es gedauert, und wann ging es wieder zugrunde? Wie diese Generäle, haben Sie Schlachten gewonnen, aber nur Schlachten. Auf lokalen Siegen kann man nicht aufbauen. Ich, für meine Person, bin für Vorsicht und Klugheit, ich bin das Gegenteil eines Spielers. Man hat nicht das Recht, das Schicksal eines Volkes von einem Würfelspiel abhängig zu machen. Ich jedenfalls maße mir nicht das Recht dazu an.«

»Ebensowenig hat man das Recht, zwanzig, vielleicht fünfzig Lebensjahre jener Menschen zu verschleudern, Jahre, die Minute für Minute harte Arbeit, Not und Hoffnungslosigkeit waren. Glauben Sie nicht, daß Sie die Revolution, die Sie vermeiden wollen, nur um so sicherer entfachen, wenn Sie den Haß, den Zorn und die daraus entspringende Gewalt schüren? Glauben Sie, daß Ihr Leben in den Augen gewisser Menschen, die in Ihnen die Ursache ihres Unheils sehen, sehr viel gilt?«

»Politischer Mord? Das sind eben die Berufsgefahren, wir haben schon davon gesprochen. Wenn ich daran denken wollte ...«

»Doch, Herr Ministerpräsident, man muß daran denken. Man muß überlegen, wer nach Ihnen Ihren Platz einnehmen wird. Haben Sie einen fähigen Nachfolger? Gibt es einen Mann Ihres Ansehens, Ihres Rufs, Ihrer Integrität, der wie Sie das Staatswesen lenkt und dessen Beschlüssen man blind gehorchen wird? Suchen wir einmal. Nennen Sie mir Namen. Sehen Sie, wir finden niemanden. Die Reaktion, die Sie entfesselt haben, verschwindet, wenn Sie abtreten. Es ist so – eine nackte, mathematische Wahrheit. Aber Sie sind noch etwas anderes: ein Mann guten Willens.«

Enguerrand richtete sich auf, pathetisch, fast theatralisch, aber von solcher Ehrlichkeit durchdrungen, daß Gardas unwillkürlich davon berührt wurde. Er betrachtete das schöne Antlitz, in dem er die Züge Patrice de Vibornes wiederfand, seinen männlichen Mut, der sich an das schnelle, schlaue, oft besser gewappnete Wild heranwagt – oft hatte der Marquis nur mit einem Spieß in der Hand den Kampf mit einem wilden Eber aufgenommen, wie es die Jäger einst taten, als sie sich allein um der Ehre willen in die Gefahr begaben.

Gardas erhob sich und stand jetzt neben dem Jungen. Enguerrand war größer als er, schön, wie der Ministerpräsident es niemals gewesen war, jünger, als dieser jemals ausgesehen hatte. Gardas nahm ihn an der Schulter, und beide blickten durch die hohe Scheibe weit über den Garten hinaus einem Ungewissen entgegen, in die Welt, von der sie sprachen, von der sie träumten, die für den einen das war, was sie tatsächlich war, für den anderen aber das, was sie sein sollte. So blieben sie eine Weile Seite an Seite stehen, einander so fern und doch so nahe.

»Monsieur Gardas«, sagte Enguerrand endlich, »ich bitte Sie, über meine Worte nachzudenken. Ich habe mich vielleicht ungeschickt ausgedrückt, aber glauben Sie mir, ich meine es ehrlich.«

»Was ich nicht bezweifle, Enguerrand.«

»Wenn ich wiederkomme und Sie um eine Antwort bitte, werden Sie mir antworten?«

»Ich glaube, daß ich nichts anderes sagen werde als heute.«

»Geben Sie mir eine Hoffnung«, sagte Enguerrand mit erstickter Stimme, die Gardas ins Herz schnitt.

»Kommen Sie, wann Sie wollen.«

»Darf ich es?«

»Meine Türe wird Ihnen immer offenstehen.«

»Ich bin ein Feind.«

»Im Grund mir so ähnlich, Enguerrand.«

»Deshalb habe ich nicht alle Hoffnung verloren.«

»Davon lebt man zuweilen.«

»Oder man stirbt daran«, sagte Enguerrand tonlos.

»Man tut, was einem das Schicksal auferlegt«, sagte Gardas. »Mit Anstand«, fügte er hinzu.

»Anstand gegen sich selbst?«

»Natürlich, das ist der einzige, der gilt.«

Sie drückten sich die Hände.

»Auf bald«, sagte Gardas. Und er konnte einen Nachsatz nicht unterdrücken: »Sagen Sie Ihrer ... Stiefmutter, daß ich glücklich über ihren Anruf wäre.«

»Gerne. Wenn ich Gelegenheit habe, sie zu sehen.«

»Ich wage nicht bei Ihrer kranken Großmutter anzurufen.«

»Das ist auch besser. Aber Sie können meine Mutter leicht woanders erreichen, sobald sie zurück ist.«

»Und wo?«

»Bei Mehlen«, antwortete Enguerrand.

XV

»Bei Mehlen«, murmelte Gardas, lange nachdem Enguerrand ihn verlassen hatte. »Bei Mehlen!« Der Schlag war so hart, seine Verwunderung so groß, daß ihm gar nicht eingefallen war, den jungen Mann um Einzelheiten zu fragen. Im übrigen schien es Enguerrand ganz natürlich zu finden, daß die Marquise mit Mehlen in Verbindung stand. Mehlen war ein Freund, ein guter Bekannter, Madame Paris lag krank in der engen Wohnung der Rue Caulaincourt, von der Angèle bei dem unvergeßlichen Diner gesprochen hatte, und Mehlen besaß ein Stadtpalais mit einigen Etagen. Mehlen hatte sich doch auch um Vibornes Verlassenschaft gekümmert. Wie konnte er, Gardas, nur glauben... Mehlen und Angèle! Eine geradezu komische Vorstellung. Und dennoch: er stieß doch immer auf diesen Mehlen, im Guten und im Schlechten. Auf Mehlen, den Störenfried, der für ihn unentbehrlich und nötig war. Nein, Gardas kam davon nicht los, sosehr er sich bemühte. Es gelang ihm nicht, sich in das Dekret zu versenken, das er wieder und wieder las, ohne den Sinn zu erfassen.

Blache-Duparc trat ein: »Ich wollte nur nachsehen, Herr Präsident, ob Sie sich noch immer mit dem Text beschäftigen.«

»Ja... nein... gewiß...«, sagte Gardas und strich mit der Hand über die Stirn. »Ich bin müde, Blache.«

»Sie arbeiten zuviel, Herr Präsident. Wollen Sie nicht ein wenig ruhen?«

»Ruhen? Wann? Sie wissen wie ich, wie sehr wir uns beeilen müssen. Wenn wir nicht sofort durchgreifen und nicht in kürzester Zeit die Zustimmung des Parlaments bekommen, dann nimmt die Opposition Anlauf und greift ein. Wir müssen sie überrumpeln, noch ehe sie zu Atem kommt. Die Symptome mehren sich bereits, daß sie auch einiges in petto haben. Nun, Blache, lassen Sie mir noch eine Stunde Zeit, ich muß den Text noch einmal durchlesen, er ist von höchster Wichtigkeit.«

»Eben, von höchster Wichtigkeit, Herr Präsident. Und deshalb erlaube ich mir, Sie ergebenst zu bitten: Bewahren Sie den Text ein paar Stunden länger bei sich. Wollen Sie ihn nicht überschlafen?«

»Aber Sie selbst haben ihn doch von mir verlangt! Sie müssen doch wissen, was Sie wollen!«

»Der Präsident der Republik wünschte ihn. Er möchte den Wortlaut vor der Ministerratssitzung morgen früh kennen. Aber zur Not...«

»Er hat recht, ich bin es ihm schuldig, nichts ohne seine Kenntnis zu unternehmen. Wenn ich eines Tages Präsident sein sollte, Blache...« Präsident der Republik. Ja, warum? Aus welchem tieferen Grund? Um des Vaterlandes willen? Gewiß, der Präsident der Republik war nicht mehr nur eine Strohpuppe, eine Null, sondern ein Schiedsrichter, ein Diplomat, ein Mann, der nicht nur die Befugnisse einer hohen Funktion besaß, sondern auch mit Verstand und Gerechtigkeitssinn das Gleichgewicht im Staat aufrechterhielt, und der nur eine Leidenschaft kannte: das öffentliche Wohl. Der höchste und zugleich ehrenhafteste Mann im Staat. Das war ein Ziel, ja, das lohnte sich, einen solchen Posten anzustreben. Und doch — warum sollte er sich darum bewerben, wo er doch ganz allein war, ein einsamer Mensch, der plötzlich die Müdigkeit in allen Knochen spürte, der sich sonderbar zerschlagen fühlte, zum erstenmal, seit ihn die Ereignisse dem verheißenen Ziel nahe gebracht hatten.

»Gehen Sie nur, Blache, ich lese es noch einmal durch.«

Kaum aber hatte sich die Tür hinter Blache-Duparc geschlossen, da sagte er ganz laut, fast unbewußt vor sich hin: »Ich bin müde ... so müde ...« Er erhob sich und trat ans Fenster.

Da war er vorhin mit Enguerrand gestanden, die Hand auf dessen Schulter gelegt. Hier hatte ein recht unerwartetes Gespräch geschlossen. Immer wieder wunderte er sich über die Menschen. Aber es war dem Feuer seiner Jugend, seiner angeborenen großherzigen Menschenliebe zuzuschreiben; alles das würde sich mit dem Alter setzen. Schön war diese Flamme, wenn man selbst nur mehr Vernunft war. Schön war es, jung zu sein und das ganze Leben vor sich zu haben. Warum sich so festklammern am Erfolg, wenn das Wesentliche schon verloren war? Und war man wirklich noch frei, wenn man so hoch wie Gardas gestiegen war? War man nicht eher Gefangener der anerkannten Dogmen, der verteilten Belohnungen und der Menschen, an die man diese Vergünstigungen verteilt hatte? Konnte man noch denken und leben, wie man wollte, seine Entschlüsse plötzlich ändern, wenn man sich aus irgendeinem Grund dazu genötigt sah? Zwei Stunden zuvor hatte er mit dem Stolz eines einfachen Gemüts gesagt: »Ich bin Gardas!« Jetzt aber dachte er: Ich bin nur Gardas.

Mehlen ... Mehlen, immer war Mehlen auf seinem Weg. Im Wald, wo der Hirsch seinem Ende entgegenging, auf dem Weg zur Macht, und jetzt auf dem Weg zu Angèle! Mehlen rief ihn mindestens zweimal am Tag an, aber niemals hatte er angedeutet, daß Angèle bei ihm wohnte, nicht einmal unlängst bei ihrem persönlichen Zusammentreffen. Aber sie war ja gar nicht dort, sie hatte nur die Anschrift angegeben, weil in seinem Haus der Nachlaß geregelt wurde! Er brauchte sich übrigens nur zu erkundigen. Sobald er wußte, daß es falscher Alarm war, konnte er in Frieden seine Arbeit wiederaufnehmen und war von dem Druck, von der fixen Idee befreit.

»Geben Sie mir eine Verbindung«, verlangte er von der Zentrale.

Er setzte die drei Buchstaben und die vier Ziffern zusammen. Eine Stimme fragte: »Wen wünschen Sie?«

Er nannte Angèles Namen. Und gleich darauf die Stimme, die er so gut kannte, deren Klang ihn bis ins Innerste traf und die heute in ihm noch stärker vibrierte als sonst: »Hallo?«

»Hier Gardas«, sagte er.

»Ach, Gardas, Sie sind es, lieber Präsident!«

Da hatte er sie am Apparat, und da er nicht darauf vorbereitet gewesen war, wußte er nicht, was er reden sollte. Fragen, wie es ihr ging? Albern. Warum? Sie war ja da, lebendig, frisch – und bei Mehlen.

Das Herz tat ihm lächerlich weh. Niemals, selbst nicht, als er seine erste Liebe zu erleben glaubte, hatte er einen solchen Schmerz verspürt.

»Liebe Freundin«, sagte er, »ich hätte Ihnen etwas zu erzählen.«

»Wirklich?« Die Stimme Angèles schien zu versagen. »Etwas Wichtiges?«

»Etwas Dringendes.«

»Von Lambert?«

»Nein, nein«, sagte er, »von Enguerrand. Kann ich Sie treffen?«

»Gewiß, aber...«

»Nicht im Matignon«, sagte er rasch.

Nein, nicht hier, im Büro, wo jeden Augenblick jemand hereinkam, wo das Telefon ununterbrochen klingelte, wo er zehnmal gestört wurde. Wo? Irgendwo, aber im Freien. Er mußte hinaus aus den Mauern, weg von dem Mobiliar, hier erstickte er in der tabakgeschwängerten Luft, wo das Hirn sich mit anderen Problemen beschäftigte als mit dem eigentlichen. Er wollte ihr nicht imponieren, er wollte nur ganz einfach mit ihr sprechen, wie ein Mann mit einer Frau spricht, in einem Café, im Freien, wie jedermann eben. Und er wollte sie sofort treffen, denn er ertrug die Angst nicht mehr, die ihn plötzlich überfallen hatte und die ihn quälte wie die Vorahnung eines Unheils.

»Sofort... wo wünschen Sie?«

»Hier?«

»Nein, nein!« Er protestierte heftig. Nicht bei Mehlen!

»Es ist nämlich schwierig...«

»Nur eine Viertelstunde... höchstens eine halbe.«

»Ist es denn so wichtig?«

Sie dachte: Er hat von Enguerrand gesprochen. Warum Enguerrand? Wo sie doch allein das Schicksal Lamberts, ihres Jüngsten, beschäftigte.

»Sehr!« Er dachte nur an sich, an sie, an sie beide.

»Gut, dann...«, sie überlegte.

»Sie wohnen bei der Porte Dauphine. Das ist ganz nah vom Bois, Sie sind nur fünf Minuten vom großen Teich entfernt. Zu dieser Zeit ist kein Mensch dort. Könnten Sie nicht in die kleine Seitenallee kommen, die von der Straße zum Rennplatz durch einen Rasenstreifen getrennt ist und an dem Wasser entlangläuft – gegenüber der Anlegestelle?«

»Gut«, sagte sie.

Er ließ sie nicht weitersprechen:

»Ich komme«, sagte er und hängte ab.

Er drückte auf einen Knopf und Blache-Duparc erschien:

»Blache, ich glaube, Sie haben recht. Ich bin seit dem ersten Tag hier eingesperrt und nur hinausgekommen, wenn ich zum Ministerrat oder ins Parlament mußte. So will ich mir jetzt eine Stunde frischer Luft gönnen, ein bißchen Atem schöpfen, bevor es dunkel wird. Ich nehme einen Wagen und fahre weiter ins Bois.«

»Da haben Sie recht, Herr Präsident! Eine Stunde Erholung, möglichst weit von hier, das wird Ihren Kopf auslüften und Sie mehr erfrischen als eine Stunde Schlaf. Ich werde sofort die DS und die Kraftfahrer bestellen.«

»Nein, nein«, wehrte Gardas mit leichter Ungeduld ab, »allein, ich will ganz allein sein.«

»Aber, Herr Präsident, Ihre Sicherheit...«

»Lassen Sie mich in Frieden damit. Ich bin nicht gefährdet.«

»Das kann man nicht wissen.«

»Nein, sage ich Ihnen!« rief er gereizt. Das wäre schön: Angèle am Seeufer treffen und mit ihr vor den Augen der Kraftfahrer mit den weißen Handschuhen zu plaudern!

»Herr Präsident, Sie dürfen nicht ganz allein ausfahren. Die Kraftfahrer können wir zur Not streichen, aber ein Chauffeur zumindest muß in der Nähe sein.«

»Gut, rufen Sie Branchard.«

»Bitte, das geht. Ein Beamter des Sicherheitsdienstes wäre übrigens auf jeden Fall in der Nähe gewesen.«

»Sehr lustig!«

»Das muß sein. Es hängt zuviel von Ihnen ab, Herr Präsident.«

Enguerrand hatte das gleiche gesagt.

»Branchard wird Ihnen in einiger Entfernung folgen, wenn Sie ein paar Schritte zu Fuß gehen wollen; er ist ein agiler und kräftiger Mann, Polizist übrigens, wie alle unsere Chauffeure. Er ist bewaffnet.«

Gut, Branchard war ein erfahrener Mann, diskret und brav.

»Sagen Sie ihm, daß er einen 403 bereit macht. Ich hole meinen Überzieher und treffe ihn im Hof.«

»Er erwartet Sie vor der Auffahrt, Herr Präsident.«

Fünf Minuten später stand er vor Branchard, der den Wagenschlag öffnete: »Ins Bois«, befahl Gardas, »Porte Dauphine. Ich führe Sie.«

Paris. Paris am Abend, ehe es noch völlig Nacht geworden ist. Die breite Avenue Foch, an deren Ende die kleinen Bäume stehen und an deren Seitenwegen die lange Kolonne der Kindermädchen mit den spielmüden, durch den Staub schlurfenden Kindern heimwärts zieht. Branchard bog sich zurück:

»Geradeaus, zum Teich.«

Fast menschenleer war es in dem dämmerigen Park; die Stille wurde nur durch das Gleiten eines Wagens dann und wann unterbrochen.

»In Richtung zum Teich, Branchard.«

»Ja, Herr Präsident.«

»Ah, Branchard, bleiben Sie stehen. Dort sitzt eine Bekannte von mir. Halten Sie am Gehsteig.« Und wie um sich zu entschuldigen: »Eine Freundin, eine gute Bekannte ... warten Sie hier, Blanchard.«

Als ob ein alter Hase wie Blanchard einen Augenblick glauben könnte, das Rendezvous sei nicht vereinbart!

Es war Angèle, sie hatte gewartet, sie hatte ihn gesehen.

Gardas stieg aus. Zwischen ihm und Angèle lag ein eingezäunter Rasen mit Tafeln, die das Betreten der Grünfläche verboten. Er mußte rundum gehen, um zu der schmalen Allee zu kommen, wo sie auf einem buntangestrichenen eisernen Sessel saß. Sie stand auf und kam ihm entgegen. Zwei Wochen lang, seit der Sitzung, seit dem Diner in der Rue Montessuy hatte er sie nicht gesehen; in dem dämmerigen, grauen Schein verschwammen ihre Umrisse, so daß sie ihm noch weicher vorkam. Vierzehn Tage seit dem Diner zu zweit, das jäh durch einen Anruf unterbrochen worden war: den Anruf Mehlens. Vielleicht war sie nun bereit, ihn anzuhören. Als er bis auf zwei Meter an sie herangekommen war, glaubte er eine leise Unruhe in ihren Zügen zu lesen. Mit ausgestreckten Armen ging er auf sie zu. Gewiß: er sollte zuerst von Enguerrand sprechen und erklären, daß dessen Warnungen nicht so ernst zu nehmen waren, daß er Angèle aber immerhin von seinem Besuch in Kenntnis setzen mußte. Aber die fixe Idee ließ ihn nicht los. Er wußte selbst nicht, was er fürchtete, und da er sie so liebte, sagte er als erstes die Worte, die jeder an seiner Stelle gesagt hätte; Worte des Vorwurfs, vor allem aber Worte der Angst, die beruhigt werden mußte:

»Sie wohnen bei Mehlen?«

»Ja«, sagte Angèle.

Und da sie ehrlich war und von vornherein alles klarstellen wollte, fügte sie hinzu:

»Ich werde ihn heiraten.«

XVI

Branchard, der beauftragt war, den Präsidenten nicht aus den Augen zu lassen, sah die beiden – wie er später erzählte – eine knappe halbe Stunde Seite an Seite in der schmalen, menschenleeren Allee längs des Sees auf und ab gehen. Sie schienen sich ganz natürlich und angeregt zu unterhalten, aber kein einziges Mal hatte Gardas den Arm der Dame genommen. Freunde mochten sie sein, ja; aber intim waren sie nicht. Obwohl ihm die Dame bedeutend jünger als der Chef schien, berichtete der Chauffeur abends dem Koch Gilbert – der ihm ein Sandwich richtete, denn der Dienst dauerte bis neun Uhr und es war noch lange bis zum Abendessen: »Der Chef ist im Bois gewesen und hat dort eine Jugendfreundin getroffen.«

Er hatte sie auch beobachtet, als sie bei fast völliger Dunkelheit im gleichen Schritt zum Wagen zurückgekommen waren. Sie setzten sich in gehörigem Abstand in den Fond, und der Präsident sagte zu ihr:

»Ich bringe Sie hin ... zur Porte Dauphine.«

»Vielen Dank«, sagte die Dame.

Dann fiel kein Wort mehr, bis der Wagen auf Befehl des Chefs an dem Gehsteig beim Eingang zur Metro hielt.

»Adieu«, hatte der Präsident gesagt.

»Aber nein, nicht adieu, auf Wiedersehen«, war die Antwort der Dame gewesen.

Und sie war in Richtung auf die Rue de la Faisanderie weitergegangen, während der Wagen zur Avenue Bugeaud hinauffuhr. Der Chef hatte sich erst nach ihr umgedreht, als sie ein Stück weitergefahren waren, als wollte er nicht, daß sie es bemerke.

Er sprach kein Wort mehr, bis ihn Branchard bei der Auffahrt des Matignon absetzte, er bedankte sich nicht einmal beim Aussteigen. Er schien Sorgen zu haben. Und dazu bestand Grund genug, man brauchte nur die Abendzeitungen zu lesen, die Joseph aus dem Sekretariat in die Küche gebracht hatte. Es gab eine Menge Unzufriedener, man drohte mit einem Generalstreik. Die Arbeiterverbände schlugen zurück. In der Küche sagten die einen: »Ich sag' dir, er hat recht ...« Und die anderen: »Ich an seiner Stelle ...« Gottlob waren sie nicht an seiner Stelle, denn so ein Beruf – danke schön!

Gardas durchquerte die Halle. Der Portier stand auf und öffnete die Tür:

»Monsieur Blache-Duparc ist weggegangen, Herr Präsident, er hat eine Telefonnummer hinterlassen, falls ihn der Herr Präsident noch braucht.«

»Danke, Grabot. Ich arbeite noch ein wenig. Ich gehe erst später essen.«

»Auf jeden Fall weiß die Küche Bescheid ... Auf morgen, Herr Präsident. Monsieur Berdon hat die Abendpresse hergerichtet, die Artikel befinden sich wie immer in der blauen Mappe auf dem Schreibtisch des Herrn Präsidenten.«

Gardas brauchte sie nicht anzusehen, er wußte genau, was sie enthielten. Die geplante Notverordnung war bekannt, das Parlament hatte ihn ermächtigt, sie zu veröffentlichen, und die zu erwartenden Entrüstungsstürme gewisser Kreise würden sich kaum von den Haßgesängen unterscheiden, die ihren Widerhall in den ihm bereits bekannten ersten Ausgaben der Nachmittagspresse gefunden hatten. Generalstreik? Er war bereit. Er würde die Revolte im Keim ersticken, seine Dispositionen waren getroffen. Um drei Uhr hatte ihm der Polizeipräfekt mitgeteilt, daß alles in Ordnung sei. Zwei Tage konnte es dauern, höchstens eine Woche, nicht länger, denn es handelte sich um einen politischen Streik, nicht um einen Streik, durch den man Zugeständnisse erpressen wollte. Hart bleiben ... hart.

Angèle! Angèle würde Mehlen heiraten. In einem Jahr, wie sie gesagt hatte, nach Ablauf der Trauerfrist. Warum Mehlen? Gardas hatte gewagt, sie danach zu fragen. »Weil es Mehlen ist«, hatte sie geantwortet, und: »Ich bitte Sie, fragen Sie mich nicht weiter!« Dann hatte er ihr vom Besuch Enguerrands und seinem Anliegen erzählt – das schien sie nicht besonders zu wundern. Sie kannte, zumindest teilweise, seine Bestrebungen und zeigte sich beruhigt, daß es nichts Schlimmeres war. »Er ist so jung ... der Reiz der Neuheit ... Es wird vergehen ...« Und sie schritten weiter Seite an Seite durch die Allee. Sie war verschlossen und ging nicht aus sich heraus. Man unterschied die Umrisse des schwarzen Peugeot nicht mehr und auch nicht die Gestalt Blanchards, seiner Garde. Sie hatten nicht mehr viel miteinander zu besprechen und kehrten zum Wagen zurück.

Er war verletzt, er wußte selbst noch nicht, wie schwer. Er glaubte, es sei nur eine oberflächliche Wunde, gekränkte Eitelkeit und Enttäuschung, aber als er allein war, als sie ihn verlassen hatte, da wurde ihm klar, daß er wirklich litt, daß er einen Schmerz empfand, wie er ihn noch nie empfunden hatte.

Kämpfen? Kämpfen gegen Mehlen? Gut, aber war das möglich? Vielleicht. Doch Angèle? Gegen Angèle, die entschlossen war? Sie hatte es so nebenbei, ganz ruhig erwähnt: »Ich bleibe dabei, ich ändere meinen Entschluß nicht.« Angèle war verloren ... Angèle war verloren ...

Und jetzt mußte er sich wieder zur Arbeit setzen, die Formulierungen des Dekrets, das soviel Tinte zum Fließen brachte, durchsehen. Ach, morgen, morgen ... Schlafen und vielleicht im Schlummer die Kraft wiederfinden, die ihn so unmerklich verlassen hatte, seit er es wußte. Die Pflicht? Gewiß, die Pflicht ... Und was weiter?

Die Liebe ist nicht der einzige Lebenszweck. Gewiß nicht. Aber man muß sich die Freude für alles andere bewahren können. Ach, so öde das alles, dieses Paktieren, diese Geschäfte, ja sogar die Drohungen.

Aber, aber, »nimm dich doch zusammen!«

Die Büros Blache-Duparcs und der anderen Attachés lagen im Dunkel. Man brauchte nur eine Stunde wegzugehen, und schon hatten sich die Untergebenen verzogen. Nun, sie konnten eben nicht mehr, seit zwei Wochen arbeiteten sie praktisch Tag und Nacht, ohne aus dem Haus zu kommen. Sie waren eben essen gegangen, wie auch der Portier gehen würde; ja, und er auch, Gardas, er mußte schließlich ...

Sehen wir uns noch einmal diese Notverordnung an, dachte er. Den neuen Absatz vor allem, diesen Stein des Anstoßes: »Die Verordnungen vom 1. Mai, 17. September, 28. Dezember 1950 sind außer Kraft gesetzt und für null und nichtig erklärt ...« Angèle, ach Angèle!

Er öffnete die Türe vom Zimmer Blache-Duparcs, durch die unlängst diese trügerische Hoffnung, Madame Dervais, eingetreten war. Nur eine Schreibtischlampe brannte, eine Lampe in Kugelform, die ein bläuliches Licht verströmte, das man Tageslicht nannte. Und dieser Strahl, der auf einen Ausschnitt der Tischplatte fiel und alles übrige unbeleuchtet ließ, wies wie ein großer heller Finger auf die Mappen: die Mappe mit den Presseartikeln und die Mappe mit dem Text des Dekrets.

Gardas machte ein paar Schritte zu seinem Lehnstuhl. Da war er, der Präsidentenstuhl, von dem so viele Menschen träumen, der die Macht verkörperte! Eine Bespannung mit Petit-Point-Stickerei, befestigt durch eine antike, wurmstichige Holzeinfassung: ein Symbol, oh, ein treffendes Symbol! Er riß seinen Überzieher herunter, seinen lächerlichen gestrickten Schal, der ein wenig dem Schal Jules' glich und den Madame Paris eigenhändig gestrickt hatte; aber der Schal Gardas' war Maschinenarbeit, noch gewöhnlicher. Niemals würde ihm ein weibliches Wesen einen Schal aussuchen oder stricken, in diesem frauenlosen Leben, das er stets geführt hatte und das er immer führen würde, er, der nicht einmal seine Mutter gekannt hatte. In diesem Augenblick entdeckte er, daß er nicht allein war, daß ein Mann im Zimmer stand.

Er war überrascht, er wollte fragen: Ja, wer sind Sie denn? Oder: Was tun Sie hier?, als eine Stimme sagte:

»Enguerrand, Herr Präsident ... Sie haben mir erlaubt ...«

»Ah«, sagte er, »Sie, Enguerrand.«

Ein wenig befangen fuhr der junge Mann fort:

»Monsieur Blache-Duparc hat mich hereingelassen, Sie haben ihm die Weisung gegeben. Er teilte mir mit, daß Sie für eine Stunde ausgegangen wären und daß er selbst auswärts zu tun hätte. Er hat mir gestattet, Sie hier zu erwarten.«

»In meinem Zimmer?«

»Ich bin durch seines gegangen. Er hat sich erinnert, daß ich sehr lange bei Ihnen gewesen bin, und so hab' ich eine Notlüge gebraucht und erklärt, ich gehöre zu Ihrer Familie.«

Gipfel der ungewollten, bitterer Ironie: seine Familie! In der gleichen Stunde, in der ihm Angèle ankündigte, daß sie Mehlen heiraten werde...

»Und was wollen Sie von mir, junger Mann?«

Er sagte nicht mehr Enguerrand. Ein dumpfer Zorn stieg in ihm auf: Familie, seine Familie...

»Herr Präsident...« Er gewöhnte sich an den Titel, er brannte ihm nicht mehr auf den Lippen, »ich bitte um Entschuldigung, aber es war kein Augenblick zu verlieren... Die Notverordnung...?«

»Nun?«

»Die Abendzeitungen brachten den endgültigen Wortlaut.«

»Sie sind gut informiert!«

»Ist dieser Text... der richtige?«

»Nein.«

»Haben Sie darüber nachgedacht?«

»Worüber?«

»Über unser Gespräch.«

»Sehen Sie mich an, junger Mann«, sagte Gardas mit steigender Wut, »sehen Sie mich genau an: wofur halten Sie mich? Glauben Sie, daß die Rügen eines ahnungslosen Laien, eines kindischen Grünschnabels Einfluß auf mich haben können? Denken Sie wirklich, daß ich mich auch nur eine Sekunde mit Ihren Hirngespinsten beschäftigt habe?«

»Sie sagten eben...«

»Daß der veröffentlichte Text der Zeitungen nicht stimmt. So ist es auch. Der wirklich Text liegt hier vor mir, und die Artikel der Abendpresse sind somit überholt... Hier ist der endgültige, verstehen Sie?«

Er hieb mit der flachen Hand auf die Mappe.

»So ist er noch ärger?«

»Wenn Sie es so nennen wollen. Der Text ist so, wie er sein muß.«

»Haben Sie alles genau überlegt?«

»Dazu habe ich Sie nicht gebraucht. Und Ihre Mitteilungen und Äußerungen könnten mich in meiner Überzeugung nur noch bestärken...«

»Ist das Ihr letztes Wort?«

»Mein letztes.«

»Dann muß es Ihr letztes sein«, sagte Enguerrand.

Gardas sah etwas in der Hand des jungen Mannes aufblinken, was er plötzlich aus der Tasche gezogen und gegen ihn gerichtet hatte. Er wollte schreien: »Enguerrand, was tun Sie ... Sie werden doch nicht ...« Es blieb ihm keine Zeit dazu. Ein scharfer Knall. Dann tiefe Stille, und auf dem Antlitz Gardas', das grotesk zu Boden glitt, ein ungeheures Staunen, das sehr bald einer tiefen Ruhe, einem ungetrübten Frieden wich, wie sie ihm das Leben niemals hatte geben können.

Achtes Kapitel
LES FINS DERNIÈRES
Angélique

I

Angélique de Viborne kniete am Fußende des Bettes in ihrem Zimmer. Der Parkettboden drückte sie schmerzhaft.

Sie begann immer mit den gewohnten Gebeten, die sie gelernt hatte und seit Jahren wiederholte, die sie auch in der Kapelle des Klosters mit den Schwestern betete. Aber bald wandelten sich die flehentlichen Bitten zu einer inneren Meditation, einem pathetischen Selbstgespräch, einem hundertmal wiederholten Anruf, der niemals zum Dialog wurde, so heiß sie es erhoffte. Es blieb bei den Fragen an sich selbst und an Gott: Er gab keine Antwort.

Früher, als Angélique im Wald von La Gardenne – den sie nicht mehr betrat – zur Sonne aufgeblickt hatte, da war es stets in dem heißen Wunsch geschehen, diese Sonne würde mit einem Male zur Sonne Fatimas werden. Und in den Kirchen, den Kapellen, in die sie sich flüchtete, erwartete sie selig und angstvoll zugleich Erscheinungen – nicht Engel, schön wie antike Epheben, das Flammenschwert in der Hand, oder weibliche Gestalten in blauen, sternenübersäten Gewändern; nein, im Gegenteil, sie wartete auf den gewalttätigen, rächenden Gott oder seinen Boten, der streng und mächtig die Erfüllung seines ehernen Gesetzes gebot und die Stirn der Menschen zu Boden zwang.

Sie brauchte Gott doch so sehr! Besonders jetzt, mehr denn je! Sie brauchte einen Gott, der sie verstand, der sich liebevoll über sie neigte. Sie redete sich ein, daß es eine neue Prüfung war, die er ihr mit der Pflege der – gewiß – geliebten Großmutter auferlegte, deren Krankheit sie aus dem Kloster gerissen und ins Leben hinausgestoßen hatte; aber sie lechzte nach einer himmlischen Erleuchtung, die ihr bestätigte, daß sie recht hatte.

Der Marquis, ihr Vater, war durch einen schrecklichen Unfall ums Leben gekommen, und sie hatte in diesem Tod eine Mahnung, einen Wink Gottes zu erkennen geglaubt. Deshalb war sie in voller Erkenntnis der Tragweite ihres Entschlusses für immer ins Kloster Notre-Dame zurückgekehrt. Gott wollte sie, und für sich allein, so meinte sie, und auch ihre Mutter, die sie besuchte und so dramatisch das Leben der Religion gegenübergestellt hatte, konnte ihre Absicht, die Gelübde abzulegen, nicht erschüttern.

Die Pflicht schleuderte sie nun wieder unter die Menschen und zwang sie an das Krankenlager der alten Madame Paris, weil Angèle nicht auffindbar war.

»Mein Gott«, betete Angélique, auf dem harten Fußboden liegend, mit flehentlich gefalteten Händen und Knien, die von der Kasteiung geschwollen waren, »mein Gott, Dein Wille, nicht meiner, geschehe!« Aber – und das war der nagende Zweifel, den sie noch vor wenigen Tagen überwunden geglaubt hatte – sie wußte nicht mehr, was der Wille Gottes war.

Da lag sie in ihrem schwarzen hochgeschlossenen Kleid, das Haar straff nach hinten gekämmt, bis zum Handgelenk verhüllt; aber kein Kleid, keine strenge Frisur konnte verbergen, was sie war.

»Mein Gott, Dein Wille geschehe! Ach, Du weißt es: Mein Wille ist es, Dir zu gehören, Dir allein. Aber mach, daß ich nicht hier bleiben muß... Denn ich darf nicht in dieser Welt bleiben, wenn Du mich nicht verlieren willst. Ich möchte lieber sterben als verloren sein. Ja... ja... ich würde sterben, ich könnte es nicht überleben, und selbst meine Verdammnis wäre eine zu geringe Strafe. Mach, daß Großmutter gesund wird. Daß ich nicht mehr auf die Straße laufen und Frauen und Männer sehen muß. Du hast mich für das andere Leben geschaffen. Ja, Herr, wenn das irdische Leben stärker ist, bin ich für Dich gestorben. Dann verlierst Du mich... Ich will nicht verloren sein... Ich will nicht verloren sein...«

Sie kniete in ihrem Zimmer, in einem der vier Räume dieser kleinen Wohnung der Rue de Caulaincourt, wo sie alle Haushaltsarbeiten, auch die gröbsten, verrichtete, seit man sie gerufen hatte. Aber in der Angst, in den quälenden Zweifeln, die sie überfielen, sobald sie nur eine Minute zum Nachdenken kam, versank alles, was sie umgab: der Geruch der Salben und der Medikamente in dem Zimmer der alten Madame Paris, der sich immer mehr verflüchtigende Geruch nach Zigaretten und Pfeifen, die Jules hier so lange geraucht hatte, der Geruch der anderen Menschen, die hier lebten. Sie vergaß die schwere Krankheit der Großmutter, die verrinnende Zeit, sie wußte nicht mehr, welcher Tag, welche Woche es war; ein einziger Gedanke, ein einziger Wunsch beseelte sie: sobald als möglich das Gespräch mit Gott wiederaufnehmen zu können, der ihr nie antwortete... Gott, der sie eines Tages an der Hand nehmen und dorthin führen würde, wohin sie nach Seinem Willen zu gehen hatte; oh, eines Tages mußte es sein, eines Tages würde es kommen...

In Großmutters Zimmer war es still, sie schlief. Lambert war am späten Nachmittag aus dem Haus gegangen. Das Abendessen stand bereit, die Suppe brodelte leise summend auf der kleinen Gasflamme, und ihr süßlicher, sämiger Geruch nach Kartoffeln und Zwiebeln drang bis ins Zimmer Angéliques. In dieser ruhigen Stunde fand sie endlich Zeit, zu Gott zu sprechen.

Sie kniete im Schein der kleinen, etwas verspielten Nachttischlampe mit dem rosa Seidenschirm, der Madame Paris so sehr gefallen hatte, als sie vor vielen, vielen Jahren hier eingezogen war; das weiche Licht, das zu der Szene nicht passen wollte, fiel auf die Gestalt des betenden Mädchens. Die Lampe verbreitete die anheimelnde Atmosphäre, für die Angélique so empfänglich war und vor der sie sich im Gebet zu bewahren suchte. Die Zellen und Schlafräume in Notre-Dame waren kahl und kalt; dorthin mußte sie zurück, nur dort fand sie Rettung; das ersehnte, freiwillig aufgesuchte Gefängnis brachte das Heil.

»Herr ... Herr ... hilf mir!«

Aber Gott war taub. Er schwieg. Oh, dieser Zorn, dieser wütende Zorn – nicht gegen Ihn, schnell wegwischen diesen Gedanken! – sondern gegen all das, was sich verband, verschwor, um einen Menschen aus ihr zu bilden, der sie um nichts in der Welt sein durfte, den sie haßte und verachtete. Sie war so guten Willens – warum war ihr diese Qual auferlegt worden, während andere friedlich, unbeschwert von Sorgen und Gedanken dahinlebten? Die »intelligente Mutter« behauptete, daß sie gerade dafür dankbar sein mußte; je härter die Prüfung, desto wunderbarer der Lohn. Glauben ... glauben ... Aber warum lag diese Bürde gerade auf ihren Schultern? War sie eine Erwählte des Herrn? »O Gott, und wenn ich strauchle ...?«

»Angélique!« rief Madame Paris.

Die gräßliche Angst mit einem Mal, nicht durchzuhalten, nicht zu bestehen ... »Herr, ich flehe Dich ...«

»Angélique!«

»Mach, o Herr, daß ich nicht stürze ... Mein Gott, behalte mich bei Dir, ich beschwöre Dich ...«

»Angélique, hörst du nicht?«

Die Großmutter rief sie.

»Was?«

Wo ist sie eigentlich? Ach ja, Angélique kehrt in die Wirklichkeit zurück. Sie betet ja zu Gott um Beistand in ihrem Kampf, weil sie sich hier in den Räumen aufhält, in denen noch vor wenigen Tagen ein Mann daheim war, atmete und rauchte und wo es heute noch nach Mann roch. Weil sie sich mitten in der Stadt befindet, ohne fliehen zu können; im Herzen der Stadt, im Herzen des Lebens.

»Angélique!«

»Ja, Großmutter.«

»Weißt du, daß es neun Uhr ist? Bist du eingeschlafen?«

»Nein, Großmutter.«

»Angélique, es ist neun Uhr, und Lambert ist noch nicht zu Hause.«

II

Jetzt steht Angélique vor dem Bett der Großmutter.

»Lambert ist nicht nach Hause gekommen«, sagt die alte Dame noch einmal. »Schau auf meine Uhr, es ist neun Uhr sieben Minuten.«

»Er sollte längst da sein«, bestätigte Angélique.

»Nimm meine Hand, massiere sie ein bißchen – es kribbelt, als wären Ameisen unter der Haut...«

Angélique ergreift die alten Hände, die trotz der Haushaltsarbeit und des Alters so fein und gepflegt sind; es sind Hände, die sich seit zwei Wochen ausgeruht haben und sicher dadurch wieder weich und geschmeidig geworden sind. Sie hält sie in den eigenen rauhen Händen, die niemals rot und rissig genug sein werden, und massiert sie mit den Fingern, die auch fein und weich sein könnten:

»Tut dir das gut?«

»Ich spüre es fast nicht.«

Aber Großmutter denkt nicht an sich selbst, sie zieht die Hände weg:

»Was ist mit Lambert? Niemals ist er so spät nach Hause gekommen. Es wird doch nichts passiert sein?«

»Ach, der treibt sich irgendwo herum.«

»Um neun Uhr! Du solltest hinuntergehen...«

Angélique graut es davor, hinunterzugehen. Hinuntergehen heißt, wieder in die Straßen tauchen, die Lichter und die Schatten sehen, die von den menschlichen Gestalten ausgehen. Hinter jeder Mauer, hinter jeder Ecke des Gehsteigs kann unvermutet eine Gefahr lauern. Die Dunkelheit verbirgt nichts, wenn überall Leben und Bewegung herrscht.

»Sollten wir nicht doch ein bißchen warten? Du mußt vorher zu Abend essen.«

»Ich bin nicht hungrig. Und dann – ich ertrage die Ungewißheit nicht.«

»Wenn ich ihn aber nicht finde?«

»Red keinen Unsinn! Lauf ihn suchen, dann kommt er bestimmt von selbst.«

Angélique geht zur Eingangstür.

»Nimm deinen Mantel«, ruft ihr Großmutter aus dem Schlafzimmer nach, als hätte sie sehen können, daß Angélique ihn vergessen hat.

Die Treppe ist steil und schwarz. Kein Grund zur Aufregung. Lambert hat sich eben verspätet, wie unlängst am Sonntag, als ihn Enguerrand schließlich heraufgeschleppt hat; die Großmutter hat es ihr erzählt.

Die Straße ist finster, es fröstelt sie ein wenig beim Weitergehen. Was hat es für einen Sinn, Lambert in dieser Dunkelheit zu suchen; wie soll sie ihn da finden?

Trotzdem geht sie weiter zu den Läden. Alle sind geschlossen, die eisernen Rolläden herabgelassen, aber hinter den hohen Scheiben sieht man noch die Umrisse der eleganten Auslagepuppen und die ausgestellten frivolen Dessous. »Chez Janou« heißt das Geschäft. Ein Auto fährt vor; eine vulgäre, zu stark geschminkte, aber trotzdem hübsche Person steigt aus, die Türe eines Restaurants öffnet sich, sie tritt ein. Ein Herr folgt ihr. Sie sind verschwunden.

Angélique fröstelt. Sie ärgert sich über ihren Bruder. Aber sie ist gewissenhaft, sie läuft weiter, sie will die ganze Gegend absuchen. Inzwischen ist Lambert sicher schon heimgekommen, und die Großmutter braucht sich nicht mehr zu sorgen, die arme Großmutter, die heute so blaß ist. Sie scheint sich noch schlechter zu fühlen als am Vormittag während des Besuchs vom Facharzt, der fortwährend von neuen Kuren spricht, aber anscheinend selbst kein Vertrauen zu ihnen hat, denn er verwirft sie, ehe er noch damit begonnen hat. Aber er ist ein sehr selbstsicherer Herr, ein Freund jenes Monsieur Mehlen, den man allmächtig nennt. Mächtig? Was bedeutet dieses Wort schon vor dem Willen Gottes?

Alles ist dunkel unter den Häusern, deren Wände sich hoch oben zu berühren scheinen, wohl um die Menschen noch tiefer zu begraben, noch sicherer gefangenzuhalten. Hier ist der wirkliche Kerker. Frei, das kann sie nur in den Mauern von Notre-Dame sein. Denn es gibt nur eine Freiheit, die Freiheit, die Gott schenkt.

Verrückt, den Bruder so spätabends im Freien zu suchen. Schnell nach Hause, das ist das beste! Lambert hat sich nicht verirrt. Ein Lambert verirrt sich nicht. Ach, wenn sie das gleiche von Angélique behaupten könnte!

Sie beeilt sich. Sie läuft beinahe. Um so mehr als sie bei der Straßenkreuzung plötzlich mit dem Schatten einer wartenden Frau zusammenstößt. Auf wen wartet sie? Nur heim, heim!

Angélique geht die Straße hinab bis zu dem kleinen Platz. Sie benützt den Gehsteig, der zu ihrem Haus führt, vorbei an einem Rohbau. Ihr Fuß stockt vor dem Bretterzaun.

Hat Großmutter nicht erzählt, daß Enguerrand den Bruder an jenem Sonntag in einem Rohbau entdeckt hat? Was trieb er dort? Angélique kennt ihren Bruder; er ist ein Junge, der immer »Flausen im Kopf« hat. Gewiß hat er sich in diesem Bau verschanzt und in seiner Phantasie daraus ein Märchenschloß, eine uneinnehmbare Festung gezaubert. Vielleicht hält er sich auch jetzt dort auf.

Angélique steht zögernd beim Eingang. Lambert ist ein sensibles

Kind, das weiß sie, Mama hat es immer wieder gesagt; er ist ein Kind, das sich vor der Nacht, vor dunklen Zimmern fürchtet. Im Wald wäre es ganz anders: Der Wald birgt für Lambert weder Tücken noch Gefahr; unter den Bäumen bewegt sich der Junge zu jeder Tages- und Nachtzeit mit nachtwandlerischer Sicherheit.

Sie schlüpft durch den Bretterzaun und tritt durch die Toröffnung, in der es noch keine Türflügel gibt. Ein eisiger Luftzug streift sie, der vom Hof her durch das gähnende Treppenhaus bläst. Wenn wirklich Kinder hier wären, dann müßte man sie hören, man müßte ihre Stimmen und ihre Schritte vernehmen; hier aber herrscht tiefe Stille. Angélique wagt sich hinauf. Ja, sie muß den Weg zu Ende gehen.

Sie tastet sich mit der Hand an der Wand weiter und klettert vorsichtig ein Stockwerk hoch. Sie ruft:

»Lambert!«

Keine Antwort. Sie weiß ja, daß er nicht hier sein kann. Trotzdem gibt sie es nicht auf. Es wäre zu dumm, wenn er sich hier versteckt hielte, wie er es gern in La Gardenne tat, als er »Wildschwein im Loch« oder »Hase in der Grube« spielte.

»Lambert!« ruft sie nochmals und bemüht sich, energisch zu sein, aber es klingt recht wackelig, »Lambert, wenn du hier bist, dann melde dich, die Großmutter ist sehr besorgt!«

Nichts. Sie steigt also noch eine Etage höher, tritt in die leeren, kahlen Räume und ruft von neuem.

Das Haus hat sechs Stockwerke. Nein, sie wird nicht höher hinaufgehen, es ist ja völlig sinnlos, meint sie zunächst. Und doch: sie hält durch bis zur letzten Etage, aber auch hier antwortet ihr keine Stimme.

Zu dumm, warum ist ihr die Erzählung der Großmutter vom Rohbau überhaupt eingefallen? Lambert ist bestimmt längst zu Hause und wartet mit der alten Dame auf das Abendessen, das Angélique vorbereitet hat.

Langsam, vorsichtig, die Hand an der Wand, tastet sich Angélique wieder hinunter, sie ruft nicht mehr. Hoch ist das, sechs Stockwerke! Fünf hat sie hinter sich. Bei der letzten Kurve erblickt sie unten ein helles Viereck: das Haustor. Und da, in diesem Augenblick, hört sie Stimmen, Geflüster. Wie erstarrt stockt ihr Fuß. Ja, da ist jemand. Lambert? Nein, das undeutliche Murmeln, das kommt von keinem Kind, das ist ein Mann, und nun hört sie auch eine zweite, eine Frauenstimme.

Ein Liebespaar, irgendwo im Dunkeln versteckt. Immer also gibt es ein Paar, einen Mann und eine Frau, immer und überall im Leben; in dem, was die Menschen Leben nennen. Und das soll wirklich Leben sein, was hier in den kalten Mauern geschieht? Da steht sie, kaum drei Meter von ihnen entfernt, sie wagt sich nicht zu rühren, sich nicht bemerkbar zu machen, denn die beiden sind so miteinander beschäftigt, daß sie die fremde Gegenwart nicht einmal ahnen. Ein Schluchzen steigt in ihre Kehle, ein Schluchzen der Verzweiflung, ohne daß sie den Grund dieser Verzweiflung selbst wüßte.

Nun sieht sie die beiden. Ihre Umrisse verschwimmen zu einer einzigen Gestalt, sie flüstern und scheinen sich nicht genug Zärtliches sagen zu können. Sie trennen sich erst, als es unbedingt nötig ist: beim Hinausgehen durch das schmale Tor; dann aber, auf der Straße, die sie wie ein Strom aufnimmt und mitschwemmt, gehen sie wieder eng aneinandergeschmiegt, bis sie im Dunkeln entschwinden.

Mama hat ihr einmal gesagt: Du bist nicht tapfer. Sie hat recht. Angélique weiß es in diesem Augenblick ganz genau, aber damals haben sie von einem andern Mut gesprochen. Würde sie jemals die Prüfungen standhaft ertragen? Mein Gott, mein Gott, Dein Wille geschehe!

Ein Schluchzen schüttelt sie, nein, sie hält nicht durch, morgen schon muß sie nach Notre-Dame zurück. Es wird sich jemand finden, der die Großmutter betreut, nur nicht sie, nicht mehr sie – nein, ihr fehlt der Mut. Der Mut fehlt ihr ...

Sie trocknet die Augen und wischt über das Gesicht. Sie darf sich nichts merken lassen. Vor der Eingangstüre holt sie die Schlüssel heraus und schließt auf. Gleich wird sie die beiden Stimmen aus dem Schlafzimmer hören, die fragende der Großmutter, die antwortende des Bruders. Aber eine einzige Stimme ruft sie: »Bist du's, Angélique?«

»Ja, Großmutter. Ich bin das ganze Viertel abgelaufen, die Läden sind geschlossen.«

Sie sagt nicht, daß sie auch im Rohbau nachgeschaut hat, darüber könnte sie nicht sprechen.

»Mein Gott, wo steckt der Bengel nur!« stöhnt die Großmutter.

Ratlos sehen die beiden Frauen einander an.

»Gib mir meine Handtasche!«

»Wo ist sie, Großmutter?«

»Auf dem Kamin.«

»Nein, da ist sie nicht. Ah, da liegt sie auf der Anrichte im Speisezimmer!«

»Wer hat sie dorthin gelegt?«

»Das weiß ich nicht.«

»Bring sie her. Aber schnell, schnell ...«

Angélique gehorcht, kommt mit der Tasche zurück. Die Großmutter öffnet sie, zieht ein Bündel Banknoten heraus:

»Wieviel hast du heute von der Bank abgehoben?«

»Vierzig.«

»Ich habe dir fünf zum Einkaufen und für die Zahlscheine mitgegeben.«

»Ja, Großmutter, davon hab' ich noch...«

»Aber das ist doch ganz egal!« Aufgeregt blättert sie in den zerknitterten Scheinen, zählt, zählt nochmals: »Fünfzehntausend! Nur fünfzehntausend sind da. Und du hast noch nichts herausgenommen?«

»Aber, Großmutter...«

»Natürlich nicht. Lauf... lauf schnell ins Zimmer Lamberts, schau in seinem Schrank nach. Zähl seine Hemden... und sieh nach, ob seine Lieblingssachen noch drinnen sind, die Peitsche, der Quarz... Schnell, schnell, eil dich!«

»Warum, Großmutter?«

»Aber verstehst du denn nicht? Er ist weggegangen, Angélique, er ist weg!«

»Ja, wohin sollte er denn?« fragt Angélique verständnislos.

»Ach, weiß man jemals, wohin man geht«, sagt Madame Paris mit ihrer alten Stimme, die noch brüchiger klingt als sonst.

III

Angélique öffnet den Schrank Lamberts. Nach der Abreise Mamas gab man ihm ein Fach, um die wenigen Kleidungsstücke unterzubringen, die er sich von La Gardenne mitgenommen hat. Es liegt noch einiges dort, aber die beiden neuen Hemden fehlen. Die Stimme der Großmutter gibt aus dem Nebenzimmer ihre Anweisungen:

»Deine Mutter hat auch ganz links unten einen Platz für seine Schuhe freigemacht.«

Angélique bückt sich. Leer. Auch das Paar Stiefel fehlt, das Lambert völlig überflüssigerweise in der Sologne am Begräbnistag seines Vaters eingepackt hat, die Stiefel, die er so liebt, daß er sich niemals von ihnen trennen will.

»Keine Schuhe. Siehst du...«, sagt Großmutter tonlos. »Gestern, vielmehr als ich zum letztenmal selbst nachschauen konnte, habe ich auch noch einen alten Fiberkoffer im Zimmer gesehen. Ich erinnere mich, ich hab' ihn am Abend vor meinem... Unfall selbst oben auf den Schrank gestellt.«

»Vielleicht hat ihn Jules mitgenommen?«

»Nein, der hatte einen eigenen.«

»Der Koffer ist aber nicht hier.«

»Siehst du. Komm, bitte.«

Angélique steht vor dem Bett ihrer Großmutter. Die alte Dame sagt:
»Er ist wirklich durchgebrannt.«

»Unfaßbar«, murmelt Angélique.

Aber sie ist nicht ganz aufrichtig. Es war nicht so unfaßbar, wie sie
sagte. Sie kennt Lambert gut genug, um zu wissen, daß er seit seiner
frühesten Kindheit immer mit dem Gedanken spielte, in die Welt zu
ziehen. Ein Kind voller Einfälle, voll Phantasie. Es mußte einmal dazu kommen.

»Eine Flucht ... Aber aus welchem Grund?«

»Braucht man immer einen Grund, wenn man weglaufen will?« fragt
Madame Paris. »Wir haben uns zu wenig um den Jungen gekümmert,
er war zuviel allein. Aber deine Mutter ist ... zu beschäftigt ... Und
ich ...«

»Es muß etwas geschehen«, erklärt Angélique etwas töricht.

»Aber was? Wir müssen zu einem Entschluß kommen ...«

»Glaubst du nicht, daß er doch noch erscheint?«

»Jetzt, um fast elf Uhr? Und außerdem, bedenk: der Koffer, das
Geld ...«

»Dann sag, was du meinst, Großmutter.«

»Wir müssen ihn suchen.«

»Aber wo?«

»Wenn ich das wüßte! Überall ... überall, wo er sein kann, wo er
sein muß. O Gott, wenn ich nur aufstehen könnte! Wozu gibt's eine
Polizei, ein Kommissariat? Aber vorher sollte man das ganze Viertel
absuchen, herumhören, in den Läden, bei den Leuten, die ihn gesehen haben könnten, nachfragen — und bei den Gassenjungen, mit
denen er gespielt hat. Vielleicht findet man dann eine Spur. Wir müssen ... wir müssen ...«

»Großmutter, die Kaufleute schlafen doch schon!«

»Nun, und? Man weckt sie eben auf.«

»Um elf Uhr!«

»Aber Kind, du scheinst dir nicht klar zu sein ...«

»Und Mama?«

»Deine Mutter? Natürlich, sobald wir sie erreichen, teilen wir ihr
alles mit. Jetzt mußt eben du einspringen, du vertrittst mich doch in
allem. Du wirst dich bemühen, die Leute fragen ... du findest ihn bestimmt. Angélique, bedenk doch: du kennst Lambert, bei ihm muß
man auf das Schlimmste gefaßt sein.«

Angélique steht mitten im Zimmer, ratlos, verzweifelt, taumelnd.
Jetzt, da sie endlich gehofft hat, in den Frieden der vier Wände zurückkehren zu dürfen, jagt man sie wieder hinaus auf die Straße, in

die Nacht, wo sie von drohenden Schatten und peinigenden Gedanken gehetzt wird. Aber Großmutter hat recht, Lambert ist Lambert, und es muß alles versucht werden, um ihn zu finden. Eine ungeheure Aufgabe, die sie in ihrem vollen Ausmaß erkennt, eine Aufgabe, die über ihre Kraft geht. Großmutter, ja, die würde es schaffen, wenn sie laufen könnte, sie würde suchen, fragen, nachforschen. Vor allem: sie würde keine Minute Zeit verlieren, denn vielleicht war keine Minute zu verlieren.

»Du hast recht, ich gehe hinunter.«

»Ja, ja, bitte. Was ich vom Bett aus tun kann, das werde ich tun. Gib mir das Telefon.«

»Und dein Abendessen?«

»Ich will nichts. Ich kann nichts essen, solange er nicht hier ist, habe ich keine Ruhe.«

Sie hebt langsam ihre Rechte zum Herzen. Früher, als sie noch die vier Treppen hochsteigen konnte, hat es auch manchmal so geklopft, wenn sie allzu schnell gegangen war.

Angélique stellt ihren Kragen auf, sie friert. Sie fürchtet sich vor dem Hinuntergehen, und diese Furcht hat die Sorge um Lambert noch verstärkt. Sie quält sich wie die Großmutter und malt sich die schrecklichsten Bilder aus. Noch einmal kommt sie zum Bett zurück:

»Dein Mineralwasser ... die Medizin, die du alle drei Stunden nehmen mußt. Soll ich dir die Decke hinaufziehen?«

»Danke, das kann ich allein.«

Angélique bückte sich, küßt Madame Paris auf die Stirn:

»Ich gehe jetzt. Ich bringe ihn dir zurück, das schwöre ich.«

Sie weiß zwar noch nicht wie, aber sie hat geschworen, es gibt also keine Ausrede, kein Zurück mehr. Madame Paris blickt ihr nach, wie sie Jules nachgeblickt hat. Alles, was sie verlassen wird, kann sie nur mehr durch diese Türe scheiden sehen, bis zu dem Tag, an dem sie selbst an der Reihe ist, und dann für immer. Das ist ihr Los: hilflos daliegen und nichts tun können. Aber trotzdem noch lebendig sein, mit einem Kopf, der noch arbeitet und der jetzt so frisch ist, als hätte sich die Aktivität ihres ganzen Körpers dorthin geflüchtet. Sie muß noch leben, nicht mehr für sich selbst, aber damit die andern leben können, die andern, die indirekt Pauline Paris sind und deren Leben fortführen: Angèle, ihre große, erwachsene Tochter, die aufgebrochen ist, um etwas Entfliehendes, Weichendes zu suchen und festzuhalten – Angèle, ihre geliebte, gefährdete Tochter! – und Lambert ... und auch Enguerrand, nicht ihres Blutes, aber ihres Herzens. Sie läßt den rechten Arm, in dem sie das Blut noch kreisen spürt, unter die Decke gleiten und schiebt ihn langsam zur Linken hin. Sie hat es ihrer Enkelin nicht verraten, aber sie weiß es schon: Diese Linke, die sie immer weniger spürt, wird morgen unempfindlich sein wie ihre Beine. Und so wird es weitergehen, bis ... bis ...

Angélique ist wieder draußen auf der Straße, in der Nacht, noch immer auf derselben Straße, in derselben Nacht, voll von denselben Schrecknissen. Wieder ergreift sie das Schluchzen, als sie bei dem Bretterzaun vorbeikommt: »Mein Gott, mein Gott, steh mir bei!«

Und vielleicht ist Er es, der Angélique in diesem Augenblick den rettenden Gedanken schickt. Sie steht ratlos vor der Aufgabe, die sie zu erfüllen gelobt hat; verlassener denn je, wird ihr bewußt, daß sie es nicht über sich bringt, ganz allein herumzulaufen, Kaufleute zu fragen und alles zu tun, was Großmutter will und was sie sich auch zu tun vorgenommen hat. Da plötzlich fällt ihr Enguerrand ein.

Enguerrand — das ist es! Enguerrand ist ein Mann, energisch, ein Mann, der plant und es auch durchführt. Enguerrand hat doch damals Lambert aus dem Rohbau geholt; er weiß sicher mehr von ihm und hat Anhaltspunkte, die der Suche dienen können. Sie ist niemals in seinem Hotel gewesen, aber sie kennt seine Anschrift. Sie wird ihn wecken — dann ist alles in besten Händen.

Die Metro ist noch in Betrieb. Angélique steigt die endlosen Treppen der tiefen Station hinunter. Die Lichter blenden sie. Das Dröhnen des einfahrenden Zuges zerrt an ihren Nerven, sie zuckt zusammen, denn heute scheint ihr alles unerträglich. Sie nimmt die Nord-Süd-Linie, die direkt zu Enguerrand führt.

Von Montparnasse muß sie allerdings zum Boulevard Saint-Michel zu Fuß laufen. Es ist weiter, als sie gedacht hat. Sie geht schnell, aber alles ist hell beleuchtet, und zahllose Menschen bevölkern die Gehsteige, so viele, daß sie nicht fürchten muß, behelligt oder angesprochen zu werden. Ein Strom von jungen Burschen und Mädchen, nicht in hochgeschlossenen, strengen schwarzen Kleidern, sondern Haar und Brust unter dem wehenden Mantel dem Wind dargeboten; sie rufen einander zu, sie grüßen einander, sie gehen eingehakt und lachen, oder sie bleiben stehen, einfach um sich in die Augen zu schauen — sie alle sind ganz allein mit sich selbst beschäftigt.

Nach einigem Suchen findet sie die Straße Enguerrands. Das Portal des Hotels ist mit Kunststein ausgelegt, es wirkt sauber und ordentlich, doch das kleine Empfangsbüro neben dem Eingang ist leer. Zum Glück erscheint ein Stubenmädchen auf der Treppe.

»Monsieur de Viborne? Ja, der wohnt hier. Aber wir haben ihn schon seit einigen Tagen nicht gesehen. Sie wissen sicher, wo Sie ihn finden können: in der Dienststelle« — Dienststelle, wovon? Ach, bestimmt von der politischen Organisation, für die er arbeitet! — »Oder eigentlich, besser nicht; wenn Sie seine Schwester sind, gebe ich Ihnen eine Anschrift, wo Sie ihn ganz bestimmt treffen oder zumindest Auskunft erhalten.«

Sie nimmt einen Bleistiftstummel aus der Schürzentasche, befeuchtet ihn mit den Lippen, weil er schlecht schreibt. Auf die Rückseite eines alten Umschlags kritzelt sie:

»Bernard Gandret, Rue Cassini 14 b.«

»Das ist nicht weit, gleich beim Observatorium. Sie brauchen nur den Boulevard längs des Luxembourg-Parks hinaufzugehen, dann geradewegs bis zum Tor am Ende der Avenue, dann rechts abbiegen . . .«

»Kann man denn um diese Zeit dorthin gehen? Ist jemand zu Hause?«

»Dort ist immer jemand zu Hause«, beruhigt das Stubenmädchen, das offensichtlich eingeweiht ist.

Angélique geht zu der lichterfunkelnden Kette der Kaffeehäuser zurück, die große, goldschimmernde Flecken auf den Asphalt der Gehsteige wirft. Sie schaut nur geradeaus, sie weiß, wohin sie geht, zumindest glaubt sie es zu wissen. Dann weniger Lichter und kaum noch Menschen, der Park ist um diese Stunde geschlossen. So, jetzt ist sie in der kleinen Gasse angelangt, die wie eine Dorfstraße aussieht.

Es ist ein niedriges Haus, und als Angélique auf den Knopf drückt, öffnet sich die Tür automatisch mit einem Klick. Kein Hausbesorger ist zu sehen. Wo soll sie sich erkundigen? Sie will schließlich nicht an die Wohnungstüren klopfen, es ist Mitternacht! Aber in dem aufflammenden Minutenlicht sieht sie die Briefkästen in der Einfahrt, und einer davon trägt den Namen Bernard Gandret. Dritter Stock.

Alles ist still. Das Licht verlöscht, und sie muß ein paar Stufen durchs Dunkel tappen, bis sie wieder einen Knopf findet. Die Finsternis schärft die Sinne, sie glaubt, irgendwo oben Stimmen zu vernehmen. Sie atmet erleichtert auf: Dieser Bernard Gandret schläft also noch nicht, er ist nicht allein. Wenn sie Glück hat, ist Enguerrand bei ihm. Sie läutet, und die Türe öffnet sich fast sofort.

Sie steht vor einem quadratischen Raum, an dessen Wänden sonderbare surrealistische Zeichnungen mit Reißnägeln befestigt sind. Und auf dem Boden, im Türkensitz auf bunten Kissen – es gibt keine Stühle in dem Zimmer – bemerkt sie vier junge Burschen außer dem einen, der ihr geöffnet hat und der sich jetzt zu ihr beugt: ein großer, gut gewachsener, kräftiger Junge mit offenem, klarem Blick:

»Sie wünschen, bitte?«

»Ich suche Enguerrand de Viborne.«

»Sie sind . . .?«

»Seine Schwester.«

»Ah, Angélique!« sagte der junge Mann, als ob er sie seit jeher kenne.

IV

»Treten Sie ein!« Und er nimmt sie unbefangen bei der Schulter und schiebt sie ins Zimmer.

Die jungen Leute erheben sich vom Boden:

»Angélique, die Schwester Vibornes«, verkündet der Große.

Sie stellen sich vor, einer nach dem andern:

»Tulussier «

Es ist ein kleiner Bursche, mit schon etwas gelichtetem Haar, obwohl er mit seinem rosigen, auffallend jungen Gesicht kaum älter als sechs- oder siebenundzwanzig sein kann.

»Van Berg.«

So nennt sich ein blonder Hüne, der offenbar mit seinen Gliedmaßen, seinen Händen nichts anzufangen weiß.

»Séraphim ... das ist mein Deckname«, sagt ein dritter mit Hornbrille, ein typischer Intellektueller mit den nötigen Attributen: Rollkragenpullover, enge kurze Samthosen. Sein wirklicher Name ist Weisguth.

»Ich bin Cardot«, erklärt der letzte. »Angélique, ich weiß nicht, ob Sie ein Leckerbissen sind, aber ich müßte ziemlich viel von Ihnen verspeisen, um mich zu überessen.« Er schwärmt für Witze und Kalauer und die Epoche um 1900.

Angélique dreht sich dem Großen zu, der sie eingeführt hat:

»Und Sie sind Gandret, nicht wahr?«

»Man kann Ihnen nichts verheimlichen«, antwortet er mit einem offenen Lächeln, das zu seinem klaren Blick paßt. Sie betrachtet ihn, ohne die Einzelheiten direkt wahrzunehmen: das ein wenig unregelmäßige Gesicht, das kräftige Kinn, den etwas breiten Nacken, die kleine Warze unter dem Ohr. Sie fürchtet sich nicht, sie fühlt sich nicht gehemmt wie in der Gegenwart so vieler anderer Männer. Ja, sie vergißt fast seine vier Gefährten im Zimmer, so ruhig ist sie. Gandret fragt:

»Bringen Sie uns Nachrichten von Enguerrand?«

»Nein, im Gegenteil. Ich wollte mich erkundigen, ob Sie wissen, wo er sich aufhält.«

»Wir haben keine Ahnung«, bedauert Gandret. »Aber nehmen Sie erst einmal Platz, bevor wir uns darüber unterhalten.«

Sie blickt fragend um sich.

»Auf dem Boden«, erklärt er. »Cardot, gib ihr dein Kissen.«

»Aber gern«, sagt Cardot, »obwohl sie doch sicher besser gepolstert ist als ich. Aber man weiß schließlich, was man Damen schuldig ist.«

Nicht einmal dieser Scherz ist Angélique peinlich. Ihr ist sonderbar zumute, so als ob sie hier zu Hause wäre. Obwohl sie sich in Gesellschaft von fünf Männern befindet, ist sie weder scheu noch ängstlich. Sie spürt unbewußt, daß Gandret nicht dulden würde, daß man ihr nahetritt.

»Ich sitze sehr gut da«, lächelt sie, während sich die andern wieder niederlassen.

»Einen Schluck Bier?«

Eine leere Flasche steht auf dem Boden, daneben eine angebrochene, derbe Gläser, sichtlich ehemalige Mostrichgläser. Gandret schenkt ihr ein, und sie freut sich darüber, denn sie ist viel gelaufen und hat Durst. Sie hätte auch gegessen, aber man bietet ihr nichts an. Zum erstenmal seit langer Zeit hat sie Appetit, trotz der Sorge, die sie nicht losläßt.

»Das Mobiliar ist etwas dürftig, weil leider die Mittel noch nicht vorhanden sind, Neues anzuschaffen. Ich habe zuerst die doppelten Vorhänge gekauft, und dann ist mir kein Geld mehr für Stühle übriggeblieben. Aber in der Küche habe ich drei Pfannen – und sogar eine Gemüsemühle.«

»Die habe ich gebracht«, erklärt Tulussier stolz.

»Nur verwenden wir sie nicht«, ergänzt Séraphim.

»Unsere Menüs – nun ja –, außer Sardinen und Thunfisch in Dosen ... Wurst oder Schinken ...« Gandret zuckt die Achseln.

»Du vergißt das Mischgemüse in kleinen Kartons.«

Die Burschen da müssen sich gut unterhalten, denkt Angélique. Aber sie ist wegen Enguerrand gekommen.

»Im Hotel hat man mir gesagt, daß ich meinen Bruder hier finden werde.«

»Eine durchaus fundierte Auskunft, denn meistens ist er hier.«

»Seit drei Tagen war er nicht mehr im Hotel.«

»Das wissen wir«, sagt Gandret, »aber leider haben wir ihn seit vorgestern nicht gesehen.«

»Und nun bringen auch Sie uns keine Nachricht von ihm!«

»Ja«, sagt Gandret, der sich neben sie gesetzt hat. »Enguerrand war vor zwei Tagen zum letztenmal da. Seither ist er unauffindbar. Sie kennen ihn, seine Nerven sind in einem Zustand ... er benimmt sich wie ein Rasender. Wir lieben ihn alle, aber er verliert oft jedes Maß. Er ist ein Recke, ein Held, ein ...«

»... ein Viborne«, fällt ihm van Berg ins Wort.

»Jean meint das ganz ernst«, fährt Gandret fort, »er ist eben, wie er ist. Sagen wir, unsere ... Flamme. Gegenwärtig grollt er, behauptet, daß die Zeit vergeudet und nichts unternommen wird, daß dieser Gardas, der Präsident geworden ist, ungestört seine Offensive entwickeln kann, daß wir erst versuchen werden einzugreifen, wenn das Übel nicht wiedergutzumachen ist.«

»Genaugenommen, keine so falsche Überlegung. Wenn er nur keine Sauerei macht.« Séraphim hat das Wort ausgesprochen. Er dreht sich zu Angélique, schaut ihr ins Gesicht, aber sie zuckt nicht mit der Wimper, im Gegenteil, ihr Blick scheint zu sagen: Ihr könnt ruhig so weiter reden, mich stört das nicht. Und das wundert Séraphim, denn Enguerrand hat ihnen öfter als einmal erzählt, daß seine Schwester im Kloster ist. Eine bigotte Betschwester also. Vielleicht ließ er sich gerade deshalb gehen?

Aber Angélique fragt nur:

»Was für eine?«

»Bei ihm muß man auf alles gefaßt sein.«

»Auf jeden Fall ist es lästig, nicht zu wissen, wo er ist«, sagt Gandret. »Uns wäre wirklich lieber ... Bei Ihrem Kommen haben wir so sehr gehofft ...«

»Nein, ich suche ihn selbst. Ich muß ihn dringend sprechen. Etwas sehr Wichtiges ... etwas Persönliches. Eine Familienangelegenheit.«

»Kein Grund zur Aufregung«, tröstet Cardot, »du hast ihm das letztemal, als er da war, sehr energisch erklärt, daß die Organisation gegen jede Aktion ist. Er weiß es übrigens selbst genau: keine Gewaltanwendung, keine Eigenmächtigkeiten, linientreu bleiben, den Befehlen und Weisungen der Partei gehorchen.«

»Wenn ihr mich fragt: Der kommt bald, vielleicht schon heute nacht«, meint Gandret.

»Er kann gar nicht mehr lange durchhalten«, behauptet Tulussier, »wenn er in einer solchen Krise ist, schläft er nicht einmal.«

Gandret weiß es wie er: Enguerrand ist ruhelos, sobald ihn ein Zweifel, ein Problem verfolgt. Wie oft hat er ihn mitten in der Nacht in dieser Wohnung auf und ab gehen sehen, während er selbst schon seit Stunden auf dem Diwan lag, dem einzigen Möbelstück seines sogenannten Zimmers.

Angélique trinkt einen kräftigen Schluck:

»Glauben Sie wirklich, daß er heute nacht kommt?«

»Natürlich«, antwortet Cardot, »ob er will oder nicht, er muß hier erscheinen. Er weiß, daß wir nichts ohne ihn unternehmen. Im übrigen ist Gandret auf der Dienststelle gewesen und hat sogar einen Brief für ihn mitgebracht, ein paar Zeilen von ...«

»Wenn er sich irgendwo zeigt, dann bei uns.«

»Wenn«, meint Tulussier.

»Er kann gar nicht anders«, sagt Gandret, wie um sich selbst zu beruhigen.

Van Berg erhebt sich:

»Nun, meine Teure, ich gehöre jedenfalls nicht zu den Nachtvögeln.«

»Ja, du, du kannst fein pennen, du wirst nicht beobachtet, du bist nicht einmal registriert.«

Angélique versteht nicht alle ihre Ausdrücke. Außerdem interessieren sie diese Angelegenheiten nicht, sie hat nur eines im Kopf: Lambert. Aber die Zeit vergeht und nichts geschieht. Wo ist Lambert? Was macht er? Sie hat alle Hoffnung in Enguerrand gesetzt, und Enguerrand ist verschollen. Wer wird ihr raten, ihr helfen? Nur ihr Bruder kann es. Er muß kommen, sie muß ihn sehen.

»Ich verdrücke mich ebenfalls«, erklärt Tulussier. »Adieu, Genossen.«

Sie verabschieden sich, auch von Angélique, und gehen. Sie möchte gerne bleiben, hier warten, aber das darf sie nicht, sie kann nicht ganz allein mit einem fremden jungen Mann in der Wohnung sein. Glücklicherweise sagt Cardot:

»Ich leg' mich hier lang, auf die Kissen, wenn du erlaubst.«

Gandret antwortete nicht einmal. Das ist hier Brauch. Wer bleiben will, bleibt und nimmt vorlieb mit dem, was geboten wird. Gandret sagt nur:

»Räum' mal noch die Gläser weg.«

»Ich würde auch ganz gern...«, sagt Séraphim zögernd. »Es ist nämlich gleich zwei Uhr, und ich habe keine Metro mehr. Im übrigen muß ich morgen früh, um Punkt neun Uhr, in der Gegend sein, du weißt warum.«

»Wir haben beide Platz«, erklärt Cardot.

Vier Kissen für zwei Personen! Freilich, keiner von beiden hat die Figur eines van Berg.

»Und ich«, fragt Angélique, »erlauben Sie mir, daß ich auch bleibe? Ich möchte Enguerrand so bald als möglich sprechen, und ich glaube...«

Hier bleiben? Gandret zögert. Endlich sagt er:

»Natürlich.«

»In einer Ecke«, sagt Angélique, »bis er hier ist.«

»Gewiß, in einer Ecke«, nickt Gandret. »Dort hinten ist eine Ecke... in meinem Bett.«

»O nein!«

»Ganz allein, keine Angst!«

»Aber ich kann Ihnen doch nicht Ihr Bett wegnehmen!«

»Ich komme schon zurecht.«

»Wie denn? Es ist kein Kissen mehr frei«, sagt Cardot.

Angélique erschrickt:

»Er hat recht, natürlich. Dann gehe ich lieber. Ich wäre nur so gern...«

»Aber, aber, das ist doch ganz begreiflich. Ihre Familiensache läßt Ihnen keine Ruhe. Wäre nicht so schlecht, wenn sich Enguerrand einmal mit etwas anderem beschäftigen müßte... eine Ablenkung hätte... Bitte, kommen Sie.«

»Nein.« Sie rührt sich nicht.

»Na, zieren Sie sich doch nicht wie eine dumme Gans!« sagt er, nimmt sie an der Hand und führt sie hinein.

Sie stehen in dem »Zimmer«. In dem kalten Licht einer starken Glühlampe, die von der Decke pendelt, sieht man nur das Bett. Mit einer energischen Bewegung schlägt er die Decke zurück, beugt sich vor, um eine Leselampe anzuzünden, die an einem Haken am Mauersims befestigt und mit einem Schirmchen bedeckt ist. Er geht zurück zum Hauptschalter und dreht das Mittellicht ab.

»So, jetzt können Sie ruhig schlafen. Die Leselampe hat einen Zwischenschalter.«

»Aber ich will doch gar nicht schlafen, ich will mich nur ein bißchen ausruhen, wenn Sie schon darauf bestehen, daß ich Ihnen Ihr Bett wegnehme. Außerdem muß ich sofort mit Enguerrand sprechen, wenn er kommt... und mit ihm weggehen. Es ist dringend.«

»Gut, gut. Wie Sie wollen. Gute Nacht!« ruft er von der Türschwelle her.

Sie sinkt auf das Bett. Sie ist todmüde.

»Gute Nacht. Und danke, Monsieur Gandret.«

»Nichts zu danken«, sagt er, denn er ist höflich. Aber er entfernt sich recht ungern von seinem Bett, diesem Gestell aus Drahteinsatz und billiger Matratze, in der sich sein Körper eine Mulde in der Mitte gegraben hat.

In dem quadratischen Raum nebenan haben sich die jungen Leute mit den Kissen ihr Lager gerichtet. Vier sind es, jeder hat zwei genommen; Bernard muß sich in einem Winkel auf den nackten Boden setzen. Dort kauert er im Dunkeln. Unter der Tür Angéliques ist nicht einmal ein Lichtschein sichtbar, die kleine Leselampe ist wahrscheinlich zu schwach, oder vielleicht hat sie sie auch abgedreht. Angélique, ja, die hat es gut, die hat sein Bett. Wäre sie eine Kollegin gewesen, dann hätte er sie gebeten, ein bißchen zur Seite zu rücken und ihm Platz zu machen. So manche schon hat hier geschlafen, in Ehren oder auch anders, je nachdem, wie sie es eben wollte. Na klar, Angélique ist tabu: die Schwester Enguerrands. Mein Gott, wie schlecht man auf einem Holzboden sitzt, mit den Rillen, die rote Striemen in den Hintern pressen, und diese verdammt harte Ecke, die Wände, die den Buckel zerquetschen. Eigentlich – Angélique schläft doch sicher schon, und der Diwan hat Platz für zwei Personen...

Nein, nein, unmöglich. Das kann er nicht tun.

Er gähnt und stößt ein paar kräftige Flüche aus, die ihn nicht erleichtern. Der Rücken schmerzt scheußlich, er streckt sich, er richtet sich auf.

Cardot schnarcht. Séraphim stöhnt im Schlaf. Er quält sich wohl mit einem Traum ab, wie ihn seine Rasse seit Jahrtausenden träumt; ein Alptraum oft, oder einfach Erinnerungen. Kein Geräusch dringt aus dem Zimmer nebenan.

Auf Fußspitzen nähert sich Gandret der Tür, legt das Ohr an die Wand: Er hört nichts. Blödsinnig, eine Nacht zu durchwachen – für nichts! Er ärgert sich und öffnet leise die Türe. Er will nur schauen, ob sie schläft.

Zuerst sieht er nichts. Aber dann gewöhnt sich sein Auge an das Dunkel: Ein blasser Schein fällt vom Fenster in den Raum, einem Fenster, das zwar nur auf einen kleinen Hof geht, aber immerhin. Einzelheiten unterscheidet er freilich nicht, und als er sich dem Bett nähert, sieht er nur eine ausgestreckte Gestalt liegen, ein menschliches Geschöpf wie so viele andere.

Angélique ruht mitten im Bett, sie ist in die Mulde gerutscht. Er beugt sich über sie und stellt fest, daß sie ihm den Rücken kehrt, denn er sieht den blassen Fleck des Gesichts nicht, das Lebendige in dem Schatten. Es bleibt kaum Platz, aber trotzdem ein bißchen, um so mehr, als sie nicht das Kissen benützt und ihr Kopf – jetzt sieht er ihn auf der Rolle – an der Wand liegt. Er möchte hingreifen. Nein, sie würde es merken.

Einen Augenblick steht er vor dem Bett, verlegen und unschlüssig. Sie ist in ihrem Mantel eingeschlafen, aber der Mantel ist aufgegangen, und jetzt, wo sich seine Augen an das fahle Licht gewöhnt haben, sieht er ihre Gestalt, den Schwung der kräftigen und doch schlanken Beine. Beim Eintreten ist sie ihm in ihrer schwarzen Vermummung wie eine zu schnell gewachsene Pensionatsschülerin erschienen. Betrachtet er sie jetzt mit anderen Blicken? Denn er sieht mit einem Male, daß sie schön ist; eine etwas eigenwillige, beunruhigende Schönheit, die Jugend und Wärme ausstrahlt, während sie, regelmäßig atmend, friedlich im Schlummer liegt.

Er zögert, dann aber, plötzlich, weil er fast umfällt vor Schlaf und

Müdigkeit, entscheidet er sich: er gleitet in das Bett, an ihre Seite, auf den schmalen Streifen, den sie ihm gelassen hat. Vorsichtig streckt er seine langen Beine aus. Wenn er sie nur nicht stört! Ach, was! Morgen wacht er entweder als erster auf oder sie merkt es: dann verzeiht sie ihm bestimmt. Schließlich ist es doch sein Bett!

Das Kissen fühlt sich kalt an seinen Wangen an, sie aber strömt Wärme aus, trotz der dicken Kleider, trotz allem, was sie trennt. Er preßt die Arme fest an seinen Körper und vermeidet jede Bewegung. Jetzt liegt er bequemer, aber er schläft noch nicht. Warum? Nein, es lenkt ihn kein zweideutiger Gedanke ab, aber zum erstenmal spürt er, daß ein verlassener Mensch an seiner Seite ist, ein Mensch, den man beschützen muß.

Lange starrt er ins Dunkel. Manchmal seufzt Angélique im Schlaf. Er müht sich, Abstand zu halten, das Mädchen nicht zu berühren. Und da, plötzlich, spürt er eine Hand an der seinen, eine Hand, die sich leise in die seine legt, ganz langsam, als wäre es natürlich, eine gewohnte Gebärde des Vertrauens; eine Hand, die sich ausliefert. Schläft sie, oder...? Ja, sie schläft, fest und tief. Er merkt es an ihrem regelmäßigen Atem, an ihrer reglosen Gestalt. Sie schläft, sie schläft bestimmt. Und im Schlaf hat sie ihre Hand in die seine gleiten lassen, ihre Hand, deren sie sich bei Tag wegen der Kerben und Kratzer, wegen der rauhen und rissigen Haut sicher geschämt hätte. Und weil Angélique schläft, konnte diese trotz allem weiche und warme, die für ein einfaches und echtes Leben geschaffene Hand eine andere suchen und finden.

V

Lange ist Bernard ruhig dagelegen, bis auch ihn der Schlaf übermannt. Nach und nach sind die beiden Körper in die gleiche Lage geglitten, sind sich ganz sacht, ganz still nahe gekommen. Es ist alles so anders, weil sie mit Zärtlichkeit begonnen haben.

Angélique ist es, die als erste erwacht. Eine Hand hält die ihre, ein Körper liegt neben ihrem, und sie erschrickt nicht, als es ihr zu Bewußtsein kommt: Sie hat keine Angst, sie hat keine Angst...

Und doch, es ist ein Mann! Sie weiß es sofort, und sie weiß auch, wer es ist, vielleicht fürchtet sie sich gerade deshalb nicht. Ein Mann, von dem sie sich nicht entsetzt losreißt, sondern zu dem sie sich neigt und den sie betrachtet, ohne in dem Dämmerlicht des Zimmers etwas anderes zu erkennen als seinen Schatten. Sie prüft sich selbst, und die Antwort ist sonnenklar: Sie hat keine Angst vor ihm, er stößt sie nicht ab. Im Gegenteil, sie spürt, daß sie ihn braucht, daß es ihr weh täte, wenn er sie verließe, daß sie ganz allein wäre, wenn er ginge. Das ist das Wunder, das sie erwartete, ja, das Wunder.

Und jetzt erwacht auch er. Sie dreht das Nachtlicht an, um zu sehen, wie sich seine Augen öffnen.

Sie betrachten einander eine lange Weile. Endlich lassen sich ihre Hände los. Sie sind sich einig, wie sich Menschen nur selten tatsächlich einig waren.

Alles wird jetzt so leicht. Nun beginnt sie auch zu sprechen:

»Sie müssen doch wissen, warum ich überhaupt hergekommen bin: Mein jüngerer Bruder, Lambert, ist verschwunden. Ich kann ihn nur mit Enguerrands Hilfe wiederfinden. Es ist unbedingt nötig weil...«

»... weil Lambert dreizehn Jahre alt ist. Und Sie fürchten, daß er eine Dummheit begeht, weil Ihre Mutter jetzt... nicht hier ist.« (Bernard wußte also alles!) »Und weil Ihre Großmutter krank zu Bett liegt. Sie hätten mir sofort sagen müssen, daß Ihr Bruder durchgebrannt ist.«

»Ich hab' doch nicht gewußt, daß ich es darf«, flüstert sie.

Ja, wirklich, da hat sie noch nicht gewußt, daß sie sich ihm so unbefangen anvertrauen kann; sie hatten sich noch nicht berührt, sich noch nicht im Unbewußtsein des Schlafes die Hände gehalten.

»Wir müssen überlegen, was zu tun ist.«

»Wie spät ist es?«

»Vier Uhr«, sagt er mit einem Blick auf seine Armbanduhr. »Wir haben schon allzuviel kostbare Zeit verloren.«

»Was treibt Enguerrand eigentlich?«

»Cardot hat es vorhin durchblicken lassen. Ich weiß nicht, ob Sie die Ereignisse verfolgt haben. Eine neue Regierung, mit einem Ministerpräsidenten an der Spitze, der sich als Biedermann gibt, dabei aber ein Reaktionär mit überlebten Ansichten ist, will uns alles entreißen, was wir uns erkämpft haben. Das lassen wir uns nicht gefallen. Enguerrand ist noch radikaler als wir, Sie kennen ihn ja... Enguerrand ist anders als wir, anders als die jungen Leute, die Sie heute abend hier gesehen haben. Wir streben alle das gleiche an, wir sind fest überzeugt, daß die Welt gewandelt werden muß, und sind auch bereit, unser Leben dafür hinzugeben, wenn es nötig ist. Aber wir wollen es durch eine planmäßige Entwicklung erreichen, durch Verhandlungen und Vernunft, wenn ich so sagen darf. Für Ihren Bruder geht es niemals schnell genug, er glaubt, durch sein persönliches Opfer das Opfer seiner Mitmenschen vermeiden zu können. Vor zwei Tagen war er hier und hat mir sein Herz ausgeschüttet. Seither fürchte ich noch viel mehr um ihn als Cardot, denn er hat sich zwar nach außen hin von meinen Vorhaltungen überzeugen lassen, in Wirklichkeit aber, das ist mir klar, haben sie ihn völlig unberührt gelassen. Streiten Sie mit einer Jeanne d'Arc! Mein Gott, ich habe so gehofft, daß er heute abend herkommt!«

»Aber vielleicht taucht er doch noch auf!«

»Ach, wenn ich das hoffen könnte...«

Ein neues Gefühl erwacht in Angélique: Sie war so ruhig, so beglückt gewesen, weil sie wie durch ein Wunder diesen Mann gefunden hatte, dessen Kraft ihr Halt und Stütze bot; und nun, mit einem Mal, ist er es, der sie braucht, der sich ihr preisgibt, der seine quälende Sorge verrät. Ihre Mütterlichkeit, die auf dem Grund jeden weiblichen Empfindens ruht, zieht sie zu ihm hin. Und seine Schwäche bringt ihn ihr ganz nahe; er jagt ihr keine Furcht ein wie alle früheren Männer, die für sie der »Feind« waren, der Feind, von dem das Schlimmste zu befürchten war.

Aber schon hat er sich wieder in der Hand, und auch das hat sie in diesem Augenblick von ihm erwartet.

»Lassen wir Enguerrand. Das wichtigste ist jetzt Ihr Bruder Lambert. Erzählen Sie mir...«

Sie erzählt ihm alles, bis ins kleinste.

»Wir schauen zu Junin«, beschließt er.

Er setzt sich an den Bettrand, fährt mit der Hand durch sein verrauftes Haar. Auch sie ist aufgestanden und macht sich zurecht. Er knöpft seinen Rock zu, sie schlüpft in ihren Mantel. Dann blickt er durch einen Türspalt zu Cardot und Séraphim hinein, die geräuschvoll schlafen.

»Wir wecken sie nicht.«

Sie nickt und folgt ihm, hängt sich an seinem Rock fest und läßt sich führen. Der Schlüssel steckt innen im Schloß. Bernard verwahrt ihn unter dem Fußabstreifer, Enguerrand soll herein können, falls er kommt. Dann geleitet er Angélique durch den dunklen Flur bis zum Knopf des Minutenlichts. Sie gehen hinunter und stehen auf der Straße. Jetzt, im Freien, reden sie lauter. Sie gehen Seite an Seite, im gleichen Schritt.

»Treffen wir Ihren Freund denn noch so spät?«

»Er ist auf dem Kommissariat in der Rue Delambre angestellt. Junin ist Polizist, und ist doch keiner. Die Polizei, von der lebt er. Alles, was wir von ihm brauchen, ist eine Auskunft, und er verschafft sie uns auch, wenn es ihm möglich ist.«

Sie wandern weiter den Boulevard hinunter. Es ist fünf Uhr, und die Arbeiter stapfen schon mit schweren Schritten über den hallenden Asphalt. Im Schein der Bogenlampen sieht man ihre schlaftrunkenen Gesichter. Ihr Eßgeschirr schlägt im Takt an das Bein. Die kleinen

Cafés schließen auf. Vor dem Kommissariat macht ein Wachmann seine hundert Schritte.

»Warten Sie hier an der Straßenecke auf mich; ich spreche besser allein mit Junin. Ich rufe Sie nur, wenn ich noch eine Auskunft brauche, aber Sie haben mir ohnehin alles gesagt.«

Angélique sieht Bernard in dem schmalen Tor verschwinden, und sofort fühlt sie sich verlassen, hilflos, und die schreckliche Angst packt sie von neuem, die Angst vor der Finsternis, vor den Menschen, vor alldem, was sie umgibt, was um sie wimmelt und sie bedrängt, Larven, Gefahr... Wenn es nicht um Lambert ginge, wenn sie sich nicht Vernunft zuredete und sagte, daß Bernard wiederkommen müsse, dann liefe sie in blinder Flucht davon.

Es dauert unendlich lange. Sie haben doch nicht so viel zu besprechen! Sie kann nicht wissen, daß Junin schon verschiedene Wachstuben anruft und sich nach den Hotelanmeldungen erkundigt, die Aufschlüsse geben könnten, und daß es viele Wachstuben in Paris gibt; daß er vor allem mit einem Freund in Verbindung treten muß, mit Inspektor Vernet, der Junin verständigen soll, sobald er irgend etwas Zweckdienliches erfährt. Junin, der brave Nachbar, der auf dem gleichen Flur wie Bernards Eltern wohnte – jetzt sind sie beide tot, es ist noch gar nicht so lange her, gestern könnte es gewesen sein. Kamerad Junin, dem die Politik völlig gleichgültig ist, ein Flic, aber ein anständiger Kerl, auf den man sich verlassen kann; er läßt Bernard nicht im Stich.

Endlich kommt Bernard zurück. Es war höchste Zeit, Angélique ist am Ende ihrer Kräfte. Mit einem Blick sieht er, daß sie taumelt, daß sie zusammenzubrechen droht. Er weiß nicht, daß sie seit gestern mittag nichts gegessen hat. Sie klammert sich an ihn, als fürchte sie zu stürzen.

»Nun«, sagt er, »wo fehlt's denn?«

Sie zwingt sich mühsam zu einem Lächeln, schaut ihn fragend mit ihren dunklen Augen an, die er jetzt sieht, weil es hell geworden ist. Er nimmt sie unter den Arm, und sie läßt es geschehen.

»Kommen Sie, bei der Kreuzung ist ein Lokal, die Coupole; wir bestellen uns etwas Heißes, Sie haben es dringend nötig. Und dort erzähle ich Ihnen alles...«

Sie nehmen Platz, das Café ist fast leer.

Der Kellner bringt zwei große dampfende Tassen.

»Da, trinken Sie, Angélique.«

Sie trinkt gierig, und sie verschlingt die Brötchen geradezu, wie sie es seit Monaten nicht mehr getan hat, ein, zwei, drei Stück. Junin hat noch nichts herausgebracht, erzählt er ihr während des Essens. So etwas geht nicht so schnell. Aber er, vielmehr sein Freund in der Präfektur, hat Weisungen gegeben. Sobald Lambert in einem Hotel absteigt und einen Meldezettel ausfüllt, wird er verständigt.

»Wo?«

»Er telefoniert in die Rue Cassini.«

Eine armselige, winzige Hoffnung. Lambert kann mit dem Zug weggefahren sein, vielleicht übernachtet er nicht einmal in einem Hotel.

»Er wird schließlich nicht bei dieser Kälte unter den Brücken schlafen. Selbst wenn er eine Nacht bei Mutter Grün verbringt, überlegt er sich's sehr, das zu wiederholen. Was hätte man anders tun können?«

Nichts. Die Hoffnung ist gering.

»Es ist nur eine Hoffnung. Wir müssen auch etwas anderes versuchen, ich habe verschiedene Pläne. Sie werden nicht hier bleiben wollen, Sie kommen mit mir. Oder vielmehr, Sie ruhen sich zwei Stunden in der Rue Cassini aus.«

»Nein, nein«, erklärt Angélique, »ich muß heim zur Großmutter, ich muß mich um sie kümmern.«

»Kann Sie denn niemand vertreten?«

»Vielleicht die Hausbesorgerin.«

»Dann rufen Sie gleich an. Bleiben Sie bei mir, ich werde Sie brauchen. Ich kann ohne Sie nichts unternehmen. Wenn Sie wollen, daß wir Lambert finden... und dann, denken Sie an Enguerrand, Angélique.«

»Gut.«

Ja, er hat recht. Lambert und Enguerrand sind wichtiger als alles andere. Großmutter selbst wäre die erste, die es verlangte. Vor allem die Großmutter anrufen, sie wird in schrecklicher Sorge sein.

Die alte Dame meldet sich sofort: »Also, was ist, Angélique?«

»Noch nichts. Aber ich bin mit Freunden Enguerrands zusammen... mit Enguerrand auch«, sagt sie schnell, um die Kranke nicht zu beunruhigen. »Sie helfen mir, wir versuchen, was möglich ist. Ohne daß die Polizei selbst eingreift, haben wir schon veranlaßt, daß wir sofort verständigt werden, wenn er in einem Hotel absteigt.«

»Aber das genügt nicht«, sagte Madame Paris, »er kann...«

»Natürlich, Großmutter. Es geschieht noch viel anderes. Hast du gefrühstückt?«

»Ja, die Hausbesorgerin ist bei mir.«

»Kommst du mit ihr zurecht?«

»Sie genügt mir völlig, jetzt zumindest.«

»Hast du vielleicht Mama erreicht?«

»Nein«, sagte Madame Paris. Aber das ist nicht wahr, sie hat Angèle bei Mehlen um zwei Uhr nachts angerufen, der auch versprochen hat, alles zu versuchen, um Lambert zu finden. »Wenn du irgend etwas erfährst, telefoniere sofort.«

»Natürlich, das verspreche ich. Und das Mittagessen... und der Arzt?«

»Kümmer dich um wichtigere Dinge!«

Großmutter hat recht, das einzig Wichtige ist, Lambert zu finden, und nur Bernard allein ist dazu imstande. Bernard, von dem sie sich nicht trennen darf, an dessen Seite allein sie das Ziel erreicht, und dem sie auch dieses Ziel verdanken will, wie sie ihm alles andere, alles verdanken will.

Er erwartet sie bei der Zellentür. Er hat gezahlt, er erklärt:

»Erst nach Hause. Von dort rufe ich nochmals Junin an, ob etwas Neues vorliegt. Dann fahren wir hinaus aufs Land.«

Sie antwortet nichts, sie folgt ihm. Es ist fast halb neun, als sie in der Rue Cassini eintreffen. Sie steigen die Treppe hinauf. Bernard nimmt den Schlüssel und öffnet die Tür. Der »Salon« ist leer; Cardot und Séraphim sind weggegangen, nachdem sie die Kissen ordentlich in einer Ecke verstaut haben.

Die Tür fällt hinter ihnen zu. Sie sind allein. Angélique weiß es, und sie zittert nicht. Sie lehnt sich an ihn, stumm, wortlos, als müsse es so sein. Ihr Kopf ruht an seiner Brust und findet dort die Stütze, die er braucht. Bernard legt den Arm um sie, nicht heftig, nicht stürmisch, nein, so zärtlich und weich, wie sie es erwartet. Sie hat keine Angst, sie wird niemals mehr Angst haben. Sie fürchtet nicht, daß er sie nimmt, denn sie weiß, daß es erst zu der Stunde sein kann, da sie es von ihm wünscht.

VI

Es gibt weder zweideutige noch ungeschickte Gesten zwischen ihnen. Im Gegenteil, alles ist einfach und natürlich. Sie weiß nicht einmal, ob sie Bernard geküßt hat, so sehr gehört er ihr schon mit seiner Wärme, seinem Gesicht, seinem Lächeln. Das Begehren fehlt nicht bei der körperlichen Nähe, aber es enthält weder Schrecken noch Scham, nein, im Gegenteil, nur den heißen Wunsch, mit dem geliebten Menschen zu verschmelzen, eins zu werden. Es ist die gleiche Glut, mit der Angélique verlangt hatte, mit der Gottheit eins zu sein, als Gott ihr die einzige Rettung schien.

Sie lösen sich und blicken sich gerade in die Augen: sie dürfen es. Sie sprechen kein Wort. Worte sind überflüssig zwischen Menschen, die alles voneinander wissen.

Sie bemerkt, daß er plötzlich aufblickt. Was hat er über ihre Schulter hinweg entdeckt? Er geht zum Bett, beugt sich über den Polster, der wieder in der Mitte liegt. Er hebt ein Blatt Papier auf, auf das mit Bleistift ein paar Zeilen gekritzelt sind.

»Cardot«, erklärt er und entziffert nicht ohne Mühe: »Enguerrand ist zeitig früh gekommen. Ich habe ihm gesagt, daß seine Schwester bei uns war und ihn gesucht hat. Er war sehr erstaunt. Da Ihr beide nicht mehr hier wart, wollte er nicht bleiben. Jedenfalls hat er gesagt, daß er nicht warten kann, er muß zur Dienststelle, wir begleiten ihn hin. Er hätte gern mit Dir gesprochen. Du weißt, wo Du uns findest, wenn Du uns brauchst.«

Enguerrand war hier, und sie haben ihn versäumt! Aber vielleicht könnten sie ihn erreichen, da sie ja wissen, wohin er gegangen ist?

»Ist es weit?«

»Nein, bei der Place Maubert, kaum eine Viertelstunde.«

Trotzdem ruft Bernard noch Junin oder seinen Vertreter an, bevor sie aufbrechen. Junin weiß nichts Neues. Kein Viborne heute nacht auf den Meldezetteln. Nirgends, nicht einmal in den Vororten. Angéliques Angst erwacht von neuem. Sie fürchtet einen Unfall.

»Ich rufe also morgen früh an«, meint Bernard am Apparat. »Wenn du vorher etwas erfährst, kannst du mich hier verständigen. Du weißt die Nummer? Danke für alles im vorhinein. Danke, ja, du bist wirklich wie ein Bruder . . .«

Nun ist Enguerrand an der Reihe: er muß unbedingt gefunden werden. Wegen Lambert, aber auch wegen der Nachricht, die Cardot hinterlassen hat: »Er will mit Dir sprechen.« Enguerrand hat etwas Wichtiges, vielleicht Lebenswichtiges mitzuteilen.

Bernard führt Angélique hinunter. Bevor sie aus der Wohnung treten, sehen sie sich nochmals an. Nur eine Sekunde lang, dann bückt er sich, schiebt den Schlüssel unter den Fußabstreifer. Sie laufen die Treppe hinab. Mit großen Schritten eilen sie zur Metro-Station, wo es einen Taxiplatz gibt.

»Place Maubert.«

Es ist ein alter Wagen; die Scheiben klirren und die Bremsen quietschen, lange ehe er anhält. Er legt den Arm um die Schulter des Mädchens und drückt sie an sich. Danach hat sie sich so sehr gesehnt. Sie läßt ihren Kopf an seine Brust sinken.

Die Zeit rast. Viel zu schnell. Und sie nehmen die Jagd wieder auf.

Bernard springt hinaus, Angélique folgt ihm, nachdem er gezahlt hat. Sie biegen in eine kleine Straße ein und stehen schon vor dem Haus. Die Dienststelle befindet sich in einem ehemaligen Laden, von dessen Verschalungen die grüne Malerei abbröckelt. Auf der Vorderseite ein Schild mit der Aufschrift: »INTERNATIONALE ORGA-

NISATION FÜR SOZIALE ENTWICKLUNG – Dienststelle des V. Arrondissements.« Sie erinnert an ein Finanzamt oder ein Kommissariat, ähnlich der Wachstube, vor der Angélique heute morgen auch gewartet hat.

Die Eingangstür hat Milchglasscheiben in Mannshöhe, damit man nicht hineinschauen kann; sie ist mit einem Riegel zu öffnen. Zwei große Weichholztische, bedeckt mit Akten und Zettelkasten; an den Wänden Schränke mit Pappschubfächern, die wohl im Ausverkauf oder bei einem Trödler erstanden wurden. Fünf Männer befinden sich in dem Raum, zwei stehend, drei sitzend; alles raucht, und beim Eintreten schlägt einem ein Geruch wie aus einer Kasernenstube entgegen. Ein Ofen bullert. Ein riesiges Ofenrohr ist sichtbar, es ist durch die Tür gebohrt, die in das ehemalige Magazin führt.

»Salut, Gandret.«

Der Mann, ein Vierziger, hebt den Kopf ohne aufzuschauen.

»Hast du Cardot nicht gesehen?« fragt Bernard.

»Ja, und Séraphim, sie sind vorübergekommen.«

»Mit Viborne?«

»Der hat nur hereingeschaut. Die beiden andern sind eine Viertelstunde dageblieben.«

»Und Viborne?«

»Hat seine Post und die Morgenzeitungen geholt. Hast du gehört? Die Notverordnung... das war zu erwarten...«

»Ist der Text verlautbar?«

»Nein, aber wir können uns schon vorstellen, wie er ausschaut. Gardas, dieser Schweinehund!«

»Glaubst du denn, daß es wirklich dazu kommt?«

»Viborne glaubt es. Zehn Jahre wird es dauern, bis wir eingeholt haben, was sie uns jetzt stehlen wollen. Schiß haben sie, sag' ich dir, Schiß, alle miteinander...«

»Hat dir Viborne gesagt, wohin er geht?«

»Nein, aber er tobt vor Wut. Und ich ebenfalls.«

»Hast du keine Ahnung, wohin...?«

»Sicher nach Puteaux, mein Freund.«

»Wegen der Delegierten?«

»Ja, ich glaube, er will mit ihnen sprechen. Generalstreik soll ausgerufen werden, aber ein paar wollen noch nicht recht...«

»Ich finde ihn also dort?«

»Kann sein. Ist es so dringend?«

»Ja.«

»Du wirst ihm nichts dreinreden, verstanden?« sagt der Genosse von vorhin. »Wenn sich Viborne etwas einbildet, dann muß man ihn bis zum Ende gehen lassen. Kümmer dich um deine eigenen Angelegenheiten.«

»Ich kümmere mich darum, daß kein Blödsinn, kein sinnloser Blödsinn, geschieht.«

»Du bist genau wie die andern, du . . .«

»Ich bin, wie ich bin.«

Bernard schiebt Angélique hinaus und schlägt die Tür hinter sich zu, deren Milchglasscheiben gefährlich klirren.

»Wir fahren nach Piteaux«, entscheidet er. »Erst mit der Metro am andern Seineufer bis zur Porte Neuilly, dann mit dem Autobus. Das geht ebenso schnell wie ein Taxi, und außerdem – ich schwimme momentan nicht gerade in Moneten.«

Sie hat Geld, aber sie sagt nicht: »Bernard, soll ich nicht für uns beide zahlen? Ich kann es.« Nein, man muß mit ungefälschten Karten spielen, dem Glück darf nicht »nachgeholfen« werden, so eilig sie es auch hätten, Enguerrand zu finden.

Jetzt laufen sie zur Seine. Der Fluß ist traurig und schmutzig, und es beginnt zu nieseln. Drüben wälzt sich der Strom der Rue de Rivoli in einer einzigen Richtung und führt alles mit, was ein Fluß Lebendes und Totes mitschleppen kann. Auch sie wollen hinüber, sie wollen durch die Unterführung hinabsteigen. Sie sind gerade auf einem kleinen Platz vor einer Kirche mit massiver Fassade, die eine Geschichte hat, eine Geschichte, die Angélique nicht kennt. Sie sagt:

»Bernard, ich möchte einen Augenblick da hinein.«

Er schaut sie an. Er weiß von Enguerrand, daß sie in einem Kloster erzogen wurde. Vielleicht ahnt er dunkel die Gründe, die sie hingeführt haben, ohne sie zu kennen. Er ist nicht gläubig, er steht im Widerstreit mit allem, was nicht sein neuer Glaube ist, der Glaube, dem er sich verschrieben hat, der einzige, den er anerkennt.

»Bernard, ein paar Minuten. Erlaubst du?«

Und schon geht sie auf das kleine Seitenportal zu.

»Nicht ohne mich«, sagt er.

Und er tritt mit ihr durch das Tor.

VII

Bernard betrachtet sie. Sie ist in das rechte Seitenschiff eingebogen, und in dem Dämmerlicht, das durch die buntfarbenen Scheiben fällt, folgt er ihrem Schatten, der sich jetzt mit dem seinigen vereinigt.

Jeder andern, die mit dem Wunsch an ihn herangetreten wäre, die Kirche zu betreten, hätte Bernard Gandret ins Gesicht gelacht oder sie wütend stehengelassen. Und jetzt, wo die Zeit so drängt, wo Lambert und Enguerrand in Gefahr schweben, da duldet er diese Verzögerung, ja, er folgt dem Mädchen sogar in den Tempel, der das Symbol alles dessen ist, was er wie eine Schwäche oder eine Kinderei abgeschüttelt hat.

Sie aber geht in diese Kirche, weil sie vor Gott, an den sie ewig glauben wird, treten und zu ihm sprechen muß, wie sie es jetzt kniend auf dem geflochtenen Betstuhl tut: »Sieh, das ist geschehen ... Sieh, das tue ich.« Und da Er sie endlich an der Hand genommen und geführt hat, will sie Ihn anflehen, auch Lambert und Enguerrand zu leiten, denen Böses droht.

Bernard steht einige Meter hinter ihr. Er betrachtet das demütig geneigte Antlitz, da sich seine Augen an die Dunkelheit gewöhnt haben, und der sanfte Schwung der Wangen berührt ihn tief. Was für eine wunderbare Frau wird sie werden! Alles muß er ihr noch sagen, alles muß er sie lehren, mit Zartheit und Takt, die er sich trotz der harten Zeiten, die er durchmachte, und des brutalen Zusammenpralls mit den Menschen halbwegs bewahren konnte. Bernard ist menschlich und wird es bleiben, das ist der Grundzug seines Wesens. Vielleicht fehlt ihm das Feuer, die ungestüme Kraft eines Enguerrand; er ist eben ein Mensch und nichts anderes, weil er gelitten hat und weil Verzweiflung und Zorn ihn nicht verhärten konnten.

Sie bleibt nur einen kurzen Augenblick in der Kirche. Sie hat sich Gott anvertraut, weil sie es mußte. Nun ist ihr so wunderbar leicht ums Herz geworden, sie ist gelöst und friedvoll. Sie tritt ins Mittelschiff und deutet Bernard, ihr zu folgen. Sie fragt nicht einmal, ob er sich zur gleichen Religion bekennt, ob er gläubig ist; er ist mit ihr gekommen, und das genügt ihr. Nein, es kann keinen Mißklang zwischen ihnen geben.

Er hingegen kennt die Kluft, aber sie kümmert ihn nicht. Zeit und viel Liebe sind nötig, das ist alles. Wichtig allein ist, sich klar auszusprechen, guten Willens zu sein, um Wunden und Kränkungen zu vermeiden.

Draußen regnet es noch immer, sogar etwas stärker. Unten in den Gängen der Metro bemerkt er, daß ihre Wangen vor Nässe glänzen; er zieht ein großes weißes Taschentuch heraus und trocknet sie. Sie lacht, und er lacht mit ihr.

Zum erstenmal wagt Angélique in der Metro um sich zu schauen; früher traute sie sich nicht, sie hielt den Kopf wie eine Verbrecherin gesenkt. Jetzt entdeckt sie hundert Dinge in ihrer Umgebung, die sie nie vorher erblickt hat, und vor allem die Menschen rund um sie. Aufregung und lustig ist das Leben, das ganz neue Leben, das sprühende Leben! Und alle diese Personen bewegen sich vor ihren Augen, kommen, gehen, kreuzen und verneigen sich oder schneiden Grimassen wie in einem Ballett, das endlich seine wahre Bedeutung erlangt hat; und nichts Zwielichtiges, nichts Dunkles lauert im Schatten.

In Neuilly regnet es nicht mehr. Der Autobus ist leer, sie setzen sich beide auf die Bank gleich vorn beim Chauffeur. Für sie und für sie ganz allein fährt der Chauffeur diesen Autobus, und für sie pfeift der Schaffner einen Schlager, eine lustige Operettenmelodie. Der Wind, den sie hier drinnen nicht spüren, ist stärker geworden, er schüttelt die kahlen Zweige und Bäume, läßt die Schilder der Läden tanzen und zaubert kleine kurze Wellen auf die Seine, die der Wagen langsam überquert, damit sie, die beiden, das Wasser besser betrachten können.

»So, da sind wir«, bemerkt Bernard.

»Schon!«

Sie schämt sich ein bißchen, sich verraten zu haben. Wo es doch um Enguerrand, um Lambert geht! Aber schließlich, es gibt auch einen Bernard und ein endlich gefundenes Leben. Hat man da nicht das Recht, vor allem an dieses Leben zu denken, das einem geschenkt wurde?

Sie steigen bei einem großen Platz voll Marktbuden aus. Der Wind pfeift und orgelt, jagt die Wolken über den Himmel und reißt einen blauen Fetzen ganz hinten am Horizont auf, was La Frondée in La Gardenne eine »Gendarmenhose« nannte; der Wind schüttelt die Plachen der Marktstände und läßt das Packpapier knattern, das man auf den Ladentischen im Freien aufbreitet. Lambert... Enguerrand... aber Bernard ist da, doch sie weiß nicht, daß auch sein Leben von heute auf morgen gefährdet sein kann. Und wenn sie es wüßte, was könnte das jetzt ändern?

»Wohin gehen wir?«

»Sie haben auf der Dienststelle bestimmt recht gehabt, wenn sie ihn hier in Puteaux vermuten. Gestern waren die andern dagegen, daß wir, die sie die ›Intellektuellen‹ nennen, eingreifen; wir, die wir die Reden halten und die Beschlüsse der Föderationen, der Gewerkschaften unserer Arbeiterschaft erläutern müssen. Ich weiß, daß Enguerrand entgegengesetzter Meinung ist – er hat es mir gestanden, und er ist nicht der einzige, das hast du auf der Dienststelle bestimmt bemerkt –, er glaubt, daß die Sache ins Rollen gebracht werden muß, er tritt für die Aktion ein. Das Werk GEFA in Puteaux ist die Schlüsselstellung, dort befindet sich die Zentrale, wer sie in der Hand hat, lenkt die ganze Bewegung. Die Belegschaft der GEFA ist sich nicht einig; eine Gruppe ist gegen die harten Methoden, gegen den Generalstreik und gegen den Aufstand. Enguerrand aber will hart zuschlagen. Solange er sich an die konventionellen Mittel hält, geht es ja noch an; ich fürchte aber, daß er über die Stränge schlägt und alle Vernunft verliert. Wir müssen ihn unbedingt finden, um über Lambert zu sprechen«, fügte er hinzu, als wäre dieser Grund ein günstiger Vorwand.

Sie waren eine holprige, gewundene Straße bis zu einem grau angestrichenen, hohen Eisengitter weitergegangen. Die Umgebung war Angélique ganz fremd. Gewiß, sie war im Wagen, im Zug durch Vorstädte gefahren, nach Orléans oder Vierzon, aber was hatte sie schon gesehen? Es war nur ein flüchtiger Eindruck gewesen, nichts war ihr aufgefallen, denn sie hatte nichts verstanden. Heute, an der Seite Bernards, war alles ganz anders. Sie sah die Tragik dieser freudlosen hohen Mauern und der riesigen Schornsteine, denen der Sturm den Rauch zu entreißen und zurückzuschlagen schien, hörte den betäubenden Lärm der Maschinen, der alles bis an die Grundfesten erschütterte.

»Hier ist es«, sagte Bernard.

Neben dem großen Tor befand sich eine kleine Tür, in der gleichen unpersönlichen Farbe gestrichen. Er schellte und sagte:

»Ich kenne den Portier. Er gehört zu uns.«

Ein Klick, sie konnten eintreten. Ein gepflasterter Hof lag vor ihnen. Hinten erhoben sich die großen rechteckigen Bauwerke, deren Dächer sie über die Mauer hinweg gesehen hatten. Der Portier erschien am Fenster seiner Loge:

»Ah, du bist's, Gandret? Viborne ist hier.«

»Das hab' ich mir gedacht. Man hat ihn also in die Halle hineinlassen?«

»Du könntest schon wissen: Die Arbeiter denken wie er. Aber die andern...«

»Nun ja, aber die andern haben vielleicht recht.«

»Recht? Also einfach zuschauen... mit sich so umspringen lassen? Du auch...?«

»Alles zu seiner Zeit.«

»Ja, und dann ist es zu spät. Viborne hat ganz recht.«

»Will er drinnen reden?«

»Er versucht es. Hoffentlich gelingt's ihm.«

»Versteht ihr denn nicht, daß die andern nur darauf warten, um dann die Schrauben noch fester zuzuziehen und euch endgültig das Maul zu stopfen? Ein guter Vorwand, gleich fünftausend Schutzleute herzuschicken, den Ausnahmezustand zu verhängen und euch mit den Bajonetten zur Arbeit zu treiben!«

»Na ... na ... Außerdem, das wäre mir noch lieber, als so klein beizugeben und als der Blöde dazustehen. Die wollen uns fein über das Ohr hauen! Ich, ich bin für die Gewalt. Wir haben auch ein Wort mitzureden.«

»Und wenn du dann arbeitslos bist – oder tot? Ach, großer Gott! Man merkt, daß Viborne hier war!«

»Freilich – und wennschon? Ich halt' zu diesem Burschen.«

»Wo steckt er?«

»Weiß ich? Irgendwo dort hinten. He, wohin?«

Bernard war einen Schritt dem Hof zugegangen, aber der Portier legte ihm die Hand auf die Schulter:

»Unmöglich.«

»Du hast Viborne auch passieren lassen.«

»Ja, aber bei dir ist's was andres.«

»Ich muß aber hinein.«

»So, du mußt? Und noch dazu mit dieser Puppe? Wer ist denn das überhaupt?«

»Seine Schwester, du Idiot!«

Der Portier überlegte sichtlich. Endlich sagte er:

»Na schön, wenn, dann sie allein.«

»Wie?«

»Ich hab' gesagt: sie allein.«

»Sie kennt sich da drinnen doch nicht aus!«

»Und du kennst dich zu gut aus. Es bleibt dabei: sie ganz allein«, wiederholte der Mann mit eigensinnig gesenktem Kopf. »Ich hab' meine Gründe.«

»Du traust mir nicht?«

»Nehmen wir's an.«

Sie maßen einander mit wütenden, ja haßerfüllten Blicken.

»Lassen Sie ihn, Bernard ... wirklich. Ich geh' allein hinein.«

»Aber Sie können nicht ... Sie ...«

»Doch, vertrauen Sie mir. Jetzt kenne ich mich aus.«

VIII

Der Lärm erfüllte den ganzen Raum, wie das Rauschen des Meeres alles übertönt, an jedem Punkt der Küste und bei jedem Wetter. Es war das ewige Tosen einer Gewalt, die stärker als die Menschen ist, die hier aber aus Menschen geboren wurde, um sie desto sicherer zu unterjochen – eine Art von ungeheurer, dröhnender Stille, die alle Stimmen übertönt, ebenso wie die Geräusche der Schritte, des Atems,

607

der Seufzer und der Flüche – alles dessen, was verrät, daß die Menschen doch noch nicht aufgehört haben, lebendige Menschen zu sein.

Überwältigt stand Angélique am Eingang der ersten Maschinenhalle. Sie war mit dem neugeborenen Mut eingetreten, der sie seit der Begegnung mit Bernard beseelte, dennoch aber fürchtete sie, befragt, verdächtigt und hinausgewiesen zu werden. Niemand schien sie zu beachten. Sie ging in den Gängen zwischen den Maschinen weiter, benommen und staunend.

Riesige Räder drehten sich. Lange Riemen klatschten wie Peitschen ohne Ende. Eiserne Arme hoben sich und schlugen nieder, ohne daß man in dem Tumult ihre regelmäßigen Schläge gehört hätte. Ein erbarmungsloses Gesetz herrschte über allen diesen Bewegungen, allen Gesten, über dem endlosen Rhythmus, den man nur bei »Todesstrafe« – bei der Strafe, das tägliche Brot zu verlieren – unterbrechen durfte.

Angélique wagte nicht näher zu treten. Sie machte einen Schritt hierhin und dorthin, aber sie spürte die Gefahr, die es bedeuten mußte, jenen monströsen und schwerfälligen Mechanismus auch nur für eine Sekunde zum Stillstand zu bringen. So ging sie zwischen den Maschinen durch das ganze lange Gebäude, das nach heißem Öl, überhitztem Stahl, Blech, Werg und gepreßtem Filz, nach Feilspänen und Säure roch. Sie verließ die Halle, ohne mit jemandem gesprochen zu haben, und stand auf dem Hof vor einem zweiten Gebäude, das sich von dem ersten nur durch einen großen, seitwärts aufgemalten Buchstaben unterschied.

Auch hier war es laut, aber der Lärm schien aus dem Boden, aus den vibrierenden Fliesen herauszudringen. Einen Augenblick stand sie unschlüssig und hilflos da. Wo war Enguerrand? War er überhaupt noch in der Fabrik, oder hatte er sie vielleicht durch einen andern Ausgang verlassen?

Auch dieses Gespensterhaus durchquerte sie. Eine Halle nach der andern lag vor ihr, eine Reihe, die kein Ende zu nehmen schien, und alle erzeugten den gleichen höllischen Lärm.

Da aber, hinter einem Gebäude, das genauso aussah wie die andern, entdeckte sie eine Halle, in der nichts vibrierte und aus der kein mechanisches Leben drang. Eine Zone absoluten Schweigens, eine Oase in der dröhnenden Wüste. Obwohl sie annahm, daß sie geschlossen war, schritt sie geradewegs darauf zu. Sie entdeckte eine niedere Tür, öffnete sie und trat ein.

Unter der Verglasung der leeren Halle lag ein trübes Licht, denn der Raum war seit dem Krieg nicht benutzt worden, und das durchsichtige Dach trug noch die blaue Farbe von der Verdunklung her. Erst glaubte sich Angélique ganz allein, dann aber, nachdem sie sich an diese neue Umgebung gewöhnt hatte, unterschied sie allmählich am entgegengesetzten Ende ungefähr dreißig Menschen, die beieinander standen und einen wirren Kreis um einen Mann bildeten. Die Gruppe erinnerte sie verschwommen an ein Bild aus ihrer Biblischen Geschichte: Jesus unter den Jüngern. Sie ging zwei Schritte weiter, und da, ehe sie noch jemanden erkennen konnte, wußte sie mit einem Male, daß der Redner, dessen Stimme sie wegen der Entfernung nicht vernahm, ihr Bruder Enguerrand war. Und seinem Wort lauschten die andern, dieses Wort allein hörte Angélique, je näher sie kam. Es klang nicht gehässig, nein, eher wie ein feierlicher rhapsodischer Gesang und eine bittere Klage.

Was er sprach, verstand das Mädchen nicht, aber das war auch nicht nötig; die Art, wie er sprach, war alles. Etwas Menschliches strömte von ihm aus, ein vibrierendes Leben, das die Maschinen übertönte, dessen Kraft, dessen Glut tief ergriff, ohne daß man recht wußte, warum. Eine gewaltige warme Woge floß über die Zuhörer hin, in die sie tauchten und der sie sich überließen. Wer diesem jungen Mann lauschte, mußte glauben, daß er recht hatte, gleichgültig, was er sprach. Man diskutierte nicht mehr, man folgte ihm mit geschlossenen Augen wie einer stärkeren Macht, die mitriß, einer Flut, die von den Ufern schwemmt und weit hinaustreibt, einem Ziel entgegen, das er allein kennt.

Lautlos ging Angélique über den Zementboden bis nach vorne. Nun hatte sie die Rücken der Männer in ihren verschmutzten, abgetragenen blauen Arbeitsanzügen vor sich und ihre Ausdünstung, die sonst von den starken Gerüchen der Werkstätten verdrängt wurde, stieg leicht aus der enggedrängten Gruppe auf, ein Geruch nach Haut und Schweiß, nach Haar und Tabak, sogar nach dem Wein und dem Brot der Vesperpäckchen.

Enguerrand redete. Sein Antlitz trug den schmerzvollen Ausdruck eines spanischen Tänzers, seine Gesten, sparsam und maßvoll wie die Gebärden eines Zapateado, unterstrichen das Wort, während er fast reglos, gesammelt dastand und eine innere Flamme aus seinen Zügen, seinen Augen leuchtete. Das war nicht mehr Enguerrand, der Bruder Angéliques, das war ein Apostel, bereit, den Martertod zu erleiden, ein Mensch, der über seine Brüder hinausgewachsen war, der nicht mehr für sich, sondern nur für die andern lebte, um deren Leben zu sichern, vielleicht um es loszukaufen. Eine solche überirdische Kraft strahlte von ihm aus, daß Angélique in dieser Minute gewünscht hätte, ihn verklärt in die Ewigkeit eingehen zu sehen.

Die Männer rundum, die sie nicht beachteten und sie zweifellos für eine gleichgesinnte Arbeiterin aus einer Nebenhalle hielten, unterstrichen die Forderungen Enguerrands mit geflüstertem »Ja ... ja ... Genau das ist es ... Natürlich, er hat recht ...«, und alle brannten vor Eifer. Jetzt wußten sie, was zu tun war, sie waren bereit, für das allgemeine Wohl, für die gemeinsame Sache ihr Werkzeug niederzulegen und Hunger und Not zu ertragen, solange es nötig war.

Enguerrand verstummte. Nun drängten sich alle noch näher an ihn heran, und sie sagten:

»Hast du das gehört?«

»Er hat recht, nicht die andern!«

»Wir müssen bis zum Letzten gehen!«

»Wenn wir so mit uns umspringen lassen, würgen sie uns ab!«

»Kennst du ihn?«

»Nein – aber das ist einer!«

Enguerrand konnte seine Schwester nicht sehen, sie war hinter den Männern verborgen. Aber es drängte sie zu ihm hin, sie hätte gern laut wie die andern gerufen: Ja, du hast recht, so ist es, das ist die Wahrheit! Eine Wahrheit, von der sie bis jetzt nichts geahnt hatte. Sie war also blind durch die Welt gelaufen? Aber was sollte sie verstehen? Was? Das wußte sie noch nicht; heute wußte sie nur, daß es Menschen gab, die Ihn auf anderen Wegen, durch ihre Worte, ihre Handlungen, erreichen, Ihn, den sie sich zum Führer und Meister ersehnt hatte, und daß sich dadurch alles änderte. Sie dachte an Bernard und drehte sich unwillkürlich um, als wollte sie in die Richtung schauen, wo sie ihn zurückgelassen hatte.

Da aber erblickte sie die fünf Männer. Sie waren wahrscheinlich während Enguerrands Rede gekommen, als sie nach vorn gegangen war, um ihn besser zu hören. Es war eine kleine, abgesonderte Gruppe, die sich seitwärts hielt und untereinander uneins schien. Einer, ein großer Bursche mit blauen Augen, trennte sich schließlich von ihr, sichtlich auf Wunsch seiner Gefährten, und bahnte sich mit den Ellbogen einen Weg durch die Schar. Bald war er unter den Arbeitern verschwunden und versuchte, sich Gehör zu verschaffen:

»Genossen ... Genossen ...!« rief er.

Da und dort wurde man aufmerksam:

»Marjevols ist da.«

»Der Betriebsrat!«

»Ruhe! Er will reden!«

»Und Viborne?«

»Viborne hat schon alles gesagt.«

»Marjevols ist aber dagegen!«

»Schließlich wissen die andern mehr als wir.«

»Auch mehr als Viborne?«

»Das ist eben die Politik . . .«

»Genossen, Genossen!« schrie der lange blonde Arbeiter mit den blauen Augen.

»Ruhe! Hört ihn an!«

»Genossen, Genossen! Ich komme offiziell . . .«

Was hat der Kerl zu sagen, fragte sich Angélique empört. Enguerrand hatte doch alles wunderbar erklärt!

Enguerrand trat aus dem Kreis. Er überließ dem andern den Platz, aber er blieb zähneknirschend und mit geballten Fäusten nahe vor ihm stehen, bereit zum Kampf, der ihm nun bevorstand.

Die vier Neuangekommenen stellten sich um ihn. Sie sprachen zwar leise, aber laut genug, daß auch Angélique sie verstand.

»Du heißt?«

»De Viborne. Warum?«

»Hast du deine Karte? Zeig sie her.«

Enguerrand holte sie aus der Tasche und händigte sie ihm aus.

»Wir haben deine Rede gehört. Was suchst du da? Warum treibst du dich hier herum?«

»Es sind Kader meiner Gruppe in dieser Fabrik, Leute aus meinem Bezirk.«

»So, Kader? Hat man dich nicht aufgeklärt? Geschult? Weißt du nicht, daß man sich nur über die zuständigen Stellen im Haus politisch betätigen darf?«

»Ich hab' das Recht zu sprechen, wo ich will.«

»Mit der Genehmigung der Organisation oder auf Befehl. Ist das bei dir der Fall?«

»Es ist meine Pflicht, den Genossen zu erklären, was sie wissen müssen.«

»Deine Ansichten decken sich weder mit den unsern noch mit denen der Organisation.«

»Und wenn sich die Organisation irrt? Hast du noch niemals gedacht, daß es möglich wäre?«

»Niemals. Darüber gibt's keine Diskussion.«

»Hinaus mit dir!« rief der Mann, der Enguerrands Karte genommen hatte.

»Auf wessen Befehl?«

»Auf meinen.« Er zog eine Karte aus der Tasche, die dem Ausweis Enguerrands ähnelte. »So, jetzt weißt du, wer ich bin. Diese Fabrik untersteht mir allein. Man hat dich doch von dem gestrigen Beschluß in Kenntnis gesetzt?«

»Du meinst den Beschluß des Zentralkomitees?«

»Bildest du dir am Ende ein, gescheiter zu sein als die Männer, die ihn gefaßt haben?«

»Das hab' ich nicht gesagt. Ich habe Mitglieder aus meinem Bezirk da, und zu denen hab' ich gesprochen, weil sie auf mich hören und mir vertrauen.«

»Und hast ihnen das Gegenteil dessen gesagt, was gestern nach gründlicher Überlegung und langen Diskussionen beschlossen wurde?«

»Ich mußte ihnen sagen, was ich denke, was ich für das Richtige halte.«

»Du hast nicht zu denken. Denke ich vielleicht?«

»Die Organisation hat beschlossen, daß keine Gewalt angewendet wird und daß keine Tumulte stattzufinden haben. Wegen des Streiks wird noch beraten. Später, nach dem Dekret...«

»Aber das wird doch heute nacht genehmigt!« schrie Enguerrand auf.

»Dann also morgen. Komm.«

Sie nahmen ihn zu zweit unter den Arm und zogen ihn hinaus durch den Hof, dann in den zweiten, direkt dem Ausgang zu, wo Bernard wartete.

»Jetzt schau, daß du weiterkommst, und laß dich hier nicht mehr blicken!«

»Gib mir meinen Ausweis zurück!«

»Den kannst du dir vom Komitee holen!«

»Zugleich geben wir den Bericht über den Vorfall ab«, fügte einer der beiden andern Männer hinzu.

Sie nahmen ihn in die Mitte und schleppten ihn im Laufschritt zu den dröhnenden Hallen. Er sah wie ein Verbrecher zwischen den beiden aus. Angélique folgte ihnen; der Bruder hatte sie noch nicht bemerkt. Erst als sie bei der Portiersloge angelangt waren, drehte sich einer der Männer zufällig um und erblickte sie:

»Wer ist denn die da?«

Enguerrand schaute zurück: »Angélique!«

Es klang wie ein Hilferuf. Mit drei Schritten war sie bei ihm:

»Ich hab' dich gesucht, ich muß mit dir sprechen.«

»Cardot hat mir's ausgerichtet. Was ist los?«

»Lambert... Lambert ist durchgebrannt... verschwunden...«

»Ich habe dich gefragt, wer das ist?« wiederholte einer der Leibgardisten und zeigte auf das Mädchen.

»Meine Schwester«, antwortete Enguerrand.

»Sie arbeitet mit dir!«

»Sie hat überhaupt nichts damit zu tun. Sie ist wegen meines kleinen Bruders hergekommen und will mit mir reden.«

»Gut, dann hinaus mit euch beiden. Draußen könnt ihr euch unterhalten.«

Da fiel Enguerrands Blick auf Bernard, der vor der Loge wartete.

»Er auch«, murmelte er bitter.

Angélique packte ihn am Arm:

»Er hat mich begleitet. Er will uns bei der Suche Lamberts helfen.«

Das Tor öffnete sich vor ihnen, und sie standen auf der Straße. Enguerrand rannte mit langen Schritten davon, die beiden folgten ihm nur mit Mühe.

»Du mußt uns alles sagen, was du weißt!«

»Du mußt uns helfen!«

»Lambert!« Er zuckte die Schultern. »Lambert! Jetzt geht es nicht um Lambert, jetzt kann es nicht um Lambert gehen.«

Er blieb stehen und sah sie mit seinen flammenden Augen gerade an:

»Sondern?« fragte Angélique.

»Um das, was ich jetzt tun muß.«

IX

In diesem Augenblick heulte eine Sirene auf, verschluckte ihre Worte und hinderte sie an der Fortsetzung des Gesprächs. Bernard nahm den Freund beim Arm und sagte, als es wieder still geworden war:

»Es ist Mittag. Geh jetzt mit uns essen. Dabei besprechen wir alles.«

Enguerrand fügte sich wortlos. Er sah nicht nur unglücklich, sondern erschöpft und gebrochen aus. Sie gingen hinunter zur Seine und dort, am Kai, fanden sie ein Restaurant bei der Brücke.

Sie waren die einzigen in dem großen Saal; im Nebenraum aber, der durch eine Glaswand getrennt war, sah man ein Buffet, an dem der Wirt hinter der Theke den wenigen Gästen Kaffee oder einen kleinen Rosé ausschenkte.

Eine Frau, vermutlich die Wirtin, kam zu ihrem Tisch:

»Können wir zu Mittag essen?«

»Viel ist nicht da: Wurst, eine Omelette... ich hab' auch Beefsteak. Bananen, wenn Sie wollen. Was zu trinken?«

»Einen Roten.«

Bernard bestellte. Enguerrand schwieg, wie erschlafft nach einer ungeheuren Anstrengung. Er saß mit aufgestützten Armen am Tisch, barg den Kopf in den Händen und starrte vor sich hin. Endlich raffte er sich auf und erkundigte sich tonlos:

»Was ist eigentlich passiert mit Lambert?«

Er kam von selbst auf den Bruder zu sprechen. Er wollte diese Sache hinter sich haben. Der Marquis war gestorben, und damit hatte sich der älteste Sohn um die Familie zu kümmern. Mama war ja nicht anwesend, und die Großmutter lag krank zu Bett.

Angélique erzählte, was sich gestern abend zugetragen hatte. Lambert war auf und davon. Wo? Warum? Was steckte dahinter? Vielleicht konnte ihnen Enguerrand einen Hinweis geben...

Er schüttelte den Kopf.

»Großmutter ist daraufgekommen und hat mich hinunter auf die Straße geschickt, damit ich mich bei den Leuten erkundige. Aber es war spät, und alle Läden hatten geschlossen. Auch keine Jungen auf der Straße mehr, mit denen Lambert manchmal gespielt hatte. Da hab' ich an dich gedacht. Ich bin sogar in dem Rohbau gewesen...«

»Natürlich!« sagte Enguerrand. Der Sonntag fiel ihm ein. Er sah den Jungen steif und mit verbissenem Gesicht an der Wand stehen, die magere, reizlose Göre neben sich. Er hörte Lambert sagen: »Laß mich« und: »Ich liebe sie.« Die Szene war ihm kindisch und komisch vorgekommen, aber jetzt, mit einem Male, schien sie eine gewisse Bedeutung zu haben.

»Damals am Sonntag habe ich die ganze Gegend abgelaufen und hab' nach ihm gesucht. Schließlich hab' ich ihn mit einem halbwüchsigen Mädchen gerade in diesem Rohbau entdeckt. Er war kaum wegzubringen, er wollte sich durchaus nicht von ihr trennen... echt Lambert, eben!«

Angélique und er, die Lambert seit frühester Kindheit kannten, sahen dieses Ereignis in einem besonderen Licht. Lambert war nicht wie die andern Kinder, bei ihm konnte man auf verschiedenes gefaßt sein.

»Weißt du, wer die Kleine war?«

»Mathilde hat er sie genannt.«

»Vielleicht sollten wir da einhaken.«

»Ja, vielleicht«, meinte Enguerrand. »Was habt ihr bis jetzt unternommen?«

Gandret berichtete von seinem Besuch bei Junin:

»Ich habe ihn ersucht, mich in der Rue Cassini anzurufen, wenn er etwas über die Polizei erfährt.«

»Du rechnest damit, in dieser Nacht zu Hause zu sein?«

»Ja.«

»Dann verständigst du Angélique sofort bei Großmutter, nicht wahr?«

Angélique und Bernard tauschten einen Blick. Sie dachten beide an die vergangene Nacht, an ihre Hände, die sich gefunden hatten. Ihr Herz verkrampfte sich, denn in der nächsten Nacht durfte es dieses

Glück nicht geben. Es herrschte beklommenes Schweigen. Die Wirtin brachte das Fleisch, die Gläser und die Vorspeise. Gandret schenkte den Rotwein ein, und Enguerrand leerte sein Glas in einem Zug. Bernard fuhr fort:

»Du solltest uns jetzt bei der Suche nach Lambert helfen. Diese Sache mit dem Mädchen ist vielleicht eine Fährte.«

»Die ihr ohne mich verfolgen müßt. Denn ich habe anderes zu tun.«

Er nahm eine Wurstscheibe, legte sie mit den Fingern auf eine Schnitte Brot und steckte dieses kunstlose Sandwich als Ganzes in den Mund. Seine Kraft kehrte mit dem Wein und den Speisen zurück. Immer wirkten sie so, augenblicklich.

»Ich sehe nicht ein, was es anderes für dich zu tun gäbe«, sagte Bernard. »Jetzt kann man nur abwarten.«

»Ich bin anderer Meinung«, erklärte Enguerrand.

»Du hast versucht, dich über die Organisation hinwegzusetzen, man hat dich zurechtgewiesen. Es bleibt dir nur eins: dich ruhig zu verhalten.«

»Das glaubst du? Ich glaube es nicht.«

»Ich hoffe doch, daß du durch den Krach vorhin klüger und vernünftiger geworden bist.«

»Kann man von Vernunft sprechen, wenn die Zukunft unserer Mitmenschen auf dem Spiel steht?«

»Gerade an diese Zukunft denke ich.«

»Dann bist du also auch der Ansicht, daß ich Schaden stifte, wenn ich eingreife?«

»Ja, das glaube ich.«

»Wie die andern!«

»Die andern wissen eben mehr als wir. Sie haben ihre Gründe.«

»Sie sind feig und kurzsichtig. Sie reden immer von ›Aktion‹, aber sie trauen sich nicht, wenn es drauf ankommt.«

»Du wirst fein dastehen, wenn sie dich aus der Partei hinausschmeißen!«

»Das ist dann ganz unwichtig ... unwichtig geworden«, verbesserte Enguerrand.

»Du hast doch an sie geglaubt!«

»Und glaube heute noch an sie.«

»Warum dann ...?«

»Warum? Es sollten mehr tapfere Kerle in der Partei sitzen; Burschen, die Gefahren auf sich nehmen, selbst wenn man ihnen in den Rücken fällt.«

Eine lange Pause folgte. Angélique hatte dem Gespräch schweigend zugehört.

»Iß!« befahl Enguerrand und reichte ihr die Schüssel. Sie gehorchte. Bernard schaltete sich ein:

»Was willst du tun? Enguerrand«, beschwor er ihn mit der gleichen Wärme, mit der er den Namen des Freundes vor Angélique ausgesprochen hatte, des Freundes, an den er glaubte, »du weißt genau, daß ich immer zu dir halten werde. Was du auch tust, selbst wenn ich es ablehne, selbst wenn ich dich vergeblich davon abzubringen versucht habe und dich nicht überzeugen konnte – ich werde immer an deiner Seite bleiben, um dir beizustehen und alle Gefahren mit dir zu teilen.«

»Nein, das wäre ungerecht. Du kannst dich mir nicht anschließen, wenn du innerlich dagegen bist.«

»Davon spreche ich nicht. Ich spreche von nachher. Denk an die Folgen: Ich werde dich zu schützen suchen, wenn du in Gefahr bist. Du weißt, was mir die Partei bedeutet, für die mein Vater gestorben ist; nun, ich lasse mich eher zu Unrecht ausschließen und maßregeln, als daß ich mich von dir trenne – selbst wenn unsere Anschauungen verschieden sind.«

»Danke, lieber Freund; aber das würde ich niemals dulden. Ich wollte linientreu mit den andern marschieren, das ist danebengegangen. Jetzt bin ich ganz allein. Ich brauche niemanden. Was ich glaube tun zu müssen, werde ich allein tun.«

»Ohne Hilfe? Ob du willst oder nicht, du wirst niemals ganz allein sein.«

»Aber ja, Bernard, ja, und du weißt es genau. Ich bin entschlossen. Ich werde verfemt sein, überall . . .«

»Bei mir nicht!« fuhr Bernard heftig auf. »Aber du mußt dich unserer Disziplin unterwerfen, du hast bei deinem Eintritt so etwas wie einen Gehorsamseid geleistet!«

»Und wenn ich es nicht kann?«

»Gesteh mir endlich, was du überhaupt vorhast.«

»Das darf ich nicht. Du bist auf der anderen Seite.«

»Ich müßte dich anzeigen, natürlich.« Bernard senkte den Kopf. »Aber du weißt genau, daß ich es niemals täte, obwohl ich dadurch selbst zum Verräter werde.«

»Und warum würdest du schweigen?«

Es wurde sehr still an dem Tisch. Drängend wiederholte Enguerrand seine Frage:

»Aus Freundschaft? Meinetwegen?«

Dann, plötzlich, schien er zu begreifen: »Angéliques wegen?«

»Um euretwillen, um dessentwillen, was ihr beide seid«, antwortete Bernard leise.

Aber das genügte Enguerrand nicht, er mußte alles wissen. Ach, eine Hoffnung, der Schein einer Hoffnung! Vollbringen, was ihm als Pflicht schien, und doch nicht ganz allein, verlassen zu sein!
»Ist es wahr, Angélique?«
Und ohne den Blick zu senken, sagte die Schwester: »Ja, es ist wahr.«

X

Enguerrand stieß einen tiefen Seufzer der Erleichterung aus. So war es wahr! Angélique, seine Schwester, die er verloren geglaubt hatte, kehrte ins Leben zurück. Und durch sie fand Bernard zu menschlichem Verstehen. Enguerrand durfte sprechen. Bernard – und Angélique – werden ihm lauschen, und auch wenn sie nicht zustimmten, so werden sie verstehen – ach, und er war nicht mehr allein!
Jubelnde Freude stieg in ihm auf, erfüllte ihn ganz und wärmte ihn. Und zugleich überkam ihn für diese beiden Menschen hier eine tiefe Zärtlichkeit, deren er sich nicht für fähig gehalten hätte. So sehr also hing er an seiner Schwester, an seinem Freund! Es gab nicht nur die Masse, die Menschheit als Gesamtheit, sondern auch einzelne, die aus dieser Masse herausragten, Menschen, die er über alles liebte.
Die Wirtin brachte die Omelette und trug die Teller und die leeren Schüsselchen der Vorspeise ab.
»Jetzt kannst du sprechen«, forderte ihn Bernard auf.
»Zuerst essen wir«, schlug Enguerrand vor.
Er teilte die Omelette in drei Stücke und legte sie auf die Teller. Dann kam das Fleisch. Es war einfach zubereitet und gesund, blutig unter dem Messer. Es schmeckte ihnen.
Als sie gegessen und getrunken hatten, begann Enguerrand:
»Ich muß alles erzählen, denn Angélique weiß von nichts.«
Er drehte sich zu seiner Schwester und ergriff freundschaftlich ihre Hand:
»Es wäre mir früher gar nicht eingefallen, Angélique, dir von meinen privaten Dingen zu sprechen. Du hättest mich kaum verstanden. Aber jetzt darf ich es« – er blickte Bernard an. »Es reicht alles in eine so ferne Vergangenheit zurück, weißt du; in eine Zeit, da du zu klein warst, um mich zu begreifen, und es sinnlos gewesen wäre, dich hineinzuziehen. Ja, noch vor wenigen Wochen, beim Tod des Vaters, gestern noch, als du im Kloster warst, wäre es unsinnig gewesen. Wohlgemerkt: Ich habe dich immer verstanden. Menschen, die an nichts glauben, haben auch nichts; und ein Glaube kann nur durch einen andern abgelöst werden. So war es bei mir der Fall. Erinnerst du dich an Franchard?«

»Dunkel... ein junger blonder Mann, mit Brille. Er war Lehrer in Vierzon und hat dir Privatunterricht gegeben.«

»Stimmt. Alles beginnt mit Franchard. Bevor ich ihn kannte, lebte ich in La Gardenne, abgeschnitten von der Welt durch die Mauern des Parks. Franchard war der erste, der mir ein Fenster in diese Mauer schlug und mir zeigte, daß man nicht allein ist; später dann erzählte er mir vom Elend in den Städten, in den Vororten, den Fabriken – hast du es bis heute gekannt? – und von andern Menschen, die sich abrackern und leiden. Du hast natürlich nicht gewußt, warum Vater Franchard hinauswarf und mich von ihm trennte. Ich habe Franchard lange nicht gesehen, bis ich eines Tages im Wald unvermutet vor ihm stand. Ich war erschüttert und hätte ihm auf Geheiß des Vaters nicht die Hand reichen dürfen. Zuerst nahm er meine Hand auch nicht, und das tat mir weh und zerriß mir das Herz. ›Ich habe geglaubt, daß Sie ein Mensch sind, der sein Leben für das Glück seiner Brüder opfern kann...‹«

Enguerrand senkte den Kopf.

»Dieses Wort Franchards verfolgte mich lange Zeit. Wir hatten uns verabredet, wir trafen uns wieder, regelmäßig. Schließlich trat das Gefürchtete ein; der Vater entdeckte uns im Wald auf einem Inspektionsritt nach einem Unwetter. Er hielt Franchard vor, sein Vertrauen mißbraucht zu haben, und verlangte von mir das Versprechen, ihn niemals mehr zu treffen. Ich verweigerte es. Am nächsten Tag schickte er mich in die Schweiz zu den Maristen nach Freiburg. Ich sah Franchard niemals wieder.«

Nach einer kurzen Pause fuhr Enguerrand fort:

»Auch du, Bernard, hast diese Anfänge nicht gekannt; es war nicht nötig, dir davon zu erzählen. Als ich dich kennenlernte, war ich schon ein anderer Mensch, du hast keine Erklärung mehr gebraucht. Du, Angélique, verstehst jetzt, wie ich zu meiner jetzigen Einstellung gekommen bin. Auch ich habe mir eben einen Glauben geschaffen, einen andern als du, aber einen ebenso starken, ebenso verläßlichen wie deinen. Es ist ein Glaube, der von den Menschen stammt und für sie existiert, eine Funktion der Menschen, ein Glaube, der seine Dogmen, seine Mittel sucht und sogar seine Kirche gefunden hat; er hat seine Regeln und notgedrungen auch die Zwangsmittel, die man braucht, um seine Ordnung, seine Gesetze zu bewahren. Die nötig sind, aber nicht für alle. Man muß zu den wenigen gehören, die Wagnisse auf sich nehmen, die weiter blicken als die andern. Ich bin kein Herdentier, was sich wohl aus meiner Abstammung erklärt, die meine Schwäche und meine Stärke zugleich ist. Ich muß also außerhalb der Herde, aber für sie handeln. Ich weiß zutiefst, daß ich es tun muß, daß ich dazu bestimmt bin. Seid überzeugt, meine Lieben, daß ich nicht nachgebe.«

»Aber was willst du denn tun?« fragte Angélique.

»Sogar das kann ich verraten. Dich brauche ich nicht zu bitten zu schweigen. Ich weiß, daß du es tust und daß du den Willen der andern achtest, wie du auch die Freiheit für deine Person verlangt hast und sie sogar von Bernard verlangen wirst, wenn du ihm folgst. Auch Bernard muß mir nichts versprechen. Er hat es ja schon getan, bevor ich selbst davon begonnen habe, und ich weiß, daß er mich niemals verraten wird. Wir leben in einer Zeit großer sozialer Umwälzungen, und im Zug dieser Ereignisse ergibt sich ein ganz besonderes Problem... das sage ich für dich, Angélique, weil du die Einzelheiten nicht kennst. In einiger Zeit wirst du mehr wissen«, fügte er mit einem Seitenblick auf Bernard hinzu.

»Wer weiß, ob ich genauso denken werde wie er?«

»Das ist dann seine Sache. Seine ureigene Sache. Alles wird von ihm abhängen. Wie für mich alles von Franchard abgehangen hat. Ich komme auf unser aktuelles Problem zurück: Wir haben eine neue Regierung. Das Volk, die Arbeiterschaft, kämpft seit Jahren um eine tatsächliche Gleichberechtigung, um eine Anerkennung, die nicht nur auf dem Papier steht. Man konnte auf die Dauer nicht darüber hinweggehen, es kam zu Reformen und schrittweise zu Zugeständnissen, die das Volk seine ›Eroberungen‹ nennt. Und es waren auch tatsächlich Siege über den Eigennutz, die Grausamkeit, die Verachtung, der die Unglücklichen ausgesetzt waren, auf die man herabschaute. So ähnlich wie die Siege, die zur Aufhebung der Sklaverei führten und aus den Worten ›Freiheit‹ und ›Gleichheit‹ etwas Höheres machten als bloße Aufschriften auf Gemeindeämtern. Es war ein harter Weg. Der Kampf hat zahllose Opfer, Selbstverleugnung, ja Menschenleben gekostet. Sicher ist man schnell vorwärtsgeschritten, zu schnell nach der Meinung jener Leute, die ihren Reichtum, ihre alten Feudalrechte ganz oder teilweise eingebüßt haben. Und weil sie unzufrieden waren, stellten sie einen neuen Mann auf, der ihnen alles das zurückholen sollte. Er hat in der Widerstandsbewegung gegen die Deutschen gearbeitet, er war tapfer und er hatte Glück. Ich halte ihn für anständig, wenn auch beschränkt – du kennst ihn, du hast ihn in La Gardenne gesehen, er heißt Gardas. Ich bin überzeugt, daß Gardas glaubt, das Richtige zu tun. Er hält sich sogar für einen Retter des Vaterlandes, weil er vorübergehend die Finanzen stützt und seiner Meinung nach das ›Vertrauen‹, die ›Sicherheit‹ und den Wohlstand wiederherstellt. Ich habe beschlossen, mit ihm zu sprechen.«

»Er wird dich kaum empfangen«, sagte Bernard.

»Ich habe eine Möglichkeit, an ihn heranzukommen.«

»Und selbst wenn er dich empfängt, glaubst du denn, daß du ihn überzeugen kannst?«

»Dann habe ich es wenigstens versucht.«

»Und was wirst du ihm sagen? Welche Ideale uns vorschweben und unsere Handlungen bestimmen? Er glaubt ja nicht an sie.«

»Ich hab' dir gesagt: Er ist anständig.«

»Die Partei ist anderer Meinung.«

»Das wird sich herausstellen. Da ich Gelegenheit habe, bei ihm vorzusprechen, muß ich eben versuchen, ihn über gewisse Dinge aufzuklären, die er nicht wissen kann. Und ich denke, Bernard: selbst wenn ich es nicht fertigbringe, Gardas umzustimmen, selbst wenn ich gezwungen bin, bis zum Letzten zu gehen, wird es für die Unsern, und vielleicht nur für dich, nicht vergebens geschehen sein.«

»Das kann ich nicht beurteilen. Wir sind noch nicht soweit. Du willst vorderhand doch nur mit dem Ministerpräsidenten sprechen?«

»Er empfängt mich heute nachmittag. Ich habe telefoniert, er erwartet mich.«

»Wirklich? Er war bereit?«

»Augenblicklich. Ja, er hört mich an. Du siehst, daß ich vielleicht eine Chance habe.«

»Geh nicht hin, Enguerrand!« rief Angélique.

»Und warum nicht?«

»Das weiß ich selbst nicht. Nein . . . ich spüre nur, daß du nicht hingehen sollst!«

»Ich spreche mit ihm auf jeden Fall.«

»Und wenn er dich gar nicht anhört? Oder wenn das Gespräch zu nichts führt, wie anzunehmen ist?«

»Es wird auf jeden Fall zu etwas führen«, sagte Enguerrand kalt.

»Wieso?« fragte das Mädchen.

Da schnellte Bernard plötzlich vor und griff in die Rocktasche seines Freundes. Er zog etwas Glänzendes heraus, und als er die Hand offen auf die Tischplatte legte, sah Angélique, daß es eine Waffe war, ein Revolver.

XI

Alle drei starrten auf den Revolver in Bernards Hand. Enguerrand versuchte ihn hastig zurückzunehmen. Eine Weile, die ihnen endlos schien, war es ganz still an dem Tisch. Endlich sagte Enguerrand ruhig:

»Los, Bernard, gib das zurück.«

»Das also hast du vor? So überleg doch, um Himmels willen! Du willst ihn erschießen?«

»Ich will vor allem, daß er mich anhört. Ich will ihn mir aus der Nähe anschauen und genau wissen, was für ein Mensch er ist. Hoffentlich brauche ich nicht zum Äußersten zu gehen.«

»Kennst du diese Burschen denn nicht?«

»Und gerade du sprichst so? Du bist doch gegen jeden Gewaltakt?«

»Ich halte mich an die Weisungen der Partei.«

»Wir dulden das nicht!« rief Angélique.

»Und wie wollt ihr mich hindern? Indem du mir den Revolver nicht zurückgibst? Das ändert doch nichts, es gibt hundert andere Möglichkeiten. Du könntest höchstens selbst hingehen und ihn warnen – aber das tust du nicht, Bernard, weil du im Grund deines Herzens mit mir übereinstimmst.«

»Wenn Gardas tot ist, kommt eben ein anderer nach.«

»Wann? und wie? Wer könnte sein Nachfolger sein? Du kannst es dir an den Fingern abzählen, wie viele im Krieg ihr Leben eingesetzt und es überstanden haben, die wie er auftreten und handeln können und denen man folgt. Sag mir einen Namen! Siehst du, du schweigst, du weißt, daß ich recht habe. Wenn Gardas verschwindet, ändert sich alles. Und glaubst du, daß die Partei dann die Hände in den Schoß legt und zuschaut? Sie war ja unschuldig an dem Attentat; ein Fanatiker, ein verstiegener Narr, ein Adeliger hat es aus eigenem Antrieb unternommen ... noch dazu ein Mann, der sich heute vormittag absichtlich so betragen hat, daß man ihm die Mitgliedskarte abnahm, um sie dem Zentralkomitee zurückzugeben; gegen den man eine Untersuchung einleiten wird, die zweifellos zur Streichung aus der Mitgliederliste, zum schmählichen Ausschluß führen wird. Glaubst du, daß ich fröhlich und leichten Herzens in so ein Unternehmen gehe? Ich hab' doch niemals einen Menschen töten wollen! Wer weiß, ob ich es überhaupt kann. Es wird eine Kraftprobe zwischen meinem bessern Ich und dem andern sein, und da muß ich eben all meinen Mut, den echten Mut, zusammennehmen, ich werde ihn brauchen ...«

»Enguerrand, ich bitte dich ...«, flehte die Schwester.

»Ich habe alles erwogen, auch die Folgen. Du wirst mir von Mama, von dir, von Lambert und einer ganzen Menge anderer Dinge sprechen: von der Ehre, unserem Namen und was weiß ich. Glaubst du, daß dieses alles schwer wiegt, wenn in der andern Waagschale die Tatsachen, die Notwendigkeit des Handelns liegen, die zur Schicksalswende führen? Ich bin darüber hinaus, nachzudenken, ob ich will oder nicht, ich überlege nur noch, auf welche Weise ich es durchführen kann. Ihr seid die einzigen, die es wissen, aber ihr könnt mir nicht helfen. Ihr dürft mir nur nicht entgegenarbeiten. Ihr dürft mir meine Kräfte nicht rauben. Im Gegenteil, ihr müßt mich verstehen, mir helfen und mich so lieben, daß ihr euch damit abfindet. Dann wird euch klarsein, daß ich zu euch gehöre. Gib mir den Revolver zurück, Bernard«, sagte er still.

»Nein, noch nicht. Ich möchte ...« – er zögerte, es fiel ihm unendlich schwer, darüber zu sprechen –, »ich möchte, daß wir vorerst von ... dem Tatsächlichen reden. Wie – hast du es dir vorgestellt? Wie willst du es tun? Versteh mich ... wenn du wirklich ... wirklich bis zum Letzten gehst ... was tust du nachher?«

»Daran habe ich noch nicht gedacht.« Es stimmte, er hatte sich immer nur auf die Tat selbst konzentriert. »Es gibt kein Nachher«, fügte er hinzu.

»Es gibt zwangsläufig ein Nachher«, sagte Bernard schonungslos, »zwangsläufig. Wenn du nicht mit der zweiten Kugel rechnest, die im Lauf deines Revolvers steckt. Falls eine bleibt ... Gesetzt den Fall, Gardas fällt, und du findest Zeit zur Flucht, wohin wirst du gehen?«

»Nirgendshin. Ich werde warten.«

»Warum?«

»Damit man weiß, daß ich es war. Damit kein anderer verdächtigt wird.«

»Man wird immer wissen, daß du es warst, weil du ihn besucht hast. Man sieht dich doch, man notiert deinen Namen. Wozu also bleiben?«

»Bernard, überleg' doch. Selbst wenn ich flüchten möchte, wie weit käme ich denn? Ich müßte aus dem Büro verschwinden, wo an jeder Ecke ein Polizist oder ein Türsteher aufpaßt, wo man mich offiziell hinausführt. Ich müßte hinunter in den Hof, auf die Straße hinaus. Und wohin nachher?«

»Angélique und ich sind da.«

»Niemals. Ihr sollt nicht in eine Sache hineingezogen werden, die ihr ablehnt ... wenn es wirklich soweit kommt. Vor allem aber ist es schon der Ansatz zu einem Verrat, wenn ich mich verstecke, ich muß die Verantwortung voll auf mich nehmen. Sonst bekäme alles einen fragwürdigen Anstrich ... Man könnte der Partei ein Attentat anlasten, das sie niemals gebilligt hat. Nein, wenn ich Gardas wirklich töten muß, dann bleibe ich in seinem Büro und warte, bis man mich verhaftet.«

»Und dich lyncht! Dir den Mund verstopft, damit du nicht sprechen kannst! Und ganz bestimmt die Partei beschuldigt, obwohl sie nichts mit dir zu tun haben will! Du mußt verhaftet und lebend verhaftet werden. Ein ordentlicher Prozeß ist nötig ...«

»Und wenn ich einen Brief hinterlasse?«

»Dann wird man behaupten, er sei dir diktiert worden.«

Eine Stille folgte, die Angélique endlich unterbrach:

»Enguerrand, da höre ich euch beiden zu, und ihr redet, redet, als ob ich gar nicht da wäre. Ich kann die Beweggründe für einen solchen Mord... für eine solche Tat nicht begreifen – ich könnte es einfach nicht ertragen, einen Mörder zum Bruder zu haben. Es ist mit meinem Gewissen nicht vereinbar, die Hände in den Schoß zu legen, ich würde mitschuldig dadurch. Trotzdem fühle ich, daß ein politischer... Mord anders zu beurteilen ist, ja, daß es Fälle gibt, wo ein einzelnes Menschenleben geopfert werden muß. Ich werde niemals damit einverstanden sein und es niemals entschuldigen, aber ich unternehme nichts dagegen. Ach, Enguerrand, siehst du ein, daß ich in sehr kurzer Frist einen sehr langen Weg zurücklegen mußte, um mich zu diesem Verständnis durchzuringen? Aber aus meiner Liebe zu dir flehe ich dich an: Tu's nicht, Enguerrand!... Ja, ich habe jetzt Bernard, und ich werde ihn behalten, aber ich brauche doch auch dich, meinen Bruder; wie ich dich schon für die Suche Lamberts brauche und vielleicht sogar, um mich selbst zu finden. Niemals werde ich einen gemeinen Mörder in dir sehen, du wirst immer Enguerrand, mein Bruder, sein, der mir so viel bedeutet. Ich darf dich nicht verlieren. Und schon deshalb mußt du versuchen, dein Leben zu retten. Nein, nein, sag jetzt nichts; glaub mir, wenn du es richtig anstellst, kannst du bestimmt fliehen! Du mußt dich eben bemühen. Nachher verstecken wir dich, helfen dir, bringen dich ins Ausland; und wenn du dann nach einiger Zeit zurückkommst, haben sich die Verhältnisse vielleicht geändert, es ist Gras über die Sache gewachsen, man macht dir keinen Prozeß mehr, zumindest keinen übereilten. Und dann kannst du vielleicht arbeiten, wie du es willst, aufbauen in dem Sinn, den du wünschst. Ich drücke mich sicher sehr ungeschickt aus, nicht wahr? Aber ich spreche eben aus meinem Gefühl heraus, aus meiner Angst um dich, meinen Bruder – als Frau. Versprich mir, laß dich nicht absichtlich verhaften!«

Er beugte sich zu ihr und strich liebkosend über ihre Wange:

»Absichtlich? Ich darf euch nicht belasten, verstehst du das nicht? Und du weißt, wie Bernard darüber denkt.«

»Er wird genauso denken wie ich, wenn ich ihn darum bitte, wenn ich ihm sage, daß ich ihn nur um diesen Preis lieben und ihm folgen kann. Ich könnte sonst sein Leben kaum teilen. Ich habe ganz bewußt ›sein Leben teilen‹ gesagt. Wir haben noch nicht miteinander gesprochen, aber um deinetwillen, durch dich, glaube ich, daß ich offen reden darf, ohne mich meiner Gefühle zu schämen. Ich liebe ihn – vom ersten Augenblick an. Und er? Es kann gar nicht anders sein – er fühlt ebenso wie ich.«

Bernard ergriff über den Tisch hin mit seiner freien Hand die beiden Hände des Mädchens und drückte sie kraftvoll, männlich. Enguerrand sah die Finger seiner Schwester weiß werden. Erst nach einem langen Schweigen sprach Angélique weiter:

»Mein lieber Enguerrand, wenn wir dich wirklich nicht umstimmen können, dann versprich uns wenigstens das eine: daß du alles tust, um dich nachher in Sicherheit zu bringen.«

Enguerrand sah sie lange an und sagte endlich:

»Ihr habt mein Wort.«

Da streckte Bernard langsam seinem Freund die Hand entgegen, während er mit der andern Angélique festhielt. Enguerrand ergriff sie in tiefem Ernst. Dann nahm er die Waffe, steckte sie ein, erhob sich, und ohne einen Blick zurückzuwerfen, schritt er der Tür zu.

XII

Angélique und Bernard blieben einander gegenüber sitzen. Der Marmortisch trennte sie. Enguerrand war aufgebrochen – welchem Schicksal entgegen? Sie liebten ihn, sie würden ständig um ihn zittern. Heimlich hofften sie noch, sie wußten selbst nicht auf was, vielleicht darauf, daß ihm der Mut schließlich sank.

Auf seltsame Weise hatten sie sich eben ihre Liebe gestanden. Sie wußten, daß eine langwierige und harte Aufgabe vor ihnen lag, aber sie konnten sie erst in Angriff nehmen, nachdem sie sich alles von sich selbst gesagt hatten. So schöpften sie Atem, nicht um sich zu sagen, was sie einander bedeuteten, sondern was vorher gewesen war. Ihre Stirnen berührten einander beinahe.

»Bleib«, sagte er, »bleib doch...« Er sagte ihr zum erstenmal du, und eine warme Welle durchflutete sie. »Ich will dich sehen.«

Sie gehorchte.

»Zuerst muß ich dir mein vergangenes Leben schildern, du sollst es kennen. Ich habe aus deinen Worten viel von dir erfahren, nicht alles, natürlich, aber genug, um zu wissen, wer du bist. Aber du, du weißt nichts von mir, nur das eine, daß du mich liebst. Nun, ich will es versuchen...«

Angélique betrachtete ihn. Seine hohe Stirn verdunkelte sich, der Beginn schien ihm schwerzufallen. Sie hätte ihm gerne geholfen, aber sie konnte nur zuhören. Daß er sich so in ihre Hände gab, das allein schon war Glück.

»Ich mach' es schnell ... Vor allem, mein Vater: Er war entscheidend
für mich, so ähnlich, wie es Franchard für deinen Bruder war, wenn
du willst. Er war weder ein Arbeiter noch ein Bürger – ich spreche
von seinem Stand –, nicht einmal ein richtiger Beamter, er arbeitete
als Kanzlist in einem Bezirksamt. Er war kein sehr intelligenter
Mann. Meine Mutter, die war intelligent.
Sie hatte studiert, mein Vater dagegen nicht. Sie hatte ihn aus Liebe
geheiratet und war daheim viel mehr der Kopf als die Hausfrau. Ich
habe sie oft an Sonntagen mit einem Buch in der Hand überrascht,
während mein Vater die Böden fegte.
Sie wäre beinahe Mittelschullehrerin geworden, aber da ihre Eltern
zu früh starben, mußte sie das Studium aufgeben. Es war ihr heißester Wunsch, mir den Bildungsgang zu ermöglichen, der ihr versagt
geblieben war. Mein Vater hätte sich für mich bestimmt mit einem
kleinen, sicheren Posten, wie es seiner war, begnügt, meine Mutter
aber war ehrgeiziger.
Wie erwähnt, hat sie viel gelesen. Vor allem verschlang sie alle
Bücher über soziale Fragen und sozialen Fortschritt. Das sozialistische
Gedankengut wurde zu ihrem Lebensinhalt. Ich brauche dir nicht zu
sagen, daß sie auch mich damit vollstopfte, sobald sie selbst einigermaßen damit vertraut wurde. Sie war Autodidaktin des Sozialismus,
mein Vater genau das Gegenteil.
Ein einfacher Mann, der niemals an solche Dinge gedacht hätte, erst
seine Frau brachte ihn darauf. Sie unterrichtete also uns beide, ihn
und mich. Ihn an erster Stelle, der sich noch nie um Politik geküm
mert hatte und der anfangs der neuen Lehre verständnislos gegenüberstand. Bald aber wurde er der getreue Jünger seiner Frau; er
konnte gar nicht anders, immer hatte er ihr das Denken überlassen,
und deshalb dachte er jetzt ebenso wie sie. Ihre Anschauungen gingen ihm in Fleisch und Blut über, und es gab nicht den Schatten eines
Zweifels für ihn.
Er starb, ohne jemals gezweifelt zu haben.
Ich bin so wie er, aber aus andern Gründen. Ohne seinen Tod, ohne
das Opfer, das er brachte, um seinem Glauben nicht abschwören zu
müssen, hätte ich vielleicht den leichteren Weg gewählt. Ich war noch
jung, als es zu dem Drama kam: im Jahr 1943. Aber ich greife vor,
ich muß von Anfang an berichten.
Meine Mutter und mein Vater gehörten zusammen, sie trieben ihre
Politik gemeinsam, wie sie alles gemeinsam machten. In dieser Atmosphäre ergab es sich zwangsläufig, daß ich genau wie sie zum glühenden Verfechter meiner sozialistischen Ideale wurde; die Wandlung der Welt schien mir so nötig wie der Sauerstoff der Luft zum

Atmen. Schon als Schüler, bevor ich noch auf der Universität war, habe ich gedacht und gesprochen wie heute.

Du siehst, daß ich auf gewisse Weise deinem Bruder ähnle. Ich bin auch nicht ganz verschieden von dir: Wir müssen beide an etwas glauben können.

Ich will nicht, daß du dein Denken gleichschaltest, sei es aus Liebe, sei es, weil ich dich beeinflusse. Ich will nicht, daß du so zu mir stehst, wie mein Vater – den ich immer bewundert habe – zu meiner Mutter gestanden hat. Ich will, daß du dir ein unabhängiges Urteil, deine Freiheit bewahrst, selbst wenn es uns trennen sollte; du darfst dich mir nicht unterwerfen, und sei es aus Liebe oder Leidenschaft. Meine Mutter dachte ebenso, bestimmt, denn wenn sie meinen Vater nach seiner ›Bekehrung‹ auch weitergeliebt hat, so doch mit einem leisen Stich heimlicher Verachtung. Und dabei hätte sie doch niemals Widerspruch geduldet! So sehe ich die Dinge zumindest, ich glaube nicht, daß ich mich irre. In meinem Verhältnis zu dir, Angélique, dürfte ich mich niemals irren; zwischen uns muß alles klar und offen liegen, darauf bestehe ich.

Enguerrand sagte vorhin, daß du nun in meinen Händen bist und daß du dich mir anvertrauen sollst. Gut. Aber so wie jetzt werde ich dir immer alle meine Beweggründe, alle meine Gedanken verraten, und du entscheidest dann frei, wie du dich dazu stellst. Wenn du anderer Meinung bist und dich im Recht glaubst, dann werde ich mich nicht wie eine Mauer vor meine Anschauung stellen, im Gegenteil, ich werde dich anhören – so wie du mich angehört hast – und dich zu begreifen suchen. So müssen wir zueinander stehen, vielleicht ist es das Heil für einen von uns beiden, daß wir einander begegnet sind.«

Sie antwortete nicht, ihr Blick hing an seinem Antlitz. Was bedeutete der anspruchslose Rahmen, der Marmortisch, auf dem noch die schmutzigen Teller, die Brotkrumen und die zerknüllten und gebrauchten Servietten lagen? Das war vielleicht die niedrige Seite des Lebens, die es eben auch gab und mit der man sich ebenso abfinden mußte wie mit vielen andern abstoßenden und schmutzigen Dingen, die aber dem Gefühl, das sie über all das hinweg verband, erst das richtige Maß gaben: das Maß der schrankenlosen Ehrlichkeit, die sie, über ihre verschiedenen Überzeugungen hinweg, zu wesensgleichen Menschen stempelte.

»Du hast recht gehabt« – und dieses Du klang so weich von ihren Lippen, wie noch nie ein Wort Angéliques geklungen hatte –, »du hast recht gehabt, mir das alles zu erzählen, damit ich dich richtig kenne. Aber ich wußte schon, was du bist. Wenn du mich enttäuscht hättest, dann wäre ich wohl gestorben, und selbst Gott hätte mich nicht retten können. Aber wie du gesprochen hast, will jetzt auch ich nach meiner Art sagen: Ich glaube, daß Er dich mir geschickt hat. Ich bin vielleicht doch nicht stark genug, um mich mit der Vernunft und dem Zufall zu begnügen? Vielleicht weil ich eine Frau bin? Vielleicht, weil du dich täuschst? Wie soll ich das alles jetzt schon wissen? Es braucht seine Zeit, und selbst wenn es uns nicht gelingt, so haben wir es doch tapfer versucht. Jedenfalls fühle ich mich jetzt zum erstenmal in meinem Leben fähig, dem Schicksal zu begegnen, das mich erwartet. Der Gedanke an die Zukunft Enguerrands zerreißt mein Herz, und trotzdem finde ich mich damit ab. Liebster ... ich kann dir nur eines versprechen: Ich werde dir zuhören, und ich werde versuchen ...«

»Jetzt bist du wirklich meine Frau«, sagte er ergriffen, »denn mit diesen Worten gibst du dich mir und schenkst mir mehr, als wenn du mir deinen Körper oder ein Kind schenktest ...«

Er war nicht leicht gerührt und liebte die großen Worte nicht; die tragischen Ereignisse seiner Vergangenheit und der Tod, dem er so nahe gekommen war, hatten ihn abgehärtet, so daß er nach außen hin manchmal fast herzlos wirken konnte. Jetzt aber stieg es ihm würgend in die Kehle. Doch gewaltsam übertauchte er die Anwandlung der süßen Schwäche, und mit fester Stimme fuhr er fort:

»Noch ein paar Minuten, Angélique, ich muß dir alles bis zum bitteren Ende erzählen. Hör mir noch ein wenig zu.«

XIII

»Ich war zwölf Jahre alt, als die Deutschen in Paris einmarschierten. Ich hatte seit meiner frühesten Kindheit meine Eltern leben und kämpfen gesehen, ohne mich aber ernstlich mit ihren Problemen zu befassen.

Ich wurde zum Marxismus erzogen, wie du zur Religion erzogen worden bist; wir verdanken beide unsere Weltanschauung den Eltern, wir haben sie mit der Muttermilch eingesogen, und sie wurde zum Bestandteil unserer Grunderziehung. Erst in späteren Jahren wurde mir klar, daß es überhaupt auch etwas anderes gibt.

Trotzdem konnte ich genau herausfinden, welchen Anteil daran der kindliche Glaube meines Vaters und welchen die durch übermäßige Lektüre etwas fehlgeleitete Intelligenz meiner Mutter tragen und was ich meinen eigenen Überlegungen verdankte. Daraus erkannte ich, daß ich kaum das Zeug zum blinden Fanatiker besaß, sondern daß ich mir als durchaus aufrichtiger Mensch – vielleicht durch die Erziehung beeinflußt – oder gerade trotz dieser Erziehung – ein Weltbild geschaffen hatte.

Wie alle Franzosen liebten auch wir die Besatzung nicht. Das ist eine ganz normale Reaktion, die von den meisten geteilt wurde; bis auf wenige Ausnahmen, die aus einem weibischen Gefühl der Unterwerfung heraus den Stärkeren bewundern und ihm daher dienen. Diese allgemeine Abneigung gegen den Feind aber war es nicht, die meine Familie und mich in die Résistance trieb, sondern der Druck, den er gegen politisch Andersdenkende ausübte. Da unsere Weltanschauung von der seinen verschieden war, wurden wir zwangsläufig, fast ohne nachzudenken, aus Selbstverteidigung oder Selbsterhaltungstrieb, in die Reihen der Widerständler gedrängt.

Anfangs erzählte man mir nichts, dann, nach und nach, als sich alles eingespielt hatte, begannen meine Eltern daheim frei von ihrer geheimen Tätigkeit zu reden.

Sie bestand in kleinen Meldungen und ›Briefkasten‹, dann in der Verteilung von Flugschriften – bei der ich mithalf –, in Aufrufen, in Berichten und in Botschaften. Im großen und ganzen nichts Heldisches. Reine Routinesachen, manchmal etwas beschwerlich, lange Märsche zu Fuß durch die Stadt, um die belebten Viertel zu umgehen und Razzien auszuweichen, wenn geheime Meldungen zu überbringen waren. Trotzdem wurde mein Vater auf der Straße verhaftet, durch einen blödsinnigen Zufall, als man seinen Ausweis verlangte. Man durchsuchte ihn und fand belastende Flugschriften, die wir zusätzlich zu den Aufbauarbeiten in der Zelle aufsetzten, die dann von der Organisation gedruckt und von uns verteilt wurden. Man brachte ihn sofort nach Fresnes, dann ein paar Tage später zur Staatspolizei in die Rue de Saussaies und schließlich in die Avenue Foch, wo man ihn in eine Dienstbotenkammer unter dem Dach sperrte.

Zwei Tage blieb er dort. Er weigerte sich, die Namen seiner Genossen zu verraten, und deshalb schleppte ihn die Gestapo auf den Mont Valérien. Ich weiß nicht, was dort vorging, ich weiß nur, daß dieser kleine Durchschnittsmensch, der sich vor jedem Schnupfen fürchtete, standhaft die Aussage verweigerte und ihnen ins Gesicht schrie, daß sie ihn zwar töten, aber ihm niemals seine Überzeugung rauben könnten. Er wurde füsiliert. Er ist als Heiliger, als Märtyrer seiner Idee, als Held gestorben, und das war er über Nacht geworden – es schien ihm so selbstverständlich wie anderen Feigheit oder Verrat.

Meine Mutter wurde am gleichen Tag verhaftet wie der Vater. Sie hätte ohneweiters leugnen können, etwas von der Tätigkeit ihres Gatten gewußt zu haben – das wäre hundertmal besser für das Wohl ihrer Sache gewesen. Nein, sie wollte alles mit meinem Vater teilen. Man schleppte sie weg. Obwohl auch sie die Aussage verweigerte, tötete man sie aus mir unbekannten Gründen nicht, wahrscheinlich, weil sie eine Frau war. Sie wurde nach Compiègne, von dort nach Deutschland gebracht. Den ganzen Krieg lang hoffte ich auf ihr Wiederkommen. Einer der ersten Heimkehrer berichtete mir, wie sie gestorben ist.

Mein Vater war mit dem Gruß unserer Partei auf den Lippen vor dem Peloton gefallen; meine Mutter ging elend im Lager an Ruhr und Typhus zugrunde. Sie brauchte nicht erschossen zu werden. Für mich sind beide auf die gleiche Art gestorben, und dieser Tod vereint sie für ewig.«

Angélique drückte Bernards Hand stärker, aber sie sprach kein Wort. Er war ihr dankbar dafür, aber er hatte noch vieles am Herzen:

»Ich selbst entging durch reinen Zufall der Verhaftung. Ich war in der Schule, als die Männer in unsere Wohnung kamen. Die Hausbesorgerin war so geistesgegenwärtig, sofort nach Abtransport meiner Mutter ins Gymnasium zu laufen und den Direktor zu verständigen. Er kam persönlich in meine Klasse und holte mich in sein Dienstzimmer:

›Mein lieber Bernard‹, sagte er, ›dein Vater ist heute früh festgenommen worden, und eben hat man deine Mutter abgeholt. Du darfst nicht in eure Wohnung zurückkehren. Trotzdem kann ich dich nicht hierbehalten, sonst finden sie dich und führen dich dann ebenfalls weg. Weißt du irgend jemanden, wo du unterschlüpfen könntest?‹

Ich wußte niemanden, und so schickte er mich mit einem Brief zu seiner Schwester. Ich lief direkt zu ihr hin, und sie nahm mich auf, als wären wir Freunde seit jeher. Sie stand mir in den schweren Tagen zur Seite, während meine Eltern ihren Leidensweg beendeten. Ich glaube, daß sie mir lange die Wahrheit vorenthielt, weil sie mich noch als Kind ansah. Bald aber mußte sie erkennen, daß der bittere Tod meiner Eltern für mich weit mehr und etwas ganz anderes bedeutete als das bloße Hinscheiden zweier Menschen, die mir das Leben geschenkt und mich aufgezogen hatten. Sie versuchte, mich ›auf den rechten Weg‹ zu leiten, wie sie es nannte, mußte sich aber sehr bald eingestehen, daß ihr Schützling trotz aller Dankbarkeit und Sympathie, die er ihr zollte, weiterhin an den Ideen festhielt, für die seine Eltern gestorben waren.

Fast jeden Tag kam es zu Diskussionen zwischen uns, die zwar in ruhigem Ton geführt wurden, aber die Tiefe der ideologischen Kluft bewiesen, die uns trennte. Ich hatte die engeren Mitarbeiter meiner

Eltern aufgesucht, um sie zu warnen, und Kontakt mit der Zelle aufgenommen. Sie übertrugen das Vertrauen und die Freundschaft, die sie für den ermordeten Vater empfunden hatten, auf dessen Sohn, der den gleichen Namen trug, den Namen Gandret, der jetzt heroischen Klang hatte. Sie unterwiesen mich in allem, was ich noch nicht wußte, nicht nur in der Doktrin, sondern auch in dem, was über sie hinausführte, um zur Hoffnung zu werden. Nach knapp einem Jahr teilte ich meiner Hausfrau in aller Offenheit mit, daß ich sie verlassen müsse. Ich war fünfzehn Jahre alt und wollte auf eigenen Beinen stehen; vor allem denken und arbeiten können, wie ich wünschte, und ohne den Zwang, den sie mir trotz allem auferlegte, ohne den ständigen Mißklang daheim. Freilich, nun mußte ich mich selbst erhalten.

So hatte ich mich nun eine Zeitlang in drei Tätigkeitsgebieten zu teilen: Ich stellte gegen Bezahlung Quellenmaterial für verschiedene Werke in Bibliotheken zusammen; ich lernte für das Abitur, später für die Hochschule, und außerdem war ich in der Organisation tätig, der ich mich ganz und gar verschrieb, als wäre sie Inhalt und Ziel meines Lebens.

Auf der Universität lernte ich deinen Bruder kennen. Wir freundeten uns rasch an. Ich glaube, daß ihm mein Name geläufig war, er hatte von meinen Eltern gehört. Er fragte mich aus, er diskutierte mit mir – es war während des Krieges –, und bald trat er in unsere Organisation ein. Es verband uns aber viel mehr als bloße gemeinsame Arbeit, gemeinsame Gefahr. Wie oft haben wir uns später, nach der Befreiung, als es kein Ausgehverbot mehr gab, gegenseitig nach Hause begleitet, von seinem Tor zu meinem und wieder zurück, denn niemals fanden wir ein Ende bei unseren Gesprächen.

Ich habe Enguerrand zwar eingeführt, aber er überholte mich schnell. In ihm brannte die heißere Flamme. Er ist besser als ich, als wir, und das erkennen wir alle an. Vielleicht hat er unbewußt den Wunsch, das Unrecht wiedergutzumachen, das sein Stand – sein Vater und seine Vorväter – durch seine Privilegien ungewollt beging? Du siehst, er hat nicht vergessen, daß ihn sein Vater, der Marquis, von dem Lehrer Franchard trennte. Ebensowenig kann er jemals eine Pflicht vergessen, die er sich auferlegt, eine Aufgabe, die er sich gestellt hat. Er ist nicht hart oder gar grausam, im Gegenteil, er ist der menschlichste der Menschen, denen ich jemals begegnet bin. Er muß bitter mit sich gekämpft haben, ehe er den Gedanken an Mord fassen konnte; und wenn er das Attentat wirklich begeht, dann wird er voll Grauen und Abscheu vor der eigenen Tat stehen. Aber er geht seinen Weg zu Ende, Angélique, und wir können nichts dagegen tun. Wir haben unser Wort gegeben, wir werden es halten; es bleibt uns kein anderer Freundschaftsdienst, als ihm beizustehen, wenn ihm die Flucht gelingt, und sein Leben zu retten, das er opfern will.«

Er schwieg. Beide dachten an Enguerrand, an die Tat, die er plante, und Angélique verstand den Bruder jetzt nach Bernards Erzählung besser. Sie liebte Bernard, weil sie sofort gespürt hatte, was er war; daß er, was er auch denken mochte, ja selbst wenn er sich irrte, nicht umsonst auf dieser Welt lebte. Sie war nun mit in das Drama verwickelt, sie konnte dem Ausgang gefaßt entgegensehen – denn sie wußte, daß nichts mehr zu ändern war.

So hatten sie sich eine Pause gegönnt, jetzt aber mußten sie aufbrechen. Das Problem Lambert war zu lösen, und die Zeit drängte. Nachher – das hoffte sie von ganzem Herzen – würden sie Enguerrand in Sicherheit bringen, falls es überhaupt nötig war. Ach, und alles andere, was auf sie wartete: die Großmutter, die Mutter, das ganze neue Leben, das jetzt vor ihr lag, das sie auf sich zu nehmen beschlossen hatte. Vielleicht mußte sie sich auch wieder in den Kampf gegen sich selbst stürzen, den sie so lange geführt hatte; was bürgte dafür, daß er wirklich ganz beendet war? Doch war jetzt alles leichter geworden, und so war es Angélique, die sich als erste erhob:

»Komm«, sagte sie.

Sie ging hinaus, während er eine Banknote auf die Schüssel warf, die ihm die Wirtin mit der Rechnung reichte. Draußen schritt sie aus, ohne sich auch nur nach ihm umzusehen, er aber war mit drei Sätzen an ihrer Seite.

XIV

Ihr Ziel war Montmartre. Dort, und dort allein, konnten sie eine Spur Lamberts finden, das war ihnen seit der Bemerkung Enguerrands klar.

Angélique wollte vor allem einen Sprung zur Großmutter in die Rue Caulaincourt machen. Vielleicht hatte sich Lambert schon gemeldet, telefoniert oder, noch besser – vielleicht war er schon dort?

Tiefe Stille herrschte in der Wohnung. Die Tür des Schlafzimmers stand offen, und trotzdem hatte sie die Kranke nicht gehört. Angélique glaubte sie eingeschlafen und vermied jedes Geräusch. Und da sah sie die Großmutter plötzlich, ohne von ihr gesehen zu werden. Sie lag auf dem Rücken, die Decke bis zum Kinn hochgezogen, die weit offenen Augen starrend ins Nichts. Eine solche Trauer, eine so tiefe Müdigkeit und zugleich solche Angst standen in diesem Blick, daß Angéliques Herzschlag aussetzte. Endlich schien die Kranke die

Gestalt ihrer Enkelin gesehen zu haben, denn sie sagte mit einem Zittern in der Stimme, aber ohne sich zu regen:

»Ah, du bist es!« Und ehe noch Angélique ein Wort herausbrachte: »Lambert?«

»Noch nichts«, antwortete das Mädchen, »aber Enguerrand hat uns einen Anhaltspunkt gegeben.«

»Wem ›uns‹?«

»Seinen Freunden, die mir helfen... und mir«, entgegnete Angélique, und unwillkürlich stieg eine leise Röte in ihre Wangen. »Enguerrand ist heute nachmittag besetzt...«

»Er hätte wirklich alles andere liegenlassen und sich um seinen Bruder kümmern können!«

»Es handelt sich nur um ein paar Stunden«, beruhigte sie das Mädchen schnell. Und heimlich war ihr erschauernd bewußt, daß sie eine entsetzliche Wahrheit ausgesprochen hatte. »Ich gehe wieder.«

Die alte Dame murmelte etwas Unverständliches, was ebensogut nein wie ja heißen konnte.

»Fühlst du dich nicht...?«

»Schlechter? Mir war niemals besser.«

»Brauchst du irgend etwas?«

»Vielleicht. Gib mir die Tasse, die dort auf dem kleinen Tisch steht.«

Angélique wunderte sich, daß die Kranke sie nicht selbst nahm, denn sie war in Reichweite, aber:

»Ich will mich nicht aufdecken, weißt du... die Hände herausnehmen. Bitte, die Tasse!« befahl sie.

»Frierst du vielleicht?«

»Aber nein, woher denn!« fuhr Madame Paris gereizt auf. »Tu, was ich dir sage. Danke.« Angélique setzte die Tasse ab. »So, jetzt erzähl mir genau, was du unternehmen willst.«

»Enguerrand hat damals nämlich Lambert mit einem halbwüchsigen Mädchen im Rohbau entdeckt, als er ihn heimbrachte...«

»Einem Mädchen! Eigentlich ganz natürlich!«

»Du hast ihn zum Spielen hinuntergeschickt.«

»Und er hat gespielt. Enguerrand hat recht, dort muß man einhaken. Weißt du, wer sie ist?«

»Nein, aber ich finde es schon heraus.«

»Jedenfalls ist's höchste Zeit. Los, geh!«

»Ja. Kannst du das Telefon erreichen? Wenn ich was Neues herauskriege und zu weit weg bin, dann rufe ich dich sofort an.«

»Natürlich. Die Hausbesorgerin wird sich schon melden.«

»Und wenn sie nicht da ist?«

»Dann eben ich – falls ich nicht gerade schlafe«, fügte Madame Paris schnell hinzu. Angélique küßte sie, und als sie sich von der Tür aus noch einmal umdrehte, da sah sie, daß ihr die alte Frau, deren Kopf sich nicht auf dem Kissen rührte, mit dem gleichen traurigen, verzweifelten Blick wie vorhin nachschaute.

Unten auf dem Gehsteig wartete Bernard. Dort oben war alles in Ordnung, sie konnten ihre Suche wiederaufnehmen. Angélique verriet ihrem Freund die unerklärliche Unruhe nicht, die sie bei der Kranken überfallen hatte.

Die Kaufleute der Umgegend hatten Lambert nicht gesehen. Nein, seit mindestens vierundzwanzig Stunden nicht. Was er getan hatte? Wo er sein könnte? Sie hatten wirklich anderes zu tun, als sich darüber den Kopf zu zerbrechen. Ein Junge von dreizehn Jahren ging nicht so einfach verloren. Das junge Fräulein brauche nicht besorgt zu sein, am Abend komme er schon wieder zurück. Da sie also nichts erfuhren, meinte Bernard:

»Wir müssen eben nach der Kleinen fahnden. Sie heißt Mathilde, nicht wahr?«

Schon bei der ersten Anfrage erhielten sie Auskunft: jedermann kannte Mathilde. Ein halbwüchsiges, mageres Ding, das immer in der Gegend herumstrich. Sie besorgte die Einkäufe für die Mutter, die daheim genug Arbeit hatte; schließlich war Mathilde ja groß genug dazu. Wer sie war? Die Tochter vom Barisot, die Älteste einer Arbeiterfamilie. Der Vater war Fabrikarbeiter in Saint-Quen, die Mutter hatte einen Haufen Kinder und blieb daher zu Hause, außerdem war sie nicht ganz gesund. Wie übrigens die Tochter auch ... die eingesunkene Brust, na, man wüßte schon.

Wo sie wohnten? Ja, da gab es eine Frau, Madame Bragard, die Obsthändlerin, deren Mann auswärts arbeitete und Barisot gut kannte, sie gingen sogar gemeinsam zu den Meetings; erst vor zwei Tagen war davon die Rede gewesen.

Madame Bragard gab Bernard und Angélique die Anschrift der Eltern Mathildes. Sie mußten von dem hochgelegenen Stadtteil hinunter zum Ufer der Vorstadt gehen. Ehe das Paar umkehrte, um die Richtung nach Saint-Quen einzuschlagen, hielten sie wie auf Verabredung an und blickten hinunter auf die Stadt.

Da lag sie vor ihnen im Winternebel, mit ihren Dächern und Türmen, verschwommen in weichem Pastell, den eigentlichen Farben der Ile de France. Und während gedämpft der Lärm aus der Stille wie Rauch aufstieg, schienen sie unbewußt gespannt zu lauschen, ob nicht ein Schuß alles übertönte und die Stille zerriß. Aber nein, sie konnten ihn ja nicht hören, außer vielleicht zwei oder drei Personen der benachbarten Büros, ein Attaché, ein Türsteher oder ein Polizist, und doch konnte dieser Knall, der im Motorengeräusch zahlloser, in vielfacher Spur dahinfahrender Wagen unterging, der kaum lauter war als der Lärm einer zufallenden Tür, das Leben Tausender Menschen und zugleich das ihre mit Donnergetöse umstürzen. Machtlos standen sie da. Angélique betrachtete die Stadt zu ihren Füßen mit dem gleichen trostlos verzweifelten Blick, mit dem die Kranke ihrer Enkelin nachgeschaut hatte. So wandte sie ihr Gesicht Bernard zu, bei dem sie instinktiv Schutz und Zuflucht suchte, und schmiegte sich eng an ihn.

Da er größer als sie war, legte er den Arm um ihre Schulter und spürte, wie sie zitterte. Er wußte, daß es nicht von der Berührung mit ihm herrührte, sondern von der Angst, die in ihr bohrte. Allmählich nur löste sich ihre Spannung. Das Geheimnis, das über dieser Stadt lag und das sie beide allein kannten und fürchteten, verband sie, und einer fand am andern Halt. Der Weg, der vor ihnen lag, war noch lang und hart, aber sie würden ihn trotz seiner zahllosen Gruben und Fußangeln zu Ende gehen. Langsam wanderten sie bergab und ließen alles hinter sich zurück, was zugleich Vergangenheit und Zukunft war, sie wollten nur an den Augenblick denken. Die steil abfallende Straße führte sie in ein ärmliches Viertel. Sie stolperten über das holprige Pflaster, das für die Wagen der feinen Bezirke kaum geeignet war. Es roch nach Zwiebel und Wäsche.

Auf einem rostigen Schild mit abblätterndem Email entdeckten sie den Namen des Gäßchens. Aus den Schornsteinen der niedrigen Häuser stiegen Rauchfahnen auf, die sich im Wind vermischten; hier gab es keine modernen Wohnblocks, sondern nur baufällige, höchstens drei Stock hohe Gebäude, die man schon längst hätte niederreißen sollen; die Einfahrten versenkten sich in die Bruchbuden wie Wundröhrchen in Wunden, durch die der Eiter der Lichthöfe mit den Mülleimern abfließt: Unrat, der Ausguß der Dachtraufen, in die man die Laugen der in den Mansarden gewaschenen Wäsche geschüttet hatte. Scheue Katzen schlichen an den räudigen Mauern entlang. An einer Straßenkreuzung bellte ein Hund aus purer Gewohnheit.

»Hier ist es«, sagte Bernard.

Das Tor, das sie suchten, zeigte die Nummer 28. Sie zögerten einzutreten. Ein Junge saß auf einer Stufe und kaute an einem Stück Brot.

»Madame Barisot?«

Er wußte es nicht. Er sah stumpfsinnig und verschreckt aus.

Sie gingen bis zum Ende des gelben Flurs, denn es gab keinen Hausbesorger. In dem leeren Hof war es still.

»Madame Barisot?« rief Bernard.

Eine alte Frau erschien und sagte:

»Dort, rechts, bei der kleinen niederen Tür.«
Die Tür zur Wohnung stand offen. Ein Junge kroch unter einem Weichholztisch auf dem geschrubbten Boden herum; er schien noch nicht laufen zu können. Und hinter dem Tisch kauerte eine Frau, unbeweglich, den Oberkörper vorgebeugt.
»Madame Barisot?«
Sie hob den Kopf:
»Ja? Das bin ich.«
»Madame«, begann Bernard, »wir kommen wegen Ihrer Tochter.«
»Gaston!« rief die Frau und richtete sich auf, »Gaston, es ist jemand wegen Mathilde da! Mein Mann ist heute nicht in der Fabrik«, fügte sie erklärend hinzu.
»Bringt er Mathilde zurück?« fragte die Stimme Barisots.

XV

Sie brachten sie nicht, und sie sagten es ihm, was zu einem neuerlichen Wutausbruch führte, denn seit gestern kochte er vor Zorn.
»Die verdammte Göre! So was den Eltern anzutun! Wenn ich sie erwische . . .!«
Aber er hatte sie eben noch nicht erwischt und konnte seine Wut nicht an ihr auslassen. Er war auch besorgt, und das zeigte er eben auf diese Weise.
Bernard erzählte, so gut er konnte, was geschehen war. Lambert war gestern abend durchgebrannt, und da die Kleine auch verschwunden war, waren sie wohl gemeinsam weggelaufen.
»Gemeinsam . . . gemeinsam . . .«, wiederholte Barisot verständnislos. Und plötzlich: »Wie alt ist er, der Junge?«
»Dreizehn Jahre.«
»Dreizehn Jahre. Und das ist Ihr Bruder!« Kein Zweifel, dieser Bruder hätte nichts zu lachen gehabt, wenn er in seine Hände gefallen wäre.
»Hören Sie«, sagte Bernard besänftigend, »wie wir uns auch dazu stellen, wir müssen uns eben mit den Tatsachen abfinden.«
»Den Tatsachen, den Tatsachen«, grollte Barisot, »was soll das heißen? Die zwei Rangen sind ausgerissen, und man kann sich vorstellen, was sie treiben wollen . . .«
»Nein«, fiel ihm Angélique ins Wort, »sicher nicht. Ich kenne Lambert, der hat ganz andere Dinge im Kopf, als Sie vermuten.«
»Und, zum Teufel, das alles gerade jetzt, wo es Aufregungen genug gibt!«

»Die beiden können nicht weit sein«, tröstete Bernard.

Aber er glaubte es nicht ganz, er sagte es nur zur Beruhigung der Eltern, die nichts begriffen. Im Gegenteil, er dachte, daß Lambert aus gleichem Holz geschnitzt war wie sein Bruder Enguerrand, ungestüm, bereit, alles zu wagen, alles zu wollen, und daß es höchste Zeit war, ihn zu finden, ehe ihn sein Schicksal ereilt hatte. Er erkundigte sich bei den Eltern: Was hatten sie unternommen?

Nichts. Sie warteten. Nicht allein wegen der Tochter war Barisot zu Hause geblieben, sondern vor allem wegen des geplanten Generalstreiks, für den Maßnahmen zu ergreifen waren. Er war Betriebsrat und hatte die Arbeit niedergelegt. Er war klassenbewußt, er mußte es tun und sich gegen eine Regierung zur Wehr setzen, die ihnen alles nehmen wollte, was zugestanden war, und er war eben nicht für das Kleinbeigeben, sondern für die harte Tour. Jetzt, da er wußte, daß die beiden Rangen gemeinsam geflüchtet waren, würde er die Polizei verständigen und die Missetäter mit Fußtritten in ihren Stall zurücktreiben. Keine Umstände mit diesen Rotznasen, und vor allem von dem Moment an, wo sie mit solchen Schweinereien liebäugelten. Die harte Tour auch hier, wie für alles andere. Der junge Herr da konnte das nicht verstehen, er war kein Arbeiter. Barisot schlug vor, gemeinsam auf das Kommissariat zu gehen. Und wenn die beiden Bourgeois nicht wollten, er, er kannte keine Rücksicht: Er ging eben allein und schickte den beiden Ausreißern die Wachleute nach.

Bernard zog schließlich seine Mitgliedskarte heraus, was Barisot wunderte und besänftigte. Wenn der junge Mann bei der Partei war, dann sah die Sache anders aus, dann wußte er bestimmt Dinge, die Außenstehende nicht wußten. Dann mußten sie sich zusammentun und sich gemeinsam auf die Suche begeben. Wenn die beiden erst einmal daheim waren, dann würde man ihnen schon das Fell spannen. Bernard erklärte, daß er bei der Polizei das Nötige veranlaßt und daß man in dieser Nacht noch keine Spur gefunden habe. Es hieß die nächste Nacht und die Meldungen der Fremdenpolizei abwarten. Barisot brauchte sich um nichts zu kümmern, seine Frau solle sich nicht aufregen, Bernard werde alles erledigen.

Sie tranken ein Glas Weißwein und verabschiedeten sich dann. Madame Barisots Tränenstrom war versiegt, sie trocknete sich getröstet die Augen. Sobald die beiden jungen Leute etwas wußten ... sie hatten es versprochen, nicht wahr ...? Was Mathilde betraf, würde sie schon darauf schauen, daß Barisot sich etwas zurückhielt, aber es war der ungünstigste Moment für solche Streiche, das mußte sie zugeben, jetzt, wo ihr Mann wegen der politischen Ereignisse so übler Laune war!

Draußen beschleunigten Bernard und Angélique ihre Schritte. Sie gingen zur Stadt zurück, suchten ein Verkehrsmittel. Wohin aber? Was tun? Das Abenteuer Lamberts war viel ernster, als sie anfangs vermutet hatten. Alles hatte viel Zeit gekostet, und es wurde früh dunkel im Winter. Die Lichtreklamen flammten in den Geschäftsstraßen auf. Einen Augenblick überlegte Angélique, ob sie nicht zu Madame Paris zurückkehren sollte. Eine seltsame Beklemmung befiel sie, wenn sie an die Kranke dachte. Auch bei ihr konnte sie in Kontakt mit Bernard bleiben, wieder weggehen, wenn es nötig war. Bernard redete ihr ab: Sie durften Enguerrand nicht vergessen. Mußten sie nicht beide ständig bereit sein, um ihm notfalls Beistand zu leisten? Die Angst um ihn war größer als die Angst um die Großmutter – nein, Bernard und Angélique durften sich nicht trennen.

So kehrten sie in die Rue Cassini zurück. Unterwegs hatten sie Zeitungen gekauft, sie fanden keine Meldung über Gardas, es sei denn, Berichte über Unstimmigkeiten mit der Arbeiterschaft und seine Absicht, vielleicht noch heute abend das Dekret zur Aufhebung der Nationalisierungen zu unterzeichnen. Die Straße war ruhig, keine Extrablätter, keine Sensationsnachrichten.

Sie fanden den Schlüssel wie immer unter der Fußmatte. Erst glaubten sie, daß niemand dagewesen war, dann aber entdeckten sie wie am Morgen einen Zettel Cardots unter dem Kissen. Er war vorbeigekommen und hatte sich ein bißchen bei Bernard ausgeruht. Heute abend blieben sie alle auswärts; die Kameraden hatten in den Vorstädten Bereitschaft wegen möglicher Unruhen.

Angélique zog ihren Mantel aus. Sie standen sich in der leeren Wohnung gegenüber, ganz allein, und trotz der tiefen Zärtlichkeit, die sie zueinanderzog, konnten sie die schreckliche Angst und die Unruhe nicht bannen, die mit der Nacht in ihnen aufstiegen.

Angélique war todmüde. Sie hätte am liebsten geschlafen, geschlafen, um zu vergessen, um beim Erwachen all das Furchtbare wie einen Alptraum ausgelöscht zu sehen. Bernard, sonst so erfinderisch und energisch, suchte sich vergeblich einen Plan zurechtzulegen und war unschlüssig. Eine tiefe Falte grub sich in seine Stirn.

Er rief Junin an.

Junin hatte eben seinen Dienst angetreten – es war sechs Uhr – und würde die ganze Nacht auf der Wachstube sein. Nein, nichts Neues. Ob es eine Aussicht gäbe? Warum nicht? Seiner Meinung nach stand es dreißig zu hundert, daß der Kleine einen Meldezettel mit seinem richtigen Namen ausfüllte. Selbstverständlich, sobald er etwas erfuhr, und wenn es auch mitten in der Nacht war, würde er in der Rue Cassini anrufen. Die Polizei schritt vorher nicht ein. Nein, nein, abgemacht. Bernard selbst würde dann das Nötige unternehmen; ja, natürlich, der Junge war ja noch ein Kind. Noch etwas?

Bernard erkundigte sich verlegen, ob Junin sonst etwas Neues gehört habe. Nun, den Streik betreffend ... oder vielleicht den Regierungsbeschluß ...?

Nein, dem Kommissariat war nichts bekannt. Alles ruhig. Die Polizei hatte Vorkehrungen getroffen, aber es schien nichts vor der Verlautbarung der Notverordnung geplant zu sein; und außerdem sollte sich Gardas noch ein paar Tage Frist zur genauen Durcharbeitung erbeten haben, Junin hatte es von seinem Kollegen im Parlament gehört. Man sprach allerdings auch davon, daß morgen der Ministerrat zur Verabschiedung des Dekrets einberufen werden sollte; andererseits behauptete man, daß der Ministerpräsident noch zögere und die Frist etwas hinausschieben wolle ...

Angélique schöpfte ein wenig Hoffnung. Vielleicht hatte Gardas auch ihrem Bruder verraten, daß er zuwarten werde?

Jede gewonnene Stunde war ein Schritt näher der Möglichkeit, das Schlimmste zu verhüten. Bei aller Entschlossenheit konnte Enguerrand keinen Mann töten, der selbst noch nicht entschlossen war. Und damit versäumte der Bruder vielleicht die einzige Gelegenheit, dem Präsidenten persönlich gegenüberzustehen, zumindest unter Umständen, die ein Attentat ermöglichten.

Bernard legte den Arm um die Schulter des Mädchens und versuchte ihr Mut zuzusprechen: Er kannte zwar den Freund genau, aber er wiegte sich noch in der Hoffnung, daß Enguerrand zur Vernunft kommen werde. Man tötete einen Menschen nicht so leicht, wenn man den Preis eines Menschenlebens kannte.

Sie schalteten das Radio ein – Bernard besaß einen kleinen Apparat vom Krieg her, aus der Zeit, da er bei der Schwester des Direktors gewohnt hatte, es lief ein normales Programm. Unterhaltungsmusik, nichts Interessantes.

Nun würde die Nacht beginnen, nicht die Nacht, die mit Tagesende einbricht, sondern die andere, die sie fürchteten, die lange, leer und trübe sein konnte, oder vielleicht von einem Ereignis erschüttert, das wie eine schwere Drohung über ihnen lastete. Sie hörten die Musik auf dem Boden sitzend, in einer seltsamen Scham voneinander getrennt, als hätten sie stillschweigend beschlossen, einander nichts zu sein; als wollte sie sogar ihre Zärtlichkeit auslöschen, solange die Furcht auf ihnen lastete, die bange Furcht, die sich jederzeit in Entsetzen wandeln konnte.

Bernard drehte an dem Knopf und suchte einen anderen Sender. Aber auch dieser brachte Musik. Allerdings ernste, die sie beide liebten und deren Schönheit sie eine Weile vereinte und ablenkte. Aber der Zauber verflüchtigte sich schnell wie ein Feuerwerk und wich wieder der nagenden Sorge.

»Du hast bestimmt Hunger«, sagte er.

Nein, sie hatte keinen Hunger, ihre Gurgel war versperrt, zusammengepreßt wie ihre Fäuste, und ihre Nägel gruben sich ins Fleisch.

»Willst du, daß wir hinuntergehen? In das kleine Restaurant an der Ecke?«

Aber es kam gar nicht in Frage, die Wohnung zu verlassen, wo jeden Augenblick ein Anruf erfolgen konnte, ein Anruf, Lambert... oder Enguerrand betreffend...

»Ich will aber, daß du etwas ißt. Ich schaue einmal in der Küche nach.«

Es fanden sich ein Stückchen Käse und Brot, ein Rest Rotwein in der Flasche und zwei Fläschchen Bier, die seine Freunde gestern abend übersehen hatten.

»Du mußt«, erklärte er und reichte ihr ein belegtes Brot, »es ist nötig, du brauchst deine Kräfte.«

Er sagte nicht, wozu, aber sie wußte es genau.

So zwang sie sich zu essen und würgte die Bissen hinunter. Bernard machte es ihr nach. Und dann senkte sich, trotz des tönenden Radios, der Musik und der belanglosen Ansagen, eine tiefe Stille über sie.

Die Zeit verrann. Schließlich stand er auf:

»Du kannst nicht mehr, komm, ruh dich aus.«

Sie gehorchte. Ohne sich zu zieren, ging sie in sein Zimmer, zum Bett, blickte ihn noch einmal an und legte sich nieder. Sie hatte nur ihren Mantel ausgezogen; sie blieb angekleidet, für den Fall, daß ein Anruf kam. Ja, sie würde sich ausruhen, sie glaubte es, weil Bernard da war. Sie schloß die Augen, und kaum hatte sie die Lider gesenkt, da schwebten nacheinander die Gestalten vor ihr, die zu ihrem Leben gehörten, die ihr etwas bedeuteten: Enguerrand... Lambert... die Großmutter... dann Mama und alle die andern, die vor ihnen gewesen waren und die Kette bildeten, deren letztes Glied Bernard war.

Der junge Mann setzte sich an ihr Bett und betrachtete sie. Sie rührte sich nicht. Sie schien einzuschlafen.

Noch war sie nicht soweit. Ihre weiche Stimme sagte:

»Gib mir deine Hand.«

Und als er einen kurzen Augenblick zögerte:

»Gib mir deine Hand, Bernard.«

Er reichte sie ihr.

»Leg dich zu mir, du mußt müde sein. Du kannst es doch, es ist dein Platz.«

XVI

Das Schrillen des Telefons riß sie beide aus dem Schlaf. Sie zuckten brutal aus dem Nichts, dem Vergessen auf. Jetzt erst trennten sich ihre Hände. Bernard war als erster auf den Beinen. Junin meldete sich:

»Es ist soweit, eine Nachricht von dem Jungen. Eben habe ich sie bekommen. Ich werde gleich Näheres erfahren, mach dich jedenfalls fertig.«

»Ich komme sofort, ich bin angekleidet. Seine Schwester ist auch da.«

»Und Enguerrand?« fragte Angélique.

»Er hat nichts von ihm erwähnt. Sicher ist nichts geschehen. Im übrigen, wir gehen auf die Wachstube, wenn etwas passiert ist, erfahren wir es dort am sichersten.«

In Blitzesschnelle waren sie draußen, nachdem sie, wie üblich, den Schlüssel unter die Fußmatte gelegt hatten. Im Kommissariat der Rue Delambre befand sich Junin mit ein paar Wachleuten allein, ruhig und bedächtig wie immer. Er warf einen schnellen Blick auf Angélique und schien innerlich etwas erstaunt zu sein.

»Wenn kein Irrtum vorliegt, dann hält sich der Junge in der Nähe des Lyoner Bahnhofs auf, in einem Hotel. Er ist nach Mitternacht hingekommen – jetzt ist es halb drei –, hat einen Zettel auf den Namen Lambert de Viborne ausgefüllt und als Adresse Rue Caulaincourt angegeben.«

»Die Anschrift meiner Großmutter«, erklärte Angélique.

»Ist er mit einem Schulmädchen abgestiegen?«

»Wie? Nicht daß ich wüßte. Nein, davon erwähnt das Kommissariat der Rue de Lyon nichts. Vielleicht hat er ihren Namen nicht auf den Meldezettel gesetzt, aber es würde mich wundern, wenn der Portier das bei einer Minderjährigen geschluckt hätte ... Sie können sich natürlich auch als Geschwister ausgegeben haben ... in der Bahnhofsgegend ist alles möglich, kommt alles vor ...«

»Du glaubst also, daß er allein ist?«

»Ich würde meine Hand dafür ins Feuer legen.«

»Wir müssen sofort hin!« Angélique schrie beinahe.

»Natürlich«, nickte Junin. »Aber gar so eilig ist es nicht. Der Bursche war wahrscheinlich so todmüde, daß er nicht weiter konnte, vielleicht hat er sogar die Nacht vorher im Freien verbracht. Er wacht sicher nicht vor morgen früh auf.«

»Zum Schlafen ist er nicht hingegangen«, sagte Angélique verstört, »ich habe Angst, große Angst, daß er einen Unsinn macht.«

»Was für einen Unsinn?«

»Nun, Monsieur, Lambert ist ein so überspanntes, sensibles Kind ...«

»Ich verstehe. Sie glauben doch nicht, daß er ...«

»Bei ihm kann man niemals wissen. Und dann: Vielleicht ist ihm plötzlich klargeworden, was er angestellt hat: Er hat der Großmutter Geld weggenommen und ist mit einem Gassenmädchen durchgebrannt ...«

»Wo sollte sie dann sein?«

»Das werden wir herausbekommen. Erst einmal der Junge«, erklärte Bernard.

»O nein«, meinte Junin, »das Gas kann man auch für zwei Personen aufdrehen!«

»Blödsinn, in Hotelzimmern gibt es kein Gas.«

»Aber andere Möglichkeiten ...«

»Sehen Sie!« rief Angélique voll Angst.

Junin war sichtlich betroffen.

»Es hat mich ohnehin gewundert, daß man mir seinen Meldezettel so früh geschickt hat. Dem Portier muß irgend etwas verdächtig vorgekommen sein. In einer Viertelstunde soll ich Einzelheiten erfahren. Aber ich hab' dich sofort verständigt, damit du dich beeilst und keine Zeit verloren wird.«

»Es ist auch keine zu verlieren«, sagte Angélique.

Junin stand auf und ging in die Wachstube:

»Ist der Dienstwagen retour, Manclin?«

»Ja, Chef.«

»Er soll den Herrn und die junge Dame – Freunde von mir – sofort an diese Anschrift bringen. Es ist ein Hotel, sie suchen jemanden, der dort wohnt. Ich sollte die Wachstube in der Rue de Lyon anrufen«, fügte er, zu Bernard gewandt, hinzu:

»Nein, warte damit. Dazu ist noch immer Zeit.«

»Du hast recht. Die Flics könnten einen Blödsinn machen, ihn verschrecken, während seine Schwester ...«

»Durch die Tür zu ihm sprechen kann, falls er nicht aufsperren will.«

»Das meine ich auch«, nickte Junin. »Los, meine Herren, und verständigt mich.«

»Danke, Junin.«

»Keine Ursache. Du weißt, was dich das kosten wird.«

»Abgemacht. Ich wollte noch etwas fragen: Nichts ... nichts Besonderes los heute nacht? Keine neue Sensationsmeldung? Die politischen Ereignisse interessieren mich immer ...«

»Ja, mehr als nötig. Na, du wirst auch einmal ruhiger werden, mein

Junge, das geht vorüber. Du steckst noch im Alter der Röteln, Gott sei Dank ist das keine tödliche Krankheit.«

»Gardas... was Neues von ihm?«

»Heute abend kein Dekret. Er dürfte schlafen, und besser als du oder ich. Vielleicht hat er letzten Endes doch recht, der Bursche. Ich stehe mehr auf seiner Seite, aber du weißt, daß wir in dieser Beziehung niemals gleicher Ansicht sind.«

Sie fuhren in dem Polizeiwagen davon. Er war offen und hatte niedere Seitenwände, damit die Polizisten, die er für gewöhnlich beförderte, abspringen konnten, ohne die Tür zu öffnen. Die Nacht war kalt, und ein dünner, feiner Regen setzte ein, der Asphalt war glitschig. Die Wangen Bernards und Angéliques erstarrten in dem eisigen Wind. Bernard hörte ihre Zähne aufeinanderschlagen.

Bei der Bastille bog der Chauffeur in die Rue de Lyon ein, dann bremste er nach einer scharfen Rechtswendung.

»Hier ist das Hôtel de l'Yonne. Was soll ich tun? Warten?«

»Bitte, so ist es mit Monsieur Junin abgemacht.«

»Wenn Sie mich brauchen...«

Die beiden jungen Leute waren schon im Tor. Fast im gleichen Augenblick erschien der Hoteldiener beim Eingang des Büros. Er fragte nicht, ob sie ein Zimmer wollten, er sagte:

»Sie kommen wegen des Jungen?« – und ohne eine Antwort abzuwarten, schritt er ihnen voraus in das Treppenhaus. Wortreich gab er seinen Kommentar:

»Ich, verstehen Sie, ich hab' Nachtdienst und bin verantwortlich für alles, und da bin ich mißtrauisch, wenn etwas nicht ganz zu stimmen scheint. Dieser kleine Bub ist spät angekommen, ohne Eltern. Bitte, das passiert ja öfters. Aber er sah so komisch drein, und Schuhe und Mantel waren schmutzig und voll Erde, und der ganze Junge kam mir recht mitgenommen vor. Ich hab' ihm gleich den Meldezettel hingelegt. Eigentlich sollte ich die Bogen erst in der Frühe abgeben, aber wenn mir etwas verdächtig vorkommt, dann bin ich vorsichtig. Und dann der Name... Ein Name mit einem ›von‹ – solche Jungen reisen nicht allein. Und wie ich hinuntergekommen bin und mir den Zettel angeschaut hab', da hab' ich gesehen, daß er von Fontainebleau kommt und auf dem Montmartre wohnt. Es gab keine Metro mehr, richtig, aber das war kein Grund, nicht nach Hause schlafen zu gehen. Ein Taxi wäre billiger gewesen als das Zimmer.«

»Wo ist er?«

»In der dritten Etage. Wir haben keinen Aufzug... Ich bin wieder hinaufgegangen, nachdem ich die Anmeldung gelesen habe, denn mir war das Ganze nicht geheuer: Er hatte den Schlüssel abgezogen und von innen zugesperrt. Gewiß, das war nichts Außergewöhnliches. Aber eine Stunde später bin ich nochmals hinaufgelaufen und hab' das Ohr an die Türe gelegt und gehorcht. Drinnen war ein Geräusch, als ob der Wasserhahn aufgedreht wäre, und das hat mich gewundert; ich hab' dreimal hineingerufen und gefragt, ob ihm übel ist, er hat nicht geantwortet.«

»Schnell!« rief Angélique.

»Aber es ist sicher nichts ... ich bilde mir was ein, in der Nacht macht man sich oft sonderbare Gedanken, nicht wahr? Für alle Fälle habe ich die Polizei in der Rue de Lyon verständigt, das konnte nicht schaden, und dort hab' ich erfahren, daß man ausgerechnet einen Knaben dieses Namens sucht ... seine Familie ...«

Junin hatte bestimmt nichts von den näheren Umständen gewußt. Man hatte ihm die Meldung weitergegeben, das war auch alles.

»Da: neununddreißig.«

»Horch!« Angélique und Bernard legten das Ohr an die Tür, wie es vorhin der Nachtportier getan hatte.

»Hörst du etwas?«

»Nein, nichts ... Doch, ich glaube ...«

»Er schläft.«

»Vielleicht. Ruf ihn, es muß deine Stimme sein.«

»Lambert«, und da sich nichts regte, etwas lauter: »Lambert! Ich bin es, Angélique.«

Stille. Nichts.

»Lambert!« rief sie verzweifelt, »antworte doch!«

Noch immer nichts. Aber irgend etwas schien sich im Zimmer zu regen.

»Lambert! Was ist denn? So sprich doch! Lambert!«

Und da er noch immer schwieg:

»Lambert, mach auf ... wirst du aufmachen!«

Jetzt gab es keinen Irrtum mehr, man hörte ein Glas an einen Tischrand stoßen.

»Lambert! Öffne! Ich flehe dich an! Wirst du öffnen!« schrie Angélique mit aller Kraft. Der Nachtportier versuchte mit zitternden Fingern, den Ersatzschlüssel einzuführen; vergeblich, der Zimmerschlüssel steckte innen.

»Lambert, hörst du mich?«

Drinnen ein röchelnder Laut, ein Stöhnen.

»Ich breche die Tür auf«, erklärte Bernard.

Auch er hatte es gehört, er stieß mit der Schulter gegen die Tür, kräftig, drei-, viermal. Das Holz ächzte, die obere Füllung gab nach. Bernard griff hinein, erwischte den Schlüssel, die plötzlich aufspringende Tür schlug gegen die Wand. Sie fielen fast nach vorne ins Zimmer hinein. Da sahen sie Lambert im Bett liegen, in der Hand ein Glas, aus dem ein Brei, weiß wie Gips, floß, der ihm die Lippen, das Kinn, den Hals beschmutzte. Lambert, der fürchterlich beschämt, verzweifelt erkannte, daß es ihm nicht gelungen war zu sterben, der jetzt Schlimmeres als den Tod erwartete und im Türrahmen seine Schwester und einen leichenblassen jungen Mann, groß und stark wie Enguerrand oder wie sein verstorbener Vater, stehen sah. Dieser Bursche und Angélique waren das Abbild des Lebens selbst. Aufschluchzend, gerettet, ließ er das Glas zu Boden fallen, wo es ausrann, über Parkett und Teppich lief, und weinend streckte er ihnen die Arme entgegen.

XVII

Kaum war der Polizeiwagen von der Wachstube der Rue Delambre abgefahren, klingelte drinnen das Telefon. Junin ging hinein, hob ab, und als man ihn aufforderte, eine Meldung schriftlich zu übernehmen, griff er nach Papier und Bleistift und schrieb folgendes mit:

»*Durchsage an alle Polizeiämter und Kommissariate!*
Ministerpräsident Victor Gardas wurde heute nacht erschossen in seinem Büro im Hotel Matignon aufgefunden.
Sämtliche zuständigen Stellen werden aufgefordert, den letzten Besucher und mutmaßlichen Mörder auszuforschen und festzunehmen.
Personenbeschreibung:
Alter: ungefähr 25 Jahre.
Haar: braun, nach hinten gekämmt.
Gesicht: regelmäßig.
Größe: ca. 1,85 Meter.
Augen: blau
Kleidung: graue Flanellhose, Sportsakko, dunkelgrauer Überzieher, kein Hut.
Name: de Viborne, Enguerrand.
Anschrift: Rue Cujas 23 b (Hotel).
Der Flüchtige ist unter allen Umständen festzunehmen, notfalls Einsatz von Polizei- und Gendarmeriebrigaden; Alarm für sämtliche Abteilungen.
Zweckdienliche Angaben sofort an die Polizeipräfektur, Boulevard du Palais, Abt. Dieulafoy.«

Junin ließ die Hand sinken. Präfektur – von dort dann in die Rue de Saussaies, zur Staatspolizei. Und gleich darauf stockte er: de Viborne... de Viborne!

Er zog den Zettel heraus, auf dem er vorhin die Meldung der Wachstube Rue de Lyon für Bernard notiert hatte. Dieser Attentäter hieß Enguerrand de Viborne und der Junge hieß Lambert. Ob sie verwandt waren? Im ersten Augenblick erschien es ihm unglaubhaft. Wenn Bernard nur nicht in eine teuflische Sache verwickelt wurde... bei seinen politischen Ansichten! Man würde ja sehen. Er mußte überlegen. Freundschaft, Kameradschaft – schön und gut, aber schließlich hatte man seinen Posten, was die andern »Pflicht« nennen, und das kam an erster Stelle.

Im Zimmer des Hôtels de l'Yonne kniete Angélique am Bettrand, umarmte den kleinen Bruder und küßte ihn ab:

»Lambert, was hast du angestellt? Was hast du gegessen?«

»Pyramidon«, murmelte er schlaftrunken, benommen, »aber ich hab's nicht hinuntergebracht... so hab' ich Aspirin aufgelöst... ich muß sterben, Angélique, nicht wahr, ich muß sterben?«

Aber er glaubte es selbst nicht mehr. Bernard hatte die Packungen auf dem Nachttisch gefunden und beruhigte lächelnd:

»Nein, du wirst nicht sterben. Es wird dir ein bißchen übel sein, aber das ist alles. Jetzt auf schnellstem Weg heim.«

»Ja, sofort«, sagte Angélique, »versuche aufzustehen.«

Lambert gehorchte.

»Oh, mir ist schlecht, so schlecht!« stöhnte er, stürzte zum Waschbecken hin und übergab sich.

»Das Zimmer ist bezahlt«, mischte sich nun der Nachtportier ein, »aber die Tür...«

»Wieviel?« fragte Bernard, während Angélique mit dem Bruder beschäftigt war.

»Ich habe keine Ahnung...«

Bernard griff in die Tasche und zog einen Fünftausendfrancschein heraus. Aber der Mann schüttelte den Kopf:

»Fünftausend! Die Tür ist viel teurer. Vielleicht zwanzigtausend! Ich bin ja für den Schaden verantwortlich, nicht wahr?«

Bernard hatte nicht mehr Geld bei sich, sonst hätte er es ihm trotz seiner kargen Mittel gegeben.

»Die fünftausend sind für Sie«, erklärte er, »weil Sie sich so viel Mühe gemacht und die Polizei verständigt haben. Für die Tür gebe ich Ihnen unsere Anschrift.«

»Nicht nötig, die hab' ich auf dem Meldezettel, die Wirtin findet Sie bestimmt.«

Angélique stützte ihren Bruder. Er erbrach nicht mehr, aber er sah elend aus.

»Wohin sollen wir ihn bringen?«

»Zur Großmutter natürlich.«

Es gab keinen anderen Ort, sie konnten ihn nicht in die Rue Cassini mitnehmen. Vor allem mußte die Kranke beruhigt werden. Einen Augenblick dachte das Mädchen daran, sie anzurufen. Aber nein, mit einem Taxi waren sie in zehn Minuten daheim.

Sie bekamen sofort einen Wagen. Lambert saß stumm zwischen ihnen; Angélique stellte ihm Fragen, aber er antwortete kaum. Mathilde? Die war in einem Hotel am Land, in einem Nest bei Fontainebleau. Die Adresse würde ihm schon einfallen, morgen, aber jetzt sollte man ihn in Ruhe lassen: ihm war todübel.

»Wird sie sich nicht auch etwas antun?«

»Mathilde?!« Lambert zuckte nur die Schultern. Die . . . !

Gott sei Dank, das Mädchen war also nicht in Gefahr, morgen würde man sich um sie kümmern.

Lambert selbst hatte nur einen einzigen Wunsch: nichts zu sehen, nichts zu hören. Ehe sie die äußeren Boulevards erreicht hatten, war er eingeschlafen.

Er lehnte an der Schulter Angéliques, sein brauner Kopf zuckte in dem rüttelnden Wagen. Bernard betrachtete ihn. Er war noch kein Mann, mit der kindlichen Rundung der Wangen, aber sein Antlitz trug den gleichen seltsam schmerzhaften Ausdruck wie das seiner Schwester, und dadurch ähnelten sie sich. Auch bei Enguerrand war ihm dieser Zug aufgefallen.

Angélique stieg aus, um beim Haustor zu läuten, als sie in der Rue Caulaincourt angekommen waren. Bernard versuchte indessen, Lambert aufzuwecken. Der aber schlief fest, atmete tief und ruhig, er schnarchte sogar.

Das Tor öffnete sich automatisch, und Bernard dachte: Niemals kommt der Junge hinauf. So nahm er ihn wie ein kleines Kind in die Arme und folgte dem Mädchen in die Einfahrt.

»Geh vor«, sagte er ihr, »ich trage ihn hinauf. Allein schafft er es nicht.«

So langten sie oben an, und Angélique sperrte mit ihrem Schlüssel auf.

»Komm«, bat sie, »und sei leise, damit wir die Großmutter nicht wecken. Leg ihn in sein Bett und dann, bitte, geh.«

»Ja. Rufst du mich morgen an?«

»Ich komme zu dir, sobald ich kann . . . wegen Enguerrand. Wenn heute nichts geschieht, dann dürfen wir vielleicht hoffen . . .«

Das Vorzimmer war erleuchtet, was Angélique wunderte. Die Hausbesorgerin hatte wohl vergessen abzudrehen, als sie wegging. Das Mädchen öffnete die Tür ins Speisezimmer und blieb erschrocken stehen: in allen Räumen brannte Licht, und aus dem Schlafzimmer klangen Stimmen. Sie zeigte Bernard schnell das Bett, der den Jungen niederlegte, ohne daß Lambert erwacht wäre. Aufseufzend drehte er sich zur Wand und schlief weiter.

Sie aber lief ins Speisezimmer zurück, wo sie die Hausbesorgerin antraf:

»Sie sind es, Mademoiselle?«

Die Frau war in einen Umhang gewickelt und war verfroren.

»Ich habe Lambert zurückgebracht.«

»Gott sei Dank! Sie haben ihn gefunden! Madame Paris wird glücklich sein, sie war schrecklich besorgt.«

»Er schläft in seinem Zimmer. Dieser Herr« – sie zeigte auf Bernard – »hat geholfen, ihn heraufzutragen. Aber, warum . . . ?«

»Warum ich hier bin? Wegen Ihrer Großmutter. Ich hab' sie für die Nacht zurechtgemacht, aber sie wollte nicht allein bleiben. Es schien ihr nicht gutzugehen, und dann . . . der Arzt ist hier, ich hab' ihn kommen lassen . . .«

»Was ist los?«

»Er wird es Ihnen selbst sagen.«

Der Arzt saß neben dem Bett der Kranken und erhob sich, als Angélique eintrat.

»Um wieviel Uhr haben Sie Ihre Großmutter verlassen, Mademoiselle?«

»Am frühen Nachmittag. Ich mußte meinen Bruder suchen.«

»Das weiß ich.«

»Und wir haben ihn gefunden!«

»Das wird ihr ein großer Trost sein. Ist Ihnen nichts aufgefallen, als Sie weggingen? Hat sie ihre Arme noch bewegen können?«

Jetzt fiel es Angélique wie Schuppen von den Augen: natürlich! Die Kranke hatte bis zum Kinn zugedeckt gelegen: »Gib mir zu trinken, heb die Tasse an meine Lippen, ich will mich nicht erkälten, nicht wahr?«

»Tatsächlich . . . sie ließ sich zu trinken geben . . .«

»Sie hätten mich sofort anrufen sollen. Arme und Hände sind gelähmt, nicht einmal den Kopf kann sie bewegen. Nur ihr Gehirn arbeitet noch, aber nicht mehr lange . . . Nun, nun, seien Sie so mutig wie die Kranke selbst. Gehen Sie hinein, sprechen Sie mit ihr, erzählen Sie von Ihrem Bruder . . .«

Angélique trat in das Zimmer.

Madame Paris lag genauso da wie vor zwölf Stunden. Die Nachttischlampe warf einen rosigen Schein auf die Wangen und schien das Leben in diesem Gesicht festzuhalten, das aus dem Körper schon entschwunden war. Neben ihr stand das Telefon mit pendelndem Hörer, umgestoßen, und niemandem war eingefallen, es aufzustellen.

»Großmutter«, flüsterte das Mädchen und trat an das Bett. »Ich bin es, Angélique.«

»Das brauchst du mir nicht zu erklären... ich sehe dich und höre dich... Was glaubst du eigentlich? Daß ich schon gestorben bin?«

»Ich habe Lambert zurückgebracht.«

Die alte Dame seufzte tief auf:

»Gesund? Ich will ihn sehen.«

»Er schläft drüben.«

»Schwindelst du mich nicht an?«

»Er war zu Tode erschöpft. Wir haben ihn in einem Hotel entdeckt und heraufgetragen.«

»Wer ›wir‹?«

»Ein Kollege... ein Freund Enguerrands.«

»Enguerrand... der muß kommen, verständige ihn sofort. Und deine Mutter auch. Dieses verdammte Telefon hat zwei- oder dreimal geklingelt, während die Hausbesorgerin unten war, und ich konnte nicht abheben. Ich hab' es versucht und dabei das Ganze auf den Boden geschmissen... Der Arzt hat mir dann gesagt, daß meine Arme...«

Angélique stellte den Apparat auf.

»Wer, glaubst du, hat angerufen?«

»Kann ich das wissen? Vielleicht deine Mutter... vielleicht Enguerrand...«

»Ich nehme das Telefon hinaus und versuche sofort, alle zu erreichen.«

»Sag, daß es eilig ist«, drängte die Kranke, »du – du hast mich doch nicht belogen? Du hast es nicht nur gesagt, um mich zu beruhigen? Bring mir Lambert herein, auch wenn er schläft, ich will ihn sehen...«

»Er ist schwer.«

»Bitte den Arzt oder vielleicht diesen Freund – sie sollen dir helfen. Er wird ja noch in der Wohnung sein?«

»Ja, Großmutter.«

»Und Enguerrand – ruf ihn schnell, sehr schnell...«

»Geht's dir schlecht, Großmutter?«

»Es geht überhaupt nicht mehr.«

»Sofort, Großmutter... sofort, ich verspreche es dir. Ich werde ver-

suchen, Enguerrand zu erreichen. Mama rufe ich in La Gardenne
an.«

»Nein, dort ist sie nicht. Bei Mehlen findest du sie.«

»Was?«

»Ja, bei Mehlen, mach schnell. Du hast schon richtig verstanden. Stell
mir jetzt keine Fragen. Die Nummer ist Passy 20-20.«

Bei Mehlen! Mama war bei Mehlen? Und Großmutter wußte es! Bei
Mehlen mitten in der Nacht! Wie war das nur möglich? Sie war
also nicht verreist oder schon zurückgekommen, nicht in Vierzon
oder La Gardenne wegen des Gutes?

»Herr Doktor«, ersuchte sie den Arzt, der im Speisezimmer wartete,
»gehen Sie zu ihr hinein«, und zur Hausbesorgerin: »Sie auch, Madame. Ich muß telefonieren ... meiner Mutter ... Bernard, sei so gut,
hol Lambert und bring ihn her, sie will es.«

»Ja, Monsieur«, sagte der Arzt, »tun Sie das, bitte, machen Sie ihr
die Freude. Dem Jungen fehlt weiter nichts, ich hab' ihn schon angeschaut.«

»Auch wenn er schläft. Sie muß mit eigenen Augen sehen, daß er
wohlauf ist.«

Angélique blieb allein. Sie wählte die Nummer. Es läutete, einmal ...
zweimal ... Beim drittenmal wurde abgehoben.

»Mama«, sagte Angélique.

»Du bist es?« erklang die Stimme Madame de Vibornes.

Es war eine Stimme, die sie gut kannte, und trotzdem brauchte sie
eine Sekunde, um sicher zu sein, daß sie es war. Sie klang heiser,
wie gebrochen.

»Mama, ich rufe dich von der Großmutter an. Es geht ihr nicht gut ...
Der Arzt ist hier, du sollst sofort kommen ...«

Angélique fragte sonst nichts, sie wollte nicht wissen, wieso sich die
Mutter in diesem Haus befand, was sie dort tat. »Schnell, Mama, so
schnell wie möglich.«

»Ja ... ja ... Ich komme, sobald ich kann ...«

»Und Enguerrand? Ich bemühe mich, ihn zu erreichen. Weißt du
nicht ...«

»Sowenig wie du ... es ist entsetzlich!«

»Was ist entsetzlich?«

»Gardas ... daß er Gardas erschossen hat!«

»Was? Erschossen? Er hat ...?«

»Hast du es noch nicht gewußt?«

»Er hat Gardas erschossen«, murmelte Angélique, »und er?«

»Er ist geflüchtet ... sagt man ... Wir versuchen herauszubrin-
gen ...«

»Wer ›wir‹!«

»Mehlen und ich... Mehlen tut das menschenmögliche. Trotz des Geschehenen hat er noch viele Verbindungen. Du verstehst, daß ich nicht sofort kommen kann ...«

»Ja, freilich ... wir warten also. Wir werden nachschauen, ob sich Enguerrand nicht an einem Ort befindet, den ich kenne ...«

»Wir müssen ihn warnen, unbedingt. Seine Personenbeschreibung ist überall durchgegeben. Wenn sie ihn nicht sofort verhaften und Zeit gewonnen wird, dann ist er vielleicht gerettet ...« Dasselbe hatten Bernard und Angélique gestern auch gesagt. »Und dann Lambert ... die schreckliche Sorge um den Kleinen ...«

»Das wollte ich dir ja gleich sagen: Lambert ist daheim. Ich habe ihn gefunden. Er ist ...«

»Gott sei Dank! Du weißt nicht, was ich durchgestanden habe und was ich jetzt noch durchstehe. Enguerrand also ... sofort. Sobald ich kann, bin ich bei euch. Was sagt der Arzt?«

»Daß du dich sehr beeilen sollst.«

Sie hängte ab. Bernard trug Lambert herein, wie er ihn die Treppe heraufgebracht hatte.

»Bernard ... er hat es getan ... er hat ihn erschossen!« schrie ihm Angélique entgegen. All ihre Angst, ihre Verzweiflung brachen aus ihr. »Man sucht ihn«, schluchzte sie, »er darf nicht verhaftet werden. Mama weiß es, ich habe eben mit ihr gesprochen. Zeit gewinnen ... wenn er heute nacht nicht festgenommen wird ...«

»Ruf sofort in der Rue Cassini an. Er darf nicht fortlaufen, wenn er sich wirklich dort versteckt hat.«

Wie im Fieber setzte sie die Nummer zusammen. Es läutete zehnmal, zwanzigmal in regelmäßigen Abständen. Angélique hoffte inbrünstig, sie konnte sich nicht entschließen abzuhängen. Aber niemand meldete sich.

Enguerrand war geflüchtet, wie er versprochen hatte, aber er hatte sich nicht in der Wohnung Bernards verborgen. Wo war er? Vielleicht schon in den Händen der Polizei?

Der Arzt kam aus dem Krankenzimmer.

»Komm, Bernard, wir müssen hinein«, sagte Angélique tonlos.

Sie führte ihn zu der alten Dame.

»Daher, nah zum Bett, damit ich euch richtig sehe«, befahl die Großmutter.

Da waren sie vor ihr, der Kranken, die den Tod nahen fühlte: Lambert, aus dem Nichts zurückgekehrt, augenreibend, und aufrecht nebeneinanderstehend das schöne, große Mädchen und der gesunde kräftige Junge. Madame Paris wußte noch nicht, was sie verband, aber sie sah ganz klar in diesem Augenblick, sie durchschaute sie, und alles andere war ausgelöscht. Ja, sie durfte sterben, das Leben konnte zu Ende gehen – ach, sie wußte nicht, daß Gardas erschossen, daß Enguerrand bedroht, daß ihre Tochter in Gefahr war – denn neues Leben blühte auf und entfaltete sich, um fortzuführen; ein würdiges Leben, das Leben des Wildes, das tapfer gekämpft hatte, das von der Meute nicht aufgespürt, nicht gefaßt worden war, das sich dank seines inneren Adels, seiner Treue, seiner tapferen Ehrlichkeit retten konnte.

Da schloß sie die Augen und wußte, daß sie ruhig sterben durfte.

Neuntes Kapitel
DAS HALALI
Enguerrand

I

Enguerrand, der noch gar nicht recht begriff, was sich da so plötzlich zugetragen hatte, betrachtete die Gestalt Gardas', die zusammengesunken auf dem kostbaren Teppich des Ministerzimmers lag. Gardas war nicht in den Schatten gefallen: Im Gegenteil, der von der einzigen Lampe ausgehende Lichtkegel, der nur den Tisch beleuchtete, wurde von der Mahagoniplatte zurückgeworfen und erhellte den reglosen Körper, das Gesicht, von dem nur eine Wange sichtbar war und das einem schlummernden Menschen anzugehören schien.

Enguerrand hielt noch immer den Revolver in der Hand, aber sein Arm war langsam den Schenkel hinabgeglitten und hing schlaff an seiner linken Seite, als trüge er ein zu schwer gewordenes Gewicht.

Und Enguerrand betrachtete den Leichnam, der ein Mensch gewesen war. Er betrachtete ihn ohne Haß, ja mit Mitleid. In diesem verschwindend kurzen Augenblick vergaß er seine Brüder, die unzähligen andern, für die er geglaubt hatte, töten zu müssen, und mit unendlicher Trauer um all das, was ein Menschenleben für ihn verkörperte, schaute er den Mann an, der durch die Hand seines Nächsten gefallen war, den ersten Ermordeten, den er sah.

So war geschehen, was geschehen mußte, und sonderbarerweise fühlte er sich anfangs erleichtert, sogar befriedigt, wie nach einer erfüllten Pflicht. Aber diese Stimmung hielt nicht an: Das Leben eines Menschen, selbst dem Heil der gesamten Menschheit geopfert, schien ihm plötzlich unendlich kostbar, viel zu kostbar, um einfach darüber verfügen zu dürfen. Ein Raub! Ja, der schrecklichste, der gemeinste Raub, der nur Aug' um Auge, Zahn um Zahn gesühnt werden konnte. Und das sofort.

So hob er denn, ohne den Toten aus den Augen zu lassen, langsam die schwere Hand mit der Waffe an die Schläfe. Da aber fiel ihm das feierliche Versprechen ein, das er heute nachmittag der Schwester und dem Freund gegeben hatte.

Es war ihm untersagt, das Grauen auszulöschen, das in ihm brannte, und zu sterben, um sich mit dem von seiner Hand gefallenen Mann zu vereinen, der hier auf einem für Könige oder Kaiser bestimmten Teppich lag, einem Teppich, der unter den Füßen der Republik endete. Aber er hatte noch mehr gelobt – was nur? Ja, die Flucht zu versuchen, sich nicht festnehmen zu lassen, sich zu verstecken und sich zu retten. Das hatte er versprochen, um für die geplante Tat frei zu sein und Bernard und Angélique abzuschütteln.

Gardas lag regungslos da. Vielleicht floß Blut aus seiner Wunde, aber man sah es nicht: ein Ministerpräsident, der erschöpft zusammengebrochen war und friedlich auf dem Boden neben seinem historischen Schreibtisch schlummerte. Wenn Enguerrand unbemerkt aus diesem Raum entkam, würden die Beamten, die besorgt nach ihm schauten, ihren Augen nicht trauen. Vielleicht beugten sie sich zu ihm nieder und rüttelten vorsichtig und ehrerbietig an seiner Schulter: »Herr Präsident ... aber Herr Präsident ...«

Nichts rührte sich, niemand hatte etwas gehört oder gesehen. Das Fenster, vor dem der Ministerpräsident und er, durch eine unsichtbare, unübersteigbare Kluft getrennt, gestanden hatten, wirkte nur mehr wie ein schwarzes Loch, hinter dem, tief wie jene Kluft und ohne Ende, der winterliche Park, der größte Park von Paris, lag. Aber Licht und Sommer würden wiederkommen, wenn es jemals noch einen Sommer geben konnte!

Ja, natürlich, es würde noch Sommer geben, viele Sommer, Tausende, nachdem die Rasse der Gardas' und der Viborne längst untergegangen war. Im gleichen Augenblick dachte Enguerrand: Ich bin allein ... und ich bin so arm ...

Allein, nein. Man ist nur allein, wenn man es wünscht. Es gibt die Freundschaft und die Liebe. Die Freundschaft, das ist Bernard Gandret. Die Liebe ...

Ja, es gab auch die Liebe.

Er dachte nur nicht mehr an sie. Er hatte sie sich aus dem Sinn geschlagen, damit mehr Platz für das Wesentliche blieb: für die Pflicht und für den Tod.

Jetzt mußte er weg von hier. Weg mußte er, weil das Gelöbnis dem Arm Einhalt geboten hatte und weil es zu spät war, ihn zu seiner Schläfe oder zu seinem Herzen zu heben. Vor allem deshalb mußte er hinaus, weil ihm bewußt wurde, daß er in seiner Einfalt geglaubt hatte, mit dieser Kugel sei alles zu Ende, als könnte ein Schuß den Schlußpunkt hinter alles setzen, was in Bewegung war, als könnte der Tod eines einzelnen alles Lebende zum Stillstand bringen. Er hatte gehofft, daß mit diesem Tod alles aus wäre, und mußte nun erkennen, daß damit erst alles begann.

Aus einem Zimmer irgendwo in der Nähe fiel eine Tür zu; das Geräusch war nicht stärker als der Knall vorhin, und trotzdem zuckte Enguerrand zusammen: Er durfte sich nicht fangen lassen.

Ja, das war jetzt seine Aufgabe. Es tat ja gut, seinen Gedanken vor diesem Toten nachzuhängen, wenn der Aufschub in Wirklichkeit auch nur ein paar Sekunden gewährt hatte. Aber jetzt mußte er sich in Sicherheit bringen, die Flucht bewerkstelligen, wie er diesen Tod bewerkstelligt hatte; das gehörte einfach zum Programm. Er war ein Kind gewesen zu glauben, daß ihm nach dem Schuß nichts mehr zu tun blieb.

Es war gar nicht leicht, den Blick von der liegenden Gestalt loszureißen. Nicht alle Tage bot sich ihm ein solcher Anblick, der für ein empfängliches Gemüt so tiefen Sinn verbarg, für einen Menschen, der stolz darauf ist, sich überwunden zu haben, und zugleich entsetzlich darunter leidet. Vor allem mußte er sich sofort mit dem Gedanken vertraut machen, daß er mit anderen, mit lebenden Menschen zusammenstoßen würde, die ein eigenes Urteil hatten, die kombinieren, verdächtigen, handeln und entgegenhandeln konnten und dabei doch nur ihre Pflicht erfüllten, eine andere Pflicht, für die man sie bezahlte und die ihnen Gewohnheit oder Herzenssache bedeutete.

Die Hand am Abzug. Ein kurzes Zögern. Eine Schwelle nur – hinter der alles verändert sein konnte. Zurückschauen? Nein, man kann nichts mehr sehen, der Schauplatz ist schon zu weit entfernt, die großen Fauteuils verbergen ihn, und das Stück Teppich, auf dem eine stumme Gestalt liegt, ist verstellt. Als ob nichts geschehen wäre, als ob sich niemand in diesem Büro hinter diesem Schreibtisch befände, hinter dem nur mehr die hohe Lehne des Präsidentenstuhls aufragt – der Sitz der Männer, die das Schicksal Frankreichs und auch das Schicksal des Volkes lenken.

Vorsichtig und ruhig öffnet er die Tür. Da das Büro zur Hälfte im Dunkel liegt, wird man von außen nichts bemerken, selbst wenn man flüchtig hereinschaut. Nun befindet er sich im Vorraum.

Niemand. Doch, dort hinten, am andern Ende, ein gebückter Mann, den Rücken zu ihm gekehrt. Er sitzt an einem kleinen Ecktisch, den einen Fuß auf dem Boden, den andern hochgezogen – im zweiten Zimmer, nicht im ersten –, er ist so weit, daß man ihn kaum wahrnehmen kann. Er feilt sich sorgfältig die Nägel, eifrig, wie er es jeden Abend tut, wenn er niemanden mehr anzumelden hat. Ein unbeschäftigter Besessener, der sich allein glaubt und seinem Laster frönt; angestrengt über eine Hand gebeugt, die niemals eine Mordwaffe führen wird.

Enguerrands Blick fällt auf seine eigene Hand, und er bemerkt erschrocken, daß er die Tür mit der Linken geöffnet hat, während die Rechte noch immer den Revolver umklammert hält. Er läßt die Waffe in die Tasche gleiten, als schäme er sich, während ihm das Blut heiß in die Wangen steigt. Ein feiner Verbrecher, der sich vom Tatort mit der Waffe in der Hand davonschleicht. Er kommt sich wie ein schlechter Schüler vor: freilich, er hat ja auch etwas verbrochen, was die Herren Lehrer und die Gesellschaft verbieten.

Er nimmt sich zusammen, ruhig durchquert er die Vorhalle, was könnte er auch anderes tun? Der Teppich – überall liegen Teppiche, das Staatsmobilienamt ist großzügig – erstickt den Klang seiner Schritte. Erst auf dem Flur mit den Steinfliesen könnte ihn der Amtsgehilfe hören, aber der Mann ist ganz in seine Tätigkeit vertieft, er dreht sich nicht einmal um. Den Bruchteil einer Sekunde lang sieht Enguerrand sein Profil, die vor Anstrengung gerunzelte Stirn, die zusammengezogenen Brauen. Ein Schritt noch über die Schwelle – und er ist draußen im Hof. Niemals wird er wissen, ob ihn der Beamte gesehen hat.

Sofort bemerkt er, daß die beiden großen Einfahrten verriegelt sind. Es ist spät, und der Portier hat sie, wie täglich zur üblichen Stunde, geschlossen. Enguerrand muß also den Hof durch die Nebentür verlassen, wo sonst der Posten steht, der den Besuchern das erste Mal die Ausweise abverlangt. Er wird nicht ungesehen verschwinden können. Aber was kann das schon schaden? Es besteht nicht der geringste Grund, ihn aufzuhalten, ihn zu fragen: »Wohin gehen Sie?« oder ihn aufzufordern: »Stehenbleiben! Sie haben doch eben den Ministerpräsidenten erschossen?« Sie wissen nichts. Niemand weiß etwas. Es gibt – wenn auch nicht mehr lange – nur einen einzigen Menschen, der es weiß: er, Enguerrand de Viborne.

Aber er hat Glück: Er braucht sich dem Portier gar nicht zu stellen. Mit gleichmäßigen, wenn auch schnellen Schritten – denn der Hof ist groß – ist er weitergegangen, an zwei parkenden Citroëns mit der Trikolore hinter der Windschutzscheibe und einem Renault vorbei, und gerade als er zur Loge einbiegt, kommt eilig ein junger Mann aus dem rechten Trakt des Gebäudes heraus, ein Attaché oder ein Angestellter. Er ist ohne Hut. Hastig eilt er zu dem kleineren Wagen, springt hinein, gibt Gas, fährt dröhnend los, bremst scharf vor dem Tor und hupt wie wild. Der Portier erscheint, mürrisch schlurft er in Pantoffeln zur Einfahrt – er läßt sich Zeit. Er verbreitet einen Geruch von Zwiebeln in dem Hof; so spät am Abend verwandelt sich seine Loge, auch in Krisenzeiten, in eine Privatwohnung, gleichgültig, ob der Ministerpräsident selbst noch in seinem Büro arbeitet, wie heute, oder nicht. Bedächtig hebt er die große Querstange, schiebt mühelos die Türflügel zur Seite. Enguerrand ist dem ungeduldigen Attaché längst nachgekommen, der nun ausfährt und, an einem aus seinem Dösen gerissenen Posten vorbei, mit einer rasanten Linkskurve davonbraust. Der Student murmelt etwas wie »gestatten« und passiert knapp hinter ihm das Tor. Er hört nicht, was die beiden Männer sprechen, nachdem der Portier geschlossen hat, er hört nur ein grelles, anhaltendes Klingelzeichen, das plötzlich aus der Loge rechts ertönt, während er sich mit gemessenen Schritten entfernt, um in die gleiche Straße einzubiegen, die vorhin der Attaché genommen hat. Der schrille Ton scheint aus dem Pflaster selbst zu dringen, widerzuhallen; trotzdem muß Enguerrand ruhig bis zu dem Boulevard weitergehen, den der Invalidendom abschließt. Fünfzig Meter... achtzig... Er hört noch das dumpfe Zuschlagen der Torflügel, das Läuten verstummt. Endlich eine Seitenstraße. Er biegt ein. Und jetzt rennt er.

II

Enguerrand rennt durch die verlassene Straße. Seine Sohlen dröhnen auf dem Asphalt wie der Schlag seines Herzens in der Brust. Er läuft, und er, der geübte Sportler, verliert den Atem; aber nicht die Anstrengung, sondern die Angst läßt ihn atemlos werden.
Er hat Angst, und er weiß, daß er Angst hat. Es ist sinnlos und verrückt, aber es ist so. Solange er sich seinem Ziel zu bewegte, zitterte er, aber nicht aus Furcht. Jetzt, auf der Flucht, greift sie nach ihm, verkrampft seine Hände, seine Beine, die Eingeweide und auch das flatternde Herz. Wie gräßlicher Ekel steigt sie ihm in die Kehle.
Er läuft, taumelnd vor Scham und Verzweiflung. Er läuft wie ein Mörder.
Er gleitet aus. Fast wäre er nach vorn gefallen. Er rafft sich wieder auf. Er rennt weiter. Er stolpert. Er läuft und weicht einem knurrenden Schatten aus, der ihm nachschimpft. Ein Geschmack ist in seinem Mund, als müßte er erbrechen. Warum läuft er? Er läuft, er läuft eben. Was hat er getan? Er weiß es nicht einmal mehr. Nein, er weiß es nicht mehr. Natürlich, er hat gemordet, und deshalb läuft er davon. Aber warum hat er gemordet? Ach, mein Gott, wenn ihm das nur einer erklären könnte! Seid barmherzig, sagt es mir doch! Gemordet! Gemordet! Wen? Aber nein, er hat ja gar nicht gemordet. Er nicht! O doch, er – nur er. Aber wen? Wen? Wen? Gardas? Wer war das, Gardas? Nein, er mußte sich besinnen, mit Gewalt: eben noch, vor wenigen Minuten, hat ein Mann auf dem Teppich gelegen, ein Mann, der zu schlummern schien, ein Mann, gegen den er die Waffe erhoben hatte, ein dicker, ein ganz gewöhnlicher Mann, ein böser Mann, ein beschränkter Mann, ein Mann... ein Mann, der das alles nie mehr sein würde. Nein, niemals mehr! Nachdenken, sich erinnern. Auf dem Boden liegend. In einem Lichtkegel. Und wie gelegen? Auf der rechten Seite? Auf der linken? Er weiß es nicht mehr... er weiß es nicht mehr, er, der glaubte, es niemals vergessen zu können. Fliehen, laufen, weglaufen, weg von diesem Mann...!

Da hatte er eine solche Tat begangen, und nun flüchtete er durch die leere Straße wie ein elender Feigling! Wo er vorher, ja, noch vor wenigen Minuten, vor wenigen Stunden voll Überheblichkeit behauptet hatte, daß er nichts, und nicht einmal den Tod, fürchte!

Angst, wovor? Daß sie ihn packten, schlugen? Peinigten, töteten? Oder nur die Angst vor der vollführten Tat, vor dem Bild des grotesken dicken Mannes auf dem Teppich, vor dem Blick, den er noch in der letzten Sekunde mit ihm getauscht hatte?

Wo lag er ... auf der rechten Seite? Auf der linken ...? Völlig unwichtig. Vergessen, schon vergessen ... aber den Blick, niemals. Niemals, niemals!

Laufen, mit geschlossenen Augen laufen, um den Blick nicht zu sehen. Auch um zu entkommen, weil es nötig ist, weil es sein muß. Weiterflüchten? Was denn anders, da er von den Menschen, von der Stadt ... von diesen erstaunten Augen verfolgt wird. Aber nein, Beherrschung! Standhalten, und sei es nur, um sich selbst zu bestätigen, sich selbst zu zeigen, daß man noch nicht ganz der Mensch ist, zu dem man sich plötzlich gewandelt hat.

Enguerrand hält jäh an. Er dreht sich in der dunklen Straße um, der Seite zu, wo die Gefahr lauert, als ob die Gefahr jetzt nicht überall wäre!

Der Hirsch. Der Hirsch beim Halali. Ja, genauso; gehetzt, getrieben. Nun ist er, Enguerrand, der Gejagte, wie es alle waren, die ihm vorausgegangen sind, alle, die ihn umgaben, die ihm glichen, die ihm ähnelten: seine Nächsten – und die weitergejagt wurden, weil es das Gesetz so befahl und weil alles auf dieser Welt Züchtigung ist, als ob es überhaupt nur Schuldige, unwiderruflich und hoffnungslos Verdammte gäbe. Standhalten, sich stellen, und sei es nur, um wie der Hirsch das Ende bewußt auf sich zu nehmen und sich stolz damit abzufinden; um sich zu beweisen, daß man zwar noch den Mut zur Flucht hatte, solange die Kraft es erlaubt, daß man sich aber nur aufrecht stehend ergibt, selbst wenn die Hunde schon mit scharfen Zähnen an den Gliedern hängen.

Enguerrand bleibt auf dem Gehsteig. Er zittert, wie er hundertmal in La Gardenne die gestellten Hirsche zittern sah.

Nichts. Stille. Niemand in der Straße, die wie eine Straße der Provinz aussieht. Warum klopft sein Herz so heftig? Die Gefahr ist stumm, man hört kein Gebell und keine Fanfaren. Die Gefahr ist noch weit.

Plötzlich packt ihn ein anderes Gefühl, das seine Angst überschattet. Es ist die Lust, klüger und stärker zu sein als die Gegner. Auch bei der Jagd kommt es vor, daß Hirsche bis zum Abend, bis zur einfal-

lenden Nacht durchhalten. Sie verschwinden im Dunkel und über-
listen die Menschen, die sich selbst zum Gespött werden und beschämt und mit hängenden Nasen in ihre öden Schlösser zurückkehren müssen.

Enguerrand atmet ruhiger. Nun braucht er die beiden Hände nicht
mehr auf die Brust zu pressen, um das wilde Pochen zu besänftigen.
Er weiß, daß die Jagd eben eine Jagd ist und daß nur ein Wunder an
Kühnheit, ein Wunder an Willen das unausweichliche Ende verhindern kann. Doch er denkt nicht mehr an das Ende, er fragt nicht
mehr verzweifelt, ob ihm Heil oder Verderben droht. Er versucht zu
siegen, und das genügt ihm.

Jetzt braucht er kaltes Blut, er braucht seine ganze Vernunft, alle
Kraft und alle Klugheit. Die Kaltblütigkeit hat er wiedergewonnen,
und mit der Klugheit zwingt er sich zur Vernunft. Seine Kräfte
braucht er, um sie anzuspannen, zu sammeln und zu einem festen
Bündel zu schnüren. Vor allem möchte er wissen, welche Kräfte er
überhaupt besitzt.

Denn ohne sie ist er nichts, er ist aus ihnen zusammengesetzt. Sie
sind vielfältig und so verschieden. Vorhin noch, im Büro des Ministerpräsidenten, hat er an seinen Glauben, an die Freundschaft und
an die Liebe gedacht. Diese Worte sind Begriffe und Symbole, die
für ihn in bestimmten Menschen verkörpert sind. Es gibt keinen
Menschen, der ohne seinesgleichen bestehen kann. Was ist man ohne
die anderen Zellen – nur eine unvollstandige Zelle. Man ist nicht
allein, wenn man es nicht sein will, man ist es nicht einmal, wenn
man es sein wollte. Man beginnt nur durch die anderen zu leben.
Und wenn das unvermeidliche Ende kommt, zerfällt man dann wirklich zu nichts, lebt man nicht vielmehr in einer Erinnerung, in einem
Gefühl, in einem Gedanken, in einem Werk und in einer Hoffnung
weiter? Das ist ja die einzige Hoffnung.

In seinem Geist kommen die Namen auf ihn zu, Eigennamen und
Vornamen, die ihm so viel bedeuten. Sie treten erst in buntem Durcheinander auf, bis jeder den ihm gebührenden Platz, den ihm zustehenden Rang einnimmt. Und nicht nur die Namen von Lebenden
tauchen auf, sondern auch die Namen von Toten. Nicht immer sind
es Namen, zuweilen ist es nur ein Gesicht, eine Gestalt... Sie gehen
nicht hintereinander in einer Reihe. Manche gehen Seite an Seite,
andere halten sich an der Hand. Die da scheinen in ein angeregtes
Gespräch vertieft, während jene diskutieren, wohl um sich besser
verstehen zu können. Andere wieder sind einfach als Erscheinungen
gegenwärtig.

Energisch schreitet der junge Mann aus. Taktmäßig hallen seine

Schritte auf dem Pflaster. Die Angst hat sich verflüchtigt wie der Morgennebel auf der Prée vor dem ersten Sonnenstrahl: Im Geiste fühlt er sich nicht mehr allein. Erinnerungen an Lebende und Tote begleiten ihn. Ihre Bilder mischen sich mit den lebendigen Erscheinungen der Leute auf der Straße, mit den Geschäftsleuten, die ihre Stellagen hereintragen, mit den verspäteten Angestellten, die sich beeilen, nach Hause zu kommen, mit den spielenden Kindern, die kreischend einander nachlaufen, und mit den beiden jungen Mädchen, die kichernd untergehakt über den Gehsteig wandern. Und dazwischen tauchen vor seinem geistigen Auge auf: die Schneiderin zum Beispiel, die tageweise nach La Gardenne nähen kam; oder Lucienne Caumont und die Piköre Ghislain und Omer mit ihren Frauen und ihren Söhnen sowie Dujardin, der Professor der Jurisprudenz. Und die Kollegen, die Genossen, die Arbeiter, die von der Dienststelle ebenso wie die andern, mit denen er in der Fabrik und selbst auf der Straße beisammen war... Und der Marquis de Viborne, hünenhaft, mit seinen großen Füßen, und Franchard, der Lehrer. Es scheint keine Unstimmigkeiten mehr zwischen ihnen zu geben, denn sie halten sich beim Arm und reden miteinander, sie verstehen sich. Und Fernand, der Wilddieb. Und der Schaffner der Autobuslinie 96, der auf der Plattform rauchte und die Zigarette im Handteller versteckte, wenn er die Fahrscheine gelocht hatte. Und der Chinese bei »Procope«... Und der Neger, der nur Milch mochte, ganz weiße Milch... Und Germaine, Suzy, Jacqueline... und die Kleine, die ihm einredete, schwanger zu sein, und die er fast geheiratet hätte, wenn Großmutter nicht klüger gewesen wäre. Ach, und die Großmutter selbst, natürlich! Nicht die Großmutter von heute auf ihrem Krankenlager, sondern Madame Paris mit flinken Füßen, immer unterwegs, treppauf, treppab... Und Jules, der vom Theater schwärmte. Dann, noch näher, ja ganz nahe, größer und wirklicher: die Menschen, deren Leben mit seinem verbunden war wie Blutkörperchen des gleichen Bluts: Angélique und Bernard, die zusammengehören, deren Liebe zu Enguerrand jetzt zu einem einzigen, starken Gefühl verschmolzen ist. Und Lambert, um den er bangt und der gewiß auch wie er in dieser Stadt verirrt ist und von andern Hunden verfolgt wird... Und Angèle de Viborne, die einzige echte Frau, die er kennt, so stark in ihren Schwächen, daß sie alles verstehen kann. Und endlich als letzte: das Mädchen, dem er vor fünf Tagen begegnet ist, als noch alles in der Schwebe war, die kaum Zwanzigjährige. Mit allen Fasern seines Seins weiß er, daß er sie lieben könnte, wenn nichts geschehen wäre, und daß er sie lieben wird, was auch geschieht, selbst wenn er sie niemals wiedersieht. Das

Mädchen, von dem er weiß, wo sie ihn erwartet, doch deren Namen er nicht kennt.

Er marschiert weiter. Nun ist er bei dem breiten Boulevard angelangt, der nach Montparnasse führt. Weit hinter der Kreuzung befindet sich der Bahnhof, doch bis hierher hört er den Pfiff des abfahrenden Zuges. Gewiß, er könnte noch einsteigen, erst vor einer Viertelstunde ist es geschehen, man hat kaum noch Alarm geschlagen. Aber wohin sollte er fahren? Ins Ausland? Selbst wenn er einen Hafen erreicht, könnte er nicht weiter. Er hat nichts vorbereitet, keine falschen Papiere, keine Visa. Am besten verbirgt man sich in einer Stadt. Er weiß, wo er unterschlüpfen könnte, Gandret und Angélique haben ihm zugeredet; aber er geht nicht in die Rue Cassini, er will sie nicht gefährden.

Der Revolver? Den hat er noch immer in der Tasche. Er spürt sein Gewicht. Bei jedem Schritt schlägt er an sein Bein. Er braucht ihn nicht mehr, er ist ihm lästig und hinderlich, er beult seinen Rock aus und zieht ihn hinunter. Ein unnützes Ding, jetzt, wo der Auftrag erfüllt ist. Weg damit! Aber wohin?

Bei der Kreuzung biegt er links in eine Straße ein. Es ist eine Straße mit ziemlich neuen Häusern, aber eine Sackgasse. Nach drei Gebäuden geht es nicht weiter; das hat er vergessen, obwohl er sich doch in der Gegend auskennt.

So muß er umkehren, zurück zum Invalidendom, und sei es nur, um sich in die Richtung zu zwingen, von der er gekommen ist. Als wolle er sich beweisen, daß er nicht davonläuft. Noch hundert Meter, noch hundert ... So, da ist es richtig.

Eine Straße rechts. Ein letzter Autobus rasselt vorbei, Pflaster und Auslagen klirren. Er ist leer, nur der Schaffner überzählt die Münzen in seiner Geldtasche. Enguerrand sieht ein Kanalgitter auf dem Gehsteig, er bückt sich und wirft den Revolver hinein.

Hundert Meter weiter steht ein hell beleuchtetes Bauwerk in sonderbarem chinesischem Stil, die Lampen bestrahlen riesige Plakate. Es ist ein Kino mit dem Namen »Die Pagode«. In einem Kinosaal sitzen einige hundert Menschen, und doch kann man dort mehr allein sein als irgendwo anders. Die Vorstellung hat schon begonnen, aber noch nicht der Hauptfilm. Er löst sich eine Karte. Die Platzanweiserin, ebenso wie der Mann an der Kasse, schaut nur diese Karte, den Abschnitt, sein Geld an; kein Blick ist auf ihn gefallen. Der Saal aber liegt völlig im Dunkel.

Nur die Leinwand vorne ist blendend weiß wie das Laken eines offenen Bettes oder wie ein Fenster am Ende eines finsteren Ganges. Enguerrand tritt ein, aber nicht allein. Alle begleiten ihn, die sich ihm vorhin zugesellt haben: die Großmutter, Angélique, Bernard, Angèle und das Mädchen, dessen Namen er nicht weiß.

III

Zuerst sieht er nichts, gar nichts: Es dauert eine Weile, bis er sich angepaßt hat. Auf der Leinwand läuft eine Wochenschau, eine alte, um die Zeit bis zehn Uhr auszufüllen; denn die Besucher kommen immer erst in der Pause. Jetzt alles abschalten, sich umstellen und nicht mehr ständig zu sich selbst sagen: Ich habe getötet ... Ich habe getötet ... Er braucht auch die Augen nicht zu schließen, nichts auf der Leinwand könnte seine Aufmerksamkeit fesseln oder ihn ablenken; es gibt nichts, das nur annähernd so wichtig wäre wie das, was in ihm lebt.

Wovon ist die Rede? Ah, von der Ordnung. Der Ordnung? Ein komisches Wort gerade jetzt.

Der einzige, der ihn gesehen hat, als er das Matignon verließ, war der Amtsgehilfe mit seiner Nagelfeile. Wenn er ihn überhaupt gesehen hat! Vielleicht ist ihm nur unbewußt durch den Kopf gegangen: »Aha, jetzt ist der Besucher endlich heimgegangen.« Oder vielleicht hat er ganz mechanisch nach dem Anmeldeformular gesucht, das der späte Gast seiner Meinung nach eine Stunde zuvor hatte abgeben müssen?

Anmeldung? Enguerrand hat gar kein Formular abgegeben. Er ließ sich von Blache-Duparc hineinführen. Er erinnert sich ganz genau, wie es vor sich gegangen ist: Im Vorraum hat er dem diensthabenden Beamten – es war ein anderer als jetzt abends – erklärt: »Monsieur Blache-Duparc erwartet mich.« Der Mann erkannte ihn sofort, sein Beruf erfordert ein gutes Physiognomiegedächtnis; er meldete ihn ohne weitere Formalität bei dem Attaché an.

Blache-Duparc, gewandt und vorsichtig, war überaus liebenswürdig. Er stand auf und begrüßte ihn: »Der Herr Ministerpräsident wird sehr bedauern – er ist für eine Stunde ausgegangen ... wollen Sie später wiederkommen?«

Enguerrand sah enttäuscht aus – er war es wirklich – und sagte: »Ich muß den Herrn Ministerpräsidenten unbedingt sprechen.« »Jetzt?« »Heute noch ... Er ist mit meiner Familie befreundet ...« – »Ja, ja«, bestätigte Blache-Duparc. Er denkt an die Empfehlung seines Chefs vor dem letzten Besuch dieses jungen Marquis de Viborne; und auch an den »Ausflug« ins Bois, der so überraschend diesem Besuch gefolgt war – die erste Ruhepause, die sich der Präsident gönnte. Und dann ging es Blache-Duparc durch den Kopf, daß auch er die erste freie Stunde seit dem Regierungswechsel hätte, eine Stunde, um ein bißchen Luft zu schnappen. So sagte er zu dem jungen Herrn aus der Familie jener Dame, die einen besonderen Eindruck auf den Chef zu machen schien, ja, deren Namen einem »Sesam, öffne dich!« gleichkam: »Ich habe leider auswärts zu tun, aber da Sie verwandt sind, wird der Herr Ministerpräsident bestimmt nichts dagegen haben, wenn Sie hier in seinem Büro auf ihn warten. Sie sind ja schon hiergewesen, Sie kennen sich aus. Verzeihen Sie, daß ich Sie allein lasse...«

Blache-Duparc geleitete Enguerrand in das Büro, und er war es, der die »Tageslichtlampe« auf dem Schreibtisch ansteckte, die zu dem Mobiliar so gar nicht paßte. Er wollte noch den Luster aufdrehen, aber Enguerrand wehrte ab. »Dann, Monsieur, verabschiede ich mich«, erklärte Blache-Duparc, der es eilig hatte. »Ich hoffe, daß Sie nicht zu lange warten müssen.«

»Oh«, antwortete Enguerrand, »ich warte gerne...«

»Einmal muß er ja kommen, denn er wohnt im Haus.« Das hatte Enguerrand nicht gewußt, er vermerkte es als ein Detail, das von Nutzen war.

Von Nutzen wofür? denkt Enguerrand jetzt. Und wenn der diensthabende Beamte später kam, um nachzuschauen, ob sich der Präsident schon zurückgezogen habe? Sicher ist das geschehen, um so mehr, als Enguerrand die Lampe im Präsidialbüro brennen ließ. Er erinnerte sich, daß er noch überlegte, ob er sie nicht abdrehen sollte, es aber dann unterließ, weil er fürchtete, sich im Dunkeln an den Möbeln zu stoßen, und weil es einem zufälligen Beobachter hätte auffallen können, wenn kein Licht aus den Fenstern des Büros fiel.

Der Amtsgehilfe hatte ihn also sicher bemerkt. Wartete er dann einen Anruf des Präsidenten ab, oder ging er nach dem Abgang des letzten Besuchers unaufgefordert zu seinem höchsten Chef, um sich nach etwaigen Befehlen zu erkundigen? Prüfte er, ob der Präsident noch da war oder ob er das Büro durch die zweite Tür verlassen und vergessen habe, die Lampe abzudrehen? Und was bedeutete dieses plötzliche schrille Klingelzeichen, als er hinter dem wie durch ein Wunder aufgetauchten Renault ins Freie entkam? Ja, sicher... es war der Beamte, der Gardas erschossen aufgefunden hatte... der den Portier alarmierte! Enguerrand spürte es... er wußte es sicherer, als wenn er die Meldung selbst gehört hätte... Dieses Läuten hatte ihn in die erste Seitenstraße hinausgetrieben und hatte ihn verfolgt. Und auch die Angst hatte ihn verfolgt. Auch das wußte er genau und jetzt noch besser, weil sie vergangen war.

Selbst wenn er sich täuschte, selbst wenn noch niemand den toten Präsidenten gefunden hatte, mußte er jetzt so handeln, als hätte man ihn entdeckt. Ein solches Ereignis machte ungeheures Aufsehen, zog ungeheure Kreise und zeitigte Rückwirkungen auf allen Gebieten. Man konnte sich leicht ausmalen, welch riesiger Polizeiapparat zur Ermittlung des Attentäters in Bewegung gesetzt wurde. Der Mord an Gardas war ein schwerwiegendes, verhängnisvolles Ereignis, aber das Verschwinden des Mörders mußte in den Augen einer Handvoll Leute, der »Verantwortlichen«, noch viel folgenschwerer sein.

Was war jetzt zu beschließen? Was sollte er tun?

Zunächst gar nichts. Verfrüht. Soweit waren sie noch nicht. Doch was wurde für diese Verfolgung eingesetzt?

Alles, das lag auf der Hand. Alles trat in Aktion: Telefon, motorisierte Polizei, Radio, Telegraf, Bildfunk, nicht nur in Frankreich, sondern in der ganzen Welt, festgehalten in großen, schnellen, rhythmischen »flashes« wie in den amerikanischen Filmen; und alles wurde begleitet von Trauerfanfaren, Sirenen, schrillen Pfiffen und kreischenden Bremsen... War diese Vorstellung übertrieben? Gewiß nicht, der Großeinsatz entsprach der Bedeutung des Attentats. So viel Aufwand, so viel Lärm um Gardas? Nun, eben: um Gardas. Aber Gardas war tot! Ja, er war tot, ganz tot, er lag auf dem Teppich, auf der rechten Seite, natürlich auf der rechten, nicht auf der andern, wie hatte Enguerrand nur einen Augenblick überlegen können?

Er sah nun das Ganze noch einmal vor sich, denn er hatte den Mut und die Ruhe wiedergewonnen, die dazu nötig waren. Er mußte sich zu dieser Erinnerung zwingen, um sich selbst zu bestätigen, daß er richtig gehandelt hatte. Zuerst das Warten, nachdem ihn Blache-Duparc allein gelassen hatte.

Eine ganze Stunde hatte es gedauert. Eine schwere Stunde, in der – die Ministerien waren immer überheizt – ihm der Schweiß auf der Stirne gestanden hatte und über Nacken und Rücken gelaufen war. Eine böse Stunde. Die Ungewißheit... Auf dem Tisch unter dem Licht: ein Akt, ein einziges Dossier. Die Notverordnung, bestimmt. Sollte er sie anschauen? Lesen? Wozu? Enguerrand wollte nicht aus dem Dokument, sondern aus dem Mund des Präsidenten selbst die Wahrheit erfahren. Das Dokument besagte noch nichts. Es war ein Projekt. Was Gardas daraus machte, das war entscheidend.

Anfangs war er unruhig auf und ab gegangen. Dann hatte er sich in einen der beiden Fauteuils vor dem mit Bronze- und Kupfergegenständen überladenen Schreibtisch gesetzt. Die Bespannung des leeren Fauteuils stellte eine Episode aus »Telemach« dar. Enguerrand erhob sich einen Augenblick, um nachzuschauen, ob der andere Stuhl ein

Pendant dazu war – nach seiner Form, dem Holz war er es – und welche Szene er zeigte. Er mußte das plötzlich wissen, unbedingt, genauso dringend wie die Antwort, die er von Gardas erwartete.

Ja, ein Odysseus war in die Lehne gestickt, ein Odysseus mit den Augen Fénelons gesehen, auf ewig in seiner historischen Pose erstarrt. So war also alles historisch in diesem Raum – würde auch das historisch sein, was sich jetzt bald hier abspielen mußte?

Und plötzlich war Gardas da. Ja, er, und gerade in dem Augenblick, da Enguerrand so intensiv an ihn gedacht hatte. Ein gepolsterter, rundlicher Mann trat ein, mit einem Durchschnittsgesicht, in einem etwas zerknitterten Anzug, dem Anzug eines dicken Mannes. Er und sein Tonfall, seine runde Stimme, seine runden Knie, seine ganze Rundlichkeit! Gardas, wie man ihn kannte, der klassische, von Sennep gezeichnete Gardas, der Mann der Inaugurationen, der Reden, der Illustrierten und der Wochenschauen. Gardas, der eben jetzt auf der Leinwand zu sehen war.

»Ministerpräsident Gardas stellt dem Staatspräsidenten sein Kabinett vor.«

Eine Woche alt – eine Woche schon!

»Mit Genehmigung des Herrn Ministerpräsidenten bringen wir den Wortlaut seiner Regierungserklärung...«, fuhr die Stimme des Ansagers fort.

Und Gardas erschien auf der Leinwand, rundlich, mit seiner runden Stimme, seiner runden Sprechweise und mit der Warze unter dem Auge – denn dieses große Bild verbarg nichts, wie eine zehnfach vergrößerte Lupe –, die Warze, die Enguerrand vor kurzem unentwegt betrachtet hatte, bis er den Revolver hob, und die er erst aus dem Auge verlor, als er dem traurigen und nicht begreifenden Blick begegnete, dem Blick, der es einfach nicht faßte. Und alle Menschen hier im Saal sahen wie er eben vorhin einen Gardas, der vom Heil Frankreichs in abgedroschenen Redensarten sprach, die aber unter den gegenwärtigen Umständen einen neuen Sinn erhielten. Und jetzt verschwand Gardas und verlor sich mit der letzten Aufnahme im Nichts.

Alles war so schnell, so unerwartet vor sich gegangen, daß es Enguerrand nicht erschütterte. Es bedeutete nicht die Erscheinung eines Rächers für ihn, keine groteske Allegorie einer »dem Verbrechen folgenden Rache«. Nichts: Es bedeutete nur einen Toten. Einen Toten, an dessen Tod man sich gewöhnt hatte. Einen Toten, der nur mehr als Toter Daseinsberechtigung hatte, der nichts anderes als tot sein konnte. Einen Toten, der nicht mehr sprechen, nicht mehr handeln, nichts Böses mehr anstellen konnte, was er trotz seines gutmütigen

Äußern getan hatte. Ein Mann, der zu Recht gestorben war – und fertig.

Er war also nicht mehr wichtig, wichtig war nur zu wissen, wann die Schafherde hier, die zu den verwaschenen Reden wohlgefällig blökte, erfahren würde, daß eine Kugel diesem hartnäckigen, anständigen und daher um so gefährlicheren Willen ein jähes Ende gesetzt hatte. Applaus erscholl, das Licht flammte im Saal auf. Die Verkäuferinnen gingen mit ihren Körbchen durch die Reihen und boten den Müttern und alten Leuten mit geschäftsmäßigem Lächeln ihr »Eskimoeis« und die »Crème Gervais« an, die unerläßlichen Beigaben zu der lauen, schlaffen Stimmung, die in dem Saal herrschte. Das Dämmerlicht fiel ein, in dem die Werbefilme gezeigt werden. Schon quoll die Leinwand vom Schaum eines Shampoo über, das in den Saal zu fließen schien. Zwischen zwei kurzen Filmen eine Nachricht: »Der indische Schriftsteller Grismura-Nehroni empfing den Nobelpreis aus den Händen des schwedischen Königs in Stockholm.« Eine Nachricht, die das Publikum, das genug andere Sorgen hatte, sehr gleichgültig ließ; es wäre trotz seines nationalen Egoismus auch unberührt geblieben, wenn es sich um einen französischen Namen gehandelt hätte. Der Film war aus, es herrschte nur mehr freudlose Stille. Paarweise strömten die Leute herein, die nach der Hetzjagd des Tages wie Müßiggänger wirkten, begaben sich träge auf ihre Plätze, während die wie in schwarzen Uniformen steckenden Verkäuferinnen, einen Fuß an die Türrahmen der Eingänge gelehnt, mit ihren halbvollen Körbchen, mit den Süßigkeiten und Eisbechern warteten, daß es endlich finster würde. Sie hatten den Film zehnmal gesehen und freuten sich hinauszukommen, um sich weiter endlos von ihren Liebesabenteuern erzählen zu können.

Plötzlich ein greller Lichtschein in dem halbdunklen Saal. Es war noch nicht der Film, denn der wird stets durch ein schnarrendes Geräusch, durch einen Musikansatz angekündigt. Nein, es war eine Schrift, eine saubere Handschrift, wie man sie früher in der Schönschreibstunde lernte, ein paar Zeilen auf einem weißen Karton. Sicher wieder eine uninteressante Neuigkeit, die projiziert wurde, um drei Minuten von dieser unerträglichen Wartezeit abzuknabbern.

»DAS NEUESTE:

Eben erfahren wir, daß Ministerpräsident Victor Gardas heute am späten Nachmittag in seinem Büro im Hôtel Matignon von einem unbekannten Täter erschossen wurde. Der Attentäter konnte flüchten.«

Es war totenstill in dem Saal. Es hatten nicht alle mitgelesen, oder sie begriffen es noch nicht. Trotzdem schlug die Nachricht in ihrer knap-

pen Sachlichkeit wie eine Bombe ein. Ein plötzliches »Oh!« des Er-
staunens war zu vernehmen, und in einer allgemeinen Reflexbewe-
gung erhob sich der ganze Saal.
Ohne zu wissen, was er tat, sprang Enguerrand wie die andern
auf.

IV

Ausrufe wurden laut, Männer gestikulierten. Kinder stellten Fragen
und wurden heftig zur Ruhe gewiesen. Ein Lärm herrschte in dem
Saal, als wäre der vor eineinhalb Stunden gefallene Schuß erst jetzt
abgegeben worden. Dem allgemeinen schmerzlichen »Oh!« folgten
die Meinungen der einzelnen, Schreie und Wortfetzen, die aber alle
das gleiche sagen wollten. Enguerrand konnte sie nicht einmal unterscheiden, so ähnlich waren sich alle, sie verrieten ihm nichts, außer
der Fassungslosigkeit aller dieser Menschen hier, die sich bei dem
überraschenden historischen Ereignis auf die gleiche Weise verhielten und gleich darüber dachten.
Mit aufgerissenen Augen starrten sie auf die grellweiße Leinwand,
wie um besser zu verstehen, sich zu überzeugen, daß die Nachricht
wirklich dort geschrieben stand. Und Enguerrand las wie die andern
die vier Zeilen ein zweites Mal. Zuerst ganz mechanisch, ohne etwas
dabei zu denken. Dann plötzlich fiel ihm ein: Nun wußte man es.
Niemand beachtete ihn. Er war unter allen diesen Menschen verlorener als in einem fernen Land oder in einem Versteck. Sie konnten
sich gar nicht für ihn interessieren, sie sahen nur Gardas allein.
Gardas... Gardas... Gardas... Der Name erscholl von allen Seiten
in dem großen, aus seiner Stumpfheit erwachten Saal. Eine echte
Sensationsnachricht! Man konnte gespannt auf die Morgenzeitungen
sein, besonders da der Attentäter entkommen war, konnte mit langen und ausführlichen Berichten gerechnet werden, und man hatte
allen Grund, mindestens zwei Tage lang noch eine Abendzeitung
dazuzukaufen...
Und plötzlich verschwindet die Schrift, und mit dem weichenden
Licht setzen das Knarren des Apparats, die donnernden Eröffnungs-
takte der Musik und das Flimmern der Leinwand ein, dem der Vor-
spann mit den Namen der Filmlieblinge folgt: »Die Universal-Film
zeigt... Dorothy Gray in... mit...« Und dann der Hauptfilm, die
ersten Szenen, die alles wegschwemmen, auslöschen und Gardas und
die Worte verdrängen.
Enguerrand versinkt in der Nacht. In einer Nacht, wie sie die Leute
rundum nicht kennen, weil sich jäh ein Fenster in eine erfundene,

künstliche Welt geöffnet hat, eine Welt, in der es wohl Leidenschaften und Verbrechen gibt, aber Leidenschaften und Verbrechen, die man nicht ernst nehmen muß. Der Mord an Gardas ist weder eine gut pointierte Erzählung noch ein Dichtwerk, es ist ganz einfach ein Tod, wie er Tag für Tag geschieht, der Tod eines dicken Mannes, der von einer Kugel getroffen wurde und auf einen weichen Wollteppich gefallen ist; ein dicker Mann, der gestorben ist, weil sich herausgestellt hat, daß sein Ende weit mehr bewirken kann als die kollektive Aufregung und das Mitgefühl eines Kinosaals, ja selbst eines ganzen Volkes, nämlich das Leben und den Tod anderer Menschen.

Die helle Leinwand dort vorn ist nicht das Fenster in dieser Dunkelheit, nein, in Enguerrands Innern öffnet sich ein Fenster. Das stärkt ihn und hilft ihm nachzudenken. Er fühlt sich beschützt inmitten dieser Menge, er spürt, daß er nicht gefährdet ist, viele Minuten, mehr als eineinhalb Stunden lang, solange als eben der Film läuft: Die Leute hier sind in Gedanken ganz woanders, was kümmert sie jetzt schon Gardas oder er selbst? Er muß überlegen, aber nicht gehetzt, in aller Ruhe. Seine Nerven entspannen sich, und zum erstenmal seit der Tat fühlt er Zuversicht im Herzen.

Und da, ganz langsam, zögernd, beginnt sich Enguerrand in diesem schmalen, dunklen Gang seines Innern zu dem Lichtschein vorzutasten, der sich an dessen Ende abzeichnet. Es ist noch nicht Tageslicht, nicht einmal Dämmerung, aber doch der Ansatz einer winzigen Hoffnung, einer so undeutlichen noch, daß man bezweifeln könnte, ob sie überhaupt besteht. Ach, es liegt so viel zwischen ihm und diesem möglichen Ziel – Scheu, Angst, Ungewißheit. Aber immerhin: wie für die Leute hier die Leinwand leuchtet, so schimmert für Enguerrand tief innen ein Licht anderen Wertes, einer andern Kraft auf – zumindest wird ihm bewußt, daß es dieses Licht gibt. Er drängt das Geschehene, das, was er plante, was er erfüllte, aus seinen Gedanken. Dazu braucht er Zeit, und er merkt nicht einmal, daß der Film seinem Ende zu geht, er bedenkt nicht, daß es vielleicht weniger gefährlich für ihn ist, sich mitten unter den Leuten hinauszudrängen, die in wenigen Minuten diese Traumfabrik verlassen werden, als sich allein im grellen Licht der Lampen zu zeigen – auch das übrigens ein sehr geringes Risiko, denn seine Personenbeschreibung war wohl noch nicht durchgegeben. Und wie sollte man ihn erkennen, wenn nicht aus der Radiodurchsage? Es müßte schon ein verteufelter Zufall sein, wenn der Kontrolleur gerade dieses Kinos vorhin so aufmerksam Radio gehört hätte!

Er beachtet die beiden schwarzgekleideten Kontrolleure auch gar nicht und ebensowenig die beiden Bonbonverkäuferinnen, die nicht mehr in ihren Liebesgeschichten schwelgten, sondern die Ausgangstüren weit geöffnet haben, um den Menschenstrom möglichst schnell hinauszulassen. Dadurch gewinnen sie vielleicht zwei Minuten, was eine Metro früher oder einen Augenblick Rendezvous bedeutet. Vielleicht haben sie ihn überhaupt nicht gesehen.

Jetzt ist er draußen auf der Straße. Er schlägt die gleiche Richtung ein, die er vor dieser Rast, fast drei Stunden früher, genommen hat. Nun kennt er sein Ziel.

Vor fünf Tagen hatte es sich zugetragen. Er kochte zwar vor Wut über den Erfolg dieses Gardas', aber er hatte noch keinen Plan gefaßt. Nein, vor fünf Tagen wußte er noch gar nichts, weder was er denken und was er beschließen noch was er durchführen würde.

Eigentlich war alles ganz einfach, von verblüffender Banalität gewesen. Die Tatsachen bestanden einfach und nichts anderes. Er wanderte durch die Straße – obwohl er in Wäldern geboren war, mußte sich sein Geschick also immer in der Stadt erfüllen. Es war eine schmale Straße, die er täglich ging, wenn er vom Hotel kam, eine Straße, in der er, Tag für Tag, Tausenden jungen Leuten begegnete, bunt gemischt, jungen Mädchen, nach denen er sich umdrehte, häßlichen, manchmal auch schönen, die er in Gedanken entkleidete und sich in seinem Bett vorstellte – das war normal in seinem Alter, und von seinem ersten Erlebnis mit der Magd in La Gardenne an war ihm Scheinheiligkeit fremd gewesen. Die körperliche Liebe war eine Gabe Gottes, man mußte sich ihrer nicht schämen und sie nicht bereuen: Enguerrand war gesund an Leib und Seele. Trotzdem war er verantwortungsbewußt, das hatte er bewiesen, als er die kleine Verkäuferin heiraten wollte, die er schwanger glaubte. Die Großmutter hatte ihm die Augen geöffnet: »Du liebst sie ja gar nicht.« – »Nein, wirklich, Großmutter...« – »Nun?« Er hatte das Haupt gesenkt. »Du hast noch niemals wirklich geliebt, mein Junge... ich meine, mit dem Herzen...« Ach, Madame Paris wußte alles, sie hatte lange genug gelebt, um weise zu werden. So hatte sie die Sache wieder ins Lot gebracht.

Er ging die Straße hinauf, sie kam herunter. Wie sah sie aus? Wie war sie gekleidet? Er hätte es nicht sagen können. Zur Not wußte er, daß sie dunkle Augen hatte, zart und schlank war. Er hatte immer nur für zarte Mädchen geschwärmt. Sonst wußte er nichts, außer daß sie existierte und daß er ihr begegnet war. Kaum war sie entschwunden – aus einer ihm völlig fremden Scheu hatte er sich nicht nach ihr umgedreht –, da wußte er, daß etwas geschehen war, was er noch nie erlebt hatte. Er mußte sie wiedersehen – und war felsenfest überzeugt, daß er sie wiedersehen würde. Tatsächlich sah er sie wieder, aber erst zwei Tage später, als das Schicksal eingegriffen hatte und er nicht mehr frei war.

Er hatte sich während der beiden Tage nicht den Kopf darüber zerbrochen, was sie sein könnte, Studentin oder Haustochter. Er hatte einfach an sie gedacht, gedacht, wie er noch niemals an ein Mädchen gedacht hatte. Es war alles ganz einfach. Wozu sollte er sich überflüssige Fragen stellen? Nicht einmal die Frage, ob auch sie an ihn dachte. Denn er zweifelte gar nicht daran, daß der Funke gezündet hatte, auch ohne Wort, ohne einen Blick. Mußte es nicht einfach so sein?

Diesmal traf er sie ein wenig weiter oben, auf der andern Seite des Boulevard Saint-Michel in der Rue Monsieur le Prince. Aus der Ferne schon hatten sie sich erkannt. Fünf Schritte vor ihm war sie links in ein kleines Hotel getreten. Von der Türe aus hatte sie ihn angeblickt, gerade in die Augen, wie einem Menschen, den man seit jeher kennt. Im Flur hingen Schlüssel an einem Brett, davon nahm sie einen. Es war ein unerhörter Glücksfall gewesen, daß sie sich gerade auf eine Distanz hin getroffen hatten, wo sie eintreten und nach dem Schlüssel greifen konnte, bevor er vorbei war; er hätte sich nicht umgedreht und sie wieder verloren. Das Schicksal hatte es eben gewollt, daß er jetzt wußte, wo sie wohnte. Warum? Stand nicht schon ein Gardas vor ihm, der ihm das Leben versperrte; Gardas, den er aufsuchen, fragen, Gardas, den er vielleicht töten mußte?

Hier lebte sie also. Nummer 23 b. Das Hotel hieß »Hôtel Moderne«. Warum nicht? Es war bescheiden, ähnlich dem Hotel, das Enguerrand bewohnte: zwei Hotels der gleichen Kategorie, so wie auch sie beide gleich alt und einander ähnlich waren; so ergab es sich ganz von selbst, daß sie ohne Vorbereitung, ohne Staunen, völlig selbstverständlich aufeinander zugingen. Jetzt wußte er, wo sie wohnte, und wenn er an sie dachte, dann sah er das Hotel und das Schlüsselbrett vor sich. Hier verschanzte sich der Vorrat Leben, ja seine Lebensmöglichkeit, die ihm beschieden war. Merkwürdig, das genau in dem Augenblick zu erkennen, da man die Karten für ein Spiel auf Tod oder Leben aufschlug. Aber so war es einmal – was konnte man dagegen tun? Schade –, so verlor er eben ein kostbares Gut, um dem Opfer um so höheren Wert zu verleihen. Trotzdem schade, daß er zu allem Schweren noch die Last dieser Wehmut schleppen mußte. Anders wäre es leichter gewesen. Vielleicht.

Er erreicht den Boulevard Raspail. Er wandert nicht durch Seitengassen, um sich zu verstecken, sondern weil er hier daheim ist. Der Gedanke an seine Tat haftet weiter in ihm, aber er sinkt tiefer, gleichsam auf eine untere Stufe hinab, denn ein neuer Gedanke ist erstanden. Er wird trotzdem weder seine Schuld noch seine Verpflichtung vergessen, und eben deshalb setzt er seinen Weg ruhig und ohne Gewissensbisse fort.

Der Boulevard Saint-Michel ist noch in Licht gebadet. Er beschleunigt seine Schritte: da, die Rue Monsieur le Prince. Es ist nach Mitternacht. Er geht direkt auf die Nummer 23 b zu; er zerbricht sich nicht den Kopf, stellt sich nicht einmal die elementarsten Fragen, die mit den vielen kleinen und doch so wichtigen Dingen zusammenhängen: Wie wird er ins Hotel kommen? Wie wird er erfahren, in welchem Stockwerk sie wohnt, wo er nicht einmal ihren Namen kennt...? Aber er geht einfach weiter.

Die Eingangstür des »Hôtel Moderne« ist nicht versperrt. Kein Nachtportier, niemand. Nur fünf Schlüssel hängen an dem Brett: die Gäste sind früh heimgekommen. Sie hat damals ihren Schlüssel von der unteren Reihe genommen, den dritten von rechts. Auch heute hat sie ihn geholt, denn er hängt nicht mehr hier. Es ist der Schlüssel von Nummer dreihundertneun, die Zahl Drei zeigt das Stockwerk an, wie es auch im Hotel Enguerrands der Fall ist, in das er seit achtundvierzig Stunden nicht den Fuß gesetzt hat. Sie wohnt also auf Nummer dreihundertneun. Allein? Sie kann nur allein sein. Und wenn sie einen Freund hat? Vielleicht hat sie einen, aber was ändert das? Der Freund eines anderen, eines früheren Lebens, nicht ihrer beider Leben, des Lebens, das mit ihnen beginnt, das vor fünf Tagen mit ihnen begonnen hat.

Niemand hält ihn auf dem Flur auf. Ein schwaches Nachtlicht brennt in den Stockwerken und wirft ein mattes Licht auf die enge Treppe. Der Teppich ist in der Mitte abgetreten wie die Teppiche aller Hotels. Der Teppich gleicht eben den Teppichen aller Treppenhäuser, und das Holzgeländer greift sich etwas klebrig an. Zwei Gänge links und rechts jeden Absatzes, und unter den Türen da und dort ein breiter Lichtstreifen, der verrät, daß ein Mädchen dahinter mit ihrer Abendtoilette beschäftigt ist oder ein Student über Büchern sitzt oder ein Paar in dem Bett liegt, in dem schon so viele Paare gelegen haben, um zu schlafen oder zu lieben – vielleicht nur um des gemeinsamen Schlummers willen, der inniger bindet als die Liebe. Enguerrand steigt hinauf.

Da ist die dritte Etage. Die ungeraden Nummern befinden sich links, Nummer dreihundertneun ist ganz hinten. Und dort unter der Tür schimmert auch Licht hervor. Der Schlüssel steckt außen, er könnte aufsperren. Er täte es auch bestimmt, wenn sich nicht in diesem Augenblick die Klinke senkte und von innen geöffnet würde, als hätte man ihn erwartet und seine Schritte gehört. Sie steht vor ihm in einem dünnen Schlafrock, die Füße in Pantoffeln. Sie hebt sich in dem weißen Rahmen ab, so steht sie da, wie er sie gesehen hat, wie sie ist: Sie erwartet ihn ruhig. Sie ist nicht überrascht. Und er betrachtet sie, wie er sie immer betrachten wird, sein Leben lang, wie er sie seit vorgestern, seit fünf Tagen angesehen hat.

V

Sie tritt zur Seite und läßt ihn herein. Sie schließt die Tür hinter ihm. Nun stehen sie einander gegenüber und schauen sich an. Ihre Hände, ihre Körper berühren sich nicht, es ist nicht nötig, sie wissen, daß sie einander gehören. Das sind die wahren Wunder, die schicksalhaften Wunder, die durch das einzige gültige tägliche Gebet bewirkt werden, nämlich fest zu glauben, daß sie eintreten werden. Nur Feiglinge und Entmutigte haben kein Recht auf das Wunderbare, das einfach Wunderbare, das keine lauten Gesten braucht, um sich auszudrücken, keine Freudentränen, kein Schluchzen und keine Theatereffekte. Zwei Menschen haben sich gefunden, vereint, trotz aller Hindernisse, wegen dieser Hindernisse vielleicht, und darin allein besteht das Erhabene. Es ist so: Die Tür hat sich vor Enguerrand aufgetan, und »sie« hat geöffnet. Und Enguerrand, der trotz seiner unendlichen Schwäche den Mut selbst verkörpert, eben weil er diese Schwäche überwunden hat, verdient dieses Wunder, das ihm allein zuteil wird. Ja, es gebührt ihm.

Sie betrachten sich, und sie sprechen noch kein Wort. Sie scheint zu erraten, daß er müde und hungrig ist, denn sie zeigt auf einen kleinen Tisch und auf einen Sessel. Er setzt sich. Sie bringt einen Teller, ein Glas, Brot, kaltes Fleisch und Wein. Er ißt. Sie bleibt hinter ihm stehen. Sie merkt, daß er wieder zu Kräften kommt, legt die Hand auf den verrauften Scheitel und streichelt liebevoll über sein Haar: Es ist ihre erste Berührung, schlicht und zärtlich. Er läßt es geschehen, dann ergreift auch er ihre Hand, die ihm Frieden schenkt, und liebkost sie.

Er hat gegessen, sie trägt die Teller ab, und nun sitzen sie Seite an Seite. Es ist kein zweiter Stuhl im Zimmer, so setzen sie sich auf das offene Bett, in dem sie noch nicht gelegen hat. Sie nehmen einander bei der Hand und sehen einander an. Ihre Knie berühren sich. Ein Begehren erwacht in ihnen, ein Begehren, das alles auslöscht, was vorher gewesen ist; ein gemeinsamer Wunsch, der sie vereinigt und bindet. Sie wissen, daß sie gleich sind, sauber und gesund, und weil sie das von Anfang an wußten, war es selbstverständlich, daß sie sich nach ihrem ersten Treffen wiederfanden. Deshalb auch ist Enguerrand hierhergeflüchtet, nachdem er das Leben eines Menschen ausgelöscht hat, was sie freilich nicht ahnen kann. Aber sie spürt, daß sie warten muß, bis er spricht, daß er ihr etwas anzuvertrauen hat und daß es keine Liebesworte sein werden, die ihm auf der Zunge brennen. Dies ist die Probe, die er ihr auferlegt. Sie, sie kann ihm nur das eine geben: gewußt zu haben, daß er kommen wird, bereit gewesen zu sein, ihm die Tür geöffnet und gespürt zu haben, daß sie das Wesentliche, den Sinn und Zweck seines Lebens erfahren und mit ihm tragen wird. Er weiß, daß er diesem Mädchen alles sagen darf, sie wird ihn nicht nur begreifen, sondern wird ihm beistehen, ohne Szenen und Schreckensäußerungen, weil ihr klar ist, daß er nicht anders konnte. Er drückt die Hand, die er sofort geliebt hat, und senkt den Blick nicht, als er spricht:

»Vor drei Stunden . . . am späten Nachmittag . . . habe ich einen Menschen erschossen.«

»Oh!« sagt sie tonlos.

Sie schreit nicht. Sie reißt nicht entsetzt die Augen auf. Sie hat nur »oh« gesagt, als hätte sie dieses Geständnis erwartet. Er sagt, daß er getötet hat, und weiß, daß sie nicht danach fragt, ob er das Verbrechen aus Gewinnsucht oder aus Leidenschaft beging. Sie ist überzeugt, daß er so handeln mußte, und deshalb billigt sie die Tat.

Wieder streichelt sie sein Haar mit der freien Hand. Noch etwas zärtlicher, denn wenn sie auch schon früher gefühlt hat, daß er unglücklich ist, so weiß sie doch erst jetzt, wie tief er leidet.

Er redet weiter:

»Ich habe einen Mann getötet . . . Victor Gardas, den Ministerpräsidenten.«

Sie sieht ihn an, aber sie spricht mit ganz anderer Sprache zu ihm; sie ist wie sein Spiegel, sie spiegelt ihn wider, wirft ihm sein Bild zurück, das weder Worte noch Fragen entstellen können. Entblößt, klar und durchscheinend wie Kristall stehen sie voreinander und erkennen einander.

»Ich muß dir erklären . . .«

»Wozu?«

Ja, wozu? Eine schicksalhafte Tat, wie ihre Liebe schicksalhaft war. Aber weil sie »ist«, müssen sie sich mit ihr befassen. Alles ist Problem, und nichts ist einfach. Damit haben sie sich beide abgefunden, seit sie sich auf der Welt befinden. Sie sind viel stärker als die andern, sie können dem Unausweichlichen begegnen, weil sie doppelten Mut besitzen. Die Zeit des Bangens und Klagens ist vorbei, was immer auch geschieht. Und sie lächelt ihm zu.

Das könnte ein grauenhaftes Lächeln sein, aber es ist, im Gegenteil, ein wunderbares Lächeln. Ganz Hingabe und Vertrauen. Mit einem Wort: der Glaube. Er möchte trotzdem erklären, warum und wie er gemordet hat. Sie will nicht, und als er den Mund öffnet, legt sie ihm sanft die Hand auf die Lippen. Dann drückt sie ihn wie etwas unendlich Kostbares an sich, etwas Wertvolleres noch als ein Kind, dem sie ihre eigene Wärme schenken muß. Und er erwidert die Umarmung, kräftig, stark, denn ihre Gegenwart vertreibt alles Niedrige, Häßliche, das trotz allem an seiner Tat klebt, den Alptraum und den Schmerz. Als ob er zu einem neuen Menschen würde, ausgeschieden aus der langen Reihe der Schuldigen, in der er seit seiner Geburt gestanden hatte.

Und ebenso bei ihr. Das ganze frühere Leben ist wie ausgelöscht. Sie ist Mitwisserin eines Verbrechens, und trotzdem hat sie sich noch niemals so rein, so leicht und auch so frei gefühlt wie jetzt, wo der Kerker der Menschen, ihr Gericht, ihre Guillotine und ihre Gewehre das Teuerste bedrohen, das, was zu ihrem Leben geworden ist. Sie ist geläutert und befreit.

Später dann werden sie überlegen, die Probleme lösen müssen, die auf sie einstürmen, und das wird Klugheit, Scharfsinn und die Worte des Alltags erfordern. Jetzt, in dieser Minute, gibt es kein Problem, nicht einmal das Problem des Lebens und des Todes. Dieser Augenblick allein, gleichgültig, was geschieht, wird ewig bestehen bleiben; nichts wird ihn jemals auslöschen können, er wird ihnen gehören, wenn er selbst in Vergessenheit entschwunden ist. Und alles, was sie tun, gewinnt einen anderen, einen höheren Sinn.

Denn es ist einfach und wunderbar zugleich. Sie sind nicht befangen und nicht gehemmt, und nichts ist unkeusch oder gar gemein. Sie müssen sich erst ihrer Kleider entledigen, wie sie die landläufigen Sitten abstreifen mußten. Denn weder Körper noch Seele erträgt Verhüllungen in den Sternstunden des Lebens; um sich vereinen, bewundern, begreifen zu können, müssen sie vollkommen sein, nackt und bloß. Wer hat ihren Schlafrock abgenommen, er oder sie? Oder hat sie ihn von der Schulter gleiten lassen? Sie steht vor ihm, aufrecht, schlicht und stolz in ihrer Nacktheit. Sie weiß, daß sie schön ist, und seit mehr als zwanzig Jahren ist sie nur für ihn schön gewesen; sie zeigt sich ihm, dargeboten und doch unendlich scheu. Er betrachtet sie. Tränen steigen in seine Augen, es sind keine albernen Tränen der Rührung. Er schaut sie an und begehrt sie, und zugleich spürt er, daß er sie liebt.

Ja, er liebt sie, und das ist so wahr, wie sie selbst vor ihm steht. In ihrer Nähe verflüchtigt sich die Angst, er fürchtet nicht, Blut an den

Händen zu haben – könnte er sie denn mit blutbefleckten Händen berühren? Ja, er sieht klar über die eigene Nacht hinaus, die Nacht, die sich morgen schon über ihm schließen kann. Aber was bedeutet das, wenn er etwas besitzen darf, was kein anderer – oder fast kein anderer – sein eigen nennen durfte: das Bewußtsein, die Aufgabe seines Lebens erfüllt und das gewonnen zu haben, was er erahnt und gesucht hat, wofür er geboren wurde.

Auch seine Kleider sind gefallen. Sie betrachtet ihn, und es ist gut so, daß sie ihn sieht. Wie sollte sie ihn mit irgend jemand anderem vergleichen, da sie doch noch niemanden gesehen hat, da nicht einmal der Schatten eines schlechten Gedankens oder selbst einer Erinnerung in ihr haftenblieb? Die Seligkeit, die sie in seinen Armen empfindet, übersteigt alles menschliche Maß, sie gehört einer andern Welt, einem andern Leben an. Das ist es ... es konnte nur das sein, denkt sie in einem nie geahnten Glück, als sie sich ihm gibt. Sie gibt sich ihm – zum erstenmal begreift sie die Bedeutung eines Wortes, das sie noch niemals ausgesprochen hat –, sie gibt sich ihm hin. Sie jubelt vor Freude, vor endlich erlebter glückhafter Erfüllung. Nicht Worte, ein Gesang bricht aus ihrer Brust. Ein Gesang, dem er antwortet. Die Welt ist versunken, sie schweben im All. Sie sind vereint, sie verschmelzen, sie schweben hoch über den Menschen, denen sie entronnen sind, obwohl sie auf einem Hotelbett liegen, das sich in nichts von der Lagerstätte aller Männer und aller Frauen unterscheidet.

Keine Gefahr bedroht sie mehr. Niemand belauert sie. Nichts kommt auf sie zu, das sie vernichten will. Und wenn man sie morgen tötet, ja heute, in diesem Augenblick, was hätte man ihnen damit angetan? Sie wissen ja, daß sie das Leben selbst, daß sie unsterblich sind.

VI

Und dann kehrten sie in die Wirklichkeit zurück, in die Wirklichkeit, in der es Polizei, Steckbriefe und das ganze unbarmherzige, teuflische Räderwerk gab, vor dem sie sich schützen mußten.

»Erzähl, was hast du getan?« fragte sie.

»Getötet, ich hab' dir's gesagt.«

»Gardas?« Sie wußte also, wer es war; jedermann wußte es. »Warum?«

»Er wollte ein Dekret unterzeichnen und den Arbeitern alles rauben, was sie sich erkämpft hatten. Er saß fest in seinem Sattel, er hätte niemals nachgegeben. Ich war bei ihm, ich habe mit ihm gesprochen und auf ihn einzuwirken versucht; ihn gebeten nachzudenken und ihm gründlich Zeit dazu gelassen. Als ich aber vor einer Wand stand, mußte ich die Wand zerschmettern.«

»Wann war es? Wie...?«

»Ich setzte eine zweite Audienz durch. Ich habe Verbindungen, er verkehrte bei uns im Hause. Ich trug meinen Revolver bei mir.«

»Was hast du mit ihm gemacht?«

»Ich hab' ihn verschwinden lassen. Den findet keiner mehr.«

»Das ist übrigens ziemlich gleichgültig. Weiß man, daß du bei ihm vorgesprochen hast?«

»Natürlich. Die Namen der Besucher werden in eine Liste eingetragen.«

»Und du bist ungesehen auf die Straße hinausgekommen?«

»Ich bin gelaufen«, sagte Enguerrand leise, wie schuldbewußt.

»Dazu warst du gezwungen«, bestätigte sie. »Aber nur einen Augenblick. Dann hast du dich gefaßt und überlegt. Um wieviel Uhr war das?«

»Ungefähr um halb neun.«

»Du bist erst nach Mitternacht zu mir gekommen. Was hast du in der Zwischenzeit gemacht?«

»Ich wollte in Ruhe überlegen können und bin ins Kino gegangen.«

»Um dort allein zu sein. Das war schon ein bißchen so, als wärst du hier bei mir gewesen.«

»Ich mußte einfach zu dir. Du verstehst doch. Ich mußte wissen, ob du, wenn du alles erfahren hast, noch immer...«

»Wofür hältst du dich denn? Für einen Mörder? Warum soll man vor Worten Angst haben? Sie können völlig ihren Sinn ändern.«

»Für dich hat das Wort seinen Sinn geändert?«

»Ja. Weil du es getan hast und weil du einen Grund dafür hattest.«

»Ich habe dir noch nicht alles gestanden. Ich – ich habe in meiner Seele und in meinem Gewissen getötet. Das ist mir sehr schwergefallen...«

»Ich weiß es. Ich kann mich an deine Stelle versetzen. Es muß schwer sein. Es muß entsetzlich sein, töten zu müssen.«

»Ja«, murmelte er mit gesenktem Haupt.

»Mein Geliebter«, sagte sie leise und schloß die Augen.

Nach einem langen Schweigen fuhr sie fort:

»Sie dürfen dich nicht bekommen.«

»Unsertwegen?«

»Deinetwegen.«

»Vorhin wollte ich dir gestehen, daß ich entschlossen war...«

»...dich verhaften zu lassen? Und jetzt?«

»Habe ich mir geschworen, daß sie mich nicht kriegen.«

»Da hast du recht. Wenn man dich verhaftet, wirst du sofort verurteilt, in der ersten Aufregung, in der ersten Angst. Wir müssen Zeit gewinnen, aber wie?«

»Ich weiß es noch nicht. Vorgenommen habe ich es mir, aber auf welche Weise...«

»Wir müssen klug sein, klüger als ihre ganze Organisation. Das Entscheidende ist, daß du fest entschlossen bist. Bleib hier, bei mir suchen sie dich nicht; niemand weiß, daß du mich kennst. Wir haben niemals miteinander gesprochen.«

»Nein.«

»Weil du Angst um mich hast?«

Er senkte den Kopf:

»Wenn sie mich verhaften, nehmen sie dich mit.«

»Ob sie dich hier oder anderswo festnehmen – für mich ist es das gleiche.«

Er preßte ihre zitternde Hand.

»Du bleibst hier«, erklärte sie entschieden.

»In einem Hotel braucht man einen Meldezettel.«

»Du nimmst eben einen falschen Namen an.«

»Und wenn man einen Ausweis von mir verlangt?«

»Gut, dann gibst du keinen Meldezettel ab.«

»Du hast doch sicher Kollegen und Bekannte?«

»Die besuchen mich selten.«

»Nicht einmal, um sich ein Buch auszuborgen oder um eine Gefälligkeit zu erbitten?«

»Dann mache ich nicht auf. Ich stelle mich krank.«

»Und der Hoteldiener, der dir morgens das Frühstück bringt? Oder das Stubenmädchen, das aufräumt?«

»Sie werden dich sehen, aber sie werden nicht fragen, wer du bist.«

»Das erste Mal; sobald sie aber merken, daß ich mit dir lebe...«

»Ich will nicht, daß du von mir fortgehst.«

Wieder griff er nach ihrer Hand.

»Ich fühle, daß du in Gefahr bist, wenn du mich verläßt, daß dir das Schrecklichste zustoßen kann... ich muß an deiner Seite bleiben.«

»Und ich weiß, daß du mit gefährdet bist, wenn ich mich hier verberge.«

»Nicht so wie du. Was riskiere ich schon? Auf jeden Fall bist du hier geschützt.«

»Wenn man mich findet, könntest du behaupten, nicht gewußt zu haben, was ich verbrochen habe...«

»Ich glaube nicht, daß ich das über mich brächte.«

»Du wirst es sagen müssen.«

»Was liegt mir dann schon dran? Aber nein, sie dürfen dich nicht finden«, wiederholte sie und drückte ihn heftig an sich.

»Du warst ganz meiner Ansicht, daß wir Zeit gewinnen müssen. Wir können Zeit gewinnen, eine Nacht, vielleicht zwei oder drei Nächte. Sogar mehr, sicherlich. Wir können die Gefahr gemeinsam tragen. Wohin solltest du sonst gehen?«

»Ich kann mich in einer Wohnung verstecken, bei einem Freund.«

»Man wird bei allen deinen Freunden nachforschen.«

»Nicht sofort. Nur meine Freunde können meine Flucht bewerkstelligen, sie haben die Mittel dazu.«

»Ich habe auch Geld«, erklärte sie, öffnete einen Schrank und holte eine prall gefüllte Tasche heraus.

»Es ist nicht allein eine Geldfrage ... Es kommt noch viel anderes dazu, womit du allein nicht fertig wirst.«

»Hast du es ... für andere ... für deine Freunde getan?«

»Nein, nein, glaube mir. Für mich ganz allein.«

»Aber du hast doch von Freunden gesprochen?«

»Von meiner Schwester, wenn du es wissen willst, und von dem Mann, den sie liebt.«

»Das ist gut. Ich traue den Menschen nicht, die andere auf die Barrikaden schicken und sich selbst verstecken.«

»Das hat niemand getan. Ich habe es ganz allein, aus eigenem Antrieb, sogar gegen den Willen der andern ausgeführt.«

»Das hab' ich gewußt, aber ich bin froh, daß du es mir bestätigst. Hier ist das Geld.« Sie legte es auf den Tisch, damit er es stets vor Augen habe.

»Ich nehme es, wenn ich es brauche, das verspreche ich dir.«

Wieder war es still in dem Zimmer. Ihr erregter Atem beruhigte sich, wie der Schritt zweier Menschen, die nebeneinandergehen und sich einander anpassen.

»Wir kommen nicht weiter«, begann sie wieder, »es ist fast zwei Uhr.«

»Schon!« Enguerrand richtete sich auf, sie aber drückte ihn auf den Bettrand nieder:

»Wohin willst du gehen?«

»Ich hab' dir's gesagt.«

Er log. Er wollte nur das Hotel verlassen, sie nicht länger gefährden. Nein, er suchte nicht Zuflucht bei Bernard, das durfte er nicht. Damit würde er den Freund und zugleich Angélique der gleichen Gefahr aussetzen, von der er dieses Mädchen hier bewahren wollte; das Mädchen, das ihm ebenso lieb und kostbar geworden war wie die Schwester und der Freund.

»Morgen, ich flehe dich ... warte bis morgen ...«

»Morgen ist mein Steckbrief erlassen, die Zeitungen werden mein Bild bringen. Der erstbeste kann mich erkennen.«

»Du bleibst eben hier. Dadurch gewinnen wir einen Tag. Es wird jetzt früh dunkel, du kannst das Hotel um fünf Uhr verlassen, da unterscheidet man die einzelnen nicht, und du verschwindest unter den Leuten. Nein«, ihre Stimme wurde hart, »du darfst jetzt nicht weggehen, das mußt du einsehen.« Und ganz leise flüsterte sie ihm zu: »Nimm mich doch noch einmal. Ich möchte es so gern ...«

Das war nicht die Wahrheit. Sie fror, sie zitterte. Sie sagte es nur, um ihn zurückzuhalten, bis es licht wurde, damit er dann bleiben mußte. Er ließ sich nicht täuschen, doch er spielte mit. Auch ihn würgte die Verzweiflung. Sie rückte zur Seite und machte ihm Platz. Was bedeutete es schon, daß sie diese arme List gebrauchte, um ihn zu binden, da er doch fest entschlossen war zu fliehen, sobald es anging – er hatte gerade in seinem Nachgeben eine Möglichkeit für diese Flucht entdeckt.

Selbst als sie ermattet zurücksank und die Wirklichkeit drohend aus dem Unterbewußtsein emporstieg, blieben sie ruhig liegen; sie hielten sich schweigend an der Hand. Sie wünschte nur eines in ihrer Not: daß er einschlief und ihr dadurch erhalten blieb. Sie wünschte es so sehr, mit allen Kräften, daß sie selbst dem Schlummer verfiel. Denn sie war ausgehöhlt, erschöpft, sie hatte zuviel ihres Lebens auf einen Schlag hingegeben. Er spürte, wie ihre Hand in der seinen erschlaffte. Ihre Finger lösten sich. Ihn freilich konnte der Schlaf nicht packen, solange er hier lag und um sie bangte.

VII

Das von der Nachttischlampe erhellte Zimmer lag im Halbschatten. Mit weit offenen Augen schaute Enguerrand um sich. Sein Blick klammerte sich an den beiden Stühlen fest, er blickte auf die Vorhänge, die mit der unpersönlichen, neutralen Umgebung verschmolzen, aber er sah viel weiter, durch die Mauern, über die Straße, über die Stadt, über die Zeit hinaus. Er tauchte in eine große Klarheit wie in ein kaltes Licht. Er wußte, daß er recht gehabt und daß er noch immer recht hatte.

Langsam drehte er sich ihr zu. Sie lag neben ihm und atmete ruhig, anders als er. Sie schlummerte vertrauensvoll, er würde sie nicht verraten – er aber wußte, daß es eine einzige Möglichkeit gab, sie nicht zu verraten: zu tun, was er beschlossen hatte.

Lange schaute er sie an, dann erhob er sich behutsam, stellte mit unendlicher Vorsicht seine Füße auf den Boden und kleidete sich an. Lautlos ging er auf die Türe zu, öffnete sie, blickte ein letztes Mal zu dem Bett zurück. Ihre Augen waren geschlossen, und sie lächelte. Da trat er hinaus, den Rücken leicht gekrümmt von dem Gewicht, das er jetzt zu tragen hatte. Im Treppenhaus fiel ihm ein, daß er noch immer nicht ihren Namen kannte.

Er brauchte nur die Tür aufzudrücken, die auf die Straße führte. Er begegnete niemandem, der Nachtportier war wohl eingeschlafen, oder vielleicht gab es gar keinen. Draußen packte ihn die Kälte, und er fröstelte.

Er ging die Rue Monsieur le Prince hinauf, um sich möglichst weit von dem Haus zu entfernen, in dem sie schlief. In kindlicher Angst stellte er sich vor, daß sie aufwachte, ihm nachlief und ihn zurückholte. Vor dem Jardin du Luxembourg bog er rechts ein, weil ihm plötzlich eingefallen war, er könnte auf dem Boulevard Saint-Michel einen Kollegen treffen.

Was tun? Weiterlaufen? Stehenbleiben? Sich vielleicht verstecken? Auf jeden Fall die belebten Straßen meiden. Gehen? Welchem Ziel entgegen? Oder bleiben? Aber wo?

Jetzt konnte sie ihn nicht mehr finden. Der Gedanke zerriß sein Herz, erleichterte ihn aber zugleich. Auch das hatte er gewollt, wie er Gardas töten gewollt hatte. Nein, er bedauerte es nicht, er würde es noch einmal tun, wenn es sein müßte.

So war er allein — aus Vorsicht und um nicht anderen eine Verantwortung aufzubürden, die er ganz allein für sich forderte. Es war nicht weit zur Wohnung seines Freundes, seines besten Freundes. In Gedanken hatten sie ihn stets begleitet und ermutigt, und deshalb dachte er auch jetzt an sie. Er hatte Pflichten ihnen gegenüber.

Er konnte sie nicht im ungewissen lassen, er mußte sich melden. Vor allem bei Angèle de Viborne. Wo befand sie sich? Sicher hatte sie überhaupt keine Ahnung von der Tragödie — sie hielt sich doch in La Gardenne oder in Vierzon oder weiß Gott wo auf. Angélique? Ja, Angélique, die jetzt zu Bernard Gandret gehörte. Die beiden hatten bestimmt den ganzen Tag nach Lambert gesucht. Was hatten sie erreicht? Vielleicht waren sie in die Rue Cassini gegangen? Er, Enguerrand, durfte die Wohnung Bernards nicht betreten, natürlich nicht, aber trotzdem mußte er ihnen sagen...

So, jetzt hatte er ein Ziel. Wenigstens für den Augenblick. Es war ihm nicht bewußt, daß er in seiner Verlassenheit, in dem planlosen Umherirren, in seiner Ratlosigkeit instinktiv Schutz, Hilfe und Rat bei den Menschen suchte, denen er vertraute.

Vorhin hatte er auf dem Boulevard noch offene Kaffeehäuser gesehen; nun kehrte er zu ihnen zurück.

Er stand wieder im grellen Licht, bestrahlt von Kopf bis Fuß; ein Glück, daß die Gehsteige menschenleer waren. Er vermied das neue »Procope«, wo man ihn kannte; zwei Häuser weiter befand sich noch ein offenes Lokal. Er trat ein und ersuchte um eine Telefonmarke. Der Kellner, der die Gläser an der Theke reinigte, gab sie ihm mit höflichem Lächeln:

»Unten, rechts von der Treppe. Was darf ich Ihnen inzwischen einschenken?«

»Bier, bitte.«

Im Souterrain roch es säuerlich und abgestanden nach kaltem Rauch. Er wählte die Nummer Gandrets und lauschte dem Klingelzeichen. Es ertönte, regelmäßig, gewissenhaft, es bohrte ein Loch in die ferne Stille. Gandret meldete sich nicht. Angélique und er suchten also noch nach dem kleinen Bruder. Je länger Enguerrand wartete, um so deutlicher sah er die Wohnung Gandrets vor sich, den Flur, die Eingangstür mit der Fußmatte, die eine kleine Delle hatte, dort, wo der Schlüssel versteckt lag – fünf Minuten von hier. Er könnte hingehen und sich verbergen, da die Wohnung offensichtlich leer war. Eine Zuflucht! Ein Bett! Aber es war die Wohnung Gandrets, und wenn man ihn dort fand, auch ohne den Hausherrn, dann stempelte man Gandret zu seinem Komplicen. Ach, eine Möglichkeit und zugleich die bittere Gewißheit, sie nicht nützen zu dürfen!

Weder Angèle de Viborne noch Bernard noch Angélique durfte er hineinziehen. Angélique? Die war sicher noch unterwegs, auf der Jagd nach Lambert, und die Großmutter war ganz allein. Plötzlich fühlte er das unabweisliche Bedürfnis, die Stimme der alten Dame zu hören, als könnte er in ihr wie immer Trost und Hilfe finden. Alles andere vergaß er über diese Idee, selbst die Müdigkeit, die mit einem Male bleiern in seinen Gliedern lag. Aber jetzt schlief sie wohl.

Nein, natürlich nicht, solange Lambert nicht daheim war, schlief sie nicht. Und Lambert war noch nicht gefunden, da Bernard nicht zu Hause war.

Nun wählte er die Nummer der Rue Caulaincourt. Es läutete nur einmal, eine Stimme sagte: »Hallo?«, eine Frauenstimme. Er wollte der Großmutter sagen... ja, was eigentlich? Vielleicht nichts, vielleicht alles. Auf jeden Fall würde er sagen...

»Großmutter...?«

»Nein, ich bin es. Oh, Enguerrand!«

Es war Angélique. Die Stimme brach sich, ersterbend: »Wo bist du?«

»In einer Telefonzelle.«

»Aber du ... du darfst nicht...«

»Du weißt also?«

»Ja.«

»Und Großmutter?«

»Während wir Lambert suchten – den wir gefunden haben! –, ist die Lähmung fortgeschritten... die Hände, die Arme, der Nacken... Es geht ihr sehr schlecht. Der Arzt ist eben weggegangen. Eine Frage von Stunden... Vielleicht noch weniger... Aber du, was ist mit dir?«

»Ich komme.«

»Ausgeschlossen!«

Beide dachten an die Gefahr, die es für ihn bedeutete, die großmütterliche Wohnung zu betreten.

»Ich komme«, wiederholte er trotzdem und hängte ab.

Er hatte es nicht gespürt, nichts geahnt! Die Großmutter mußte sterben, und er hatte es nicht gewußt. Sie sollte scheiden, ohne daß er sie nochmals gesehen, ihre Stimme gehört hätte, diese Stimme der ehrlichsten, der anständigsten Frau, ohne daß sie sich ein letztes Mal vergewissern konnte, daß er ihrer würdig war! Alles andere trat in den Hintergrund. Und Angélique, den Hörer in der kraftlosen Hand, erkannte, daß es falsch gewesen war, ihm die Wahrheit zu sagen, daß es jetzt nur eine einzige Wahrheit hätte geben dürfen: daß Enguerrand lebte, daß er sich auf der Flucht befand und gerettet werden mußte.

Er nahm die Stufen in großen Sätzen, lief durch das Kaffeehaus, ohne etwas zu sehen. Das Bier stand auf dem zweiten Tisch, der Schaum war zusammengesunken. Enguerrand warf eine Banknote hin, wartete das Wechselgeld nicht ab, und rannte den Boulevard Saint-Germain hinunter. Ein Taxi! Keines weit und breit! Er mußte eines finden, um jeden Preis. Nur das war jetzt wichtig. Er war kein verfolgter Mann. Wer behauptete, daß er einen Ministerpräsidenten erschossen hatte? Es gab nur mehr den Enguerrand de Viborne von »vorher«, dem das Wasser in die Augen stieg, den ein Schluchzen würgte und der krampfhaft einen Wagen suchte, denn keine Minute war zu verlieren. Er mußte zurechtkommen.

Endlich auf der Place Saint-Michel konnte er einen aufhalten, einen uralten Karren. Er sprang hinein, rief dem Chauffeur die Adresse zu.

»Schnell, schnell!« trieb er ihn an.

»Ich tu', was ich kann«, gab der Mann durch die offene Zwischenscheibe zurück.

»Versuchen Sie... schneller!«

»Na, na, Sie werden ja niemanden umgebracht haben . . .«
Natürlich nicht, er hatte niemanden umgebracht. Aber jemand lag im
Sterben, und er mußte vor dem Ende dort sein.
Endlich stoppt der Wagen vor dem Haus der Großmutter. Enguerrand springt auf den Gehsteig. Oben brennt Licht, und eine Gestalt
steht am Fenster. Nur ein Blick auf den Taxameter, er zahlt.
»Nachttarif – das Doppelte!«
Er verdoppelt den Betrag. Er ist hoch. Der Chauffeur steckt das Geld
hastig ein, er ist zufrieden: Das war eine gute Nacht. Und er wird
sich des jungen Mannes erinnern, der es so eilig hatte, der sicher zu
seiner Freundin dort oben stürzt, bei der man noch das Licht brennen
sieht und die eben den Vorhang zur Seite schiebt. In seiner Phantasie
malt er sich ein Liebesdrama aus. Er zuckt die Schultern.
Enguerrand rennt die Treppen hinauf. Die Hausbesorgerin hat sofort
geöffnet, sie schlief noch nicht, sie kann noch nicht schlafen, denn sie
hat oben ausgeholfen, und jetzt erst hat Angélique sie ersucht hinunterzugehen; der Arzt hat ihr reinen Wein eingeschenkt, und Angélique will nicht, daß die Großmutter in ihren letzten Stunden von
billigem rührseligem Mitleid umgeben ist. Oben ein Lichtschein, die
Flurtür steht offen, über das Geländer beugen sich zwei Köpfe, ein
männlicher und ein weiblicher, natürlich, Bernard und Angélique.
Sie winken ihm, bewegen sich im Gegenlicht, die Hände flattern wie
Nachtvögel. Ein letzter Sprung, mit letztem Atem:
»Großmutter . . .?«
Die Stimme Bernards:
»Enguerrand, du bist wahnsinnig, du hättest nicht . . .«
»Ist sie tot?«
»Nein.«
Er stößt sie zur Seite. Es ist so, als ob die beiden überhaupt nicht
existierten. Er tritt durch die weit offene Türe in die Wohnung ein
und ist mit einem einzigen Satz im Schlafzimmer.
Da liegt sie, in ihrem Bett, unbeweglich, und die schneeweißen Haare
umrahmen ihr altes Gesicht. Sie ist nicht tot, sie lächelt ihm ent-
gegen.

VIII

Eine lange Weile sehen sie einander stumm an. Sie ist nicht nur seine
Großmutter, sie ist einfach eine der Frauen seines Lebens, eine der
Frauen, die am meisten galt, bevor die Liebe in sein Leben trat. Ein
Geist, der seinen Geist formte, bestimmte und bildete. Undenkbar,
daß sie ohne ihn gestorben wäre.

Vorhin, als sie erfuhr, daß ihre Stunden gezählt waren, bat sie, Enguerrand zu verständigen. Sie schworen, daß sie es getan hätten, daß er kommen würde. Wie hätten ihn Bernard und Angélique erreichen sollen, da sie seinen Aufenthalt nicht kannten? Und überdies: Er durfte die Wohnung der Großmutter nicht betreten, wo ihn die Polizei jeden Augenblick aufjagen konnte.

Aber er ist trotzdem gekommen. Er ist da. Obwohl sie durch die Jahre, durch zwei Generationen, getrennt sind, spüren sie beide im gleichen Augenblick, was sie vereint, was sie aneinanderbindet. Ein wunderbarer Friede, eine volle, stille Freude ziehen in ihr Herz, sie beide wissen, daß sie zusammengehören wie eh und je.

Enguerrand wagt noch zu hoffen, weil er sie lebendig vor sich sieht, wenn auch bis zum Kinn zugedeckt, dessen Falten das Laken verbirgt. Er beherrscht sich, und fast jovial beugt er sich über sie:

»Na, was treibst denn du für Sachen, Großmutter!«

»Ach, du... meine Hände, meine Arme... mein Hals... nichts spüre ich mehr. Schau meinen Unterkiefer an, meinen Mund...« Mühsam schnappt sie ein paarmal auf und zu, es sieht wie eine komische Grimasse aus. »Schau, ich werde bald nicht mehr sprechen können.«

Es ist wahr, sie spricht langsamer, schwerer und ruhiger, als man es sonst bei ihr gewöhnt ist; maßvoller sozusagen, sie, die immer voll Leben und Temperament war.

»Enguerrand, mein Junge, ich verschwinde... blöd, wirklich, denn ich hätte noch eine Menge Dinge zu beenden... für euch alle.«

Ach, wenn sie wüßte, was er, Enguerrand, getan hat und wie sehr er ihre Hilfe, ihren Rat brauchte! Aber sichtlich hat man ihr nichts verraten, denn jetzt funkelt es in ihren Augen froh auf:

»Lambert ist gefunden, weißt du das? Angélique und einer deiner Freunde... ein Freund, den sie behalten muß und der hier ist...« Sie hatte alles erraten, alles verstanden. »Nun, die beiden haben ihn hergebracht, er schläft jetzt.«

»Weiß er?«

»Daß ich sterbe? Nein, nein, solche Sachen erzählt man einem Kind nicht. Besonders nicht einem Kind wie ihm. Komm näher«, befiehlt sie.

Er tritt ganz nahe, sie glaubt, daß er sich niederbeugen und sie küssen will: »Nein, nicht, keine unnötige Rührung. Nachher auch nicht, ich bitte dich darum. Versprichst du es mir?«

Er nickt einfach.

»Sieh mich an, mein Junge«, sagt sie. »Brauchst du etwas von mir?«

Und da er nicht sofort antwortet:

»Weißt du, wenn etwas nicht stimmt, schließlich bin ich noch da.«
Als hätte sie die Gefahr erraten, in der er sich befindet!
»Nichts, Großmutter.«
Niemals ist ihm eine Lüge schwerer gefallen. Er richtet sich auf, dreht
sich halb um. Im Türrahmen stehen Angélique und Bernard anein-
andergelehnt. Enguerrand schaut sie an und wiederholt noch ein
wenig lauter:
»Nichts, Großmutter.«
Glaubt sie es? Oder befindet sie sich schon zu sehr auf der anderen
Seite? Sie tut jedenfalls, als glaube sie es, und fährt fort:
»Ich bin froh, daß du hier bist... Später dann, wenn es wirklich
nicht mehr geht, dann werde ich euch bitten, mich allein zu lassen...
damit ich in Ruhe...«
Es ist sehr still, und alle blicken sie an. Ihre letzten Worte klangen
schon etwas undeutlicher, etwas farbloser. Sie schließt die Augen
nicht, aber trotzdem träumt sie, sie sagt:
»Jules...«
Wo ist Jules? Die drei schauen sich fragend an. Oh, wenn man ihn
finden könnte! Er ist sicher schon in sein Haus mit dem kleinen Gar-
ten gezogen. Zu weit, um ihn rasch herzuholen.
»Sollen wir ihn rufen?«
Ihre Augen blitzen:
»Niemals! Niemals! Ich will nicht, daß er mich so liegen sieht...«
Sie keucht, soweit es ihre gelähmten Lungen erlauben. Allen dreien
fällt das Amerikanische Spital ein, das eine eiserne Lunge besitzt,
der Arzt hat es erwähnt.
»Großmutter, sollen wir dich nach Neuilly bringen?«
»O nein«, murmelt sie ganz schwach, »ich will nicht. Es wäre mir
schrecklich, in einem fremden Bett zu sterben.«
Wieder ist es still in dem Zimmer. Schließlich flüstert sie:
»Und jetzt, laßt mich... ich bin müde... Ja, ich will ein bißchen...
Du bleibst da, nicht wahr, Enguerrand?«
»Natürlich, Großmutter.«
Sie scheint erleichtert. Die drei kehren in das Speisezimmer zurück,
nachdem sie die Tür hinter sich geschlossen haben, um sie allein zu
lassen. Nun steht Enguerrand der Schwester und dem Freund gegen-
über. Sein Kopf sinkt an die Schulter des Mädchens, als fiele er nach
vorne, als könne er nicht mehr. Er spürt die Hand Bernards auf
seinem Arm.
»Du hättest nicht kommen dürfen.«
»Warum denn nicht?«
»Du mußt weg.«

687

»Bevor sie gestorben ist?« fragt er.

»Der Arzt hat gesagt, daß es noch Stunden dauern kann. Du weißt, was du versprochen hast«, mahnt Angélique. Und Bernard:

»Höchste Zeit, daß du dich versteckst.«

Enguerrand weicht einer Antwort aus und fragt seinerseits:

»Wie habt ihr Lambert gefunden?«

Angélique erklärt hastig:

»Wir haben erfahren, daß er in einem Hotel ist... durch einen Freund Bernards auf der Polizei. Wir sind hingefahren, um ihn zu holen. Er hatte sich Aspirin gekauft und Pyramidon... von dem hat er so viel hinuntergeschluckt, wie er konnte. Er wollte sich umbringen...«

»Ach, das ist echt Lambert!« seufzt Enguerrand.

»Jetzt schläft er. Der Doktor hat gesagt, daß ihm nichts geschehen ist. Wir konnten ihn sogar einen Augenblick lang aufwecken, um ihn der Großmutter zu zeigen. Dann habe ich Mama angerufen.«

»Ist sie denn in Paris?«

»Ja, bei Mehlen. Frag nicht, wieso. Wir zerbrechen uns genauso den Kopf darüber. Aber sie hat sicher gute Gründe...«

»Und wird sie herkommen? Wann habt ihr angerufen?«

»Schon vor langem. Sie kommt, sobald sie kann, hat sie versprochen.«

»Warum nicht sofort? Wenn ihre Mutter...«

»Deinetwegen. Sie hat es uns mitgeteilt. Sie wußte es, sicher von Mehlen. Der Mann weiß doch immer alles.«

»Ich verbiete ihm, sich um meine Angelegenheiten zu kümmern!« fährt Enguerrand auf.

»Wie kannst du ihn daran hindern, wenn Mama ihn darum gebeten hat?«

»Auf jeden Fall beweist es, daß du dich beeilen mußt...«

»Mutter war also im Bilde?«

»Von ihr haben wir es erfahren. Wir hofften noch...«

»Was?« fragt Enguerrand hart. »Daß mir der Mut fehlte? Daß ich Gardas weiterwirtschaften lasse, der fest davon überzeugt ist, daß ihm niemand dreinreden kann? Wie kommt gerade ihr beide dazu, so was von mir zu glauben? Ihr hättet lieber...«

»Was wir lieber oder nicht lieber hätten, ist jetzt völlig gleichgültig«, fällt ihm Bernard ins Wort. »Wichtig ist nur, daß du die Sache ausgeführt hast und entkommen konntest. Wie...?«

»Es war spät, es ist niemand mehr dagewesen. Ich bin ganz unbemerkt durch das große Tor hinausgegangen. Auf der Straße dann war es leicht.«

»Wie ich dir vorausgesagt habe. War es arg?«

»Sehr, Bernard, sehr. Vor allem vorher... Nachher auch, aber nicht auf die gleiche Art und aus anderen Gründen.«

»Lieber Freund«, sagt Bernard. So hatte er es sich vorgestellt, den ganzen Nachmittag hatte er nichts anderes gedacht.

Doch er überwindet die weiche Stimmung:

»Jetzt heißt es also überlegen, was zu tun ist. Sicher ist es schon überall bekannt.«

»Seit zehn Uhr abends, denke ich«, bestätigt Enguerrand.

»Durch das Radio?«

»Nicht allein. Ich hab' es in den ›Neuigkeiten‹ eines Kinos gesehen. Dort war ich, um nachzudenken und um Zeit zu gewinnen.«

»Warum bist du nicht direkt in die Rue Cassini gegangen? Wir haben schon hintelefoniert, es hat sich niemand gemeldet. Wegen der Kollegen? Die schlafen heute nacht nicht dort, sie sind alle in den Dienstzimmern der Vororte, um den Generalstreik vorzubereiten.«

»Nein, nicht wegen der Kollegen, sondern wegen euch beiden, wenn du es wissen willst.«

»Unsinn! Wir bleiben da, du kannst dich ruhig dort verstecken. Bei mir sucht man dich nicht, zumindest nicht sofort.«

»Nein? Welche Frist gönnen sie mir? Sie kennen eure Namen, gerade bei dir werden sie anfangen.«

»Die Zeit vergeht. Du kannst nicht hierbleiben. Sicher ist man schon in deinem Hotel gewesen. Niemand außer dem Stubenmädchen weiß, daß du häufig zu mir kommst, und sie wird nicht sprechen, bestimmt nicht. Deine Familie, deine Verwandten kriegt die Polizei schnell heraus, sie braucht nur in La Gardenne und hier in Paris nachzuforschen. Sie hat's eilig, wie du dir denken kannst. Du darfst nicht hierbleiben... um deinetwillen... und wegen aller anderen.«

»Ja, du hast recht. Aber in deine Wohnung gehe ich ebensowenig.«

»Was willst du tun?«

»Vor allem und bevor ich weggehe, möchte ich mit Mutter telefonieren.«

»Warum?« fragt Angélique.

Aber verbissen wiederholt Enguerrand:

»Ich habe mit ihr zu sprechen... es gibt Dinge, die sie mir erklären muß, die ich unbedingt wissen will... Also erlaubt mir den einen Augenblick, dann sehen wir alle drei weiter. Bitte, laßt mich keine Zeit vergeuden...«

»Gut«, sagt Bernard und zieht Angélique hinaus. Enguerrand schließt die Zimmertür hinter ihnen, wählt die Nummer Mehlens, die er in dem noch aufgeschlagenen Telefonbuch sofort findet. Er wartet mit dem Hörer in der Hand, die Stirn gerunzelt, das Kinn vorgeschoben und den harten Ausdruck im Gesicht, den auch sein Vater hatte, wenn er jagte oder vor einer schwerwiegenden Entscheidung stand. Ja, er muß Madame de Viborne anrufen, um ihr zu sagen . . .

»Hallo«, meldet sich endlich eine Stimme, eine Stimme, in der alle Unruhe, alle Not der Welt aufklingt, die Stimme einer Frau, die ihn sofort erkannt hat: »Du, Enguerrand . . .!«

»Ja, ich, Mama«, antwortet er, heiser vor Erregung. Zum erstenmal hat er nicht Mutter gesagt.

IX

»Mein Kind . . . mein liebes Kind . . .«, stammelte Angèle de Viborne. »Enguerrand . . . Enguerrand, warum hast du das getan?«

Das war die Stimme, die in seiner Kindheit alle anderen ersetzt hatte. Niemals Vorwürfe, immer verständnisvoll, niemals hatte sie anders geklungen, wenn sie zu seiner Halbschwester oder zu seinem Halbbruder sprach. Sein erstes Vorbild, der erste Mensch, der ihn Gutes und Böses unterscheiden lehrte. Niemals heftig oder hart, immer helfend und fragend. Wie auch jetzt in diesem Augenblick, da Leben oder Tod auf dem Spiel stand.

»Was soll ich dir antworten? Ich habe es getan, weil es niemand anderer getan hätte. Weil es meine Pflicht war, es zu tun.«

Sie sagte nicht: einen Menschen töten! Sie sprach nicht vom vergossenen Blut. Sie fragte nur:

»Warum mußtest es gerade du sein?«

Er spürte die gleiche Zärtlichkeit, die gleiche Bewunderung, die sie ihm durch alle Zeiten hindurch bewahrt hatte. Er konnte das Drama nicht ahnen, das der gewaltsame Tod Gardas' für Mehlen und sie im besonderen auslöste.

»Es ist geschehen. Ich kann es nicht bereuen.«

Er wollte ganz ehrlich zu ihr sein. Sie aber dachte an den Abend in der »Mutualité«, an dem sie heimlich seiner Rede gelauscht hatte, obwohl sie nur gekommen war, um sich Mut und Sicherheit bei ihm zu holen. Sie atmete schneller, denn die Angst drang durch:

»Ich verstehe dich ja, du kennst mich — aber du weißt nicht, wie glücklich ich bin, daß du angerufen hast.«

Sie schrie es fast heraus, und es war die Wahrheit. Vor allem bestätigte ihr der Anruf, daß er fliehen konnte und zu so später Stunde noch frei war. Seit sie von dem Attentat wußte, hatte sie sich bemüht, etwas für Enguerrand zu unternehmen, aber wie sollte sie es, wenn sie seinen Aufenthalt nicht kannte? Sie hatte auf ein Wunder gehofft, und da war das Wunder eingetreten; es war der Lohn für das Opfer, das sie ihm gebracht hatte: bei Mehlen zu bleiben, statt ans Krankenlager der sterbenden Mutter zu eilen. Das Opfer war nicht vergeblich gewesen; nun aber wollte sie aus weiblicher Neugier die Hintergründe des Wunders erfahren:

»Woher hast du gewußt, daß ich hier bin?«

»Ich rufe von Großmutter an. Angélique hat mir...«

»Ah, gut.« Die Erklärung genügte ihr. »Und die Großmutter...?«

»Nichts Neues. Ein paar Stunden oder vielleicht mehr... das Herz kann aussetzen...«

»Sobald es möglich ist...« Ach, sie konnte ihm jetzt nicht sagen, daß es nicht mehr um den Tod ihrer Mutter allein ging, sondern um ihrer aller Schicksal, um das Leben Enguerrands – er ahnte nicht, was sie versuchte, um ihn zu retten –, um das Leben Mehlens, an das jetzt ihr eigenes Leben gekettet war.

»Du solltest nicht lange warten«, warnte er.

»Ja, ich weiß es«, seufzte sie.

Aber die Sorge um ihn war stärker als alles:

»Was machst du dort? Du darfst nicht in der Wohnung oben bleiben. Bei Großmutter bist du gefährdet. Warum bist du hingegangen?«

»Ich konnte sie nicht sterben lassen, ohne sie zu sehen. Sie weiß nichts. Sie hätte es nicht begriffen...«

»Wie hast du es erfahren?«

»Ich habe Angélique angerufen.«

Plötzlich fuhr sie auf: Wir verlieren Zeit, dachte sie. Hastig redete sie weiter:

»Mein Junge, du hast mich angerufen, das allein ist wichtig. Vor allem aber: Man hat deine Identität bereits festgestellt, man weiß, wer du bist. Du warst der letzte Besucher Gardas'. Man weiß, daß du in seinem Büro allein gewartet und allein mit ihm gesprochen hast. Man weiß auch, wieso du wieder aus dem Haus kamst.«

»Wirklich? Und wieso hast du...?«

»Mehlen, ja, er wurde als erster verständigt. Gardas war in Verbindung mit ihm.«

»Haben sie denn zusammengearbeitet?«

»Nein, nein«, wehrte sie schnell ab, »aber sie kannten sich, von La Gardenne her, du erinnerst dich doch...«

Das befriedigte ihn nicht ganz, aber die Zeit drängte, und er wollte mehr erfahren:

»Du mußt mir alles sagen... alles.«

»Zuerst die Meldung, und dann Blache-Duparc, der Attaché, der die Details berichtete... Der Amtsgehilfe hat es entdeckt, kaum daß du draußen warst. Er ist ins Büro gekommen und hat ihn liegen sehen und sofort den Portier verständigt...«

Es hatte sich genauso abgespielt, wie es Enguerrand vermutet hatte.

»Der Portier hat zuerst die Einfahrt geschlossen, weil ein Wagen hinausgefahren ist. Inzwischen...«

»... bin ich auf der Straße gewesen«, sagte Enguerrand leise. »Ich bin gegangen...«, und um sich vor ihr zu demütigen, um zu zeigen, daß er kein Held war: »Ich bin gerannt.«

»Das war gut, das war gut!« rief sie, »sonst hätten sie dich sofort gehabt!«

»Aber ich hätte nicht davonlaufen dürfen.«

»Doch! Und sie werden dich nicht fangen, nein!« schrie sie beinahe. Und sie schüttete alle Gründe, alle Argumente, wie sie ihr einfielen, kunterbunt über ihn aus. In ihrer Erregung brachte sie alles durcheinander:

»Sie werden dich nicht fangen! Das darf nicht sein. Man muß Zeit gewinnen. Wenn Sie dich jetzt gleich verhaften, dann kann dich niemand retten. Es ist Alarm gegeben – die Polizei hat den Auftrag, dich lebend oder tot zu bringen... Sie brauchen dich, um ein Exempel zu statuieren. Sie wollen sich rächen, verstehst du? Ich weiß genau, was du ihnen angetan hast... Mehlen hat es mir gesagt!« (Ach, wenn sie ihm nur erzählen dürfte, was Mehlen und sie beschlossen hatten!) »Wir wurden weiter auf dem laufenden gehalten... Blache-Duparc hat uns die Meldungen ständig weitergegeben. Und übrigens, der Generalstreik kann jeden Moment ausbrechen... niemals war die Gelegenheit für einen solchen Streik günstiger! Die andere Seite« – sie sagte nicht: »deine Partei« – »kann sie ausnützen und die Macht an sich reißen. Natürlich, sie werden alle Schuld auf dich schieben... dich notfalls fallenlassen... sich sogar bemühen, dich zu fangen, damit du dann alles allein ausbadest... Das darf nicht sein, man darf dich nicht jetzt zur Rechenschaft ziehen, in der ersten Aufregung. Wenn du Motive hast, dann mußt du sie öffentlich aussagen, nicht daß man dich erschießt und dir dann nachher ganz andere unterschiebt. Verstehst du mich? Hallo? Gut. Begreif mich...«

»Du hast recht«, sagte Enguerrand leise. »Alles das hab' ich mir selbst gedacht.«

»Mehlen war sich auch sofort klar darüber... du weißt, wie er ist, er sieht immer das Wesentliche und hakt bei der richtigen Stelle ein. Wir haben gemeinsam« – sie verriet nicht, nach welchem Gespräch – »einen Plan gefaßt. Aber wir konnten nichts unternehmen, ehe wir deinen Aufenthalt kannten. Jetzt...«

»Ich bleibe nicht bei Großmutter. Ich kann es nicht, nicht nur meinetwegen, sondern wegen Angélique und ihrem Freund, die ich hereinziehen würde. Und Lambert... Jeden Moment können Sie mich holen.«

»Und wohin gehst du?«

»Ich weiß nicht... wirklich, mir fällt nichts ein...«

»Es muß ein sicheres Versteck sein. Du brauchst nur bis morgen früh, zeitig früh, dort zu bleiben, mehr ist nicht nötig. Vor Tagesanbruch haben wir das Nötige erledigt. Sag mir nur, wo du sein wirst, und wir organisieren alles. Ein Mann... einer unserer Leute, wird dich abholen und in Sicherheit bringen, weit weg, über die Grenze. Du kommst zurück, wenn alles wieder ruhig geworden ist... und wenn du nicht mehr riskierst, niedergeschossen oder nach einem Schnellverfahren hingerichtet zu werden, denn vielleicht wird das Standrecht verhängt. Wo wirst du sein? Wir müssen es wissen, unbedingt...«

»Einen Augenblick«, sagte er. Er stellte den Apparat nieder und stieß mit der Faust die Türe auf. Da standen die beiden, Bernard und Angélique, das Mädchen hatte das Haupt an die Schulter des Freundes gelehnt.

»Bernard, ich kann mich in Sicherheit bringen, es gibt eine Gelegenheit. Nur muß man wissen, wo ich mich aufhalte. Bis morgen früh. Glaubst du wirklich, daß ich niemanden gefährde, wenn ich mich in der Rue Cassini verstecke?«

»Niemanden, bestimmt«, erklärte Bernard, »Ich habe es dir doch selbst geraten. Die Kollegen kommen heute nicht. Du könntest sogar den ganzen nächsten Tag bleiben, ohne daß...«

»Und wenn man nachher erfährt, daß ich dort war?«

»Du bist ja früher oft bei mir gewesen. Ich habe eben einfach nichts davon gewußt, wenn man mich verhört.«

»Dann, bitte.« Enguerrand ging zum Apparat zurück: »Ich bin spätestens in einer Stunde... es ist jetzt halb vier, also sagen wir, um vier, in der Rue Cassini, Nummer 29. Es gibt keinen Hauswart. Im dritten Stockwerk, eine einzige Tür auf dem Flur. Man braucht nur ein paarmal fest anzuklopfen, dann öffne ich...« Und leise fügte er hinzu: »Mama, liebe, ich danke dir.«

X

Enguerrand warf einen letzten Blick zurück auf das Bett. Die Kranke lag wie schlafend da. Er ertappte sich bei der Hoffnung, daß sie die Augen nicht mehr aufschlagen würde, um nicht zu fragen, wohin er verschwunden war.

Leise schloß er die Tür hinter sich und tauschte noch ein paar Sätze mit der Schwester und dem Freund:

»Wirst du wenigstens ein Taxi finden?«

»Ich werde mich bemühen. Zur Not gehe ich bis zu den Äußeren Boulevards, bei der Pigalle...«

»Soll ich dich nicht begleiten?«

»Wozu? Bleib hier, Angélique braucht dich.«

Er macht ein Zeichen zur Tür:

»Die Großmutter schläft. Paß auf...«

»Gib mir einen Kuß, Enguerrand«, flüsterte Angélique.

Er küßte sie, wie er es noch niemals getan hatte, mit tiefer Zärtlichkeit. Und da er die Falten auf ihrer Stirne sah: »Ängstige dich nicht, vor Tagesanbruch holt man mich ab.«

»Ich werde keine Ruhe finden. Um acht Uhr rufe ich an, dann darf sich niemand mehr melden.«

»Da bin ich längst über alle Berge.«

Langsam stieg er die Treppe hinab und ließ sich von ihr das Haustor aufsperren. Es war jetzt bitter kalt, der Wind pfiff ihm um die Ohren. Enguerrand spürte seine Müdigkeit nicht mehr, er beeilte sich. Er wäre sehr verwundert gewesen, wenn man ihm gesagt hätte, daß dies der schnelle Gang eines Verurteilten war, der hofft, nicht sterben zu müssen. Alles war verabredet und berechnet, er brauchte sich nur von den Ereignissen leiten zu lassen, auf die er keinen Einfluß mehr hatte, und das befreite ihn von einer drückenden Last.

Er war frei, und er würde frei bleiben. Sein Körper entspannte sich und wurde wieder zu dem wunderbaren Mechanismus, auf den er sich verlassen konnte und wo alles zusammenwirkte: von dem elastischen Schritt der Beine über die kräftigen Arme und die breite Brust bis zu dem regelmäßigen, langsamen und sicheren Schlag seines Herzens. Und dieses Ganze sollte, zugleich mit dem regen Gehirn und der mutigen Seele, die es lenkten, gefährdet sein? Er hatte getötet, gewiß, aber war es nicht einfach der Arm gewesen, der die Waffe, das Werkzeug der Gerechtigkeit, führte? Sollte diese Seele, dieser Körper, dessen Zweck und Adel ihm bewußt war, einfach deshalb bestraft werden, weil sie bereit gewesen waren, die häßliche Arbeit auszuführen, die den Schwächlingen und den Feigen, die sich fürchten und der Gefahr ausweichen wollen, widerstrebte?

Nun würde sich alles abspielen, wie »Mama« es eingefädelt, wie Mehlen es angeordnet hatte; denn Mehlen handelte nur nach dem Willen Mamas. Von »Mama« durfte er alles annehmen, sie brachte dann die Konten mit Mehlen schon in Ordnung, davon war Enguerrand überzeugt. Es war, als ob bereits alles geschehen wäre; schon vor längerer

Zeit war die Angst von ihm gewichen, jetzt aber war ihm überhaupt nicht mehr bang. In wenigen Stunden würde man an seine Tür pochen, und dann stieg er einfach in ein Auto und verschwand – für immer gerettet. Und mit seinem Leben zugleich triumphierte seine Idee, der Sinn seines Lebens war erfüllt, ohne daß ein jäher Tod sein Streben und sein Wollen verfälschen konnte.

Froh und leicht war ihm zumute. Das erste Leben regte sich auf den Boulevards, obwohl noch die Lichter der Kaffeehäuser brannten; eines war noch offen, zwei Chauffeure saßen vorne und wärmten sich an einer Tasse Kaffee. Er trat ein und kaufte Zigaretten.

So sicher er sich fühlte, wagte er doch nicht, einen der beiden anzureden; er ging hinaus und nahm ein Taxi auf, dessen Lenker im Dunkeln wartete und sein Gesicht nicht sehen konnte.

Nun zog Paris an ihm, um ihn vorüber. Es war sein Paris, seine Stadt, in der er zu leben beschlossen hatte, weil sie die Heimat der Menschen war, wie der Wald die Heimat der Tiere ist. Alles würde wieder zu seinem Recht kommen, und noch viele schöne Tage lagen vor ihm; Kameraden mit der Arbeitermütze oder mit dem Hut, mit ihrer offenen Sprache und dem guten Herzen und im Frühjahr die Mädchen mit dem lebendigen Leib unter den leichten Kleidern oder dem engen Rock. Und die Freundschaft Bernards, zu der sich nun die Freundschaft der Schwester gesellte, Angéliques, die vor sich selbst gerettet war ... Und die Liebe, wie er sie nie zuvor gekannt hatte und die allein schon bewies, daß man zum Leben geschaffen war; die Liebe, der er keinen Namen geben konnte, die aber über alle Namen und alle Worte hinaus triumphierte.

Er dachte an sie. Er dachte, wie sie in seinen Armen gelegen hatte, er dachte an das Verstehen, das sie aneinanderschweißte. Er dachte, daß es deshalb allein schon nötig, logisch und gerecht war – immer wieder kehrte er zu diesem Begriff zurück –, einen zweiten Mord, einen zwar legalen, aber sinnlosen, übereilten und unwiderruflichen Mord, zu verhindern.

Da war der Fluß. Sein Wasser schimmerte. Jetzt die Verkehrsinsel am linken Ufer. Nun mußte er ganz nah an dem Haus vorbeifahren, in dem sie wohnte, das Mädchen, das er vorhin absichtlich verlassen hatte und das voll Angst im Zimmer auf und ab lief oder aber noch in den Fesseln des Schlummers lag, in den sie die Liebe versenkt hatte. Jetzt durfte er gar nichts tun, sie nicht beruhigen, aber morgen wollte er sie verständigen. Unter welchem Namen? Er kannte nicht einmal ihren Namen! Egal, das würde auch noch gelingen, nachdem so viel geglückt war. Sie mußte es wissen, sie würde es wissen. Und auf andere Weise als durch die Zeitungen, die morgen mitteilen werden, daß man ihn noch nicht gefunden hatte. Dadurch aber erfuhr sie wenigstens seinen Namen.

Noch sehnsüchtiger dachte er an sie, als das Taxi den Boulevard Saint-Michel hinauffuhr und er nur einige Meter von ihr entfernt war. Er murmelte, als ob sie ihn verstehen könnte: »Bald ... ich verspreche es dir ... bald ...« Das war kindisch, aber war er viel anderes als ein Kind? Er sagte noch: »Ich liebe dich.« Er sagte es mit der Glut des Jünglings, der er immer gewesen war.

Dann ging alles sehr schnell, es waren nur ein paar Schritte zum Jardin de Luxembourg.

»Rechts oder links, Monsieur?« fragte der Chauffeur.

»Rechts.«

Da waren sie schon. Der Wagen bremste, und Enguerrand stand vor dem Haus, das er so gut kannte, wo er so oft mit Bernard und den Freunden beisammen gewesen war und diskutiert hatte. Er zahlte.

Nun die Treppe. Er brauchte kein Licht, er fand den Schlüssel sofort unter der Fußmatte. Aus Vorsicht sperrte er von innen zu und ließ ihn stecken. Aber was riskierte er? Er ging direkt in das letzte Zimmer, ließ die Türen offenstehen. Er sah das Bett, in dem die Nacht vorher Bernard und Angélique gelegen hatten und jäh aufgebrochen waren. Die Kissen waren noch verschoben, er richtete sie, legte sich nieder und streckte sich aus. Die Augen schließen ... nicht mehr denken.

Im Vorübergehen hatte er die Lampe des Vorzimmers abgedreht, ebenso die des Salons. Auch die Leselampe beim Bett. Er fürchtete die Nacht nicht. Seine Glieder entspannten sich. Ach, wie wohl das seinem Körper nach all den Anstrengungen tat. Wie gut sich's auf einem Bett ruhte, wenn man wußte, daß man nur zu seinem Heil aufgeweckt werden konnte!

So schlief Enguerrand de Viborne ein, tief und ruhig, und sank in den köstlichen Schlaf der Jugend.

XI

Der Mann Mehlens, jener Angestellte, den man für einen Polizisten in Zivil halten konnte, wenn er das Tor öffnete, holte seinen Wagen aus der Garage und saß, genau wie ihm angeordnet war, um Punkt sechs Uhr dreißig am Volant.

Es wurde erst um halb acht licht, er hatte reichlich Zeit. Er konnte mit Enguerrand auf geradem Weg nach Orléans fahren, nachdem er ihm den blauen Anzug, der seinem eigenen ähnelte, ausgehändigt hatte. Und Enguerrand, umgekleidet und mit ordentlichen Papieren, dem Passierschein versehen, den Mehlen von seinem Freund, dem Polizeipräfekten Coudray, erhalten hatte, konnte beruhigt jeder Konfrontation auf der Straße entgegensehen.

Der Mann wußte, was er riskierte, aber er hatte schon Ärgeres erlebt. Er stand tief in der Schuld Mehlens, der ihm aus einer üblen Geschichte herausgeholfen hatte, und Mehlen wußte, daß er sich auf ihn verlassen durfte, alles war einfach und leicht; es war unmöglich, daß etwas schiefging. Sobald Enguerrand einmal in Spanien unter falschem Namen untergetaucht war, verwandelte man ihn zum politischen Flüchtling, und er war sicher wie in Abrahams Schoß. Wenn nötig, zog er weiter nach Portugal oder Südamerika und blieb eben so lange drüben, bis sich die Stürme gelegt hatten und man die Ereignisse mit nüchternen Augen betrachtete.

Das also hatte Mehlen auf die Bitte Angèle de Vibornes getan. Er hatte alle Hebel in Bewegung gesetzt, um den Mörder Gardas' zu retten; was unendlich paradox war, da dieser gewaltsame Tod indirekt die schwerwiegendsten Folgen für ihn persönlich hatte. Aber Enguerrand war der Sohn Angèles, ihr ebenso lieb wie die leiblichen Kinder, und er trug ihren Namen. Mehlen unternahm immer alles, was nötig war und wenn es nötig war. Nicht zum erstenmal erkannte er die tiefe Ironie des Schicksals, aber er besaß genug »Klasse«, um sie mit dem eiskalten, scharfen Verstand zu genießen, der ihn unter keinen Umständen im Stich ließ.

Es war kühl; man hatte vergessen, die Heizung in der Privatgarage anzudrehen, und der Mann brachte den Motor des DS nur mit einiger Mühe in Gang. Er fuhr hinaus und entfernte sich langsam durch die Avenue Bugeaud. Die Benzinuhr stand auf voll; er brauchte erst später in irgendeinem Dorf zu tanken, wo sie nicht auffielen. Der Chef konnte wieder mit ihm zufrieden sein. Er rekapitulierte nochmals – denn er war gewissenhaft –, was ihm aufgetragen war: vor dem bewußten Haus in der Rue Cassini anhalten, durch die niemals geschlossene Türe eintreten, in die angegebene Etage steigen ...

Er stoppte. Diesmal ging es um die Wurst, und er wollte unter Beweis stellen, daß sein Ruf, ein findiger und kaltblütiger Bursche zu sein, begründet war. Ja, das war das Haus. Er stellte den Motor ab – der warm gewordene Wagen würde sofort anspringen –, vergewisserte sich nochmals, daß die Hausnummer stimmte, griff nach dem kleinen Koffer mit dem Anzug, trat in das Tor und stieg die Treppe hinauf.

Es roch nicht nach kaltem Küchendunst, weil es keine Portiersloge gab, es roch abgestanden und nach dem Staub schlecht gehaltener Wohnungen. Er konnte sich nicht irren, es war ihm genau erklärt worden: Die Wohnung war in der dritten Etage. Lautlos ging er hinauf, fand die Tür und klopfte diskret dreimal.

Er wartete eine Weile, lauschte, aber drinnen rührte sich nichts. So klopfte er nochmals, diesmal etwas stärker.

Er war schnell hinaufgelaufen, aber nun atmete er wieder ganz ruhig. Daran erkannte er, wie lange er schon oben war: mindestens drei oder vier Minuten. Er klopfte noch stärker, mit der Faust, aber mit der Außenseite, damit die Schläge zwar innen vernehmbar, nach außen aber so dumpf klangen, daß die Leute unten nicht aufmerksam wurden. Dann drückte er sein Ohr an die Türfüllung. Aber nichts regte sich in der Wohnung, nichts wies darauf hin, daß sich ein lebendes Geschöpf darin verbarg.

Der Mann wurde unruhig. Nun klopfte er fest mit seinen harten Fingerknöcheln, ja, er rief hinein, aber nur tiefe Stille antwortete ihm.

Dicke Schweißtropfen bildeten sich auf seiner Stirn, er trommelte an der Türe, ohne Rücksicht auf die andern Parteien, und immer lauter rief er: »He, Monsieur ... Ich bin es ... Kommen Sie ... höchste Zeit! Sie müssen kommen!« Er wartete eine Weile, verständnislos, ratlos, keuchend und wütend – es blieb weiterhin still.

Unten ging eine Tür. Jetzt blieb nichts anderes übrig, als abzuhauen, ohne aufzufallen und ohne unnötiges Aufsehen zu erregen. Er wartete, bis sich die Tür unten geschlossen hatte, legte noch einmal das Ohr an das Holz und ging dann langsam zum Wagen hinunter. Die Autouhr zeigte sieben Uhr dreiundzwanzig. Es wurde hell in den Straßen. Die einzige Möglichkeit: nach Hause fahren und neue Befehle abwarten. Er gab Gas und brauste davon. Bei der Einbiegung in die Avenue raste ihm ein Citroën entgegen, der die Kurve so heftig nahm, daß er über den Gehsteig fuhr; er hätte ihn um Haaresbreite gestreift. Er schimpfte hinter ihm her, als ob ihn der Fahrer hören könnte. Er war wütend und enttäuscht – aber was? War es seine Schuld, ja oder nein?

Erst nach Montparnasse fiel ihm ein, zu telefonieren. Das war sicher besser, als Zeit zu verlieren und zur Porte Dauphine zurückzukehren; vielleicht war inzwischen etwas Neues geschehen, vielleicht suchte man ihn sogar, um ihn zu informieren.

Er telefonierte von einem Kaffeehaus. Madame de Viborne war am Apparat, sie hatte befohlen, ihn direkt mit ihr zu verbinden, falls er anrufen sollte. Sie schlief also nicht? Das war ihm peinlich. Sie war schließlich nicht Mehlen, und er, der Chef, hatte vielleicht andere Absichten und Wünsche als diese Frau, die den gleichen Namen wie der Mörder trug.

»Madame, ich habe genau getan, was Monsieur angeordnet hat. Ich war in der Rue Cassini, auf der bewußten Nummer. Oben an der Wohnungstür habe ich geklopft... geklopft, fast zwanzig Minuten lang, Madame, aber es hat mir niemand aufgemacht...«

»Das ist nicht möglich! Ist das wirklich wahr?«

»Natürlich, ich kann es beschwören, Madame. Niemand ist gekommen... Madame kennen mich doch...«

Angèle stand wie vom Blitz getroffen da. Hundert Gedanken schwirrten durch ihren Kopf: Enguerrand mußte in der Rue Cassini sein, er selbst hatte ihr die Adresse angegeben... Ausgeschlossen, daß er sich woanders aufhielt... Hatte er sie belogen? Nein, nein, er hatte »Mama« gesagt, zum erstenmal... Und wenn er sich's inzwischen anders überlegt hatte? Nein, das war nicht seine Art, er stand zu seinem Wort, bei ihm war kein feierliches Versprechen nötig... Wenn er verhaftet... Mehlen, Mehlen! Sie mußte sofort mit Mehlen sprechen, sofort. Aber wo steckte Mehlen? Nein, nicht Mehlen, erst einmal etwas anders versuchen, vielleicht...

»Wo sind Sie?«

»In einem Kaffeehaus, von wo ich telefoniere... Die Nummer steht oben auf dem Apparat: Ecole 23-33.«

»Dann bleiben Sie dort. Sobald ich irgend etwas erfahre, rufe ich Sie an. Warten Sie in der Nähe des Apparates!«

Sie wählte die Nummer ihrer Mutter; Angélique meldete sich augenblicklich:

»Ach, du, Mama... Mit Großmutter steht es noch immer gleich. Aber trotzdem, schau, daß du bald kommen kannst...«

Angèle de Viborne fiel ihr ins Wort:

»Gibt es dort... in der gewissen Wohnung... ein Telefon? Wo könnte Enguerrand sonst sein?«

»Ist er denn nicht in der Rue Cassini?«

»Nein; wir wollten ihn holen lassen, man hat geklopft, gerufen... Aber es hat sich nichts gerührt.«

»Mama, vielleicht ist er eingeschlafen...«

»Ich sag' dir, der Mann hat zwanzig Minuten geklopft... Es ist unmöglich, noch einmal auf gut Glück hinzufahren. Ich will zuerst anrufen, es ist schon hell...«

Angélique gab ihr die Nummer, die ihr Bernard zuflüsterte.

»Und komm, komm, sobald du kannst.«

»Ja, ja... aber Enguerrand... erst Enguerrand...«

Und sie hängte ab, um die andere Nummer zu wählen. Es läutete zweimal, dann ein Klick: Es wurde abgehoben. Aber niemand meldete sich. Trotzdem schien ihr, als hörte sie jemanden atmen:

»Hallo, bist du's?« fragte sie.

»Wen wünschen Sie?« sagte eine Stimme.

Würgend sprang ihr die Angst an die Kehle.

»Sagen Sie doch, wen Sie wünschen«, fuhr die Stimme fort.

Eine verstellte Stimme, die sich absichtlich freundlich gab, falsch und vulgär. Eine Stimme, die niemanden täuschen konnte, nicht einmal eine so unerfahrene Frau wie Angèle.

»Nein, nein«, stammelte sie.

»Aber ja«, drängte die Stimme. »Vielleicht sind Sie falsch verbunden... Sie brauchen uns nur« – er sagte »uns« – »den Namen zu nennen...«

Der Hörer entsank der schlaffen Hand Angèles. Enguerrand wird nicht mehr antworten, niemals mehr... Jedermann hätte diese Stimme unter Tausenden erkannt: die Stimme der Polizei.

XII

Enguerrand war von seiner Jugend überwältigt worden, wie andere vom Alter überwältigt werden, entwaffnet von dieser seiner Jugend. Er schlief tief wie ein Kind, beruhigt, friedlich, von seiner Rettung überzeugt, und so hatte er nichts gehört. Der Mann Mehlens, der ihm das Leben brachte, konnte noch so laut an die Tür hämmern. Enguerrand war kaum fünfundzwanzig Jahre alt.

Als er die Augen geschlossen hatte, waren ihm zwei Gedanken durch den Kopf gegangen, Gedanken, die zusammengehörten: »Ich habe getan, was ich tun mußte«, und »ich werde nicht sterben«. Es war ganz natürlich, daß er dann einschlief: Er brauchte nicht mehr zu grübeln. Vielleicht drang sogar das Klopfen des Mannes in seine Träume ein, ohne ihn aber zum Bewußtsein und zum Leben zurückzuholen. Erst später fuhr er plötzlich auf. Ein paar Männer standen vor ihm, sie hatten die Tür eingedrückt, einer packte ihn am Kragen und schüttelte ihn. Sie nannten ihn bei seinem Namen. Konnte er leugnen? Sie hatten ihn erkannt.

Und schon saßen die Handschellen an seinen Gelenken. Er hockte am Bettrand, benommen, den Hosenbund lächerlich offen über dem Hemd, unter der Wolljacke, die er nicht abgelegt hatte. Einer der Männer steckte den Revolver in die Ledertasche zurück. Die andern schauten herum, durchsuchten jeden Winkel des Zimmers.

Sie beschimpften ihn nicht, sie mißhandelten ihn nicht; sie hielten ihn in Gewahrsam, und das genügte. Die Herren waren hoch zufrieden. Sie hatten nicht mit einer so glatten Erledigung ihres Auftrags zu rechnen gewagt.

Wie ein Wunder hatte alles geklappt, und die Meldung des Kommissariates der Rue Delambre an die Sicherheitszentrale hatte gestimmt. Solange Bernard keinen Blödsinn gemacht hatte, war es nicht nötig gewesen, die Aufmerksamkeit auf ihn zu lenken; Junin hatte ihm sogar nach Kräften geholfen, den kleinen Lambert zu finden; im Augenblick aber, da Blut – und welches Blut! – geflossen war, sah er es als Pflicht an, seinem Vorgesetzten die Adresse zu melden, wo ein Viborne verkehrte. Denn der Name Viborne hatte ihn auf die richtige Fährte gebracht. Bernard hatte einen Jungen mit diesem Namen gesucht; er mußte daher auch dessen Bruder kennen, das war sonnenklar. Auf alle Fälle konnte man einen Blick in das Domizil werfen. Die Polizei griff die Meldung prompt auf und fuhr los, sobald es hell wurde. Wenn es dem Chauffeur Mehlens eine Viertelstunde früher gelungen wäre, ihn aufzuwecken, dann hätte sie das Nest leer gefunden. Bei seiner verspäteten Rückfahrt wäre der Mann fast mit dem Polizeiwagen zusammengestoßen, aber das würde er niemals erfahren.

Einer der Polizisten, wohl der Chef, trat auf Enguerrand zu. Er half ihm aufzustehen, sich zu setzen und fertig anzukleiden. Er nannte ihn nicht »Du Dreckskerl«, oder »Mörder«, er duzte ihn nur, mit der derben Vertraulichkeit, die sich immer zwischen den Schergen und ihren Opfern bildet.

»Du bist ganz allein da?«

»Ja.«

»Wie bist du hereingekommen?«

»Der Schlüssel liegt ständig unter der Fußmatte, für jedermann.«

»Das ist die Wohnung von Bernard Gandret?«

»Ja.«

»Den kennen wir.«

»Er hat mit der Sache nichts zu tun. Er weiß von nichts.«

»Warum ist er nicht hier?«

»Wahrscheinlich in Bereitschaft . . . in den Vororten.«

»Er ist Mitglied der Organisation?«

»Ja, das ist schließlich erlaubt.«

»Gewiß, in Frankreich, ja. Und du?«

»Ich bin nicht mehr dabei. Sie wollten von mir nichts mehr wissen, weil ich anderer Meinung als sie war. Ich habe alles ganz allein gemacht, allein durchgeführt, was geschehen ist . . .«

»Du kannst es ruhig ›das Verbrechen‹ nennen.«

»Wie Sie wollen. Ich allein habe es gewünscht, geplant und vollzogen.«

»Schön«, sagte der Mann gutmütig, »das wirst du eben bei den ent-

701

sprechenden Stellen vorbringen. Das einzige, was wir wollen: nichts
vergessen und nichts übersehen. Hilf uns. Du kannst nur dabei gewinnen.«

»Ich habe nichts mehr zu verlieren.«

»In Ordnung«, sagte der Mann, »los, Jungens, wir fahren ab.«

»Geh vor, Bursche«, befahl einer von ihnen. In diesem Augenblick
läutete das Telefon. Der Polizist meldete sich, hängte ab und drehte
sich zu Enguerrand:

»Weißt du, wer das war?«

»Nein.« Und das war richtig.

»Natürlich«, nickte der Polizist. »Antoine«, sagte er zu einem der beiden, »du läßt sofort feststellen, woher der Anruf kam.«

»Niemand hat gewußt, daß ich hier bin.«

»Behauptest du. Du brauchst dich nicht so sehr zu bemühen, Bürschchen, zum Schluß bekommen wir doch alles heraus.«

»Ich werde aussagen, was ich weiß – was kann mir das jetzt noch ausmachen?«

»Na, dann werden wir uns ja bestens verstehen. Zigarette?«

Er holte ein Päckchen blauer Gauloises aus der Tasche und reichte sie
Enguerrand.

»Danke, nein.«

»Du rauchst am Morgen nicht? Stimmt, du bist ein Sohn aus feiner
Familie.« Er lachte, zündete sich eine an. »Ich nicht, und da ich brav
gearbeitet habe, vergönne ich mir eine.«

Er bot auch den beiden Polizisten an:

»Na, Jungens?«

»Wir sagen nicht nein, Chef.«

»Und du, Viborne, mach keine Blödheiten: nicht die Treppe hinunter-
springen oder andere akrobatische Kunststückchen . . .«

»Ich habe nicht die Absicht, mich umzubringen.«

So, er war also gefangen, und trotz seiner Irrtümer, seiner Angst,
seines Zweifels und auch der Versprechen, die er gegeben hatte, trotz
seiner Schwäche fühlte er sich von einer schweren Last befreit, ohne
daß er sich damit von all dem, was Vorurteil, Erziehung und angeborene Scheu ist, ganz hätte lösen können – es war vollbracht. Das
Schicksal hatte sich erfüllt, wie er es von der ersten Stunde an vorausgesehen, gewollt und auf sich genommen hatte. Aller Mut, der
ihn einen Augenblick hatte verlassen wollen, kehrte zurück.

Draußen war es heller Tag. Ein Mann stieg aus dem Citroën, öffnete
den Wagenschlag, wie es einst der Chauffeur in La Gardenne getan
hatte, wenn der Marquis de Viborne wegfuhr. Enguerrand setzte sich
auf den Rücksitz, zwischen die beiden Wachleute. Der Chef saß vorne

neben dem Chauffeur, und sie fuhren los. Kaum zwei Personen waren auf der Straße gewesen, niemand hatte zugeschaut, und Enguerrand – Vorurteile sind eben schwer abzuschütteln – war erleichtert darüber.

In schnellem Tempo ging es in die Richtung Gobelins. Auf den Kreuzungen standen Polizisten, oft mit Milizen an ihrer Seite. Paris wirkte seltsam still; man sah keinen Autobus, und ein ungewohnt dichter Menschenstrom bewegte sich auf den Gehsteigen oder in den Alleen. Vor dem Bahnhof Austerlitz stand kein Taxi, vor der Brücke hingegen stauten sich die Privatwagen, so daß an kein Durchkommen zu denken war.

»Gib Signal!«

Der Chauffeur gehorchte. Die Wagen wichen aus. Enguerrand konnte sich nicht enthalten zu fragen: »Was ist denn los?«

Der Chauffeur drehte sich um und verzog spöttisch den Mund: »Das weißt du nicht? Generalstreik!«

Der Streik! Natürlich! Ehrlich gesagt, er hatte ihn ganz vergessen.

XIII

Nun wurde alles administrativ, systematisch und häßlich. Das Auto fuhr in den Hof der Polizeipräfektur ein und parkte vor der Treppe neun. Es herrschte reges Kommen und Gehen von Männern, die alle sehr beschäftigt aussahen. Niemand schien sich für Enguerrand zu interessieren. Im übrigen ging alles sehr schnell. Ein Polizist zog ihn hinein, und vor ihnen mußte er die drei Treppen hinaufsteigen. Hier gab es keine Teppiche, und das ausgetretene Holz knackte unter seinen Schritten. Da war eine Glastür. Sie gelangten in ein Vorzimmer mit Bänken, auf denen Leute, die Vorladungen gezückt, auf die Vernehmung warteten. Man führte ihn direkt in ein Büro, wo ein Beamter an einer altertümlichen Schreibmaschine saß und einen Bericht heruntertippte. Der Chef war abwesend. Enguerrand wurde von nur einem einzigen Polizisten bewacht und mußte ziemlich lange warten.

Der Beamte tippte eifrig ohne aufzuschauen. Endlich war er fertig, überlas das Geschriebene und drehte sich dem Wachmann zu:

»Fall van Berg?«

»Nein, Gardas.«

»Ah!« Der Beamte hob mit einer gewissen, wenn auch durch Gewohnheit abgestumpften Neugier den Kopf. »Ihr habt ihn schon erwischt? Na, er wäre keinesfalls weit gekommen.«

Er überlas nochmals seinen Bericht, wobei er die Stirne vor Anstrengung runzelte.

»Laß dir Zeit«, meinte der Wachmann, »der Chef ruft uns bestimmt vor dir, und bei uns wird es eine Weile dauern. Gut, bis zehn Uhr, denke ich.«

»Glaubst du?«

»Na, hörst du – schließlich sind wir ein besonderer Fall, ein dringender . . . Hast du in der Früh eine Metro gekriegt?«

»Zu Fuß bin ich gelaufen. Gottlob wohne ich nicht im Bois-Colombes.«

Die Tür vor Enguerrand öffnete sich. Der Chef erschien:

»Da herein«, befahl er.

Das Büro war trostlos und unpersönlich. Sein einziges Fenster ging hinaus in den Hof, in den man aber von diesem Stockwerk nicht hinuntersah, und das Gebäude gegenüber, durch die ganze Hofbreite getrennt, verschwamm in dem Morgennebel dieses frostigen Tages. Die Einrichtung des Büros war kärglich: ein Holzschreibtisch, zwei Lehnstühle, Sessel an der Wand und Aktenschränke, einstmals grün, jetzt aber zu einem schmutzig-grünlichen Braun nachgedunkelt. Dann noch ein kleines Pult, hinter dem ein Mann mit Schreibblock und Füllfeder saß. Vor einem offenen Kleiderschrank stand ein kleiner, untersetzter, bebrillter Mann, mit stark gelichtetem Haar, der sich vergebens bemühte, eine Jacke von einem Kleiderhaken abzunehmen. Der Polizist kam ihm zu Hilfe:

»Sie gestatten, Herr Chef?«

»Danke, Moissant.«

Er tauschte sein Sakko gegen eine noch ältere, abgetragene Jacke aus.

»Setzen Sie sich«, befahl der Wachbeamte und zeigte auf den Stuhl, der dem Schreibtisch gegenüberstand. Enguerrand setzte sich.

Der Mann, den sie Chef nannten, ließ sich ebenfalls nieder, anscheinend ohne den Delinquenten zu beachten. Mit einem kleinen Schlüssel, den er aus seiner Brieftasche zog, öffnete er die rechte Schreibtischschublade und holte diverse Schreibutensilien heraus, die er sorgfältig vor sich reihte; ebenso bedächtig wählte er einen Bleistift, den er umständlich spitzte. Dann hob er die Augen und musterte Enguerrand gründlich durch seine stahlgefaßte Arbeitsbrille.

»Monsieur«, sagte Enguerrand, »wenn Sie mir Fragen zu stellen haben, bin ich bereit, auf alles zu antworten.«

»Fragen . . . Fragen . . .«, fuhr der Beamte auf. »Natürlich habe ich Fragen zu stellen, deshalb bin ich hier, nicht wahr? Ihr Name, Vorname, wann und wo geboren?«

Enguerrand gab die Daten an, die sich der Chef wiederholen ließ. Als sie zu Ende waren, nahm Enguerrand sich einen Anlauf:

»Herr Kommissar...«

Der aber ließ ihn nicht zu Wort kommen:

»Pssst... psst... Ich werde mich hüten... Schluß hier. Nicht mehr mein Ressort. Wir haben Sie verhaftet, damit ist unser Auftrag erfüllt. Sie haben einen Menschen ermordet, und Sie haben es gestanden, das ist gut, sehr günstig... Aber das Opfer war kein gewöhnlicher Mann, nicht irgendwer, es war Victor Gardas, der Ministerpräsident Frankreichs. Da sind wir nicht zuständig, das kommt vor den Herrn Innenminister.«

Er stand auf.

»Moissant, ich gratuliere Ihnen nochmals. Sie haben prompt gearbeitet – ein sehr schöner Erfolg, eine Ehre für unsere ganze Abteilung. Danke, lieber Freund, danke, ich danke Ihnen. Nun haben Sie nur mehr eines zu tun: diesen Herrn da in den sichern Hafen zu bringen. Ich habe strikte Weisungen: Er kommt nicht nach Fresnes, man hält ihn ›zur Verfügung‹, und Sie wissen, wo. Das ist kein alltäglicher Fall, sondern eine Staatsaffäre, unter den obwaltenden Umständen eine Angelegenheit des Staates, Sie verstehen? Haben Sie verstanden?«

»Jawohl, Chef.«

»Sie sind also verantwortlich. Sie können sich schon bereitmachen.«

Der Chef grüßte und sagte: »Dort hinaus«, und alle drei durchqueren den Vorraum mit den wartenden Parteien.

»Wohin führen Sie mich?« fragte Enguerrand im Treppenhaus.

»Das wirst du schon sehen«, sagte der Wachmann, der ihn wieder duzte.

Unten stand nicht mehr der Citroën, sondern ein Kombiwagen – der grüne Heinrich. Ein Milizsoldat ließ ihn hineinklettern und schloß die Türe hinter ihm; er fand sich in einer schmalen Zelle, die gerade Platz für einen Sitz bot. Die andern Zellen waren leer, der Wagen gehörte ihm allein. Der Chef, der »Verantwortliche«, machte die Reise mit, denn Enguerrand hörte seine Stimme durch die Wand. Er unterhielt sich mit dem Soldaten. Sie sprachen weder von ihm noch von den Ereignissen. Ein Mann war gestorben, ein anderer sah seinem Ende entgegen, und das Leben ging weiter, da, wie auch auf den Straßen, durch die sie fuhren, ohne daß Enguerrand davon etwas sehen konnte; nur manchmal drang der Lärm von taktmäßigen Schritten herein, wie von marschierenden Truppen.

Sie hielten etwas länger als sonst, und die Reifen knirschten über den Kies. Dann wurde das Motorengeräusch dumpfer, wie von nahen

Mauern zurückgeworfen. Enguerrand wußte, was das bedeutete, und schon öffnete sich seine Tür, seine Wachen erschienen, ließen ihn aussteigen und in einen Torbogen eintreten.

Es war dunkel, und er brauchte eine Zeitlang, um sich daran zu gewöhnen. Er stolperte sogar über die erste der drei Stufen, die zu einer Tür an der linken Seite führten. Die Räume, die er jetzt sah, ähnelten zwar nicht in der Größe, aber in Farbe und Geruch jenen, die er eben verlassen hatte. Ein paar Männer erwarteten ihn. Sie waren unbewaffnet wie die Polizisten oder die Mobilgarden. Sie schienen dem Haus anzugehören, einer von ihnen trug sogar Hausschuhe.

»Folgen Sie mir«, befahl einer mit einem Schlüsselbund in der Hand.

Sie gingen durch einen finstern Flur mit schokoladenbraunem Sims, in den graues Tageslicht aus schmalen Fenstern fiel, die sich in regelmäßigen Abständen hoch unter der Decke befanden. Alles sah trüb und häßlich aus. Der Gang wurde durch eine Tür abgeschlossen, an die der Schlüsselträger klopfte. Da keine Antwort erfolgte, öffnete er sie, und sie traten in einen Raum, der eine Art Sprechzimmer zu sein schien, denn man sah vier, mit gelblichem Rips bespannte Fauteuils. Der Mann ging zu einer anderen Tür in der Mitte der hinteren Wand, einer Polstertür, die mit ehemals goldenen Knöpfen verziert war. Er legte lauschend das Ohr an die Polsterung, und da es ihm nichts genützt hätte, zu klopfen, so öffnete er selbst und steckte die Nase hinein. Eine Stimme sagte:

»Ah, Sie sind es ... Endlich. Nun, herein, aber sofort bitte.«

Man schob Enguerrand vor, und jetzt erst erblickte er den Sprecher: Äußerlich unterschied er sich kaum von den andern, doch war er sichtlich eine Persönlichkeit, die gewöhnt war zu befehlen. Er wäre mit dem Dekor verschmolzen, wenn er nicht geredet und angeordnet hätte. Das Büro glich dem Büro der Präfektur, nur war es größer. Nichts hob sich ab, nichts, an dem sich das Auge hätte erholen können, alles war trostlos einförmig. Nun war Enguerrand in der Region des Gesetzes angelangt, wo in strenger Buchhaltung Soll und Haben der Schuldigen festgestellt wird.

Der Sprecher stand vor seinem Schreibtisch. Da man ihn »Herr Direktor« nannte, nahm Enguerrand an, daß er vor dem Direktor eines Gefängnisses stand. Auch an diese Möglichkeit hatte er nie gedacht; niemals war ihm ein Gefängnis in den Sinn gekommen, wenn er sich die Folgen seiner Tat ausgemalt hatte. Und ebensowenig der Empfang, der ihm hier zuteil wurde. Der Direktor hatte einem offensichtlich hochgestellten Herrn den Platz an seinem Schreibtisch überlassen, einem Herrn, der gedankenlos mit dem Deckel eines Klebstofftiegels spielte, aus dem ein Pinsel ragte. Er sprang auf, als Enguerrand eintrat, vergaß, was er in den Händen hielt, und wies mit dem Pinsel auf einen jungen Herrn, den Enguerrand sofort erkannte:

»Ist er das...?« fragte er, vor Aufregung zitternd.

»Er ist es«, bestätigte der Gefragte demütig.

»Sie erkennen ihn also, Blache-Duparc?«

»Ja, Herr Minister.«

In seiner Erregung griff der Politiker den Pinsel verkehrt an und verschmierte sich Handfläche und Finger, was ihn höchlichst aufbrachte.

»Teufel!« zischte er. »So geben Sie mir doch ein Papier... oder ein Handtuch...! Schnell, Herr Direktor!«

Der Direktor bemühte sich emsig, ihm zu helfen. Die andern ebenso. Sie reichten ihm alles, was ihnen in die Hände fiel. Blache-Duparc, der sich soviel zuschulden hatte kommen lassen, opferte sein Taschentuch. Der Minister wischte sich ab und warf es dann zornbebend in eine Ecke. Er trat hinter dem Schreibtisch hervor und ging mit drohend erhobenem Finger auf Enguerrand zu:

»Ah... Sie sind es also... Sie... Nun, Sie können sich was einbilden, Sie haben uns da eine feine Suppe eingebrockt... Was Schönes haben Sie angerichtet, Sie...«

XIV

Enguerrand schaute auf Monsieur Chataignier, den Minister. Er war bleich, ein wenig Speichel saß im Mundwinkel und war ihm hinderlich beim Sprechen. Er kochte vor Zorn, und seine Umgebung – außer Blache-Duparc waren noch zwei Herren im Zimmer – respektierte es gesenkten Hauptes. Der Minister fuchtelte vor Enguerrands Nase herum und überschrie sich:

»Warum haben Sie das gemacht?« – und es klang wie: »Um mich zu verärgern, nicht wahr?« – »Gerade jetzt, als alles auf bestem Wege war! Mir haben Sie das antun wollen, he? Gestehen Sie doch... gestehen Sie!«

Warum es Enguerrand gemacht hatte, das wußte er sehr genau, er hatte vorher lange genug darüber nachgedacht... und seither auch. Nichts leichter zu erklären als seine Tat. Er müßte beginnen mit...

Nein, er wird nichts sagen. Er wird erst sprechen, wenn ihm nichts anderes mehr übrigbleibt.

»Ich habe es begangen, das genügt doch«, erklärte er.

»So, das glauben Sie!« wütetete der Minister. »Sie glauben, daß man einfach einen Menschen umbringen kann, und damit ist alles erledigt! Aber, mein Herr, wenn man jemanden tötet, dann hat man

eine Absicht, ein bestimmtes Ziel im Auge. Was waren Ihre Ziele?«
Er wartete Enguerrands Antwort nicht einmal ab und schrie weiter:
»Nun, ich werde sie Ihnen verraten: Der Vorgang ist ganz klar. Man
hat Ihnen eine Waffe in die Hand gedrückt, und man hat Sie auf
Gardas losgelassen. Warum gerade Sie? Woher soll ich das wissen?
Vielleicht hat man Sie ausgelost. Die Organisation steht hinter Ihnen,
mein Herr, sie führt Ihre Hand. Sie hat Ihren Revolver geführt, das
ist sonnenklar! Gardas! Gardas ermorden! Gardas, den anständig-
sten, unbestechlichsten, den saubersten Charakter der Welt! Victor
Gardas, den Inbegriff des Patrioten, der sich für sein Vaterland auf-
opferte! Victor Gardas, der in der Widerstandsbewegung Unsterb-
liches geleistet hat, wie Sie genau wissen, und der als Politiker der
gleiche bescheidene Mensch geblieben ist wie zuvor... Ein Held! Ein
Heiliger! Ein Märtyrer...!«
Seine Zuhörer hätten applaudiert, wenn es schicklich gewesen wäre.
»Aber das hat Sie nicht gehindert. Ein Sektierer sind Sie, ein Zelot,
der blindwütig gemordet hat, weil man es ihm auftrug! Was hat
Ihnen unser Präsident denn angetan?«
»Er war...«, begann Enguerrand.
»... alles, was Sie hassen!« brüllte ihn der Minister nieder. »Was ein
Mensch wie Sie haßt! Und warum, Herr Marquis de Viborne? Ich
könnte mir solche Gefühle leisten, nicht Sie... denn mein Vater, der
war Faßbinder. Ich stamme aus armen Verhältnissen, ich habe klein
begonnen und mich mühsam hinaufgearbeitet... Ja, ich hätte es tun
sollen, und dabei...«
»Ja, wirklich, Herr Minister, Sie hätten es tun sollen«, sagte Enguerrand. »Und das mache ich Ihnen eben zum Vorwurf...«
»Was... was erlauben Sie sich da...?« Der Speichel spritzte auf
seinen Rock, er wischte ihn mit dem Ärmelaufschlag ab: »Was? Sie
machen mir also zum Vorwurf, daß ich mein Vaterland liebe, daß
ich ihm mein Leben aufopfere? Und wenn ich morgen mit der Waffe
in der Hand gegen den Chef Ihrer Organisation stehe, um dieses Land
von einem Joch zu befreien, das ich verabscheue, hasse... ja, wenn
ich ihn töte... Was würden Sie dann sagen, he?«
»O Monsieur, das tun Sie nicht«, sagte Enguerrand.
»Richtig, das tue ich nicht. Mich schaudert vor einem Verbrechen...
und am meisten vor einem Mord an einem waffenlosen Mann. Sie
konnten sich also kaltblütig in das Büro des Präsidenten führen lassen... wenn ich richtig informiert bin, hat er Sie aus Sympathie für
Ihre Familie, aus Freundschaft empfangen. Er vertraute Ihnen vollkommen. Und, ohne Warnung, ohne Vorbereitung, ohne ihn zu Wort
kommen zu lassen...«

»Verzeihen Sie – ich habe mich schon am frühen Nachmittag bei ihm vorgestellt. Monsieur Blache-Duparc kann es bezeugen. Bei diesem Besuch habe ich den Präsidenten zu beeinflussen gesucht und ihn gebeten, gut über meinen Vorschlag nachzudenken. Ich hätte ihn also schon früher töten können...«

»Das sagen Sie selbst. Sie sind aber spätabends nochmals gekommen, als niemand mehr anwesend und die Gelegenheit zur Flucht günstiger war. Denn Sie sind geflüchtet, Monsieur, Sie, der Sie so großartig reden und sich damit brüsten, mutig zu Ihren Ansichten und Taten zu stehen.«

Das war richtig. Darauf gab es keine Entgegnung, und Enguerrand mußte schweigen. Es war doch nicht möglich, diesem Mann hier zu erklären, daß der Sachverhalt viel komplizierter war, daß man nicht so einfach nach einem Revolver greift, um einen Mann zu erschießen. Und gerade in diese Überlegungen hinein erklärte der Minister:

»Ich, der ich diesen Fall vom menschlichen Standpunkt aus betrachte...«

Er glaubte es fest. Wozu diskutieren, wozu versuchen, sich verständlich zu machen...?

»Ja«, fuhr der Politiker fort, »vom menschlichen Standpunkt aus haben Sie einen ungeheuren Vertrauensmißbrauch, einen vorsätzlichen und zugleich gemeinen, widerlichen Mord begangen, da Sie Ihre Verbindungen ausnützten, um Einlaß zu finden, was man Ihnen freundschaftlich und gläubig gewährte! Einen Mord, der überdies Ihr Vaterland in eine überaus gefährliche Lage bringt, vielleicht an den Rand der Anarchie und der Revolution! Denn Sie wissen doch, daß heute früh der Generalstreik ausgerufen wurde?«

»Der war ohnehin geplant.«

»Tatsächlich! Auf jeden Fall aber haben Sie der Masse ein schönes Beispiel der Gewalt geboten und damit allen Exzessen den Weg geebnet. Für mich steht dieser Streik in innigem Zusammenhang mit Ihrer Tat... Sie haben weit mehr verbrochen als einen Mord an einem wehrlosen Menschen!«

»Herr Minister, ich habe nach meinem besten Gewissen gehandelt.«

»Gewissen! Ein feines Wort für ein gemeines Verbrechen! Gewissen! Ja, Gewissen – im vollen Bewußtsein der möglichen Folgen! Sie haben es trotzdem durchgeführt. Sie werden dafür zahlen, Viborne!«

»Ich bin bereit zu zahlen, Monsieur.«

»Gerede!«

»Ich werde es beweisen.«

»Das ändert nichts.«

»O ja, für mich ändert das alles. Kann ich hier jemandem diktieren?«

»Natürlich. Favier!« rief der Direktor.

Der Mann an der Schreibmaschine spannte einen Bogen ein. Enguerrand diktierte:

»Ich erkläre hiermit, daß ich das Attentat auf Monsieur Victor Gardas, den Ministerpräsidenten von Frankreich, aus freien Stücken und ohne Wissen und Wunsch einer Partei verübt habe. Ich empfand gegen Monsieur Gardas weder Abneigung noch Haß. Als Lenker der Geschicke unseres Volkes aber schlug er einen politischen Kurs ein, der Recht und Freiheit dieses Volkes gefährdete. Ich sah es als meine Pflicht an, ihn zu entfernen, da ich glaube, damit zugleich alles das auszumerzen, was die Entwicklung jenes Standes vielleicht für Jahre drosselt, dessen Angehörige ich nach wie vor als meine Mitbrüder betrachte. Ich habe ganz allein gehandelt. Keine Partei, keine Einzelperson hat mich zu meinem Entschluß bewogen. Sie haben eine Partei erwähnt, deren Mitglied ich war. Diese Partei hat mir gestern meine Karte abgenommen, als sie erfuhr, daß ich Gewalt und Aktion predigte. Ich bin bestimmt bereits aus der Partei ausgestoßen. Ich habe Victor Gardas getötet, weil es geschehen mußte, und ich würde es wieder tun, trotz aller und gegen alle.

So, ich glaube, das ist klar genug, und es genügt. Wollen Sie mir bitte das Blatt geben, damit ich es durchlese und unterschreibe.«

Favier reichte es ihm, der Minister aber wetterte nach einer kurzen Pause mit sich überschlagender Stimme weiter:

»Ich glaube Ihnen nicht! Sie haben auf Befehl gehandelt, das sieht ein Blinder! Zu dieser Stunde sind die Fabriken besetzt, es geht drunter und drüber, es wird vielleicht Blut vergossen, ein Kampf zwischen Brüdern, der schrecklichste Krieg, den es gibt, droht auszubrechen! Die Regierung, die jetzt ich vertrete, wird die Ordnung um jeden Preis aufrechterhalten. Nehmen Sie zur Kenntnis, daß alle Dispositionen getroffen sind, daß die nötigen Kräfte Gewehr bei Fuß bereitstehen. In einer Stunde wird der Ministerrat das Standrecht proklamieren – wissen Sie, was das bedeutet, Viborne?«

»Ja, Monsieur.«

»Wir machen kurzen Prozeß. Wir ersticken die Meuterei im Keim. Und wir statuieren ein Exempel: Ihre Person gibt uns die Gelegenheit dazu.«

Enguerrand schaute über die Männer, über die Wände, über die häßlichen Möbel hin. Er war weit, weit von ihren vergänglichen Gegenständen, allen diesen Dingen und allen diesen Worten entfernt. Sie alle waren ihm mit einemmal unsagbar gleichgültig geworden. Das Schöne und das Häßliche verschmolzen ineinander. Er war schon drüben auf der andern Seite.

XV

Enguerrand hatte die Maschinerie in Bewegung gesetzt im vollen Bewußtsein, von ihr zermalmt zu werden. Angriff ist fast immer die beste Verteidigung. Die andern konnten nicht warten, sie waren jetzt zur Verteidigung gezwungen. Das war logisch, das war ehrliches Kriegsrecht. Damit hatte Enguerrand rechnen müssen.

Der Minister entfernte sich, aber das Verhör ging weiter. Alle legten sich ins Zeug, einer nach dem andern, zwei »Sonderbeamte« und der Polizist, der ihn verhaftet hatte, dann der Gefängnisdirektor – der alles überwachte und, die Hände am Rücken, auf und ab schritt, zeitweise jäh stehenblieb und in die Fragen eingriff –, Blache-Duparc selbst, und auch ein Arzt, der ihn nach seiner Gesundheit, seinen Vorfahren ausfragte und wissen wollte, ob es Geistesgestörte oder Geschlechtskranke in seiner Familie gab oder gegeben hatte.

Vom Absurden waren sie zum Widerwärtigen übergegangen. Sie rekonstruierten das Verbrechen im Büro des Direktors. Wo war Gardas gestanden? Ihm gegenüber, oder hatte er ihm den Rücken zugekehrt, als der Schuß fiel? Hatte er sich zu wehren versucht? Was war vorher gesprochen worden? Enguerrand erinnerte sich nicht mehr, und es war ihm zutiefst gleichgültig. Er zeigte es auch, was die Empörung der Umstehenden noch erhöhte: Sein »Zynismus« war ihnen unerträglich.

Wozu diese ganze Komödie, fragte Enguerrand. Hatte er nicht gestanden? Sogar schriftlich? Und jetzt sollte er genau nach der Uhr, Minute für Minute, schildern, was sich zugetragen hatte? Um wieviel Uhr war der Mörder das erstemal empfangen worden? Was hatte der Präsident inzwischen getan?

Man rief einen Mann herein:

»Sie haben die DS gefahren, die der Herr Ministerpräsident benützt hat? Um wieviel Uhr hat man Sie gerufen?«

Er sagte es.

»Waren Sie solche Ausflüge beim Herrn Ministerpräsidenten gewöhnt?«

»O nein. Er fuhr niemals aus, zumindest nicht, seit er Ministerpräsident war.«

»Und wo sind Sie gewesen?«

»Im Bois. Eine Spazierfahrt.«

»Der Herr Ministerpräsident war sehr abgespannt. Ich selbst habe ihm geraten, ein bißchen Luft zu schöpfen«, warf Blache-Duparc ein.

»Sie hätten ihm besser nicht dazu geraten«, stellte der Direktor tadelnd fest, und Blache-Duparc senkte beschämt den Kopf.

»Und die Dauer dieser Spazierfahrt?«

»Eine Stunde fünfundzwanzig Minuten, hin und zurück.«

»In welche Gegend des Bois?«

»Zum oberen Teich. Der Chef hat mich dort anhalten lassen und ist ausgestiegen.«

»Um ein bißchen zu laufen?«

»Er hatte eine Dame erblickt.«

»Eine Dame?« Alle sahen sich an.

»Ich habe ihn nicht aus den Augen gelassen. So lautete mein Befehl, nicht wahr?«

»Und diese Dame?«

»Ehrlich gesagt, sie schien auf ihn zu warten.«

»Ein Rendezvous?«

»Nun«, meinte Blache-Duparc, »er war eben ein Mann wie alle andern. Das Privatleben des Herrn Ministerpräsidenten...«

»Auch sein Privatleben interessiert uns. Wie sah diese Dame aus?«

»Mittelgroß. Hübsch...«

»Wie alt ungefähr?«

»Vierzig vielleicht.«

»Monsieur Blache-Duparc, ist Ihnen bekannt, ob der Herr Ministerpräsident in den letzten Tagen den Besuch einer Dame empfangen hat, die dieser Beschreibung entspricht?«

»Ja«, sagte der Attaché, der sich plötzlich erinnerte, »ja, schon vor einigen Tagen... Nur glaube ich, daß sie etwas älter war. Eine Dame, die auf Empfehlung der Marquise de Viborne kam...«

Die Männer sahen sich stumm an.

»Das ist nicht erstaunlich«, fiel Enguerrand ein, »Monsieur Gardas kannte meine Eltern, das haben Sie selbst festgestellt.«

»Die Marquise de Viborne ist Ihre Mutter, natürlich?«

»Nein, meine Stiefmutter. Die zweite Frau meines Vaters, ich bin aus erster Ehe, wurde aber von ihr aufgezogen.«

»Ich verstehe«, sagte der Verhörende und wandte sich an einen Untergebenen: »Man müßte herauskriegen, wer die Dame war, die der Ministerpräsident gestern abend getroffen hat.«

»Sie sind ziemlich lange in der kleinen Allee längs des Teichs auf und ab gegangen«, fuhr der Chauffeur fort, »dann hat der Herr Ministerpräsident die Dame in den Wagen steigen lassen, und wir haben sie vor der Métrostation der Avenue Bugeaud abgesetzt.«

»Ist sie zur Metro hinuntergegangen?«

»Ich glaube nicht.«

»Haben Sie gehört, was sie gesprochen haben?«

»Nein, sie haben sich sehr angeregt unterhalten... ich meine am Ufer

des Teichs. Nachher schien mir der Herr Ministerpräsident eher niedergeschlagen. Beim Abschied hat er ihr adieu gesagt.«
»Man müßte erfahren, um wieviel Uhr sie sich Rendezvous gegeben haben, ob er es war oder sie ...«
»Sehr einfach, wenn es telefonisch vereinbart wurde«, erklärte der Attaché. Er hob ab und verlangte das Hôtel Matignon.
Avenue Bugeaud ... Ecke Avenue Bugeaud wohnt Mehlen, dachte Enguerrand.
Aber das Hôtel Matignon konnte die Auskunft nicht geben, zumindest nicht sofort. Die Telefonistin vom Nachtdienst kam erst gegen Mittag. So kehrte man wieder zu dem Verbrechen zurück und verhörte weiter:
»Wo haben Sie sich den Revolver verschafft?«
Enguerrand gestand, daß er die Waffe noch von der Résistance her besitze.
»Eine Waffe, die Ihnen die Organisation geliefert hat?«
»Nein ... ja, vielleicht ... Es war 1943.«
»Ah«, sagte der Verhörende, »das hat seine Bedeutung, sogar eine sehr große Bedeutung ...«
Der junge Mann zuckte die Schulter. Das war alles sinnlos und dumm. Eine einzige Sache war wichtig: die Begegnung Gardas' mit dieser Dame. Er hatte sie bei der Métrostation der Avenue Bugeaud abgesetzt und ihr dort adieu gesagt. Wenn Gardas mit Angèle so knapp vor seinem Tod zusammengekommen war, was hatten sie zu besprechen? Er wußte also, daß sie unter dem Dach Mehlens wohnte, da er sie dorthin bringen ließ. Enguerrand hatte öfters bemerkt, daß seine Mutter dem Ministerpräsidenten gefiel, aber daß er wirklich in sie verliebt sein könnte ... nein, so weit wäre der Junge niemals gegangen, und Madame de Viborne hatte es ebensowenig ernst genommen, dessen war er sicher. Hatte Gardas unter ihren Eröffnungen gelitten, hatte sie ihm etwas Entscheidendes gesagt? Anscheinend. Das machte den Ministerpräsidenten menschlicher, brachte ihn näher und vertiefte noch die Anwandlung, die langsam in ihm aufstieg: eine Müdigkeit, die fast an Kummer grenzte.
»Nun, antworten Sie, Viborne, ich habe Sie gefragt.«
Wie fern er diesem Büro war, diesem Gefängnis und diesen Menschen. Später, in der Einsamkeit – einmal mußten sie ihn ja allein lassen –, wollte er wieder über alles das nachdenken und überlegen. Eine ganze Menge Dinge waren ihm noch nicht klar. Nein, noch war nichts beendet ...
»Ich stehe zur Verfügung, Monsieur ... Was wünschen Sie zu wissen?«

»Gehen wir auf Ihre Beziehungen zur Organisation über, Ihrer diesbezüglichen Tätigkeit...«

Ach, das war nicht abzusehen – zum Verzweifeln. Er hatte vielleicht nur noch wenige Stunden vor sich, und die raubte man ihm noch. Von allen Seiten prasselten die Fragen auf ihn ein. Von rechts und links, vom Tisch her, von hinten...

»Sind Sie seit langem Mitglied?«

»Seit wann?«

»Das genaue Datum?«

»Welche Funktionen haben Sie ausgeübt?«

»Mit wem standen Sie in besonderer Beziehung?«

Antworten, um zum Ende zu kommen – aber gab es überhaupt ein Ende? –, um allein zu sein, endlich, um in Ruhe alles das überdenken zu können, kühl, aber doch mit der dunklen Leidenschaft, die sein Blut erhitzte.

Meinetwegen, reden wir also. Unnütze Worte. Man muß sie widerlegen, weil es nötig ist, und zwar schnell, um die Gedanken endlich für die wahren Fragen und die wahren Antworten freizubekommen. Wozu auch etwas verheimlichen? Sie kriegen sowieso alles heraus, die haben die Mittel dazu. Für sie gibt es außerdem nur eine einzige Wahrheit, nicht zwei – es gibt nur die Tatsachen und fertig. So, das habe ich getan, auf diese Weise habe ich es ausgeführt, um diese Zeit. Und Namen? Sie wollen Namen hören? Warum nicht, wenn sie ohnehin alles herausfinden – die Namen bitte, da sind sie. Er begeht keinen Verrat damit, im Gegenteil, er beweist, wie sehr er im Widerspruch mit der Partei stand. Vorgetäuscht, nach außen hin – behauptet der Verhörende. Ach, sollen sie's glauben, die Tatsachen sind unwiderleglich, und die Daten auch.

Die Untersuchung, Enguerrands Belehrung, wenn man es so zu nennen wagte, zieht sich hin, breitet sich aus und verliert sich in Einzelheiten. Die Anwesenden reiben sich die Hände, vor allem Blache-Duparc, dessen Schuld sich von Minute zu Minute verringert – er konnte schließlich nicht ahnen, nicht wahr, daß dieser junge Marquis als Mörder kam, und das aus einem Motiv, das seiner Kaste so ferne liegt. Der Gefängnisdirektor nimmt seine Tabatière heraus und bietet den Umstehenden Zigaretten an – Enguerrand natürlich nicht. Im übrigen tritt der Täter immer mehr in den Hintergrund. Man vergißt ihn. Er ist nur noch ein Begriff: der Mörder, weil es in einem solchen Fall eben einen Mörder geben muß.

Na also, es läuft ja alles wie am Schnürchen... Übrigens scheint er nicht sehr sicher, der junge Mann. Und dann ist er kein Berufsverbrecher. Er ist ahnungslos und sieht die Fallen nicht. Außerdem: in seinem Alter... er ist eben ein Student, dem die Propaganda den Kopf verdreht hat. Ein Werkzeug. Aber trotzdem: Er hätte sich eben von Anfang an nicht mit solchen Leuten einlassen sollen. Er hat gemordet, und diese Tat, wenn sie auch hochpolitisch ist, bedeutet für alle Männer hier – außer Blache-Duparc vielleicht, der diesen Ideologien gegenüber auch etwas anfällig war, ehe er auf den rechten Weg fand – eben nichts anderes als ein alltägliches, vorsätzliches Verbrechen, dessen Motive und Quellen klar auf der Hand liegen.

»Nehmen Sie sich einen Anwalt, Viborne?«

Wozu noch diese Formalität? Er hat doch schon alles ausgesagt, er kann es bei der Verhandlung nur wiederholen.

»Nennen Sie jemanden. Sie kennen sicher Anwälte genug. Im übrigen können Sie sich's noch überlegen, wir sind erst in vierundzwanzig Stunden soweit.«

Das Telefon läutet.

»Für Sie, Herr Direktor«, meldet Favier, der abgehoben hat.

»Ja, natürlich, ja«, sagt der Direktor am Apparat. »Ja, ich verstehe. Teilen Sie dem Herrn Minister mit, daß ich die Nachricht zur Kenntnis genommen habe, Herr Kabinettschef... Verlassen Sie sich auf mich. Meine Ergebenheit.«

Er hängt ab. Er wendet sich nicht an Enguerrand, sondern an die andern:

»Das ändert die Sachlage grundlegend, meine Herren. Der Herr Minister hat im eben zusammengetretenen Ministerrat außerordentliche Maßnahmen beschlossen: Das Standrecht wurde verhängt.«

»Schlechte Nachrichten von draußen?«

»Weiß ich!«

Das geht ihn nichts an und interessiert ihn auch nicht. Er hat sich nicht einmal danach erkundigt: »Was unsere Angelegenheit betrifft: Es soll sofort durchgegriffen werden. Wir berufen das Sondergericht ein.«

»Oh!« ruft der Beamte, der Enguerrand am längsten verhört hat, »wir haben Glück«, ein Blick auf den Delinquenten – »daß er die Aussage nicht verweigert und gleich gestanden hat.«

»Ja«, nickt der Direktor, »das erleichtert die Sache beträchtlich.«

»Wo wird das Gericht tagen?«

»Hier, natürlich, Herr Kollege. Wo sonst? Es ist mir nur eines unangenehm: ich habe zwar einen Festsaal für Gefängnisveranstaltungen, aber nur Sessel; ich brauche Fauteuils. Ich kann die Herren Richter doch nicht auf diese Sessel setzen!«

»Zwei von Ihrem Büro«, schlägt Favier vor, »und vier auf der Seite...«

»Wir nehmen die sechs Stühle aus meinem Zimmer, auch wenn sie nicht sehr dekorativ sind«, beschließt der Direktor.

»Und wann tritt das Gericht zusammen?« fragt einer der Umstehenden.

»Heute nachmittag natürlich, um fünfzehn Uhr. Sie haben doch gehört? Also los, machen wir schnell. Unsere Zeit ist knapp.« Und zu Enguerrand: »Nun, einen Anwalt?«

»Ich weiß keinen.«

»Dann bekommen Sie einen von Amts wegen. Das ist Vorschrift.«

Dem Direktor fällt ein, daß er dem Beschuldigten nicht einmal erklärt hat, was geschieht:

»Der Ministerrat hat einstimmig beschlossen, daß Sie sofort abgeurteilt werden. Ein Sondergericht – das Kriegsgericht – tritt in Anbetracht der Umstände zusammen.« Und zu den andern: »Wir, meine Herren, haben unsere Aufgabe beendet.«

Und ich die meine, denkt Enguerrand.

Aber er weiß gut, daß dies nur eine theoretische Wahrheit ist.

XVI

Der Saal ist trübselig und häßlich wie alles in diesem Haus. Immerhin werden den Häftlingen hier an Samstagen bescheidene legale Freuden geboten. Sie spielen sogar Theater, und auf der Bühne – einer echten Bühne mit einem primitiv bemalten Vorhang, der gegenwärtig hochgezogen ist und den Blick auf die Kulissen eines tristen Salons freigibt – schenken einige Angehörige dieser Zunft in Maske und Kostüm ihren Leidensgenossen für eine Woche Stoff zum Träumen.

Es muß sehr schnell gehen. Zwischen zwölf und halb eins richtet man den Saal her; der Direktor tut sein Bestes mit Hilfe Faviers. Zehn Häftlinge dürfen zur Belohnung für gute Führung mit Hand anlegen. Das »Hohe Gericht« ist noch im Nebenraum; der Präsident wirft einen letzten Blick in den Saal. Er ist nicht ganz mit dem Rahmen zufrieden, aber schließlich, Recht sprechen kann man überall, denn die Justiz ist an und für sich erhaben genug, besonders wenn es sich um einen außergewöhnlichen Fall von solcher Tragweite handelt und man im vorhinein weiß, wie entschieden werden wird.

»Na, dieser Salon, Herr Direktor ... wir werden wie auf einer Schmierenbühne dastehen.« Der Vorsitzende des Gerichtshofs, ein Oberst in Uniform, betrachtet stirnrunzelnd die Umgebung. »Und der Vorhang? Kann man ihn nicht etwas höher ziehen?«

»Leider unmöglich. Er spießt sich. Wenn wir ihn aufziehen, dann kann uns passieren, was schon einmal passiert ist: Mitten in einer Szene fällt er herunter.«

»Das muß allerdings vermieden werden. Nun, und wieviel Sitze sind vorgesehen?« Er zählt sie. »Aber da fehlt ja einer! Sie haben den Kanzlisten vergessen, der das Protokoll führt.«

»Der soll auch auf der Bühne . . .?«

»Wo sonst? Im Saal?«

Der Vorsitzende zuckt die Schultern. Die Häftlinge schleppen eifrig Pult und Sessel auf die Estrade.

»Der Ordnungsdienst?«

»Ist zur Stelle. Man hat uns nur eine Korporalschaft der CRS* geschickt.«

»Der CRS? Sind sie in Stahlhelmen? Ohne Helm ist es vorschriftswidrig.«

»Ich glaube, daß sie Schnellgewehre haben.«

»Gut. Dann können sie die Gewehre präsentieren.«

Der Präsident blickt auf die Uhr:

»Drei Uhr fünf. Rufen Sie den Ordnungsdienst herein.«

Der Direktor hastet davon. Der Präsident zieht sich in den Hintergrund der Bühne zurück. Ehe er hinausgeht, ruft er:

»Herr Direktor, ich hole die Herren. Wir können gleich anfangen.«

Und er verläßt die Bühne wie ein Schauspieler, der sich einen effektvollen Abgang leistet, aber es ist niemand da, um zu applaudieren.

Der Adjutant forderte die Männer des Ordnungsdienstes auf, einzutreten. Es sind zehn Mann, ihre Stiefel schleifen über den geschrubbten Holzboden.

»Da, Sie nehmen hier in einer Reihe Aufstellung, und zwar zwischen dem Gerichtshof – dort oben auf der Bühne – und dem Publikum im Saal.«

»Publikum gibt es hier nicht«, wirft der Direktor ein.

»Was brauchen wir dann da herumzustehen?« brummt einer der Bestiefelten. Der Direktor sieht ihn vernichtend an:

»Wegen der Ehrenbezeigung . . . um die Waffen vor dem Gerichtshof zu präsentieren. Das ist Brauch, junger Mann.«

Ein Kanzlist mit Papieren in der Hand taucht im Hintergrund der Bühne auf; er ist kurzsichtig und scheint fortwährend etwas zu suchen, was er eben verlegt hat.

»Wohin soll ich mich setzen?« fragt er in den Saal hinein, die Hand wie einen Schirm über die Augen gelegt, als wolle er sich vor einem Rampenlicht schützen, das gar nicht da ist.

---

* Anmerkung des Übersetzers: CRS = Compagnies Républicaines de Sécurité.

»Dorthin, rechts«, weist ihn der Direktor an. »In dieses alleinstehende Pult.«

Es ist ein Pult, auf dem der Sohn des Direktors seine Schulaufgaben schreibt, aber man hat es genommen, weil eben nichts anderes aufzutreiben war. Der Kanzlist zwängt sich hinein. Der Staatsanwalt setzt sich auf die andere Seite.

»Nun, ist alles fertig? Alles in Ordnung?«

»Ja, ich glaube.« Favier trippelt aufgeregt hin und her.

»Dann können wir also beginnen. Haben Sie die Liste?«

»Der Protokollführer, Herr Direktor.«

Der Direktor klettert auf die Bühne und blickt dem Schreiber über die Schulter, der ein Blatt in der Hand hält:

»Die Zeugen ... Monsieur Blache-Duparc, der Chauffeur, der Amtsgehilfe ...«

»Und die Dame?«

»Wenn Sie glauben, daß wir sie in so kurzer Zeit auskundschaften konnten!«

»Der Angeklagte mit seinem Anwalt wartet im Zimmer rechts.«

»Gut. Der Gerichtshof ist versammelt. Wir können also beginnen.«

»Ich denke, das wird schnell erledigt sein. Glauben Sie, um sechs Uhr?«

»Die Herren des Gerichtshofes«, meldet der Protokollführer dem leeren Saal.

»Präsentiert das Gewehr!« schreit der Adjutant.

Man vernimmt ein Geräusch von zusammenschlagenden Hacken und aufschnellenden Gewehren. Die Herren des Gerichtshofs, an ihrer Spitze der Präsident, treten ein.

Da es ziemlich viele sind und der Vorrang gewahrt werden muß, öffnen sich mehrere Türen, und zwei kommen zugleich bei dem rechten Eingang herein. Zwei weitere versuchen es bei der linken Tür, aber die sperrt sich. Sie rütteln, doch es gelingt ihnen nicht, sie aufzudrücken. Sie müssen sich also umdrehen, um, zwar feierlich, aber verspätet, bei der anderen Tür einzutreten, was dem Herrn Präsidenten höchlichst mißfällt, wo doch alles genau der Rangordnung folgend vorgesehen ist. Mit weit ausholender Gebärde treibt er sie zur Eile. Sie stellen sich in einer Reihe hinter dem Tisch auf und setzen sich. Der Staatsanwalt, groß und majestätisch, nimmt an dem Tisch Platz, den ihm zehn Hände zugleich gezeigt haben.

»Nun also«, sagt der Präsident und beugt sich zu seinem Beisitzer zur Rechten.

»Erst den Angeklagten«, belehrt ihn der Richter.

»Natürlich. Bringen Sie ihn herein«, befiehlt er.

Nun gibt der Direktor im Saal seine Zeichen. Favier stürzt los. Zwei Ordnungssoldaten, die endlich in Ruhestellung fallen dürfen, marschieren zur Tür an der rechten Seite und öffnen sie. Ein Anwalt im Talar schiebt Enguerrand herein. Sie nehmen beide in der ersten Reihe der leeren Stühle Platz. Der Anwalt suchte vergeblich nach einem Tisch, auf den er seinen Akt legen könnte – einen sehr dünnen Akt, er hat trotzdem kaum Zeit gefunden, ihn durchzusehen. Endlich deponiert er ihn auf einem leeren Sessel an seiner Seite.

»Sie heißen also de Viborne Enguerrand?«

Enguerrand schaut auf die Bühne, auf die Männer, die ihn richten sollen. Die Szene hat etwas Unwirkliches. Hierher also hat ihn das Verbrechen gebracht, das er vorsätzlich begangen hat, und hier wird sich sein Schicksal erfüllen. Und die Männer vor ihm reden und fragen, und der Anwalt, den man ihm vor einer Stunde geschickt hat, antwortet, regt sich auf und verliert sich in Nebensächlichkeiten. Die Zeugen marschieren auf, zeigen mit dem Finger auf ihn und sagen: »Ja, das ist er«, und ebenso die Männer, die heute morgen beim Verhör anwesend waren, der Gefängnisdirektor, die Polizisten, auch der Amtsgehilfe vom Matignon und der Portier. Und auch der junge Beamte, der in seinen Renault gestiegen war und sich das große Tor öffnen ließ.

Das alles scheint nicht wirklich zu sein, kaum wirklicher als das Tribunal, das man auf diese Bühne hinaufgesetzt hat.

Eines aber beherrscht alles: die Häßlichkeit, die ganz bestimmt nur er wahrnimmt und die alles in einen Topf wirft und zusammenleimt: die Wände, die Gegenstände und die Menschen. Worte, Gesten ... Es geht ihn nichts mehr an, was hier geschieht. Er hört die Stimmen nicht mehr. Endlich gelangt er zu der inneren Ruhe, nach der er sich so sehr sehnte und aus der man ihn heute morgen gerissen hat, als man ihn aufrüttelte, ausfragte, verhörte und Antworten von ihm forderte. Ja, er findet zu der Ruhe, die ihm als letzter dieser Verteidiger von Amts wegen gestohlen hat.

Er ist wieder Enguerrand de Viborne geworden, der junge Mann von einst, der er trotz allem immer geblieben ist. Ein feuriger, großzügiger aufrechter Mensch mit weit offenem Herzen, und der jetzt vor diesem schnell zusammengewürfelten Gericht, das nicht einmal eine Parodie der Justiz genannt werden kann, steht – vor einem irdischen Richter, der nach irdischen Gesetzen entscheidet. Und alle diese Leute reden, streiten und komplizieren den klaren Fall zu ihrem Vergnügen – denn es bereitet ihnen Vergnügen. Sie suchen ihm Motive zu unterschieben, die es nicht gibt. Wie alle Leute, die reden, hören sie sich vor allem gern selbst reden; sie sind Schmierenschauspieler, echtere

als die Häftlinge, die samstags hier ihren Courteline oder ihren Fey-
deau spielen.
So, nun stehe ich also hier, denkt Enguerrand. Ich werde gerichtet,
und wie das Urteil ausfällt, ist völlig bedeutungslos. Wichtig ist nur,
was ich getan habe und nicht die Strafe – ob nun gerecht oder ungerecht –, mit der man mich belegt. Würde ich es nochmals tun, wenn
ich es müßte? Ja. Trotz allem, was ich weiß und inzwischen dazuge-
lernt habe? Ja, die tieferen Ursachen meines Handelns haben sich
nicht geändert. Er ist glücklich, sich selbst seine Festigkeit bestätigen
zu können. Nein, er ist nicht irre geworden.
Und doch, es ist ein Opfer, sein Leben hinzugeben – denn er zweifelt
nicht daran, daß man es ihm früher oder später nehmen wird –, es
freiwillig, um einer Überzeugung willen hinzugeben. Anfangs tritt
die Idee des Opfers hinter den Stolz zurück – den berechtigten Stolz,
denkt er – den er über die Tat empfindet. Trotzdem – das Leben, das
ist schon etwas. Ein Baum zum Beispiel, wie die hohen Eichen von La
Gardenne, die ihm immer als Sinnbild des Lebens erschienen sind.
Und der Duft des Waldes. Und der Vater ist ein Sinnbild, trotz ihrer
Gegensätze, mit seiner Haltung, seiner Stärke und seiner Geradheit.
Und Lambert, um den er gestern gebangt hat, ist ein Sinnbild, Lambert, der endlich gefunden wurde, der aber später einen Bruder, einen
großen Bruder brauchen wird, um gestützt und geleitet zu werden.
Und Angélique – die er endlich über die Freundschaft, über Bernard,
begreifen gelernt hat. Und Mama – ach, wo ist sie? Er möchte sie so
gerne an seiner Seite wissen. Versucht sie noch immer, ihn zu retten?
Und Großmutter – die vielleicht schon gestorben ist ... o Großmutter ... Großmutter ...
»Meine Herren!« ruft der Anwalt pathetisch, »ich bitte Sie, sehen Sie
meinen Klienten an! Sie halten ihn für zynisch, für gleichgültig –
doch er weint, meine Herren, sehen Sie die Tränen, die Tränen, die
über seine Wangen fließen ...!«
Idiot! Niedriger Heuchler! Bah – wozu sich aufregen! Er kann ihm ja
doch nicht helfen, weil das Gericht dort oben auf der Estrade im besten Glauben fest entschlossen ist, ihn zu verurteilen – sie halten es
für ihre Pflicht, und von sich aus gesehen haben sie sogar recht. Sie
richten ihn, nicht um die Ordnung wiederherzustellen, sondern weil
seine Tat unverzeihlich ist.
Großmutter ... Der Tod ... Gardas ... Ja, er weint um die Großmutter, die tot, oder beinahe tot ist, aber er weint auch um Gardas – Gardas, den er töten mußte, weil es ihm das Gesetz befahl, das er sich
selbst schuf, und weil er den Mut besaß, es zu erfüllen.
Das Leben – ein Baum. Er, ein junger, schon fester Baum, aber ela-

stisch im Wind, noch weit entfernt von der Sklerose, die Venen und Arterien zerreißt, ein Baum, der noch keine Unwetter erduldet hat und dessen Rinde noch nicht rissig und rauh, dessen Holz nicht spröde ist, weil er sich im Sturm noch nicht bewähren mußte. Der Saft, der frische Saft, kreist in diesem Leben. Ein Baum, ja, aber ein Baum im Frühling oder höchstens im Frühsommer, ein Baum, der aus dem Gebüsch, dem Dickicht, das ihn zu ersticken droht, der Sonne und dem Licht entgegenwächst und ihr mit allen Kräften entgegenstrebt. Ein Baum in einem Wald, der aber, während er sich selbst Platz schafft, auch den Platz der andern vorbereitet, die noch Keim und Schößling sind. Und jetzt, nachdem er alle die Seinen hat vorüberziehen lassen, sieht er im Geist die andere Seite des Lebens – die Liebe.

Zuerst wehrt er sich. Was bedeutet die ganze Geschichte schon? Wenn er sie von Anfang an sachlich betrachtet und aufrichtig vor sich selbst bleibt, dann beschränkt sie sich auf eine Begegnung, ein Zusammensein, bei dem sie beide triebhaft das Begehren überfiel und einander in die Arme warf. Vor fünf Tagen hat er sie noch nicht gekannt. Dann war er in ihrem Zimmer, und sie war allein. Freilich, sie sagte, sie hätte ihn erwartet, und sie log nicht. Sie standen einander gegenüber – und unter welchen Umständen! Und er erzählte ihr alles. Ohne auch nur zu überlegen, schüttete er sein Herz aus, wie er es bei niemand anderem vermocht hätte. So tiefes Vertrauen zu einem Mädchen, dessen Namen er nicht einmal kannte? Warum? Ja, wirklich, warum?

Die Antwort ist in ihm, aber er hat sie verdrängt. Aber... aber... die Liebe kommt nicht so über Nacht, so von selbst. Es waren die äußeren Umstände, das Mädchen war ihm eingefallen, als er Gardas tötete, in seinem Entsetzen, in seiner Verwirrung nachher – in solchen Augenblicken klammert man sich an alles – man erfindet zur Not Gefühle, nur um nicht allein zu sein.

Aber nein, es ist doch die Liebe. Es ist die Liebe. Stärker als alles, und er hat sie nur gewonnen, um sie zu verlieren. Gleichgültig, wer sie ist, gleichgültig, welchen Namen sie trägt, für ihn hat sie nur einen einzigen Namen, denn mit ihr erst hat sein Leben begonnen, und er weiß genau, daß es ihr ebenso erging. Und er muß diesen echten Reichtum – den einzigen vielleicht, den er sich ganz allein erworben hat, weil er die Kraft besaß, alles andere zu überwinden – wieder verlieren! Ja, natürlich, das ist die Strafe, und zugleich fühlt er, daß er diese Strafe nicht verdient hat. Nein, nein! Das nicht! Und ohne zu wissen, was er tut, richtet er sich plötzlich auf. Mit schreckgeweiteten Augen, die Hände vorgestreckt, schreit er auf:

»Nein! Nein!«

Die beiden Wachbeamten versuchen, ihn auf einen Wink des Vorsitzenden auf den Sessel zu drücken. Es gelingt ihnen nicht. Er bleibt stehen und nochmals schreit er:

»Nein!«

Erschütternd ist dieses plötzliche Entsetzen eines bis dahin stummen jungen Menschen, der das Unausweichliche gräßlich auf sich zukommen sieht. Der Präsident ist ergriffen, er ist im Grund ein braver Mann. Aber was kann er tun? Wo findet er mildernde Umstände? Es gibt keine – das steht fest. Für seine Karriere vor allem: Er wäre schön dumm, wenn er weich würde, denn hier ist ein Exempel zu statuieren, man erwartet es von ihm.

»Aber... aber... Viborne!«

Enguerrand sinkt verwirrt auf seinen Stuhl zurück. Hat er wirklich mit einemmal den Mut verloren? Er muß sich zusammennehmen und die Komödie weiterspielen. Der Mut hat ihm nie gefehlt. Wenn etwas zu büßen ist, dann wird er büßen. Ach, sein junges Leben...! Wissen diese Männer hier, was es bedeutet, ein so junges Leben hingeben zu müssen?

»Meine Herren, sie haben den Aufschrei meines Klienten gehört...« O nein, nein, das nicht! Er deutet, er will protestieren. Der Anwalt gebietet ihm zu schweigen. Eben vorhin hat er ihn gebeten, keinesfalls ungefragt das Wort zu ergreifen. Trotzdem versucht es Enguerrand. Aber der Anwalt drückt ihn mit Hilfe der beiden Wachbeamten auf den Stuhl zurück.

»Ich will nicht... Ich verbiete Ihnen...«

»Aber, guter Gott«, flüstert ihm der Verteidiger zu, »ich erfülle doch nur meine Pflicht!«

Alle erfüllen ihre Pflicht, der Anwalt, der Präsident, die Richter. Auch Enguerrand hat seine Pflicht erfüllt. Alle haben reine Hände und ein reines Herz. Alle werden mit reinem Gewissen sterben – heute oder morgen –, aber was werden sie mit ihrem Tod vollbracht haben?

Und Enguerrand findet seinen Stolz wieder, seinen gesunden, geraden Stolz, seinen jungen Stolz, den Stolz des Baumes, und wie in einer Erleuchtung denkt er ganz einfach, aber tief im Herzen, daß sein Tod vielleicht kein unnützes Sterben sein wird. Das genügt, um sich mit dem Schicksal abzufinden. Dann geht alles sehr schnell. Die Trauer und der Schmerz, alles das zu verlieren, verebben, und der Gedanke, die Menschen nicht mehr sehen zu können, die er die Seinen nennt, peinigt ihn nicht mehr – wozu sollte er sie wiedersehen, ist er ihnen nicht schon auf der Straße voraus? – Adieu, Lambert... Adieu, Mama... Adieu, Großmutter... Adieu, du, deren Namen ich nicht weiß, die aber den schönsten Namen der Welt trägt...

»Meine Herren, das Hohe Gericht ...«

Die Nacht ist gekommen. Man hat die Lampen auf dem Tisch entzündet, die Lichter, die an Samstagen bei den Theateraufführungen brennen.

Enguerrand ist aufgestanden, und der Anwalt steht neben ihm. Er neigt sich zu ihm und flüstert:

»Viborne, seien Sie tapfer ...«

Aber warum sagt er ihm das?

Zehntes Kapitel
LA CURÉE
Mehlen und Angèle

I

Angèle de Viborne wartete das Klopfen Mehlens nicht ab. Sie stand hinter der Tür, und als sie seinen Schritt auf dem Flur ihrer Wohnung hörte, öffnete sie ihm. Er trat ein, und nachdem er ihr die Hand geküßt hatte und einige Schritte weitergegangen war, drehte er sich zu ihr, während sie die Tür schloß.

»Ich danke Ihnen«, begann er.

»Haben Sie mir denn zu danken?« fragte sie. »Sollte nicht eher ich Ihnen dankbar sein? Sind Sie in dieser Wohnung nicht zu Hause? Sie haben mir den ganzen Tag kein Lebenszeichen gegeben. Mir wäre es lieb, wenn Sie öfter das Haustelefon benützen und sich bei mir melden würden!«

»Ich fürchtete, Sie zu stören.«

»Sie sind allzu feinfühlig, lieber Freund.«

»Ich kann mich nicht mehr ändern. Sie haben mich die Rücksichtnahme gelehrt. Danke, daß Sie mich aufgefordert haben, ich bin eben erst heimgekommen... Es ist ziemlich spät. Der Tisch unten ist gedeckt. Ich weiß nicht, ob Sie bereits zu Abend gegessen haben, es liegt zwar nur ein Couvert auf, aber ich kann sofort ein zweites bestellen.«

»Möchten Sie nicht lieber hier bei mir bleiben?«

»Gerne, natürlich.« Er bemühte sich, zu verbergen, wie sehr ihn die Einladung freute. »Françoise« – er griff nach dem Haustelefon –, »Madame de Viborne ist müde und möchte in ihrer Wohnung speisen. Ich leiste ihr Gesellschaft. Lassen Sie bitte das Nötige heraufbringen.«

Und zu Angèle gewendet: »Was darf ich bestellen?«

»Das gleiche wie das letztemal«, sagte sie mit Betonung. Er blickte sie an. Die Erinnerung an jenen langen Abend bewegte ihn ebenso wie sie, das war offensichtlich.

»Wie vorgestern also, Françoise, genauso. Das gleiche.«

Er hängte ab, kam langsam auf Angèle zu und ergriff ihre Hände. Lange standen sich beide wortlos gegenüber – bis Françoise mit dem kleinen fahrbaren Tisch erschien, den sie vor den Kamin stellte. Mehlen legte ein Scheit nach.

Es war sehr still in dem Raum. Er schenkte Champagner ein, wenig zuerst, denn er war nicht kalt genug.

»Ich bin glücklich, daß Sie mich brauchen«, sagte er endlich. »Wenn ich sage ›brauchen‹, dann meine ich meine Person, denn Sie wissen ja schon seit einer Stunde, daß wir leider noch keine Spur Ihres Jungen gefunden haben.«

»Noch nichts, nein«, flüsterte sie. »Ich vergehe vor Sorge. Lambert...«

»Sie haben ihn mir geschildert. Seine Flucht erklärt sich sehr leicht aus seiner Veranlagung. Die Sache ist nicht so beunruhigend, wie Sie glauben. Ich habe die beiden Polizeistellen verständigt, auf denen ich verläßliche Freunde sitzen habe. Sobald man etwas erfährt...«

»Ich weiß, daß kein anderer so wirksame Mittel hat wie Sie, ihn mir zurückzubringen. Es darf nur nicht zu lange dauern. Lambert ist ein übersensibles Kind...«

»Er liebt Sie, und er weiß, daß Sie auf ihn warten.«

»Ich habe mich in den letzten Tagen sträflich wenig um ihn gekümmert und mache mir schreckliche Vorwürfe. Mein Gott, wenn er nur schon hier wäre...!«

»Wir finden ihn bestimmt, das verspreche ich Ihnen.«

»Gardas hat mir dasselbe versprochen.«

»Gardas? Haben Sie ihn denn gesehen?«

»Ja, heute abend.«

»Heute abend? Im Matignon?«

»Nein, hier in der Nähe, im Bois. Er bat mich um ein Wiedersehen, und ich konnte nicht gut nein sagen. Außerdem mußte ich etwas klarstellen.«

»Daß er sein Büro überhaupt verlassen hat!«

»Nur auf eine Stunde. Sein Wagen parkte am Ufer des Teichs, es war schon fast dunkel. Wir haben uns eine Weile unterhalten. Dann ist er zurückgefahren, um noch zu arbeiten. Er ist jetzt wirklich sehr überlastet, er sitzt bis in die Nacht am Schreibtisch.«

»Was wollte er von Ihnen?«

»Das wissen Sie doch.«

»Er macht sich also noch immer Hoffnungen?«

»Ja.«

Es schien Angèle, als stiege eine leichte Röte in Mehlens Wangen. War es der Widerschein des Feuers, zu dem er sich beugte?

»Ich habe ihm erzählt, daß Lambert ausgerissen ist, und er hat mir versprochen zu unternehmen, was in seiner Macht steht.«

»Er wird nicht mehr unternehmen als ich«, sagte Mehlen mit einem bittern Unterton.

»Das weiß ich. Aber wenn etwas von zwei Seiten angepackt wird, sind die Aussichten größer. Er hat mir auch von Enguerrand berichtet.«

»Von Ihrem andern Sohn?«

»Dem Sohn meines Mannes«, verbesserte sie, »aber fast ebenso mein Sohn wie der Kleine, denn ich habe ihn großgezogen. Ein Sohn meines Herzens, wenn Sie so wollen«, fügte sie lächelnd hinzu.

»Ich kenne den jungen Mann.«

»Enguerrand hat sich Gardas vorgestellt. Er ist Student und radikal fortschrittlich, sagen wir: er steht links. In seinem kindlichen Idealismus wollte er Gardas bewegen, das Dekret abzulehnen.«

»Hat er ihn bedroht?«

»Das glaube ich nicht. Er hat ihm wohl nur zugeredet. Er wird ihn noch einmal aufsuchen, hat Gardas gesagt; der Ministerpräsident wird ihn empfangen und mir dann darüber berichten.«

»Da muß auch etwas unternommen werden.«

»Jetzt ist Lambert wichtiger.«

»Wenn wir uns beide, Gardas und ich, bemühen . . .«

»Ich glaube allerdings nicht, daß sich Gardas noch darum bemühen wird!«

»Warum nicht?«

Mehlen hatte den Kopf gehoben, Angèle sah ihm gerade in die Augen:

»Weil ich ihm mitgeteilt habe, daß ich Sie heiraten werde«, sagte sie.

Er stand auf. Eine nie gekannte Erregung ergriff ihn. Ja, er hatte alle Höhen und Tiefen durchmessen, er kannte die Leidenschaft, die Gefahr, die sein Beruf, seine Arbeit mit sich brachten, niemals aber war er so erschüttert gewesen. Angèle gehörte ihm, Angèle verstand ihn, Angèle war bereit. Niemals hätte er diesen schnellen Sieg, diesen Triumph zu erhoffen gewagt. Das Glück brannte wie eine Flamme in ihm. Schweigend – er brachte kein Wort über die Lippen – trat er zur Wand, und als er sich ihr zuwendete, sah sie – was noch kein Mensch gesehen hatte – zwei Tränen über seine Wangen rinnen. Er verbarg sie nicht. So hatte er sie mit seiner ungeschminkten Lebensbeichte, mit seiner schrankenlosen Offenheit erobert; er hatten den höchsten Einsatz gewagt und alles auf eine Karte gesetzt. Das Spiel war gewonnen.

Er sprach nichts. Er fiel nicht auf die Knie. Er sank nur in einen Fauteuil an ihrer Seite und bedeckte das Gesicht mit den Händen.

»Sie dürfen mir nicht böse sein«, murmelte er endlich wie eine rührende Entschuldigung.

Sie erhob sich, trat zu ihm und beugte sich über ihn. Sie betrachtete ihn, der so schwach, so angeschlagen vor ihr saß, und konnte daraus allein schon ermessen, wie tief er an ihr hing. Sie streichelte sanft sein Haar, das sie noch niemals verrauft gesehen hatte. Er ließ es geschehen, dann nahm er die Finger dieser Hand, legte sie an seine Stirn und hielt sie dort fest, lange, als wolle er durch ihre Liebkosung, ihre Wärme das Neue in seinen Kopf eindringen lassen. Endlich hörte sie ihn tonlos, wie zu sich selbst sagen:

»Ich danke Ihnen ... oh, wie ich Ihnen danke ...«

Seltsam – aus seiner Stimme klang es fast wie echter Schmerz. Bei keiner Episode seines Lebensberichts hatte sie ihn so ergriffen, so aufgewühlt, so gequält und ausgeliefert gespürt. Ich habe recht gehabt, oh, ich habe recht gehabt! dachte sie in überströmender Freude. Er hob den Kopf und saß mit gekrümmtem Rücken und hängenden Schultern vor ihr, wie von unendlicher Müdigkeit überwältigt. Nur eine Sekunde, dann faßte er sich, und die Flamme, die sie so gut kannte, leuchtete von neuem in seinem Blick auf, die Flamme des Willens und des Mutes – die Flamme, die in dem Sieger brennt, dem Sieger über die andern und über sich selbst. Aber er war erfahren genug, um zu wissen, daß damit noch nicht alles gewonnen war.

Er zog sie nicht an sich. Er versuchte nicht, sie zu küssen. Und doch waren sie sich viel näher als bei jeder körperlichen Berührung. Es war eine seltsame Liebe, die sich von allen andern Erlebnissen unterschied – rein und unzerbrechlich wie harter Stahl –, eine verläßliche, echte, dauerhafte Liebe, die nicht, wie alle anderen Beziehungen, von der ersten Minute an den Keim des Zerfalls und des Welkens in sich trägt. Mehlen hatte ruhige, maßvolle Worte gesprochen ... niemals aber noch hatten Angèle leidenschaftliche Geständnisse und Liebesschwüre so betört und so gebunden wie diese glasklaren Äußerungen eines geordneten Verstandes, hinter deren Kälte ein Feuer brannte, das untilgbar war.

»Trotz meiner Sorge um Lambert habe ich nach unserm Gespräch ständig an Sie gedacht – an *uns* gedacht. Ich habe seit gestern abend zu Ihnen gesprochen, wie ich jetzt zu Ihnen rede, da Sie lebendig vor mir stehen. Sie sind nicht früher gekommen, sonst hätte ich Ihnen meinen Entschluß schon gestern mitgeteilt. Wahrscheinlich hatte ich mir das früher nicht so klar zurechtgelegt; ich mußte erst mit Gardas zusammen gewesen sein, von ihm die Frage gehört haben, die ich zwangsläufig mit nein zu beantworten hatte, um ihm – ihm als ersten – zu sagen, daß ich schon gebunden bin, und zwar an Sie. Ich will Sie also heiraten, ich will Ihre Frau sein. Sie waren es, der mir vorher schon genau dargestellt hat, was das bedeutet, was Sie fordern. Ich bin einverstanden, weil ich weiß, daß ich Ihren Antrag mit gutem Gewissen annehmen darf. Damit habe ich zugleich die Schuldigkeit meinem verstorbenen Mann und den Kindern gegenüber erfüllt. Es bleibt mir zwar noch viel für Lambert zu tun, und ich weiß, daß Sie mir dabei helfen werden. Sein Verschwinden ist eine schreckliche Warnung; ich erkenne, daß es sträflich leichtsinnig war, in dem Trubel der letzten Ereignisse dieses Kind zu vernachlässigen. Nach Ablauf des Trauerjahrs heiraten wir. Ich werde Ihnen die Frau sein, die Sie wünschen und erwarten. Wenn Sie wollen, heute schon. Die Leute und ihr Gerede kümmern mich wenig. Ich fühle mich von nun an gebunden, fester als durch ein offizielles Versprechen. Ich nehme alles, was Sie mir bieten, und gebe Ihnen alles, was Sie fordern. Sind wir uns einig?«

»Ja, wir sind uns einig«, sagte Mehlen.

Er goß Champagner in die Gläser. Einen Augenblick lang hielten sie die Pokale wie zum Toast in die Höhe ihrer Augen, und auf dem Antlitz Angèles schimmerte der goldene Widerschein des perlenden Getränks. Dann leerten sie die Gläser in einem Zug.

»Nun essen wir«, sagte Mehlen ruhig. Und sie aßen.

Sie tauschten nur alltägliche Worte während dieser Mahlzeit, aber Angèles Gelöbnis schenkte ihnen einen neuen, echten Sinn. Sie standen erst am Anfang, und es würde nicht immer leicht sein, aber das bedeutete wenig, denn sie wie er empfanden zum erstenmal in ihrem Leben ein Gefühl unverbrüchlicher Sicherheit. Das war das Glück.

Das Glück! Mehlen war zu gescheit und hatte zuviel Unglück und zuviel Armut gesehen und erlebt, um nicht zu wissen, wie anfällig das Glück war. Er unterschied sich von den andern Menschen, er erkannte, wann er es wirklich besaß, und bemerkte nicht erst, wenn es entschwunden war, daß er es besessen hatte.

Die Zeit verflog, er beachtete es nicht. Alles war anders als sonst: Er rechnete nicht mehr mit den Minuten und den Sekunden. Das wahre Glück und der wahre Luxus war es, Zeit zu haben; und während Mehlen Angèle lauschte, während er den Klang ihrer Stimme, jeden Blick von ihr und ihre lebendige Nähe genoß, schwoll sein Herz vor Dankbarkeit, nicht gegen eine ferne Gottheit, sondern gegen das Leben, weil es ihm das alles schenkte. Zum erstenmal spürte er sich edler Regungen, des Mitleids und der Selbstlosigkeit fähig – er war aus dem leeren Raum des Ich in das beglückende Wir getreten.

Plötzlich schrillte das Telefon auf. Der Alltag meldete sich. Eine Sekunde lang hoffte er, daß der Anruf eine günstige Nachricht von Lambert für Angèle bringe. Sie hob auf sein Zeichen ab, aber es ging doch Mehlen an. Man verlangte ihn sehr dringend, es sei unerhört wichtig. Seufzend griff er nach dem Hörer:

»Mit mir wollen Sie sprechen? Ach, Sie sind es, Blache-Duparc? Der Ministerpräsident will sicher... Was? Was sagen Sie? Das ist nicht möglich! Es wurde Ihnen sofort gemeldet? Es ist wirklich wahr? Sie

haben ihn selbst gesehen? Sie sind im Matignon... Erzählen Sie...
Bitte, ja...«
Eine Weile lauschte er schweigend. Angèle betrachtete ihn, sie wußte
noch nicht, worum es sich handelte. Seinem Gesicht war die heftige
Erregung nicht anzumerken, aber er war bleich geworden und seine
Stimme hatte allen Klang verloren. Endlich legte er auf.
»Angèle«, sagte er schwer, »Victor Gardas ist heute abend in seinem
Büro erschossen aufgefunden worden.«
»Erschossen!« wiederholte sie.
Vor zwei Stunden war sie mit ihm beisammen gewesen, beim Teich
des Bois, und hatte mit ihm gesprochen.
»Er hat sich doch nicht selbst...?«
»Nein, er wurde getötet« – er sagte nicht ermordet – »in die Brust
getroffen. Die Waffe war nicht mehr dort. Wahrscheinlich sofort tot.
Er wollte das Dekret über die Aufhebung der Nationalisierungen
unterschreiben und noch andere, die ihm... uns... nötig schienen.
Sie erinnern sich, was ich Ihnen von ihm erzählt habe? Er war der
einzige Mann, der...«
»Wer hat ihn getötet? Kennt man den Täter? Ist er verhaftet?«
»Man kennt ihn. Der Amtsgehilfe hat ihn hinausgehen sehen.
Man hat ihn nicht verhaftet, er konnte durch das Haupttor entkom-
men. Der Amtsgehilfe schaute fast unmittelbar darauf im Büro des
Präsidenten nach und fand ihn vor seinem Schreibtisch tot auf dem
Boden liegen. Niemand hatte den Schuß gehört...«
»Aber«, sagte sie, »weiß man, wer es gewesen ist?«
»Ja. Enguerrand.«

II

»Enguerrand...«, wiederholte sie. Und sie wußte sofort, daß es möglich, daß es wahr war. »Enguerrand«, wiederholte sie nochmals.
Und Mehlen sagte tonlos: »Gardas...«
So war Gardas gestorben und damit alles gefährdet. Alles mußte
überholt und umgestellt werden. Er, Mehlen, hatte Gardas auf dieses
Piedestal gehoben, von dem er nun jämmerlich gestürzt war. Mit der
uneingestandenen, gräßlichen Verachtung für den Besiegten dachte
er: Ich hätte ihm nicht vertrauen dürfen. Nein, wenn man eine schwere Verantwortung und vor allem die Verantwortung nicht nur für
das Geld, sondern für das Vermögen eines Mehlen zu tragen hatte,
dann durfte man sich nicht so elend vernichten lassen, nicht seine
Brust einem überspannten Jungen von fünfundzwanzig Jahren bieten. Der Tod Gardas' bedeutete den Zusammenbruch eines Gebäudes,

das Mehlen geduldig und zielstrebig errichtet hatte, das war die Unglückskarte des Spiels, die Tücke des Schicksals, gegen die man machtlos war, der Zufall, den man nicht voraussehen konnte. Und doch war es unverzeihlich, daß er ihn nicht vorausgesehen hatte! Nicht Enguerrand war der Verräter, sondern der andere, der Mann, der sich umbringen ließ!

Enguerrand... auch um Enguerrand ging es, aber das war ein anderes Kapitel.

Es gab keinen Ersatz für Gardas, nein, niemanden, das hatte Mehlen schon beim Start seines Unternehmens gewußt. Weder dieser Chataignier, der Innenminister, der nicht einmal ein Javert war, ebensowenig die anderen, deren Namen ihm beiläufig einfielen, waren für den Stuhl des Regierungschefs geeignet. Von denen gingen zwölf aufs Dutzend, dachte er trivial. Ja, er hatte es Angèle erklärt: Alles hing von Gardas ab, und Gardas war nicht mehr.

Das Ausscheiden Gardas' hatte entweder die Fortsetzung seiner Politik zur Folge – aber wie und mit welchen Mitteln? – oder einen absoluten Umsturz, das heißt, daß die Anhänger der Gegenpartei ans Ruder kamen, für die das Attentat ein Glück war, das ihnen freie Hand gab; sie hatten es bestimmt vorbereitet und gefördert. Wer war morgen – vielleicht schon morgen früh – an der Macht? Jetzt brach unweigerlich der geplante Generalstreik aus, gegen den Gardas – wie Mehlen wußte – alle vorbeugenden Maßnahmen getroffen hatte. Wer war jetzt stark genug, ihn abzuwürgen, wer wollte es tun?

Jetzt galt es, sofort und augenblicklich einzugreifen. Aber wie und mit welchem Ziel? Er mußte die Chancen der beiden Parteien abwägen und feststellen, welche zu sturzen, welcher zum Sieg zu verhelfen war. Vor allem: Konnte man den Fahrplan noch einmal umstellen? Nein, unmöglich. Es war klar, daß der Sturz von Gardas' Partei alles Bestehende ins Verderben riß. Das war die Katastrophe. Die totale Katastrophe, die unbedingt vermieden werden mußte. Aber auf welche Weise? Wieder einmal hieß es, unverzüglich – die Zeit, immer die Zeit! – in die Bresche zu springen, zu retten versuchen, was noch zu retten war, ohne erst zu fragen, ob überhaupt eine Aussicht auf Rettung bestand.

Der Umsturz bedeutete sein Ende, das Ende Mehlens und damit den Verlust Angèles; nicht weil sie ihn dann verlassen würde, sondern weil er damit selbst zum Wrack werden mußte.

»Ich muß...«, begann er.

»Ja, ja... Sie müssen mir sofort helfen... helfen, Enguerrand zu retten.«

»Enguerrand, das ist nicht so dringend. Selbst wenn man ihn verhaftet, kommt es erst einmal zu einem Prozeß, zu einem Urteil; bis zur Vollstreckung dauert es noch lange Zeit.«

»Wenn sie ihn aber aufgreifen und sofort töten?«

»Das liegt nicht in ihrem Interesse. Sie wollen, daß er aussagt.«

»Können Sie nicht ein Schnellgericht...?«

»Es gibt schließlich Gesetze. Dazu müßte man erst das Standrecht verhängen und von Rechts wegen den Belagerungszustand erklären.«

»Ist das nicht möglich?«

»Es hängt von den Ereignissen ab.«

So war es, denn man konnte die Gefahr drosseln und die Kontinuität der bisherigen Regierung wahren, wenn außerordentliche, strenge Maßnahmen ergriffen wurden. Der Generalstreik bot eine Handhabe dazu; er mußte so ernste Formen annehmen, daß Sonderverfügungen berechtigt waren: Unruhen, notfalls Schießereien und Tote. Enguerrand... Enguerrand...! Ach, für Enguerrand fand sich schon ein Ausweg. Jedes Problem zu seiner Zeit. Nichts überstürzen, alles der Reihe nach. Und wenn der Junge zur Rechenschaft gezogen wurde und für die Tat büßen mußte – einstweilen hatten sie ihn noch nicht.

»Ich kümmere mich um Enguerrand«, versprach er.

Angèle zerbrach sich den Kopf mit den verzweifelten, sinnlosen Fragen, die man sich in solchen Fällen stellt:

»Wie konnte er nur... Enguerrand! Gerade er...«

Mehlen aber hatte seine Beherrschung wiedergewonnen. Der grausame Schlag aus dem Hinterhalt weckte seine Geister, und sein logischer Verstand arbeitete auf vollen Touren.

»Wir werden sehen, was wir für Enguerrand unternehmen, wenn die Zeit gekommen ist, uns einzuschalten. Für Sie und für mich muß ich handeln, als ob diese Kugel uns selbst getroffen hätte. Ich habe Ihnen gesagt, daß ich drei Monate brauche – wir haben sie nicht mehr, vielleicht nicht einmal vierundzwanzig Stunden. Der politische Kurs muß beibehalten werden. Ich habe alles auf ihn gesetzt. Ich werde daher das Nötige tun, ohne Rücksicht auf Tote oder auf sentimentale Narren. Es geht um meine Haut oder um Ihre. Es geht um Ihr Leben, Angèle, weil es jetzt mit meinem verbunden ist. Das Nötige wird geschehen«, schloß er mit Nachdruck.

Er richtete sich auf, trat zu ihrem Stuhl und legte die Hand auf ihre Schulter. Er war wieder der Mehlen, den sie kannte, der er sein mußte, damit der andere, der neue Mehlen, existieren konnte. Und dieser Mehlen würde er eben so lange bleiben, als es die Umstände erforderten.

Während seine Hand auf ihrer Schulter lag, als wollte er aus diesem

Kontakt Kraft schöpfen, überlegte und plante er, was zu tun und was zu unterlassen war. Er griff zum Telefon:
»Landier?«
Landier war sofort am Apparat. Schlief er denn niemals?
»Landier, ich brauche Sie heute nacht... wahrscheinlich die ganze Nacht. Ein sehr ernster Zwischenfall ist eingetreten. Man hat ihn mir soeben gemeldet, ich muß sofort mit Ihnen sprechen. Es ist schon sehr spät, vielleicht trotzdem nicht zu spät. Lassen Sie den Bentley bereitmachen, wir fahren in zehn Minuten weg.«
Und zu Angèle, die ihn angstvoll fragend anblickte:
»Zuerst ins Matignon, sehen, was dort los ist. Ich muß mich sofort einschalten, um gleich im Spiel zu sein, um die nötigen Maßnahmen einzuleiten. Das ist unbedingt nötig, verstehen Sie! Und sei es nur für Enguerrand. Ich hätte diesen Abend gerne mit Ihnen verbracht, unsern ersten Abend« – sagte er mit einem bittern Zug um den zu kleinen Mund, der wie eine grausame Falte das Gesicht durchschnitt.
»Aber wir werden noch viele gemeinsame Abende haben, Angèle, wenn diese Klippe überwunden ist. Jetzt aber«, schloß er mit verändertem Tonfall, »jetzt möchte ich, daß Sie an das alles nicht mehr denken.«
»Wie stellen Sie sich das vor?« murmelte sie.
Ja, die Arme, dachte Mehlen. Lambert, Enguerrand... und er selbst, Mehlen – denn nun wagte er, sich zu den Ihren zu zählen –, alle waren in Gefahr. Es war hart, so untätig sitzen und warten zu müssen. Für ihn würde es eine kurze Nacht werden, vielleicht eine zu kurze.
»Lassen Sie mich nicht ohne Nachricht«, bat sie. »Sie wissen, daß ich anders bin als Sie, ich komme nicht davon los und finde keinen Schlaf.«
»Ich verspreche es Ihnen.«
»Zu jeder Stunde, bitte...«
Er küßte ihre Hand. Ihre Schwäche, ihre Hilflosigkeit, ihr Vertrauen brachten sie ihm nahe wie nie zuvor. Lange lagen seine Lippen auf ihren Fingern, sie zog sie nicht zurück, denn sie spürte bei dieser Berührung doppelt, wie sehr sie ihn brauchte. Man hörte den Bentley ausfahren, die Garagentür schließen. Landier wartete bereits. Von der Schwelle aus rief ihr Mehlen noch einmal zu:
»Keine Angst, es geschieht alles, was nötig ist.«
Stumm und wie erstarrt blieb sie zurück; die Geräusche von draußen drangen herein. Sie hörte die Eingangstür, dann den Wagenschlag zufallen, und schließlich das Abfahren des Wagens, den verhallenden Motorlärm. Dann schloß sich die Stille der Nacht um sie. Angèle de Viborne begann zu warten.

»Gardas ist tot!« rief Mehlen dem Sekretär zu, der ihm beim Tor
erwartete. »Wir fahren ins Matignon.«

Landier öffnete den Wagenschlag, verneigte sich vor dem Chef und
sagte zu dem Chauffeur, der bereits am Volant saß:

»Maurice, ins Matignon. Und schnell.«

Landier setzte sich neben Mehlen und schwieg. Er wartete ab, bis der
Chef sprach. Die Nachricht hatte ihn wie ein Schlag ins Genick getroffen, aber er ließ nichts von dem Schrecken merken, der ihn erfüllte.

»Gardas ist gegen Abend in seinem Büro erschossen worden. Man
hat die Waffe – einen Revolver – noch nicht gefunden. Blache-Duparc hat mich sofort verständigt. Zum erstenmal seit der Präsident-
schaft seines Chefs hatte er sich eine Stunde freigenommen...«

»Es ist fast elf Uhr«, sagte Landier mit einem Blick auf seine Armbanduhr.

»Meiner Meinung nach recht spät. Das wichtigste für uns: sofort an
Ort und Stelle sein. Sie wissen, was der Tod Gardas' für uns bedeutet, Landier?«

»Ja, Monsieur.«

Er wußte es. Er wußte es so genau, daß ihm der Angstschweiß aus
allen Poren brach, nur die Dunkelheit verbarg das Zittern seiner
Hände. Auch er hatte sich festgelegt, seine Freunde abgeschöpft,
fremdes Geld zusammengekratzt und geborgt, sogar von fremden
Konten abgehoben, die ihm zugänglich waren. Auch für ihn ging es
jetzt um Biegen und Brechen.

»Was wird geschehen?« fragte er tonlos.

»Die Regierung muß bleiben.«

»Ohne den Ministerpräsidenten?«

Das schien auf den ersten Blick unmöglich. Die Forderung war leicht
aufzustellen – aber wie sollte sie erfüllt werden? Wie konnte eine
Regierung ohne ihr Haupt stehen?

»Wird das gelingen?«

»Es muß.«

Ja, es mußte wohl, sonst war alles zu Ende; weder Mehlen noch Landier entkamen einem solchen Zusammenbruch mit heiler Haut.

»Man muß es versuchen, Chef.«

»Wir werden es versuchen, Landier.«

»Und wie?«

»Das weiß ich noch nicht. Aber es geht mir einiges durch den Kopf.«

»Ich bin Ihnen völlig ergeben, Monsieur.«

»Das kann ich mir denken, Landier. Es ist Ihr Interesse genauso wie meines – vielleicht noch mehr als meines«, fügte er hinzu.

Der Chef war also im Bilde! Oh, er verabscheute ihn ...!

Vor dem Matignon herrschte ungewohntes Leben, und zwei halbbesetzte Polizeiwagen parkten rechts vom Eingang. Die Straße war eine Einbahn, und einige Verkehrsschutzleute machten Dienst vor dem Ministerium. Aber sie waren unbeschäftigt, es fuhr kaum ein Wagen; die Nachricht war sichtlich noch nicht oder kaum bekannt.

Der Bentley blieb hupend vor dem Haupttor stehen. Zwei Wachleute kamen heftig gestikulierend herbeigelaufen: Das Auto hatte keine Trikolore, es war also kein Regierungswagen.

»Einfahrt verboten!« riefen sie, »niemand darf hinein! Außerdem haben die Fenster geschlossen zu bleiben.«

»Maurice«, befahl Mehlen durch die Zwischenscheibe, »parken Sie etwas weiter hinten, und warten Sie dort. Sie, Landier, kommen mit mir.«

Sie stiegen aus, das Auto fuhr weiter. Mehlen trat in die Portiersloge ein. Er kannte das Palais von früher; seit Gardas an der Macht war, hatte er absichtlich niemals den Fuß ins Haus gesetzt. Der Portier bat ihn zu warten, während er Blache-Duparc anrief, der nicht gleich zu erreichen war.

Der Mann war mürrisch, durchaus nicht liebenswürdig; diesen Trubel hatte er nötig gehabt! Ein verpatzter Tag und eine Nacht, die bis in die Morgenstunden dauern konnte!

»Kommen Sie morgen früh wieder.«

»Monsieur Blache-Duparc erwartet mich. Ich bin ein persönlicher Freund des Ministerpräsidenten.«

»Nun, dann ...«, meinte der Portier zögernd. Er war zwar noch immer nicht ganz überzeugt: schließlich war der Ministerpräsident tot. Aber Blache-Duparc wurde gefunden, er kam sofort herunter und begrüßte Mehlen mit ausgesuchter Höflichkeit. Er nahm die beiden Herren mit; Landier war ihm nicht unbekannt, denn er war des öfteren in der Rue de la Faisanderie gewesen, sogar zu großen Diners. So folgte ihnen der Sekretär auf dem Fuß.

»Darf ich Sie zuerst in mein Büro bitten«, sagte Blache-Duparc, »wir können uns ein wenig unterhalten, während die Untersuchungskommission noch arbeitet. Ach, wer hätte das gedacht! Er sah gestern noch blühend aus; ein bißchen niedergeschlagen vielleicht. Aber Sie mußten es als erster erfahren, Monsieur Mehlen, der Sie ihm bei seinem Aufstieg beigestanden und dauernd mit ihm in Verbindung geblieben sind. Bis zum letzten Tag haben Sie ständig mit ihm telefoniert. Heute, am späten Nachmittag, konnte ich ihn zum erstenmal überreden, sich ein bißchen zu erholen. Der Chauffeur hat ihn ins Bois gefahren.«

»Ja, das weiß ich«, sagte Mehlen.
Er wußte alles. Immer!
»Dann ist er direkt hierher zurückgekommen. Er mußte sich endgültig wegen des Dekrets entscheiden. Der Text liegt noch auf seinem Schreibtisch. Das Elysée hat mehrfach angerufen; ich habe dem Präsidialbüro zugeredet, sich noch etwas zu gedulden. Der Ministerrat sollte morgen zusammentreten. Was den jungen Mann betrifft...«
»Enguerrand de Viborne.«
»Unter diesem Namen hat er sich vorgestellt.«
»Ich kenne ihn oder, vielmehr, ich habe ihn gekannt. Ich war jagen auf dem Gut seines Vaters... Parforcejagd...«
Blache-Duparc blickte auf. Mehlen hatte Parforcejagd geritten! Da er es sagte, mußte es wahr sein. Dieser erstaunliche Mann hatte immer neue Überraschungen bereit. Der Attaché fuhr fort:
»Ich habe den Studenten selbst bei seinem ersten Besuch angemeldet. Der Name Viborne schien die Türen unseres Präsidenten leicht zu öffnen. Ich glaube, er betrachtete die Familie wie Verwandte.«
»Ja, er tendierte zumindest dazu«, bestätigte Mehlen trocken.
»Der Chef hatte mir aufgetragen, ihn jederzeit vorzulassen. Und dann, er war ein Adeliger, ein Marquis sogar, wenn er auch wie ein bürgerlicher Student wirkte... Wie hätte ich jemals denken können...«
»Denken muß man immer, mein lieber Direktor...«
»Allerdings... allerdings... wenn es gutzumachen wäre...«
»Das ist es nicht mehr«, entgegnete Mehlen kalt.
»Abends ist er dann nochmals gekommen. Der Chef war ausgefahren, wie ich schon erwähnte. Ich selbst hatte auswärts zu tun. Der Junge wollte ihn sprechen, ich ließ ihn warten.«
»Und wo?«
»Ach, eben, in seinem Büro«, seufzte Blache-Duparc. »Er hatte ihn doch nachmittags auch empfangen... Jeder an meiner Stelle...«
»Nein«, sagte Mehlen. »Aber lassen wir das. Er hat also gewartet. Gardas ist wiedergekommen. Er hat ihn dort vorgefunden. Weiß niemand, was sie gesprochen haben? Gab es einen Streit? Im übrigen ist das völlig unwichtig. Er hat geschossen.«
»Und getroffen. Mitten in die Brust. Die Ärzte haben festgestellt, daß die Kugel die Aorta durchtrennt hat. Der Tod ist jedenfalls augenblicklich erfolgt.«
»Um so besser – dann hat er wenigstens nicht gelitten.«

Sie durchquerten den Hof, gelangten über die Freitreppe in die Vorhalle, in der heute nur Polizisten Dienst machten, und betraten das Büro Blache-Duparcs. Aus dem Nebenzimmer hörte man undeutliche Stimmen.

»Wie viele sind drinnen?«

»Zu viele«, antwortete der Attaché. »Niemand kennt sich aus.«

»Nur Polizisten?«

»Und der Polizeipräfekt selbst.«

»Coudray? Ein Freund von mir.«

»Er ist ganz verstört«, sagte Blache-Duparc.

»Und wir?« fragte Mehlen. »Wir vielleicht nicht?«

»Ich am meisten«, murmelte der Attaché, verwirrt durch diesen Blitz aus heiterm Himmel, der ihm eine so unsinnige Schuld auflastete.

»Glauben Sie? Fragen Sie einmal Landier! So ist der junge Mann also allein mit dem Ministerpräsidenten geblieben?«

»Es war niemand in der Nähe. Der Bursche hat sich die Stunde gut ausgesucht.«

»Und jetzt?«

»Was? Der Mörder . . .?«

»Nein, das ist Sache der Polizei. Ich denke an andere Dinge. An Dinge, die Sie bestimmt auch bedacht haben, Blache-Duparc. Dieses Attentat, für das Sie trotz allem wegen Ihrer Gedankenlosigkeit ein bißchen verantwortlich sind, setzt einen Schlußpunkt hinter Ihre politische Karriere, von der Sie mir einmal vorgeschwärmt haben.«

»Ja«, bekannte der Attaché resigniert.

»So genügt der Tod des Ministerpräsidenten, daß Sie alles für verloren halten?«

»Aber, Monsieur, jetzt . . .« Blache-Duparc machte eine trostlose Handbewegung.

»Jetzt, mein Lieber, muß eingegriffen und etwas unternommen werden – und vor allem das Notwendige. Gardas braucht einen Nachfolger . . .«

»Das liegt im Interesse des Staates, tatsächlich . . .«

»Natürlich, das auch. Die Politik des Ministerpräsidenten darf durch seinen gewaltsamen Tod nicht abreißen; die Aufgabe, die er sich gestellt hat, muß durchgeführt werden. Alles, was in unserer Macht liegt, hat zu geschehen. Sie wissen ja, daß ich an dem Erfolg Gardas' nicht ganz unbeteiligt war?«

»Sogar sehr beteiligt, Monsieur Mehlen!«

»Mehr vielleicht noch, als Sie ahnen. Ich habe beschlossen, daß seine Mission mit seinem Tod nicht ins Grab sinkt. Verstehen Sie mich, Blache-Duparc?«

»Ja.« Die Stimme des Attachés hatte plötzlich einen eigenartigen, fast plump vertraulichen Klang. »Nicht nötig, daß Sie mir einen Plan entwerfen. Ich, für meine Person, brauche Ihren Gründen nicht erst nachzuforschen, Monsieur Mehlen. Ihre Gründe sind auf jeden Fall die meinen, also gute Gründe. Im Gedenken an den Ministerpräsidenten...«

»Gewiß... Wir sind uns also einig. Sie haben den festen Willen, Blache-Duparc, und ich habe die Möglichkeiten. Und dann, bedenken Sie: Ihre Verantwortung bei dieser unglücklichen Geschichte...«

»Sie ist...«

»Verschwindend, ja«, fiel ihm Mehlen ins Wort. »Trotzdem wird man versuchen, Ihnen den Weg zu versperren, auf dem Sie – unabsichtlich, ich weiß, aber das spielt keine Rolle – einen Fehltritt gemacht haben. Jeder Mensch kann straucheln; Hauptsache, man fällt nicht. Wir sind uns also im Prinzip einig?«

»Aber wie...?«

»Das wird sich finden.«

Die Tür ins Büro Gardas' öffnete sich. Die Tür, durch die Enguerrand vor zwei Stunden getreten war. Ein Kopf erschien, jemand sagte:

»Monsieur Blache-Duparc, der Herr Innenminister ist eben eingetroffen.«

Der Attaché sprang auf:

»Da, da bin ich...«

Aber Mehlen stand schon neben ihm:

»Nicht ohne mich«, sagte er kurz.

Und er trat als erster in den Raum, der das Büro Victor Gardas' gewesen war.

IV

Der große Kristalluster brannte, aber man sah zuerst nichts als Rücken. Immerhin befanden sich acht bis zehn Männer in dem Zimmer, die eine Art unbewegte Runde bildeten und um einen bestimmten Platz des Raumes, vor dem großen antiken, mit Bronzen überladenen Schreibtisch, standen, zweifellos an der Stelle, wo Gardas lag. Mehlen war nicht so sehr darauf erpicht, ihn zu sehen; deshalb war er nicht gekommen. Hinter dem vorgebeugten Chataignier erblickte er Coudray. Mit dem Innenminister hatte er nur oberflächlich zu tun gehabt; Coudray aber kannte er gut, er hatte ihn über Börsenbewegungen informiert, die der Präfekt rechtzeitig wissen mußte. Beide betrieben die gleiche Politik, wenn auch nicht aus den gleichen

Ursachen. »Coudray, das ist die Ordnung«, sagten die Leute, und damit hatten sie recht. Zumindest die Ordnung, wie sie der hohe Beamte wünschte, wie sie Mehlen wünschte.

Coudray war sich über die Beziehungen Mehlens zu Gardas klar; dafür hatte Mehlen gesorgt. Die Dokumente, die den Sturz der vorhergehenden Regierung bewirkt hatten, waren zwar nicht direkt von Coudray gekommen, aber in seinem Kanal aufgespürt, entdeckt und beschlagnahmt worden. Das war sein Spiel, und er hatte durchaus fair gespielt. Mehlen konnte sich also auf den Polizeipräfekten in dem Interregnum zwischen Gardas' Tod und der neuen Regierung verlassen, um so mehr, als jener in dieser plötzlich auftretenden Gefahr auch seine eigene Existenz zu verteidigen hatte.

Mehlen legte ihm die Hand auf die Schulter, während sich der Minister fluchend über den Leichnam beugte. Coudray drehte sich um und bereute augenblicklich den Ausdruck peinlicher Überraschung, der seinem Gesicht sicher abzulesen gewesen war. »Ach, man hat Sie verständigt... Unser armer Ministerpräsident! Schrecklich...«

»Sie wollen sagen: Wie schrecklich ungelegen!« sagte Mehlen ohne Umschreibungen.

Coudray zuckte zusammen. Es verschlug ihm die Rede. Um sich nichts merken zu lassen, wies er mit stummer Gebärde auf den Toten.

»Ja, ich sehe...«, murmelte Mehlen.

Er sah ihn jetzt wirklich im hellen Licht des Lusters, das auf den Toten fiel. Gardas lag auf der rechten Seite, den Kopf zurückgeworfen, das blutlose Antlitz erstarrt. Alle Mängel seines Körpers, die sonst die lebendigen Bewegungen verbargen, traten in dieser grausamen Starre hervor: der Bauch, die dicken Finger, die fetten Schenkel und Beine, der feiste Nacken, der in Wülsten über den Kragen quoll, und das dürftige, verraufte Haar. Ein Mann, der seit langem, aber nun endgültig tot war.

»Tatsächlich, schön schaut das nicht aus«, stellte Mehlen fest.

»Es ist eine Tragödie«, sagte Coudray.

»Die nicht zu ändern ist.«

Sie unterhielten sich mit gedämpfter Stimme, während sich der Minister Blache-Duparcs bemächtigt hatte und schreiend, aufgeregt die Rache der Republik und des französischen Volkes beschwor.

»Was wird jetzt geschehen?« fragte Mehlen.

»Meine Leute sind verständigt, die Rue des Saussaies ebenfalls – der Fall kann die Staatspolizei interessieren, ich konnte nicht anders« – er bedauerte es; eine Polizei hat für die andere wenig übrig – »im übrigen liegt die Entscheidung in seiner Hand« – er zeigte auf den Minister.

»Ich kenne ihn kaum«, sagte Mehlen.

»Ich kenne ihn sehr gut«, antwortete der andere mit einem beziehungsvollen Lächeln.

»Sie halten ihn für unverläßlich?«

»Hören Sie, was er jetzt redet. Wenn die Galerie will, brüllt er das Gegenteil. Aber wir können nichts ändern.«

»Nein«, bestätigte Mehlen, »und deshalb, bitte, stellen Sie mich ihm vor.«

»Ach, Sie waren noch niemals mit ihm zusammen?«

»Doch, aber nur ein einziges Mal. Er hat mein Gesicht sicher vergessen. Sie können ihm notfalls verraten, wer ich bin, was ich für Gardas unternommen habe und schließlich auch für ihn unternehmen könnte, da er Minister ist.«

»Das wäre nützlich.«

Coudray trat auf den Minister zu, der sich heiser geschrien hatte und jetzt verstummt war, da ihm nichts mehr einfiel.

»Herr Minister, das ist Monsieur Mehlen.«

»Der Finanzmann? Was tut er hier?«

»Er war ein intimer ... sehr intimer Freund unseres unglücklichen Ministerpräsidenten ...«

»Ach, Monsieur, ein entsetzlicher Verlust, den die Republik heute erleidet!« Und damit ergriff er die Hände Mehlens.

»Ja«, Mehlen senkte das Haupt, »ja, wir alle verlieren viel.«

Chataignier sah ihn einen Augenblick mißtrauisch an.

»Ungeheuer viel«, sagte er schließlich langsam.

»Alles«, erklärte Mehlen.

»Ja, er war der einzige Mann ...«

»Eben. Aber schließlich, die Idee lebt weiter ...«

»Natürlich«, bestätigte Chataignier eifrig, »und die Idee überlebt ihn!«

»Genau das haben Sie vorhin selbst ausgesprochen, Herr Minister. Sie verzeihen, daß ich Ihren Worten lauschte.«

»Ja? Es stimmt auch.«

»Die Idee steht hinter den Worten.«

»Sie haben sie herausgefühlt.«

»Deutlich und klar.«

Ein Polizist näherte sich ihnen: »Meine Herren, wenn Sie so freundlich wären: Eben ist der Fotograf gekommen.«

»Aber gerne«, sagte der Minister, verbesserte sich aber schnell: »Eine Aufnahme kommt jetzt natürlich nicht in Frage.«

»Herr Minister«, belehrte ihn Coudray, »es betrifft nicht Sie, sondern ...« Er zeigte auf den Toten.

»Ach, wo hab' ich nur meinen Kopf!« murmelte Chataignier.

»Nachher kann man ihn dann wegtragen, und das Büro steht Ihnen zur Verfügung.«

Chataignier schaute ihn an:

»Zur Verfügung?«

»Freilich«, sagte Coudray, »schließlich muß ja irgend jemand weiter...«

»Ja, tatsächlich«, murmelte Chataignier.

Er schaute auf den Stuhl, von dem er seit jeher geträumt hatte. Sich niedersetzen? Ja. Aber heute? Unter diesen Umständen?

Nein, nein, das war noch zu gefährlich!

Er hatte seinerzeit nur zögernd das Innenministerium angenommen, man hatte ihn förmlich dazu überreden müssen. Er hatte sich erst unter der Erwägung ernennen lassen: »Kommt es wirklich zu Schwierigkeiten, dann muß der Ministerpräsident damit fertig werden, ich profitiere nur an den Vorteilen.« Gardas war sich über die Qualität des Mannes ganz klar gewesen; die Unverläßlichkeit Chataigniers brachte es allerdings mit sich, daß er Wachs in den Händen seines Ministerpräsidenten war.

Und jetzt sollte dieser Minister entscheiden!

»Tatsächlich«, sagte er sichtlich verwirrt, »man wird jemanden brauchen...«

Alle drei, Coudray, Mehlen und er, waren in die Ecke hinter den Schreibtisch gedrängt worden. Unbewußt streichelte Chataignier die Lehne des imposanten Stuhls.

Auf der andern Seite beschäftigten sich die Polizisten und die Männer der Justizbehörde mit dem Toten, krochen wie dicke Larven um den Leichnam, der nichts mehr bedeutete und nun ihren Händen überlassen war.

»Man wird nicht jemanden brauchen, man braucht jemanden«, stellte Mehlen richtig. »Solche Ereignisse heben oft Persönlichkeiten in das öffentliche Licht, die man früher vielleicht nicht so sehr beachtete und die dadurch eine Chance erlangen...«

»Ja, ja, wirklich«, bestätigte Chataignier.

»Herr Minister«, sagte Coudray, »ich halte es für meine Pflicht, Ihnen, dem Innenminister, genau Bericht zu erstatten. Wenn Sie nicht hierhergekommen wären, dann hätte ich Sie stehenden Fußes aufgesucht. Ich habe präzise, offizielle Informationen.«

»Die Organisation hat zugeschlagen.«

»Faktisch bestimmt, ob sie nun den Mord angestiftet oder vollendet, ja sogar wenn sie ihn nicht gewollt hat, da zur Stunde entgegengesetzte Weisungen ausgegeben wurden – wie ich aus sicherer Quelle weiß. Auf jeden Fall wird heute früh der Generalstreik als Protest gegen die Notverordnung ausgerufen.« Er sah auf seine Uhr.

»Aber die Notverordnungen sind nicht unterschrieben!«

»Ein Grund mehr. Sie werden alles unternehmen, um die Unterschrift zu verhindern. Wir werden also Generalstreik haben. Ich weiß, was das bedeutet, es ist kein Spaß. Das ganze Leben im Staat ist gelähmt. Überdies werden die Arbeiter, die nichts zu tun haben, aber auch keinen Lohn kriegen, bald aufsässig und unzufrieden. Es stehen uns also harte Zeiten bevor, wenn sich die Sache in die Länge zieht. Bestimmt nicht sofort, aber in zehn, fünfzehn Tagen... Der Tod des Ministerpräsidenten kann unter diesen Umständen, wenn ich das sagen darf, eine Reaktion im entgegengesetzten Sinn hervorrufen. Es ist möglich, daß die Linke morgen schon, dank dieses Mordes die Stellungen wieder bezieht, die sie nur durch einen Zufall verloren hat. Die Affäre der Dokumente ist schon vergessen. Die Unzufriedenheit der Politiker ist deshalb nicht geringer geworden. Die Gegner werden sich bemühen, wieder hinaufzukommen, Herr Minister.«

»Aber... das Interesse des Vaterlandes...«

»Liegt woanders. Das ist unsere tiefe Überzeugung... die meine, der ich Polizeipräfekt bin, und jene Monsieur Mehlens, der, wie Sie wissen, eine Säule der Nation bedeutet, der viel vermag, Herr Minister, wie er schon viel für unsern verewigten Ministerpräsidenten Gardas zu tun vermochte.«

»Ich würde für den künftigen Ministerpräsidenten zumindest ebensoviel, ja viel mehr unternehmen als für Gardas«, erklärte Mehlen. »Alles, was ich in Händen habe, stünde ihm zur Verfügung... und das ist nicht wenig.«

»Ja, ja«, stotterte Chataignier.

»Eines steht fest: Wir müssen einen Nachfolger für Ministerpräsident Gardas haben«, erklärte Coudray.

»Ein harter Posten... eine schwere Verantwortung...«, sagte Chataignier.

»Gewiß«, warf Mehlen ein, »aber der Mann an der Spitze wird sie nicht allein tragen müssen.«

Coudray und Mehlen sahen die Sache klar: Ob es nun Chataignier oder ein anderer würde, war völlig unwichtig, man brauchte einen Mann, und zwar sofort. Vor allem einen Mann, der sich von ihnen lenken ließ, der unter den obwaltenden Umständen das Steuer so lange führen konnte, als sie brauchten, um den Gegner unschädlich zu machen und eine Bastion gegen ihn zu errichten, die so lange hielt, bis ihre wankenden Stellungen wieder gefestigt waren. Vor allem durfte es kein Vakuum geben, das die Gegner sofort füllen würden.

»Meine Polizei ist bereit«, sagte der Präfekt.

»Ja, ja...«, der Minister lächelte nervös, »Coudray ist die Ordnung, das wissen wir.« Der Tote war völlig vergessen.

»Auf jeden Fall müssen sofort Maßnahmen ergriffen werden«, fuhr Coudray fort, »die innere Sicherheit des Landes ist schließlich Ihr Ressort, Herr Minister; diese Pflichten nehmen Sie auf jeden Fall auf sich, im besten und im schlimmsten...«

»Richtig, sehr richtig, ja...«, wiederholte er, wie um sich selbst zu überzeugen.

»Es wäre daher durchaus gerecht, daß Sie nicht nur die Pflichten tragen, sondern auch die Vorteile dieses Postens genießen. Alle Vorteile, Herr Minister«, sagte Mehlen.

»Im Grund genommen durchaus logisch. Was sagt die Verfassung dazu, Coudray?«

»Da müßte man Blache-Duparc fragen. Er weiß Bescheid.«

Blache-Duparc stand in der andern Ecke des Zimmers, er machte sich so klein wie möglich. Gleich nach seinem Eintritt waren die Fragen Chataigniers auf ihn niedergeprasselt, während Mehlen mit Coudray sprach. Zu seiner Erleichterung hatten sich diese Fragen bald in einen pathetischen Monolog vor dem Toten gewandt. Und jetzt, wo er hoffte, vergessen zu sein, winkte ihm der Minister von neuem. Er näherte sich demütig, innerlich zitternd.

»Monsieur, Sie können uns vielleicht eine Auskunft geben. In dem Fall, daß... im vorliegenden Fall... kurz, wenn ein Ministerpräsident auf tragische Weise aus seinem Amt gerissen wird... welcher Minister ist dann berufen – ich meine intermittierend –, seinen Platz zu besetzen?«

»Keiner, Herr Minister. Nur der Staatschef entscheidet darüber.«

»Und wie?«

»Er schlägt einen vor.«

»Und wen wählt er?«

»Das hängt davon ab. Den eben, der zur Hand ist.«

Coudray machte eine Geste wie: Da hören Sie es!

Ein paar Männer traten durch die hintere Tür mit einer Tragbahre ein und hoben den Toten darauf. Sie machten sich bereit, ihn wegzutragen, der Amtsgehilfe öffnete beide Türflügel.

»Was geschieht mit ihm?« fragte Chataignier.

»Er wird oben in seiner Wohnung aufgebahrt – eine behelfsmäßige Trauerkapelle.«

»Sehr gut. Sehr gut... Aber glauben Sie nicht, daß da oben... daß

die Wohnung vielleicht von einem andern Minister gebraucht wird?«
»Das ist richtig. Dann bahren wir ihn eben im Dienstzimmer auf,
Kommissar«, befahl der Präfekt.
Chataignier sah stehend der Bahre nach. Die Tür schloß sich hinter
den Trägern, und die vier Männer blieben beim Schreibtisch zurück.
Landier hielt sich abseits.
»Blache-Duparc«, sagte Chataignier, »löschen Sie den Lüster,
bitte.«
Blache-Duparc gehorchte. Die Tageslichtlampe allein beleuchtete die
Tischplatte, das Papiermesser und die Bleistifte, die Victor Gardas
noch vor wenigen Stunden benützt hatte. Rechts auf der Seite lag
sogar noch ein Brillenfutteral. Chataignier schob es leicht, wie zufällig weg. Dann setzte er sich in den Stuhl.

V

Mehlen war der erste der vier, der sich, als wäre es die natürlichste
Sache der Welt, neben dem Schreibtisch niederließ. Enguerrand war
heute in diesem Fauteuil gesessen. Daraufhin zog sich auch Coudray
einen Sessel hin, Blache-Duparc wartete, wie es sich gehörte, stehend
die Befehle ab. Landier schien von der Schattenzone aufgesogen,
aber Mehlen hatte seine Gegenwart nicht vergessen. Chataignier
klopfte nachlässig mit der Spitze von Gardas' Papiermesser auf den
Aktendeckel, der auf der Schreibunterlage verblieben war und der
eben das enthielt, was den Tod seines Vorgängers verursacht hatte.
Mehlen betrachtete ihn stumm: Ja, diesen Mann mußte man einsetzen, die Zeit drängte, und es war eben kein anderer zur Stelle.
Coudray ergriff als erster das Wort:
»Nun«, sagte er, die Ellbogen auf dem Tisch, auf dem Sesselrand
balancierend, »man darf nichts übereilen. Wenn es Ihnen recht ist,
werden wir alle nötigen Dispositionen treffen und uns dabei auf die
Informationen stützen, die ich Ihnen geben kann. Nachher dann wird
Blache-Duparc in der Präsidialkanzlei anrufen und Sie mit dem
Staatschef verbinden – er ist bestimmt geweckt worden, und er darf
keine Verfügungen ohne Sie treffen – damit Sie ihm Ihre Vorschläge
unterbreiten.«
»Sehr gut«, nickte Chataignier. »Ich lausche Ihnen.«
»Ich war zu Hause, als mir der Mord gemeldet wurde, und habe so-
fort alle meine Leute einberufen. Wir haben den Namen und die
Personenbeschreibung des Täters, ich denke, daß wir ihn sehr bald am
Kragen haben werden, wenn ihn nicht die Organisation deckt oder

verbirgt. Aber ich vermute stark, daß die Partei seiner Verhaftung eher Vorschub leisten wird. Auf jeden Fall ist die Maschine in Gang gesetzt, alles Nötige wird unternommen; in dieser Beziehung sind keine Schwierigkeiten zu erwarten.«

»Ist die Nachricht schon bekannt?«

»Leider ja. Wir konnten die Verbreitung nicht verhindern. Man hätte es uns niemals verziehen. Bis jetzt beschränkt sich die Kenntnis allerdings auf die Zeitungen und die Agenturen, die uns auch schon ihre Leute hergeschickt haben. Ich habe sie in einen kleinen Saal des Hauses führen lassen, dort sind sie isoliert und warten. Man wird ihnen allerdings später eine Erklärung abgeben müssen. Ich denke, daß Sie das in die Hand nehmen sollten, Herr Minister. Wir dürfen es nicht zu lange hinausschieben. Nun, wenn die Aufbahrungskapelle so weit ist, können sie den Toten fotografieren, damit sind sie beschäftigt.«

»Werden Sie es erlauben?«

»Warum nicht? Je tiefer die Abscheu über diesen Mord – die eben geschürt werden muß –, desto größer die Empörung und desto heftiger der Wunsch, das Opfer zu rächen und sich nicht Methoden aufzwingen zu lassen, die man als revolutionär bezeichnen könnte...«

»Sehr gut! Völlig richtig überlegt!« lobte Chataignier.

»Wir brauchen eine Volksempörung«, fügte Coudray hinzu.

»Und eine nachhaltige«, bestätigte der Minister.

»Wir brauchen noch mehr«, ließ sich Mehlen vernehmen.

»Das dachte ich auch«, sagte Coudray.

»Aber was?« fragte Chataignier mit großen erstaunten Augen.

»Etwas anderes als einen ruhigen und friedlichen Generalstreik.«

»Glauben Sie denn, daß...«

»Natürlich, die Weisungen sind ausgegeben, ich kenne sie.«

»Dann ist es ja gut. Die Ordnung wird nicht verletzt. *Ihre* Ordnung, Coudray!«

»Und gerade das beunruhigt mich«, sagte Mehlen.

»Aber ich bitte Sie! Was mich betrifft, wünsche ich nur, daß alles gut verläuft und nichts passiert...«

»Was nennen Sie ›gut‹, Herr Minister?«

»Frieden auf den Straßen... in den Fabriken... keine Kundgebungen, keine Zwischenfälle, keine Meutereien...«

»Und damit die Macht in den Händen friedlicher, aber triumphierender Extremisten! Denn sie sind die einzigen, die ohne Nachteil die Ruhe, von der Sie schwärmen, durchsetzen können«, sagte Mehlen hart.

»Nein, nein, wirklich nicht ... der Gedanke liegt mir fern ...«

»Herr Minister«, fiel Coudray ein, »die Aufgabe, das Werk des großen Mannes, des Helden, der sein Blut für seine Ideale hingibt« – er
gebrauchte die Ausdrücke Chataigniers und amüsierte sich trotz der
ernsten Stunde heimlich darüber –, »kann nur weitergeführt werden,
wenn wir energisch auftreten. Unser Werk würde durch eine Unterirdische Wühlarbeit untergraben, langsam, aber sicher, wenn nichts
geschieht und wenn wir uns nur abwartend verhalten. Das eben
wünschen sich die Gegner. Deshalb verleugnen sie den Mörder offiziell, sie wollen die Verantwortung für die Tat nicht auf sich nehmen.
Aber immerhin ist Gardas erschossen worden. Das ändert alles. Die
Linke glaubt, daß wir keinen Mann haben, der stark, mutig und
durchtrieben – ja, durchtrieben, sprechen wir es nur aus – genug ist,
um ihn zu ersetzen. Morgen schon muß in allen Zeitungen, auf der
Straße eine einzige Überzeugung herrschen ...«

»Daß Gardas weiterlebt«, sagte Chataignier.

»Das ist es. Das müssen wir sagen und überall hinausschreien. So
lautet der Slogan.«

»Ich bin nicht unzufrieden«, sagte Chataignier, »nein, wirklich, ich
bin nicht unzufrieden ...«

»Aber Gardas kann nur in der Stärke und mit der Stärke fortgesetzt
werden und weiterleben. Sie kennen die militärischen Maßnahmen,
die der Ministerpräsident angeordnet hat?«

»Gewiß. Doch verstehe ich nicht ganz, warum mit der Stärke? Bitte
erklären Sie mir das, mein lieber Präfekt. Ich hielte, im Gegenteil, die
Milde für angebracht.«

»Es wird keinen Nachfolger Victor Gardas' geben, und seine Lei-
stung, sein Werk, wird augenblicklich untergehen, wenn wir dem
Volk Gardas und dieses Werk nicht aufzwingen ... Hören Sie mich,
Herr Minister: aufzwingen!!«

»Sie wollen also, Coudray?«

»Krawalle, Proteste, zerschlagene Scheiben ... Wir müssen die Unruhen ›unterdrücken‹ können ...«

»Aber warum?«

»Weil es nötig ist, Herr Minister, daß man von Ihnen die Ergreifung
außerordentlicher Maßnahmen fordert. Sonst werden wir in aller
Ruhe ausgelöscht und weggefegt, ehe wir es noch selbst bemerkt
haben. Wir müssen die Macht wieder fest in die Hand bekommen,
die uns im Augenblick durch dieses unglückselige Ereignis zu entgleiten droht. Und das gelingt nur, wenn wir die Fäuste ballen und
sie schütteln ... Aber es muß alles ganz gesetzmäßig vor sich gehen.
Dazu brauchen wir den glücklichen Zufall, daß die Formationen der

Gegner aus irgendeinem Grund aufgescheucht werden, aus ihren Kadern schwärmen und die strikten Weisungen ihrer Vorgesetzten mißachten.«

Nach Mehlens Ansicht konnte man sich schwerlich noch deutlicher ausdrücken, aber der Mann ihm gegenüber schien ihn noch immer nicht zu verstehen, oder er wollte ihn nicht verstehen. Er hatte Angst. Das war Mehlen sofort klar. Chataignier würde niemals Wagnisse auf sich nehmen. Er wäre – aus anderen Gründen, aber ebenso – tot wie Gardas, ehe er überhaupt begriff, was vor sich gegangen war. Man mußte handeln und ihn vor die vollendete Tatsache stellen... Erst bei Coudray vorfühlen und wissen, wie weit er gehen würde.

»Herr Minister, unser Präfekt hat die Möglichkeiten... Er ist ein Mann, der Truppen befehligt, die ihm ergeben sind.«

»Ich bürge für sie«, bestätigte Coudray, »Sie verstehen, Herr Minister, wenn es das Interesse des Vaterlandes erfordert und wenn uns wirklich, wie ich glaube, kein Vorwand gegeben wird... ich will sagen, keine Ursache, zu zeigen, daß wir uns nicht alles gefallen lassen... dann kann man zur Not diese Ursache selbst schaffen...«

»Coudray!« rief Chataignier empört aus, »habe ich Sie richtig verstanden? Ich habe von den Methoden der Polizei läuten gehört, aber ich habe solche Geschichten immer ins Reich der Fabel verwiesen. Wollen Sie mir glauben machen, daß es in Ihren Reihen wirklich Lumpen gibt, die sich zu Provokationen hergeben?«

»Das wollte ich nicht sagen«, berichtigte Coudray, »ich denke nur, wenn es zufällig dazu kommen sollte...«

»Ich nicht, Coudray«, fiel ihm der Minister ins Wort. »Finden Sie nicht, daß der Tod Gardas' genügt, daß schon genug Blut geflossen ist? Ich möchte meine Stellung nicht solchen Machenschaften verdanken, ich würde eher verzichten, als mit befleckten Händen dazustehen.«

Und das stimmte wirklich. Mehlen las es von seinem Gesicht ab. Der Mann verzichtete lieber auf alles, als daß er sich in Gefahr begab. Er war ein Jammerlappen oder ein Dummkopf, vielleicht beides. Wie viele solcher Kerle hatte Mehlen in seinem Leben gekannt, Krämerseelen oder geborene Subalterne. Und Coudray?

»Dann«, sagte der Präfekt, »dann kann ich Ihnen versichern, Herr Minister, daß nichts geschehen wird. Auf meinem Sektor halte ich Ruhe und Ordnung aufrecht... die nötigen Vorbereitungen sind getroffen. Die Truppe steht Gewehr bei Fuß, wie es Ministerpräsident Gardas angeordnet hat... Und ich werde beizeiten meinen Abschied nehmen. Ich werde mir die Bitte erlauben, meinen Antrag im

Ministerrat zu befürworten: mich nach Südamerika auf den Posten zu versetzen, von dem bereits einmal die Rede war.«

Coudray! Also auch er!

Der Präfekt sprach weiter:

»Herr Minister, ich habe Ihnen meinen Standpunkt klar und deutlich dargelegt, den Standpunkt eines Mannes, der zweifellos die besten Informationsquellen in Paris, ja in ganz Frankreich besitzt. Sie haben das Wort vom ›Weiterleben Gardas'‹ geprägt. Dazu brauchen Sie eine Nation, die von Sicherheitsmaßnahmen gestützt wird, Maßnahmen, die sonst nur in Revolutionsperioden ergriffen werden. Freilich, diese Revolutionsperiode muß auch bestehen, zumindest zu bestehen scheinen. Ich behaupte nicht, daß man sie schaffen kann, aber man kann wenigstens so tun als ob... mit sehr geringem Aufwand. Meine persönliche Ansicht kennen Sie, und Sie kennen auch meine Ergebenheit. Aber ich bin niemand. Ich bin nur ein hoher, aber zugleich sehr bescheidener Beamter. Ich bin es nicht, der das Staatsschiff lenkt, ich habe nichts zu entscheiden. Ich stehe unter Ihrem Befehl, und ich werde nichts ohne Ihren Befehl unternehmen.«

»Danke für Ihre offenen Worte, mein lieber Präfekt. Ich werde Ihnen die entsprechenden Befehle erteilen.«

»Dann ist es gut.«

Coudray erhob sich.

Auch der Präfekt hatte Angst! Oder verstellte er sich? Nein, nein, er hatte Angst. Die Angst hielt sie alle in ihren Krallen. Sie wußten, was ihnen bevorstand, und ließen sich vernichten!

»Blache-Duparc«, sagte Chataignier, »Sie waren die rechte Hand unseres großen Freundes. Sie sind über alles informiert?«

»So ziemlich, Herr Minister.«

»Was Sie wissen, wird auf jeden Fall genügen. Ich werde die laufenden Arbeiten weiterführen...«

»Das will also heißen, daß Sie verzichten, Herr Minister?« fragte Mehlen.

»Ich? Aber woher denn? Keineswegs! Ich will nur abwarten, einen Aufschub gewinnen... Ich brauche auch die Meinung des Herrn Staatspräsidenten. Ich hoffe, daß er mir die Agenden überträgt. In wenigen Tagen sehen wir weiter...«

Das paßte ihm: sich in diesem Fauteuil breitmachen, vorläufig abwarten, wie sich die Dinge entwickelten, und abhauen, wenn der Laden schlecht lief. Diese Männer waren verdorben durch zehn Jahre Korruption, Schwindeleien, falscher Versprechungen und feiger Angst. Nein, in den »Staatsgeschäften« gewann man kein Rückgrat und keine Härte; zäh und fest wurde man nur bei eigenen Risken, bei eigener Verantwortung, und nicht bei der Fünftagewoche und der abgekarteten Wahl.

»Blanche-Duparc, verbinden Sie mich mit der Präsidentschaftskanzlei.«

Was wollte dieser Mann dem Staatschef sagen? Was ihm vorschlagen? Nichts. Nichts als Bericht erstatten über kümmerliche, im vorhinein zum Scheitern verurteilte Versuche, im vorhinein akzeptierte, ja sogar angestrebte Niederlagen. Und das alles in der sinnlosen, trügerischen Hoffnung auf »ein bißchen Glück«, nach dem alten Motto: Es wird sich schon wieder einrenken!

»Die Telefonzentrale ist nicht mehr besetzt. Ich muß das Elysée auf der öffentlichen Linie anrufen.«

»Tun Sie's, tun Sie's nur, mein Freund!«

Zur Tarnung seiner Unruhe öffnete Chataignier spielerisch das vor ihm liegende Dossier:

»Was ist denn das, Blanche-Duparc?«

»Die Notverordnung – die Entwürfe der Dekrete, Herr Minister.«

Chataignier schlug die Mappe zu und schob sie so hastig zurück, als fürchte er, sich an ihr zu verbrennen. Blanche-Duparc hatte die Nummer gewählt.

Der Minister drehte sich zu Mehlen und Coudray:

»Meine Herren, ich werde Sie bitten müssen... Sie, Herr Präfekt, bleiben in meiner Nähe, vielleicht brauche ich Sie.«

»Jawohl, Herr Minister.«

Das war eine Entlassung.

»Kommen Sie, Landier«, sagte Mehlen und erhob sich.

Chataignier schob die Akte, die er dummerweise geöffnet hatte, noch weiter von sich ab. Mehlen, der mit den beiden andern Herren das Büro verließ, hörte, daß er ganz laut, vielleicht unbewußt, sagte:

»Die Notverordnungen... die Dekrete... ach, das hat Zeit.«

»Der Herr Präsident«, meldete Blanche-Duparc.

»Herr Präsident der Republik«, begann der Innenminister ehrfürchtig am Apparat.

VI

Zu dritt standen sie in dem großen Wartezimmer. Kein Amtsgehilfe saß in der Vorhalle, nur vier Polizisten gingen auf und ab.

»Was halten Sie davon, Coudray?« fragte Mehlen mit unbeteiligter Stimme.

»Im Eimer...«, knurrte der Präfekt. »Mir kann es piepegal sein, ich pfeif' drauf, ich habe meine Zeit abgedient und die Nase voll. Aber, zum Teufel, schade ist es doch!«

Die derbe Sprache tat ihm wohl.

»Es würde nur von Ihnen abhängen . . .«

»Nein, nein! Mir reicht es, die Kastanien für die andern aus dem Feuer zu holen. Wer wird sich in diesen Stuhl setzen? Er oder ich? Wenn die Sache klappt, dann heimst er alle Ehren ein, ganz zu schweigen von dem ganzen Drum und Dran. Und wenn es schief-geht, dann kann ich's ausbaden, und man versetzt mich in ein Kaff, dann ist's aus mit dem Großstadtverkehr. Wenig Aussichten für mich, das ist mir klar.«

»Das Interesse des Vaterlandes . . .«

»Oh, Monsieur Mehlen, ich bitte Sie! Das Vaterland existiert, stimmt. Aber ohne Hochverrat zu begehen, kann ich Ihnen verraten, daß mir dieses Vaterland zum Hals 'raushängt, das sich nicht retten lassen will, das nur auf die glücklichen Zufälle, will heißen die Wun-der, wartet. Soll es sich diesmal allein herauskrabbeln. Soll es endlich die Männer finden, die es braucht. Die Masse – außer der Masse, die gegen uns ist – läßt sich herumkriegen, wie man will, der ist alles Wurst, und wenn man ihr das Fell über die Ohren zieht, sagt die noch danke dafür. Sogar die Jugend, du lieber Gott! Außer ein paar solcher Burschen wie jener Student, der Gardas erschossen hat – todsicher aus Überzeugung –, sind die andern Jungen, alle andern, nur noch Greise in einem überalterten Staat. Sie haben zu viele Katastrophen, Kriege, Besatzungen, Demütigungen, Ängste durchgestanden. Ihre Gefühle, ihre Reaktionen, ihre Wünsche sind genauso verbraucht und steril wie alles andere ringsum. Sie pfeifen auf alles. Wie ich auf alles pfeife. Ich hab' zuviel gesehen. Man hat mir zuviel angetan. Ich kann nicht mehr, und ich will nicht mehr. Nicht nur, daß es mir keinen Spaß mehr macht, es ärgert mich. Nein, ich gehe noch weiter: es widert mich an. Sie wollten wissen, was ich empfinde, jetzt wissen Sie's. So weit bin ich gekommen.«

»Das wird vorübergehen . . .«

»Nicht mehr meine Kartoffeln . . . sollen sich's die andern heraus-buddeln. Wenn ich rechtzeitig ein schönes ruhiges Pöstchen bekomme, dann warte ich meine Pension ab, und nachher pflanze ich meine Kohlköpfe.«

»Dazu brauchen Sie immerhin einen Acker.«

»Ich hab' das alte Haus meines Vaters im Loiretal bei Saint-Benoit. Gute Jugendfreunde, Bauern wie ich. Was ich hätte bleiben sollen . . . das ist nicht so schlecht für die paar Jährchen, die ich noch vor mir habe.«

»Es gibt trotzdem große Interessen...«

»Interessen der andern. Vorhin, im Büro, vor diesem Mann, da ist mir plötzlich klargeworden, daß ich nicht mehr zu ihnen gehöre. Freilich, ich bin Beamter. Meine Pflicht muß ich erfüllen...«

»Entscheidend ist zu wissen, wo diese Pflicht beginnt und wo sie endet.«

»Was mich betrifft: von jetzt an – bei mir. Ich hab' genug von den Feiglingen und Sch...kerln. Es kotzt mich an. Ich habe meine Haut im Krieg riskiert. Ich bin davongekommen. Jetzt sollen die andern herhalten. Ich danke ab.«

»Aber, aber Coudray, Sie sind verbittert. Eine Flaute...«

»Keine Flaute. Egal, ich hab's Ihnen gesagt. Da hat man es diesem Chataignier unter die Nase gerieben, man hat es ihm deutlichst erklärt. Hat ihm die Handhabe geboten. Drei oder vier gute, kleine Raufereien, genügend aufgebauscht – und schon verhängt der Ministerrat den Belagerungszustand, ruft das Standrecht aus und erklärt, daß die Heimat in Gefahr ist. Aber ich, ich hab' genug, ich will keine Verantwortung mehr übernehmen. Ich will nicht, daß man mir eins auswischt, wenn es schlecht ausgeht. Dabei wäre es nicht schwer!«

»Dann tun Sie's, Coudray!«

»Nein, nicht für viel Geld.«

»Aber aus Idealismus...«

»Ich hab' keinen mehr. Ich will Ihnen etwas sagen, Monsieur Mehlen: ich hab' die Mörder niemals gemocht, die politischen ebensowenig wie die andern. Ich habe Gardas tot daliegen gesehen, und das hat mir nicht gefallen. Aber ich hab' diesen jungen Mörder noch immer lieber als die Männer, die mit ihrem Hintern fest auf einem Sessel sitzen und warten und dabei an nichts mehr glauben. Ich werde das Nötige tun, um den Burschen zu kriegen. Ich hoffe, es gelingt mir, denn das gehört zu meinem Amt. Aber wenn ich ihn erwischt habe, dann werde ich mich vielleicht heimlich freuen, daß wir es mit diesem Eunuchen von Chataignier zu tun haben. Ein anderer hätte mir einen Einsatzbefehl gegeben. Und das Standrecht wäre da. Sie wissen, was das für den Attentäter bedeutet? Kriegsgericht – vierundzwanzig Stunden und aus...«

Mehlen dachte an Enguerrand und an Angèle. Mit Gewalt schob er die Gedanken ab.

»Landier, kommen Sie her.«

Coudray maß den Sekretär mit einem mißtrauischen Blick. Mehlen sagte:

»Keine Sorge. Landier ist ein Grab. Er wird kein Wort unseres

753

Gesprächs gebrauchen. Im übrigen, haben Sie gehört, was der Herr Polizeipräfekt gesprochen hat?«

»Ja«, antwortete Landier.

Coudray zuckte zusammen.

»Ja«, fuhr Landier fort, »und ich könnte es wörtlich wiederholen, ohne eine Silbe zu vergessen. Aber beim Zuhören überlegte ich, ob nicht vielleicht andere Leute an seiner Stelle handeln könnten, wenn er es aus den vorgebrachten Gründen ablehnt.«

»Und wer?« fragte Coudray.

»Ach, irgend jemand ... wer eben dazu bereit ist ... Ein Unbekannter, irgendein Namenloser, der sich traut und auch weiß, was er will.«

»Sie, Landier?« fragte Mehlen.

Landier zuckte die Achseln:

»Was riskiere ich schon? Eine minimale Gefahr ...«

Ja, dachte Mehlen, minimal im Vergleich zu der Gefahr, die dir droht, weil du an mich gebunden bist!

»Meines Erachtens könnte Landier die Sache leicht übernehmen, er ist durchaus verläßlich.«

»Welche Sache?« fragte Coudray.

»Nun, Herr Präfekt«, entgegnete Landier, »nach Ihren Äußerungen vor dem Herrn Minister muß ich annehmen, daß Sie eine sehr genaue Vorstellung davon haben, wie die Sache anzupacken wäre. Monsieur Mehlen hat mich einen diskreten Menschen genannt, und das bin ich auch. Geben Sie mir doch einige Details, ich verspreche, sie ebenso streng bei mir zu behalten wie alles andere dieses Gesprächs.«

»Och«, meinte Coudray gedehnt, »das waren so flüchtige Ideen, vage Vorstellungen ... Ich habe mir nichts Bestimmtes dabei gedacht.«

»Schade«, sagte Landier.

»Ja, schade«, wiederholte Mehlen, »schade, denn da Sie nicht angreifen wollen oder können, hätten wir beide, Landier und ich, alles Weitere in die Hand genommen.«

»Na, es wäre kein Kunststück«, begann Coudray etwas zögernd. »Man brauchte nur ein bißchen Geld in der Tasche ... für den Schnaps und Allfälliges ... Es gibt Männer, die warten nur darauf. Die schlagen sich für ihr Leben gern herum; Raufer von Natur aus, die nicht täglich Gelegenheit dazu haben. Keine weißen Unschuldslämmer, sondern Kerle, die noch Blut in den Adern haben, harte Burschen ... Heute erst habe ich einen Bericht auf dem Schreibtisch gehabt ... In Puteaux, zum Beispiel, gibt es eine solche Kolonie ...«

»Verstehe«, sagte Landier.

»Und wo?«

»In Puteaux, wie schon erwähnt... überall. Sie leben in Kolonien, hausen in möblierten Zimmern oder Garnis, manchmal sechs bis zehn zusammen, vor allem in der Gegend der alten Kirche. Übrigens nicht nur dort, auch in Saint-Ouen beim Gemeindeamt... in Saint-Dénis, in einem Viertel, das – ausgerechnet! – die ›Revolte‹ heißt. Dort hat es sonderbare malerische Winkel, die einen Herrn wie Sie, Monsieur Mehlen, interessieren müßten, der Sie im Sechzehnten wohnen... Immer von Nutzen, einmal was Neues kennenzulernen.«

»Wirklich, in diesen Gegenden kennt mich niemand, niemand weiß, wer ich bin. Und dann«, fügte er mit seltsamer Betonung zwischen zusammengepreßten Zähnen hinzu, »mir macht jede Abwechslung Spaß. Diese Viertel...«

Blache-Duparc erschien:

»Ach, Sie suche ich, Herr Präfekt. Der Herr Minister hat ein langes Gespräch mit dem Herrn Präsidenten der Republik geführt. Sie haben sich geeinigt.«

»Abzuwarten?« fragte Coudray.

»Ja. Wieso wissen Sie...?«

»Blache-Duparc«, sagte Mehlen, »dieses Warten bedeutet Ihre Agonie, Ihre Stunde hat geschlagen.«

»Das weiß ich«, seufzte Blache-Duparc, »aber was soll ich dagegen tun? Ich weiß genau, was nötig gewesen wäre... Man hat den Herrn Ministerpräsidenten Gardas erschossen, vielleicht schießen andere auch...«

»Alle Hoffnungen sind erlaubt«, erwiderte Mehlen mit kalter Ironie.

Chataignier zeigte sich an der Schwelle des Vorraums:

»Nun, Blache-Duparc!«

Er erblickte Coudray, Mehlen und hinter ihnen Landier.

»Mein lieber Präfekt, ich hätte noch einiges mit Ihnen zu besprechen. Ach, die Herren sind auch noch hier?«

»Ja, Herr Minister. Wir plauderten, der Herr Präfekt und ich, während wir warteten.«

»Wenn Sie auf besondere Ereignisse warten, dann kann ich Ihnen mitteilen, daß keine stattfinden werden... zumindest nicht in dieser Nacht. Wir gehen zu Bett, es ist entsetzlich spät... und wir haben einen harten, schrecklichen Tag hinter uns. Mein lieber Präfekt, der Herr Staatschef hat in Anbetracht meiner Funktion und meiner Initiative geruht, mir die Staatsgewalt zu übertragen, interimsweise; die Politik wird im bisherigen Sinn bis zur Bildung einer neuen Regierung weitergeführt. Ich berichtete ihm, daß Sie mir zur Seite standen. Er freute sich sehr darüber, ebenso, daß dank Ihrer Umsicht Ruhe und Ordnung gewährleistet sind. Aber für Sie ist die Arbeit noch nicht zu Ende, leider. Sie müssen – der Herr Präsident der Republik legt größten Wert darauf – möglichst bald den Mörder festnehmen. Das ist die vordringlichste Aufgabe, wichtiger als alles ... Die Öffentlichkeit würde niemals begreifen ... Nicht wahr, Sie verstehen?«

»Vollkommen, Herr Minister. Es ist ohnehin schon alles eingeleitet.«

»Das habe ich dem Herrn Präsidenten auch mitgeteilt. Er spricht Ihnen seinen Dank aus. Aber er will noch mehr: die Verhaftung.«

»Wir werden alles tun, was in unsern Kräften steht.«

»Ich verlasse mich auf Sie. Nun, meine Herren, ich glaube, daß wir heute einiges geleistet haben und zufrieden sein dürfen ...« Er rieb sich die Hände. »Jetzt ruhen wir uns aus.«

»Herr Minister, der verewigte Herr Ministerpräsident ... Vielleicht könnten wir ...«

»Natürlich, ich habe ganz vergessen. Natürlich, Blache-Duparc. Sie sind ein großartiger Mitarbeiter. An diesen kleinen Dingen erkennt man es. Ein Minister muß so viele wichtige Probleme wälzen, daß er zuweilen die ... die Kleinigkeiten vergißt. Gehen wir, erweisen wir unserm großen Toten die letzte Ehre. Kommen Sie mit, Herr Präfekt?« Und zu Mehlen und Landier: »Gute Nacht, meine Herren! Sie freuen sich sicher, endlich zur Ruhe zu kommen.« Es waren Fotografen oben, und er legte keinerlei Wert darauf, mit den beiden abgebildet zu sein.

»Kommen Sie, Landier«, sagte Mehlen.

Sie durchquerten die Halle. Die Wachleute salutierten und schlugen die Hacken zusammen, als der Minister vorbeikam.

VII

Maurice wartete am Volant des Bentley. Mehlen sprang in höchster Eile vor Landier hinein.

»Nach Hause ... wir wechseln den Wagen. Dort, wo wir hin müssen, können wir nicht mit einer Sechsmillionen-Karosserie erscheinen. Wir nehmen den Citroën.«

»Sehr richtig, Chef«, sagte Landier. »Und dann?«

»Puteaux. Wir sollten schon am Weg sein.«

Es mußte klappen. Angèle schlief sicher nicht, er konnte zu ihr hinaufgehen und die tröstliche Nachricht bringen, daß Enguerrand noch nicht entdeckt war. Vielleicht fand sie dann ein bißchen Schlummer und ruhte sich etwas aus. Er seinerseits wußte jetzt, wohin er ging und was ihm diese Nacht noch alles bringen würde.

Schweigend legten sie die Fahrt zurück. Landier atmete freier, eine

Hoffnung zeichnete sich ab, wo er sich verloren geglaubt hatte. Er hätte gerne eine Zigarette geraucht, wagte es aber nicht.

Vor seinem Haus öffnete Mehlen die Zwischenscheibe:

»Maurice, holen Sie schnellstens den andern Wagen aus der Garage. Wir fahren gleich wieder weg.«

»Weit, Monsieur?«

»Nein, ich denke nicht.«

»Sonst müßte ich volltanken.«

»Tun Sie's auf alle Fälle. Ich gebe Ihnen zehn Minuten Zeit.«

Landier sperrte das Tor mit seinen eigenen Schlüsseln auf, Mehlen trat, ohne den Überzieher abzulegen, ein:

»Warten Sie auf mich. Essen Sie eine Kleinigkeit, wenn Sie Hunger haben. Ebenfalls zehn Minuten.«

Und er lief hinauf. Angèle hatte den Wagen gehört und gewußt, daß er sofort zu ihr kommen würde. Sie eilte ihm entgegen.

Ich habe also eine Frau, die mich erwartet, sogar nachts, die meine Interessen teilt, dachte er glücklich und in kindlichem Stolz. Er ließ seinen Hut am Kleiderhaken des Vorzimmers und nahm seine getönten Brillen ab. Das war eine Art Gruß, die er Angèle bot.

»So«, erklärte er, »ich war mit dem Innenminister zusammen, am Tatort. Zunächst nichts Neues, es hat sich alles genauso abgespielt, wie Blache-Duparc am Telefon sagte.«

»Und Enguerrand?«

»Den haben sie noch nicht. Der Polizeipräfekt Coudray hat strengen Befehl, ihn zu finden. Aber im Augenblick...«

Sie atmete auf. Und nun konnte auch sie erzählen:

»Angélique hat angerufen. Denken Sie: Lambert ist gefunden.«

Mehlen beugte sich zu ihr und küßte sie auf die Stirn:

»Endlich eine gute Nachricht!« Seine Freude war echt. Zum erstenmal konnte er sich über ein glückliches Ereignis freuen, das ihn nicht unmittelbar betraf.

»Angélique und ein Student, ein Freund Enguerrands, haben ihn in einem Hotel in der Nähe des Lyoner Bahnhofs entdeckt. Es geht ihm gut. Sie haben ihn zur Großmutter gebracht. Von dort allerdings hab' ich sehr böse Nachrichten: Meiner Mutter geht's schlecht, die Lähmung schreitet fort: Sie kann weder Arme noch Hals mehr rühren, auch das Gesicht scheint angegriffen...«

»Leider, das hat Fromenti von Anfang an befürchtet.«

»Es soll eine Frage von Stunden sein, sagt meine Tochter. Mama, meine arme Mama!«

Er antwortete nicht, aber er sah die tapfere alte Frau vor sich. Über Raum und Zeit hinweg sandte er ihr einen ehrerbietigen Gruß.

»Ja, ich werde mich bei Fromenti erkundigen . . .«

»Nein«, fiel sie ihm ins Wort, »er kann nichts mehr helfen, das ist mir klar. Und jetzt ist Enguerrand am wichtigsten. Sobald ich ihn in Sicherheit weiß, fahre ich zu meiner Mutter.«

»Sie können auch dort die Nachricht abwarten.«

»Nein, ich will hier bleiben.« Mit Nachdruck: »Bei Ihnen, damit wir gemeinsam beratschlagen können, wenn sich etwas ergibt.«

»Sobald wir seinen Aufenthalt kennen, ist es eine Kleinigkeit, ihn wegzubringen.«

»Angélique weiß nicht, wo er ist, obwohl sie ihn heute noch gesehen hat. Sie hat mit ihm zu Mittag gegessen.«

»Und hat sie seine Absicht gekannt?«

»Das kann ich mir nicht vorstellen, er hat ihr sicher nichts verraten. Aber immerhin, ein Freund Enguerrands, ein gewisser Bernard Gandret, hat ihr bei der Suche Lamberts geholfen, und Enguerrand hatte nur politisch Gleichgesinnte zu Freunden.«

»Vielleicht weiß dieser Gandret, wo Enguerrand stecken könnte?«

»Nein, ich hab' sie gefragt. Es wird Ihnen doch alles hierher gemeldet, nicht wahr? Ihre Leute wissen doch immer, wo Sie zu erreichen sind?«

Er wollte das Thema wechseln, da er für Enguerrand noch nichts unternommen und dieses Problem vorderhand zurückgestellt hatte. Zuerst mußte er hinaus nach Puteaux und dort das Nötige veranlassen. Enguerrand kam nachher. Vielleicht war es dann zu spät, dachte er flüchtig. Aber was konnte er tun? Er log:

»Ja, die Anrufe werden hierher geleitet.«

Jetzt erst bemerkte sie, daß er seinen Überzieher nicht abgelegt hatte.

»Gehen Sie noch einmal aus?«

»Leider, es ist noch sehr viel zu erledigen, sehr Wichtiges . . . Ich bleibe bestimmt noch einen Teil der Nacht weg.«

»Wohin gehen Sie denn?«

»Es sitzen zu viele Feiglinge oben. Ich muß ihnen eine Injektion geben.«

Mehr verriet er nicht. Draußen hörte man das Auto vorfahren.

»So, ich muß wieder weg. Verlassen Sie sich auf mich«, sagte er unbestimmt. »Ich hoffe, daß es nicht zu lange dauert. Ich bin bald zurück.«

»Und wenn man anruft – wegen Enguerrand –, könnten Sie mir nicht sagen, wo Sie . . .?« fragte sie zögernd.

»Ich hinterlasse alle nötigen Weisungen«, versprach er und verließ sie. Was riskierte er mit diesem Versprechen? Vor morgen geschah bestimmt nichts. Er verargte es sich zwar, daß er Angèle belog, und sei es nur durch Verschweigen, aber er konnte nicht anders. Das Wichtigste war, sich selbst und damit Angèle zu retten; er ließ den Jungen deshalb nicht aus den Augen.

Landier stand schon in der Einfahrt. Er hatte eine Zigarette geraucht, der Duft des englischen Tabaks lag in der Luft.

»Noch einen Augenblick«, sagte Mehlen.

Er durchquerte den Salon, ging mit schnellen Schritten in sein Büro und öffnete das Geheimfach in der Holzverschalung hinter dem Schreibtisch. Dort hatte er immer eine größere Summe in Tausendfrancscheinen als Reserve. Er nahm vier Päckchen zu Hundert heraus, stopfte zwei davon mit einiger Mühe in die Manteltaschen und löschte das elektrische Licht. Draußen übergab er seinem Sekretär die übrigen zwei Bündel mit einem zynischen Lächeln:

»Da, der Nervus rerum!«

Landier steckte sie in die Taschen eines alten, schmierigen Trenchcoats, den er sich eigens für diesen Ausflug herausgesucht hatte. Dann nahm er eine Schirmmütze von der Konsole des Vorraums: Er hatte an alles gedacht.

VIII

Puteaux... Saint-Ouen... Als Coudray die Namen dieser Vororte genannt hatte, ahnte er nicht, daß er damit etwas Künftiges mit etwas schon Vorhandenem verband. Und auch Saint-Dénis hatte er erwähnt, aber das war zu weit entfernt; dort konnte man zur Not den Schlußpunkt setzen.

Zuerst einmal Puteaux.

Man brauchte nur den Bois zu durchqueren. Ja, genau den großen Teich entlang, wo Gardas seinen letzten Spaziergang gemacht hatte. Hinaus über Neuilly, dann die Brücke und nun rechts vorbei an dem Kaffeehaus, in dem Enguerrand, Angélique und Bernard zu Mittag gegessen hatten und das jetzt geschlossen war. Die »Ziegenhotels«, wie die Quartiere der dunkelhäutigen Nordafrikaner, der »Bicots«, im Volksmund genannt wurden, befanden sich etwas weiter, hinter der aufgelassenen Kirche und dem Laden für Angelgeräte, der den unwahrscheinlichen Namen »Zur Einheitsmade« führte.

Maurice parkte den Wagen zwanzig Meter hinter dem Eckkaffeehaus, auf dem verlassenen Kai, wo nur dann und wann donnernd ein Lastwagen vorbeifuhr. Sonst herrschte tiefe, nächtliche Stille; es wurde merkbar kälter, gegen Morgen gab es bestimmt Frost.

Drüben in den Dienstzimmern der Syndikate im Umkreis des Gemeindeamts ging es sicher lebhaft zu, hier aber war es so ruhig, daß

759

man das leise Plätschern der Wellen gegen die Uferböschungen und die Brückenpfeiler hörte.

Landier öffnete den Wagenschlag.

»Wollen Sie, daß Maurice Sie begleitet?«

»Nein, nein. Allein, ganz allein... ich weiß noch nicht, wie ich es anstellen werde, aber ich hab' gesagt, daß ich es mache.«

»Wenn nötig, komme ich«, versprach Mehlen.

Landier wußte, daß er sich darauf verlassen konnte. Der Chef kniff nicht. Auf alle Fälle mußte es gelingen.

Trotzdem, es war schwer, so einfach in der Nacht jemand anzusprechen, nicht zu wissen, wie und wen. Ein recht fragwürdiges Unterfangen. Er tastete nach den Banknotenpäckchen in der Tasche, das stärkte ihn wieder, und zugleich dachte er, daß so viel Geld in der Tasche ziemlich gefährlich war. Trotzdem, es war nötig, er konnte sich nicht mit leeren Händen vorstellen. Nach ein paar Minuten aber kehrte er doch zurück und drückte Maurice die Banknoten in die Hand:

»Bewahren Sie mir das, Maurice«, und zu Mehlen: »Wenn wir uns einig geworden sind, dann schicke ich die Burschen her und lasse sie hier beim Wagen auszahlen.«

Obwohl Maurice noch nicht wußte, worum es sich handelte, verfiel er automatisch in seine alte Sprache:

»Die können kommen, ich hab' mein Eisen.«

Es gab immer einen Revolver griffbereit im Seitenfach des Wagens. Mehlen hatte ihm einen Waffenpaß verschafft, denn der Citroën beförderte oft beträchtliche Geldsummen.

Landier entfernte sich, verschwand in der Nacht. Mehlen warf einen Blick auf die Autouhr: kaum zwei Uhr morgen.

Kein Geräusch. Nicht einmal dieses leise, entfernte Zittern des Erdbodens, das die Nähe schwerer Maschinen verriet. Die Werke waren noch zu weit, oder standen die Räder schon still? Kein Mensch auf der Brücke, auf den Böschungen oder auf dem Kai. Wenn Coudray richtig informiert war – und das war er –, hätten doch Männer mit Streikparolen und Aufrufen, die man an den Fabrikmauern plakatierte, unterwegs sein müssen; ebenso hätte die Truppe sich bemerkbar machen müssen, die Truppe, die gehorchte, weil es ihr Beruf war: das Militär, das noch auf Gardas' Befehl bereitgestellt war. Das war eine Macht, gewiß, aber eine Macht, die nur durch den Willen einer Handvoll Menschen zur Macht wurde. Revolutionen wurden immer durch eine Minderheit entfesselt. Mehlen hatte einmal irgendwo gelesen, daß ein paar hundert Menschen genügt hatten, um die Russische Revolution 1917 zu entfachen.

Zwanzig Minuten waren vergangen. Landier kam nicht. Maurice saß stumm im Wagen, er sprach nur, wenn der Chef eine Frage stellte. Ein geschulter Diener, verläßlich und treu – und das aus gutem Grund!

Diese Stille war seltsam. Eine Stille, als ob niemals etwas geschähe oder geschehen wäre, als brennten drüben im Matignon nicht die Kerzen in einem schwarzverhangenen Raum vor einem Katafalk, vor dem jetzt der Präsident der Republik in Andacht verharrte. Als ob die gesamte Polizei schliefe, die Soldaten in ihren Kasernen schnarchten und Enguerrand friedlich in seinem Bett ruhe. Als ob Madame Paris nicht mit dem Tod ringe. Als ob niemandem Gefahr drohe, weder Angèle noch Mehlen noch diesem Land, das dem stillen Strom hier glich, der matt und lautlos dahinfloß. Aber Mehlen wußte, so friedlich eine Nacht auch scheint, immer gibt es Menschen, die sich schlaflos auf ihrem Lager wälzen, Menschen, die auf der Wacht sind.

Fünfunddreißig Minuten... vierzig...

»Ich schaue nach, Maurice.«

Mehlen stieg beim linken Wagenschlag aus und bog nach links ab.

»Monsieur Landier ist rechts hineingegangen«, erinnerte ihn Maurice, »ich hab' ihn dort hinter der alten Kirche zum letztenmal gesehen.«

Mehlen entfernte sich vorsichtig; die Hände links und rechts auf die prallen Taschen gelegt.

Die Straßen waren rabenschwarz und alle Türen verschlossen. Man sah ärmliche, manchmal verkommene Behausungen. In weitem Abstand pendelten Glühbirnen an Drähten, die ihren trüben Schein verbreiteten, als wollten sie das Elendsbild noch unterstreichen. Mehlen kannte die Armut, aber es war eine Armut, die anders als diese hier aussah. Es war eine Armut ohne Mauern, ohne Türen, ohne menschliche Wärme, ja, ohne menschlichen Atem in den vier Wänden. Es war die Armut eines vollkommen isolierten Geschöpfs, eine unmenschliche Armut. Jetzt besaß er andere Werte, und es wäre ihm erstaunlich gleichgültig, wieder ins Elend zurückzufallen, denn es wäre ein anderes Elend. Nur konnte er es nicht mehr. Ja, es wäre unmöglich, von dem hohen Gebäude, das er errichtet hatte, hinabzustürzen, da damit sein Lebensinhalt, sein Daseinszweck zerschellte und ihm Angèle verloren wäre.

Glücklicherweise leitete ihn sein Instinkt oder, besser, sein Selbsterhaltungstrieb. Er begab sich auf die Suche nach Landier, weil die Zeit drängte und weil man die wenigen verfügbaren Stunden brauchte, um woanders anzusetzen, wenn es hier mißlang. Er fürchtete jetzt, daß Landier versagte und daß sein schmieriger Trenchcoat und die

Schirmmütze nicht aufzuheben vermochten, was er unter seinem eleganten blauen Mantel und dem grauen Filzhut trug, daß sie die feige Seele nicht wettmachen konnte. Jetzt handelte es sich nicht um Weltanschauung und langes Herumreden, jetzt ging es nur um eines, wie auch Coudray zu verstehen gegeben hatte: um eine dicke Brieftasche, die alles entfesseln kann: Kampfgeist und Rauflust, oder die klassische Auflehnung »in tyrannos!«, die in diesem Fall noch als angenehme Draufgabe Geld für Weiber und Schnaps verschaffte. Hatte Landier das richtig erfaßt? Wo steckte er nur, der Bursche?

Die Straßen waren wie ausgestorben und leer, kein Schimmer war in den Fenstern. Aber dort war das erste Hotel. Der Name »Zum Einäugigen« paßte gut, denn die Kugellampe, die an der Fassade prangte, schaute wie ein großes totes Auge aus, von dem man nur das Weiße sieht. Und etwas weiter das nächste... noch eines... Aber es war kalt, und die Läden waren zugezogen.

Wo konnte Landier nur sein?

Da sah Mehlen einen Eingang mit angelehnter Tür, darüber ein Schild: »Hotel zum Kai und zur Bretagne«. Im zweiten Stockwerk hatte Mehlen hinter ehemals grünen Bastjalousien einen Lichtschein entdeckt.

Im Flur schlug ihm ein Geruch entgegen, den er unter Tausenden erkannt hätte: der Geruch ausländischer Minenarbeiter, von Kindheit her vertraut. Er leitete ihn sicherer als ein Ruf.

Er stieg hinauf. Er war klein und waffenlos. Er spürte die beiden Banknotenbündel in der Tasche. Landier war inzwischen zu Maurice zurückgekehrt, aber das wußte Mehlen nicht, er war ihm nicht begegnet. Landier war kein Mehlen. Mehlen wußte, was er wollte. Mehlen fürchtete nichts.

Er kam kaum vier Stufen weiter, als er einen Knacks unter seinen Füßen spürte, die vierte Stufe hatte ein wenig nachgegeben. Das war in manchen Garnis so üblich. Rechts öffnete sich eine Tür, ein verschlafenes Gesicht erschien, ein Hausdiener oder der Wirt selbst. Im undeutlichen Licht einer plötzlich aufflammenden Birne, deren Glühfäden hinter dem Fliegenschmutz zitterten, trat ein Mann heraus, in langen Hosen, mit hängenden Hosenträgern, in einem Nachthemd, das am Hals mit roten Quasten gebunden war.

»Was wollen Sie?«

»In den zweiten Stock hinauf«, erklärte Mehlen.

»Mitten in der Nacht können Sie nicht mit Ihrem Ramsch hausieren.«

»Ich hausiere nicht, ich muß mit jemandem sprechen.«

»Na schön. Ein paar von den Bicots sind sicher noch wach.«

Er ging ins Zimmer zurück und verschloß es. Er wäre sehr erstaunt gewesen, wenn er gewußt hätte, wer der späte Gast war. Mehlen aber hatte sich nicht getäuscht: Er befand sich auf dem richtigen Weg. Er kam in den ersten Stock, stieg langsam in den zweiten weiter. Hinter der Tür hörte er undeutliche Stimmen, Worte, in einem seltsam singenden Tonfall gesprochen, dabei leicht verschleiert, wie die Stimme von Schwindsüchtigen. Mehlen öffnete kurz entschlossen die Tür.

An der Wand des Zimmers standen Pritschen in einer Reihe, auf denen dunkle Gestalten ruhten. Man erkannte sie im Schein einer Kerzenflamme, die sich bog, als er eintrat – der Wirt schaltete um neun den Strom ab, sonst »könnte er die Bude schließen«, wie er erklärt hatte. Vor einem Weichholztisch – auf dem die Kerze in einem Flaschenhals steckte – saßen drei Männer bei einem Spiel mit schmierigen Karten, deren Ecken umgebogen waren. Einer drehte sich um: »Was willst du?« fragte er.

»Mich mit euch unterhalten«, antwortete Mehlen.

Er holte eines der Pakete aus der Tasche und ging gerade auf sie zu.

IX

Es war halb vier, als Mehlen zum Wagen zurückkam. Nicht allein: ein Mann begleitete ihn. Landier, der schon lange da war, verging vor Ungeduld. Mehlen stieg ein, der Fremde blieb draußen. Als er sich vorbeugte, bemerkte Landier, daß es ein Araber war.

»Landier, geben Sie diesem Burschen die beiden Pakete«, befahl Mehlen.

Der Araber war mit einer schäbigen Hose und einer zerschlissenen Jacke bekleidet. Er trug keinen Schal, er schlotterte vor Kälte.

Maurice händigte ihm die dicken Bündel aus, die er mühsam aus der Tasche zwängte. Der Nordafrikaner steckte sie ein. Mehlen erklärte:

»Wenn alles geschieht wie besprochen, dann wird dir dieser Herr hier – schau ihn dir genau an – den Rest morgen bringen.« Und er zeigte auf Landier.

Der Fremde nickte zum Zeichen des Einverständnisses. Er war nicht redselig, oben war alles genau abgemacht worden, sie waren sich einig. Morgen sollten weitere Sechshunderttausend ausbezahlt werden, das genügte, daß sie alle fünf heimfahren konnten und nicht mehr in diesem verdammten Land bleiben mußten, wo sie froren und Hungers starben. Was sofort ihr Vertrauen erweckt hatte, das war der Anblick des Geldes in Mehlens Hand gewesen; Landier war nur mit

Worten gekommen. Der Sekretär erkannte den Araber wieder und regte sich auf:

»Und mich hat er hinausgeschmissen!«

»Mich nicht.« Dann zu dem Bicot: »Also auf morgen. Ach ja, Maurice, gib ihm deinen Revolver.«

Der Araber nahm die Waffe wortlos aus seiner Hand. Er gab keine überflüssigen Versprechen, er sagte nicht: Du hast mein Wort. Er drückte nur das Geld und den Revolver an sich und winkte ein Adieu, vielmehr ein »Auf Wiedersehen«, als Maurice den Wagen wendete. Der Citroën bog nach links, zu der Brücke ab. Der Araber war in der Nacht verschwunden.

»Nun, Chef, erledigt?«

»Ja«, sagte Mehlen.

Wieder einmal hatte er etwas getan, was unerläßlich war. Er war zufrieden mit sich.

Alles war vereinbart, alles bestellt. Er brauchte keinen Verrat zu fürchten, weil die Leute noch Geld zu erhalten hatten.

»Nun, Landier, wieder einmal davongekommen.«

Der Sekretär schwieg. Immer würde Mehlen der Stärkere sein, er hatte daher immer recht. Im übrigen verriet ihm der Chef die Einzelheiten der Abmachung nicht. Das bedeutete Mehlen ein boshaftes Vergnügen. Er schließt mich absichtlich aus, drückt mich in den Rang des Untergebenen, des unwichtigen Komparsen hinunter, dachte Landier wütend. Immerhin bin ich ein Mitwisser. Aber was habe ich davon?

Morgen, nach Ausrufung des Generalstreiks wird der Araber seine Glaubensgenossen sammeln und sie vor die GEFA-Werke führen. Gegen acht wird sich ihre Schar um viele Mitläufer verstärkt haben, die lärmend versuchen werden, in die Fabrik einzudringen, um sie zu besetzen. Es wird Geschrei, Zusammenstöße geben, und um Schlimmeres zu verhüten, wird man sie umkreisen ... Mehlen hatte sich gehütet, ihnen zu verraten, daß Militär bereitstand, CRS, Mobilgarden, Polizei. Man wird sie zurückdrängen, worauf die Araber sich mit Baumgittern, Pflastersteinen und Ziegeln der dortigen Baustellen zur Wehr setzen werden. Schließlich hatten sie auch Messer in den Taschen und Kugeln in den Läufen. Man hatte Mehlen viel Krawall versprochen, und er wußte, daß es Krawall geben würde. Von allen Seiten werden die Araber aus Puteaux und den andern Vororten zusammenströmen, ohne selbst zu wissen, worum es ging. Und hinter ihnen die Arbeiter, die Zwang und Polizei haßten. Ein aufregender Tag stand bevor, ein widerwärtiger vielleicht, aber sicher ein nötiger. Bestimmt gab es Verwundete. Tote? Mehlen wußte, daß es auch Tote geben würde, denn für sie hatte er eine Zusatzprämie als Entschädigung versprochen, eine persönliche für den Araber, der ihn zum Wagen begleitet hatte. Sie waren sich über den Preis einig geworden. Angèle durfte natürlich nichts davon erfahren. Zumindest jetzt nicht. Er wollte es ihr später einmal gestehen, wie er ihr alles andere gestanden hatte. Die Toten würde er vielleicht verschweigen. Oder doch nicht? Vielleicht, um sie auf die Probe zu stellen, zu sehen, ob er ihrer sicher sein konnte. Jetzt aber mußte er vor allem heim zu ihr, ihr zeigen, daß er des Erfolgs sicher war. Damit sie ruhig schlief ... ach nein, da war ja noch die große Sorge Enguerrand ... und die todkranke Mutter ...

Nun, er hatte jedenfalls den Motor angelassen, und diesmal würde kein unglückseliger Zufall das Getriebe stören, kein Todesfall das Werk zum Stillstand bringen. Überraschungen waren ausgeschlossen.

Bei der Porte Dauphine begegneten sie einer Kolonne von zehn Lastwagen. Sie waren von Männern im Stahlhelm besetzt.

Vor dem Stadtpalais der Rue de la Faisanderie blieb der Citroën stehen. Landier stieg als erster aus, er riß den Wagenschlag auf: Er war noch devoter als sonst. Er kam über die Demütigung nicht hinweg, sein Groll wurde allerdings durch die Tatsache besänftigt, daß Mehlen mit der eigenen Rettung auch ihn gerettet hatte.

»Noch ein paar Minuten, Maurice. Ich glaube, jetzt kommt uns nichts mehr dazwischen, wir können endlich ausschlafen. Ich will nur erst ein Telefongespräch führen, vielleicht gibt es etwas Neues.«

Und Angèle? Schlief sie schon? Sicher nicht. Es schien ihm sogar, als hätte er beim Vorfahren oben im ersten Stock ihre Tür gehen gehört. Er mußte sie auf jeden Fall sprechen.

Ja, wirklich, sie stand auf dem Treppenabsatz. Er war glücklich über die guten Nachrichten, die er bringen konnte: Alles war eingeleitet, sie hatten eine Chance, ihr Schicksal wendete sich zum Guten.

»Liebe Angèle«, begann er.

Sie aber fiel ihm ins Wort:

»Enguerrand hat angerufen ... Enguerrand ... Ich weiß, wo er sich aufhält.«

Sie erzählte ihm alles in fliegender Hast, gab ihm die Adresse und erklärte ihm, bei wem er sich versteckt hielt.

»Gut«, sagte er, »wir müssen ihn vor Tagesanbruch holen.«

Daß gerade er, Mehlen, dem Attentäter Gardas' zur Flucht verhalf, nachdem er wegen dieses Mordes den morgigen Tumult vor den Fabriken vorbereitet hatte, war eine Ironie des Schicksals und schien ihm wie ein Hohn. Aber um Angèles willen hatte es zu geschehen.

Und auch diese Aktion mußte gelingen, als hinge sein eigenes Leben davon ab. Aber es hing ja wirklich davon ab! Nicht nur, weil Angèle im Spiel war, sondern weil Mehlen zu einem neuen Menschen geworden war.

Er hob den Hörer ab:

»Landier! Sie sind noch wach?«

»Ich kenne Ihr Programm nicht. Da Sie Maurice Befehl gaben, zu warten...«

»Ich brauche Sie nicht mehr. Tatsächlich, ich brauche Sie nicht mehr. Ersuchen Sie nur Maurice, heraufzukommen. Zu Madame de Viborne, ja.«

Er hängte ab.

»Es ist ein richtiges Wunder, daß Enguerrand Sie angerufen hat. Es ist jetzt...«

»Fünf Uhr«, sagte Angèle, nach einem Blick auf die kleine Rokokouhr mit den goldenen Säulen. Fünf kurze Schläge wurden vernehmbar.

»Wir werden ihn vor Tagesanbruch von der Rue Cassini holen. Der Citroën ist bereit, Maurice wird ihn fahren, er ist ganz unauffällig. Er bringt ihn auf schnellstem Weg über Bordeaux nach Spanien. Ich habe einen Blankopaß samt Visum ohne Foto...«

Es klopfte, Maurice trat ein.

»Maurice«, begann Mehlen, »ich weiß, daß ich Ihnen vertrauen kann.«

»Gewiß, Chef.«

»Dann hören Sie. Morgen, vielmehr heute früh, wenn es noch dunkel ist...«

X

Zum erstenmal fand Mehlen lange keinen Schlaf. Schließlich zwang er sich dazu; er hatte befohlen, ihn nicht zu wecken. Er brauchte alle Kraft, allen Verstand für den morgigen Tag. Madame de Viborne war weit von der Selbstbeherrschung Mehlens entfernt, sie legte sich nieder, aber sie schloß kein Auge. Es war ihr unmöglich, ehe Enguerrand in Sicherheit war.

Deshalb war sie es, der Maurice am Telefon von der fehlgeschlagenen Aktion berichtete. Sie bat Mehlen herauf.

Er war in wenigen Minuten bei ihr. Er wachte meistens genauso schnell auf, wie er einschlief. Mit seinem trainierten Willen war er sofort hellwach und bereit zu handeln. Er entschuldigte sich wegen seines Dressinggowns, immerhin hatte er sorgfältig das Haar gebürstet, das von Kindheit an widerspenstig war. Sie riefen Maurice aus dem Kaffeehaus her, und er erzählte ihnen, daß er an der Tür so lange und so fest geklopft hatte, daß fast das ganze Haus aufgewacht war.

Mithin warf der tiefe Schlaf eines jungen Menschen den schönen Plan über den Haufen, umsonst war die Waage so geschickt austariert worden. Vor allem wollte Mehlen die Nachricht durch Coudray bestätigt wissen. Er rief ihn in seiner Wohnung an.

Ja, nach zwei Stunden Schlaf hatte man dem Präfekten gemeldet, daß der Attentäter gefaßt war.

»Und was machen Sie mit ihm?«

»Och, der entschlüpft unseren Maschen. Chataignier gibt bestimmt einen Sonderauftrag heraus. Wir haben es nicht mit einem gemeinen Mord zu tun.«

»Heißt er wirklich Enguerrand de Viborne?«

»Ja, kennen Sie ihn?«

»Seine Familie, wie ihn auch Gardas kannte. Würden Sie mich bitte auf dem laufenden halten?«

»Natürlich, Monsieur Mehlen. Aber sonst kann ich gar nichts tun: Er hat den Ministerpräsidenten erschossen.«

»Bewiesen?«

»Er hat es sofort bei seiner Verhaftung gestanden. Der Inspektor hat mich glückstrahlend angerufen. Für ihn ein großer Erfolg...! Anscheinend haben sie die Tür aufgebrochen, und nicht einmal davon ist er aufgewacht. Man hat ihn buchstäblich wachgerüttelt. Verhaftet wurde er in der Wohnung eines gewissen Bernard Gandret, seines Freundes, der, nebenbei bemerkt, ebenfalls organisiert ist.«

»Ich werde Sie anrufen, Coudray.«

»Jederzeit, wann Sie wünschen. Haben Sie geschlafen?«

»Schlecht. Ich bin erst vor kurzem heimgekommen.«

»Ein nächtlicher Spaziergang?«

»Nach Puteaux, Coudray. Ich habe gefunden, was ich suchte.«

»Na, das wird die Affäre des Jungen nicht gerade fördern.«

»Das fürchte ich auch.«

»Peinlich, wenn man die Familie kennt... Aber wie hätte man annehmen sollen...?«

Mehlen hängte ab und sah Angèle an:

»Haben Sie verstanden?«

»Nein, oder nur ungefähr.«

»Dann muß ich Ihnen die Wahrheit sagen. Heute nacht war ich in Puteaux; ich habe mit einem Nordafrikaner gesprochen, habe ihm Geld und einen Revolver gegeben... mit einem Auftrag...«

»Er soll jemanden ermorden?« schrie sie beinahe heraus.

»Nein, nein«, besänftigte er sie. »Nein, er soll heute früh mit seinen Glaubensgenossen einen Auflauf vor der Fabrik inszenieren. Chataignier, der Innenminister, ist ein Zauderer, der sich vor einer Verantwortung scheut. Man muß ihn zur Ergreifung strenger Maßnahmen zwingen; das habe ich versucht. Gardas kann nur durch Einsatz von Gewalt weiterleben. Chataignier schreckt vor Gewalt zurück, ich habe das Nötige unternommen, jetzt muß er sich dazu entschließen. Der Sicherungsplan im Falle von Unruhen ist noch von Gardas ausgearbeitet, und deshalb sind Unruhen, Meutereien nötig...«

»Aber ich verstehe nicht...«

»Um eine schwankende Regierung zu energischen Schritten zu zwingen: zur Verhängung des Belagerungszustandes, des Standrechts, und dadurch den Gegnern, der Linken, das Handwerk zu legen und zu verhindern, daß sie die Macht ergreifen oder daß sie ihnen wie eine reife Frucht in den Schoß fällt.«

»Aber Enguerrand!«

»Ich wollte ihn retten. Konnte ich ahnen, daß er wie ein Toter schläft...«

»Heute nacht also?«

»Ich habe bei meinen Vorbereitungen auch an Enguerrand gedacht. Zwangsläufig, denn es ist doch Ihr Sohn, Angèle. Nur mußte ich das Problem Enguerrand an die zweite Stelle setzen. Zuerst einmal Sie...«

»Und Sie selbst«, sagte sie fast hart.

»Auch ich, als Funktion von Ihnen.«

»Und wäre es so schrecklich, alles zu verlieren?«

»Nein. Aber es wäre mehr als alles. Mein Sturz hätte unabsehbare Folgen. Er würde soviel mitreißen – Sie vor allem, Angèle. Ich habe Ihnen nicht verhehlt, daß es gefährlich ist, mit mir verbunden zu sein. Weil ich zu Ihnen nur aufrichtig sein kann, habe ich Ihnen gestanden, was diese Nacht geschehen ist – und muß nun fürchten, daß Sie mir die Schuld zuschieben, wenn sich die Lage des Jungen verschärft hat. Wie konnte ich aber ahnen...«

»Man muß eben so schnell wie möglich nach Puteaux zurück und alles abblasen. Sie können den Leuten das Geld schenken...«

»Nein, das ist nicht mehr möglich«, sagte Mehlen.

»Wenn Sie, der es eingeleitet hat, widerrufen?«

»Weil es zu spät ist«, sagte Mehlen und zeigte mit dem Telefonhörer, den er noch immer in der Hand hielt, auf die Rokokouhr. Die Zeiger standen auf halb acht.

XI

Angèle strich sich über die Stirn. Sie zitterte am ganzen Körper und versuchte vergeblich, sich zu beherrschen. Sie zitterte, wie damals am frühen Morgen vor der letzten Jagd Patrice de Vibornes.

»Es bleibt uns nur noch eine Möglichkeit«, erklärte Mehlen, »mit allen Kräften auf die Leute einzuwirken, denen er ausgeliefert ist.« Seine Stimme verriet, wie wenig Hoffnung er hatte; die Meldung Coudrays war deutlich gewesen. Die Politiker, aus ihren letzten Verschanzungen hinausgetrieben, schlotterten vor Angst. Aus reinem Selbsterhaltungstrieb mußten sie ein Exempel statuieren und vernichten, was ihnen in die Hand fiel, um nicht selbst vernichtet zu werden.

»Wir müssen ihnen zuvorkommen, Sie dürfen das nicht zulassen«, flehte sie.

»Es ist schon geschehen«, sagte er.

»Aber wenn die Unruhen noch nicht ausgebrochen sind, wenn Sie rechtzeitig hinkommen...?«

Sie klammerte sich an seinem Rock fest, sie beschwor ihn in einer kindlichen Angst.

»Alles, alles muß versucht werden; wir würden uns niemals diese Schwäche verzeihen.« Sie sagte »uns«, aber man hörte ganz klar das »Ihnen« heraus.

»Gut«, sagte er.

Landier war sofort am Telefon; Mehlen befahl ihm, Maurice zu holen.

»Wir fahren wieder weg.«

»Wohin?«

»Nach Puteaux.«

»Noch einmal, Chef?«

»Sie werden alles erfahren«, sagte Mehlen kurz.

Er mußte Landier mitnehmen, vielleicht brauchte er ihn. Er verließ Angèle, lief in sein Büro hinunter, stopfte neuerlich Banknotenbündel in die Taschen, schlüpfte in einen unauffälligen Überzieher und setzte einen ausgeblichenen Filzhut auf, den er sonst zur Jagd trug. Angèle wünschte, daß er zum Stillstand brachte, was er selbst angekurbelt hatte; gut, ihr Wunsch war ihm Herzenssache. Er würde es versuchen. Aber er wußte genau, daß es zu spät war.

Es war zehn Minuten vor neun Uhr, als er in den Wagen stieg.

»Schnell, Maurice! Geradeaus, gleich rechts ab hinter der Brücke, zu den Fabriken... Ich zeige Ihnen, wo Sie anhalten...«

Landier stand vor einem Rätsel.

»Sie«, sagte Mehlen, »beschränken sich auf meine Anordnungen.«
Er saß vorgebeugt auf dem Rücksitz. »Schneller, Maurice!«
Er hatte es versprochen, sich einzusetzen, er tat es.
Bei der Kreuzung der Brücke von Puteaux wären sie fast mit einem
Lastwagen zusammengestoßen, der den Kai entlangfuhr.
»Langsamer jetzt ... die zweite links ... die Fabriken sind weiter hinten.«
Dort waren sie. Schon war die hohe Mauer in Sicht, die sie umgab.
Und da stand es in Großbuchstaben: GEFA. Von hier war nur die
graue Einfassungsmauer zu sehen, der Platz selbst vor dem Haupt-
eingang lag hinter der Straßenbiegung. Plötzlich bremste Maurice.
Achtzig Meter vor dem Wagen war die Straße durch eine dichte Menschenmenge versperrt; man sah nur die Rücken, eine Wand, niedriger
als die Fabrikmauer, aber eine Mauer, die nicht starr war; einer dunklen Woge vergleichbar, stetig und schwer, wie Ebbe und Flut auf und
nieder brandend, wurde sie von einer unsichtbaren Kraft bewegt, die
von dem verstellten Platz her wirkte.
»Halt, Maurice!«
Mehlen sprang heraus. Er rannte auf die Leute zu, und Landier folgte
ihm. Je näher sie kamen, desto deutlicher erkannten sie, was vorging. Die Menschen, die das Straßenende verstopften, versuchten, zu
dem Platz vorzudringen und wurden immer wieder zurückgedrängt;
Arbeiter, erkennbar an ihren ausgebeulten Anzügen, ihren Kunst-
lederjacken, ihren blauen Overalls und ihren Kochgeschirren. Sie bildeten eine zusammenhängende, sich bewegende Masse, deren Gesichter dem Fabrikplatz zugekehrt waren. Sie schienen eine einzige
Kraft darzustellen. Bald war Mehlen mitten unter ihnen. Er wollte
schauen, er mußte es, um zu wissen, wie er sein Vorhaben durchführen könnte. Er war zu klein, er sah nicht über die Leute. Das einzige,
was er bemerkte, war eine schwache Rauchsäule ziemlich weit hinten
links; doch er wußte nicht, was dort brannte.
»Was ist das?« fragte er.
»Nun, der Lastwagen, auf den sie gefeuert haben«, antwortete ein
Arbeiter vor ihm, ohne sich umzudrehen.
Mehlen mußte das auf jeden Fall sehen. Er machte sich lächerlich,
aber trotzdem:
»Landier«, ersuchte er, »heben Sie mich hoch ... damit ich weiß ...«
»Ich sehe darüber«, erklärte Landier befriedigt, »alles im besten Zug,
Chef.«
»Gut, aber ich will mit eigenen Augen ...«
So ergriff ihn Landier unter den Armen und stemmte ihn wie einen
kleinen Jungen hoch. Wie leicht dieser Mann war!

Der Fabrikplatz vorne war völlig menschenleer, aber mit den Wurfgeschossen der Arbeiter übersät: Steinen, Holzprügeln, Kohlenstük-
ken, Flaschen, sogar eine große Fünfzigliterflasche dazwischen. Trotz
des Drucks von der Straße her drangen die Leute nicht in die leere
Fläche ein, als würden sie von etwas Drohendem in respektvoller
Entfernung zurückgehalten. Tatsächlich erblickte Mehlen drüben an
der Fabrikmauer, vor dem großen eisernen Tor, eine Abteilung Mi-
lizsoldaten in schwarzen Uniformen, deren Gewehre und Maschinen-
pistolen man zuweilen aufblitzen sah. Zwischen den beiden Parteien
lag ein umgestürzter Lastwagen. Eine leichte blaue Flamme stieg von
ihm auf, ganz gerade, denn es war windstill.
Nichts . . . nichts Endgültiges, dachte Mehlen.
»Danke, Landier.«
Nun stand er wieder hinter einer Wand von Rücken. Er erblickte
nichts mehr, aber er hatte alles gesehen: die Feinde, die einander
gegenüberstanden, und alle Einzelheiten, die ihre Bedeutung bei dieser tragischen Auseinandersetzung hatten; drüben standen die Offiziere vor der Reihe schwarzer Uniformen – drei, es waren drei, und
einer davon ein Hauptmann –, und neben ihnen stand ein Zivilist,
der ein Kommissar sein mußte. Flankiert von vier Soldaten, die Ma-
schinenpistolen am Arm, den Lauf der Straße zugerichtet. Vor ihnen
befand sich ein Hornist und vor der Gruppe, in deren Rücken Mehlen
stand, ein Dutzend Männer, deren bronzefarbener Teint und hagere
Gesichter ihre Abstammung verrieten.
Ein einziger Gedanke beherrschte ihn: Ich muß dazwischentreten, sie
zurückhalten . . .
Er erkannte den Araber von heute nacht nicht, aber er wußte, daß er
sich bei dieser angriffsbereiten Vorhut befand. Er rekonstruierte den
Vorgang: Um acht Uhr waren die Arbeiter vor der Fabrik erschienen.
Man hatte ihnen den Zutritt verwehrt. Sie stießen auf eine Truppe,
deren Aufstellung noch Gardas befohlen und die der vorsichtige
Coudray heute nacht eingesetzt hatte. Die Leute hatten zu verhandeln und dann durch das eiserne Tor einzudringen versucht. Dann
waren sie bis über den Rand des Platzes in die Straße zurückgedrängt worden, in der sich jetzt auch Mehlen befand. Beim Rückzug
hatten sie die Baumgitter herausgerissen und alles, was in ihre Hand
fiel, nach vorne geschleudert, den Lastwagen umgestoßen und angezündet. Und jetzt standen sich Arbeiter und Soldaten abwartend
gegenüber – und alles begann erst.
»Helfen Sie mir, Landier. Wir müssen unbedingt . . .«
Was helfen? Der Chef war verrückt! Er wollte sich doch nicht da hin-
einmischen, mitraufen, wo Militär mit Gewehren und Maschinen-

pistolen lauerte! Die Sache war im Gang, nichts konnte sie aufhalten. Der gewünschte Erfolg war noch nicht erreicht, das Geschehene genügte kaum zur Ergreifung der Maßnahmen, die nötig waren, um sie beide zu retten.

Mehlen bahnte sich einen Weg durch die dichte Menge. Er wollte zu der Spitzengruppe, den Afrikanern, gelangen. Trotz seiner kleinen Gestalt kämpfte er sich durch. Er hatte es versprochen, er hatte es Angèle versprochen. Aber in seinem Herzen saß die Verzweiflung, er ging seinem Selbstmord entgegen. Bah, er fand schon wieder neue Möglichkeiten, weniger direkte, weniger sichere, irgendeinen Ausweg, bestimmt...

Endlich. Nur noch drei Schritte trennten ihn von der arabischen Vorhut. Landier war ihm auf den Fersen.

Da standen sie, ein Dutzend hagerer Algerier mit mattem Teint, gebückt, eine Schulter vorgeschoben, als wollten sie den zu erwartenden Angriffen möglichst wenig ihres Körpers bieten. Einige waren an den Schläfen tätowiert. Alle mit goldschimmernden, grausamen Raubtieraugen, wie sprungbereite Katzen. Und die Hände in den Taschen, die etwas festhielten, den Revolver...

»Aber Chef, was wollen Sie eigentlich?«

Mehlen hörte nicht. Er antwortete nicht. Er legte die Hand auf einen Arm. Man stieß ihn zurück. Er suchte den Mann von heute nacht wiederzuerkennen, aber sie waren sich alle so ähnlich in der Gestalt, in der Kleidung. Bei Tag waren sie alle gleich!

Ich muß... ich muß unbedingt... dachte Mehlen.

»Landier, würden Sie ihn wiedererkennen?«

»Ich weiß nicht.«

Sie waren unsicher. Sie schauten hierhin, dorthin. Sie wußten nicht, was tun.

Ah, der dort vorne, der war's! Aber er blickte nicht zu Mehlen hin. Er starrte vorgeneigt zu den Uniformierten gegenüber. Mehlen dachte: Sie gehen nicht los, bevor ich...

Ein Schritt, zwei... noch zwei... Jetzt gingen sie wirklich vor. Die Hände hielten Steine, Eisenstücke, aber sie schleuderten sie noch nicht, sie waren zu weit entfernt.

Eine Hand griff nach ihm, zog ihn zurück:

»Chef, bleiben Sie...«

Es war Landier. Mehlen machte sich frei. Im Gegenteil, er mußte vorgehen; nicht hier ging es auf Leben oder Tod, der Tod kam nicht von diesen gesenkten Gewehrläufen, sondern aus dem, was hier geschehen sollte. Versuchen, ein letztes Mal versuchen. Sie daran hindern!

Landier freilich, der sah nur die unmittelbare Gefahr. Er blieb stehen, bereit, in den Schutz der Straße und der Menschenmauer zurückzulaufen. Sterben? Sich sinnlos niederknallen lassen, nein! Er nicht! Es würde sich schon wieder einrenken. Mehlen war wahnsinnig! Was trieb er, was fiel ihm ein? Wohin wollte er, und warum?

»Chef!« schrie er noch einmal.

Aber nun war es nicht mehr still, und seine Stimme drang nicht bis zu Mehlen hin. Ein Murmeln erhob sich, Stimmen, Lärm, von der Straße, vom Platz her, von den Männern, den Soldaten. Einer schrie laut auf. Ein Araber rannte drei Meter vor. Eine kräftige Stimme aus der Gruppe der Offiziere suchte den Tumult zu übertönen. Und dann plötzlich:

»Achtung! Stehenbleiben!«

Ein paar Meter entfernt davon die Araber, nicht mehr eng gedrängt, gelockert, gleichsam in Streulinie, wie die Schützen vor der Attacke. Und ein paar Schritte nur hinter dieser Linie Mehlen, der ebenfalls vorging, was unbegreiflich, unfaßbar war: Mehlen, der Herr über Milliarden, den nur Landier kannte und der hinter den Männern herzog, die er bezahlt hatte.

Ein Blitz. Den Bruchteil einer Sekunde glaubte Landier, es sei geschossen worden, aber es knallte nicht: Es war ein Fotograf, der in dem trüben Morgenlicht das Blitzgerät verwendete.

Drüben traten der Hauptmann und der Kommissar drei Schritt vor. Ein grelles Hornsignal. Einer der Männer sprach. Aber man hörte seine Worte nicht, der Krawall verschluckte sie. Im übrigen war es unnütz, und Landier dachte, daß jetzt alles entschieden war: Sie werden schießen!

Ja, man sah es, man wußte es. Eine Bewegung ging durch die Menge. Die Leute drängten zurück, zwängten sich stoßend und schreiend zu dem Engpaß der Straße hin. Landier sprang mit eingezogenem Kopf nach hinten, und da er die Ecke nicht mehr erreichte, warf er sich flach auf den Boden.

Und dort, eingekeilt, hörte er, gedämpft durch die Masse der plötzlich innehaltenden menschlichen Körper, die Schüsse. Er war nicht gefährdet, von zuviel lebendigem Fleisch geschützt, aber trotzdem faßte ihn panische Angst. Das hatte er gewollt – aber er hatte nicht teilnehmen, sinnlos sein Leben opfern wollen!

Nun wieder wilder Rückzug, Getümmel. Und plötzlich eine gräßliche Stille.

Mehlen sah es, wie die Araber, vierzig Meter von den Soldaten entfernt, die Waffen aus den Taschen rissen. Schluß, es war nichts mehr zu retten. Es war zu spät. Drüben waren der Hauptmann und der

Kommissar in die Reihe zurückgetreten. Sie gaben keinen Befehl. Sie warteten. Aber die beiden Parteien waren einander zu nahe. Und plötzlich hob der Braune links von Mehlen den Arm und schoß. Die Gewehre antworteten sofort. Zuerst eine hohe Salve zur Abschreckung. Zwei Sekunden noch, die Leute schienen zu zögern, sie waren unschlüssig.

Da aber plötzlich fiel ein Mann – der einzige, der getroffen war – der Länge nach auf das Pflaster. Und nun stürzten die fünfzehn Araber brüllend vor Wut nach vorne.

Es war ein ungleicher, ein hoffnungsloser Kampf. Fünf Meter waren sie gerannt, als die Schüsse von neuem knatterten, diesmal aber tief, und da wälzten sie sich auf der Erde, schreiend, getroffen, oder einfach, weil sie nicht mehr weiterkonnten.

Mehlen hatte sich wie sie zu Boden geworfen. Er war bei der ersten Salve nach links gesprungen und fiel nieder, wo er stand, die Nase auf dem Pflaster, das nach Erde und beschmutztem Granit, nach Stiefeln und Reifen roch. Er sah nichts mehr als diesen unmenschlichen Boden, in den man sich nicht eingraben, den die Nägel nicht aufritzen konnten; ein harter Boden, der keinen Schutz bot. So, das war geschehen, und es blieb nichts mehr übrig, als zurückzulaufen. Er empfand trotz allem eine tiefe Erleichterung, wie ein Ertrinkender, der den Rand eines Rettungsbootes faßt. Er dachte nur noch das eine: Es ist geschehen. Und dann: Es mußte geschehen.

Als die Stille bleiern über dem Platz lag und kein Schrei und kein Laut hörbar waren, bewegte er seinen linken Arm. Und seine Hände fühlten den Stoff eines Gewandes und menschliche Haut neben sich. Ein Mann lag da, der wie er niedergefallen war. Er schaute ihn an.

Es war ein Toter. Ein Toter mit gelblichem Teint, der sich schon verfärbte, ein Toter mit vorspringenden Backenknochen und grünlichen Augen, die ihn anstarrten, ein unbekannter Toter. Ein Toter aber, der für Mehlen das Antlitz Enguerrands trug, obwohl er ihm in keinem Zug ähnlich war.

XII

Niemals noch hatte Mehlen einen toten Menschen gesehen. Den Ministerpräsidenten Gardas hatte er nicht angeblickt, zumindest nicht auf diese Weise. Es waren zwar genug Leichen auf seinem Weg geblieben, Menschen, die selbst Hand an sich gelegt hatten oder die aus Kummer gestorben waren, niemals noch aber hatte er sie so nahe betrachtet; ihr Hinscheiden beschränkte sich für ihn auf eine gedruckte Notiz oder eine Sterbeurkunde. Selbst seine Mutter hatte man ihm nicht gezeigt, nachdem sie im Schnee gefunden worden war; sie war einfach entschwunden.

So also war das, ein Körper, ein Gesicht, dem das Leben entwichen war? Der halboffene Mund war wie zu einem Schrei geöffnet, und im Blick lag das Staunen über das unfaßbare Ende. Mehlen starrte auf das Gesicht dieses Unbekannten, der ihm so nahe war, daß er seinen Atem hätte spüren müssen, und es war Enguerrand, ja, Enguerrand selbst, den er betrachtete.

Ein nie empfundenes Entsetzen befiel ihn. So würde Enguerrand morgen diesem Mann ähnlich sein... Fliehen, fort von hier...!

Wie eine dunkle Drohung hielt die Stille alles gefangen und vereinigte sich mit der Stille dieses auf ewig verstummten Menschen. Nichts rührte sich, und man wußte nicht mehr, wo das Leben verblieben war. Die Menge war hinten in der Straße verschwunden, man hörte nicht einmal mehr das Getrappel ihrer Füße. Hier konnte man den Kopf nicht heben, um zu sehen, ob die Soldaten gegen den freien Raum vormarschierten. Zur Linken der Tote, zur Rechten, sehr weit, ungefähr zehn Meter entfernt, die Mauer, die den Platz abschloß und die mit ihren Winkeln und Vorsprüngen vielleicht Schutz bieten würde. Und plötzlich sieht er, wie einige der fünfzehn oder zwanzig auf dem Boden Liegenden unmerklich kriechende Bewegungen versuchen und sich regen, wie Würmer, die man zertreten glaubte.

Kriechen, ja, das ist es. Auf den Ellbogen, auf dem Bauch, ohne die Mündungen der Gewehrläufe auf sich zu ziehen. Ein paar Zentimeter vorerst, dann mit einem mutigen Anrand, einen Meter. Kein Schuß. Nichts als die nervenzerrende Stille, die schrecklicher ist als Gebrüll und Lärm. Nein, nichts. Mehlen versucht aufzublicken. Er muß es sehen. Die schwarze Reihe unbeweglicher Soldaten... Außer den wenigen, die das Maschinengewehr an sich gepreßt halten, stehen sie Gewehr bei Fuß. Und vorsichtig, langsam, gesichert durch die bewaffnete Vorhut, gehen die Offiziere und die schwarzen Soldaten vor. Jetzt nähern sie sich schneller. Mehlen hat den halben Weg zur Mauer zurückgelegt, die er erreichen muß. Er flieht, um sein eigenes Leben zu retten, wie auch, um dem toten Mann zu entkommen, dessen Anblick, dessen Augen er nicht mehr erträgt. Oh, gut, daß er so klein ist, daß er so wenig Platz braucht! Da ist die Mauer. Eine versperrte Tür, in die man sich nicht stellen, wo man aber wenigstens knien kann, so daß er nicht mehr ein auf dem Boden liegender Mensch ist, kein Toter oder fast schon Gestorbener!

Er schaut über den Platz hin. Niemand beachtet ihn. Die Soldaten und die Offiziere gehen mit vorgehaltenen Waffen auf die leblosen

Körper zu, als ob sie noch gefährlich wären. Bis zum Beginn der Straße, die nun völlig verlassen liegt, sind es dreißig Meter.

Die Bewaffneten beugen sich über die Liegenden, wenden sie mit den Füßen um, weil sie die Hände nicht frei haben. Auch dort, links, sind ein paar Männer auf allen vieren wie Mehlen weitergekrochen, man scheint über sie hinwegzusehen. Da faßt einer Mut, steht auf und rennt durch die Straße davon.

Ein Schuß... drei andere hinter ihm her, um ihn zum Stehen zu bringen. Sie wollen ihn, aber lebend. Schicksal – der Mann bleibt stehen, er hat Angst. Er hebt die Arme. Und Mehlen überlegt.

Er könnte sich festnehmen lassen. Coudray würde ihn ohne nähere Erklärungen herausholen. Trotzdem wäre es kläglich, in der Zeitung zu stehen, durch die Presse geschleift zu werden. Jetzt sind die Mobilgarden auf ein Zeichen weitergegangen. Langsam, methodisch durchkämmen sie den Platz. In wenigen Minuten werden sie zu der Tür in der Einbuchtung kommen, in der sich Mehlen nur mangelhaft verbirgt. Sie schnappen ihn, bestimmt. Und dann reden, verhandeln, erklären... mit den Taschen voll Geld. Was tun?

Es bleibt ihm nichts zu tun. Er muß sich in sein Schicksal fügen. Wie sieht die Lage eigentlich aus? Haben die Schüsse genügt, die bis jetzt gefallen sind? Ist Enguerrand schon verurteilt und er, Mehlen, gerichtet? Wird es bei diesem Dutzend Toten auf dem Platz bleiben? Oder brauchen Chataignier und die andern Minister eine höhere Zahl, um die nötigen Maßnahmen im Interesse des öffentlichen Wohls zu ergreifen? Aus der Stille läßt sich schließen, daß alles zu Ende ist...

Stille? Nein – ist das noch Stille? Irgendwo ferne ein dumpfes Raunen wie die wiederkehrende Flut nach der Tag- und Nachtgleiche. Er unterscheidet nicht gleich, was es bedeutet: ein Grollen, das zu dem glatten Spiegel, zu dem dieser Platz geworden ist, nicht passen will. Hinter den Soldaten, die vorwärts gegangen sind und die schützende Fabrikmauer verlassen haben, mündet eine schmale, unscheinbare Gasse, und von dort naht etwas unheimlich heran, etwas, das noch unsichtbar ist.

Nun lösen sich Schreie aus dem gleichmäßigen Geräusch. Man versteht sie nicht, die Stimmen widerhallen dumpf zwischen den engen Mauern, aber Haß und Zorn klingen aus ihnen. Nein, noch ist nichts beendet. Im Gegenteil, jetzt beginnt es erst.

Die schwarzen Soldaten machen kehrt. Blicke und Gewehre richten sich der schmalen Gasse zu. Aus dieser Nähe erkennt man, daß sie sich fürchten und in ihrer Angst zu allem bereit sind. Nur noch zehn Meter entfernt, machen sie sich zur Verteidigung dieses Ausgangs bereit. Schon weichen sie zurück. Schon vereinigen sie sich mit den andern Soldaten auf dem Platz, trotz des fluchenden Hauptmanns, trotz seiner Befehle.

Es ist zu spät. Gut. Sie vergattern sich. Aber die brüllenden Menschen, die man noch gar nicht sieht, weil sie hinter den Häusern verborgen sind, die kommen nicht auf diesen Platz heraus. Nein, sie dürfen sich nicht bis zum Fabriktor vordrängen, sie dürfen nicht eintreten, sie haben strenge Weisungen. Es wurde geschossen. Man wird wieder schießen, wenn es nötig ist.

Und jetzt Lärm von der anderen Seite, von der Straße her, die Mehlen gekommen ist. Die Arbeiter haben sich von neuem formiert und Mut gefaßt. Ein Angriff von zwei Seiten, der gelingen muß.

Die Soldaten wenden sich neuerlich der großen Straße zu. Der Hauptmann stellt sie in einem Karree auf, Rücken gegen Rücken, rund um die Toten. Kein Hornsignal, kein Warnruf. Sie wissen, worauf es ankommt.

Und dann plötzlich bricht die Menschenflut aus der engen Gasse parallel der Fabrik auf den Platz heraus, wie ein Korken, der aus der Flasche springt. Ein Soldat schießt, ohne einen Befehl erhalten zu haben. Nun knallt es von allen Seiten, links, rechts, Rauch steigt auf, von überall brechen sie ein, trotz des Lärms, trotz der Todesschreie. Es hagelt Steine, Eisentrümmer, die auf dem Pflaster zersplittern. Man sieht nichts mehr, man begreift nichts mehr, ein gräßliches Getümmel, ein Wirbel, der die Menschenleben verschlingt, ein grauenhafter Zusammenstoß zwischen Bewaffneten und Waffenlosen, von blind hagelnden Revolverschüssen, gellend, aufspritzend auf dem Pflaster. Die Menschen kreischen, brüllen. Kindlich suchen die Hände die Gesichter zu schützen. Schatten bücken sich, sammeln, packen, was sie finden, Eisenteile der Baumgitter, Pflastersteine. Verzweifelte Arme erheben sich. Leiber sacken zusammen. Eine Salve. Noch eine Salve. Ach, jetzt ist Enguerrand wirklich tot!

Mehlen wird mitgerissen, er rennt. Er stockt. Er rennt wieder. Jetzt ist er auf der andern Seite, denn die Kugeln der Soldaten zischen, prallen an den Mauern ab, deren Verputz zerspritzt. Ein getroffener Fensterladen löst sich aus dem ersten Stockwerk, fällt auf den Gehsteig, springt auf, und mit ihm zerschellen krachend drei Blumentöpfe auf dem Pflaster.

Sie fluten zurück. Zur Straße. Hundert, zweihundert rennen um ihr Leben, und Mehlen mit ihnen. Auf dem großen Platz haben sie die Toten zurückgelassen und auch die stöhnenden Verwundeten, die von den andern an Armen und Beinen weggezerrt oder getragen werden. Ja, Tote, Tote, und jetzt bestimmt zu viele.

Mehlen weiß, wo der Citroën steht, dort erwarten ihn Maurice und Landier. Er läuft in die Richtung. Einsteigen, wegfahren. Was geschehen mußte, ist erledigt worden. Aber so viel ist noch zu vollbringen. Der Wagen...

Ja, der Wagen ist da, aber die Arbeiter haben ihn umgestoßen, auf die Seite geworfen, sie steigen über ihn. Eines der Räder dreht sich wie rasend in der Luft. Maurice? Landier? Sie haben sich in Sicherheit gebracht, natürlich, wie sich jetzt auch Mehlen zu retten versucht, der vor kurzem noch nicht wußte, was der Tod ist; der jetzt erfahren hat, was kollektiver Wahnsinn, Massenwahn und Bürgerkrieg bedeuten, der an Enguerrand, an Angèle, an sich selbst und an all die Menschen denkt, die ihn umgeben, die voll Entsetzen oder Haß schreien, die vielleicht sterben werden, und zum erstenmal bekennt er, daß er etwas gewollt hat, von dem er nicht wußte, was es wirklich war.

XIII

Bei der Seinebrücke war er endlich dem Getöse und dem Gemetzel entronnen. Er fand ein Taxi. Hier hörte man nichts, hier ahnte man nichts. Er sprang hinein, die Hände an die Taschen gelegt, in denen noch das Geld steckte. Bei der Porte Madrid mußten sie halten, um eine Kolonne von Militärfahrzeugen vorüberzulassen, die Nachschub nach Puteaux brachte: Männer im Stahlhelm, das Sturmband am Kinn, das Gewehr zwischen den Knien, ordentlich und stramm.

»Zur Polizeipräfektur«, hatte er befohlen. »Dort warten Sie.«

Denn als erstes mußte er mit Coudray sprechen, das war klar. Es ging auch mit dem Taxi; um Landier und Maurice kümmerte er sich später, und zu Angèle kam er erst, nachdem er seinen Entschluß ausgeführt hatte.

Der Bois – die Etoile – die Champs-Elysées. Eine tote, stumme Stadt, durch deren Straßen die Menschen, die keine Metro und keinen Autobus bekommen hatten, in Scharen pilgerten. Nur vereinzelt Taxis.

Der Chauffeur drehte sich um:

»Es ist Streik. Ich hab' es nicht bedacht, ich bin selbständig. Aber ich kann nicht weiterfahren, sonst habe ich Schwierigkeiten.«

»Schalten Sie den Tachometer ab, zehntausend Francs für den Anfang.«

»Dann müssen Sie sich neben mich setzen, daß es nach Privatfahrt aussieht, nicht wahr?«

Das Taxi hielt, und Mehlen setzte sich nach vorne.

»Fahren Sie in den Hof der Präfektur ein, ich habe einen Passier-schein.«

Der Chauffeur schaut ihn komisch von der Seite an, er hält ihn für einen Polizeibeamten. Er hütet sich zu reden. Es kommt ihm vor, als hätte man seinen Wagen beschlagnahmt, und er fragt sich, ob er jemals die versprochenen zehntausend Francs bekommen wird.

Die Uhr des Marineministeriums auf der Concorde zeigt zehn. So spät!

Es geht schnell und leicht weiter, trotz der zahlreichen Wagen der Sonntagsfahrer, die notgedrungen eingesetzt werden. Schon sind sie beim Justizpalast und der Präfektur.

Mehlen betritt sie vom Boulevard du Palais aus. Zwei Polizisten im Helm, das Schnellgewehr in der Hand, stehen Posten. Mehlen zieht eine Karte mit dem Trikolorestreifen heraus. Man läßt ihn passieren, und das Taxi parkt neben den offiziellen Wagen. Er erreicht die Treppe rechts. Das Büro Coudrays ist in der dritten Etage. Der Tür-steher kennt Mehlen gut und salutiert. Ja, der Präfekt ist da, er wird ihn anmelden. Der Mann kommt sofort zurück und führt ihn hinein. Coudray empfängt ihn schon bei der Tür, die Mehlen hinter sich schließt:

»Na also, es ist soweit.«

»Sie wissen es schon?«

»In Puteaux ... ja.«

Mehlen sagt nicht: Ich weiß es, oder: Ich bin dort gewesen. Wichtig ist nur zu erfahren, ob schon bekannt ist, welche Schlußfolgerungen aus diesen Ereignissen gezogen werden.

»Bis jetzt siebenundzwanzig Tote und mehr als achtzig Verletzte«, sagt Coudray. »Allein in Puteaux ... und Unruhen in Saint-Dénis.«

»Siebenundzwanzig Tote«, murmelte Mehlen.

»Viel«, nickte Coudray. »Aber wissen Sie, so was geht schnell ...«

Mehlen hat es mit eigenen Augen gesehen. Ja, das geht schnell, wirklich. Aber er ist nicht gekommen, um von diesen Toten zu sprechen.

»Nun, und was sagen sie dazu?«

Beiden ist klar, wer mit *sie* gemeint ist. Coudray antwortet:

»Die einzige Lösung ist jetzt: Gewalt gegen Gewalt. Zwar noch nicht definitiv ausgesprochen, aber Chataignier kann gar nicht anders, als im außerordentlichen Ministerrat das Standrecht vorzuschlagen. Teure Sache ... diese vielen Toten ...«

»Im Interesse der Allgemeinheit ...«

»Gewiß. Aber ich will nicht behaupten, daß mir solche Sachen lie-gen.«

779

»Mir ebensowenig«, murmelte Mehlen. Er sagt die Wahrheit, ein bitterer Zug liegt um seinen Mund.

»Und der Junge...?«

»Heute noch wird das Urteil gefällt. Es kann nur auf schuldig lauten.«

»Das hab' ich gefürchtet«, sagt Mehlen. Und nach einer Pause:

»Haben Sie ihn gesehen?«

»Ich? Nein. Man hat ihn schon nach Bicêtre gebracht. Das wissen Sie ja. Mein Platz ist hier, oder vielleicht dort, wo geschossen wird. Wenn es nicht aufhört, muß ich hinaus. Tja, wenn einer anständig zielt, bin ich vielleicht aus diesem ganzen Mist heraus...«

»Wer beschäftigt sich mit dem Jungen?«

»Alle miteinander. Chataignier an erster Stelle. Er hat ein rechtmäßiges Opfer in der Hand und kann ein rechtmäßiges Exempel statuieren. Er ist jetzt sicher in Bicêtre.«

»Kann man gar nichts für den Jungen tun?«

»Überhaupt nichts. Ach, und dann: keine übertriebene Sentimentalität. Schließlich ist es seine Schuld, die er jetzt ausbaden muß...«

Er schaut Mehlen gerade an.

»Bis zu einem bestimmten Punkt«, entgegnet jener.

Beide senken das Haupt.

»Jetzt kann ihn nichts mehr retten?« fragt Mehlen nochmals.

»Ich glaube nicht. Nein, sicher nichts. Nach den Vorfällen in Puteaux... Die Regierung sitzt fest im Sattel. Nur eine andere Regierung hätte ihn herausreißen können, eine linksgerichtete. Ein Umsturz wäre nach diesen Unruhen immerhin denkbar gewesen... Wenn die Partei auch mit dem Attentat nichts zu tun haben will, könnte sie ihn doch nicht hinrichten... In zehn Jahren wird er als Märtyrer gefeiert! Ja, solche Burschen wären uns nötig.«

»Wir haben zuviel Skrupel.«

»Wir haben die Hosen voll, das stimmt. Daran gehen wir zugrunde. Und wenn ich sage *wir*, dann meine ich nicht nur Sie und mich, sondern auch andere und damit alles, was das Leben lebenswert macht... zumindest *unser* Leben.«

Sie schauen sich wieder an. Mehlen hat seine getönte Brille abgenommen, und Coudray sieht seinen stahlblauen Blick zum erstenmal. Aber er ist nicht so hart, wie er dachte. Nein, er hat sich die Augen Mehlens anders vorgestellt.

»Coudray, ich bin Ihnen ein Geständnis schuldig... ich werde Madame de Viborne heiraten... Wir haben dies zumindest beschlossen.«

»Madame de Viborne? Die Mutter...?«

»Die Stiefmutter. Aber trotzdem fast die Mutter, denn er ist bei ihr aufgewachsen, er war noch klein, als sie seinen Vater heiratete.«

»Ich sehe«, sagte Coudray.

Wirklich, er sieht es. In wenigen Sekunden überblickt er das Geschehene samt den Folgen in seinem ganzen Ausmaß. Und Mehlen hat es eingeleitet...

»Was wollen Sie jetzt machen?«

Mehlen beißt die Zähne zusammen. Sein Gesicht, das nach der Nacht abgespannt aussieht, wird noch bleicher, noch blutloser:

»Ich werde ihn nicht sterben lassen«, sagt er hart.

Wieder schauen sie sich schweigend an. Sie haben sich nichts mehr zu sagen. Nach einer Weile fragt Mehlen:

»Darf ich Ihr Telefon benützen?«

»Bitte.«

Mehlen wählt eine Nummer. Er spricht:

»Ja, Fromenti? Ob ich schon gehört habe...? Natürlich, wie jedermann... Ich kannte den Ministerpräsidenten sehr gut. Aber deshalb rufe ich Sie nicht an. Fromenti, ich brauche Sie sofort... Ja, für die alte Dame. Sie liegt im Sterben... Wie? Nichts! Sie können es ihr nicht erleichtern? Doch, Fromenti, Sie müssen etwas versuchen. Ich bitte Sie darum. Wann? Sofort. Ich werde ebenfalls hinfahren. Ich will... Sie müssen sie anschauen. Ja, auf kürzestem Weg... Sie haben sicher heute morgen nicht viele Patienten wegen des Generalstreiks. Haben Sie Ihren Wagen zur Verfügung? Großartig. Danke, Fromenti.«

Er dreht sich zu Coudray:

»Es handelt sich um die Mutter der Marquise«, sagt er ruhig. Dann reicht er ihm die Hand und verläßt wortlos das Büro. Coudray blickt ihm nach.

Mehlen steigt in das wartende Taxi. Wieder durchqueren sie Paris, jetzt in entgegengesetzter Richtung. Er kommt in die Rue Caulaincourt, er lautet, und es wird ihm sofort von Angélique geöffnet:

»Ich bin Mehlen«, stellt er sich vor. »Ich weiß über die Krankheit Ihrer Großmutter Bescheid. Professor Fromenti trifft in wenigen Minuten ein. Wie geht es Madame Paris?«

»Sie ist ganz steif, aber sie lebt.«

»Fromenti schaut sie nochmals an. Er wird das Menschenmögliche versuchen. Darf ich hinein?«

Er wartet ihre Aufforderung nicht ab und tritt in das Speisezimmer ein. Vor dem Fenster steht ein großer junger Mann, der sich umdreht.

»Sie sind der Freund Enguerrands?« erkundigt er sich, und gleich darauf zu Angélique: »Darf ich telefonieren? Ich möchte mit Ihrer Frau Mutter sprechen.«

Er erreicht sie, und die beiden jungen Leute hören das Gespräch. Er teilt ihr mit, daß er sich bei Madame Paris befindet, daß Professor Fromenti kommen wird, um sie nochmals zu untersuchen. Er erwarte sie, sie solle sich möglichst beeilen. Und dann spricht er den Namen Enguerrands aus:

»Ich war eben bei Coudray, auf der Präfektur. Ich bin von allem unterrichtet. Es war zu spät in Puteaux. Ja, Enguerrand ist in Gefahr, aber ich habe noch ein Eisen im Feuer. Ich wage das Letzte, Angèle, ich bringe ihn heraus.«

»Ihre Mutter kommt«, sagt er zu Angélique. »Sie wird zugleich mit Fromenti eintreffen. Ist Ihnen bekannt, daß Ihr Bruder verhaftet ist?«

Angélique und Bernard blicken zu Boden. Ja, sie haben es durch einen Anruf Angèles erfahren.

»Ich habe heute früh versucht, ihn aus der bewußten Wohnung zu holen und ins Ausland zu bringen, es ist mißlungen.« Und zu Bernard: »Dort sind Sie zu Hause, nicht wahr?«

Wieder senkt Bernard das Haupt.

»Kommen Sie«, fährt Mehlen fort und geht ihm voran in den Salon, wo sie unter vier Augen reden können. Sorgfältig schließt er die Tür hinter sich:

»Ich muß mit Ihnen sprechen.«

XIV

»Sie sind noch sehr jung«, begann Mehlen, »aber ich möchte von Mann zu Mann mit Ihnen reden. Im übrigen gestatten mir die Umstände nicht, mich an jemand anderen als an Sie zu wenden. Sie kennen mich bestimmt dem Namen und dem Ruf nach. Was Sie auch gehört haben, es wird kaum übertrieben oder entstellt gewesen sein. Es ist eben so, fertig. Ich verlange nicht, daß ich Ihnen sympathisch bin. Vielleicht hassen Sie mich und alles, was ich vertrete. Für unser Gespräch ist es unerheblich.«

Er stockte einen Augenblick. Bernard stand vor ihm, er überragte ihn um ein beträchtliches. Nun setzte sich Mehlen und redete weiter:

»Monsieur Gandret, ich bin kein ausgesprochener Menschenfreund, es würde zu weit führen, Ihnen die Gründe zu erläutern; aber ich bin fest entschlossen – ich habe es versprochen –, Enguerrand zu retten. Er ist Ihr Freund, und Sie können gar nicht anders, als mich dabei zu unterstützen. Und das um so mehr, wenn Sie erfahren, auf

welche Weise ich es durchführen will. Enguerrand wurde bei Ihnen verhaftet, Sie werden wahrscheinlich selbst Schwierigkeiten haben.«
»Das ist unwichtig. Ich war durchaus nicht einer Meinung mit Enguerrand. Seine Schwester und ich wußten, daß er das Verbrechen plante, wir taten unser möglichstes, um ihn daran zu hindern. Es ist uns nicht gelungen. Ich gehöre selbst der Organisation an, und er wußte, daß ich entschlossen war, der Parteiparole zu gehorchen.«
»Trotzdem ist er zu Ihnen geflüchtet.«
»Er ist mein Freund, und das bleibt er, unter allen Umständen. Er wird sich immer auf mich verlassen können, was er auch anstellt. Meine Zuneigung, ja meine Achtung sind durch nichts zu erschüttern.«
»Sie haben also nicht dem Parteigenossen, sondern nur dem Freund Asyl gewährt?«
»Dem Freund – und dem Bruder Angéliques.«
»Darf ich das richtig verstehen?«
»Das dürfen Sie nicht nur, das müssen Sie.«
»Sehr gut. Und günstig für meinen Vorschlag. Sie sind wahrscheinlich noch nicht über die Ereignisse von heute früh unterrichtet?«
»Doch – Generalstreik.«
»Das meine ich nicht. Bei den GEFA-Werken ist es vormittags zu blutigen Zusammenstößen gekommen...«
»Unmöglich! Die Organisation hat andere Weisungen ausgegeben... Meinem Freund Enguerrand, der sich nicht an diese Weisungen halten wollte, wurde sogar die Mitgliedskarte entzogen!«
»Trotzdem: siebenundzwanzig Tote in Puteaux... und fast hundert Verletzte. Und das ist noch nicht alles, die Unruhen haben sich ausgebreitet, gegenwärtig kämpft man in Saint-Dénis.«
»Das bedeutet, daß Enguerrand...«
»Das bedeutet sicherlich Standrecht. Man hat ihn schon in ein Militärgefängnis gebracht; also sofortiges Urteil, Vollstreckung binnen achtundvierzig Stunden.«
»Dann ist nichts mehr zu hoffen...?«
»Doch.«
»Aber...? Sie haben ihm zur Flucht verhelfen wollen, es ist mißlungen. Möchten Sie ihn jetzt ausbrechen lassen? Wie das? Das werden nicht einmal Sie zustande bringen!« Und dann – mit Nachdruck – »Was kümmert Sie im Grund Enguerrand? Er ist Ihr Feind, sogar Ihr Todfeind.«
»Der mir den Tod bringt – so müssen Sie es formulieren.«
»Eben! Seine Tat muß nicht nur Ihren Abscheu erregen, sie wird sicher schwere Folgen für Sie haben.«

»So ist es. Sie ruiniert mich.«

»Nein. Es hat Unruhen in Puteaux, es hat Tote gegeben – Gardas lebt also weiter, und Sie mit ihm.«

»Er darf nicht weiterleben. Es gibt eine einzige Möglichkeit, Enguerrand das Leben zu erhalten: nämlich, wenn ich es so ausdrücken kann, den Tod des Ministerpräsidenten zu verewigen, das heißt, ihm keinen Nachfolger und damit kein Weiterbestehen zu geben.«

»Sie sprechen so? Aber Sie waren doch niemals Enguerrands Freund, Sie kannten ihn kaum.«

»Er ist der Sohn der Marquise de Viborne«, sagte Mehlen.

»Weil er ihr Sohn ist, versuchen Sie ihn zu retten! Sie wollen sich in Gefahr begeben, sich selbst zerstören?«

»Das ist ganz allein meine Sache. Im Augenblick hat für mich kein anderes Leben als das dieses Jungen Wert, nicht einmal mein eigenes.«

»Solche Gefühle hätte ich Ihnen niemals zugetraut.«

»Es sind nicht mehr meine Gefühle. Es hat sich so ergeben, das ist alles. Ich *muß* Enguerrand retten. Es gibt ein einziges Mittel, und das werde ich anwenden. Die neue Regierung muß aus der Gegenpartei kommen, sie muß die entgegengesetzten Methoden anwenden, die entgegengesetzten Ideen vertreten.«

»Sie wollen Ihre eigene politische Anschauung, Ihre eigenen Interessen bekämpfen?«

»Ich darf jetzt nur noch ein einziges lebenswichtiges Interesse haben: Enguerrand.«

»Was wollen Sie also tun?«

Die Stimme Mehlens klang belegt, als er nach einer kurzen Weile weitersprach:

»Ich war es, der Gardas den Präsidentenstuhl verschafft hat. Und jetzt werde ich seinen Mythos zerstören; damit verrate ich nur mich selbst, da der Ministerpräsident nicht mehr unter den Lebenden weilt.«

»Hätten Sie das auch vor seinem Tod getan, wenn es Ihrer Meinung nach nötig gewesen wäre?«

»Selbstverständlich. Ich habe ein Dokument in Händen, das die Legende und das Andenken Gardas' vernichten kann, ebenso wie ich die Unterlagen besaß, die Sie gewiß kennen und die seinem Vorgänger im Parlament das Genick gebrochen haben. Ich habe einen Brief des toten Präsidenten in Verwahrung, neben anderem belastenden Material, das allerdings Regierungsmitglieder kompromittiert, die noch am Ruder sind. Wenn ich diese Papiere der Opposition ausliefere, dann ist das Idol vom Sockel gestürzt, und die Linke kann reagieren, vor allem aber muß sie zwangsläufig die wiedererrungene Macht benützen, um Enguerrand zu begnadigen. Und das ist gegenwärtig mein einziges Ziel.«

»Bewundernswert ... ritterlich! Ich verstehe nur nicht, warum Sie gerade mir das alles erzählen.«

»Weil Sie ein Freund Enguerrands und ein Freund Angéliques sind. Außerdem aber, weil Sie als Anhänger der Gegenpartei die Männer kennen, denen ich die erwähnten Dokumente am besten anvertrauen kann.«

»Ich muß sagen, Sie legen sich ins Zeug.«

»Glauben Sie, daß wir Zeit zu verlieren haben? Ich ersuche Sie, mich zu den maßgeblichen Männern zu führen, die Sie persönlich kennen oder doch zu erreichen wissen. Ich habe Ihnen mitgeteilt, was ich Ihnen zur Verfügung stellen kann. Ich betone nochmals, daß ich es nicht diesen Leuten zuliebe, sondern einzig und allein um Enguerrands willen tue. Wenn sie die Bombe platzen lassen, müssen Sie selbstverständlich als Bedingung die Freilassung Enguerrands fordern. Ich bitte Sie, Ihren Parteigenossen die Papiere unverzüglich auszufolgen und mich mitzunehmen. Wenn es Ihnen lieber ist, daß ich die Männer nicht sehe, dann bin ich bereit, Sie als Vermittler zu nehmen – es handelt sich um Ihren Freund, und ich weiß, daß Sie in meinem Sinn sprechen werden, weil Sie selbst schon versucht haben, ihn zu retten. Gehen Sie, gehen Sie sofort. Und lassen Sie sich nicht erwischen, denn bestimmt werden auch Sie von der Polizei gesucht. Sagen Sie mir, wo ich Sie treffen kann, wenn wir uns einig geworden sind.«

Bernard blickte auf seine Uhr, auf die alte Uhr seines Vaters, die das einzige persönliche Andenken war, das er von ihm bewahrte:

»Ein Viertel nach elf«, sagte er, »es müßte heute abend geschehen.«

»Und wo?«

»Ich kenne ein Kaffeehaus mit einem Extrazimmer, in dem man ungestört reden kann. In einer Gegend, wo man mich kaum suchen wird: Place Anvers, Ecke Rue Turgot.«

»Um wieviel Uhr?«

»Um sieben.«

»Das ist sehr spät.«

»Früh genug, denke ich. Kommen Sie mit den Papieren hin. Ich kann mir nicht vorstellen, daß unsere Leute ein solches Geschäft ablehnen.«

»Gut. Jetzt aber schnell.«

Bernard erhob sich, und ohne Mehlen die Hand zu reichen, lief er in den Flur. Zugleich trat Angélique ein:

»Fromenti ist hier«, meldete sie.

»Und Ihre Mutter?«

»Ist eben auch gekommen.«

Mehlen ging ihr ins Speisezimmer entgegen. Man hörte die Tür hinter Bernard Gandret zufallen.

XV

Angèle de Viborne war bleich, und Mehlen fühlte tiefes Mitleid mit ihr. Er konnte den Schmerz nachfühlen, der so deutlich aus ihren Zügen sprach. Zwei Fragen standen in ihrem angstvollen Blick, die sie nicht laut zu stellen brauchte:

»Fromenti ist hier, vielleicht kann er Ihrer Mutter doch noch helfen«, sagte Mehlen. »Und Enguerrand – ich habe einen Weg gefunden, ihn zu retten.«

Ein leiser Hoffnungsschimmer spiegelte sich in dem verhärmten Gesicht.

Fromenti stand schon am Krankenbett über die reglose Gestalt gebeugt. Die Umstehenden hielten den Atem an.

»Lambert?« fragte Angèle flüsternd.

»Er schläft«, antwortete Angélique. »Du kannst ruhig hineingehen.«

Angèle aber setzte sich zu ihrer Mutter.

»Da bist du ja«, lächelte Madame Paris, »dann weiß ich, daß es sehr schlecht um mich steht. Ich freue mich aber trotzdem . . .«

»Mama, glaub doch . . .«

»Ich glaube, daß der Professor seine Zeit woanders besser verwenden könnte«, fiel ihr die Kranke ruhig ins Wort.

»Wir werden Sie nach Neuilly zur eisernen Lunge bringen, Madame«, meinte Fromenti.

»Wozu? Glauben Sie, daß ich dort gesund werde? Na also. Ich lese es von Ihrem Gesicht ab . . . Lassen Sie mich in Frieden . . . ich will zu Hause bleiben«, sagte sie mit schwerer Zunge.

Mehlen zog Fromenti zur Seite, der stumm die Schulter zuckte:

»Keine Hoffnung?«

»Nach dem heutigen Stand der Wissenschaft . . .«

»Und wie wird . . .?«

»Das Herz wird versagen, ganz plötzlich. So ist es immer.«

»Vielleicht . . . ein Schlafmittel?«

»Gardenal? Wozu? Sie hat eine Packung auf ihrem Nachtkästchen liegen, die sie nicht einmal angebrochen hat. Und jetzt ist ihre Tochter bei ihr, ich glaube, sie ist nicht unglücklich.«

»Danke, Fromenti, Sie haben das Menschenmögliche getan . . .«

»Ich? Gar nichts. Ich wußte es vom ersten Tag an.«

Er schloß seine Arzttasche und griff nach dem Hut, den er auf einen Sessel gelegt hatte.

»Sie fahren in die Stadt zurück?« fragte Mehlen. »Nehmen Sie mich mit? Ich bin ohne Wagen da. Ich habe ein Taxi genommen, aber das mußte in die Garage zurück.«

»Verständlich. Wissen Sie, was man erzählt? In Puteaux...«

»Ich weiß.«

»Und in Nanterre... in Saint-Dénis... Natürlich durch den Mord an Gardas ausgelöst. Aber ich hoffe – wir hoffen alle –, daß die Regierung der Sache gewachsen ist.«

»Gewachsen?« Mehlen zuckte die Achseln und ging in das Zimmer zurück.

Mit geschlossenen Augen saß Angèle am Krankenlager ihrer Mutter. Nicht aus Erschöpfung, eher aus einer Entspannung, einem endlich gefundenen Frieden. Madame Paris dämmerte dem Ende entgegen, und Angèle, die bei dem so zärtlich geliebten Menschen Wache hielt, Angèle, die Lebendige, hatte das unerklärliche Empfinden, als vollende sich auch ihr Werk, als habe auch sie ihre Pflicht erfüllt. Vorbei die Kämpfe, vorbei alle Unruhe. Alles verschwamm in einer endgültig bewältigten Vergangenheit, und Patrice, Hubert und alle die anderen verschwanden im Hintergrund der Landschaft, wie das Jagdgefolge auf den Gemälden Oudrys oder Desportes, die den großen Saal in La Gardenne schmückten. Trotz allem, was geschehen war, hatte ihr Leben einen Sinn bekommen, einen andern, als Patrice gewünscht, als er ihr auferlegt hatte. Alles war sonderbar, erstaunlich und zugleich doch so einfach. Für Mehlen und mit Mehlen begann tatsächlich ein völlig neues Leben. Ja, sie waren verbunden, aneinandergeschmiedet, über das Leben, über die Liebe hinaus.

Er sprach:

»Bleiben Sie jetzt hier. Ihre Mutter braucht Ihre Nähe. Ich kümmere mich um alles andere. Seien Sie beruhigt, alles geht gut. Enguerrand...«

»Wo ist er? Ich möchte ihn sehen«, murmelte Madame Paris schwach.

»Er mußte einen Augenblick weggehen«, stammelte Angèle.

»Aber er kommt wieder«, fügte Mehlen entschieden hinzu, »und zwar bald.« Dann sagte er zu Angèle: »Fromenti nimmt mich mit. Ich fahre in die innere Stadt. Sie können sich vorstellen, daß ich eine Menge zu tun habe. Aber ich bleibe in Verbindung mit Ihnen und rufe Sie an, sobald ich irgend etwas weiß. Ich halte Sie auf dem laufenden. Haben Sie keine Angst.«

Er beugte sich über das Krankenbett: »Adieu, Madame.«

Mehlen kam gegen Mittag in seine Wohnung zurück. Nicht Maurice öffnete ihm, sondern die Wirtschafterin.

»Der Chauffeur?« fragte er.

»Er ist vormittags zurückgekommen und hat auf Monsieur gewartet. Dann ist er weggefahren, um den Wagen zu holen, der in einem Vorort eine Panne haben soll. Wissen Monsieur davon?«

»Ja, natürlich. Und Landier?«

»Der ist im Büro, Monsieur.«

Mehlen ging durch den Salon in sein Büro. Wirklich, Landier war da, er saß an der Ecke seines Schreibtisches und legte schnell das Telefon auf, als Mehlen eintrat. Er sprang auf und erklärte:

»Das war Brüssel. Vorhin hat Triest angerufen. Aber vor allem diese Leute da« – er zeigte auf einen Stoß geöffneter Telegramme – »sind sehr beunruhigt. Ich habe mir erlaubt – es hätte sich um etwas Dringendes handeln können...«

In Wirklichkeit hatte er einfach wissen wollen, woran er war, wie seine eigene Sache stand. Er war berechtigt, die Telegramme zu öffnen, es geschah nicht zum erstenmal. Welcher Segen, daß es diese Schießereien in Puteaux gegeben hatte! Die Depeschen zeigten klar, was für eine Katastrophe sonst eingetreten wäre. Ach wirklich – das war haarscharf vorbeigegangen!

»Haben Sie sich keine Gedanken darüber gemacht, was aus mir heute vormittag geworden ist?«

»Selbstverständlich, Chef. Wir waren in schrecklicher Sorge. Bis zum Augenblick, da ich hörte, daß Sie hier angerufen haben.«

»Was haben Sie sich drüben in Puteaux gedacht?«

»Ich habe Sie für tot gehalten. Maurice und ich sind von den Menschen abgedrängt worden. Wir haben Sie verloren...«

»Haben Sie gesehen, daß ich gestürzt bin?«

Landier antwortete nicht direkt, er sagte nur:

»Sie haben mir wirklich eine schöne Angst eingejagt!«

»Und Sie haben sich getröstet: Vorbei – nichts mehr zu machen. Und haben Reißaus genommen: Hurra, gerettet! Richtig, ganz richtig, Landier, auf dem Papier...«

»Es ist auch richtig, Chef. Diese Meuterei ist unsere Rettung! Vor zehn Minuten hat der Präfekt Coudray angerufen, er wollte Ihnen die Neuigkeit persönlich mitteilen: Der Ministerrat hat das Standrecht beschlossen.«

»Und das wollten Sie doch, Landier.«

»Sie auch, Monsieur.«

»Gestern, ja. Sogar noch bis heute um halb acht Uhr früh.«

»Ich verstehe nicht...«

»Sie werden es bald genug verstehen. Geben Sie mir die Depeschen.«

Er setzte sich nieder und überlas langsam die Kabel, eines nach dem andern. Er hob den Kopf: »Sie sind noch immer hier, Landier?«

»Natürlich, Chef, wie Sie sehen.«

»Gehen Sie doch essen.«

»Vielleicht brauchen Sie mich noch?«

»Nein, Landier, ich brauche Sie nicht. Ich werde Sie niemals mehr brauchen«, sagte er.

XVI

Er blieb allein. Das Unheil war da, ausgebreitet auf dem Tisch, es sprang aus den Depeschen. Er dachte an Löwenstein und an Kroiger. So war es das Los aller großen Drahtzieher, der Lenker der großen Geschäfte, aller großen Abenteurer, eines Tages aus Ursachen zu stürzen, deren Zusammenhänge sie allein kannten, unabhängig von ihrem Willen und ihrer Tatkraft, die sie in so schwindelnde Höhe gehoben hatten. Der Anruf Coudrays bedeutete – nach Landiers Auslegung – das Heil. Die Erklärung des Standrechts änderte alles, und diese Hiobsbotschaften hier wurden zu einem Siegeskranz. Alles war genau berechnet gewesen. Alles hatte sich logisch entwickelt – bis es der Schlaf eines Jungen umwarf.

Und dieser Schlaf mußte nun seine Hände lenken. Bernard Gandret hatte sich bereit erklärt, sein Wortführer zu sein, und im Augenblick, da Mehlen heute abend die Papiere aus dem Geheimfach nahm, um sie ihm zu übergeben, waren die Drohungen der über den Tisch verstreuten Depeschen Wahrheit geworden. Was konnte man noch retten?

Nichts. Er war zu sehr festgelegt. Ach, auch Landier, der Feigling, der sich verständnislos zurückgezogen hatte und nun den gebührenden Preis zahlen mußte – binnen vierundzwanzig Stunden konnte man nichts umstellen –, und in vierundzwanzig Stunden konnte das Urteil an Enguerrand vollstreckt sein. Das Telefon läutete, von allen Seiten kamen Anrufe: Seine direkten und indirekten Geschäftsfreunde jubelten über die Wendung. Sie hatten sich ruiniert, mit ihm ruiniert geglaubt, und jetzt waren sie gerettet! »Ah, was haben wir ausgestanden!« stöhnten sie, und: »Es gibt eine Vorsehung.« Das war nicht einmal eine Blasphemie, sondern nur Dummheit und bodenlose Beschränktheit, die Mehlen erst jetzt in ihrem ganzen Ausmaß erkannte. Er gab Anweisung, nicht mehr verbunden zu werden. Nur für Angèle de Viborne war er zu sprechen.

Einen Augenblick lang beneidete er Madame Paris, für die alles zu Ende ging, vielleicht schon zu Ende war. Zum erstenmal in seinem Leben blieb er untätig sitzen. Unter andern Umständen hätte er hundert Dinge versucht. Wozu aber jetzt, da er den Ablauf der Ereignisse nicht mehr drosseln und nichts mehr ändern konnte?

Er ging sehr spät zu Tisch und aß nur ein paar Bissen. Dann zog er sich in sein Büro zurück, wo weitere Depeschen eintrafen, die sich auf seinem Tisch häuften. Mit offenen Augen, die Hände im Schoß, wartete er. Er hätte so gerne Angèles Stimme gehört, er war versucht, sie anzurufen. Aber was hätte er ihr, die am Sterbebett ihrer Mutter wachte, zu sagen gehabt? Nichts, überhaupt nichts. Worte zählten nicht mehr, nur Taten.

Eine Viertelstunde später erkundigte er sich, ob Maurice im Haus war. Ja, er war unten. So bestellte er den Bentley. Kurz darauf stieg er ein, den Brief Gardas', die Zahlungsbestätigung und alle anderen Dokumente in der Aktentasche verwahrt. Der Chauffeur brannte darauf, von dem aufregenden Tag zu reden. Da sein Chef aber schwieg, wagte er nichts zu äußern, er wußte, daß Mehlen nicht liebte, angesprochen zu werden.

Hundert Meter vor dem verabredeten Ziel ließ er halten.

»Warten Sie hier.«

Gleich hinter ihm war ein Taxi stehengeblieben, und als Mehlen zu Fuß weiterging, folgte es ihm in einigem Abstand. Maurice bemerkte es wohl, maß ihm aber keine Bedeutung bei. Er fieberte nach den Abendblättern und eilte zu dem Kiosk bei der Metrostation. Da sah er das Taxi an der Ecke einer Straße stehen, fast an der Ecke der Avenue Trudaine. Es fiel ihm auf, denn ein Taxi war etwas Rares während des Streiks.

Die Sechs-Uhr-Blätter brachten nichts Neues. In riesigen Lettern berichteten sie von den morgendlichen Ausschreitungen – jetzt herrschte Ruhe dank des energischen Eingreifens der Regierung. Die Worte »Standrecht« und »Belagerungszustand« standen fettgedruckt in der Mitte, darunter der Text eines Dekretes. Weiter unten in den beiden Spalten rechts die Einzelheiten über den Attentäter, dessen Schicksal gewiß war. Chataignier spielte die Rolle des Stars in diesen Berichten, die Presse pries ihn enthusiastisch. Was den Streik betraf, so ging er zwar weiter, aber die Gewerkschaften veröffentlichten einen Aufruf, in dem sie die Vorfälle in den Morgenstunden verurteilten und die Arbeiter zur »Ruhe und Ordnung« mahnten, sie aufforderten zu »kuschen«, wie Maurice dachte. Er selbst zwar zufrieden bei Mehlen, der Posten war gut, zuweilen gab es zwar etwas riskante Aufträge, wie heute früh, aber der Chef war ein ganzer Kerl, der zog sich ge-

790

wiß aus der Affäre. Maurice brauchte ihn nur wie vorhin durch den Rückspiegel gesehen zu haben, wie er unbewegt und stumm dortsaß, um zu wissen, daß er ihm bis zum letzten vertrauen durfte.

Es gab ein einziges Kaffeehaus an der bewußten Ecke. Eine dicke Frau spülte am Ausschank Gläser und Tassen neben einer friedlich summenden Espressomaschine. Der Saal war ein schmaler, langer Schlauch, der in einen Nebenraum mit zwei Tischen und einer Polsterbank mit ausgetretenem Roßhaar mündete. Mehlen ging gerade hinein; Gandret wartete bereits, und nicht allein.

An seiner Seite saß mit aufgestützten Ellbogen ein Mann von ungefähr vierzig Jahren in einem korrekten dunklen Anzug. Sein Hut lag neben ihm auf der Bank, und die in falsches Schildpatt gefaßten Brillen mit den dicken Gläsern verliehen ihm das Aussehen eines Lehrers oder eines Rechnungsbeamten.

Bei Mehlens Eintritt standen sie auf, Bernard zog einen Stuhl heran, und alle drei nahmen Platz.

»Was wollen Sie bestellen?«

»Nichts, danke«, sagte Mehlen, »ich nehme nie etwas zwischen den Mahlzeiten.«

Der Unbekannte und Bernard hatten ein Glas Wermut vor sich stehen. Endlich begann Bernard:

»Ich habe diesem Herrn hier mitgeteilt, was Sie beabsichtigen. Er ist an den bewußten Beweisen interessiert.«

»Ich habe die Unterlagen bei mir«, entgegnete Mehlen.

»Wenn ich richtig verstanden habe, bestehen diese Dokumente aus...«

»Einem Brief von der Hand Gardas'«, ergänzte Mehlen, »der bezeugt, daß der Ministerpräsident nicht immer der Mann mit dem Glorienschein war, für den man ihn hielt. Ein Brief – samt einer Zahlungsbestätigung.«

»Aus der Zeit – nach dem Krieg?«

»Natürlich nicht! Von vorher. Aber es ist ein – persönlicher Brief.«

»Gardas ist tot«, sagte der Fremde.

»Allerdings. Aber es kann trotzdem nützlich sein...«

»Ist das alles?«

»Nein, ich habe noch Besseres.«

»Darf man es sehen?«

Mehlen griff in seine Tasche und holte die geheimen Dokumente heraus.

»Hier haben Sie den Beweis in den Händen, daß nicht nur die Vorgänger Gardas' durch die bewußte Affäre, die schließlich zu ihrem Sturz führte, kompromittiert sind, sondern daß auch führende Politiker der Rechten an dem damaligen Geschäft – oder, sagen wir milder, an den Unbesonnenheiten – beteiligt waren. Als die Dokumente einen bestimmten Kreis bekanntwurden, stellte man nur jene Männer an den Pranger, die man vernichten wollte und sparte die andern aus. Sie erinnern sich doch bestimmt, daß die linken Parteien im Parlament versuchten, auch ihre Gegner der Teilnahme zu bezichtigen, aber der Beweis gelang ihnen nicht. Ich aber besitze den Beweis: hier ist er.«

»Wirklich sehr interessant, diese Unterlagen... und jetzt, nach dem Tod von Gardas...«

»Die Tragweite solcher Enthüllungen springt ins Auge.«

»Sie wären somit bereit, uns diese Papiere zur Verfügung zu stellen?«

»Sie gehören Ihnen, ich habe es heute Herrn Gandret zugesagt.«

Der Mann fragte nicht nach Einzelheiten. Bernard schien ihn informiert zu haben.

»Die Urkunden sind authentisch?«

»Authentisch wie die Dokumente, die Gardas zur Macht verholfen haben.«

»Darf ich sie sehen?«

Mehlen überreichte sie ihm; der Unbekannte nahm die Brille ab, hielt die Papiere wegen seiner Kurzsichtigkeit vor die Nase und studierte sie eingehend.

»Ja«, bestätigte er schließlich, »unwiderlegbar.«

»Um so mehr, als sie beweisen, daß noch Leute in die Geschichte verwickelt sind, die man damals nicht zur Rechenschaft gezogen hatte.«

»Und warum nicht?«

»Es war eben so«, sagte Mehlen achselzuckend.

»Ach, wenn wir diese Beweise besessen hätten, dann wäre alles anders geworden«, seufzte der Fremde. Ein Schatten lief über sein Gesicht, er gedachte sichtlich der Gefallenen von heute morgen, der siebenundzwanzig von Puteaux, die sich um drei von Saint-Dénis vermehrt hatten.

»Geschehenes kann man nicht mehr ändern«, sagte Mehlen kurz.

Von draußen hörte man die laute Stimme der Wirtin, die einen Kunden bediente und dann das Radio aufdrehte; die näselnde Stimme des Ansagers und die Unterhaltungsmusik klangen bis zu den drei Männern her.

»Dürfen wir diese Dokumente nach unserm Gutdünken verwerten?« fragte der Fremde etwas lauter, um die Musik zu übertönen. »Sie veröffentlichen?«

»Sie können damit anfangen, was Sie wollen, deshalb übergebe ich sie Ihnen. Ich will, daß die Wahrheit bekannt wird.«

»Aber Sie stehen in den Reihen unserer Gegner.«

»Stellen Sie mir keine Fragen. Nehmen Sie diese Papiere, sie gehören Ihnen, und sehen Sie zu, daß die Öffentlichkeit Kenntnis davon erhält.«

»Gemacht. In unserer Zeitung, auf der ersten Seite, morgen früh. Wissen Sie, was das bedeutet?«

»Ganz genau. Und Sie wissen auch, was ich dafür verlange?«

»Daß wir Viborne retten. Das sind wir ihm auch schuldig. Und dann, wir müssen an die Zukunft denken.«

Die farblose Stimme des Ansagers fiel in die Stille.

»Die Sieben-Uhr-Nachrichten«, bemerkte Bernard. Der Sprecher las die Abendmeldungen vor. Mit ernster Stimme schilderte er, im Sinn der Regierung gefärbt, die Ereignisse des Tages, ein triumphierender Untertan war nicht zu verkennen. Man zog eine Bilanz aus den Geschehnissen. Man hob hervor, wie energisch den Aufrührern entgegengetreten wurde. Die anständigen Bürger konnten in Frieden schlafen, alles hatte seine Ordnung; die Regierung saß fest im Sattel; ja, es waren Verhaftungen erfolgt, und in wenigen Tagen war der Alptraum vergessen. Der Mörder Gardas' hatte mit einem strengen Urteil zu rechnen, das, der Sachlage entsprechend, in wenigen Stunden gefällt werden mußte; das Sondergericht tagte bereits seit Nachmittag.

»Sie müssen rasch handeln«, erklärte Mehlen.

»Morgen früh ist es soweit«, antwortete der Fremde.

Er stand auf, steckte die Dokumente des kleinen grauen Mannes in seine Tasche und nahm den Hut:

»Es ist besser, wenn wir nicht gemeinsam hinausgehen«, sagte er.

Das bedeutete, daß es nichts mehr zu verhandeln gab. Mehlen verließ das Lokal allein und als erster.

XVII

Nun war das Schicksal entschieden. Kein Zurück. Die Karte Gardas war gezinkt gewesen, und morgen erfuhr die Welt von dem Betrug.

Er sah das Taxi von vorhin langsam abfahren, einen Bogen um den Platz ziehen und auf der andern Seite beim Boulevard verschwinden; er dachte sich nichts dabei.

Maurice brachte ihn auf kürzestem Weg nach Hause. Dort saß er allein in seinem Büro, die Hände im Schoß, und wartete auf das

Abendessen. Nur die Schreibtischlampe erhellte den Raum. Es blieb ihm nichts mehr zu tun.

Enguerrand... Enguerrand... Er suchte sich die Züge des Jungen zu vergegenwärtigen: ein großer, schöner Bursche mit breiten Schultern und den Augen seines Vaters.

Er begriff, daß Angèle bei dem Gedanken verzweifelte, soviel Jugend und Kraft könne sinnlos und grausam vor dem Peloton enden. Zum erstenmal in seinem Leben dachte Mehlen an einen andern Menschen, und auch das verdankte er Angèle. Diesen Jungen hätte er lieben können – das stellte er mit Bedauern fest. Immerhin, was er da getan hatte, war nicht so übel, dachte er bei sich. Und gleich darauf: aber dafür hatte er eine Sache und einen andern Menschen verraten müssen.

Nicht mehr denken. Den Weg fortsetzen, gerade, bis zum Ende, und dieses Ende war nicht mehr fern.

Um neun Uhr läutete das Telefon. Es war Angèles Stimme, eine unsichere Stimme, die sich festigte, als er ihr erwiderte.

»Ich habe so gehofft, daß Sie mich anrufen. Bei Mama hat sich nichts geändert. Sie haben recht, ich bleibe heute nacht bei ihr. Ich darf sie jetzt nicht verlassen.«

Er spürte, daß sie Enguerrand nicht zu erwähnen wagte, und er kam ihr entgegen:

»Ich habe noch keine Nachrichten. Coudray hat mich nicht angerufen. Man kennt das Urteil noch nicht.«

»O doch«, sagte Angèle. »Es ist gesprochen. Der englische Rundfunk hat es in einem Satz gebracht, wie mir Angélique gesagt hat. Es lautet auf Tod, mein Freund.«

»Ach,« fuhr er in einer jähen Wut auf, »und was ändert das schon? Er wird trotzdem gerettet.«

»Sie werden ihn schon morgen früh hinrichten.«

»Nein, Coudray hat mir versprochen...« Das war nicht wahr, und gleichzeitig stürzten Zweifel auf ihn ein. Warum hatte er den Brief Gardas' jenen Leuten ausgefolgt, statt Coudray oder Chataignier, um ihn gegen das Leben Enguerrands einzutauschen? Nein, das wäre sinnlos gewesen. Weder Coudray noch Chataignier hätten sich bereit erklärt, das Andenken des Mannes zu besudeln, den man eben zum Volkshelden gestempelt hatte. Es hätte eine Untersuchungskommission eingesetzt, eine Parlamentsentscheidung hätte getroffen werden müssen; und für all das fehlte Mehlen die Zeit. Er mußte den kürzesten Weg wählen.

»Ist das sicher? Ganz bestimmt...? Ich brauche also den morgigen Tag nicht zu fürchten?«

»Das schwöre ich Ihnen.«

Er hörte förmlich ihr erleichtertes Aufatmen. Sie war so verzweifelt seit der Radiomeldung.

»Rufen Sie morgen an. Dann werden Sie wissen, was ich unternommen habe. Sie müßten sich ein wenig niederlegen, auch wenn Sie bei Ihrer Mutter bleiben, Sie haben die letzte Nacht kein Auge geschlossen.«

»Und Sie glauben, daß ich heute schlafen könnte?«

»Angèle – Sie haben doch mein Wort.«

Sie wechselten noch ein paar Sätze über Angélique und über Lambert, der bis zu diesem Gespräch bei ihr gesessen war und den sie fest an sich gepreßt hielt, als könnte sie seine Wärme in sich eindringen lassen. Er fühlte, daß ihre Angst schwand und daß sie ihm vertraute, während sich für ihn neue Fragen ergaben. Er mußte Coudray sprechen, und sofort.

Coudray war noch in der Präfektur. Er hatte nur ein Sandwich zu Abend gegessen. Mehlen wußte also schon von dem Todesurteil? Ja, das war zu erwarten. Aber... was wünschte Mehlen noch? Nun, Einzelheiten konnte er ihm unmöglich am Telefon erzählen, da müßte er schon in Mehlens Wohnung kommen. Wenn es Mehlen paßte... Oh, gerne..

»Dann suche ich Sie auf, sobald ich hier fertig bin. Noch ein paar Akten sind zu unterschreiben. Heute abend kann ich endlich schlafen, alles ist ruhig, die Ordnung wiederhergestellt. Ja, die ›Ordnung Coudrays‹!«

Mehlen legte ab, als es klopfte. Es mußte die Wirtschafterin mit neuen Telegrammen sein. Nein, es war Landier.

Mehlen hob den Kopf und schaute ihn an, er hatte ihn völlig vergessen.

»Kann ich ein paar Worte mit Ihnen sprechen, Monsieur Mehlen?«

»Ach, Landier, eigentlich möchte ich lieber...«

»Davon bin ich überzeugt«, antwortete Landier in einem neuen Ton, den Mehlen nicht an ihm kannte, in einem präpotenten, fast höhnischen, auf jeden Fall aber energischen Ton.

»Wir besprechen Ihre Angelegenheit morgen, mit klarem Kopf.«

»Nein. Das wird jetzt geschehen, es ist günstiger. Günstiger für mich und günstiger für Sie. Ich glaube, daß ich Ihnen niemals ein schlechter Ratgeber war, Monsieur Mehlen? Jetzt rate ich Ihnen, mir einige Minuten Gehör zu schenken. Sie erlauben?«

Er zog einen Fauteuil heran, setzte sich ihm gegenüber, um zu zeigen, daß er kein Angestellter mehr war, der stehend Befehle entgegennahm, daß es sich um einen Dialog zwischen Gleichen handelte.

795

»Monsieur Mehlen, Sie haben heute nach Tisch angedeutet, daß Sie meine Dienste nicht mehr brauchen. Ich habe den Grund nicht ganz verstanden. Vielleicht sind Sie der Ansicht, daß ich Ihnen in Puteaux nicht die Hilfe geleistet habe, die Sie verlangen konnten.«

»Nein, nein, Landier. Das ist ein Irrtum. Sie haben eben die Hosen voll gehabt. Mir wäre es wahrscheinlich ebenso ergangen. Das ist es nicht ... nur, ich brauche Sie wirklich nicht mehr.«

»Glauben Sie?«

»Gewiß. Ich gebe Sie frei. Sie erhalten natürlich eine angemessene Abfindung. Sie haben mir gedient, sehr gut sogar. Sie haben sich auch selbst bedient, und ich habe Sie nicht daran gehindert. Jetzt sitzen Sie an der Quelle, Sie haben die besten Verbindungen, das hat sich zwangsläufig aus Ihrer Stellung ergeben. Ich finde nichts daran.«

»Ich ebensowenig.«

»Aber nicht wahr, jede Stelle hat ihre Risiken. Ich weiß, daß Sie gestern und noch heute sehr besorgt wegen Ihrer Engagements waren. Die Schießerei von Puteaux wird Ihren Seelenfrieden wiederhergestellt haben.«

»Gewiß ... augenblicklich.«

»Und diese Toten, in ihrem Blut auf der Erde, das ist Ihnen nicht nahegegangen?«

»Und Ihnen? Sie wußten genau, daß es auf Biegen und Brechen ging: sie oder wir.«

»Mich hat es abgestoßen.«

»Das hätten Sie vorher bedenken müssen. Und außerdem, die Burschen wußten genau, was gespielt wurde und was sie riskierten. Vielleicht nicht alle, aber zumindest der Mann, dem Sie am Vorabend das Geld übergeben haben.«

»Ich fürchte sehr, daß er die Restsumme niemals mehr bekommen wird.«

»Glauben Sie das nicht. Er ist nicht tot, nur verwundet. Man hat ihn ins Spital eingeliefert, dort kann er sprechen ...«

»Das wird er nicht tun. Er weiß nicht einmal, wer ich bin.«

»Wenn man es ihm aber verrät ... Nämlich: Ich will nicht krepieren«, sagte Landier.

»Aber in Puteaux konnten Sie doch feststellen ...«

»Das war heute früh.«

»Haben Sie die Zeitungen gelesen? Kennen Sie die Reaktion der Regierung? Chataignier zeigt die Faust.«

»Er konnte nicht anders.«

»Also sind Sie beruhigt?«

»Ich habe Sie heute nachmittag auf der Place Anvers gesehen.«

»Ah, nachspioniert?«

»Ich bin Ihnen gefolgt . . . einfach gefolgt. Ich war in einem Taxi. Die Sache ist mir verdächtig vorgekommen, es war mir klar, daß Sie irgend etwas Neues ausbrüten. Vor allem: Sie haben mich ausgeschaltet.«

»Ich darf also nicht in Paris herumfahren, wie es mir paßt?«

»Aber natürlich! Und in jedes Bistro spazieren, das Ihnen gefällt! Sie haben auch das Recht, dort notorische, steckbrieflich gesuchte Parteimitglieder der Linken zu treffen!«

»Sie wissen, mit wem ich beisammen war?«

»Mit Bernard Gandret, dem Freund des Sohnes von Madame de Viborne, dem Studenten, in dessen Wohnung man den Mörder verhaftet hat.«

»Das stimmt. Und der andere?«

»Er heißt Jacob . . . oder vielmehr Jacquot. Jacob, vulgo Jacquot. Sie haben den Namen sicher oft in den Zeitungen gelesen!«

Jacquot! Das war Jacquot! Gleichgültig. Ob er oder ein anderer, das änderte nichts mehr.

Immerhin, wenn es Jacquot, der Chefredakteur des Parteiblattes, Abgeordneter des Departements Seine war, dann bewies es die Bedeutung, die der Gegner der Sache beimaß.

»Jacquot ist also zum Spaß hingekommen?« fragte Landier.

»Wir haben über Enguerrand gesprochen. Sie kennen doch das Urteil, das der Sondergerichtshof gefällt hat?«

»Das weiß jetzt jedermann aus dem Radio. Ja, Sie haben wirklich von Enguerrand de Viborne gesprochen. Aber was? Was haben Sie diesen Parteimännern verraten, was haben Sie ihnen angeboten, um das Leben Vibornes zu retten? Warum haben Sie jene Leute eingeschaltet? Was erwarten Sie sich von ihnen? Wozu wollen Sie die Männer zwingen?«

»Ich kann sie zu nichts zwingen, das wissen Sie genau.«

»Warum war Jacquot überhaupt dort?«

»Wieso wissen Sie, daß es Jacquot war? Kennen Sie ihn denn?«

»Ich kannte ihn nicht. Ich bin ihm in meinem Taxi nachgefahren, er ist direkt in die Redaktion gegangen. Und der erste Laufbursche im Haus hat mir gesagt, wer er ist.«

»Sie spielen also Detektiv?«

»Und Sie spielen Fouché.«

»Was wollen Sie eigentlich von mir, Landier?«

»Kurz und knapp: Ich fürchte, daß Sie Ihre Meinung geändert haben.«

»Meinung worüber? War ich nicht der Initiator von Puteaux? Ist das alles hier« – er zeigte auf die Telegramme – »nicht ein Zeichen dafür, daß wir Gegendampf gegeben haben?«

»Trotzdem habe ich eines nicht verstanden: daß Sie heute früh wieder hingefahren sind. Ich hatte den Eindruck, daß Sie ... daß Sie ... es mit der Angst zu tun bekommen haben, daß Sie bremsen, rückziehen wollten ...«

»Sie haben selbst gesehen, daß alles wie vereinbart abgelaufen ist.«

»O pardon! Da war es eben schon zu spät, und Sie konnten nicht mehr anders. Ich kann Ihnen nicht verhehlen, daß ich sehr erstaunt war, Sie mit den Arbeitern in die Gewehre laufen zu sehen. Sie haben sich in Lebensgefahr begeben, das ist sonst nicht Ihre Art ... da stimmt was nicht.«

»Landier, versuchen Sie nicht, allzu intelligent zu sein.«

»Das ist es gerade. Ich finde, daß ich es jetzt nicht genug bin ... ich begreife gewisse Vorgänge nicht.«

»Es hat immer Vorgänge gegeben, die Sie nicht begriffen haben.«

»Ja, aber heute geht es um meine Haut, und deshalb möchte ich wissen und begreifen.«

»Sie würden es vielleicht bedauern, es könnte Ihnen heute nacht den Schlaf rauben.«

»Vielleicht finde ich noch eine Möglichkeit, umzustellen, rückzuziehen.«

»Das bezweifle ich. Und auch ich kann es nicht mehr. Andernfalls hätte ich Sie gewarnt und Ihnen geholfen, zugleich mit mir den Kopf aus der Schlinge zu ziehen. Ich bringe die Menschen nicht zum Vergnügen um. Alle diese Leute hier« – er zeigte auf die Depeschen – »glauben, daß die Lage gerettet ist und der Tod Gardas' an der allgemeinen Politik nichts ändert. Sie alle irren sich, Landier. Puteaux war umsonst, und ich bedaure es, nein, Sie können sich gar nicht vorstellen, wie sehr ich es bedaure, wie es mich bedrückt. Das Parteiblatt wird morgen die ergänzenden Dokumente veröffentlichen, die Gardas zur Macht verholfen haben. Ebenso einen Brief Gardas', an meine Person gerichtet, aus einer Zeit, da er sich noch nicht klar über den Weg war, den er einschlagen sollte, und der beweist, daß er für eine sehr üble Sache Geld genommen hat. Ach, es ist lange her, aber trotzdem wirft es ein sonderbares Licht auf einen Menschen, einen Charakter, den alle Welt für makellos hielt.«

»Das haben Sie getan?«

»Ja, wirklich. Ich hatte diese Papiere in meinem Besitz; das habe ich Ihnen nicht verraten, aber Sie ahnten es – daher Ihre Angst und Ihre Spitzelei. Ich habe sie Jacquot ausgeliefert, sie werden in der Morgenausgabe erscheinen. Morgen wird sie ganz Paris, ganz Frankreich kennen. Wir können nichts mehr dagegen tun, Landier, es ist zu spät.«

Landier sprang auf, bleich vor Zorn:

»Das habe ich geahnt, das habe ich gewußt!« schrie er. »Diese Gemeinheit ... Aber warum, warum?«

»Warum ich es getan habe?«

»Sie erwürgen mich, aber Sie ruinieren gleichzeitig sich selbst! Wenn Sie nicht gebluff, wenn Sie uns nicht alle von allem Anfang an betrogen und getäuscht haben.«

»Wie hätte ich das tun sollen? Sie selbst haben meine Orders auf die Börse gebracht, Sie kennen meine Verpflichtungen und Kontrakte ...«

»Warum, warum dann?«

»Enguerrand ...«

Sie schwiegen. Landier versuchte klarzusehen, die Motive zu durchschauen, die Mehlen in dieses tödliche Abenteuer, ja in diesen Selbstmord getrieben hatten. Enguerrand? Was bedeutete das schon? Wollte Mehlen behaupten, daß er es für den Sohn der Madame de Viborne gemacht hatte? Das war doch Wahnsinn!

»Enguerrand de Viborne?«

»Chataignier muß abdanken, die Gegner nehmen seinen Platz ein. Enguerrand wird nicht hingerichtet.«

»Aber Sie?«

»Ach, ich ...«

»Und alle anderen, die Sie gleichzeitig opfern? Glauben Sie, daß wir uns das gefallen lassen? Rechnen Sie nicht damit! Sie haben ein bißchen zu früh gesprochen!«

»Nichts kann das Rad zurückdrehen. Kein Mensch wird zweifeln, woher die Information kommt, da der Brief Gardas' an mich gerichtet ist. Ich habe zuerst gezögert, ihn herauszugeben. Dann habe ich überlegt: Der Aufstieg einer neuen revolutionären Regierung ist nur gewährleistet, wenn ich zeige, worauf die frühere aufgebaut war.«

»Sie haben gesehen, daß alles verloren ist, und gedacht: Besser ich verschwinde und fange woanders wieder von vorne an! Sie wollen mit Null beginnen ... Sie haben Pfänder im Ausland ... Man wird Ihnen helfen ... Sie sind ein Teufel!«

»Ein armer Teufel«, sagte Mehlen tonlos.

Landier sprang auf, hieb mit der Faust auf den Schreibtisch, Speichel stand in seinen Mundwinkeln:

»Gut, wir fallen vielleicht, aber wir reißen Sie mit, Sie stürzen in den tiefsten Abgrund ... Ich kenne die Wahrheit und schreie sie in die Welt hinaus. Ich renne zu Chataignier ... Er kann Gegenmaßnahmen ergreifen, seine Verteidigung vorbereiten... vielleicht die Veröffentlichung verhindern...«

»Die Presse ist bis auf Widerruf frei.«

»Man wird einen Vorwand finden... die Zensur...«

»Dann wird die Nachricht eben auswärts erscheinen. Sie können überzeugt sein, daß Jacquot seine Vorsichtsmaßnahmen getroffen hat...«

»Ich gehe zu Coudray, ich erzähle ihm...«

Es klopfte.

»Den Weg können Sie sich ersparen«, sagte Mehlen. Und zur Türe hin: »Bitte.« Coudray trat ein. »Schnell, Landier, die Gelegenheit ist da.«

XVIII

Mehlen hatte so kaltblütig gesprochen, daß Landier eine Sekunde glaubte, Coudray wüßte es bereits, oder sie steckten wegen eines gemeinsamen düsteren Geheimnisses, eines heimlich verscharrten Toten, unter einer Decke.

»Nehmen Sie Platz, mein lieber Präfekt«, sagte Mehlen mit seiner farblosen Stimme, »Sie müssen nach einem solchen Tag wie gerädert sein. Setzen Sie sich hier zum Kamin. Sie kennen doch Monsieur Landier, meinen Sekretär? Er freut sich sehr, Sie zu sehen, er wollte Ihnen gerade eine Geschichte erzählen, eine wahre Geschichte.«

»Was riskiere ich schon?« keuchte Landier.

»Oh, gar nichts. Nicht mehr als das, was Sie ohnehin schon wissen und was Ihnen keinesfalls erspart bleibt. Wenn es Sie erleichtert, wenn es Ihnen guttut, dann frisch drauflos, mein Freund!«

»Ich habe den Eindruck«, sagte Coudray zögernd, »daß ich etwas ungelegen...«

»Verzeihen Sie, mein lieber Präfekt, aber in unruhigen Zeiten geht es eben überall hoch her! Man muß auf alle Überraschungen, auf alle Exzesse gefaßt sein. Sie haben sich bestimmt einen gemütlichen Abend erhofft, den Sie nötig brauchen. Nun, ich fürchte, daß Sie heute noch darauf verzichten müssen.«

Landier, fahl, machte einen Schritt zu Mehlen hin. Mit heiserer Stimme, in der irrsinnigen Hoffnung, das Ende doch noch hinauszuschieben, flüsterte er ihm zu:

»Und wenn ich schweige...?«

Mehlen aber antwortete laut und vernehmlich:

»Wenn Sie schweigen, dann spreche eben ich.«

»Ah, dann...« Landier klammerte sich an die Lehne des Fauteuils, in den Coudray gesunken war. »Herr Präfekt... Herr Präfekt... Sie sind verraten!«

»Durch wen?« Coudray schaute ihn groß an.

»Durch mich«, erklärte Mehlen ruhig.

»Ich verstehe nicht...«

»Dann erklären Sie es ihm«, befahl der Finanzmann.

»Glauben Sie, daß ich mir das entgehen lasse?«

»Monsieur Mehlen hat dem Chefredakteur Jacquot gestern belastendes Material ausgefolgt, das in erster Linie beweist, daß Gardas nicht der integere Mann war... zumindest nicht seit jeher war... für den man ihn hielt. Dann aber auch, daß sein Vorgänger nicht als einziger in der schmutzigen Kambodscha-Affäre paktiert hat. Jacquot wird morgen früh die Namen veröffentlichen, die Namen der Männer, die gegenwärtig in der Regierung sitzen. Chataignier muß sofort abtreten...«

»Mehlen, das haben Sie nicht getan!«

»Ich habe es getan, mein lieber Präfekt.«

Coudray erhob sich:

»Unmöglich, Sie nicht. Überlegen Sie, Landier, die Stellung Monsieur Mehlens an der Börse und anderswo gestattet ihm nicht...«

»Doch, es stimmt genau«, sagte Mehlen, »ich habe Ihnen damals übrigens auch zu verstehen gegeben, Herr Präfekt...«

»Ja, Sie haben mir sehr verlockende Andeutungen gemacht. Aber ich spekuliere nicht. Im übrigen weiß ich durch meinen Nachrichtendienst, daß Sie selbst...«

»... bis zum Hals drinstecken, jawohl. Deshalb habe ich Gardas in den Sattel geholfen. Deshalb wollte ich, daß Chataignier sein Nachfolger wird. Nur ist etwas dazwischengekommen: Enguerrand de Viborne wurde verhaftet und zum Tode verurteilt.«

»Ach so!« Coudray fiel ihr morgendliches Gespräch ein. »Sie haben es also wirklich gemacht? Mehlen, Sie sind ein...«

»Betrüger. Wußten Sie das nicht?«

»Enguerrand de Viborne wird morgen bei Tagesanbruch füsiliert werden. Er hätte Berufung einlegen können, aber er hat es abgelehnt.«

»Das habe ich befürchtet. Deshalb wollte ich selbst mit Ihnen reden.«

»Chataignier bleibt fest, glauben Sie mir.«

»Aber, Coudray! Dann wäre Chataignier, den Sie umgehend von der veränderten Sachlage benachrichtigen werden, der Mann, der Enguerrand vor das Peloton geschleppt hat, den Mörder des Mannes, dessen Andenken morgen in den Kot gezerrt ist! Das kann Chataignier nicht tun! Das bedeutet die Unterzeichnung des eigenen Todesurteils. Darf ich zur genaueren Kenntnis hinzufügen, daß sein

Name ebenfalls in der Liste erscheint? Chataignier, der kompromittiert ist, kann Enguerrand nicht hinrichten lassen.«

»Und wenn er sich darüber hinwegsetzt?«

»Dazu ist er zu feig', Sie kennen ihn doch. Sein Fall ist ohnehin schon ernst genug. In der öffentlichen Meinung von morgen hat Enguerrand nur einen Akt der Säuberung vorgenommen; er steht als junger Hitzkopf da, der in heiligem Zorn über die Erpressungen, Betrügereien und die Protektionswirtschaft zugeschlagen hat. Er wird als der Rächer aller anständigen Menschen gelten.«

»Und das haben Sie gewollt?« fragte Landier.

»Genau das, Landier, und nichts anderes. Ich werde es sehr teuer bezahlen und Sie auch, aber es mußte so sein.

»Wegen Madame de Viborne?«

»Ja.«

»Mehlen«, sagte Coudray nach einer Pause, »ich möchte Ihnen eine Frage stellen.«

»Ich verspreche, sie zu beantworten.«

»Als erstes: Wie haben Sie das Ganze bewerkstelligt?«

»Landier hat es Ihnen gesagt. Ich habe Jacquot heute den Stoff für die Titelseite seiner Zeitung geliefert.«

»Sie wußten, was Sie damit taten?«

»Sonst hätte ich es nicht getan.«

»Landier hat das Wort Verrat gebraucht – halten Sie es – für berechtigt?«

»Jawohl – von Ihrem Standpunkt aus. Nur, in Wahrheit: ich habe nichts verraten. Ich habe nichts verraten, weil ich an nichts glaube. Ich stand auf der Seite Gardas', weil es damals meine Interessen erforderten. Ich habe seinen Aufstieg und seinen Sieg in allen Einzelheiten vorbereitet, und Sie, Coudray, haben mir dabei geholfen, Sie allerdings aus Überzeugung, denn Sie sind ein untadeliger Mann, zumindest ein Mann, der seinen Glauben und seine innere Überzeugung verteidigt. Ich allerdings glaube an nichts. Das ist nicht meine Schuld, sondern die Schuld meiner Herkunft, es ist mir angeboren. Ich bin ein Mensch ohne Glauben, ja sogar ohne Vaterland. Bis gestern war ich ein Mann ohne Liebe. Nichts in meinem Leben hätte ich für wert gehalten, meinem Erfolg und meinem Vermögen geopfert zu werden. Heute ist ein neues Element aufgetreten...«

»Diese Frau?«

»Wenn Sie wollen. Aber Sie müssen mich richtig verstehen eine Frau, ja, vor allem aber ein Mensch. Das erste menschliche Wesen, für das ich ein Gefühl aufbringe. Wir haben das Liebe genannt, ich glaube, es ist das richtige Wort, aber nicht in dem Sinn, den man ihm gibt, wenn man an Leidenschaft, an die körperliche Vereinigung denkt. Es ist die Liebe eines Menschen, und sie gibt mir zum erstenmal in meinem Leben Gelegenheit, alles dafür zu tun, zurückzutreten, mich selbst zu vergessen und mich aufzuopfern. Zum erstenmal hat mein Leben einen Sinn, einen Sinn für mich, den Schurken, der euch kaltblütig verrät, weil er ein Kind nicht sterben lassen kann, an dem diese Frau hängt, als wäre es ihr eigener Sohn, und weil sie ihn darum gebeten und er versprochen hat, es zu retten. Und weil der Verrat das einzige Mittel war, es durchzuführen, Coudray... es gab kein anderes.«

»Ich verstehe. Und ich denke, daß Ihnen die Folgen in ihrem ganzen Ausmaß bekannt sind?«

»Gewiß.«

»Wenn Sie morgen aufwachen – sofern Sie diese Nacht schlafen können –, dann sind Sie ein ruinierter, ein erledigter Mann. Nicht nur ruiniert, sondern entehrt und durch den Schmutz gezogen. Sie sind der Verräter, der Verräter aller seiner Freunde, der zum Feind übergelaufen ist; und selbst der Feind wird Sie verstoßen. Morgen früh gibt es keinen Mehlen mehr. Sie sind verloren, verdammt und zerschmettert. Und außerdem haben Sie damit auch die Frau verloren, für die Sie alles getan haben. Ist Ihnen denn das klar geworden?«

»Es war mir nicht nur klar, ich habe es sogar gewünscht. Das Spiel ist aus, und ich weiß, daß ich mit Ihnen beiden, trotz Ihres berechtigten Zorns, Ihres Abscheus, wie mit zwei wirklichen Männern reden kann, die mich gekannt und vielleicht zuweilen bewundert haben. Diese Frau hat mir gestern, am Tag der Ermordung Gardas', aber noch bevor wir es wußten, ihr Jawort gegeben. So habe ich das Ziel erreicht, daß ich anstrebte, seit ich sie kannte, und für das ich keine geringen Opfer gebracht habe. Sie kennen sie – sie ist eine echte Frau. Ich, ich bin kein echter Mann – nein, mißverstehen Sie mich nicht! Nein, ich will damit sagen, daß ich in der Liebe immer nur an mich selbst gedacht habe, nicht von mir selbst loskomme, und das jagt mir panische Angst ein; daß ich weiß, einer Frau wie ihr niemals das bieten zu können, was sie schon besessen hat, daß ich den Vergleich mit der Vergangenheit fürchte, und obwohl ich es so heiß begehrt habe, im letzten Moment vor meiner Armseligkeit zurückschrecke. Das ist unvernünftig und unsinnig, ich weiß. Damit ist es aber jetzt vorbei. In den Augen der Allgemeinheit bin ich bestimmt ehrlos, in ihren aber stehe ich makellos da. So hat das Opfer seinen Sinn gefunden, und außerdem habe ich das Leben dieses jungen Menschen gerettet. Glauben Sie nicht, daß die geringste naive Senti-

mentalität in diesen Erwägungen mitspielt. Ich habe nur den Schlußpunkt hinter ein Abenteuer gesetzt, das sehr schlecht hätte ausgehen
können. Gewiß, hätten sich die Ereignisse wie vorgesehen entwik-
kelt, dann wäre ich bis zum Letzten gegangen und hätte alles gewagt.
Vielleicht aber hat meine heutige Niederlage eine andere vermieden,
die doppelt tödlich für mich geworden wäre. So ist es nun einmal,
die Würfel sind gefallen.«
»Ist Ihnen die Tragweite Ihres Vorgehens wirklich klar?«
»Vollkommen.«
»Sie haben also nur an sich selbst gedacht, ohne Rücksicht darauf,
daß Sie eine Regierung stürzen, die Ihnen vertraut hat, daß Sie einen
Staat gefährden, der trotz allem Ihr Vaterland ist. Ich will gar nicht
davon sprechen, daß diese Handlungsweise völlig amoralisch ist, ich
kann nur nicht begreifen, daß Ihnen alles außer Ihrer eigenen Person
völlig gleichgültig war. Denn Sie haben wieder einmal ganz allein
nur an sich selbst gedacht. Ich will mich nicht zum Moralprediger
aufspielen, ich habe selbst zuweilen Regeln durchbrochen, ich habe
manchmal sogar Gesetze übertreten, soweit es mit dem Recht vereinbar war. Aber das nur aus triftigen Gründen, einer Idee zuliebe,
ohne die hochtrabenden Worte Chataigniers gebrauchen zu wollen.
Die einzige Idee, die Sie bewegt, heißt Mehlen.«
»Sie kennen mein Leben nicht, Coudray, Sie wissen nichts von meiner Kindheit, sonst würden Sie begreifen, daß mir keine Wahl blieb,
daß ich immer, als Kind, als Heranwachsender, als Mann, nur Mehlen sein konnte, der nur Mehlen im Sinn hat. Da ich nichts war,
schuf ich einen Mehlen, und deshalb war es meine Pflicht, vor allem
an Mehlen zu denken – kurz, ich denke nur an ihn. Und nun ist mir
zum erstenmal vergönnt, Mehlen zu vergessen – ach Gott, unter
welchen Umständen –, was für ein Pech, aber es ist eben so. Ihrer
Meinung nach bin ich ein Verräter. Meiner Meinung nach bin ich
zum erstenmal selbstlos und völlig uneigennützig, und das erklärt
sich nur aus dieser mir selbst unfaßbaren Liebe, die mir geschenkt
wurde. Wir führen kein Rührstück auf, aber die Situation könnte
tatsächlich Stoff für eines geben. In Wirklichkeit erklärt sich alles
ganz einfach. Es liegt nichts so Erschütterndes darin, daß ein normaler
Mann wie ich sein Vermögen, sein Ansehen, seine Ehre – denn man
gestand sie mir zu, weil ich Erfolg hatte – opfert, um einer Frau etwas
zu geben, was ihr weder Vermögen noch Ansehen hätten geben
können: ein Leben, ein Leben, das ihr teuer ist, und das wertvoller ist
als das unsere, das Leben Landiers und selbst als Ihres, Herr Präfekt.«
»Ich habe Ihre Beweggründe nicht zu beurteilen, ich werde ebenso-

wenig von Pflicht sprechen. Aber ich werde auf jeden Fall versuchen einzugreifen, zu verhindern...«

»Was wollen Sie tun? Jacquot zureden, daß er die Dokumente nicht veröffentlicht? Nehmen wir an, es gelingt Ihnen; selbst dann bedeutet es nur einen Aufschub. Die Papiere verschimmeln nicht in den Händen der Leute, die sie jetzt besitzen, glauben Sie mir! Und sollten Sie wirklich Zeit gewinnen, glauben Sie, daß Sie der Partei, den Idealen, der Regierung, die Sie schützen, einen Dienst damit erweisen? Glauben Sie, daß man Ihnen verzeihen wird, die Hinrichtung Enguerrands zugelassen und einen Märtyrer aus ihm gemacht zu haben, dessen Blut vor allem auf die Regierung, die Verantwortlichen, zurückfällt? Bitte, fragen Sie Chataignier. Sie werden sich über seine Antwort wundern!«

»Sie haben es schlau eingefädelt, Mehlen!«

»Nach meiner Art...!«

»Ich gehe wirklich zu Chataignier.«

»Das erwarte ich von Ihnen.«

»Er wird seine Entscheidung treffen.«

»Wir kennen sie beide.«

»Ja, er kann nur eines: den Aufschub der Exekution befehlen. Ach, Mehlen...«

»Sie dürfen mir nicht böse sein, Coudray, ich hatte keine Wahl.«

Sie blickten sich schweigend an. Da ertönte ein Aufschluchzen in ihrem Rücken: Landier war in einen Stuhl gefallen, den Kopf in den Händen vergraben.

Mehlen stand auf, ging auf ihn zu und legte ihm die Hand auf die Schulter:

»Aber, aber, Landier...«

»Ich bin ein ruinierter Mann, ich bin ruiniert...!«

Er sprang auf, spuckte vor ihm in den Kamin und verließ mit einer großen Geste das Zimmer.

»Mehlen, Sie wissen, was Ihnen noch zu tun bleibt?«

»Sie sprechen zu mir, Coudray, wie ich eines Tages zu einem meiner Kassierer gesprochen habe, der Geld aus der Kasse genommen hatte. Er hat sich in die Seine gestürzt.«

»Ich muß Sie darauf aufmerksam machen, daß auf jeden Fall, welche Regierung auch ans Ruder kommt, eine Untersuchung eingeleitet wird, die Ihr Vorgehen überprüft. Ich habe heute Fotos aus Puteaux bekommen, man erkennt Sie darauf. Auch Ihr Wagen war dort. Ich bin sicher, daß Landier bezeugen wird...«

»Verdanken wir dieses Puteaux nicht auch ein wenig Ihnen, Coudray?«

»Wir hatten Zeugen bei diesem Gespräch. Sie vergessen, daß ich mich weigerte, ohne offiziellen Befehl einzugreifen.«

»Keine Angst, Coudray. So weit gehen wir nicht. Ich werde schweigen. Und Sie wissen warum. Suchen Sie Chataignier auf?«

»Jetzt sofort.«

»Retten Sie den Jungen. Damit alles wenigstens einen Sinn gehabt hat.«

»Chataignier kann ihn nicht mehr erschießen lassen.«

»Glauben Sie?«

»Ich bin sicher. Also, auf Wiedersehen, Monsieur Mehlen.«

»Oh, Sie können mir ruhig adieu sagen, Coudray.«

XIX

Madame Paris verschied am frühen Morgen. Ihre Tochter war bei ihr, aber sie war eingeschlafen. Erst als sie erwachte, bemerkte sie, daß die Unbeweglichkeit der alten Dame nicht mehr die gleiche, daß sie jetzt die Starre des Todes war. Sie rief Angélique, und mit unendlicher Zartheit ließen sie beide diesem gequälten Körper die letzte Pflege angedeihen.

Etwas sehr Kostbares, ja etwas sehr Großes war dahingegangen. Sie weinten nicht und waren doch tief erschüttert, als wenn der Tod unerwartet gekommen wäre. Nicht ihre Nerven, ihre Herzen waren verletzt, und der Kummer drang, schwer und unaufhaltsam, in sie ein, um für ewig in ihnen lasten zu bleiben.

Es war die Morgenstunde, in der das Leben in der Stadt erwacht, die Stunde, in der die jungen Männer in den Zug nach Marseille steigen, und unter ihnen Hubert Doissel, den kein Gardas mehr beschützte und der nach Algier hinunterfuhr, um sich als Mann zu bewähren. Und die gleiche Stunde, in der Enguerrand die Augen aufschlug und sich wunderte, daß er hatte schlafen können und der noch nicht wußte, daß man ihn heute nicht zum Henker führen würde, heute nicht und niemals. Und die gleiche Stunde, in der Mehlen die Zeitung Jacquots zur Hand nahm und in Riesenlettern auf der Titelseite einen sensationellen Bericht las, den er nicht erst zu lesen brauchte, und der ihn, samt den andern, deren Namen nicht genannt waren, in einen von ihm selbst herausgeforderten Skandal stürzte.

Gegen neun Uhr rief Angèle de Viborne in der Rue de la Faisanderie an. Mehlen melde sich nicht, teilte ihr die Zentrale mit. War er ausgegangen? Nein, bestimmt schlief er noch. Sie bat, ihn nicht zu stören. Dabei starb sie fast vor Angst. Die Morgenzeitung, die ihr die

Hausbesorgerin brachte, teilte mit, daß Enguerrand zum Tode verurteilt war. Sie überflog das Blatt, suchte nach einem Hinweis, nach dem Zeitpunkt der Exekution, aber sie fand nichts. Nichts? Und wenn man ihn schon im Morgengrauen zu den Gräben von Vincennes oder zum Mont Valérien gebracht hatte...? Mehlen hatte sie noch nicht angerufen.

Sie ging ins Zimmer ihrer Mutter zurück, Lambert weinte am Fuß des Bettes, und sie schaute ihn an. Er war so schnell gewachsen, er reichte ihr schon an die Schulter. Auch er hatte Schweres durchgemacht, aber die Hunde hatten ihn bei dieser ersten Jagd noch verschont. Bald löste er sich ganz von ihr, wie er ihr schon einmal entlaufen war, aber auf eine andere, endgültige Art. Ein Kind, das war wie ein Liebhaber; man hängt so sehr an ihm, weil man weiß, daß es eines Tages weggeht und man allein zurückbleibt. Jetzt war Lambert plötzlich ganz nah an Angélique, Enguerrand und Bernard hinaufgerückt, er war auf ihre Seite gewechselt. Einige Jahre noch, und er gehörte ihr nicht mehr, ob er nun in der gleichen Stadt oder am andern Ende der Welt lebte.

Ihr Blick fiel auf Angélique, die zu neuem Leben erblüht war. Lambert und Angélique – gerettet... Und vielleicht auch Enguerrand! Ja, ja – Mehlen hatte es versprochen!

Mehlen!

Da der Beamte von der Bestattung erst gegen Mittag kam, hatte sie Zeit. Sie konnten Mehlen aufsuchen, sie war rechtzeitig zurück, um die Einzelheiten des Begräbnisses zu besprechen. Es sollte eine ganz einfache Zeremonie sein, dann ließ sie die Tote nach La Gardenne überführen, in die Gruft des Schlosses, das Mehlen gerettet hatte, das dem Grundbuch nach schuldenfreie Eigentum Angèles geworden war und später ihren Kindern gehören würde. Sie nahm den schwarzen Mantel und den Hut. Sie brauchte keine neuen Trauerkleider anfertigen zu lassen. »Ich komme zurück«, sagte sie zu Angélique, und sie glaubte es wirklich.

Draußen war es frisch und kalt, am Himmel stand keine Sonne. Aber der Regen hatte endgültig aufgehört. Nun war der Winter da, der Winter, der seine Freuden hatte, wie der einsetzende Winter ihres Lebens, die Zeit der hohen Jagden, des Halali am Ufer des Teichs, der Curée im Fackelschein. Oh, wie sehr hatte sie das alles geliebt! Aber Patrice war tot, und Mehlen würde niemals Parforce reiten, da er sein Ziel erreicht und sie gewonnen hatte. Lambert würde es in einigen Jahren tun, Lambert, der seinem Vater so ähnlich war. Enguerrand dagegen würde es sicher nicht tun, nein! Er hatte verzichtet, hatte andere Wege eingeschlagen, andere Pisten gesucht – er wurde von anderen Hunden verfolgt, aber er entkam der Meute, Mehlen hatte es versprochen!

Sie fand kein Taxi und nahm die Metro. Die Linie führte direkt von Clichy zur Porte Dauphine. Sie mußte wegen des noch nicht abgeblasenen Streiks lange warten und stand eingekeilt unter den Leuten, die stehend ihre Zeitungen lasen.

Erst als sie aussteigen wollte und sich zur Waggontür durchzwängte, erblickte sie einen Titel über einer Schulter. Er stand in dicken Lettern auf einer Zeitung, die sie niemals las. Nur zwei Worte sprangen ihr in die Augen: SKANDAL und der Name MEHLEN.

Was? Was war geschehen? Ihr Herz schlug zum Zerspringen, und sie lief dem Ausgang zu. Dort gab es einen Kiosk, in dem das Blatt angeboten wurde. Fieberhaft suchte sie das Kleingeld in ihrer Tasche zusammen.

Sie las es stehend an der Ecke der Rue de la Faisanderie. Sie las und begriff nicht. Nur eines: Mehlen war kompromittiert und man schonte ihn nicht, man rächte sich für den Erfolg, den man so lange bekämpft hatte. Noch andere bekannte Persönlichkeiten waren belastet, darunter Chataignier. Das Blatt stellte Fragen an den Minister, eine vor allem: Wie wagte er weiterzuregieren, da jetzt die Wahrheit bekannt war? Darunter forderte ein Artikel energisch eine Umbildung der Regierung; der Staat mußte von sauberen Händen gelenkt werden, von den Händen der Arbeiter. Und Enguerrand? Sie brauchte nur zu lesen, weiterzulesen. Alles stand in dem Blatt. Man hatte ihn nicht füsiliert. Man würde ihn nicht füsilieren. Er war ein Held, der im Namen der ehrenwerten Menschen getötet hatte – die gleichen Worte, die Mehlen am vergangenen Abend Coudray gegenüber gebrauchte –, er wurde bestimmt begnadigt. So war Enguerrand gerettet.

Angèle schloß die Augen in grenzenlosem Glück. Erst in diesem Augenblick konnte sie ganz ermessen, wie sehr sie um ihn gebangt hatte, wie tief sie mit diesem Jungen verbunden war. Was Enguerrand auch getan und gedacht haben mochte, er war und blieb ihr Gewissen, er hatte sie geleitet und geführt, sie auf allen ihren Wegen begleitet – sie hätte seinen Verlust niemals ertragen. Und Mehlen hatte ihn gerettet! Aber wie?

Jetzt, da sie den Sohn Patrices in Sicherheit wußte, dachte sie nur noch an Mehlen. Sie verdankte ihm alles, den neuen Sinn ihres Lebens, der ihr an diesem Wendepunkt zuteil wurde. Nun war sie für immer – im Besten und im Schlimmsten – mit ihm verbunden. Nicht einmal für Patrice, ihre erste Liebe, hatte sie Ähnliches empfunden. Der Reiz eines Hubert hatte auf einer ganz andern Ebene gelegen.

Vorbei! Jetzt erlebte sie eine neue Liebe, eine neue Form der Liebe, in der das Körperliche nur gereinigt und geläutert bestand; gegründet auf Verständnis und Vertrauen, die sie beide, ungeachtet ihrer und seiner Vergangenheit, zu einem neuen, einzigen Wesen verschmolz.

Sie mußte Mehlen sehen, sie mußte wissen...

Sie sperrte das Haustor mit ihrem Schlüssel auf. Zögernd stand sie einen Augenblick im Vorraum. Sollte sie zuerst in ihre Wohnung hinaufgehen und ihn von dort anrufen? Jetzt war er bestimmt schon aufgestanden und in sein Büro gegangen. Sie war allein, die Dienstboten hielten sich im Untergeschoß auf. So durchschritt sie den Salon und klopfte an die Tür des Büros.

Nichts rührte sich. Sie überlegte, die Zeitung in der Hand. Dann klopfte sie nochmals, diesmal fester. Als ihre Hand zur Klinke glitt, bemerkte sie, daß nicht verschlossen war. Da trat sie ein.

Mehlen war da. Er saß in seinem Fauteuil, und trotz des Tageslichts brannte die Lampe. Das Feuer im Kamin war erloschen, nur ein kleines Häufchen kalter Asche lag auf dem Rost, aber der Geruch nach verkohltem Holz schwebte im Raum wie in den Sälen von La Gardenne.

Mehlen saß da, den Kopf ein wenig zurückgelehnt, den Mund leicht geöffnet, die Augen geschlossen – er schien zu schlafen.

Auf dem Tisch vor ihm lagen die Zeitungen; als oberste, aufgeschlagen, die gleiche, die Angèle mitgebracht hatte. Neben den Blättern, die noch nach Druckerschwärze rochen, standen eine Karaffe und ein Glas, und bei diesem Glas zwei Röhrchen mit Tabletten, genau die gleichen, die Angèle auf dem Nachttisch ihrer Mutter gesehen hatte. Hier aber war die Kapsel des einen aufgeschraubt – es war leer. Das andere aber war unberührt: Mehlen wußte, daß eine zu starke Dosis nicht schadet, daß aber der Genuß einer einzigen Packung unweigerlich zum Tode führt. Er hatte also sterben wollen? Nein... nein... er war tot.

Sie erkannte es mit einem Blick, ohne sich ihm genähert, ohne ihn berührt zu haben. Sie stand da, die Hände auf den Tisch, auf die Zeitungen, auf die offenen Depeschen gelegt. Die Zeitung hatte nicht gelogen. Und Mehlen, der Ruinierte, der Entehrte, hatte den Selbstmord der Schande vorgezogen. Ein Mann, der noch bis zum letzten Atemzug kämpfte. Gestern noch hatte sie nicht geahnt, wie sehr er gefährdet war. Gewiß, sie wußte von ihm selbst, was für ernste Folgen der Tod Gardas' für ihn habe. In der Nacht seiner Beichte schon hatte er ihr klargemacht, wie lebenswichtig Gardas und seine Regierung für ihn waren; eine Regierung, die nach dem Tod des Ministerpräsidenten unbedingt weiterbestehen mußte. Dann war Puteaux gekommen – von ihm gelenkt –, und sie gedachte der schrecklichen Qual des Wartens, des Auf und Ab dieses endlosen Tages: Enguerrand, den sie in Sicherheit glaubte, war verhaftet, es folgten das Schnellverfahren und der sichere Urteilsspruch. Und heute war Enguerrand gerettet. Mehlen hatte sich geopfert. Nun sah sie alles ganz klar.

Sie betrachtete ihn. Da ruhte er endlich aus, stumm und friedlich, wie Madame Paris in jenem andern Zimmer. Tot, und in diesen Tod, der einen andern Mehlen aus ihm machte, gegangen, ohne mit ihr zu sprechen, ohne Abschied und ohne Warnung. Er wollte sterben, weil er sich ihr verbunden wußte, weil er nicht wollte, daß sie davon erfuhr, weil er sie nicht mitziehen wollte. Wie sehr hat mich dieser Mann geliebt, dachte sie, und ein Schluchzen würgte ihre Kehle.

Er hatte sich von ihr getrennt, er wünschte den Bruch. Sie sollte niemals erfahren, daß er zwischen dem eigenen Leben und dem Leben Enguerrands zu wählen gehabt hatte, und ihretwegen rettete er den Jungen. Nein, sie hatte nicht ahnen können, welchen Preis er dafür zahlen mußte, als sie ihn darum bat! So hatte er aus Liebe zu ihr den Tod auf sich genommen. Vor ihr hatte er nur für sich allein gelebt und gehandelt, nun aber dachte er nicht mehr an sich. So hatte dieser Tod – trotz allem – seine Einsamkeit gesprengt.

Sie trat zu ihm. Er konnte noch nicht lange tot sein, denn sie spürte unter ihren Fingern die gräßliche Kälte nicht, die sie bei Patrice und bei ihrer Mutter gespürt hatte. Er lag zurückgelehnt und schien größer als sonst – nein, er war niemals ein kleiner Mann gewesen! Sie ließ die Hand auf der Stirn – die so gut und so böse denken konnte – liegen, und plötzlich wurde ihr klar, was sie nun alles verloren hatte. Ihre Mutter war verschieden. Hubert – seine Jugend und Wärme – war vergessen und ausgelöscht. Und Mehlen war gestorben ihretwegen gestorben.

Sie waren verbunden – so hatte sie ihm erst gestern gesagt. Es waren nicht bloß Worte gewesen, es war tiefe Wahrheit: mehr als ein Gelöbnis, mehr als ein geleisteter Eid. Eine Verpflichtung, wie auch er sich verpflichtet und durchgehalten hatte. Zu ihr war er stets ehrlich und anständig gewesen, mehr als jeder andere Mann auf der Welt. Keiner, nicht einmal Patrice, hatte ihr soviel gegeben: sein Leben. Sie gehörte zu ihm, an seine Seite.

Denn jetzt gab es zwei Seiten: die Lebenden und die Toten. Das Wild, das entfliehen konnte, ehe der Tag sank, und das andere, das beim Halali des Abends starb. Auf der Seite des Lebens standen Lambert, Angélique, Bernard, Hubert und Enguerrand. Auf der

Seite des Todes: Patrice de Viborne, Madame Paris, Gardas, Mehlen ... und jetzt auch sie.

Sie war nicht traurig, sie fühlte keinen Schmerz, nur grenzenlose Ergebenheit in ihr Schicksal. Das Spiel war verloren. Mehlen hatte sie retten wollen, es war ihm nicht gelungen. Mit seinem Verlust verlor sie gleichzeitig den Sinn eines neuen Lebens, das sich plötzlich verheißungsvoll vor ihr aufgetan hatte, wie auch er ein neues Leben beginnen wollte, das wegen seiner Liebe sein Ende fand. Es gab kein Ziel mehr. Keinen Zweck, keinen Grund. Und keinen Weg – hier war er versperrt.

So war es. Ganz einfach. Sie hatte getan, was sie tun mußte. Und jetzt, nachdem es vollbracht war, drang eine uferlose Müdigkeit in sie ein, nicht Verzweiflung, aber eine ruhige Sicherheit.

Sie zog ihre Hand von der Stirne Mehlens, ging zur Tür und verschloß sie von innen. Dann schritt sie langsam zu dem Schreibtisch zurück, schob einen der hohen Fauteuils heran und setzte sich ihm gegenüber. Einen Augenblick noch sah sie ihn an. Dann griff sie nach der Karaffe und füllte das Glas. Sie schraubte das Glasröhrchen auf, das Mehlen nicht benützt hatte, und ließ die weißen Pillen vorsichtig und behutsam in ihre Hand gleiten.

Inhalt